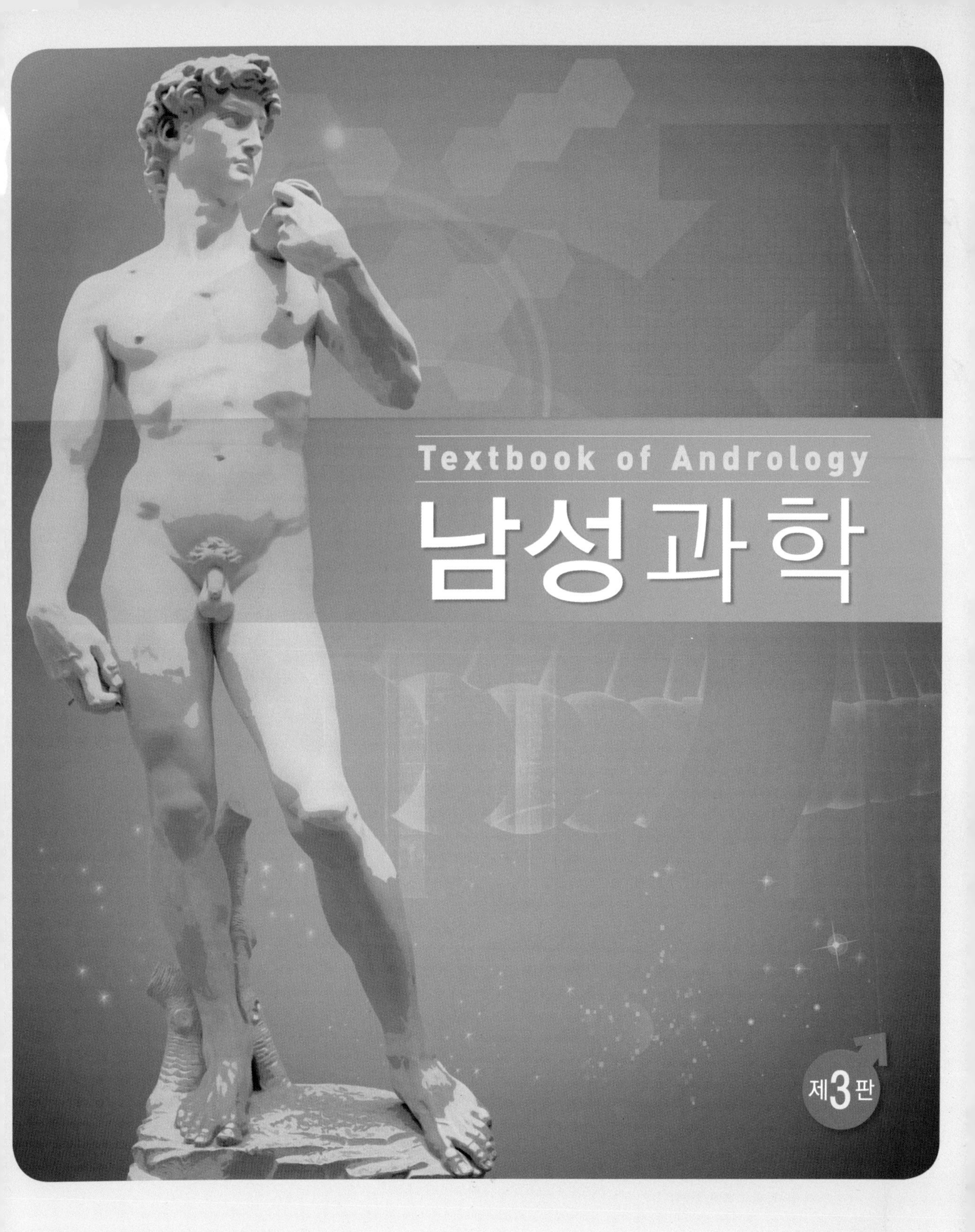
Textbook of Andrology
남성과학
제3판

KOREAN SOCIETY FOR SEXUAL MEDICINE AND ANDROLOGY SINCE 1982
대한남성과학회
Korean Society for Sexual Medicine and Andrology

군자출판사

남성과학

TEXTBOOK OF ANDROLOGY

첫째판 1쇄 발행 2003년 5월 15일
첫째판 2쇄 발행 2004년 3월 2일
둘째판 1쇄 발행 2010년 4월 4일
셋째판 1쇄 발행 2016년 3월 31일

지 은 이 대한남성과학회
발 행 인 김세웅, 장주연
출 판 기 획 이성재
편집디자인 군자출판사
표지디자인 김재욱
일 러 스 트 김경렬
발 행 처 군자출판사
등록 제 4-139호(1991. 6. 24)
본사 (10881) 경기도 파주시 회동길 338(서패동 474-1)
전화 (031) 943-1888 팩스 (031) 955-9545
홈페이지 | www.koonja.co.kr

ISBN 979-11-5955-027-0
정가 80,000원

집필진

편찬위원회

- 편찬위원장 **박현준**
- 편 찬 위 원 **김수웅, 류지간, 문기학, 문두건, 손환철, 양상국**
- 실 무 위 원 **감성철, 김수진, 김진욱, 김종욱, 박민구, 배웅진, 이승욱, 이원기, 조강수**

집 필 진

감성철	경상의대
계명찬	한양대
김기호	동국의대
김성대	제주의대
김세웅	가톨릭의대
김세철	서남의대
김수웅	서울의대
김제종	고려의대
김종욱	고려의대
김종현	미즈메디병원
김진욱	중앙의대
노 준	조선의대
류지간	인하의대
문경현	울산의대
문기학	영남의대
문두건	고려의대
민권식	인제의대
박광성	전남의대
박남철	부산의대
박민구	인제의대
박종관	전북의대
박해영	한양의대
박현준	부산의대
박흥재	성균관의대
백재승	서울의대
서주태	단국의대
서준규	인하의대
성현환	성균관의대
손환철	서울의대
송승훈	차의대
송윤섭	순천향의대
신홍석	대구가톨릭의대
안태영	울산의대
양대열	한림의대
양상국	건국의대
우승효	을지의대
윤병일	가톨릭관동의대
윤하나	이화의대
이규섭	부산의대
이동섭	가톨릭의대
이상곤	한림의대
이상열	원광의대 정신과
이성원	성균관의대
이성호	상명대
이승욱	한양의대
이원기	한림의대
이준호	경찰병원
이충현	경희의대
전용필	성신여대
정우식	이화의대
조강수	연세의대
조인래	인제의대
최 성	고신의대
최영민	서울의대 산부인과
최형기	성공의원
현재석	경상의대
홍준혁	울산의대

1판 발간사

1982년 대한남성과학회가 대한비뇨기과학회의 분과학회로서는 처음으로 창립되어 올해 20차 학술대회를 앞두고 있습니다. 초대회장이신 고 이희영교수께서 1987년 남성과학교과서를 출간하신 이래, 1995년에는 김세철교수께서 남성성기능장애의 진단과 치료에 대해 출간하셨고, 1997년 학회에서 남성성기능장애와 남성불임에 관한 진료지침서를 발간한 바가 있습니다.

다른 학문분야도 마찬가지겠지만 특히 남성과학분야에서는 지난 20여년 동안 엄청난 변화와 발전을 이루어왔고 학문적인 영역도 넓어지고 있습니다. 불임 분야에서는 보조생식술이, 남성성기능장애 분야에서는 음경발기의 기초연구분야 발전과 그로 인한 효과적인 경구용 약물이 등장하게 되었습니다. 남성과학을 연구하는 학자들이 남성성기능장애와 밀접한 관계가 있는 여성성기능장애에 관한 연구를 시작하게 되었고, 평균수명의 증가로 인한 본격적인 노령화사회를 맞이하여 남성갱년기 분야와 남성에만 있는 전립선질환에 대한 연구와 사회적인 관심도 증가하게 되었습니다. 이러한 시대적인 요구에 부응하여 새로운 교과서의 출간이 필요하게 되어 학회의 여러분들이 뜻을 같이하게 되었습니다.

이 책은 국내의 비뇨기과 전문의 및 전공의와 남성과학에 관심이 있는 일반의사를 위해 발간되었으며 각 전문분야별로 전국의 41 명의 의과대학교수진에 의해 집필되었습니다. 저술은 일반적으로 인정되고 있는 최신 경향을 다루었으며 부득이 논란의 소지가 있는 내용은 양쪽 의견을 객관적으로 동시에 기술하도록 하였습니다. 의학용어는 2001년도에 발간된 비뇨기과학 교과서 제 3판과 대한의사협회 발간 의학용어집에 따랐으나 적절한 번역용어가 없는 경우나 더 나은 우리말이 있는 경우에는 저자의 판단에 따라 임의로 사용하고 괄호 안에 원어를 표기하였습니다.

짧은 준비기간에도 불구하고 옥고를 집필해주신 여러 교수님들께 이 자리를 빌어 감사의 말씀을 드립니다. 특히 전남의대 박광성교수를 비롯한 성균관의대 서주태교수, 경상의대 현재석교수, 연세의대 이웅희교수, 고려의대 문두건교수, 울산의대 홍준혁교수의 편집위원들의 헌신적인 열성과 노력에 깊은 감사와 존경의 뜻을 표하는 바입니다. 사실 교과서 출간이라는 업적 외에 이번에 얻은 중요한 결실은 학회회원 개개인의 뛰어난 역량과 회원 상호간의 협동심과 화합을 다시 한번 확인할 수 있었다는 점입니다.

많은 사람들의 노력과 열성으로 만들어지기는 하였지만 아직도 미비한 점과 앞으로 보완이 되어야 할 점이 많을 것으로 사료됩니다. 이제 막 시작에 불과하니 앞으로 끊임 없이 발전하고 변화할 부분에 대해서는 후학의 몫으로 남기고 이번의 첫 교과서가 주춧돌로서의 역할을 할 수 있게 되기를 바랍니다.

2003년 새봄 서울 풍납동에서

대한남성과학회 회장 **안 태 영**

2판 발간사

대한남성과학은 남성학을 연구하고 치료하는 회원 및 연구자들에게 긴요하게 사용되고 있는 교과서입니다. 1987년 이희영교수가 남성과학이란 책을 만든 이후 오랜 숙면에 있다가 2005년 안태영 교수가 남성과학회장으로 재직할 때 필요성을 느껴 커다란 변화가 있는 교과서를 만들었습니다. 그 후 5년 이란 시간이 지남에 따라 새로운 지식과 정보가 추가되어야 할 필요성을 느껴 중요한 지식은 더 확충을 하고 중요치 않는 정보는 과감히 삭제해 알고자 하는 내용을 쉽게 찾아 지식화 할 수 있는 증보판 (남성과학 2판)을 출간하게 되었습니다.

2008년 4월에 남성과학 교과서에 변화가 필요함을 느낀 이래 꼭 2년 만에 햇빛을 보게 되었습니다. 기존의 지식에 조금이라도 더 새롭고 알찬 지식을 넣기 위해 편집위원들이 여러 차례 편집회의를 가졌습니다. 48명의 저자들이 참여를 해 남성 성기능 및 불임, 전립선질환, 여성성기능 및 그 질환, 보완대체요법 등을 69챕터로 구분해 현재와 짧은 미래를 넘나드는 기록으로 구성 하였습니다.

이 교과서를 만드는데 있어 문두건 편찬위원장 (편집이사)와 7인의 편찬위원 (김세웅, 김수웅, 류지간, 민권식, 박현준, 양상국, 현재석교수)가 여러 날을 걸쳐 몸과 마음을 다했습니다. 각고의 노력으로 독자들의 마음을 사로잡을 수 있는 알찬 내용과 현대적 모양을 준비해 주신 군자출판사와 김영선 과장에게 심심한 감사를 표하는 바입니다.

아무쪼록 이 책을 필요로 하는 많은 사람들에게 도움이 되기를 바라며 이 책이 모양을 갖춰 독자들에게 전달될 수 있도록 노력을 기울여 주신 모든 분들에게 다시 한번 머리 숙여 깊은 감사를 드립니다.

2010년 4월 4일

대한남성과학회 회장 박 종 관

남성과학 개정판의 출간에 즈음하여

대한남성과학회는 1982년 비뇨기과 분과학회로는 처음 설립된 이후로 눈부신 발전과 성장을 지속해오고 있습니다. 대한남성과학회의 교과서인 '남성과학' 은 2003년 대한남성과학회 회장이셨던 안태영 교수께서 남성과학분야의 엄청난 변화와 발전이 있어서 교과서 발간에 대한 필요성을 느껴 남성학을 전공으로 하는 여러 비뇨기과 교수님들과 함께 교과서 초판을 발간하여 비뇨기과 전문의 및 전공의와 남성과학에 관심이 있는 일반의사 및 의과대학 학생들에게도 많은 도움이 될 수 있게 하였습니다. 초판이 발간된지 7년이 지난 2010년 대한남성과학회 회장이셨던 박종관 교수께서 새로운 지식과 기술을 반영하여 남성 불임, 성기능 장애, 남성 갱년기, 전립선 질환 등 4부 69장의 2판 '남성과학' 을 출간하게 되었습니다.

어느덧 다시 5년 이라는 시간이 흘러 새로운 남성과학 교과서의 필요성이 대두되어 저명한 남성과학 분야 전문가들의 헌신적인 참여 덕분에 무사히 '남성과학' 제 3판 교과서를 발간하게 됨을 매우 기쁘게 생각합니다. 이번 3판 교과서는 2판 교과서의 큰 틀은 유지하면서, 최근에 많은 연구가 이루어지고 있는 불임, 성기능, 남성갱년기, 전립선 분야에서 새롭게 밝혀지고 확립된 최신 내용을 추가하는 한편, 실제 임상에서는 무의미한 내용은 축소하였습니다. 이번 3판 교과서가 남성과학회 회원뿐만 아니라 이 분야에 관심이 있는 의사 및 학생들에게도 어둠을 밝히는 작은 등불이 되기를 바라는 바입니다.

3판 교과서를 개정하는데 있어 부족한 시간에도 헌신적인 노력과 열정을 쏟아주신 편집위원장과 편찬위원들께 깊은 감사를 드리는 바이며 집필에 힘써주신 모든 저자 분들께도 다시 한번 감사의 인사를 드립니다. 더불어 훌륭한 내용이 독자들에게 잘 전달 될 수 있도록 멋진 편집 및 디자인에 힘써주신 군자출판사 및 직원 여러분께도 심심한 감사의 인사를 전합니다.

이번 3판 '남성과학' 은 마지막이 아니며 앞으로 지속적으로 발전 및 변화할 '남성과학' 의 또 다른 시작점이 될 것이라 믿어 의심치 않습니다.

감사합니다.

2016년 3월

대한남성과학회 회장 김 세 웅

목차

발전사 남성과학의 발전사 …… vii

PART 01 남성불임 Male Infertility

Section 1. 남성생식기의 해부 및 생리

Chapter 1. 남성생식기의 해부 및 발생 …… 5

Chapter 2. 호르몬 분비 및 조절 …… 23

Chapter 3. 정자형성과정과 수정 …… 35

Section 2. 남성불임의 진단

Chapter 4. 병력청취 및 신체검사 …… 49

Chapter 5. 기본 실험실 검사 …… 59

Chapter 6. 일차 평가에 따른 진단의 알고리듬 …… 69

Chapter 7. 추가 검사 …… 77

Section 3. 남성불임의 치료

Chapter 8. 남성불임의 약물치료 …… 89

Chapter 9. 외과적 치료 …… 101

Chapter 10. 정자추출법 …… 123

Chapter 11. 난자세포질내 정자주입법 …… 135

Chapter 12. ICSI 시대에서 비뇨기과 의사의 역할 …… 145

Chapter 13. 정자은행 ········· 155
Chapter 14. 남성불임치료의 미래 ········· 167

PART 02 성기능장애 Sexual Dysfunction

Section 1. 남성성기능

Chapter 15. 성기능 장애의 역학 ········· 177
Chapter 16. 음경의 해부학 ········· 185
Chapter 17. 음경의 혈역동학적 발기기전 ········· 195
Chapter 18. 음경의 분자생물학적 발기기전 ········· 213

Section 2. 발기부전의 원인

Chapter 19. 심인성 발기부전 ········· 225
Chapter 20. 혈관인성 발기부전 ········· 231
Chapter 21. 신경인성 발기부전 ········· 239
Chapter 22. 내분비성 발기부전 ········· 249
Chapter 23. 대사증후군과 발기부전 ········· 257
Chapter 24. LUTS/BPH와 발기부전 ········· 263
Chapter 25. 약물부작용에 의한 발기부전 ········· 277
Chapter 26. 의인성 및 기타원인에 의한 발기부전 ········· 285

Section 3. 발기부전의 진단

Chapter 27. 병력, 신체검사 및 검사실 검사 ········· 295
Chapter 28. 설문지를 이용한 검사 ········· 299

Chapter 29. 정신사회적 평가 …… 309
Chapter 30. 시청각 성자극 및 수면중 발기검사 …… 319
Chapter 31. 발기부전의 신경학적 검사 …… 325
Chapter 32. 발기부전의 혈관계 검사 …… 331

Section 4. 발기부전의 치료
Chapter 33. 발기부전 치료의 변천사…… 345
Chapter 34. 정신과적 치료 …… 351
Chapter 35. 발기부전의 경구용 약물치료 …… 357
Chapter 36. 발기부전의 호르몬치료 …… 367
Chapter 37. 음경해면체내 주사요법 및 요도내 주입법 …… 373
Chapter 38. 진공 발기(압축)기 …… 379
Chapter 39. 혈관계 수술적 치료 …… 385
Chapter 40. 음경보형물삽입술 …… 395
Chapter 41. 음경재활 …… 409
Chapter 42. 보완대체요법 …… 419
Chapter 43. 발기부전 치료의 미래 …… 425

Section 5. 사정장애
Chapter 44. 누정 및 사정의 생리 …… 433
Chapter 45. 조루증의 역학 및 진단 …… 443
Chapter 46. 조루증의 치료 …… 451
Chapter 47. 기타 사정장애 …… 459

Section 6. 기타

Chapter 48. 음경지속발기증 ······ 471
Chapter 49. 페이로니병 ······ 481
Chapter 50. 음경수술 ······ 491
Chapter 51. 조직공학의 응용 ······ 509

Section 7. 여성 성기능 및 성기능 장애

Chapter 52. 해부 및 생리 ······ 525
Chapter 53. 여성 성기능에 대한 성호르몬의 역할 ······ 533
Chapter 54. 여성 성기능 장애의 병인 ······ 541
Chapter 55. 여성 성기능 장애의 진단 ······ 551
Chapter 56. 여성 성기능 장애의 치료 ······ 561

PART 03 남성갱년기 Aging Male

Section 1. 노인의 내분비 변화

Chapter 57. 남성호르몬 및 기타 호르몬 ······ 579

Section 2. 남성호르몬과 신체기능

Chapter 58. 성기능 ······ 591
Chapter 59. 대사증후군 ······ 599
Chapter 60. 남성호르몬과 기타 신체기능 ······ 609

Section 3. 남성갱년기증후군

Chapter 61. 남성갱년기의 정의 및 역학 ······ 619
Chapter 62. 남성갱년기의 진단 ······ 627
Chapter 63. 남성갱년기의 치료 ······ 639

PART 04 전립선질환 Prostatic diseases

Chapter 64. 전립선의 발생 및 해부학 ······ 657
Chapter 65. 세균성 전립선염의 병인 및 진단 ······ 665
Chapter 66. 세균성 전립선염의 치료 ······ 681
Chapter 67. 비세균성 전립선염/만성골반통증증후군의 병인 및 진단 ··· 687
Chapter 68. 비세균성 전립선염의 치료 ······ 699
Chapter 69. 전립선 비대증의 병인 및 진단 ······ 711
Chapter 70. 전립선 비대증의 치료 ······ 723
Chapter 71. 남성 과민성방광 및 야간뇨 ······ 745

찾아보기 ······ 761

남성과학의 발전사

History of Andrology

■ 김세철

남성과학은 남성 생식계(고환, 음경, 내분비 및 부속기관)의 기초과학적 분야와 불임, 성기능 그리고 비뇨기과적 문제에 동반된 의학적 문제의 진단과 치료에 초점을 둔 남성 건강을 취급하는 학문이다. 남성과학은 흔히 비뇨기과학 또는 내분비학의 한 분과학으로 간주되었었고 의학에서 독립적인 특수 전문분야로 나타난 것은 비교적 최근의 일이다. 현재 남성과학은 분자생물학에서부터 미세구조, 유전학 등에 이르기까지 기초 및 임상 의학이 이룩해 놓은 최고의 업적을 이용하여 불임증에서부터 발기부전에 이르기까지 남성기관의 모든 중요한 질환뿐만 아니라 사춘기와 노년기의 문제까지도 효과적으로 치료할 수 있게하여 남성의 삶의 질을 향상시키고 있다.

남성과학의 주제는 불임증, 성선기능저하증, 남성피임, 성기능장애 및 전립선질환을 포함한 남성노화가 된다. 'Andrology' 란 용어는 1951년 독일 본대학 산부인과의 Harald Siebke 교수가 생식에는 남성도 여성과 똑 같이 중요하다는 사실을 알리려는 의도에서 의학에 처음 소개되었으나 이 용어가 인정되기는 한참 늦게 1969년 독일 함부르크대학 Carl Schirren 교수가 첫 번째 남성과학 전문학술지의 이름을 'Andrologie' 로 명명하면서 시작되었으며, 'Andrologie' 가 몇 년 후 'Andrologia' 로 개명되어 국제학술지로 발전하면서 이 학술지가 전 세계적으로 남성과학의 개념을 전파하는데 기여하였다.

남성과학은 40여년 전까지만 해도 상대적으로 많은 발전을 이룩하지 못했었다. 이것은 남성과학이 독립된 의과학으로서 체계화된 연구가 이룩되지 못한 것이 주된 원인이지만 연구자들이 생식기를 학문의 대상으로 하는 것을 꺼려하고 기피하려는 경향에서 비롯되었을 수도 있다. 오늘날 남성과학은 여러 전문분야가 협력하여 다면적 접근으로 남성 생식기관을 연구하는 과학 및 의학의 한 독립된 분야로 인정받고 있다. 이것은 1971년 제7차 국제불임학회(일본 동경)에서 '남성과학은 독립된 한 의과학으로 연구되어야 한다' 고 결의된 데에서 그 유래를 찾을 수 있다. 1982년 대한남성과학회 창설을 위해 'Andrology' 란 용어를 우리말로 처음 번역할 당시에도 '남성의학', '남성생식학' 등 여러 용어가 제시되었지만 학문의 독립성을 강조하기 위하여 '남성과학' 으로 최종 결정되었다.

남성과학은 기초과학과 임상의학으로 나눌 수 있다. 임상의학은 비뇨기과, 미세수술과, 산부인과, 내분비내과, 소아과, 정신심리학과, 축산학 등을 포함하며, 남성 생식기를 포함하여 중추신경계와 뇌하수체, 부신에 발생하는 각종 질병의 원인, 증상, 진단 및 치료를 취급한다. 기초과학은 생화학, 유전학, 조직학, 면역학, 분자생물학, 병리학, 약리학, 생리학, 내분비학적 연구를 포함한다. 1950년대 독일에서는 성병을 치료하는 의사는 피부과의사였으며 성병이 잘못 또는 비효과적으로 치료되면 남성불임증을 초래하였으므로 자연히 피부과 의사들이 불임증을 취급하게 되었고 이것이 전통이 되어 독일에서는 지금도 피부과 의사들이 남성 생식을 취급하고 있다.

남성과학의 학문적 영역에는 남성의 수태력과 피임을 다루는 생식의학과 남성의 성기능을 취급하는 성의학, 남성의 노화를 다루는 남성 갱년기학 그리고 전립선학이 주를 이루고 있다. 생식의학은 40여년 전까지 남성과학의 거의 전부를 차지하다시피 하였으며 체외수정을 비롯한 보조생식술의 발달에 의해서 비약적인 발전이 있었다.

성의학은 40여년 전까지만 해도 비뇨기과학 교과서에서 남성과학 분야의 말미에 잠깐 소개될 정도로 그 내용이 미미하였지만 1980년대 초 음경해면체내 약물주사에 의한 인위적 음경발기가 가능해짐에 따라 성의학의 획기적인 기초의학적 발전이 가능하게 되었고 그 동안의 분자생물학적 연구에 힘입어 발기부전의 원인, 진단 및 치료는 하루가 다르게 급속한 발전을 이룩하여 성 역사의 혁명을 이룬 피임약에 이어 제2의 성 혁명으로 일컬어지는 최초의 경구용 발기부전치료제인 '비아그라' 가 1998년 2월 시판되었다. 그러나 아직까지 사정과 오르가슴의 병태생리에 대해서는 기본적인 것부터 이해되지 않는 부분이 너무나 많다. 남성 갱년기에 대한 임상적 연구는 여성 갱년기 연구에 비해 상당히 뒤늦게 약 30여년 전부터 활발히 이루어지고 있지만 아직 풀어야 할 과제가 너무나 많다. 전립선학은 주로 전립선비대증과 전립선암 및 전립선염의 발생 원인과 내과적 치료에 대한 연구가 주를 이루고 있으며, 앞으로 분자생물학적 연구로 예방과 치료에 획기적인 발전이 기대되고 있다.

1. 남성과학의 과거와 현재

1) 생식의학, 성의학, 남성 갱년기학의 발달사

(1) 생식의학

생식의학의 기초적 연구는 1590년 Jansen이 사람의 정자에 관해 처음 기록한 바 있지만1677년 Leeuwenhoek가 정자를 현미경으로 처음 발견한 데서 비롯된다. Leeuwenhoek은 '정자가 없는 정액은 임신시킬 수 없으며 정자는 사람에게 생명을 부여하는 세포임' 을 증명 하였다. 그 후 1786년 Spallanzani는 임신시키는 데는 정자가 많이 있어야 함을 강조하였으며, 1827년 Kolliker는 정조세포에서 정자에 이르는 분열과정을 관찰하고 정자가 난자와 결합함으로써 임신된다고 하여 현대 생식생리학의 길을 열었다. 정자(spermatozoa)란 단어는 1827년 von Baer에 의해 처음 사용되었고 1850년까지 많은 과학자들은 정자를 기생충으로 생각하였는데 1841년 von Kolliker가 정자는 기생충이 아니라 고환세포에서 발달된 자가유래 세포라고 하였다. 1865년 Sertoli 세포가 처음으로 기술되면서 정세포의 활동에 대해서 더 많은 이해가 가능해졌으며 정세포 내에서 Sertoli 세포의 지주세포로서 그리고 영양적 역할도 밝혀졌다. 20세기 초 Leyclig 세포의 역할이 밝혀지고 그 후 Warburg의 조정기능대사 연구와 Mannes 등에 의한 정액의 생화학적 연구를 비롯하여 30년 동안의 기초적 연구는 생식의학을 발전시키는데 크게 공헌하였으며 뒤이어 여러 학자들에 의해 정자생성과 정자 및 정액의 본질이 속속 밝혀졌고 1954년 Rumke, Wilson는 정자에 대한 자가면역현상을 처음으로 보고하였다.

남성과학의 외과적 발전은 1902년 Martin이 처음으로 폐쇄성 무정자증에 대한 수술적 치료(정관부고환문합술)를 시행한 데서 시작된다. Martin은 현대 임상 남성과학의 설립자라고 할 수 있을 정도로 많은 업적을 남겼으며, 부고환이 정로폐쇄성 질환의 주된 부위이며, 무정자증에는 정자형성부전과 정로폐쇄의 2가지 원인이 있음을 증명하였고 사정관폐쇄, 선천성 정관결손 등을 외과적으로 증명한 첫 의사이다. 그 후 외과적 남성과학의 발전과 함께 Kelami는 남성과학에 관심이 있는 주로 비뇨기과 의사들을 위한 학술회의를 조직할 필요성을 느끼고 1982년 처음으로 베를린에서 외과적 남성과학 국제심포지움을 개최하였다. 1976년 Kelami는 수술로서 교정할 수 없는 정로폐쇄나 선천성 정관결손환자에게 인공 정액류를 설치하고 천자에 의해 정자를 채취, 인공수정 하였다. Kelami 교수는 1982년 대한남성과학회 창립기념 학술대회에도 초청되어 외과적 남성과학이란 주제로 인공정액류설치술과 선천성 음경만곡증의 수술에 대해 특강을 하였다.

남성 생식의학의 기초적 연구는 계속 진행 발전되어 왔지만 기초의학의 궁극적 목적은 불임남성의 치료에 응용하는 것임에도 불구하고 정자형성부전, 수술로 교정 불가능한 정로폐색이나 정로형성부전에 의한 남성 불임증의 치료결과는 실망적 수준을 벗어나지 못하였다. 1838년 프랑스 의사 Girault은 사람에서 처음으로 인공수정을 시행하여 정상 남아를 출생시켰고, 첫 공여자 인공수정은 1887년 이탈리아 의사 Mantegazza에 의해 이루어졌으며, 1953년 Bunge와 Sherman은 냉동 보관된 정액을 인공수정하여 첫 출생에 성공하였고, 1978년 과학자 Edwards의 보조생식술과 임상의사 Steptoe의 합작에 의해 체외수정 및 배아이식에 의한 성공적 출산이 이루어져 보조생식술에 의한 수태의 새로운 전기를 마련하였다. 1984년 Zeilmaker 등은 인간에서 냉동보관된 배아를 이식하여 임신한 첫 성공례를 보고하였다. 1992년 Palermo 등은 정자를 난자 세포질 내에 인위적으로 직접 주입하여 임신 성공시킴으로써 보조생식술의 획기적 발전과 함께 남성불임 치료의 신기원을 이룩하였다고 할 수 있다. 우리나라에서 보조생식술은 세계적 수준이라 할 수 있으나 생식의학 분야에 대한 연구는 거의 대부분이 정자학에 국한되어 있을 정도이고 아직 남성생식의 내분비학을 전공하는 학자가 거의 전무한 상태이므로 균형적 발전이 요구된다.

최근 발표된 남성과학 연구논문들 중에서 주목 받는 것에는 환경호르몬, 원인불명의 특발성 저성선자극호르몬성 성선기능저하증과 사춘기 지연, 줄기세포로부터 생식세포의 생산, 호르몬 조작에 의한 남성피임 후 정장생산 회복, 경구용 선택적 남성호르몬수용체조절자(SARM)의 개발 등이 있는데 가장 주목할 만한 발전은 클라인펠더증후군 환자로부터 고환정자를 흡인하고 난자에 주입하여 체외수정함으로써 아이를 가질 수 있는 실제적 치료방법이 개발되어 클라인펠더증후군을 불치의 불임과 동일시하던 기존 개념을 바꾸어 놓은 것과 세포가 SHBG 결합 테스토스테론을 활동적으로 이용하는 것을 발견하여 SHBG 결합 테스토스테론은 무용지물이란 개념을 바꾸어 놓은 것이다.

(2) 성의학

'의학의 마지막 남은 미지의 분야' 라고 하였던 성의학은 1982년 papaverine을 음경해면체에 주사하여 인위적으로 발기를 유도할 수 있게 됨에 따라 발기부전에 대한 본격적인 기초 연구가 활발히 이루어짐으로써 독립된 학문으로 급속도로 발전하였다. 성의학에 대한 과학적 연구는 생식의학보다 훨씬 늦어 심리학자와 정신과의사가 발기부전에 대해 관심을 갖기 시작한 것은 19세기 말이다. 당시 발기장애는 확실한 신체적 결격 이유가 없는 한 어디까지나 심인성인 것으로 여겼으며, 1902년 Kraft-Ebing은 도덕적 타락 예를 들며, 어린 시절의 자위행위가 성인이 되어 나타나는 성기능장애와 관련이 있다고 하였다. 1905년

Freud는 도덕적 타락이 아니고 오이디푸스(Oedipus) 갈등의 해결실패와 성심리의 발달과정 중 성기기, 성성숙기로의 진행이 안되어 성기능장애가 발생한다고 하였다. Freud 이론은 상당히 오랜 기간 정설로 여겨졌으나 1949년 Salter, 1963년 Lazarus, 1970년대 Masters와 Johnson으로 이어지는 행동주의에 의해 반박되었고 그 후 인지-행동치료, 체계이론이 등장하였다. 1954년 Kinsey는 남성의 성행동양상을 처음으로 조사 보고하여 사회적으로 큰 파란을 일으켰으며, 그 후 Masters와 Johnson은 특정한 실험적 상황에서 남성과 여성의 성행동을 연구하여 인간의 생식기능의 기본적 정신생리학이 명확한 상을 가지고 나타나기 시작하였으며 그들에 의하여 성기능장애의 합리적이고 효과적인 치료의 진전이 가능하게 되었다

성반응의 신체생리학적 기초연구는 1960년대 주로 Karacan에 의한 야간의 수면 중 발기에 대한 연구로 시작되며, 1970년대에는 Shirai 등이 동위원소를 이용하여 시청각 성자극시 음경혈류의 변화를 처음 관찰하였고, 1973년에는 Scott 등이 오늘날 이용되고 있는 팽창성 음경보형물을 개발하여 발기부전치료의 신기원을 이룩하였다. 성의학의 기초과학적 연구의 본격적인 시작은 1982년 Virag 등이 혈관확장제인 papaverine HCl를 음경해면체내 주사하여 인위 발기를 유발할 수 있음을 보고한데서 비롯된다. 발기가 어떻게 일어나고 기능부전은 어떻게 발생하는지를 연구하려면 발기를 인위적으로 유발할 수 있어야 하는데 papaverine에 의한 인위 발기가 가능하기 전까지는 실험동물에서 인위적으로 발기를 유발 할 수 없었기 때문에 발기연구 그 자체가 불가능하였던 것이다. 그 후 Lue 등이 발기부전에 대한 병태생리학적 기초연구를 위한 동물모델을 제시하면서 발기기전이 속속 규명되었고, 1998년에는 경구용 발기부전치료제인 sildenafil citrate (Viagra)가 세상에 나오게 되어 발기부전치료의 획기적인 발전을 이룩하였다.

발기장애에 대한 치료는 획기적인 발전을 이룩하였지만 사정과 오르기슴의 병태생리에 대해서는 기본적인 것부터 이해되지 않는 부분이 너무나 많아 조루증, 지루증, 사정불능과 같은 사정장애와 오르가슴장애에 대한 치료는 상대적으로 발전이 미흡한 상태이다. 최근 국제성의학회에서 조루증에 대한 기준을 제시하였지만 완전 합의가 이루어지지 않은 상태이며 지금까지 행동요법, 항우울제, 국소마취연고, 등이 이용되어 왔으나 만족스러운 성적이 아니며 최근에는 처음으로 조루증치료를 위해 선택적 세로토닌재흡수억제제 dapoxetine이 개발되었지만 역시 만족스런 수준은 아니다. 지루증에 대한 치료는 더욱 어려운 상태이다. 사정불능환자에서 정액채취를 위해 전기자극유도사정의 첫 시도가 1948년 Horne 등에 의해 척수손상환자에서 보고되었으며, 1978년 Francois 등은 전기자극유도사정에 의한 첫 생아출산을 보고했다.

(3) 남성갱년기학

남성 갱년기에 대해서 남자들은 태고적부터 남성생식 및 성기능과 고환이 밀접한 관계를 갖고 있는 것을 알았기 때문에 노령이 되어 성행동이 감퇴하는 것을 고환기능과 연관 지은 것은 놀랄 일이 아니다. 여성의 갱년기 변화와 연관하여 남성에서 갱년기란 용어는 1813년 Halford가 'climacteric disease' 로 처음 사용하였지만, 1939년 Werner가 50대 남성에서 나타나는 복합적 증상을 표기하면서 현대 의학용어로 'male climacteric' 를 다시 소개하였다. 한편으로 여성의 폐경기와 유사어로 'male menopause 또는 andropause, 'penopause' 란 용어도 사용되었다. 그러나 남성은 여성과 달리 생식력이 중단되는 일이 없고 연령증가에 따라 남성호르몬 생산이 점진적으로 감소할 따름이므로 1994년 오스트리아 비뇨기과학회의 남성과학 위크숍에서 'partial androgen deficiency of the aging male' 의 약어로 PADM이 제안되었으며 그 후 'ADAM' (androgen deficiency of the aging male) 또는 'PEDAM' (partial endocrine deficiency of the aging male)과 함께 사용되었다. 그러나 최근에는 노화와 함께 발생하는 남성호르몬결핍증을 일차성 성선기능저하증과 구별하여 후기 발현 성선기능저하증(late onset hypogonadism)으로 개명하여 사용하였다가 다시 남성호르몬결핍증과 갱년기증상의 의미를 모두 내포하는 테스토스테론결핍증후군(testosterone deficiency syndrome) 이란 새로운 용어가 제안되었다.

고환이 남성다움을 책임지는 물질을 생산하는 것이 처음으로 실험적으로 증명된 것은 1849년 Berthold에 의해서이다. 그는 거세한 식용 수탉의 복부에 고환을 이식하면 정상 수탉과 같이 행동하는 것을 확인하고 남성화 효과는 혈액을 통해 목표장기에 도달한 고환 분비물에 의해 나타난다고 결론지었다. Berthold의 실험은 실험적 내분비학의 효시로 인정받고 있다. 그의 관찰 후 고환추출물을 치료목적으로 사용하기 위한 시도가 많이 있었는데 그 중 가장 잘 알려진 것이 Brown-Sequard의 실험이다. 1869년 프랑스 생리학자이며 신경학자인 Brown-Sequard는 정신적 육체적 힘을 증강시키기 위해서 정액을 혈액 내로 주사할 것을 제안하였으며, 6년 후에 첫 동물실험을 하였고, 1989년 그는 72세의 나이에 젊고 활기찬 개와 생쥐의 고환정맥으로부터 채취한 혈액, 정액 그리고 액성 고환추출물을 자신에게 직접 주사하여 젊음과 활기를 되찾음으로써 갱년기 남성에서 남성호르몬치료의 효시가 되었다.

그러나 액성 고환추출물이 충분한 양의 스테로이드 호르몬을 함유할 수 없으므로 위약효과에 불과 하였겠지만 이 일로 장기 추출물로부터 갑상선호르몬, 인슐린과 같은 호르몬제제를 만드는 계기가 되었다. 19세기 초 비엔나의 생리학자 Steinach는 성분화와 성선의 호르몬기능을 연구하기 위해서 동물에서 고환이식 실험을 하여 이 분야의 진정한 개척자로 인정받고 있다. 그는 정관결찰 후 정상피세포의 위축과 동시에 Leydig 세포의 비대를 관찰하였으며 이것이 고환의 호르몬생산을 증가시킬 것으로 생각하였다. 그러므로 정관결찰술이 회춘의 목적으로 유행하였고, 1920년대에는 Freud를 포함하여 오스트리아 비엔나대학 교수 100명 이상이 정관결찰술을 받았다는 소문이 돌았으며 영국에서는 시인 Yeats가 정관결찰술을 받았다.

1930년 Loewe와 Voss는 처음으로 생물학적 작용을 가진 고환추출물을 만들었다. 현대적 남성호르몬 치료의 초석이 된 것은 1931년 Butenandt에 의해 스테로이드 남성호르몬이 소변에서 첫 추출되었고, 1935년 David 등에 의해 황소고환에서 결정체 형태의 테스토스테론이 채취되었으며, 1935년 Butenandt와 Hanisch, Ruzicka와 Wettstein에 의해 테스토스테론이 화학적으로 각각 합성되었으며 이 공로로 1939년 노벨 화학상을 수상했다. 1965년 Shimazaki는 테스토스테론이 디하이드로테스토스테론으로 전환되는 것을 첫 보고하였고, 1988년 Chang과 Lia는 안드로겐 수용체 cDNA와 항체를 cloning 하는데 성공하였다. 합성 테스토스테론은 나오자마자 성선기능저하증 치료에 이용되었다. 1950년대에는 작용시간이 2주간 지속하는 주사용 테스토스테론(testosterone enanthate, cypionate)이 개발되었고, 1970 년대 후반에는 효과적인 경구용 테스토스테론(testosterone undecanoate)이 개발되었으며, 1990년대 전반에는 반창고처럼 몸에 붙이는 패치형과 바르는 겔형의 테스토스테론이 개발되었고, 2009년에는 1회 투여로 3개월간 생리적 수준의 혈중 농도가 지속되는 주사용 테스토스테론(testosterone undecanoate)이 개발되었다. 남성호르몬제의 개발과 함께 성선기능저하증에 대한 치료는 보편화되었다. 최근에는 테스토스테론과 대사증후군의 상관관계, 테스토스테론과 전립선질환의 상관관계, 혈중 남성호르몬농도 감소가 장기간에 걸쳐 서서히 일어나는 것이 밝혀짐에 따라 남성 갱년기와 노화에 대한 연구가 활발히 진행되고 있지만 여성 갱년기와 노화에 대한 연구실적에 비해서는 아직 태부족한 실정이다.

2) 남성과학회 발전사

(1) 국외 남성과학회

남성과학의 역사는 남성과학회의 발전사를 보면 쉽게 이해할 수 있다. 1971년 제7차 국제불임학회에서 '남성과학은 독립된 한 의과학으로 연구되어야 한다' 고 결의되었지만 남성과학이 국제적으로 공식학회로 창설된 것은 이보다 1년 앞선 1970년 바르셀로나의 Puigvert와 부에노스아이레스의 Mancini의 주도로 창설된 Comite International de Andrologia (CIDA)이며, 1972년 Mancini, 바르셀로나의 Pomerol, 스톡홀름의 Eliasson 등이 주도가 되어 CIDA를 재조직하였고 당시 독일에서 발간되던 'Andrologie' (후에 'Andrologia' 로 개명함)를 공식 학술지로 채택하였으며, 1978년 새로운 학술지 'International Journal of Andrology' (Int J Androl)를 CIDA의 공식 기관지로 하였고, 기존의 Andrologia는 독일남성과학회 공식 학술지로 남아 있다.

CIDA는 발족과 함께 미국의 남성과학자들도 적극적으로 참여함에 따라 명실 공히 국제적인 학회로 발전하게 되며, 1976년 제1차 학술대회(스페인 바르셀로나)를 개최하였지만 1981년 제2차 학술대회(이스라엘 텔아비브)에서 'International Society of Andrology' (ISA)로 개명하면서 사라지게 된다. 학술대회는 그 후 4년마다 개최되어 3차는 1985년 미국 보스톤, 4차는 1989년 이탈리아 피렌체, 5차는 1993년 일본 동경, 6차는 1997년 오스트리아 잘츠부르크, 7차는 2001년 캐나다몬 트리올, 8차는 2005년 대한민국 서울, 9차는 2009년 스페인 바르셀로나, 10차는 2013년 호주 멜번에서 개최되었고 11차는 2017년 덴마크 코펜하겐에서 열릴 예정이다. 남성과학의 학문적 역사에 비해 국제학회의 역사는 의외로 짧다. 이것은 이미 이 분야에 대한 유사학회로 국제불임학회, 국제정자학회 등이 먼저 발족되어 남성과학을 전공하는 사람들이 특별히 남성과학회를 만들 필요성을 일찍이 느끼지 못했던 것이 아닌가 생각된다. CIDA가 국제남성과학회로 발전함에 따라 1992년 Int J Androl은 유럽남성과학회(European Academy of Andrology)의 공식 학회지가 되었다.

미국남성과학회는 1965년에 Nelson WO와 LeBlond CH가 남성생식 연구에 관심 있는 과학자들의 클럽을 조직할 것을 제안하여 1968년에 첫 모임을 갖고 해마다 모임을 가졌는데 이 클럽은 'Warren 0 Nelson Club' 으로 알려져 있고 이 클럽을 학회로 발전시켜야 한다는 제안이 있었지만 구체화되지는 않았다. 그러나 1972년 국제내분비학회(워싱턴 DC)의 satellite 심포지엄으로 시작되어 해마다 개최된 'Testis Workshop Meeting' 이 구체적 계기가 되어 1976년 첫 학술대회와 함께 미국남성과학회가 공식 출범하였는데, CIDA의 회원학회로서 'Andrologia' 를 학회지로 채택하였지만 1980년부터 공식기관지로 'Journal of Andrology' (J Androl)를 발간하였다. 최근 Int J Androl와 J Androl은 남성과학분야의 주도적 학술지로 SCI Impact Factor가 각각 3.695, 3.1 이었으나 2012년 3월 유럽남성과학회와 미국남성과학회는 Int J Androl와 J Androl의 IF와 저명도를 높이고 남성과학 분야를 더욱 발전시키기 위해 두개의 학술지를 병합하기로 결정하고 2013년 1월 양 학회의 새로운 공식 학술지 'Andrology' 1호를 발간하였다. 이렇게 양대 학회 학술지가 통합될 수 있었던 것은 전 세계적으로 전자통신에 의한 교류가 가능하게 되었기 때문이다.

아시아에서는 산아제한을 강력한 국가 정책으로 시행하던 중국이 1992년 11월 9일~12일 남경에서 첫 'Asian and Oceanic Congress of Andrology' 를 개최하였으며 이 학술회의가 모태가 되어 'Asian Society of Andrology'가 창설되었고 1999년 1월 공식 학술지인 'Asian Journal of Andrology'가 첫 발간되었으며 그 동안 김세철, 백재승, 김제종, 이상곤, 김영찬 교수가 편집위원으로 참여하였다. 'Asian Journal of Andrology'는 그 동안 많은 발전을 하여 2013년 SCI Impact Factor 2.53을 기록하였다.

(2) 대한남성과학회

우리나라에서는 1950년대부터 가족계획의 한 방편으로 정관절제술이 국가시책으로 시술 보급됨에 따라 우리나라 남성과학의 성장에 큰 밑거름이 되었다. 구미 선진국에서와 같이 대한불임학회가 일찍이 1972년에 창설되어 이곳에서 남성과학 관련 학술발표가 이루어졌으므로 남성과학 별도의 학술대회 필요성을 크게 느끼지 못하다가 1980년 1월 21일 세계보건기구(WHO)의 Andrology 워크샵이 싱가폴에서 개최되었는데 WHO 남성생식 연구계획 연구원의 자격으로 서울의대 이희영 교수가 참석하였고 연세의대 이무상, 최형기 교수가 동반 참석하여 국내에 남성과학연구학회의 필요성이 논의되었다.

그러다가 1982년 1월 7일 WHO의 지원과 서울대학교 의과대학 인구의학연구소의 주관으로 제1차 남성과학세미나가 개최되었는데, 이를 계기로 서울의대 이희영 교수가 주축이 되어 대한남성과학회가 창립되었다. 당시 대한비뇨기과학회에서는 가장 먼저 결성된 분과학회로서 두 번째로 결성된 비뇨생식기종양학회가 1991년에 결성된 것을 보면 매우 선도적이었음을 알 수 있다. 또한 국제적으로도 1981년에 제2차 국제남성과학회가 개최된 것을 보더라도 국내 남성과학회의 결성은 매우 앞서가는 수준이었다. 1984년에는 대한의사협회 분과학회로 등록되었고, 1985년에는 국제남성과학회 회원국으로 가입하였으며, 2001년에는 캐나다 몬트리올의 7차 국제남성과학회에서 호주와 경합하여 8차 학회를 서울에 유치하는 쾌거를 이룩하였고 중앙의대 김세철 교수가 조직위원장으로 2005년 6월 12일~16일 서울에서 국제남성과학회 역대 최고의 학술대회를 성공적으로 개최함으로서 대한남성과학회가 명실공히 세계로부터 인정받는 한 해가 되었다.

대한남성과학회지는 1982년 제1차 남성과학세미나 보고서가 효시가 되었다. 학술대회는 1990년까지 연제 발표형식보다는 심포지움 형식으로 진행되었으며 학회지는 학술대회 보고서 형태로 연 1회 출간되다가 1989년 6월 제7차 남성과학회 학술대회 보고서가 대한남성과학회지 제7권 1호로 본격적인 학술지 형태로 발돋움하여 연 2회 발간하였으며, 1999년부터는 연 3회 발간하고 있다. 대한남성과학회지는 2006년에는 한국학술진흥재단의 등재 후보지로 선정되었으며, 2009년 정식 등재지로 선정되었다. 2012년 대한남성과학회지(Korean Journal of Andrology)는 창간 30년을 맞이하여 학회지를 국제화하고 남성의 건강과 노화에 대한 연구들을 포괄적으로 선도하기 위해 전면 영문화와 함께 학술지명을 'World Journal of Men's Health' (World J Mens Health)로 개명하고 http://www.andrology.or.kr/submission를 통한 온라인 투고 시스템을 구축하였다. The World Journal of Men's Health는 2012년 8월 영문화를 시행하고 2호 발행 만에 PubMed Central에 등재되었다. 2003년 5월 대한남성과학회는 41명의 저자가 공동 집필한 '남성과학' (총 62장, 620쪽)을 출간하였으며, 2010년 4월 개정판에 이어 2016년 3월 후속 개정판이 발간될 예정이다.

3) 성의학회 발전사

성의학은 1982년 papavenne에 의한 약물발기 유도가 가능하게 됨에 따라 발기부전에 대한 기초 연구가 활발히 이루어졌고 독립된 학문으로 급속도로 발전하였으며 국제 학회도 1982년 'International Society for Sexual and Impotence Research' (ISSIR)가 창설되었으며 공식학술지로 'International Journal of Impotence Research' (IJIR)가 발간되었다.

음경발기의 병태생리에 대한 연구경험에 기초하여

여성 성기능에 대한 관심과 연구도 시작되었고 1999년 Goldstein I은 'Female Sexual Function Forum'을 결성하였고 2004년 아르헨티나 부에노스아이레스에서 개최된 제11차 ISSIR 총회에서는 남성 성기능장애뿐만 아니라 여성 성기능장애도 연구분야에 포함하는 의미에서 'International Society for Sexual Medicine' (ISSM)으로 학회 명칭이 개정되었으며 공식 학술지도 IJIR과 결별하고 Journal of Sexual Medicine (J Sex Med)을 새로이 발간하였으며 그 동안 최형기, 김세철, 백재승 박광성, 김영찬 교수가 편집위원으로 활동하였다. 2013년 ISSM은 투고논문의 증가로 online open access 학술지인 'Sexual Medicine'을 창간하였으며 현재 전남의대 박광성 교수가 편집위원장으로 활약하고 있다.

우리나라에서는 1980년대 중반부터 음경발기의 병태생리학적 연구가 활발히 전개되어 많은 국제 수준의 연구결과가 국제학회에서 발표되거나 학술지에 보고되었다. 더욱이 국내 제약회사가 세가지(동아제약 Udenafil, SK 케미칼 Mirodenafil, 중외제약 Avanafil)의 경구용 발기부전치료제(phosphodiesterase type 5 inhibitors)를 개발하여 우리나라 성의학 연구수준의 국제적 위상을 올리는데 크게 기여하였다. 성의학이 급속도로 비약적인 발전을 함에 따라 국제적 성의학회가 발족되어 학술대회를 개최하고 공식 학회지를 발간하고 있지만, 우리나라에서는 남성과학회가 성의학을 주도적으로 취급하고 있다는 것을 대외적으로 알리려는 취지에서 2010년 4월 영문 학회명을 'Korean Andrological Society'에서 'Korean Society for Sexual Medicine and Andrology'로 개명하였다. 여성 성기능장애에 대한 관심도 증가하여 2000년에는 김세철 교수가 주축이 되어 비뇨기과, 산부인과, 정신과, 심리학과 등 여성의 성기능에 관련된 분야의 연구자들이 참여하는 '여성성기능연구학회'가 발족되어 연 1회 학술모임을 갖고 있다.

국제 학술대회도 1989년에는 2차(조직위원장; 연세의대 최형기 교수), 2008년에는 10차 아시아태평양성의학회(조직위원장; 울산의대 안태영 교수)가 각각 서울과 제주에서 개최되었고, 2010년에는 14차 국제성의학회(조직위원장; 고려의대 김제종 교수)를 일본과 경합하여 서울에 유치하여 우리나라 성의학은 명실공히 세계적 수준에 있다고 자부할 수 있다.

4) 남성갱년기학회 발전사

남성갱년기에 대한 연구도 노인 인구의 증가와 새로운 남성호르몬제제의 개발을 배경으로 1998년 'International Society for the Study of the Aging Male'가 창설되었고 공식 학술지로 'Aging Male'을 발간하였다. 세계적 추이에 따라 2001년 대한남성갱년기학회가 창립되었고 남성갱년기 및 남성호르몬보충요법에 관한 연구가 활발해지면서 2011년 6회 아시아태평양 남성갱년기학회(조직위원장; 부산대 박남철 교수)가 부산에서 개최되었으며 앞으로는 남성갱년기에 국한되지 않고 남성노화의 연구에도 주도적인 역할을 할 것으로 기대된다.

2. 남성과학의 미래

남성과학은 급속한 성장을 해왔으며 이제는 남성의 유전학적 연구에서부터 사춘기변화로까지 그 영역이 확대되었고 불임증과 보조생식기술에서부터 성기능, 피임, 전립선장애, 남성의 노화연구로까지 확대되었다. 생식의학에서는 정조세포조차 없는 무에서 유를 창조할 수는 없겠지만 정자형성장애에 의한 무정자증의 경우 고환과 부속성선 생리의 규명과 보조생식술의 발전에 의한 단계적인 해결이 기대된다. 가족계획 목적의 남성 불임을 위해서도 보다 쉽게 복원이 가능한 정관폐쇄술과 정자생산을 억제시키는 호르몬이 불원간 개발될 것으로 기대되며, 백신이나 새로운 약제에 의한 피임법도 멀지 않은 장래에 가능할 것으로 보인다. 성의학에서는 발기부전에 대한 경구용 약물을 포함하여 유전자치료 등의 다양한 비침습적 치료법이 개발될 것이며, 생체공학적 치료법 개발도 더욱 가시화할 것으로 생각된다. 사정의 생리와 지금까지 심인성으로만 치부해버렸던 조루증과 지루증, 오르가슴장애에 대한 병태생리가 명확히 규명되어 보다 효과적인 치료법이 등장할 것으로 기대된다. 남성갱년기학에서는 부작용을 최소화 할 수 있는 남성호르몬제제가 출시되면 치료에 새로운 국면을 맞이할 것이며 아울러 개개인의 변이성을 고려한 남성호르몬결핍증에 대한 명확한 정의와 표준화된 검사방법이 마련될 것이다. 또 노화와 함께 발생하는 남성호르몬감소 내지 결핍이 성기능장애, 전립선비대증 뿐만 아니라 대사증후군, 하부요로증상, 전립선암 발생과의 상관관계를 밝히기 위한 연구도 많은 진전이 기대된다.

남성과학은 아직 해결되지 않은 문제가 많이 있으며 여러 개의 전문분야가 집결되어 있으므로 발전과 성공의 기회는 계속 확장되어 갈 것이다. 이러한 사실은 남성과학이 삶의 질을 개선시키고자 하는 인간의 욕구를 해결하는 기본적 학문으로서 노령인구의 지속적인 증가와 함께 남성과학 연구에 도전하고픈 의욕과 성취의 기회를 제공해 줄 것이다.

참고문헌

1. 김세철, 남성과학의 과거, 현재, 미래. 대한의협회지 1996;39:1092-1097.
2. 이희영 남성과학의 과거, 현재, 그리고 미래. 대한남성과학회 세미나 보고서 1981;1:11-14.
3. Aboseif SR, Wetterauer U, Breza J, Benard F, Bosch R, Stiel CG, et al. The effect of venous incompetence and arterial insufficiency on erectile function: an animal model. J UroI 1990;144:790-793.
4. Borell M. Brown-Sequard's organotherapy and its appearance in America at the end of the nineteenth century. Bull Hist Med 1976;50:309-320.
5. Breza J, Aboseil SR, Lue TF, Tanagho EA. Cavernous vein arterialization for vasculogenic impotence. An animal model. Urology 1990;35:513-518.
6. Clarke GN. ART and history, 1678-1978. Hum Reprod 2006;21:1645-1650.
7. Francois N, Maury M, Jouannet 0, David G, Vacant J. Electro - ejaculation of a complete paraplegic followed by pregnancy. Paraplegia 1978;216:248-251.
8. Gooren LJG. The age-related decline of androgen levels in men; clinically significant? Br J Uro I1996;78:763-768.
9. Handelsman DJ. Update in Adrology. J Clin Endocrinol Metab 2007;92:4505-4511.
10. Horne HW, Paull DP, Munro D. Fertility studies in the human male with traumatic injuries of the spinal cord and cauna equina. N Eng J Med 1948;239:959-961.
11. Jequier AM. Edward Martin (1859-1938). The founding father of modern clinical andrology. Int J Androl 1991;14:1-10.
12. Karacan I, Williams RL, Thornby JI, Salis PJ. Sleep-related tumescence as a lunction of age. Am J Psychiatry 1975;132:932-937.
13. Kremer J. The significance of Antoni van Leeuwenhoek for the early development of andrology. Andrologia 1979;11:243-249.
14. Masters W, Johnson V. Human Sexual Inadequancy. Boston Little, Brown & Co, 1970.
15. McLaren 0, Siemens DR, Izard J, Black A, Morales A. Clinical practice experience with testosterone treatment in men with testosterone deficiency syndrome. BJU Int 2008;102:1142-1146.
16. Nieschlag E, Behre HM. Pharmacology and Clinical Uses of Testosterone. 1n: Nieschlag E, Behre HM, editors. Testosterone Action Deficiency Substitution 2nd ed, Berlin: Springer, 1998;294-295.
17. Nieschlag E, Swerdloff R, Behre HM, Gooren LJ, Kaulman JM, Legros JJ, et al. Investigation, treatment and monitoring of late onset hypogonadism in males: ISA, 1SSAM, and EAU recommendations. Int J AndroI 2005;28:125-127.

18. Palermo G, Joris H, Devrocy P. Pregnancies after intracytoplasmic injection of single spermatozoa into an oocyte. Lancet 1992;340:17-18.

19. Rosenberg E. American Society of Andrology; Its beginning. J Androl 1986;7:72-75.

20. Schultheiss 0, Jonas U, Musitelli S. Some historical reflections on the ageing male. World J Urol 2002;20:40-44.

21. Scott FB, Brandley WE, Timm GW. Management of erectile impotence. Use of implantable inflatable prosthesis. Urology 1973;2:80-82.

22. Steptoe PC, Edwards RG. Birth alter the reimplantation of a human embryo. Lancet 1978;12:366.

23. Shirai M, Nakamura M, Matsuda S. Differential diagnosis between functional and organic impotence by radioisotope penogram following visual sexual stimulation. Tohoku J Exp Med 1973;111:187-195.

24. Virag R. Intracavernous injection of papaverine for erectile failure. Lancet 1982;2:938.

PART 01

남성불임 Male Infertility

SECTION 1. 남성생식기의 해부 및 생리
SECTION 2. 남성불임의 진단
SECTION 3. 남성불임의 치료

SECTION

남성생식기의 해부 및 생리 01

Chapter 1. 남성생식기의 해부 및 발생 .... 전용필
Chapter 2. 호르몬 분비 및 조절 .... 이성호
Chapter 3. 정자형성과정과 수정 .... 계명찬

CHAPTER 01

남성생식기의 해부 및 발생

Anatomy and Development of Male Reproductive Organs

■ 전용필

포유동물을 포함한 기능과 구조의 복잡성이 커진 동물의 몸도 생식세포와 체세포로 나눌 수 있으며, 생식세포는 원시생식세포(primordial germ cell)에서 기인하며 이들 원시생식세포는 사람을 포함한 포유동물의 경우 위치정보 및 환경적 조절에 의한 조절발생기작으로 기인한다. 이들은 후장 쪽 장간막을 거쳐 이동하거나 몸체 성장에 의한 상대적 위치 변화를 통하여 생식융기(gonadal ridge)에 모여 증식, 분화하여 생색융기의 체세포와 함께 생식소로분화 되고 다시 생식을 가능하게 하는 구조로 발생한다. 이 장에서는 원시생식세포의 기원과 이동, 생식소의 분화와 그 기전을 살펴보고, 성 성숙 후의 생식기관의 구조적 특징을 살펴보고자 한다. 그리고 음경의 해부는 제16장에서, 여성 생식기의 해부는 52장에서, 전립선의 해부와 발생은 64장에서 자세하게 다루어진다.

1. 남성생식소 및 생식수관의 발생과정

Developmental process of male gonad and reproductive tracts

1) 원시생식세포의 기원과 이동

선충류, 곤충류 등의 경우에 있어서 생식세포는 난자형성과정 동안에 난자의 세포질에 축적된 생식질(germ plasm) 구성물인 생식세포결정인자(germ cell determinants)에 의해 결정된다. 이러한 생식세포 결정인자는 일부 척추동물에서도 관찰되는데 잘 알려진 그 대표적인 예는 어류인 제브라피시, 양서류의 개구리를 들 수 있다. 세포결정인자(germ cell determinants)는 수정 후 난할 과정 동안에 특정 할구로 국한되어 존속하게 하는 조절 과정을 통하여 후에 생식세포가 된다. 그러나 사람을 포함한 포유동물의 경우에 있어서는 이와 다른 기작으로 생식세포가 형성된다.

포유동물은 조절발생(regulated development)을 하는 대표적 생물로 생식질이 없이 원시생식세포(primordial germ cell)는 후근위상배엽(posterior proximal epiblast)이 팽출하여 배아외막인 난황막(yolk sac, 난황낭)과 요막(allantois) 형성 부위와의 접경부위인 난황막(난황낭, yolk sac)의 1차 내배엽 유래층에서 세포 상호 유도 작용(배아외부 조직의 BMPs 등)으로 형성된다. 사람의 원시생식세포는 21일에 관찰된다(그림 1-1).

형성된 원시생식세포는 피브로넥틴(fibronectin) 등의 세포외 기질을 매개로 원조 후방 부위 내배엽으로

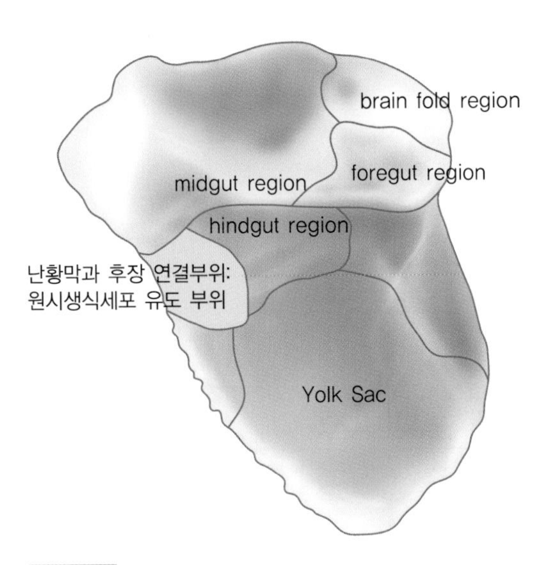

그림 1-1 제5주 배아에서 원시생식세포(primordial germ cell, PGC)의 기원

이동하고 이후 후장(hind gut) 벽을 따라 이동하고 이와 연결된 등쪽 장간막을 따라 이동하여 궁극적으로 생식소 융기로 이동한다(그림 1-1). 이동 형태는 아메바운동 양상으로 특이하게도 원시생식세포들이 긴 세포질 돌기를 통하여 서로 연결되어 있다. 원시생식세포로의 특화 이후 생식소원기로 이동하는 동안 이동과 생존에 필요한 줄기세포인자(stem cell factor, SCF)를 발현하는 세포로 둘러싸여 존재하게 된다. 또한 이들 원시생식세포는 leukemia inhibitory factor나 Steel factor와 같은 분열촉진인자(mitogenic factor)에 반응하여 증식한다. 원시생식세포에서의 Oct4 발현은 전발생능력(totipotency)를 유지하는데 일조한다. 사람에서 원시생식세포는 약 25-30 μm 의 원형으로 비교적 크기가 크고 세포질에는 과립지질이 많으며 골지체로 둘러싸여진 2개의 인이 이디오좀(idiosome)의 구조를 형성한다. 이 원시 생식세포는 아메바운동으로 5 주째에 후장의 등쪽장간막(배부장간, 배측장간막, dorsal mesentery)막을 따라 이동하여 배아의 허리부에 있는 생식융기(genital or gonadal ridge)로 들어간다. 약 1000에서 2000개의 원시생식세포가 생식융기로 들어가며 들어간 이후에는 이동을 멈춘다.

조류와 파충류의 경우는 생식신월환(germinal crescent)에서 형성된 생식세포가 일차적으로는 혈액흐름을 따라 이동하고 원시생식소 부위에 도착후 아메바 운동형태로 생식소 융기 부위에 안착한다. 조류나 포유동물에서 생식소원기로의 원시생식세포 길라잡이는 화학주성(chemotaxis)으로 새로이 형성되는 생식소에서 분비되는 물질 등이 관련된다.

사람의 경우에 있어서 윤리적, 기술적 한계로 많은 정보가 없으나 기본적으로 다른 포유동물인 생쥐와 유사할 것으로 이해되고 있다. 그러나 생식소 성장과 배아 이동에 대한 최근의 연구 결과 분석에서 사람의 PGCs가 이동에 의해 생식소 원기로 가는 것이 아니라 후방부 회절과정을 통하여 수동적으로 위치하게 된다고 제안되었다. 이러한 가설은 생식세포의 이동에 대한 새로운 연구의 진행을 유도하고 있다.

2) 생식소의 분화

원시생식세포의 유도와 이동, 생식소의 분화 과정은 동물군 사이에 다소간의 차이가 있으나 중간중배엽(intermediate mesoderm)에서 신장의 분화와 함께 두꺼워진 체강쪽 중피(중배엽상피, mesothelium, coepithelium) 세포와 바로 밑 간충직세포가 생식융기(생식소융기, gonadal ridge)가 형성되고 증식하는 중피와 간충직 세포(mesenchymal cells), 그리고 이곳에 도착하는 원시생식세포가 생식소원기(gonadal rudiment)를 형성하는 것은 유사하다.

일차 성 결정(primary sex determination)은 생식소 결정이고 이차 성 결정(secondary sex determination)은 생식소에서 합성 분비되는 성호르몬에 의한 남성 또는 여성의 표현형적 특성 결정이다. 성염색체 구성상의 성은 수정시 결정이 되어 일차 성 결정을 결정하지만 발생 제 7 주까지는 특징적으로 중성적이어서 양성적 특징을 갖고 있어 양성분화능력 생식소(bipotential gonad) 또는 미분화 생식소(indifferent gonad)로 불린다. 미분화 상태인 생식소원기는 배발생 4주차에 형성되며 정소 또는 난소로 발생할 수 있는 능력은 이동하여 들어온 원시생식세포의 Y 염색체 특이 유전자 발현에 즉 정소 발생을 촉발하는 Sry 유전자 발현에 의하여 8주차 이후 제한되게 된다. Sry 유전자 발현 산물은 정소가 분화하기 시작하는 그 시점의 생식융기에서만 관찰된다. 생각해야 할 것은 원시생식세포가 생식소에 있고 없고 간에 생식소가 남성 또는 여성의 것으로 발생하는 것은 유전체 조성이 아닌 생식소 내 체세포로 형성된 환경에 의존적일 수 있다는 것이다. XY 원시생식세포를 자성생식소로 이식할 경우 난자로 발생하고, XX 원시생식세포를 웅성생식소로 이식할 경우 정자로 발생한다.

중신체(mesonephric or Wolffian body)의 배쪽 표면의 체강상피(coelomic epithelium)인 중표가 두꺼워져 형성되는 생식융기 부위의 중피와 간충직은 생식소의 체세포성 조직으로 분화하고 임신 6주 동안에 이곳으로 이주한 원시생식세포는 이들 체세포에 둘러싸이게 된다. 원시생식세포가 생식융기에 도착하지 않은 경우에는 생식융기가 퇴화하고, 이로 인하여 다음 단계인 생식소원기로 더 이상 발생할 수 없게 됨으로 생식선발생장애(성선발생장애, gonadal dysgenesis)를 유발한다.

제 6 주에는 생식원기가 발달하면서 체강상피에서 발달하는 일차성삭(primary sex cords, PSC)은 상피세포와 간충직 세포의 증식으로 간충직 속으로 뚫고 들어간다. 이 단계에 미분화된 생식소는 피질과 수질의 조직학적 특징을 갖추게 된다. 이 때 PGC가 XX성염색체를 가진 배아에서는 수질은 퇴화하고 난소로 발생하며, 반대로 XY염색체를 가진 배아에서는 피질이 퇴화되며 고환(정소, testis)이 발생하게 된다.

남성에서 일차성삭은 고환삭(testis cord)으로 그리고 이후 세정관(seminiferous tubule)과 고환망(rete testis)으로 분화 발생한다. 고환삭은 급격히 증식하고 세정관(seminifrous tubules)이 형성되면서 원시생식세포가 생식소와 세정관에 들어가게 된다. 이 원시생식세포는 사춘기 이후에 정자로 분화할 것이고, 고환삭은 세정관의 지지세포(sustentacular cell)의 원천이 된다. 고환삭은 생식소 관련 간충직 내부의 가장 깊은 곳에서 융합되어 고환망(정소망, rete testis)을 구성하며, 제5-12 중신세관과 연결되며 중신의 내부의 앞쪽(anterointemal side)에서 체강상피 아래로 크게 융기하게 된다. 이 고환망은 중신의 근위세관과 융합하여 최초의 비뇨생식융기(urogenital ridge)을 이룬다. 그러나 배발생 2개월 말경에 중신체는 퇴화하고 사구체도 퇴화하며, 중신관(mesonephric duct)은 남아서 생식소와 연결된다(그림 1-2).

3) 남성생식기관의 발생

(1) 고환의 발생

제 6주에 제1차 성삭이 고환삭(정소끈, testis cord)으로 발달하기 시작하는데 2-3개월째에 세정관삭(또는 고환삭, seminiferous cord)으로 발생하며 두꺼운 섬유성 백막(tunica albuginea)이 발달하여 체강상피와 분리된다. 세정관삭은 세정관으로 분화하며 직선형이던 것이 꼬여져 주변 간충직과 분리된다(그림 1-3). 주변의 간충직 세포는 세정관 사이의 리이디히세포(Leydig cell, interstitial cell)로 분화하며 3.5-4개월째에 최고 수에 이른다. 이 시기에 남성호르몬이 분비되고 이의 작용으로 생식수관과 외부생식기가 발달한다. 세정관에는 2 종류의 세포, 즉 생식상피(germinal epithelium)에서 생기는 서톨리세포(지주세포, Sertoli cell)와 PSC에서 생기는 정원세포(spermatogonia)가 위치한다. 4개월에 이르면 고환은 크게 성장하여 퇴화중인 중신에서 분리되고 중신과 체벽 사이에 장간막과 비슷한 고환망막(mesorchium)에 의해 매달려 있게 된다. 더 발생하면 생식상피는 표면부에 중피(mesothelium)를 형성하여, 중신과 15-20개의 중신세

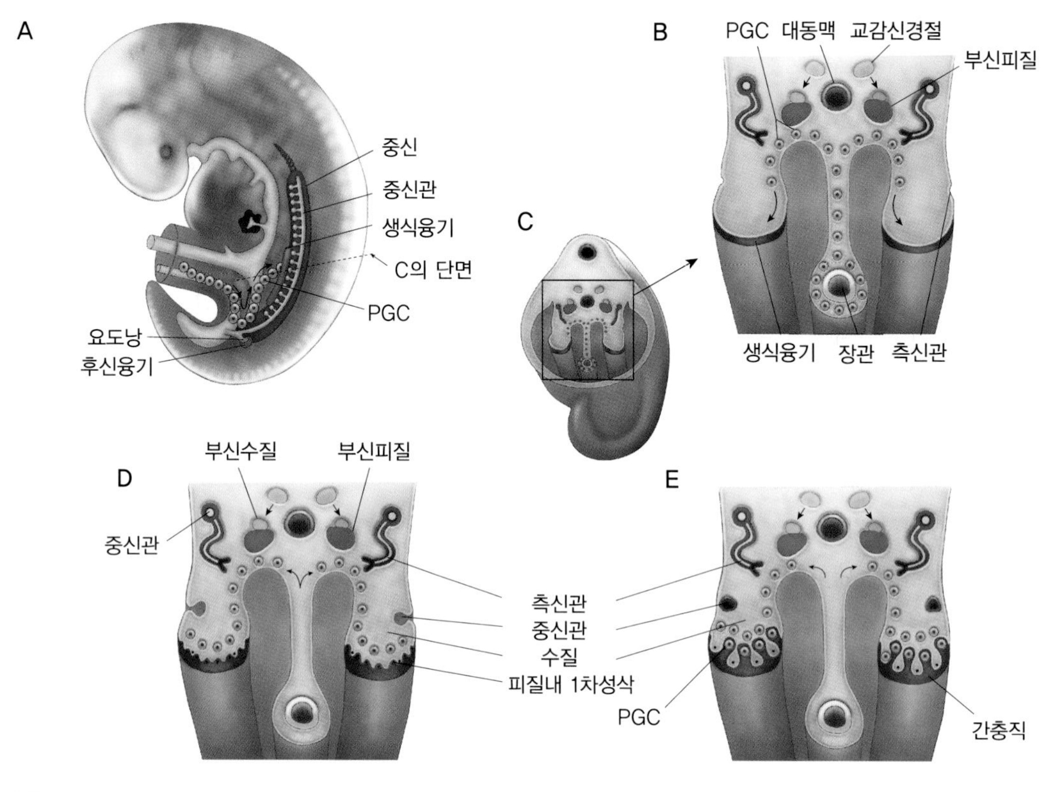

그림 1-2 배아의 원시생식세포 이동 (A) 임신5주차 PGC의 아동(A) 생식융기를 보인 3차원 구조 (c) A의 C 부분단면도, PGC의 이동이 도시되었다. (D) 6주째의 배아 (E) 미분화 생식소 내 PGC.

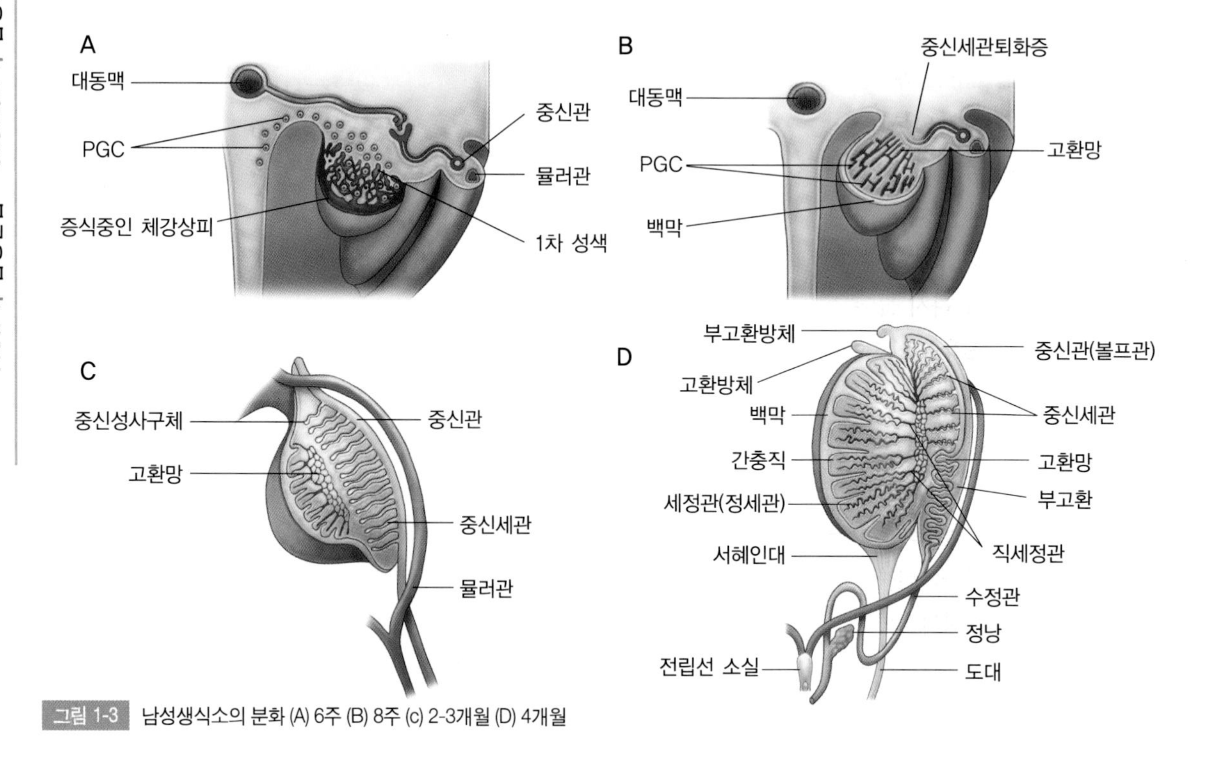

그림 1-3 남성생식소의 분화 (A) 6주 (B) 8주 (c) 2-3개월 (D) 4개월

관(mesonephric tubule)을 연결하게 되며, 중신체가 완전히 퇴화하게 되면 이 관은 수출관(efferent ductules, vasa efferentia)으로 발생하고, 이 부위의 중신관은 또 고환상체 또는 부고환(epididymis)으로 발생하게 된다.

(2) 서혜륜의 발생과 고환하강

서혜륜은 고환이 복강에서 음낭으로 하강하는 길을 만든다. 이는 남성, 여성에서 다같이 3개월에서 분만까지의 시기에 일어나며, 중신이 퇴화하는 시기에 도대(gubernaculum)와 고환도대(gubernaculum testis)가 복강에서 장차 음낭 또는 대음순(labia major)이 될 부분으로 내려간다. 한편 복강은 복막낭(peritoneal sac)으로 발달하고 그 끝에 복막초상돌기(peritoneal vaginal process)를 발달시켜 고환도대의 복측 양쪽으로 주머니를 내어 음낭으로 맹낭을 낸다. 이 끝은 음낭 부위에서 하강한 고환과 융합하여 복강과 연결된다. 이때 고환이 하강한 자리에는 서혜륜(inguinal ring)이 생긴다(그림 1-4).

즉 고환의 하강이란 복강으로부터 서혜륜 안쪽(internal inguinal ring)과 서혜륜을 거쳐 음낭에까지 도달하는 과정이다. 일부 포유류는 체강내의 발생된 위치에 고환이 남아있으나, 설치류의 경우는 서혜륜의 직격이 고환의 복강내로 들어갈 수 있을 정도여서 생식소가 일시적으로 꼬리쪽에 있는 음낭으로 필요에 따라 이동하고 다시 들어가고 한다. 그러나 영장류의 경우는 구조적으로 고환이 영구히 음낭 안에 남아 있게 된다.

고환의 하강은 임신 28주경에 3단계로 이루어진다. 첫 번째는 3개월 때에 중신이 퇴화하고 후신이 발달하여 커지면서 상부로 올라갈 때 상대적으로 고환은 내려가게 된다. 두 번째는 고환이 체강 하부의 복부벽에서 떨어져 나와 서혜륜 부위로 이동하는 과정이며, 세 번째는 이를 통과하여 음낭으로 하강하는 과정이다. 서혜륜을 이동하는 기전에 많은 가설들이 대두되었다. 즉 ① 기계적으로 도대가 잡아끈다는 설, ② 부고환의 발달하면서 고환을 밀어낸다는 설, ③ 복강의 압력이 발달하여 고환을 밀어낸다는 설, ④ 고환이나 도대는 움직일 수 없고 복강의 전반부가 자라기 때문에 상대적으로 하강된다는 설 등이 있다. 최근에는 이런 기계적 작용 외에 남성호르몬의 작용에 의한다는 설명 등이 있다(그림 1-5). 고환이 음낭 내로 하강하지 못하면, 이 고환은 잠복고환(cryptorchidism)가 되는데 잠복고환은 내분비 기능이 손상되지 않으나 정상적인 정자형성은 불가능하다. 때로는 복강내장이 초상돌기를 통하여 음낭 내로 침입하는 경우가 있는 데, 이와 같은 현상을 음낭탈장(scrotal hernia)이라 한다.

(3) 생식수관(genital tract)의 발달과 분화

미분화된 생식관계는 중신(볼프)관(mesonephric (Wolffian) ducts)과 측중신(뮬러)관(paramesonephric (Mullerian) ducts)으로 되어 있다. 서톨리세포에서 테스토스테론의 생성과 분비가 진행되면서 볼프관은 정낭, 수정관, 부정소로 진행된다.

중신관(mesonephric duct)은 중신의 분비물을 내보내며 남성에서는 중신이 퇴화할 때까지 중신관으로 불리고 이후에는 볼프관으로 불린다. 볼프관이 직접적으로 남성의 생식수관으로 발달 분화한다. 측중신관인 뮬러관은 배발생 44-48일 사이(10 mm 배아)에 나타나는데 체강상피의 함입으로 중신의 양측에 도관으로 나타나는 데, 초기에 체강 또는 복강에 열려 있으나 점차로 닫혀 관으로 발달한다. 이 관은 두부에서부터 상피의 일부가 간충직에 들어가 합쳐져 꼬리부위까지 미치게 된다. 관이 꼬리부위에서는 양측도관이 신체의 중앙부에서 작고 가는 하나의 관으로 합쳐지는데, 이를 자궁질관(uterovaginal primordium or cannal)이라 하고 비뇨생식동(urogenital sinus)에 개구한다. 뮬러관은 남성에 있어서 궁극에 가서는 퇴화한다. 중신에 연결된 중신관은 전부 또는

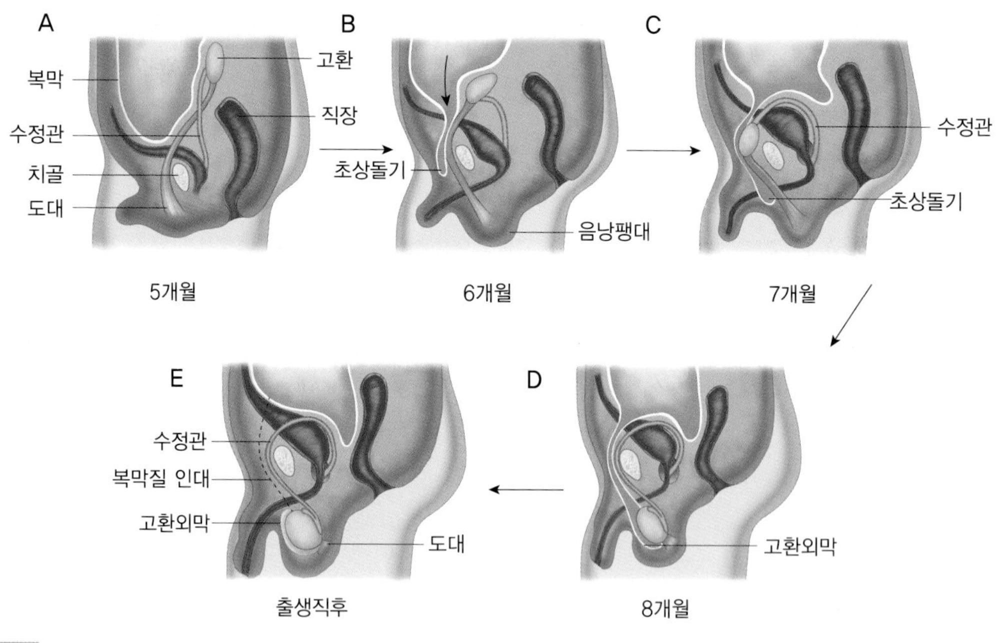

그림 1-4 사람의 고환 하강 모식도

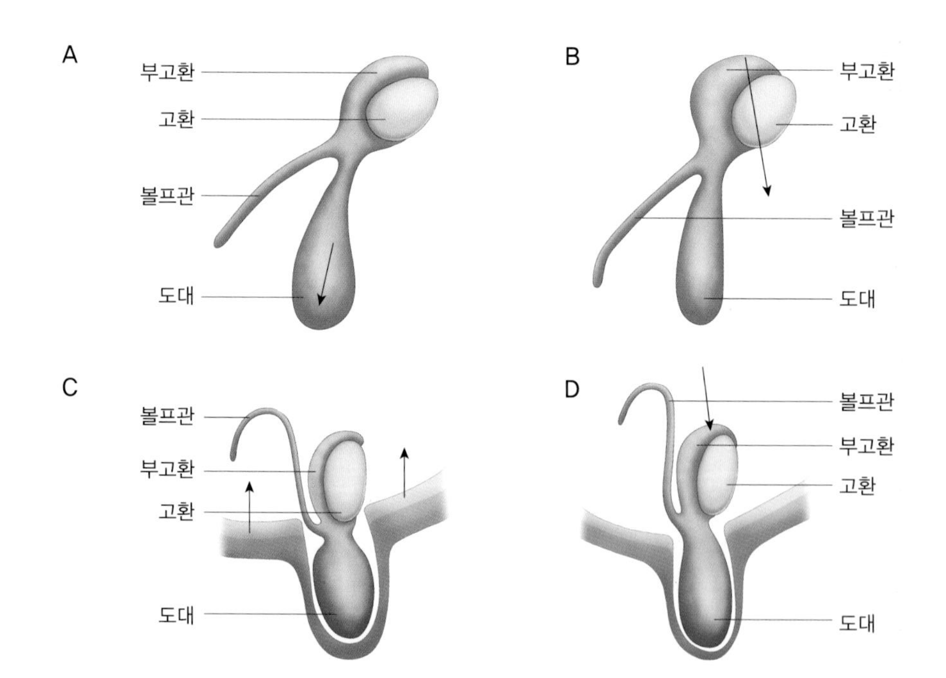

그림 1-5 고환하강을 설명하는 4가지 모델. (A) 도대의 수축에 의한 하강설(contraction hypothesis) (B) 부고환의 발달에 의한 고환하강설(epididymal push hypothesis) (c) 상대적 신장설로 복벽과 서혜관이 두부쪽에서 발달함으로 고환이 상대적으로 하강한다는 설(relative growth theory) (D) 복부압력설(abdominal pressure theory) 복강 내부 압력이 커져 고환이 하강한다는 설

일부가 수정관으로 사용되는 것으로 볼 수 있다.

남성에서 비뇨생식계의 발달은 2개월쯤 된 태아의 고환에서 생성되는 남성호르몬에 의해 유도된다. 뮬러관은 뮬러관억제물질(Müllerian inhibiting substance, 항뮬러관호르몬(antimullerian hormone))이 배발생 8주에 서톨리세포에서 분비되어 뮬러관을 둘러싼 간충직에 직접적으로 작용하여 퇴화하고 흔적물이 남는다. 뮬러관이 퇴화 후 도대가 고환의 아래쪽에 생기고 가로막인대는 없어진다. 이때 이를 고환도대(gubernaculum testis)라 한다.

뮬러관은 11주경에 완전히 퇴화한다. 흔적으로 양쪽 고환의 상부에는 고환수(appendix testis)가있고 뮬러관의 꼬리부분이 융합된 전립선소실(prostate utricle)이 비뇨생식융기의 등 쪽 부위에서 위치한다.

지속적으로 존재하나 관찰이 어려운 중신관(볼프관) 머리부가 부고환수(appendix of epididymis)로 나타난다. 고환의 반대쪽 중신관의 일부가 부고환(또는 고환상체, epididymis or ductus epididymis)을 만들며 수출관(vasa efferentia)과 연결 된다. 8주째에 부고환의 하부는 매우 심하게 꼬이고 고환을 따라 내려오지만 아직도 헨레관(ducts of Halle)과 연결되어 있고 고환망과는 연결되어 있지 않다. 중신 후방부위의 몇몇 중신세관은 흔적 기관으로 고환방체(paradidymis)로 된다.

고환 아래의 중신관은 평활근이 생기고 긴 도관을 이루어 수정관으로 발생되어진다. 이 관이 비뇨생식융기의 후부에 모여 2개의 낭을 형성하여 정낭(seminal glands or vesicle)을 형성한다. 수정관은 정낭사이의 부분에서 사정관(ejaculatory duct)으로 되고 이어 요도가 된다. 사정관은 비뇨생식융기의 후부체벽 위치에서 열리고 이때 정구(verumontanum or seminal colliculus)가 된다. 이것은 요도전립선(prostatic urethra) 부분에 융기 되는데 뮬러결절(Müllerian tubercle)의 잔유 부위가 되며, 이는 여성의 처녀막(hymen)에 해당한다. 전립선소실은 사정관의 개구 사이에 열려 정구에 열리는데 여성의 질과 상동부위이다.

한편 남성생식수관의 아래쪽은 비뇨생식동 아래에 중신관이 융합하여 생식결절(genital tubercle)에 수직골반결절(vertical pelvic segment)과 수평음경결절(horizontal phallic segment)을 형성한다. 후자는 비뇨생식막이 흡수된 후 외부로 개구하며 3개월째에는 2개의 부분이 분화하여 남성호르몬을 분비한다. 골반결절(pelvic segment)은 3개월째에 내배엽상피가 비뇨생식동 후부에 요도생식융기 양쪽에 부착하고 근접한 간충직에 파고들어 전립선의 샘상피조직을 형성하는 데 4개월에는 매우 분화되어있다. 전립선은 사정관과 전립선소실을 같이 가지고, 비뇨생식동의 전립선요도부(prostatic urethra area)를 둘러싼다. 이 전립선요도부는 비뇨생식동의 비뇨부를 구성하는 머리부와 골반부와 요도생식둔덕 사이에 꼬리를 둔다(그림 1-6).

강낭콩 크기의 구부요도선(bulbourethral (Cowper gland)이 골반결절에서 생긴 요막으로부터 쌍으로 된, 내배엽성 돌출부가 생기고 간충직 세포가 모여 평활근과 세포외기질이 된다.

(4) 외부생식기의 발생

발생초기 9주까지는 자성과 웅성의 외부생식기는 구별되지 않은 중성의 상태로 있다가 12주경에 분화가 시작된다. 임신 3주경에 총배설강막에 원조(원시선, 원기조, 원시줄무늬, primitive streak)에서 이동하여 간충직세포가 모여든다. 이 때문에 부위가 상승하여 총배설강주름(cloacal fold)이 생기고 총배설강막 앞에서 융합되어 배설강융기(배설강두덩, cloacal eminence)가 된다. 총배설강융기는 6주경에는 요직장막(urorectal septum)으로 나뉘어지고 비뇨생식막을 만든다. 총배설강은 생식주름(genital or urethral fold)으로 나뉜다. 후에 두 부위는 개구된다. 배설강융기는 길게 늘어나서 생식결절(genital tubercle)이 된다. 남성의 경우는 음순음낭팽창부(labioscrotal or genital

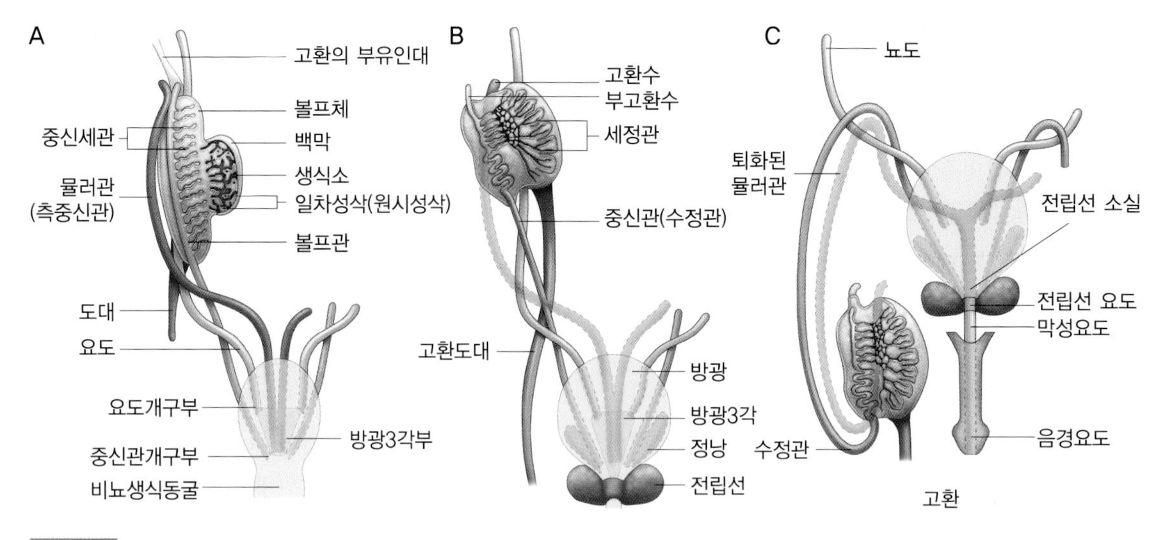

그림 1-6 남성의 요생식수관의 발생단계 (A) 7주배아 (B) 11주배아 (C)고환하강후 시기

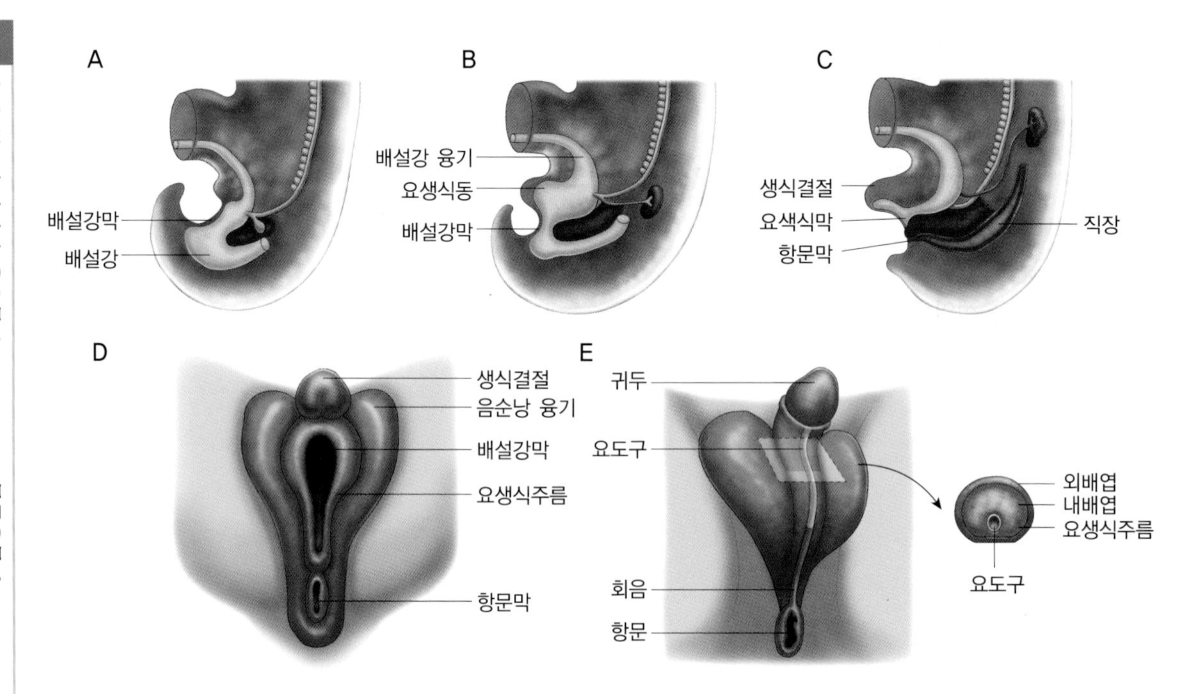

그림 1-7 남성 외부생식기의 발생 (A) 25-27일 배아의 요생식기 (B) 32-33 일 배아의 요생식기 (C) 7주배아의 요생식기 (D) 9주 배아의 외부생식기 (E) 14주 배아의 외부생식기

swelling)로 분화되어 음낭팽창부(scrotal swelling)가 되며 여성의 경우는 대음순이 된다(그림 1-7).

남성 외부생식기는 3개월에 뚜렷한 차이를 보이는데 고환에서 분비되는 남성호르몬인 테스토스테론이 요생식동에서 합성되는 5-α reductase에 의해 dihydrotestosterone으로 전환되고 이 전환된 호르몬의 영향으로 발생, 분화가 촉진된다. 생식결절은 4주부터 보이고 자라서 7주에는 음경(phallus)으로 발달한다. 음경은 그 내부에 생식주름을 가지고 있고 이것이 성장하여 음경의 복측에 긴 홈을 가지고 측벽에 부착된 구부요도를 만들어 낸다. 이는 근위부부터 복측이 유합하여 관을 만들고 이 관을 음경요도관(penile urethra)이라 한다. 이 부위는 간충직 기원인 요도해면체(corpus spongiosum)와 음경해면체(corpus cavernosum)로 싸여진다. 이 음경 해면체는 발기할 수 있는 조직이다. 음순음낭팽창은 점점 커지고 복측에서 융합되어 음낭이 된다.

한편 4개월 내에는 음경의 끝에서 외배엽이 자라서 상피가 함입하고 선판이 되며, 이것이 분화하여 구(groove)을 형성하고 귀두요도(glandular urethra)가 된다. 다른 하나는 음경 끝에서 원형으로 함입하고 음경포피상피판(preputial epithelial plate)을 형성하는데 이것은 후에 음경포피(prepuce or foreskin)로부터 음경을 분리시키며, 14주경에는 귀두의 위를 덮었다가 출생 후 유아기에 분리된다.

4) 상동기관

성의 결정은 성염색체에 의해 정해지지만 생식기의 분화는 다양한 요인들에 의한 분화와 발달로 진행된다. 생식기관들 중 남녀 간에 기원이 같은 기관들을 상동기관이라고 하며 이들은 기능적으로 남녀간에서 다르게 나타난다. 외부생식기의 발생분화는 임신 8주부터 시작되며 뚜렷이 성별을 구분할 수 있는 시기는 3개월 이후이다. 이 시기에 총배설강막의 바깥쪽은 생식결절이고, 양측에 생식주름(genital fold)은 음경 내에 한 쌍의 간충직 기둥(mesenchymal column)으로 분화한다. 여성의 경우는 8주까지는 남성의 발생분화와 동일하지만 생식결절은 발달이 되지 않고 음핵이 된다. 10주경부터 요도주름의 융합이 비뇨생식동 개구부로부터 음경의 끝까지 요도주름이 융합되고 14주째에는 음경부 요도가 완성된다. 음경부 요도를 둘러싼 간충직은 분화하여 요도해면체를 형성된다. 여성의 경우는 요도주름은 소음순으로 발생되며 생식융기(생식팽대부)는 남성은 음낭융기(음낭팽대부)가 되고 이들이 양측으로 융합하여 음낭을 만들게 된다. 여성의 경우에는 융합되지 않은 채로 남아서 대음순으로 분화하게 된다(표 1-1),(그림 1-8).

5) 성의 결정과 분화에 관여하는 인자들

수정 이후 배아가 발생하면서 성이 결정되고, 미분화 생식소에서 고환으로 발생하는 과정에 관여하는 유전자가 알려지고 있다. 이 유전인자들은 남성 생식기관과 여성 생식기관의 분화에 직접적으로 관여한다. 이들은 성염색체에 존재하여 X 및 Y 염색체에 위치한 유전물질의 발현에 따라 남녀로의 분화에 중요한 역할을 하게 된다. 성의 결정은 다양한 유전자의 복합작용으로 단계적으로 발현되어야 정상발생이 된다(그림 1-8).

6) 성염색체

1923년 Painter가 인간은 X와 Y 염색체를 가진다고 보고하였다. 1959년 Welshons와 Russell이 생쥐의 XO 표현형이 암컷으로 나타나는 것을 발견하였고, 인간에서는 47(XXY) 표현형인 클라인펠터증후군이 남성이 되며, 45(XO) 표현형인 터너I증후군이 여성으로 나타난다는 것을 알았다. 이러한 결과로 Y 염색체를 가지는 동물은 남성으로, Y 염색체가 없는 경우에는 여성으로 발생하며 또한 X 염색체와는 독립적으로 성의 결정이 이루어지며 Y 염색체가 남성으로 발생 분화하는 원인이 된다.

(1) Y 염색체

Y 염색체는 정소 또는 난소로 발생하는 것을 결정하는 유전자들을 소유하고 있다. 인간에서 성의 결정을 조절하는 유전자로는 (testis-determining factor, TDF)라하고 생쥐에서는 (testis-determining gene on the Y, TDY)라고 명명한다. Histocompatibility antigen (H-Y)는 TDF의 하나로 제안되어 왔으며 수컷의 피부

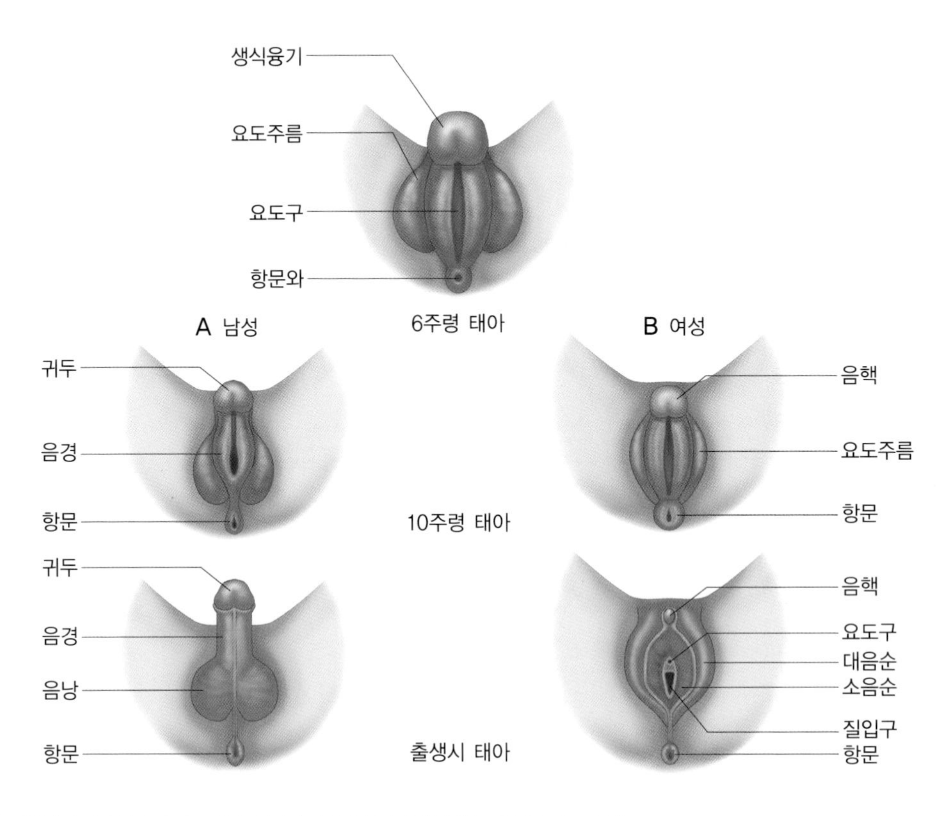

그림 1-8 외부생식기의 발생과 남녀상동기관 (A) 남성생식기의 발생 (B) 여성생식기의 발생

표 1-1 남녀생식기의 상동기간

남성생식기관	기원	여성생식기관
음경귀두	생식결절	음핵
음경부요도	요도주름	소음순, 질입구, 요도
음낭	생식융기부	대음순
퇴화	생식소피질	난소형성
고환형성	생식소수질	퇴화
부고환, 정관, 정낭	Wolffan duct	퇴화
퇴화	Müllerian duct	나팔관, 자궁, 경부, 질(상위부 1/3)

이식을 받는 암컷 생쥐에서 XY 세포에 대한 항체가 상승되고, 사람의 Y염색체 장완(long-arm)에 위치하고 있다. 그러나 H-Y항체가 없는 sex-reversed (*Sxr*) 계통에서 수컷 생쥐가 나오는 것과 특정 H-Y 양성인 XX 유전체형 남성에서 H-Y 항체가 없어 성 결정에 직접적이지 않은 것으로 인식되고 있다.

TDF로 제안된 다른 유전자는 Y염색체의 단완 상에 위치하는 (zinc finger Y, ZFY)이다. 이것의 X 염색체 내 상동인유전자는 (zinc finger gene on X chromosome, ZFX) 이다. 어떤 XX 남성에서 X와 Y의 일부가 섞여 있고, 흔치 않은 경우이나 XY 여성에서 ZFY가 결여되어 있다. 그러나 특정 XX 남성에서 이

유전자가 없고, ZFY 유전자의 존개 유무에 따른 혼재가 있어 성 결정에 직접적이지 않은 것으로 인식되고 있다.

가장 최근에 TDF로 제안된 것은 Y 염색체의 단완에 위치한 Sox 계열 전사인자이고 진화적으로 Sox-3에서 유래한 것으로 추정되는 (sex-determining region Y chromosome, SRY)이다. Sry 유전자는 223개의 아미노산을 암호화하고 있으며 그 산물은 비히스톤 단백질로 있다. 일부의 XY 또는 성선발생장애(gonadal dysgenesis) 환자에서 SRY 유전자 돌연변이가 발견되고, 46(XY) 여성에서 SRY가 없으며 난소와 같은 기질을 나타내며, 반대로 SRY 돌연변이가 없을 경우에는 세정관 또는 미분화 기질을 지니는 생식소를 가지는 것이 발견되었다. ZFY가 결실된 XX 남성에서 Sry가 있는 것이 확인되었다. Sry가 삽입된 XX 형질전환 생쥐는 정소를 갖는 수컷 표현형을 갖는다. 또한 성 결정 시기에 Sry 유전자의 발현이 관찰된다. 그러므로 SRY는 고환을 형성하거나 발생을 멈추게 할 수 있다고 인식되고 있다.

종합적으로 SRY 뿐만이 아니라 위에서 살펴보았듯이 ZFY, SMCY(Y histocompatibility antigen)은 고환의 발단 전후에 특이적으로 발현됨을 통하여 남성으로의 성 결정과 발달에 필요함을 알 수 있다(그림 1-9).

(2) X 염색체

X 염색체에 존재하는 유전자가 성에 관계없이 생식기 발생에 중요한 역할을 하며 또한 Y 염색체에서 발현 되는 유전자와 상호 작용하여 성의 결정을 유도한다고 알려졌다. X 염색체는 난소의 발생에 관여하는 유전자들과 고환의 발생을 위해서 필요한 유전자들도 가지고 있다. X 염색체에서 SRY 유전자를 억제조절하는 Z 유전자가 있다. 즉, DAX1(dosage sensitive sex reversal - adrenal hypoplasia congenital gene on the X chromosome gene 1), SOX3, ZDF 유전자들이 있다. DAX1은 SF-1과 관련되어 생식기 발생에 관여한다. DAX1의 발현은 고환 발생에서 SRY 신호를 증가시켜 모체의 호르몬에 대해서 태아가 반응하도록 한다. 또한 DAX1의 발현은 정상적으로 고환의 발생을 하향조절(down regulation)을 하는 한편 여성에서 난소의 발생을 유지하도록 하는 생식기발생의 조절 유전자이다. SOX3는 포유동물의 X 염색체 상에서 발견되며, SRY와 관련되어 있고 신경계발생에서 많이 발현된다. ZDF는 고환 결정을 위한 전사작용의 조절유전자로 알려졌고 다른 유전자는 ZFY의 X 염색체의 상동되는 유전자이다.

7) 상염색체

성염색체의 유전인자들 이외에도 상염색체 상에 존재하는 여러 인자들이 성을 결정하는데 중요한 역할을 한다고 알려지고 있다. 이러한 유전자들에 대한 연구들은 대부분 유전적인 이상이나 XX 남성(XX true hermaphroditism, 진성반음양) 또는 46, XY 여성을 대상으로 많은 연구들이 진행되었다.

(1) Wilms' tumor 1 (WT1)

WT1과 고환의 발생은 Denys-Drash 증후군과 WAGR 증후군의 연구에서 알 수 있듯이 Wilm' s 종양, 무홍채증(aniridia), 비뇨생식계 이상과 정신발달 지연을 나타낸다. 특히 Denys-Drash 증후군에서는 성별이 모호해지고 복합신장질환이 나타난다. 상염색체 11p13 지역의 결핍이 발생하는 WAGR 증후군에서는 미분화 고환을 가지는 반면 남성에서는 여성 또는 모호한 외생식기를 가지게 된다. WT1 유전자가 발현될 때, ZF 유전자의 복합 아이소형(isoform)이 선택적으로 발현된다. WT1가 높은 수준으로 발현된 생식기에서는 미분화 고환, 서톨리세포(지주 세포, Sertili cell) 그리고 난포에서 발견되는 과립세포가 관찰된다. WT1은 SRY와 복합체를 형성하고 전사를 조절함으로써 정소 발생에 중요한 역할을 하는 것으로 알려져 있다.

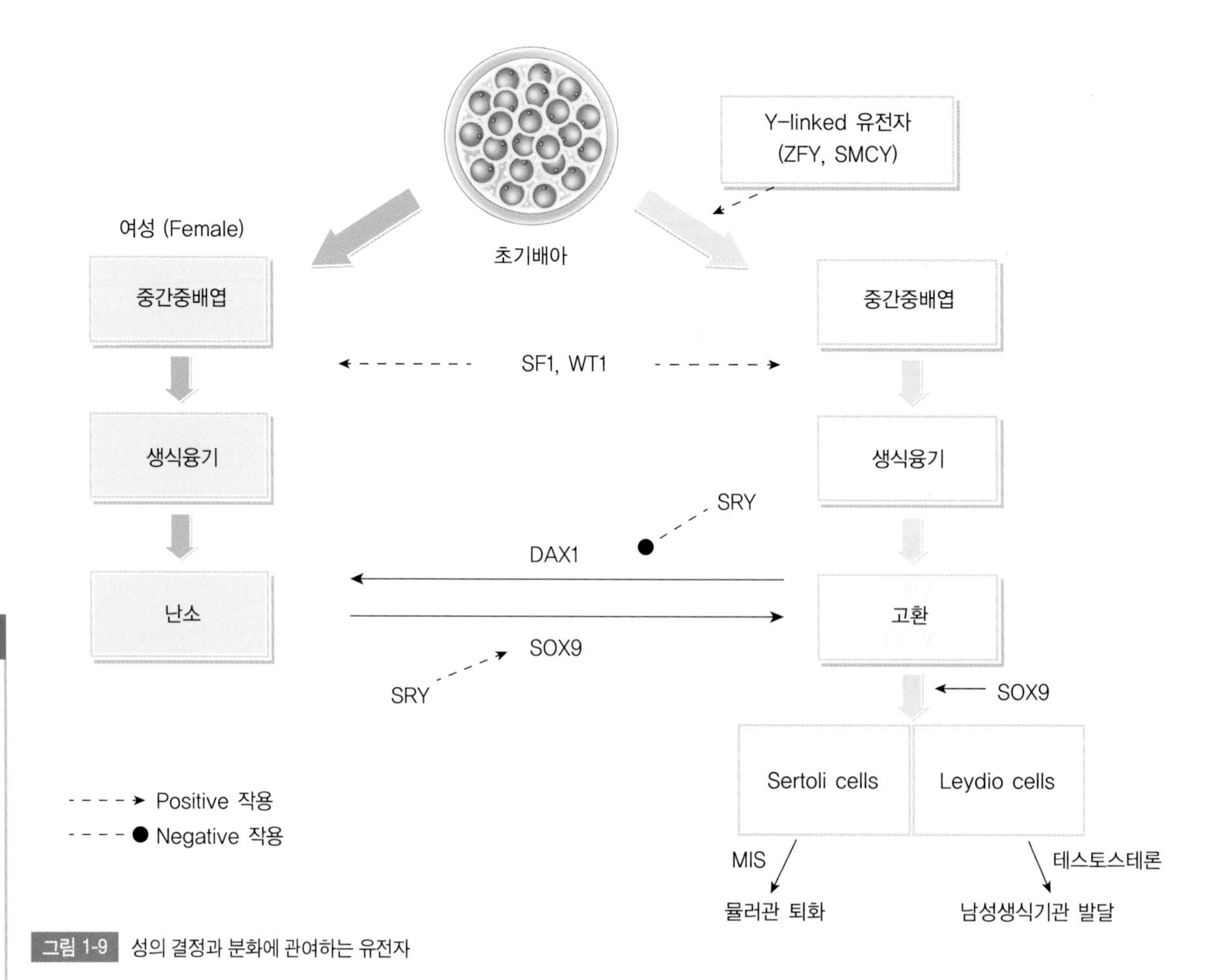

그림 1-9 성의 결정과 분화에 관여하는 유전자

(2) SRY-type HMG box 9 (SOX9)

상염색체 17q24-25 지역에 위치한 유전자는 생쥐 상동에서 SOX9이라고 제안되었고 SRY 유전자의 발견 이래로 SOX의 일원이라고 판명되었다. 이 유전자는 생쥐에서 원시생식융기와 초기 생식기에서 발현되고 서톨리세포(지주세포, Sertoli cell)의 발생에 관련되어 있다. 포유동물에서는 SOX9 유전자의 기능은 SRY 유전자에 의해 조절된다고 보고되었다.

(3) Steroidogenic Factor 1 (SF1)

부신피질 세포에서 분비되는 스테로이드 효소의 주요 조절자로 알려진 것은 핵 수용체(orphan nuclear receptor)이다. 이것은 SRY 유전자가 발현되기 이전 초기의 기관형성 과정에서 발생하는 생식기에서 발현된다. 상염색체 9q33에 위치한 SF-1은 스테로이드 호르몬의 조절에 관여하며 만약 이 호르몬들이 부족하였을 경우 신생아에서 심각한 문제와 여성적 외모의 표현형과 관련이 될 수 있다.

요약하면, 사람의 성의 결정과 분화는 앞서 언급한 다양한유전자들의 발현에 의해 이루어진다(그림 1-8). 이것은 남성 성 결정에 주요한 역할을 하는 SRY 유전자에 의해 필연적으로 이루어지는 것만은 아니며 또한 놀랄만한 것도 아니다. 현재까지 알려진 성의 결정과 분화는 최소한 한 개 이상의 연속적인 단계들에 의해서 이루어진다는 것이다. 그림 1-9에서 보듯이 SOX9는 고환의 특정이 나타나기 전에 활동적으로 전사되며 후에 이러한 전사가 SRY에 의해 자극되고 서톨리세포(지주세포, Sertoli cell) 발생에 필수적이다.

2. 생식기관의 구조와기능

Structure and function of male reproductive organs

남성생식기관은 남성으로서의 외형적인 모습과 생식을 위한 정자형성과정 그리고 호르몬분비에 의한 남성의 역할들을 담당하게 되는데 각 기관별로 기능이 다양하다. 남성생식기관은 두 개로 이루어진 고환, 정자의 배출관으로 부고환, 정관, 사정관, 외부생식기로 음낭, 음경, 3개의 부속생식선 즉 전립선, 정낭선, 구부요도선(Cowper gland)으로 이루어져 있다(그림 1-10). 고환은 900개의 세정관으로 구성되어 있으며 각각은 평균 길이 50 cm 이상이며 그 속에서 정자들이 가득 형성된다. 이후 정자는 세정관 내액의 흐름에 따라 씻기듯 부고환으로 옮겨 들어가게 된다. 부고환은 꼬인 형태인데 그 길이가 약 6 m 정도이다. 부고환은 정관과 연결되고 전립선의 본체에 이르기 전에 정관은 확장되어 팽대부를 형성한다. 전립선 각 부위에 한 개씩 위치한 두 개의 정낭들은 팽대부의 전립선 연결 부위로 흘러 들어가고, 팽대부 정낭으로부터 분비된 내용물들은 사정관을 지나서 전립선 요도에 이르게 되며 속 요도로 흘러들어간다. 전립선관 역시, 전립선으로부터 사정관으로 이어지고 그 곳에서 전립선 요도로 흘러 들어간다. 마지막으로 요도는 고환에서 외부와 최종적으로 연결되는 고리이다. 요도는 대부분 많은 수의 미세한 요도선과 요도의 근원에 인접하게 위치한 양측 구부요도선으로부터 유래한 점액을 공급한다.

1) 고환(Testis)

고환의 두 가지 주요한기능은 정자의 생산과 테스토스테론의 합성분비이다. 고환은 한 쌍으로 각각의 크기는 보통 4 × 3 × 2.5 cm의 타원형이다. 고환의 성숙은 사춘기를 지나면서 정상으로 성장하여 22세까지는 성숙이 완성된다. 고환의 감퇴는 나이가 많아지면서 나타나게 되지만, 70세 이후까지도 고환 자체의 기능은 유지 된다.

고환의 기본구조는 결합조직인 고환막이 여러 개의 소엽으로 나누고 이들은 실질과 간질로 나눈다. 고환의 실질은 구불구불한 세정관(convoluted seminiferous tubule)으로 정자의 형성과 완성을 담당하고 이 세정관 사이에 있는 간질세포인 레이디히세포는 테스토스테론을 분비한다. 고환막은 3층의 막으로 구성되는데 초막(tunica vaginalis)은 고환이 하강할 때 따라 내려온 복막이 음낭 안에서 분리되어 생긴다. 백막(tunica albuginea)은 섬유결합조직 치밀층으로 상당수의 평활근 세포들이 포함되어 있다. 백막은 고환의 뒤쪽에서 매우 두터워져서 고환중격막(고환세로칸, testicular mediastinum)을 형성하고 방사형의 고환격막(고환가로막, testicular septum)을 이룬다. 가장 속층에는 맥관막(tunical vasculosa)이 존재하며 결합조직이다(그림 1-10).

고환의 정상적인 정자형성과정과 고환의 기능을 유지하기 위해서는 정상적인 체온보다 2-4°C 낮아야 한다. 이것은 복강 내에서 내려와 음낭에 위치하면서 다른 혈액들과 절연적인 역할을 하고, 고환에 분포하는 혈관들에 의해 저온으로 온도를 유지하게 하여 항상 고환이 정상적인 기능을 할 수 있도록 유지할 수 있는 이유이다. 따라서 복강 내에서 음낭으로 내려오지 못하면 고환은 퇴화되고 이상을 일으키게 된다. 이러한 잠복고환(Cryptorchidism)은 출생 남아의 약 1-3%에서 일어난다.

고환의 정상 크기는 민족에 따라 차이가 있는 것으로 보고되고 있다. 우리나라의 남성은 15-30 ml 정도로 평균은 약 19 mL 이다. 그에 비해 서양 남성의 고환 크기는 평균이 약 15-25 ml로 동양인에 비해 크다. 고환의 크기는 생식 기능을 평가하기 위한 중요한 기

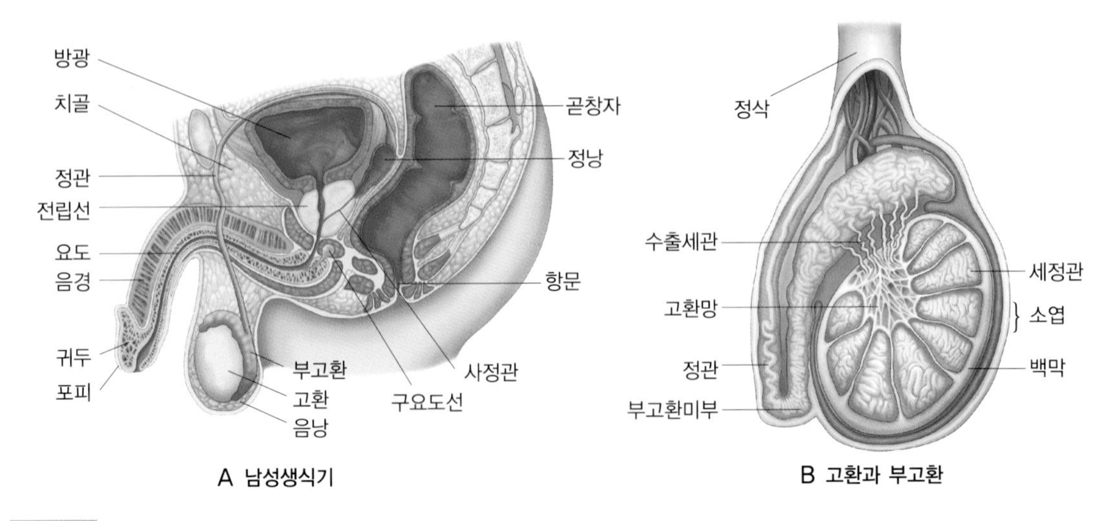

그림 1-10 남성생식기의 구조

준이 된다.

(1) 세정관(Seminiferous tubles)

성숙한 고환은 각각 900(600-1200)여개의 V자형 세정관으로 구성되고 평균 50 cm 이상의 길이를 가진다. 고환의 각 소엽에는 길이 30-70 cm의 곱슬머리 같은 구불구불한 세정관을 1-3개씩 가져 총 250 m 길이를 가지고 이것은 곧은 세정관(직세정관, straight seminiferous tubules)에 연결되고 다시 고환망으로 연결된다. 다시 5-6개의 수출관(고환날세관, ductulus efferens)으로 연결되고 부고환두부와 연결된다. 고환 소엽내 세정관은 저상상피세포와 기저막으로 이루어져 있으며 저상상피세포는 정자형성을 하는 정세포 또는 정원세포와 서톨리세포(지주세포, Seltoli cell)로 구성되어 있다.

세정관 사이의 간질조직에는 정소용량의 20-30%를 차지하며 LH에 의해 남성 성호르몬인 테스토스테론을 생성하는 레이디히세포(Leydig cell)가 존재한다. 이외에도 고환의 간질에는 섬유모세포, 대포식세포, 비만세포, 근섬유 세포 등이 존재하고, 약간의 혈관 및 신경이 분포되어 있다. 레이디히세포는 20 μm정도의 공모양, 다면체, 방추형의 호산성세포이고 핵은 편재성이다. 세포질에는 소포체(ER)가 많고 활면소포체(무과립세포질세망)가 스테로이드 합성의 구조로 존재한다.

(2) 서톨리세포(지주세포, Sertoli cel1)

세정관 내에는 서톨리세포가 존재하는 데 항상 세정관의 내강(lumen)을 향하여 기저막을 따라 넓게 분포하고있다 서톨리세포는 특별한 불규칙한 형태로 9-10 μm의 난원형 핵을 가지고 염색성이 약하고 핵소체가 뚜렸하여 정자기원세포와 구별이 잘 된다. 이들의 세포사이의 연접은 50개 이상의 밀착연접(폐쇄소대, tight junction)으로 서로 단단히 결합하고 있다. 결과적으로 서톨리세포는 세정관의 내경을 따라 링모양을 형성하고 있는데 다른 시기로 각각 분화되어 있는 정자기원세포들이 서톨리세포 사이에 분포하고 있으며 서톨리세포에 의해 포위되어 있다 이러한 점이 서톨리세포와 정자형성세포간의 관계가 여러 가지 이유에서 중요한 것이다.

따라서, 서톨리세포의 기능을 살펴보면, ① 정자기원세포의 지지 및 보호; 세정관으로 들어오고 나가는 물질들 – 호르몬, 이온, 단백질, 독성물질들 –을 조절하고 방어한다. ② 세정관 용액의 생성과 생식(germ) 세포의 발생을 위해서 영양분을 공급; 서톨리세포는 세정관의 내강으로 대부분의 용액들을 분비한다. 이 용액은 단백질, 효소, 영양분 그리고 남성호르몬들이 풍부하다. ③ 정자세포의 잔유물이나 퇴행성 세포, 세포자멸사(apoptosis)되는 세포의 포식; 세정관 내에 손상된 세포들을 흡수하거나 제거한다. ④ 남성호르몬결합단백질(androgen-binding protein, ABP)과 인히빈(inhibin)의 합성; 서톨리세포는 특별히 중요한 두 가지 단백질을 합성한다. 첫째 남성호르몬결합단백질(ABP)인데 세정관 내에 분비하여 남성호르몬과 결합하여 세정관 내 남성호르몬의 농도를 증가시킨다. 둘째 인히빈(inhibin)은 뇌하수체에 작용하여 난포자극호르몬(FSH)의 분비를 억제한다.

2) 부고환(Epididymis)

부고환은 고환의 후외측부의 곡선형의 부고환관(ductus epididymis)으로 정자는 이곳을 통과하면서 성숙되고 운동성을 획득하고 이동과 이후 수정에 필요한 대부분의 능력을 획득하게 된다. 부고환은 두부, 체부, 미부로 이루어져 한개의 매우 꼬불꼬불한 부고환관으로 이루어져 있는데 직경은 약 4 mm이고 굴곡된 상태의 길이는 약 5 cm이나 일직선으로펼치면 약 5-6 m나된다. 부고환에는부고환부속기(appendix epididymis)가 발견된다.

부고환의 겉은 장막으로 덮여 있으며 고환에서 이어 지는 고환망이 부고환 안에서 합쳐져 부고환관을 형성하는데 거짓중층원주상피세포(가중층원주상피세포, pseudostratified columnar epithelial cell)로 바닥세포와 미세융모세포로 구성되어 있으나 미세융모의 크기는 두부쪽의 부동모가 8 μm 정도로 더 길고 미부에서는 40 μm 정도로 짧아진다. 부고환은 정자를 수송하고 정자의 이동 조절 역할도 하며 정자가 고환에서 부고환미부까지는 12일(3-21일) 걸려서 통과한다. 성적인 흥분상태에서 부고환관벽의 평활근이 수축하며 이 수축으로 다음 관인 정관으로 정자가 이동한다.

부고환을 통과하면서 정자는 형태학적인 특성, 화학적 성분, 운동성, 수정능력, 대사, 투과력, 항원성, 원형질막 등에 변화를 일으킨다. 이 과정동안 정자는 성숙과정을 거쳐 운동성을 획득하고 수정이 가능하게 된다. 부고환은 통과한 정자가 일시적으로 머무를 수 있는 저장소의 역할을 한다. 부고환에서는 2 × 108 개의 정자가 보존되며 그 중 반은 미부에 존재한다. 또는 고환에서는 1일 약 40 ml의 분비액을 부고환에 배출하는데, 이 분비액과 오래전에 생성된 정자를 융해, 흡수히는 작용을 한다.

3) 정관(Vas deferens or ductus deferens)

만곡형의 부고환관은 미부에서 직선화된 정관으로, 정삭(spermatic cord)내에서 서혜관(샅굴)을 통과한 후 골반강의 측벽을 따라 후복막강에 이르고 방광과 요관사이를 지나 전립선 뒷면에서 확대되는데 이곳을 팽대부 즉 정관 팽대부(ampulla of ductus deferens)라 한다. 고환에서 나온 정자가 일단 이곳에서 머문다. 팽대부는 굴곡이 있고 방추형의 확장된 관으로 용적이 2 ml이고 길이가 2 cm 정도이다. 정자는 일단 여기에 모여서 저장되어서 사정을 기다린다. 고환에서부터 고환망, 고환수출관, 부고환, 정관 등을 거쳐 임시로 이곳에서 저장되며 약 6 m의 거리가 되는 긴 길이를 약 20여 일 동안 이동하여 사정을 기다린다.

정관팽대부의 점막상피는 정관보다 더 높고 점막주름이 함몰되어 팽대게실(diverticulum of ampulla)을 이루기도 한다. 정관은 직경이 0.5~1 mm로 좁은데 비해 점막과 점막하조직으로 내피되어 있다. 잘 발달된 두꺼운 3층의 평활근으로 내세포층, 중간돌림층, 비깥세포층으로 구성되고 연동운동을 하며 음낭내에서 쉽게 촉진된다. 따라서 정관의 기능은 정자를 수송하는데 있는데 방광 쪽을 향하는 강한 수축운동으로 부고환에서 수송된 정자를 정관팽대부까지 밀어 보내는 역할을 한다.

4) 정낭(Seminal vesicle)

정관의 미부에 위치하고 팽대부 말단에 개구한 곁주머니(게실, diverticulum)로서 전립선의 상후측에 위치한다. 정낭의 벽은 외막, 근육층, 점막 등으로 이루어져 있고, 점막은 일차, 이차, 삼차 주름으로 분지되어 상피는 거짓중층원주상피이고 점액세포, 기저세포(바닥세포)로 구성되며 점막의 높이는 분비주기, 남성호르몬에 따라 변화한다. 길이는 약 6 cm, 방추형의 약 4 ml의 용적, 무게는 약 2 g이 된다.

정관의 팽대부화 합쳐져서 사정관을 형성한다. 사정관은 전립선을 비스듬히 관통한 후 정구(verumontanum)를 지나 전립선요도의 요도능선(crista urethralis)에 개구한다. 정낭은 많은 양의 프로스타글란딘, 피브리노겐, 다른 영양물질과 포도당을 풍부하게 포함한 점액물질을 분비하는 분비상피세포를 지니고 있는 꼬불꼬불한 소강의 관으로 구성된다. 정낭분비물은 정액양의 50~60%를 차지하며 과당이 풍부한데, 이것은 정자운동의 1차적 에너지원이 된다. 사정 동안, 정관이 정자를 비우 게 된 후, 각 정낭은 짧은 시간동안 사정관으로 내용물을 비우게 된다. 프로스타글란딘은 ① 정자의 이동에 보다 높은 수용성을 만들기 위해 여성의 경부점액과 작용하고 ② 사정된 정자가 난자를 향하여 이동하기 위해 자궁과 난관에서 반대의 역연동수축을 일으키는 가능한 원인(소량의 정자가 5분 이내에 난관의 입구에 도달한다)에 의한 두 가지 방법으로 수정에 도움을 준다고 생각한다. 점막은 거짓중층원추세포와 아래점막조직으로 되어 있으며 정낭벽은 얇은 근육층과 결체조직으로 이루어져 있다. 정낭의 혈류와 림프관 분포는 전립선과 같으며, 교감신경총의 지배를 받는다.

5) 구부요도선(Bulbourethral glands; Cowper's gland)

구부요도선은 요도의 막부분 뒤쪽 결합조직에 묻혀있는 콩알 크기만한 한 쌍의 복합대롱꽈리 조직으로 투명한 점액성의 용액을 분비한다. 이 용액은 윤활제의 역할을 하는데 성적 흥분상태 동안 적은 양이 음경의 끝에 사정 직전 분비되는데 이러한 사정 전 용액은 가끔은 적은 수의 정자를 포함한다. 분비물에는 가락토스, 갈락토사민, 사이알릭산, 메칠펜토스 등이 포함되어있다

6) 음경(Penis)

음경의 해부는 제16장에서 자세히 기술되고 여기서는 요약하고자한다. 음경은 비뇨기관의 출구이고 또 생식기관의 배출기관으로 소변과 정액을 내보낸다. 그리고 성 생활의 교접기관으로 이용된다. 조직학적으로 음경은 발기조직으로 한 쌍의 음경해면체(corpora cavernosa)가 있고 아래에 한 개의 요도해면체(corpus spongiosum) 등 3개의 원통형 조직이 있다. 음경해면체는 음경사이막으로 구분되고 두 개의 음경해면체 사이의 아래에 요도해면체가 있다. 이것은 요도의 음경부분을 둘러싸는 간충직이 분화되었고 끝부분은 크게 팽대되어 음경귀두로 된다. 음경귀두는 음경원위부에 환상의 함몰이 되어 생긴다.

세 개의 발기조직 기둥을 둘러싸는 피하조직에는 지방은 없고 평활근육세포가 많아서 일반 피하조직과는 다르다. 음경의 끝에는 주름을 만들어 음경포피(prepuce)가 된다. 귀두와 음경포피 안쪽 표변에는 음경표피선들이 분포되어 있다.

음경해면체의 발기조직은 두터운 백막으로 싸여있는데 이 막은 두층의 아교섬유막으로서 바깥쪽은 세로 섬유층을 만들고 안쪽은 환상섬유층을 이룬다. 해면조직을 이루는 해면소주(trabecula)는 섬유막과 연결된 구조로써, 아교섬유, 탄력섬유, 편평근육섬유 등으로 이루어져있고 음경을 기둥과 같이 탄탄하게 하면서 해면체의 내부구조가 된다. 요도해면체의 백막은 음경해면체에서보다 훨씬 얇지만, 탄력섬유와 평활근육섬유를 많이 포함하며 잔기둥들도 요도해면체의 것이 더 얇으며 탄력성이 더욱 높다.

7) 음낭(Scrotum)

음낭은 기운데서 결체조직으로 느슨한 벽인 정중솔기(median raphe)를 형성하여 각각의 고환과 부고환 등을 감싸고 있다. 피부 아래는 음낭 근육이 있고 그 안으로는 3개의 근막이 있는데 이들은 고환이 내려올 때 따라 내려오기 때문에 복벽의 각각의 해당 근막들과 연결되어 있다. 이들 근막의 안으로는 초막이 있어 고환을 감싸고 있다.

음낭피부에는 많은 주름살이 있어 신축성이 크다. 주름살은 음낭근육에 의해 이완 및 신축을 하여 열의 발산을 조절하여 음낭 내 온도가 일정하여 체온보다 낮도록 유지하는 역할을 한다. 음낭에 분포하는 동맥은 대퇴골동맥, 내장골동맥, 하복부동맥이 있으며, 정맥은 각 동맥과 짝지어 분포한다. 림프 유출은 음경의 림프와 같아 얕은 서혜림프절과 하서혜림프절로 배출된다

3. 요약

이 장은 남성의 생식소 및 생식수관의 형성과 분화 과정을 공부하였다. 원시생식세포는 생식융기에 모여 증식, 분화하고 생식소 분화에 참여하여 생식을 가능하게 하는 성체구조로 발생, 분화된다. 원시생식세포의 기원과 이동, 생식소의 분화와 그 기전을 약술하였다. 수정 및 배아 발생시 성이 결정되고 분화에 관여하는 인자들의 연구가 급진전을 하고 있어 많은 인자들의 작용기전도 곧잘 알려지고 있다. 그리고 이들은 각 유전자의 발현과 해부학적 구조와 기능이 연관되어 발생 분화를 조절한다.

생식기관들 중 남녀간에 기원이 같은 상동기관은 발생하지만 기능적으로 서로 다르게 나타난다. 외부 생식기의 발생분화는 임신 8주부터 시작되며 뚜렷이 성별을 구분 할 수 있는 시기는 3개월 이후이며, 고환에서 분비되는 남성호르몬 영향으로 남성으로의 발생과 분화가 촉진된다. 성의 결 정과분화는 분화과정의 유도와 반응의 연속성과, 유전자 연결고리를 통한 복합작용으로 단계적 발현으로 진행된다. 남성 생식기관의 발생과 더불어 성 성숙이 일어난 상태에서의 생식기관의 구조를 기술하였다.

참고문헌

1. Davis RM. Localization of male determining factors in man: a thorough review of structural anomalies of the Y chromosome. J Med Genet 1981;18:161-195.
2. Ford CE, Jones KW, Polani PE, de Almeida JC, Briggs H. A sex chromosome anomaly in a case of gonadal dysgenesis(Turner' s syndrome). Lancet 1959;1:711-713.
3. Jacobs PA, Strong JA. A case of human intersexuality having a possible XXY sex-deterrnining mechanism. Nature 1959;183:302-303.
4. Magnusdottir E, Surani MA. 2014. How to make a primary germ cell. Development 2014;141:245-252.
5. McLaren A, Sirnpson E, Tomonari K, Chandler P, Hogg H. Male sexual differentiation in mice lacking H-Y antigen. Nature 1984;312:552-555.
6. Painter TS. Studies in mammalian spermatogenesis. 11. The spermatogenesis of man. J Exp Zool 1923;37:291-336.
7. Pinsky L. The embryology of normal gonadal and genital development. In: Pinsky L, Erickson RP, Schimke RN, editors Genetic Disorders of Human Sexual Development. New York Oxford University Press; 1999;3-8.
8. Pinsky L. Sex chromosome and autosome contributions to normal gonadal development. In: Pinsky L, Erickson RP, Schimke RN, editors.Genetic Disorders of Human Sexual Development. New York: Oxford University Press; 1999;11-27.
9. Simpson E, Chandler P, Goulmy E, Disteche CM, Ferguson-Smith MA, Page DC. Separation of the genetic loci for the H-Y antigen and for testis determination on human Y chromosome. Nature 1987; 326:876-878.

10. Siverthom DU. Reproduction and Development. In: Siverthorn DU Hurnan Physiology. 2nd ed. San Francisco: Pearson Benjamin Cummings; 2001;731-745.
11. Tanagho EA. Embryology of the genitourinary system. In: Tanagho EA, McAninch JW, editors. Smith' s General Urology. 15th ed New York: McGraw-Hill Companies; 2000;17-30.
12. Wachetel SS, Ohno S, Koo GC, Boyse EA. Possible role for H-Y antigen in the primary determination of sex. Nature 1975;257:235-236.
13. Welshons WJ. Russell LB The Y-chromosorne as the bearer of male-determining factors in the mouse. Proc Natl Acad Sci USA 1959;45:560-566.
14. Wilhelm D, Yang JX, Thomas P. Mannalian sex determination and gonad development. Curr Top De Biol 2013;106:89-121.
15. Wollin M, Marshall FF, Fink MP, Malhotra R, Diamond DA Aberrant epididymal tissue:A significant clinical entity. J Urol 1987;138:1247-1250.

CHAPTER 02

호르몬 분비 및 조절

Hormonal Regulation of Male Reproduction

■ 이성호

1. 안드로겐의 합성조절: 시상하부-뇌하수체-고환 축

Regulation of androgen synthesis: The hypothalamic-pituitary-testicular axis

호르몬은 남성생식에 있어서 매우 중요한 조절인자이다. 특히 안드로겐(androgen)이라는 일군의 성 스테로이드 호르몬이 중심적인 역할을 담당하는데, 가장 대표적인 안드로겐은 고환의 라이디히 세포(Leydig cell)에서 합성·분비되는 테스토스테론(testosterone)이다. 안드로겐 분비는 뇌하수체 전엽에서 분비되는 호르몬들에 의해 조절 받는다. 즉, 뇌하수체 호르몬 중 성선자극호르몬(gonadotropin)인 황체형성호르몬(luteinizing hormone, LH)과 난포자극호르몬(follicle stimulating hormone, FSH)은 안드로겐의 분비를 촉진시킨다. 한편 성선자극호르몬 분비는 시상하부에서 분비되는 신경호르몬인 성선자극호르몬 방출호르몬(gonadotropin releasing hormone, GnRH)에 의해 조절된다. 만일 안드로겐 분비가 과다해지면 음성되먹임(negative feedback)이 작동하여 GnRH 및 성선자극호르몬 분비가 줄어들고, 이에 따라 안드로겐 분비도 저하된다. 그러므로 안드로겐 농도는 시상하부-뇌하수체-고환에서 분비되는 호르몬들의 상호 길항작용에 의하여 정교하게 조절된다(그림 2-1). 본 절에서는 남성생식을 관장하는 시상하부-뇌하수체-고환 축의 호르몬 조절기전을 살펴보기로 한다.

1) GnRH와 성선자극호르몬의 기능

10개의 아미노산으로 구성된 GnRH는 시상하부에서 정중융기(median eminence)로 분비되어 문맥혈관계(portal vascular system)을 통해 뇌하수체로 전달되어 LH와 FSH가 분비되도록 한다. GnRH 분비는 지속적이라기보다는 맥동성을 가지고 간헐적으로 분비되며, 이 신호에 따라 LH는 하루에 8-14회에 걸쳐 분비된다. FSH 분비 역시 이러한 주기적인 형태를 따르지만 순환계 내에서 FSH의 반감기가 LH보다 길기 때문에 그 파동성은 상대적으로 작게 나타난다.

뇌하수체 전엽에서 합성·분비되는 LH와 FSH는 α와 β, 두 개의 폴리펩티드로 구성된 당단백질이다. 이중 α subunit는 동일한 단백질이며, 각 호르몬의 기능적인 차이는 β subunit로 말미암는다.

LH의 표적기관은 고환의 라이디히(Leydig) 세포이며, 세포표면에 존재하는 특이 수용체를 통하여 테스토스테론(testosterone)의 합성을 촉진한다. 정상적인

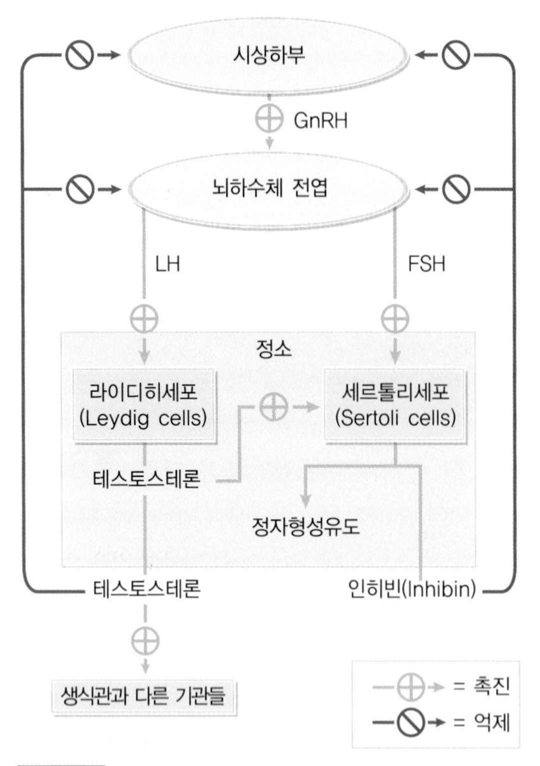

그림 2-1 남성생식을 조절하는 호르몬
남성생식은 시상하부와 뇌하수체 및 고환에서 분비되는 호르몬에 의해 조절된다.

고환이나 배양된 라이디히 세포에 LH를 지속적으로 투여할 경우에 LH 수용체가 감소하는 현상이 나타난다. 이러한 수용체 탈민감화(receptor desensitization) 현상은 LH 투여 후 LH에 대한 반응 감소와 연관이 있으며, 테스토스테론 합성을 조절하는데 기여하는 주요 현상의 하나이다.

FSH의 주 표적기관은 고환의 세정관 내에 존재하는 세르톨리 세포(Sertoli cell)이다. FSH는 세르톨리 세포막에 존재하는 수용체와 결합한 후, 다양한 세포 신호전달체계를 거쳐서 안드로겐-결합단백질(androgen-binding protein, ABP)과 방향족화효소복합체(aromatase enzyme complex) 등, 정자형성과정에 필요한 여러 단백질의 합성을 촉진한다. FSH는 또한 라이디히 세포에도 작용하여, 세포 성숙을 유도하고 LH에 의한 테스토스테론 합성에도 간접적으로 영향을 준다.

2) GnRH와 성선자극호르몬의 분비 조절

안드로겐의 분비 및 고환의 생식 기능을 유도하는 시상하부 및 뇌하수체 호르몬의 분비는 또한 안드로겐에 의해 조절 받는다. 테스토스테론을 포함한 안드로겐들은 중추신경계에 작용하여 GnRH 분비를 억제함으로써 결국 LH의 분비주기를 늦추는 작용을 한다. 테스토스테론은 시상하부에서뿐만 아니라 뇌하수체에서도 LH 분비를 직접 억제함이 밝혀졌다. 이 사실은 뇌하수체에 존재하는 테스토스테론의 양을 조금만 늘려도 GnRH 자극에 대한 LH 분비가 감소한다는 연구에서 확인할 수 있었다. 또 다른 스테로이드 호르몬인 에트스로겐이 시상하부의 GnRH 분비를 억제한다는 사실도 보고되었다.

테스토스테론이 GnRH의 분비를 억제하기 때문에 그 결과 LH와 더불어 FSH 분비도 억제한다. 하지만 LH의 경우와는 달리 테스토스테론을 비롯한 생식 스테로이드는 뇌하수체에서 FSH의 분비를 직접 억제하지는 않는다. FSH 분비를 억제하는 물질의 존재를 난소 난포액(ovarian follicular fluid)에서 최초로 확인하였고, 곧이어 이러한 억제물질의 정체가 인히빈(inhibin) 이라는 TGF-β 계열의 단백질임이 밝혀졌다. 남성의 경우 인히빈은 세르톨리 세포에서 생산·분비되어 뇌하수체에서 FSH 분비를 억제한다. 하지만 인히빈이 시상하부에 영향을 주어서 GnRH 분비를 직접 조절하는지는 아직 확실치 않다. 즉, 남성생식에 있어서 FSH의 농도는 두 가지의 서로 다른 기전에 의해 조절 받는데, 먼저 테스토스테론은 GnRH 분비를 억제함으로써 간접적으로 억제하고, 또 하나는 세르톨리 세포에서 분비된 인히빈이 뇌하수체에서 FSH 분비를 직접 억제한다.

2. 테스토스테론의 합성 및 운반

Testosterone synthesis and transport

1) 테스토스테론의 합성

고환의 라이디히 세포에서 합성되는 테스토스테론은 다른 스테로이드 호르몬과 마찬가지로 콜레스테롤(cholesterol)로부터 유래된다. 콜레스테롤은 자체적으로 세포에서 생산할 수도 있고, 저밀도지질단백질(LDL) 입자에 의해서 체내 다른 곳에서 합성되어 세포 내로 이동되기도 하는데, 라이디히 세포에서는 필요한 콜레스테롤의 절반 정도를 자체 생산하고 나머지는 외부에서 공급 받는다. 콜레스테롤은 다섯 단계의 순차적인 효소작용에 의해 테스토스테론으로 변화하게 된다. 이중 첫 단계는 콜레스테롤 측쇄절단효소(Cholesterol side-chain cleavage enzyme, 다른 이름으로는 P450scc 또는 20,22-desmolase로 불림)에 의해 콜레스테롤의 측쇄(side chain)가 잘려나가 프레그네놀론(pregnenolone)이 형성되는 과정인데, 이 과정은 미토콘드리아에서 일어난다. 콜레스테롤이 미토콘드리아로 운반되려면 StAR (steroidogenic acute regulatory protein)의 작용이 필수적인데, 이는 호르몬 합성률을 조절하는데 결정적인 단계로써, LH에 의해 조절된다. 프레그네놀론 이후의 안드로겐 전환 단계는 소포체에서 진행되는데, 순차적으로 17α-hydroxylase, 17, 20 lyase, 3β-hydroxysteroid dehydrogenase(3β-HSD), 17β-hydroxysteroid dehydrogenase(17β-HSD) 효소 반응을 거쳐 테스토스테론이 만들어진다.

일단 형성된 테스토스테론은 남성호르몬으로 분비되지만 경우에 따라 일부는 5α-환원효소(5α-reductase)에 의해 5α-디하이드로테스토스테론(5α-dihydrotestosterone, 5α-DHT) 혹은 방향화효소(aromatase)에 의해 17β-에스트라디올로 전환되기도 한다(그림 2-2). 라이디히 세포에서 합성된 테스토스테론은 고환정맥을 타고 분비된다. 고환에는 약 50 mg의 테스토스테론이 존재하며, 하루에 5-10 mg의 테스토스테론을 합성 · 분비한다.

비록 안드로겐의 절대적인 생합성 조직은 고환이지만, 부신에서도 안드로겐이 일부 합성될 수 있으며, 특히 거세-저항성 전립선암(castration-resistant prostate cancer, CRPC)은 임상적으로 중요한 안드로겐 생성 부위이다.

2) 테스토스테론의 운반

혈액을 순환하는 테스토스테론의 대부분은 알부민(albumin)이나 테스토스테론-결합 글로불린(testosterone-binding globulin, TeBG) 등의 혈장단백질과 결합한 상태이다. 정상 성인 남자의 경우 테스토스테론의 30-44%는 TeBG와, 그리고 50-68%는 알부민 및 다른 단백질과 결합하고 있고, 단지 0.5-3%만이 단백질과 결합하지 않은 자유스러운 상태로 있다. 테스토스테론에 대한 알부민의 결합력은 TeBG에 비해 1,000분의 1에 불과하나 알부민의 수용력이 TeBG에 비해 1,000배 가량 크므로 결과적으로 테스토스테론은 비슷한 비율로 알부민 및 TeBG에 결합하게 된다.

테스토스테론이 세포에 들어가 작용하기 위해서는 혈장내 결합단백질과의 결합이 끊어져서 자유로운 상태로 있어야 한다. 그러므로 혈장내의 테스토스테론 결합단백질의 종류 및 양은 테스토스테론의 활성에 지대한 영향을 미친다. 이를테면, 알부민과 결합된 테스토스테론은 TeBG에 결합된 경우보다 뇌에서 쉽게 해리되어 세포 내로 이동할 수 있다. 특히 태아기에는 뇌로 수송된 테스토스테론이 표적 뉴런 내에서 방향화효소에 의해 17β-에스트라디올로 전환되어 뇌를 '남성화(수컷화)' 시키는 것으로 알려졌다.

고환의 내부는 세르톨리 세포들간에 밀착연접구조로 말미암아 혈액고환관문(blood-testis barrier)이 형성되어 유해 물질의 유입이 차단된다. 따라서 혈장이 세정관내 통로로 바로 진입할 수 없다. 그런데도 세정관내 테스토스테론의 농도는 혈장에 비하여 무려

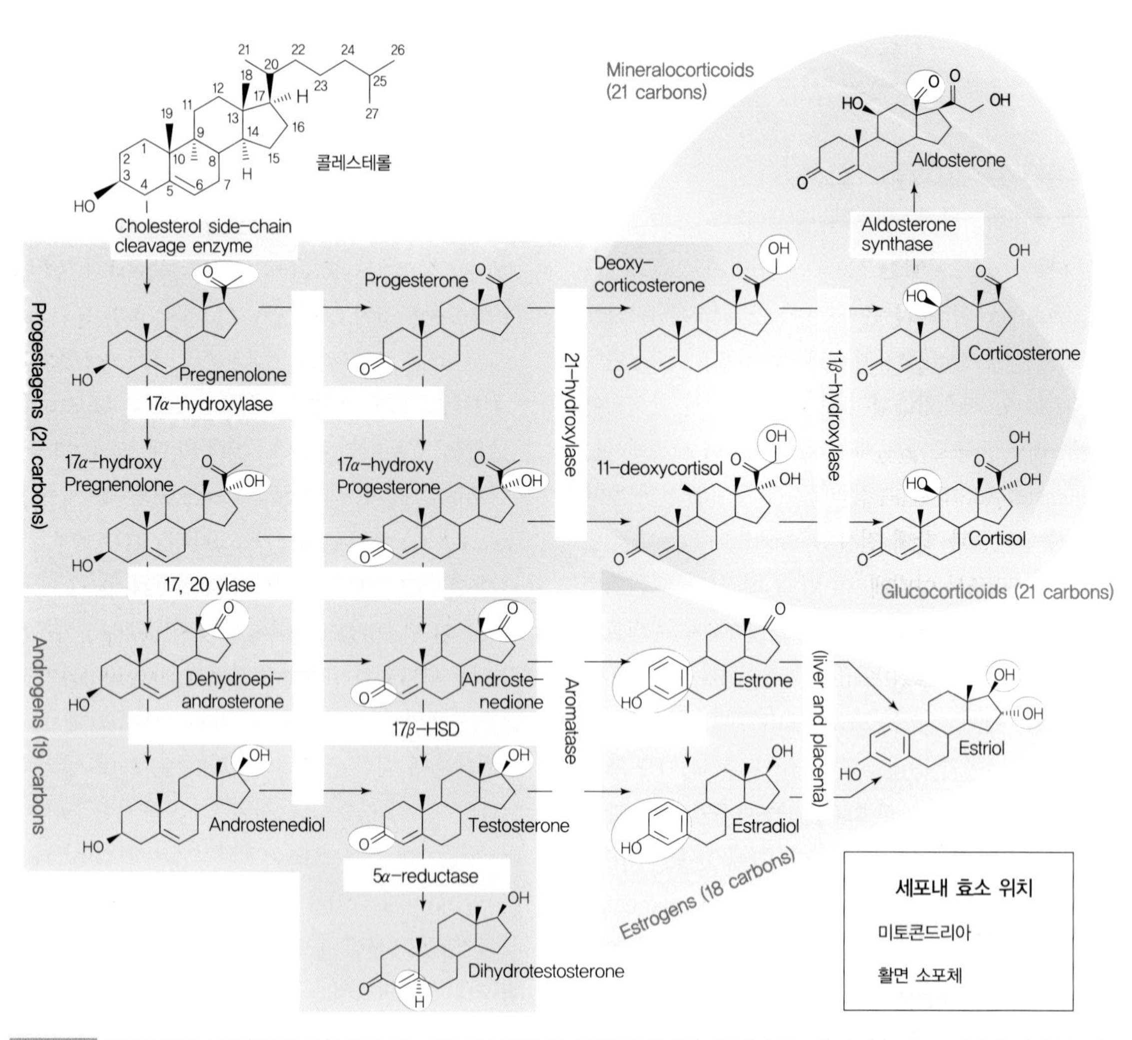

그림 2-2 인간의 주요 스테로이드호르몬 합성과정. 흰색 원 부분은 분자 구조의 차이를 비교해서 강조한 것이며, 안드로겐성 호르몬들은 좌측 하단 부분에 있다(출처, Wikipedia).

10-100배 정도 높다. 이런 현상의 생리학적 의미는 아직 알려지지 않았으며, 어쩌면 테스토스테론이 안드로겐결합단백질(androgen-binding protein, ABP)에 결합되어 부고환 세포로 공급되기 위한 방법일 것으로 유추하고 있다.

3) 테스토스테론의 대사

대부분의 테스토스테론(50-70%)은 간에서 대사되지만, 전립선과 피부와 같은 말초조직에서도 일부 대사된다. 혈류를 통해 간으로 유입된 테스토스테론은 5α-와 5β-환원효소, 3β-와 3α-hyhydroxy-steroid dehydrogenease 그리고 17-hyhydroxysteroid dehydrogenease에 의해 안드로스탄드론(androstandron)이나 에티콜아놀론(eticholanolone)과 같은 불활성 대사체와 DHT와 3-안드로스타네디올(androstanediol)로 전환된다. 다음 이들은 글루카론화 되거나 황산화(sulfation) 과정을 거쳐 수용성으로 되어 신장을 거쳐 배설된다.

3. 테스토스테론의 작용기전

Testosterone action mechanisms

1) 안드로겐 수용체 (androgen receptor; AR)

안드로겐 수용체는 전사인자이다. 즉, 표적세포에 도달한 테스토스테론은 수용체와 결합하여 전사인자로서의 기능을 담당할 수 있도록 단백질의 구조를 변화시킨다. 테스토스테론-수용체 결합체는 하위유전자 내에 안드로겐 반응요소(androgen response element; ARE)라는 특정염기서열을 인식 · 결합하여 다른 인자들과 함께 전사를 조절한다(그림 2-3). 이 과정은 30-45분 이내에 일어나며, 하위유전자의 발현이 개시되면 보통 수시간 내에 충분한 양의 단백질이 축적된다. 안드로겐 수용체는 테스토스테론과 5α-DHT 모두와 결합할 수 있지만 5α-DHT와의 친화력이 더 높다.

테스토스테론이 수용체 전사인자의 활성화라는 고전적인 방법 외에 또 다른 신호전달체계로 표적세포에서 기능할 수 있음이 보고되었다. 예를 들면, 세르톨리 세포에서 정자형성을 충분히 지지할 때 필요한 테스토스테론의 농도가 70 nM인데 이는 수용체의 활성화에 충분한 1 nM보다 훨씬 높은 농도이다. 또한, 테스토스테론이 처리되면 순식간에 세포내 칼슘 농도가 증가한다. 이런 관찰들은 테스토스테론에 의해 신속하게 반응하는 신호전달체계가 존재함을 지지한다. 테스토스테론에 의해 활성화되는 신호전달체계는 SRC 인산화효소(Src tyrosine kinase)를 경유한 MAP 인산화 신호전달체계와 세포내 칼슘에 의한 신호전달체계 등이다(그림 2-4). 두 경우 모두 CREB라

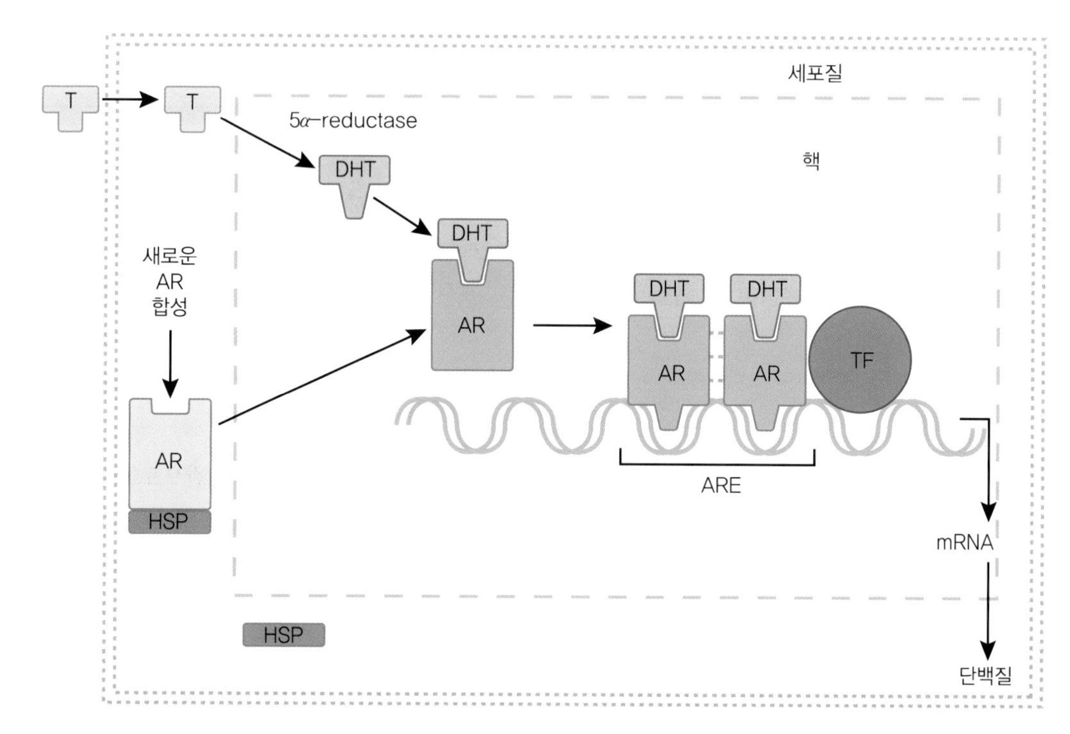

그림 2-3 전사인자로서의 안드로겐 수용체 작용기전 테스토스테론(T)은 세포 안에 들어가서 5α-환원효소에 의해 5α-디하이드로테스토스테론(DHT)으로 변환된다. DHT와 안드로겐 수용체(AR)가 결합하면 AR의 형태적 변화가 초래되고 이것은 열충격단백질(heat shock protein; HSP)과 같은 AR의 결합단백질들이 AR로부터 분리가 이루어지는 원인이 된다. AR은 안드로겐 반응요소(ARE)에 결합, 다른 전사 요소(TF)들과 더불어 안드로겐 의존성 유전자의 전사를 조절한다.

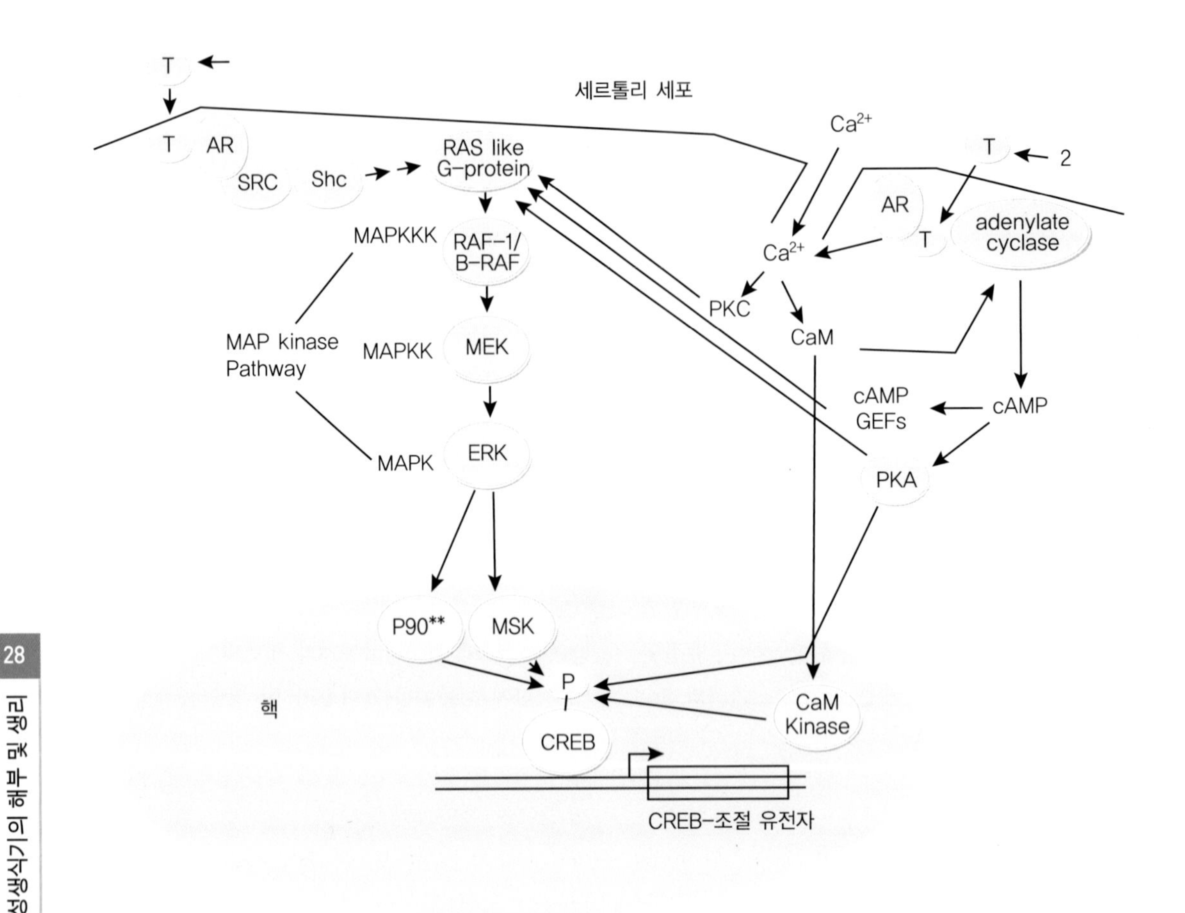

그림 2-4 표적세포에서 테스토스테론에 의한 신호전달체계 크게 두 가지의 신호전달체계가 작동된다. 즉, 수용체와 결합한 테스토스테론은 Src 인산화효소를 활성화시키고, 이 신호는 MAP 인산화신호전달체계를 따라 핵으로 전달된다(1번 경로). 또한 수용체와 결합한 테스토스테론의 신호는 세포질내에 칼슘이온 농도를 증가시킴으로써 CaM 인산화효소 등을 포함한 일련의 신호전달체계를 통하여 핵으로 전달된다(2번 경로). 두 경로 모두 CREB를 인산화시킬 수 있고, 이에 따른 일련의 유전자들의 발현이 조절된다.

는 전사인자를 인산화시킴으로써 하위유전자 발현을 조절한다.

2) 안드로겐의 조절을 받는 유전자

안드로겐에 의해 조절 받는 유전자들이 보고되었고, 이들의 생리학적 의미가 연구되어왔다. 특히 마이크로어레이(microarray)등의 방법으로 조절유전자를 대규모로 발굴하는 연구의 결과로 표적유전자의 수는 최근에 증가하였다. 이들 하위 유전자들 가운데 일부는 안드로겐-수용체 결합체에 의해 전사가 직접 조절 받는다고 알려져 있다(표 2-1). 예를 들면, 전립선 특이 유전자인 PSA와 hKLK2, probasin과 prostatein의 C subunit 그리고 간에 특이적으로 발현되는 slp 등이 있다. 이 유전자들은 모두 프로모터 혹은 인트론에 ARE를 포함하고 있고 안드로겐-수용체 결합체가 이곳에 결합한다. 하지만 거의 동일한 수의 유전자들에서는 안드로겐-수용체 결합체에 의한 직접적인 전사조절이 확인되지 않았다(표 2-1). 이들 유전자들 가운데 일부는 앞에서 언급한 다른 신호전달체계에 의해 발현이 조절될 수도 있을 것이다.

표 2-1 안드로겐에 의해 발현이 조절되는 유전자들

유전자	반응	참고문헌
안드로겐에 의해 발현이 조절되는 유전자		
HMAK	증가	Xia et al. 2002 Journal of Biological Chemistry 277 35422–35433
SPAK	증가	Qi et al. 2001 Molecular and Cellular Endocrinology 182 181–192
FSH–β	증가	Spady et al. 2004 Molecular Endocrinology 18 925–940
Fibroblast growth factor 2	증가	Rosini et al. 2002 Prostate 53 310–321
CDK2, CDK4	증가	Lu et al. 1997 Cancer Research 57 4511–4516
p16	감소	Lu et al. 1997 Cancer Research 57 4511–4516
p27	증가	Chen et al. 1996 Cell Growth and Differentiation 7 1571–1578
AIbZIP	증가	Qi et al. 2002 Cancer Research 62 721–733
NKX3.1	증가	He et al. 1997 Genomics 43 69–77
PART–1	증가	Lin et al. 2000 Cancer Research 60 858–863
Prostase	증가	Nelson et al. 1999 PNAS 96 3114–3119
Prostein	증가	Xu et al. 2001 Cancer Research 61 1563–1568
Fatty acid synthase	증가	Swinnen et al. 1997 Cancer Research 57 1086–1090
안드로겐 수용체가 전사인자로 작용하여 발현이 조절되는 유전자		
Prostate specific antigen (PSA)	증가	Luke & Coffey 1994 Journal of Andrology 15 41–51; Sun et al. 1997 Nucleic Acids Research 25 3318–3325
Kallikrein 2 (KLK2)	증가	Sun et al. 1997 Nucleic Acids Research 25 3318–3325; Mitchell et al. 2000 Molecular and Cellular Endocrinology 168 89–99
Probasin	증가	Rennie et al. 1993 Molecular Endocrinology 7 23–36; Claessens et al. 2001 Journal of Steroid Biochemistry and Molecular Biology 76 23?30; Zhang et al. 2004 Endocrinology 145 134–148
Tyrosine aminotransferase	증가	Denison et al. 1989 Endocrinology 124 1091–1093
p21	증가	Lu et al. 1999 Molecular Endocrinology 13 376–384
Neutral endopeptidase 24.11 (NEP)	증가	Shen et al. 2000 Molecular and Cellular Endocrinology 170 131–142
Sex–limited protein (Slp)	증가	Verrijdt et al. 2000 Journal of Biological Chemistry 275 12298–12305
Ventral prostate C3	증가	Tan et al. 1992 Journal of Biological Chemistry 267 4456–4466; Claessens et al. 1993 Biochemical and Biophysical Research Communications 191 688–694
Androgen receptor	증가	Grad et al. 1999 Molecular Endocrinology 13 1896–1911
Glycoprotein hormone αsubunit	감소	Jorgensen & Nilson 2001 Molecular Endocrinology 15 1496–1504
Pem	증가	Lindsey & Wilkinson 1996 Developmental Biology 179 471–484
EGFR	증가	Pignon et al., 2009 Cancer Res 69 2941–2949
PRKCD, PYCR1	증가	Jariwala et al., 2007 Mol cancer 6 39 doi:10.1186/1476-4598-6-39
IGF–1R	증가	Pandini et al., 2005 Cancer Res 65 1849–1857

3) 안드로겐의 작용 이상에 따른 병리현상의 예

거세 등으로 말미암아 안드로겐이 생합성되지 않는다면 남성의 생리적 현상에 심각한 영향이 나타날 것은 자명하다. 흥미롭게도 안드로겐 수용체에 결함이 있어도 안드로겐 결핍과 같은 증상이 나타난다. 즉, AR 유전자에 변이를 가지고 있는 환자는 표적세포에서 안드로겐의 신호를 제대로 받을 수 없으므로 안드로겐 불감성증후군(androgen insensitivity syndrome; AIS)을 나타낸다. AR의 변이가 안드로겐의 신호를 완벽하게 막을 경우 XY 성염색체를 보유했다 하더라도 복부고환(abdominal testis), 남성생식기의 부재, 안드로겐 합성 저하 등이 일어나서 결국 여성의 성징을 나타내게 된다. 이러한 증상은 남성생식기의 발생에서 AR의 기능이 얼마나 중요한지를 보여준다.

테스토스테론으로부터 또 다른 강력한 안드로겐인 5α-DHT을 합성하려면 환원효소(5α-reductase)가 작용해야 한다. 만일 이 환원효소 유전자에 변이가 발생하여 5α-DHT가 합성되지 않으면 XY 성염색체를 보유했다 하더라도 음경이 제대로 형성되지 않고 여러 가지 여성적인 성징을 나타내게 된다. 이는 5α-DHT가 테스토스테론과 함께 남성 성징을 나타내는 데 매우 중요한 안드로겐임을 보여준다.

4) 내분비계장애물질과 안드로겐 관련 병리현상

최근 안드로겐의 작용을 교란하는 외인성 물질들인 내분비계 장애물질(endocrine disrupting chemical, EDC)에 대한 관심이 고조되고 있다. 남성 생식에 악영향을 주거나 그럴 가능성이 있는 EDC로는 농약류(예, 아트라진), PCB 류, 다이옥신, 난연제(flame retardant), 항균제(예, 빈클로졸린), 플라스틱 관련 물질(예, 프탈레이트와 비스페놀) 등 이며 대부분 실생활에서 널리 사용되고 있다. EDC에 의해 태아기 안드로겐 합성/작용 교란이 일어나거나 insulin-like peptide 3(INSL3) 매개 작용 교란이 일어날 경우 잠복고환(cryptorchidism)이 나타날 가능성이 높은 것으로 추정되고 있다. 또한 백서 연구에서 일부 EDC는 활성산소(reactive oxygen species, ROS)를 생성하여 라이디히 세포의 스테로이드합성효소 발현과 활성을 저해시키고 세포자연사를 유발하기도 하며, 직간접적으로 생식세포의 사멸을 초래한다.

4. 안드로겐의 기능

Functions of androgen

1) 안드로겐의 생리적 기능

안드로겐은 남성을 특징짓는 조직과 기관의 발생 및 성장에 관여한다(표 2-2). 테스토스테론은 주요 안드로겐이고 많은 조직들이 테스토스테론에 직접 반응하지만, 어떤 조직에서는 또 다른 안드로겐인 5α-DHT에 선택적으로 반응하기도 한다. 테스토스테론은 초기 태아발생에서 작용한 후 뇌하수체의 성선자극호르몬 분비에 의해서 생식소가 활성화되는 사춘기까지 그 활동이 잠잠해진다. 이후에 사춘기를 맞이하여 증가한 안드로겐은 정자형성과정을 활성화시킴과 동시에 여러 2차 성징들을 유도한다.

2) 정자형성과정(Spermatogenesis)

테스토스테론과 더불어 FSH도 정자형성과정(spermatogenesis)에 직접 관여함이 보고되었다. 미성숙한 백서 혹은 뇌하수체가 제거된 백서에 FSH를 투여하면 고환의 크기가 현저하게 증가한다. 이는 고환 내의 세르톨리 세포의 증가와 직접적인 연관이 있다. 하지만 FSH 투여 만으로는 성숙한 정자가 형성되지 않고, 테스트스테론이 투여되어야 비로소 정자가 완성됨으로 보아 정자형성과정에 안드로겐이 필수적임을 알 수 있다. 즉, 사춘기 이후에 정자형성과정이

표 2-2 안드로젠의 다양한 기능

작용 장소	생리학적 기능
사춘기 이전	
성 부속기관	볼프관의 분화와 성장
외부 생식기	음낭과 음경의 성장과 분화
사춘기 이후	
골격근	남성적 체형 형성
	(Na^+, K^+, H_2O 유지)
뼈	성장판 닫힘
	(Ca^+, SO_4^{-2}, PO_4^{-3} 유지)
성대	음성 변화
피부	털의 자람(턱, 겨드랑이, 가슴, 성기,
	그리고 전체적인 몸)
	털의 손실(이마)
	피지선의 성장과 피지 생산
정소	세르톨리 세포의 성장과 안드로겐
	결합 단백질의 생산
	정자 형성
외부 생식기	음경과 음낭의 성장
성 부속기관	전립선, 정낭, 요도구선의 성장과 분비
중추신경계	성적 활동(성욕 증가)
시상하부와 뇌하수체 축	황체형성 호르몬의 분비 억제

시작되고 이를 유지하는 데에 FSH가 중요한 역할을 담당한다. 하지만 일단 정자형성과정이 시작되면 FSH를 배제하고 안드로겐 만을 단독 처리해도 정자가 형성됨으로 보아 안드로겐이 정자형성과정에 중추적인 역할을 담당함을 알 수 있다.

정자형성과정에서 FSH와 테스토스테론의 역할에 관해서는 아직 확실히 이해되지 않았다. 지금까지 연구된 바에 의하면 세르톨리 세포의 원형질막에 존재하는 수용체에 FSH가 결합하면 세포내 cAMP 농도가 증가하고, 이로 인해서 안드로겐-결합 단백질(ABP)을 포함한 여러 단백질의 합성이 유도됨이 알려졌다. 과거에는 남성생식세포에 안드로겐 수용체가 없기 때문에 테스토스테론이 세르톨리 세포에 작용하여 남성생식세포의 발생 및 분화를 간접적으로 조절하는 것으로 여겨졌지만, 이후 여러 연구를 통해 정원세포, 정모세포, 정세포(세정관주기 XI)에서 발현됨이 보고되었다. 이와 관련하여, 안드로겐 수용체 녹아웃 생쥐(ARKO)의 경우 세정관 내에 생식세포가 없거나 드물게 존재함이 보고되었다.

성체의 세르톨리세포에서 안드로겐 수용체의 발현은 주기적으로 변한다. 백서를 대상으로 한 연구에 의하면, 안드로겐 수용체는 세정관주기 II-VII 동안에는 증가하다가 이후에 급격히 감소하여서 세정관주기 IX-XIII 동안에는 거의 발현되지 않음을 관찰하였다. 안드로겐 수용체의 발현이 세정관주기 VII에 최대이므로 이때 테스토스테론의 조절기능도 가장 활발한 것으로 예상되며, 남성생식세포 발생에 결정적인 시기라고 예측하고 있다.

3) 동화작용(Anabolic actions)

안드로겐은 생식기관뿐만 아니라 여러 조직에도 작용을 하는데, 그 중 대표적인 조직이 골격근으로써, 그 결과 남성과 여성간에 골격차이를 유발한다. 또한 남성의 후두근과 후두연골은 안드로겐의 영향으로 성장하게 되어, 결국 남성의 목소리를 저음으로 만든다.

동화스테로이드(anabolic steroid)는 테스토스테론과 구조적으로 유사한 물질들로서, 생식기관에는 영향을 주지 않고 오직 근육성장만을 유도하기를 기대하며 합성된 스테로이드들이다. 이런 희망을 완벽하게 만족시켜주는 물질은 아직 합성되지 않았지만, 일부의 스테로이드들은 근육성장을 어느 정도 촉진하는 것으로 알려졌다. 흥미롭게도 골격근세포에 존재하는 안드로겐 수용체는 생식세포의 것과 동일하다. 그럼에도 불구하고 동화작용을 촉진한다고 알려진 동화스테로이드들은 어쩌면 또 다른 스테로이드 호르몬인 글루코코르티코이드(glucocorticoid) 수용체에 경쟁적으로 결합하기 때문일지도 모른다. 이런 동화스테로이드들은 운동선수의 근육발달을 촉진시키기 위해 사용되기도 한다. 하지만 많은 양의 동화스테로이드를 지속적으로 투약하면 심각한 부작용이 나타난다. 그 예로 고환 위축, 전립선암, 신장 장애, 정서와 행동 이상(공격성), 성장 저해(사춘기)을 들 수 있다.

4) 성장에 따른 남성생식기능의 형성 및 유지

남성 생식기능의 형성 및 유지는 혈중 테스토스테론의 농도와 밀접한 관계가 있다(그림 2-5). 태아 발생 과정에 있어서 테스토스테론의 합성은 남성생식기관이 형성되는 임신 3개월 정도부터 급격히 상승하여 성인의 절반 수준까지 올라가다가 생후 1년쯤 되면 감소하게 된다. 이후 유년기 동안에 테스토스테론의 농도는 낮은 수준을 유지하고 있다가 사춘기에 접어들면서 증가한다. 17세부터 성인 수준의 테스토스테론 농도를 유지하기 시작하여 생식이 가능한 기간 동안 지속된다.

(1) 사춘기(Puberty)

혈중 FSH와 테스토스테론의 농도는 사춘기 이전에는 낮게 유지되는데, 6-7세의 아동시기가 되면 부신피질기능항진(adrenarche)이 일어나 부신에서 합성된 안드로겐이 분비된다. 이들 호르몬은 사춘기이전의 남아 성장에 중요하고, 겨드랑이털과 음모의 초기 발생에도 부분적으로 관여한다. 이 시기에 혈중 테스토스테론의 농도는 약간만 증가하는 양상이며, 혈장 LH의 농도도 낮고 작은 파동을 보여준다. 그렇지만 이 시기에서도 뇌하수체 및 고환간의 되먹임 조절(feedback)이 존재하는데, 예를 들면 고환을 거세하면 LH 및 FSH의 농도가 급격히 증가하게 된다.

사춘기의 시작과 연관된 LH 및 FSH와 같은 뇌하수체 호르몬 분비의 활성화는 잠자는 동안 분비되는 LH로부터 시작한다. 이후 사춘기가 진행됨에 따라 혈중 뇌하수체 호르몬은 낮에도 높게 유지되는데, 이는 시상하부에서의 GnRH 분비 증가 및 뇌하수체에

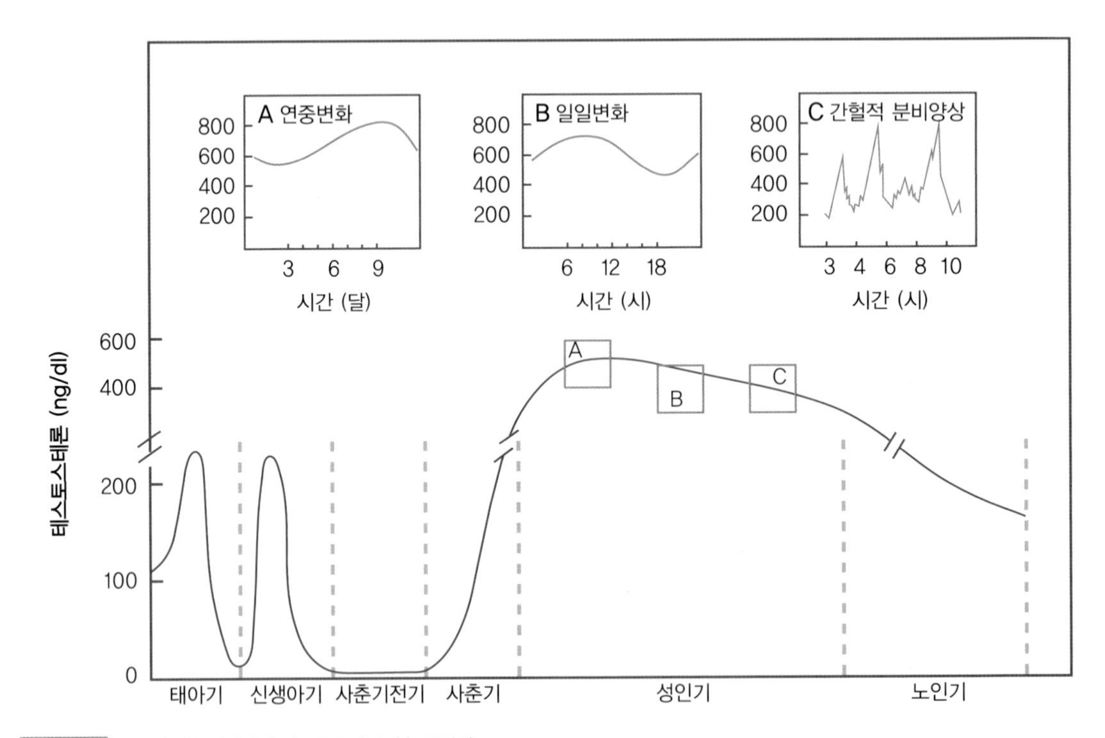

그림 2-5 남성의 말초혈액에서 테스토스테론의 농도변화

서의 GnRH에 대한 반응성 향상으로 말미암는다. 이 때 혈중 테스토스테론의 증가도 수반되는데, 아마도 이 시기에 시상하부-뇌하수체 체계는 테스토스테론에 의한 되먹임 억제작용이 덜 민감하게 작용하도록 되어있을 것이다.

사춘기에 고환에서는 라이디히 세포가 성숙하여 테스토스테론을 본격적으로 분비하기 시작하고, 이에 따라 정자형성과정도 시작한다. 사춘기에 나타나는 여러 신체적 변화는 테스테스테론의 분비에 따른 결과이다. 보통 남성의 사춘기에 나타나는 첫 신호는 음낭표피가 붉어지고 주름지면서 고환이 커지는 것이다. 음모의 성장은 음경 주변에서 먼저 시작된다. 사춘기는 평균적으로 11-12살 사이에 시작되지만, 종종 9살에 일찍 시작되거나 또는 13-14살에 늦게 시작되기도 한다. 고환이 성장하기 시작한지 일년쯤 지나면 음경이 커지고, 전립선, 저정낭, 부고환은 몇 년에 걸쳐서 커진다. 콧수염과 턱수염이 나고 이마에서는 털이 빠져서 머리카락이 나는 경계선이 더 위로 간다. 그리고 몸통과 팔다리에도 털이 나며 음모가 더 위쪽까지 난다. 후두가 커지고 성대가 두꺼워져서 목소리가 저음이 된다. 사춘기 후기에는 키가 급신장해서 해마다 8 cm 이상이 성장한다. 또한 가슴과 어깨의 근육 등의 특정 근육이 성장하여 남성의 체형을 갖추게 되고, 적혈구숫자(hematocrit)가 증가하고, 성욕과 성적충동이 발달한다. 이렇게 다양한 성숙 과정은 약 4년에 걸쳐서 일어나고 각 개인의 유전적 요인과 영양상태에 따라서 성장이 멈추게 된다. 그러므로 일단 사춘기가 끝난 후에는 과도한 안드로겐을 외부에서 투여해도 성적인 발달에 큰 영향을 끼치지 못한다.

(2) 성인기

16-18세 사이의 사춘기가 끝날 무렵에는 혈중 테스토스테론의 농도가 300-1,000 ng/dl로써 성인의 수치에 이르고, 혈중 뇌하수체 호르몬의 수치는 50-20 mlU/ml 에 이르며, 정자 생산이 정상적으로 일어난다. 이 시기에는 20대 중 · 후반에야 최고에 달하는 털의 성장을 제외하고는 거의 모든 형태적인 변화가 끝난다. 후두의 성장과 같은 몇몇 변화들은 영구적이어서 안드로겐 생산이 감소하더라도 되돌려지지 않는다. 하지만 적혈구생성촉진인자(erythropoietin)의 합성과 같은 어떤 변화들은 안드로겐 농도에 따라 가역적으로 조절되기도 한다. 턱수염의 성장은 사춘기 이후에 안드로겐의 양이 적어지면 느려지나 완전히 끝나지는 않는다. 만일 사춘기 이후에 안드로겐이 결핍된다면 생식부속기관과 특정 골격근이 축소되고 성적 충동도 점진적으로 감소하여 결국 성행위가 불가능하게 된다.

(3) 노년기

남성은 40세 전후로 혈중 테스토스테론 수치가 매년 1.0%(total)와 1.2%(free)씩 점진적으로 감소하고 TeBG는 증가한다. 또한, 노인의 혈중 테스토스테론과 에스트로겐의 비율도 감소하고, 혈중 LH와 FSH는 조금 증가한다. 정자생산은 50세-80세 사이에 약 30% 정도 감소한다. 하지만 나이가 들어감에 나타나는 성충동의 감소는 내분비적인 요소와는 상관없는 것 같다. 건강한 노인은 활기찬 성생활을 유지하고 생식능력도 가진다.

혈중 테스토스테론 수치 감소와 남성 노인들에서 나타나는 생물학적 변화들(근육량 감소, 비만, 탈모, 골밀도 감소, 감정 변화, 기억력 감소 등)간의 상관관계가 확실히 밝혀지지는 않았지만, 안드로겐 결핍 징후들과 결부된 테스토스테론 감소를 남성갱년기(andropause)라 지칭했다. 그런데 여성 폐경(menopause)에서 에스트로겐이 완전히 정지되는 것과는 달리, 남성의 안드로겐 생산은 정지되지 않고 계속된다는 점에서(partial) androgen deficiency of aging male[(P)ADAM]이라는 용어가 더 적합한 것으로 보인다. 한편 이 증상들을 개선하기 위한 안드로겐 보충 요법이 활발하게 논의되고 있다.

참고문헌

1. Bhasin S. Williams Textbook of Endocrinology, 11th Ed. kronenberg HM, Melmed S, Polonsky KS, and Reed RL. eds., Saunders, 2006.
2. Hadley ME. Endocrinology. 6th Ed., Prentice-Hall Inc., 2006.
3. Lamberts SW. Williams Textbook of Endocrinology, 11th Ed. kronenberg HM, Melmed S, Polonsky KS, and Reed RL. eds., Saunders, 2006.
4. Lindzey J, Kumar MV, Grossmann M, Young C, Tindall DJ. Molecular mechanisms of androgen action. In: Litwack G, ed. Vitamins and Hormones. Academic Press, 1995.
5. Anand-Ivell R, Ivell R. Insulin-like factor 3 as a monitor of endocrine disruption. Reproduction 147, R87-95. 2014.
6. Collins LL, Lee HJ, Chen YT, Chang M, Hsu HY, Yeh S, Chang C. The androgen receptor in spermatogenesis. Cytogenet Genome Res 103, Cogan JP, Arasheben A, Tilley WD, Scher HI, Gerald WL, Buchanan G, Coetzee GA, Frenkel B. Identification of novel androgen receptor target genes in prostate cancer. Mol Cancer 6, 39. 2007.
7. Mathur PP, D'Cruz SC. The effect of environmental contaminants on testicular function. Asian Journal of Andrology 13, 585-591. 2011.
8. Pandini G, Mineo R, Frasca F, Roberts CT Jr, Marcelli M, Vigneri R, Belfiore A. Androgens up-regulate the insulin-like growth factor-I receptor in prostate cancer cells. Cancer Res 65, 1849-57. 2005.
9. Penning TM. Androgen biosynthesis in castration-resistant prostate cancer. Endocr Relat Cancer 21, T67-78. 2014
10. Pignon JC, Koopmansch B, Nolens G, Delacroix L, Waltregny D, Winkler R. Androgen receptor controls EGFR and ERBB2 gene expression at different levels in prostate cancer cell lines. Cancer Res 69, 2941-9. 2009.
11. Virtanen HE and Adamsson A. Cryptorchidism and endocrine disrupting chemicals. Mol Cell Endocrinol 355, 208-220. 2012.
12. Walker WH and Cheng J. FSH and testosterone signaling in Sertoli cells. Reproduction 130, 15-28. 2005.

CHAPTER 03

정자형성과정과 수정

Spermatogenesis and Fertilization

■ 계명찬

1. 정자형성과정

Spermatogenesis

고환의 세정관(seminiferous tubule) 내부에서 진행되는 정자형성과정은 뇌하수체 전엽에서 분비되는 성선자극호르몬 자극에 의해 남성호르몬이 급격히 증가하 는 사춘기인 평균 13세에서 시작하여 일생 동안 계속되지만, 노년기에는 남성호르몬의 감소와 함께 정자형성 도 현저히 감소한다.

세정관은 생식상피로 구성되며 그 가장자리에는 정조세포(spermatogonia)가 위치하며, 다양한 정자형성 단계에 있는 생식세포들이 구심성으로 위치한다. 사람의 정조세포는 체세포분열을 통해 자가증식하는 줄기세포의 특성을 지니고 있어 지속적인 정자 형성을 가능하게 한다. 증식분열을 끝낸 정조세포는 마지막 DNA 복제과정을 거친 후 정모세포(spermatocyte)가 되어 연속적인 2회의 감수분열(meiosis)을 거쳐 정세포(spermatid)가 된다. 이 때 제1감수분열과 제2감수분열 사이에 추가적인 DNA복제는 일어나지 않는다. 감수분열 종결 후 정자의 형태형성과정(spermiogenesis)을 거쳐 정자(sperm)가 형성된다. 감수분열에 진입한 정모세포는 세정관 외곽에서 중심을 향해 인접한 Sertoli cell 틈새를 따라 세정관의 관강 내부로 이동한다. Sertoli cell의 세포질돌기는 생식세포들을 둘러싸고 있으며 정자형성과정동안 생식세포의 생존과 분화를 지탱한다. 이러한 기능은 스테로이드호르몬, 성선자극호르몬, 다양한 성장인자들에 의해 조절을 받는다. 이 장에서는 정자형성과정을 단계별로 살펴보기로 한다.

1) 감수분열

사람의 경우 평균 16일 동안 세정관 외곽에서 증식분열을 거친 정조세포는 마지막 DNA 복제과정을 거친 후 제1정모세포(primary spermatocyte)를 형성한다. 제1감수분열의 전기에 제1정모세포의 상동염색체 사이에 교차(crossing over)가 일어난 후 1차 감수분열을 마치면 두 개의 제2정모세포(secondary spermatocyte)가 되며 사람의 경우 24일이 소요된다. 복제기(S phase) 없이 수 시간 만에 2차 감수분열을 통해 정세포가 형성된다. 이후 24일에 걸쳐 정자형태형성과정(spermiogenesis)을 거쳐 정자로 변형된다. 제1정모 세포에서 제2정모세포가 형성되는 과정에서 46개의 상동염색체(23쌍의 염색체, duplicated chromosome)가 분열되어, 23개의 염색체가 제2정모세포로 나뉘게 된다. DNA 복제 없이 진행되는 제2차 감수분열을 통해 제2정모세포의 23개 염색체를 형성하는 자매염색분체(sister chromatids)는 정세포로 나뉘어 들어간다. 사람의 정조세포(germinal cell)에서 정자까지의 정자형성과정의 전 과정은 약 64-70일이 소요된다(그림 3-1, 2).

2) 정자형성과정

고환에서 정자형성과정은 시상하부와 뇌하수체에서 분비되는 호르몬과 고환 내 체세포에서 분비된 분자들 및 정자형성과정의 생식세포에서 발현된 인자들에 의해 복잡한 조절을 받는다. 가축의 경우, 미분화 상태의 생식선으로 이동한 원시생식세포(primordial germ cell)는 여러 차례 분열하여 생식모세포(gonocyte)를 형성한다. 생식모세포는 수컷에서는 사춘기 직전에 분화하여 A0형 정조세포를 형성하고, 이로부터 A1형 정조세포가 발생한다. A1형 정조세포는 분열을 반복하여 A2, A3 및 A4형 정조세포로 계속 발생한다. A1세포로부터 태어난 2개의 A2형 정조세포 중 1개는 계속적인 분열을 통해 다양한 단계의 생식세포를 거쳐 최종적으로 정자가 되며, 나머지 하나는 A1형 정조세포의 수를 보충하는 줄기세포의 특성을 지닌다. 원시생식세포와 정조세포는 사춘기 이전에 많은 수가 퇴화되지만, 성인이 되면서 남아있던 정조세포들은 빠르게 증식하는 2차 증식기를 거친다. A4형 정조세포는 분열하여 중간형(In) 정조세포를 형성하고, 이로부터 B형 정조세포가 형성된다. B형 정조세포는 1-2회 분열하여 제1정모세포를 형성한다. 제1정모세포는 감수분열 전기의 교차를 거친 후 분열하여 반수체(haploid)의 제2정모세포가 된다. 제2 정모세포는 더 이상의 DNA 합성 없이 제2감수분열을 진행하여 정세포를 형성한다. 정조세포로부터 정자가 형성되는 기간은 소의 경우 약 45일 이다. 사람의 정조세포는 최소 3회 이상의 체세포분열과 2회의 감수분열을

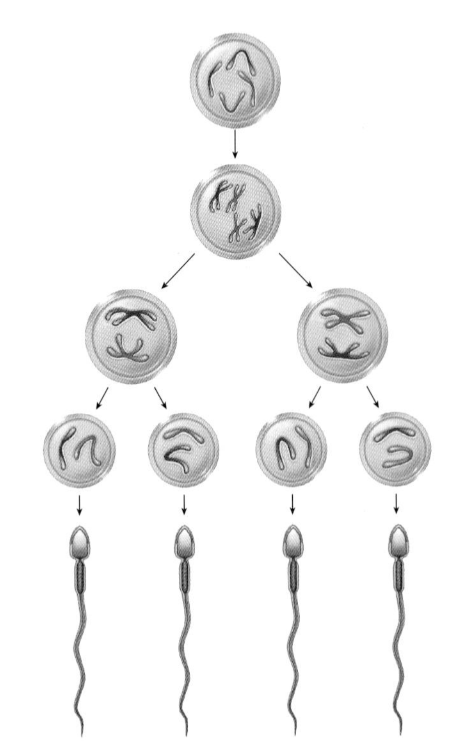

그림 3-1 정자형성과정

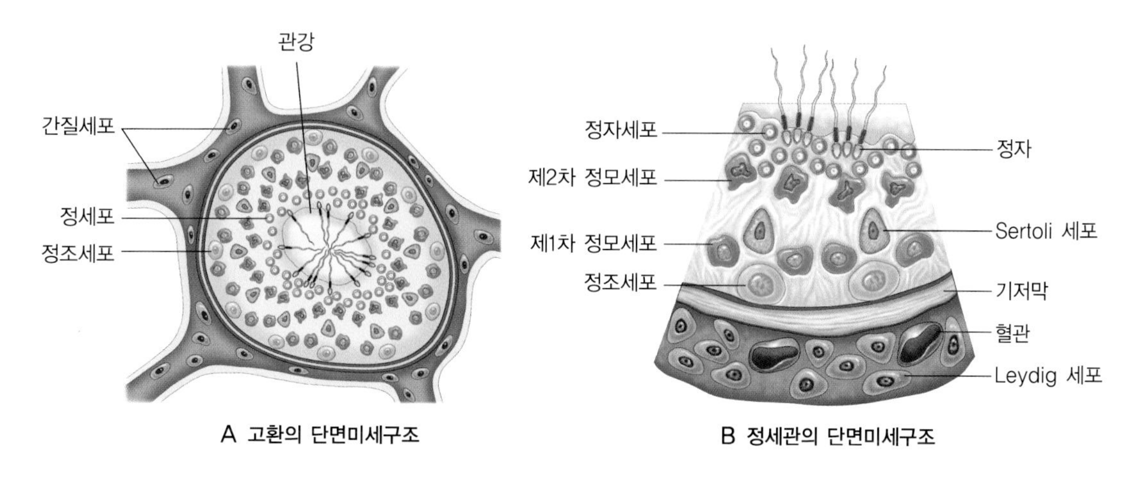

그림 3-2 고환의 미세구조와 정자생성단계 (A) 고환의 단면미세구조 (B) 정세관에서 정자생성

거치며, 정조세포에서 정자형성까 지 약 70일이 소요된다. 사춘기 이후 정조세포는 자가 증식 기능을 갖는 Type A와 장차 일어날 정자형성을 위한 세포분화가 시작되는 Type B로 구분된다. 감수분열이 시작되면 동일한 정조세포로부터 분열한 정자형성 과정중인 세포들은 세포질연결(cytoplasmic bridge)을 통해 서로 연결되며, 마지막 DNA 합성을 마친 preleptotene 시기의 제1정모세포가 감수분열을 시작하면, 상동염색체간의 교차가 일어나 유전자의 재조합이 이루어진다. 사람의 세정관은 정자형성과정 중에 있는 여러 형태의 생식세포를 포함한 생식상피로 구성되며, 정조세포로부터 정자가 발생하는 단계는 형태학적으로 아래와 같이 14가지로 분류한다. Type A 정조세포 [dark Type A spermatogonium(Ad), pale Type A spermatogonium (Ap)], Type B 정조세포(B), 1차정모세포 [preleptotene primary spermatocyte(R), leptotene primary spermatocyte(L), zygotene primary spermatocyte(Z), pachyten primary spermatocyte(P), 2 차정모세포 [secondary spermatocyte(II)], 정자세포 (spermatid of Sa, Sb1, Sb2, Sc, Sd1, Sd2)등으로 분류한다(그림 3-3). 생쥐의 경우 stem spermatogonium이 총 10회의 증식분열을 거치면 B type spermatogonium이 되는데, 사람의 경우 spermatogonium의 증식분열의 횟수는 알려져 있지 않다.

이러한 정자형성과정은 방사선, 고온, 질병, 돌연변이 등에 의하여 저해될 수 있다. 정모세포는 DNA와 염색체 손상에 민감하다. 세정관 외곽에 위치한 정조세포를 제외한 세정관 내부의 생식세포들은 인접한 Sertoli cell 사이의 밀착결합(tight junction)에 의해 형성된 혈액-정소장벽 (blood testis barrier)에 의해 혈액과 차단된 환경에 놓이게 된다. 그 결과 항체나 백혈구 등의 공격으로부터 보호되고 오직 Sertoli cell을 통해서 분열과 분화에 필요한 신호와 영양분을 공급 받는다. 반대로 혈액-정소장벽 외부에 위치한 정조세포는 생존과 증식에 필요한 신호를 혈액으로부터 제공받을 수 있다. 이러한 세정관 내부의 생식세포 보호장치인 혈액-정소장벽의 변화는 정자형성장애 등 남성불임과도 관련된다.

정자형성 제반 단계에서 독특한 RNA가 발현된다. RNA 합성은 감수분열을 마친 제2정모세포에서도 활발하게 일어나는데 이 시기의 poly(A)+ mRNA 양은 pachytene spermatocyte에 비하여 약 2배가 되며, 전사 활성이 거의 없는 분화된 정자의 세포질 내에도 mRNA가 존재한다. 정자형성과정에서 합성되는 RNA는 생식세포의 세포주기 조절과 정자의 형태형성 등 다양한 사건에 관여하며, Hox-1, 4 gene은 제1

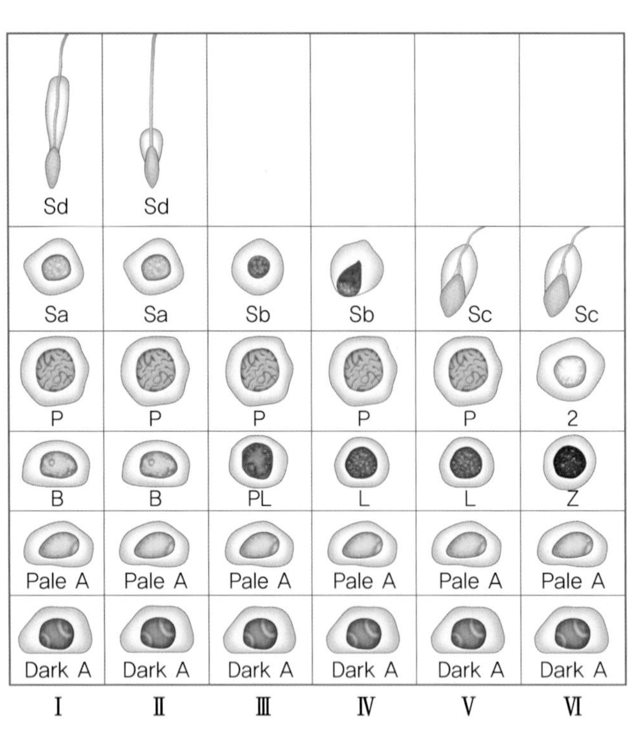

Dark A : 암A형 정조세포(Dark Type A spermatogonium)
Pale A : 명A형 정조세포(Pale Type A spermatogonium)
B : B형 정조세포(Type B spermatogonium)
PL : 전세사기 1차 정모세포(Preleptotene spermatocyte)
L : 세사기 1차 정모세포(Leptotene spermatocyte)
Z : 접합기 1차 정모세포(Zygotene spermatocyte)
P : 태사기 1차 정모세포(Pachytene spermatocyte)
2 : 2차 정모세포(Secondary spermatocyte)
Sa-Sd : 정자세포(Spermatid)

그림 3-3 사람의 정자발생단계(silber, 1991)

차 정모세포로부터 정세포에 이르기까지 발현되며, PGK-2 유전자 의 mRNA는 정세포에서 약 50배 정도 증가한다. ZFY 유전자도 생식세포의 분화에 따라 발현이 증가한다. 상염색체상에 존재하는 많은 유전자가 생식세포에서도 발현되는데, 이들 중에는 phosphoglycerate kinase(PGK)와 lactate dehydrogenase(LDH)가 있다. 또한 정자형성이 진행되면서 PGK-1과 hypoxanthine phosphoribosyl transferase(HPRT) mRNA는 감소한다. 분화 중인 생식세포로부터 합성되는 단백질 중 일부는 체세포에서 합성되는 단백질과 동일하지만, 일부는 생식세포에서만 합성되는 특이 단백질이다. PGK-2와 LDH4(LDH-X)는 원형정세포에서 합성되며, 생쥐 고환에서는 1차 감수분열 시기에만 특이적인 alkaline phosphatase가 합성된다. 감수분열 전후에 열충격단백질(HSP70)이 생성된 다. 생식세포에서 발현되는 mRNA와 단백질들은 세포질 연결을 통해 인접한 생식세포로 이동될 수 있지만, 원형정세포들 사이에는 mRNA 및 단백질 조성에 차이가 있으며, 이로 인해 정자의 형태, 운동성이 달라진다. 고환생검 조직 관찰 시에는 정조세포, 정모세포, 정세포, 정자의 수와 비율에 유의해야 하며, 남성호르몬을 생성 하는 Leydig cell과 생식세포들을 지탱해주는 Sertoli cell 의 형태와 수에 면밀한 검토가 필요하다.

3) 정자완성과정과 정자의 분리 (Spermiogenesis and spermiation)

감수분열을 마친 원형의 정세포는 정자완성과정을 거치면서 정자의 머리와 꼬리가 형성되는 구조적, 기능적 분화과정을 거치게 된다. 이 과정에서 세포가 신장되면서 핵이 응축되어 정자의 머리를 형성하고, 미토콘드리아가 모인 중편과 편모성 운동기구인 꼬리를 형성하는 데, 이러한 정자로 분화되는 과정을 정자형태형성과정이라고 한다. 정세포 내에서 가수분해 효소들과 단백질들은 핵 주변의 골지체에 밀집하여 첨체(acrosome)를 형성한다. 또한, 핵 내의 단백질은 히스톤(histone)에서 프로타민(protamine)으로 대치되면서 DNA가 더욱 응축되어 DNA의 안정성을 증가시키고, 정자두부의 크기를 축소 시킨다.

정자의 꼬리는 원형정세포의 중심체에서 축사가 확장되어 9+2형의 전형적인 편모구조를 갖게 된다. 정자 완성과정에 따르는 세포분화의 제반 단계들은 남성호르몬에 의존적이며, 남성호르몬 결핍 시 정자형성 초기단계와는 달리 정자완성과정에 심대한 장애가 발생한다. 또한 Sertoli Cell에서 분비된 성장인자, 단백질분해효소 등은 정자완성과정에 중요한 조절인자로 작용한다.

4) 정자의 구조

분열 직후의 정세포는 유상피세포(epithelioid cell)의 일반적인 특징을 띄지만 이후 진행되는 일련의 세포분화 과정을 통해 그림 3-4에서 보여주듯이 두부(head)와 중부(mid piece) 그리고 미부(tail)로 뚜렷이 구분되는 정자가 완성된다. 두부의 크기는 3-6 ㎛이며, 전자현미경적으로 관찰하면, 세포막과 첨체막이 평행하게 존재하며, 내부에는 응축된 핵이 존재한다. 첨체(acrosome)는 주로 골지체로부터 형성된 특별한 세포소기관으로, 난자주변의 세포외기질의 분해에 관여하는 히알루론산 분해효소(hyaluronidase)와 단백질분해효소, lysosome 에서 발견되는 것과 유사한 다양한 가수분해효소들이 저장된다. 이러한 효소들은 수정과정에서 정자가 난자 주변을 통과하여 들어가는데 중요한 역할을 한다. 중편 은 3-6 ㎛ 크기로, 두부와 미부를 이어준다.

중편에는 운동성을 제공하기 위해 필요한 에너지원으로 ATP를 생성하는 미토콘드리아가 다수 존재한다. 정자의 미부는 45-65 ㎛ 길이로 편모와 유사한 구조를 가지며, 정자 전체 길이의 90%를 차지한다. 미부는 다음과 같은 3가지 구 성요소로 형성된다. ① 9+2 형태로 배열한 11개의 미세 관(microtubule)을 구성하는 축사(axoneme)가 중심골 격으로 작동하고, ② 축사를 덮고 있는 피막, ③ 중편부 위에서 축사를 둘러싸고 있는 미토콘드리아 무리. 미부의 만곡운동은 정자에게 운동성을 제공한다. 중편의 미토콘드리아에 의해 생성된 ATP에 의해 축사를 구성하는 미세관과 dynein arm 사이의 결합이 생성되며, 미세관의 길이 방향으로 활주운동이 일어나면 미부는 전체적으로 만곡된다. 이들 사이의 결합이 소멸되면 다시 축사의 원형이 복구되는 과정이 반복되면서 직진운동성이 발생한다. 정상적인 정자는 1-4 mm/min의 속도로 여성 생식수관(genital tract)을 따라 이동할 수 있다(그림 3-4).

5) 정자형성과정을 조절하는 유전적 인자

정자형성과 정자완성과정에서 진행되는 생식세포의 분열과 세포분화는 유전적으로 정확히 조절된다. 세정관 내부의 각 단계의 생식세포들은 Sertoli cell로부터 분화에 필요한 신호를 전달받는다. 테스토스테론, 남성호르몬결합단백질, 인히빈(inhibin), 그리고 인슐린 등은 정조세포 증식 및 감수분열과 분화를 조

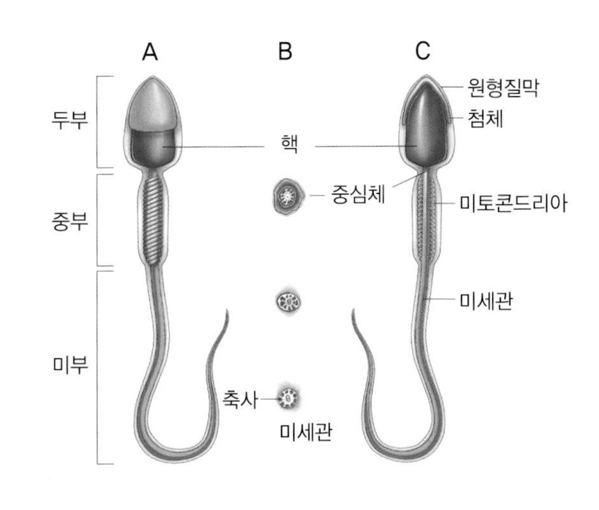

그림 3-4 정자의 구조 (A) 정면 (B) 단면 (C) 측면

절한다. 이러한 조절 과정에서 발현되는 유전자는 SRY, CREM, Homeobox gene, proto-oncogene, ZFY, protamine-l, PGK-2 등이 있다. 남성생식소의 발생과 분화는 Y 염색체상의 유전자에 의하여 결정된다. 대부분의 정상적인 남성은 XY 성염색체를 가지며, XXY, XXXY, XYY 등도 남성으로 분화하게 된다. Y 염색체에는 1차적 성분화를 유도하는 SRY 유전자가 단완에 존재한다. XY핵형이면서 여성으로 분화된 사람은 SRY 유전자에 결함이 있는 Y염색체를 가지며, XX 핵형이며 남성으로 분화된 사람에서는 SRY 유전자의 전이를 관찰할 수 있다. 남성불임의 유전적 원인으로는 염색체의 구조적 이상, aneuploidy, 그리고 유전자 이상으로 구분된다. 남성불임을 초래하는 유전자 이상은 다시 3 종류로 구분된다. ① 정자형성과정에서 생식세포 내에서 발현되는 유전자들로서, protamine 유전자와 전이단백질(transition protein)유전자, 첨체의 proacrosin 합성에 필요한 sperm-specific protease 유전자, Y 염색체상에 존재하는 AZF 유전자 등이 있다. ② 고환의 분화 시에 발현되는 유전자로 X 염색체상에 존재하는 남성호르몬수용체 유전자와 Y 염색체에 존재하는 SRY 유전자 등이 있다. ③ 체세포에서 발현되는 유전자군으로 고환 내 Sertoli cell 와 Leydig cell에서 발현되는 유전자, 그리고 선천성 정관무형성증을 유발하는 cystic fibrosis transmembrane regulator(CFTR) 유전자 등이 있다. 염색체 수준에서 일 어나는 남성불임은 Y염색체 장완의 결실, dicentric Y 염 색체, ring Y 염색체, 그리고 Y 염색체의 전좌가 빈번하며, 핵형분석으로 진단이 이뤄진다. 감정자증 환자에서도 Y 염색체의 미세결실이 종종 관찰되므로, AZF가 정자형성과정의 후기단계에도 관여함을 알 수 있다.

정자형성 조절에 관여하는 유전자 연구의 주요 표적 은 Y 염색체 장완에 존재하는 유전자들이다. 무정자증 환자의 Y 염색체에서 장완 결실 및 다른 구조적 이상들이 관찰되는데 이들은 Yq11에 존재하는 Azoospermia Factor(AZF)이다. AZF는 Yq11의 근접 및 원근부위 사이에 존재하는데, 근접 및 원근부위의 미세결실은 서로 겹치지 않기 때문에 AZF 유전자는 Yq11.23의 interval 5 와 6에 존재하는 매우 큰 하나의 유전자 이상 혹은 하나의 유전자 집단으로 생각되고 있다. 정자형성과 관련이 있는 새로운 유전자로 Deleted in Azoospermia(DAZ)가 알려졌다. DAZ는 RNA 결합 motif 를 갖는 단백질로 고환에서만 발현된다. 최근 분자생물학 및 유전학의 발달로 이 유전자들의 돌연변이가 분석되고 있으며, 정자형성과정을 조절하는 새로운 유전자들이 발견되고 있다.

6) 정자의 성숙

세정관에서 형성된 정자는 정소망(rete testis)을 통해 수집되어, 수출관(efferent duct)을 거치는 동안 정자와 함께 유입된 다량의 세정관액이 흡수되어 밀도가 농축 된 상태로 부고환(epididymis) 두부로 진입한다. 사람의 부고환 세관의 길이는 6 m 정도이며, 통과에 몇일이 소요된다. 세정관 내부의 정자나 부고환 두부의 세관 내부의 정자는 활동성이 없으며 난자와 수정할 수 없다. 그러나 정자가 부고환에서 약 18-24 시간 머문 후에는 활동성을 획득한다. 성숙과정에서 정자는 추가적인 세포질 잔사를 흡수하여 형태적으로 완전해지며, 운동능력을 획득하며, 장차 첨체반응(acrosome reaction)을 수행할 수 있는 잠재력을 획득한다. 성숙에 따른 정자의 기능적 지표의 변화는 부고환 두부를 거치는 동안 대부분 진행되며, 부고환의 체부와 미부에 존재하는 정자들은 상당한 수준의 성숙도를 보인다. 정자의 성숙에 필요한 환경은 부고환 상피세포의 왕성한 분비 및 흡수기능에 의해 조성된다. 부고환으로 유입된 정자는 여성호르몬을 생성하는 방향화 효소(aromatase)를 발현하여 부고환 내부의 에스트로겐 농도를 국부적으로 높인다. 부고환 상피는 남성호르몬수용체 및 여성호르몬수용체를 동시에 발현하므로 정소로부터 유입된 남성호르몬과 국부적으로 생성된 여성호르몬은 정자 성숙에 복합적으로 작용하여 정자의 성숙을 조절한다. 이외에도 부고환 내부에는 Sertoli cell과 부고환의 상피세포에서 기원된 효소와 특별한 영양분이 존재한다(표 3-1).

7) 정자의 저장

성인 남성의 고환에서 매일 1억2천만 이상의 정자가 형성된다. 생성된 정자 중 적은 양만이 부고환에 저장되고 대부분은 정관에 저장되며 최소 1개월 동안 수정능력을 유지한다. 그러나 사정 전까지 부고환액 내에 존재하는 여러 가지 억제단백질과 높은 삼투압에 의해 정자의 활동성은 억제된다. 사정된 정자는 억제요인들의 희석 및 삼투압의 감소로 인해 운동성을 획득한다.

8) 성숙한 정자의 생리

(1) 정자의 운동성

정상적인 정자는 분당 1-4 mm의 속도로 편모운동을 할 수 있다. 사정된 정액에 존재할 때, 정자의 활성은 중성과 약알칼리성 조건에서 향상되지만 약산성에서는 심하게 억제되며, 강산에서는 사멸한다. 정자의 운동성은 흐름에 역행하는 성질인 주류성(rhotaxis), 화학물질을 향하여 나아가는 주화성(chemotaxis), 세포나 백혈구 주위에 모이는 주촉성(thygmotaxis)을 가진다. 이러한 성질은 여성생식수관에서 정자가 난자를 찾아갈 때 필 요하다.

(2) 정자의 수명

정자의 활성은 온도가 올라가면 증가하지만 대사율이 증가되면 정자의 수명은 단축된다. 비록 정자가 고환 내에서 억제된 상태에서 몇 주간 살 수 있다 해도 여성 생식수관에서 사정된 정자가 수정능력을 가지고 생존 할 수 있는 예상수명은 단지 1-2일이다. 따라서 자궁이나 난관에서 장기간 생존한다고 하여도 수정능력이 떨어지기 때문에 난자와 만나게 되어도 수정은 일어나지 않게 된다.

9) 정자형성에 필요한 고환온도

사람의 고환은 정소하강을 거쳐 출생 시 이미 음낭속에 자리 잡고 있다. 고환의 상승된 온도는 생식세포들의 퇴화를 유도하여 정자형성을 억제한다. 고환이 복강에 근접한 음낭 속에 존재하므로, 체온에 의한 가열과 음낭표면을 통한 냉각을 통해 체내 온도

표 3-1 정액의 성분

성분	기능	기관
정자	생식세포, 배아생성	정세관
점액	윤활작용	구요도선
물	액체성분공급	모든 부속선
완충액	질내부의 중성화작용	전립선, 구요도선
영양분	정자의 에너지원, 영양공급	
프락토스		정낭
사이트릭산		전립선
비타민 C		정낭
카르니틴		부고환
효소	질내 정액응고, 액화작용	정낭, 전립선
프로스타그란딘	평활근수축, 정자의 이동	정낭

보다 약 2 ℃ 정도 낮게 유지하여 정자형성에 적합한 온도를 유지할 수 있다. 성체시기에도 복강 내부에 고환이 존재하는 물범류의 고환 온도 역시 체온보다 낮게 유지되는데, 다리를 순환하여 냉각된 혈류가 고환주변에 그물망처럼 형성된 혈관계를 순환하여 고환의 온도를 낮춘다. 추운 날 음낭반사는 음낭의 근 조직을 수축시켜, 고환을 복강에 근접시켜 2℃ 차이를 유지하도록 한다. 따라서 정자형성과정은 고온 환경에서 저하될 수 있으며, 음낭은 고환의 온도를 조절하는 냉각기능을 한다.

10) 비정상적 정자형성과정과 남성생식능력

다양한 질병에 의해 세정관 상피가 손상될 수 있다. 예를 들면 유행성이하선염(mumps)의 결과로 발생한 양측고환염(bilateral orchitis)은 남성불임의 원인이 된다. 또한, 많은 유아들이 생식수관 발생이 변형되거나 비정상적 세정관상피 조성을 가진 상태로 태어난다. 그 대표적인 예가 Sertoli cell only syndrome으로 무정자증 또는 심각한 감정자증을 유발한다. 또한, 고환의 온도상승은 일시적 불임의 원인이 되기도 한다. 최근 다양한 내분비계장애물질들이 남성의 생식능력을 저하시키는 것으로 보고되고 있다. 특히 환경매체를 통해 노출되는 항남성호르몬성 또는 여성호르몬성 내분비계장애물질들은 남성호르몬수용체와 여성호르몬수용체를 발현하는 고환과 부고환에서 정자형성과 남성호르몬생성 및 정자성숙에 필요한 정상적인 조절 기작을 변형시켜 남성 생식 능력에 영향을 미칠 수 있다. 이외에도 특정 내분비계장애물질들은 정자 DNA에 후성유전학적(epigenetic) 변형을 초래하여, 수정 이후의 배아 발생과정에도 영향을 미칠 수 있다.

2. 수정 *Fertilization*

수정은 난자와 정자가 만나서 접합자를 형성하는 과정이다. 수정의 발생학적 의미는 크게 4가지로 요약된다. ① 반수의 염색체를 지닌 난자와 정자가 수정란을 형성하여 2배수체가 된다. ② 유전자의 혼합에 의해 부모의 유전형질이 자손에게 전달된다. ③ 성염색체의 조합에 따라 개체의 성결정이 이뤄진다. ④ 난자의 활성화가 일어나 배아가 개체로 발생을 시작한다.

1) 수정의 조건

새로운 개체의 발생을 위해서는 2개의 서로 다른 특성을 가진 배우자세포 즉, 난자와 정자가 만나야 한다. 배우자형성과정에서 일어나는 감수분열과 복잡한 세포분화과정을 거쳐 생성된 정자와 난자는 수정을 위해 서로 다른 특징들을 갖는다. 정자는 난자 근처까지 도달하기 위한 운동기관인 편모, 에너지생성기관인 중편을 발생 하고, 난자에 부착, 관통, 그리고 반수체의 정자핵을 난자에 주입하기 위한 첨체와 같은 특별한 세포소기관을 발생시킨다. 난자는 뚜렷한 운동기관이 필요로 하지 않는 대신, 다량의 세포질을 축적하고, 배아발생에 필요한 mRNA 및 단백질 형태의 정보와 대사에 필요한 영양 분을 함유하며, 비세포성 기질층인 투명대를 생성한다.

2) 수정과정

수정과정은 정자와 난자의 융합을 기점으로 하여 ① 정자와 난자의 융합전 과정, ② 정자와 난자의 융합 과정, ③ 수정 후 반응으로 구분한다.

(1) 정자와 난자의 융합 전 과정

① 정자의 수정능획득(Capacitation)

정자는 난자와 성공적인 수정을 위해서 운동성을 가지고 수정이 일어나는 장소까지 이동한다. 일반적으로 정자는 정소나 부고환 내부에 존재하는 동안 운동성이 억제되며, 사정과 동시에 운동성을 갖게 된다. 즉, 정자는 부고환 미부에 존재하는 동안 기능적으로 성숙된 상태이지만, 그들의 운동성은 부고환 내부 환경에 의해 제어되며, 사정과정에서 정장액과 혼합된 이후 운동성을 띤다. 사정 직후의 정자는 여전히 난자를 수정할 수 없으며, 여성 생식수관액과 접촉을 통해 생리생화학적으로 활성화 된다. 이러한 변화를 정자의 수정능획득 (capacitation)이라 한다. 정상적으로 1-10 시간이 걸리며, 수정능획득과정에서 정자에서 일어나는 일련의 변화들은 다음과 같다.

첫째, 자궁액과 난관액과의 접촉과정에서 남성생식 수관에서 정자의 활동을 저해하던 요인들이 세척된다.

둘째, 정자가 남성생식수관에 머무르는 동안 다량의 콜레스테롤을 함유한 세정관 기원의 부유소포에 노출 된다. 이러한 콜레스테롤은 정자의 막구조를 견고하게 하여 첨체반응을 억제한다. 사정 후, 여성생식수관을 통과하는 동안 정자 두부에서는 초과량의 콜레스테롤이 점진적으로 소실되어 막유동성이 증가한다.

셋째, 정자의 세포막을 통한 칼슘이온의 유입이 증가하면, 정자의 꼬리는 초기의 약하고 완만한 물결운동 형태에서 강력한 채찍질 모양의 운동양상으로 변화한다. 이는 난자와 충돌가능성을 높이게 된다. 칼슘이온의 점진적 증가는 정자의 세포막 구조를 변화시켜, 정자가 투명대와 결합한 후 급격한 칼슘이온의 유입이 가능하도록 하는데 이를 통해 첨체반응이 보다 효과적으로 일어날 수 있게 된다.

② 정자의 난자를 향한 접근

사정된 정자는 질을 통과하면서 약 75-90%가 사멸하고 나머지 정자만이 자궁경관을 통하여 자궁과 난관에 도달하게 된다. 정자가 분당 1-2 mm의 속도로 움직이게 되면 이론적으로 질부터 난자가 존재하는 난관까지의 약 20 cm의 거리를 이동하는데 60-80분 정도가 소요된다. 난자 또는 난자 주변에는 정자를 유인하거나 운동성을 활성화시키는 물질들이 존재하며, 정자는 이들 물질을 인식하여 활성화되는 특이단백질들을 보유한다. 이들 활성화 물질과 접촉한 정자 내부의 신호전달의 변화는 운동성을 활성화시키고, 정자는 효과적으로 배란된 난자에 접근하게 된다.

③ 정자의 첨체반응(Acrosome reaction)

배란 직후의 난자 주변에는 과립세포기원의 방사관 세포와 난구세포가 겹겹이 부착되어있다. 또한, 난자는 당단백질로 구성된 두꺼운 층인 투명대(zona-pellucida)로 싸여있다. 정자는 세포 표면에 존재하는 효소를 분비하거나 첨체에 저장된 효소들을 방출하여 이러한 층들을 통과한다. 정자가 난구세포층에 도착하면 먼저 정자 두부 표면의 히알루론산분해효소(hyaluronidase)는 난구세포들을 접착시키는 세포외 기질인 히알루론산을 분해하여 난구세포들 사이에서 통로를 만들거나 난구세포들을 분산시킨다. 난구복합체 층을 통과한 정자가 난자의 투명대에 도달하면, 정자 표면의 수정항원이 투명대에 존재하는 수용체와 결합한다. 이러한 상호작용의 결과로 정자 세포질 내부에서 칼슘이온이 증가하면 칼슘의존적 exocytosis인 첨체반응이 일어난다. 이 과정에서 정자 두부의 첨체 바깥쪽의 세포막과 첨체외막이 서로 융합하여 소포형성 (fenestration)이 일어나면서 첨체 내부의 효소들이 노출 또는 분비된다. 첨체기질 및 첨체내막에 부착되어 있는 단백질분해효소들은 투명대를 분해하여 수분 내에 투명대를 관통하여 정자는 난자의 원형질막과 접촉하게 된다(그림 3-5).

(2) 정자와 난자의 융합

① 정자와 난자 세포막의 융합

투명대를 관통한 정자는 약 30분 이내에 투명대와 난자세포막 사이 난황주위공간(perivitelline space)에서 난자의 원형질막에 결합한 후 융합한다. 정자 두부의 적도면의 원형질막과 난자세포막 사이에는 세포질교(cytoplasmic bridge)가 형성되며, 정자핵이 난자에 들어갈 수 있도록 융합부분이 넓어진다. 이때 정자의 편모운동은 중단되며, 식세포작용과 유사한 방식으로 난자 내부로 들어간다.

② 정자와 난자핵의 활동

정자핵과 함께 중심체, 미토콘드리아, 축사, 정자의 원형질막이 난자의 세포질내로 들어가는데, 정자의 미토콘드리아는 퇴화하므로 수정란의 미토콘드리아는 난자세포질에서 기원하고, 발생에 필요한 미토콘드리아 DNA는 모계로부터 이어진다. 배란된 난자는 제2감수분열의 중기에 머무르고 있지만 수정에 의해 활성화되어 제2감수분열의 나머지 과정을 진행한다. 그 결과 제2극체를 방출하고, 반수체 (n)의 여성전핵(female pronucleus)을 형성하여, 제2감수분열을 완료한다. 난자의 세포질로 진입한 정자핵은 미부와 분리되고, 탈응축(decondensation)을 진행하여 남성전핵(male pronucleus)을 형성한다. 정자기원의 중심립(centriole)이 microtubule organizing center(MTOC)로 작동하는 성게와 달리, 포유류에서는 난자에서 기원한 MTOC로부터 미세소관(microtubule)이 신장되어 나와 성상체(aster)를 형성한다. 성상체의 미세소관들은 남성전핵을 난자의 중심부로 밀어 이동시키고, 여성전핵은 남성전 핵 근처로 잡아당긴다. 성게등과 같은 동물과는 달리 포유동물에서 두 개의 전핵은 핵막을 유지한 상태에서 근거리에 위치하는 근위(approximation) 상태를 유지할 뿐 융합하지 않는다. 이때 이미 반수체의 전핵들은 DNA 복제를 진행하여, 체세포분열인 제1난할을 개시할 수 있는 상태가 된다. 수정난의 세포질에서 첫 번째 체세포분열인 난할에 필요한 조건들이 갖춰지면, 비로소 핵막이 소실되고 부계염색체와 모계염색체가 무작위로 조합하여, 새로운 조합의 배아유전체를 형성한다. 이 후 중기염색체로 배열한 후 두 개의 할구로 나뉘어 들어간다.

(3) 수정 후 난자의 반응

① 난자의 활성화

투명대를 관통한 정자가 난자의 원형질막과 융합한 직후 난자 세포막에는 수정막전위(fertilization potential)가 형성되고, 칼슘이온들이 세포막 안으로 확산되어 들어옴에 따라 피질반응(cortical reaction)이 순차적으로 일어난다. 한편, 난자의 세포질에서는 단백질합성 증가, DNA 복제, 세포호흡의 증가 등 세포대사가 활성화되어 난할을 준비하여 배아 발생이 진행 된다.

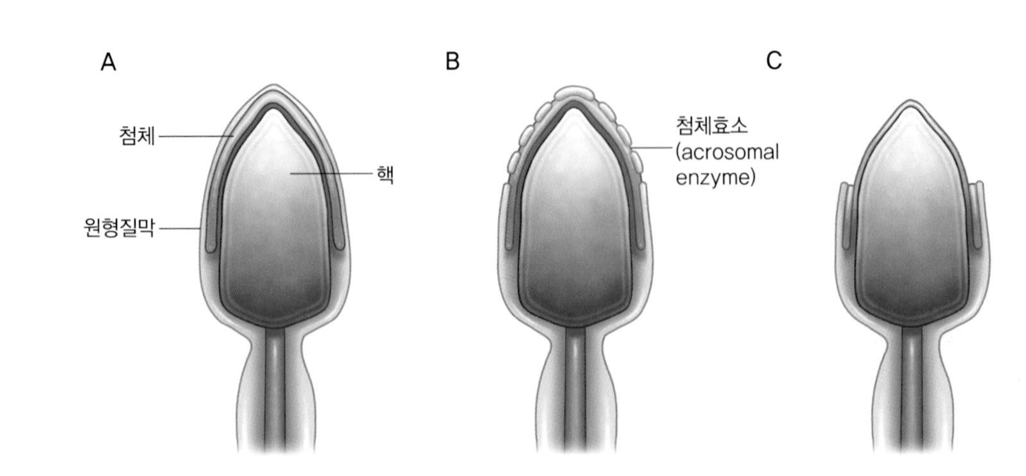

그림 3-3 사람의 정자발생단계(silber, 1991)

② 다정자수정 억제

수많은 정자가 사정되어 난자와 결합하게 되는데 만 약 2개 이상의 정자핵이 난자핵과 융합하면 비정상적인 발생을 진행하여 배아는 사멸한다. 이러한 현상을 다정자수정(polyspermy)이라 한다. 난자 주변에 많은 정자가 존재함에도 불구하고 다정자수정이 일어나지 않도록 막는 2가지 기작이 있으며 성게에서 잘 알려져 있다. 첫째, 수정이 일어나면서 난자세포막전위가 상승하는 수정전위가 형성되면 추가적인 정자가 난자의 원형질막과 융합이 일어나지 않는다. 그러나 이와 같은 전기적 방지기작은 포유동물에서는 작동하지 않는다. 둘째, 정자가 난자의 원형질막과 융합한 후 난자의 세포질 내 저장소에 있던 칼슘이온들이 방출되어 난자세포막 하부 피질과립(cortical granules)들이 난황주위공간으로 exocytosis 형태로 방출되는 피질반응이 일어난다. 방출 된 피질과립들은 투명대를 경화시켜 추가적인 정자들이 투명대에 결합하는 것을 억제하며, 이미 결합을 시작한 다른 정자들도 떨어지게 한다. 이러한 다정자수정 방지기작에 의해 첫 번째 정자가 난자를 수정한 이후부터 또 다른 정자가 난자에 들어가지 못한다.

참고문헌

1. 김윤희. 발생생물학. 초판. 서울:정문각 2000;77-95.
2. Austin CR. Evolution of human gametes-spermatozoa. In: Grudzinskas JG, Yovich JL. editors. Gametes-The spermatozoon. New York; Cambridge University Press 1995;1-19.
3. Jacobs PA, Strong JA. A case of human intersexuality having a possible XXY sex-determining mechanism. Nature 1959; 83:302-303.
4. Ma K, Sharkey A, Kirsch S, Vogt P, Keil R, Hargreave TB, et al.. Towards the molecular localisation of the AZF locus: mapping of microdeletions in azoospermic men within 14 subintervals of interval 6 of the human Y chromosome. Hum Mol Genet 1992;1:29-33.
5. Oettle EE, Menkveld R, Swanson RJ, Oehninger S, Kruger TF, Acosta AA. Photomicrographs with interpretations. In: Menkeld R, Swanson RJ, Oettle EE, Acosta AA, Kruger TF, Oehninger S, editors. Atlas of human sperm morphology. Baltimore, MD; Williams & Wilkins 1994;15-96.
6. Pinsky L. The embryology of normal gonadal and genetal development. In: Pinsky L, Robert P, Erickson R, Schimke N, editors. Genetic Disorders of Human Sexual Development; The embryology of normal gonadal and genital development. New York; Oxford University Press 1999;3-8.
7. Painter TS. Studies in mammalian spermato- genesis. II. The spermatogenesis of man. J Exp Zool 1923;37:291-336.
8. Reijo R, Lee TY, Salo P, Alagappan R, Brown LG, Resenberg M, et al. Diverse spermatogenic defects in humans caused by Y chromosome deletions encompassing a novel RNA-binding protein gene. Nat Genet 1995;10:383-393.
9. Reijo R, Alagappan RK, Patrizio P, Page DC. Severe oligozoospermia resulting from deletions of azoospermia factor gene on Y chromosome. Lancet 1996; 347:1290-1293.
10. Silverthorn DU. Reproduction and Development. In: Siverthorn DU. Human Physiology. 5th ed. London: Pearson Benjamin Cummings; 2009;698-878.
11. Tiepolo L, Zuffardi O. Localization of factors controlling spermatogenesis in the nonfluorescent portion of the human Y chromosome long arm. Hum Genet 1976; 34:119-124.
12. Vogt P, Chandley AC, Hargreave TB, Keil R, Ma K, Sharkey A. Microdeletions in interval 6 of the Y chromosome of males with idiopathic sterility point to disruption of AZF, a human spermatogenesis gene. Hum Genet 1992; 89:491-496.

SECTION

02 남성불임의 진단

Chapter 4. 병력청취 및 신체검사 ······ 손환철

Chapter 5. 기본 실험실 검사 ······ 송승훈

Chapter 6. 일차 평가에 따른 진단의 알고리듬 ······ 서주태

Chapter 7. 추가 검사 ······ 이충현

CHAPTER 04

병력청취 및 신체검사

History Taking and Physical Examination

■ 손환철

현대 보조생식술의 발달은 매우 적은 수의 정자를 가진 경우에도 임신을 보고하는 등 여러 훌륭한 학문적, 임상적 성과를 보이고 있다. 하지만 이러한 보조생식술의 발달은 치료 가능한 남성불임에 대한 철저한 분석과 치료를 간과하게 만드는 경향을 만드는 것이 아닌가 하는 우려를 가지게 만든다. 치료 가능한 남성불임의 치료를 통한 임신은 자연적인 임신력의 회복을 통한 불임의 완치라는 의미에서 보조생식술이 가질 수 없는 가치를 지닌다. 이러한 의미를 생각하며, 남성불임에 대한 병력청취 및 신체검사에 대하여 살펴보았다.

신체적으로 건강하게 보이는 부부의 임신가능성은 피임을 하지 않고 정상적인 성생활을 영위하였다는 전제하에 첫 달에 20-25%, 6개월에 75%, 1년에 85-90%에 이르게 된다. 따라서 1년간 정상적인 성생활을 하였다고 하더라도 임신이 안 되는 10-20%의 부부는 불임으로 판단하고 검사를 하게 된다. 물론 부부가 임신에 관련된 검사를 원하는 경우 설사 결혼 전이라고 하더라도, 기초적인 평가를 진행하는 것은 권장할 만하다. 특히, 결혼 연령이 점차 늦어지는 현실을 감안할 때, 불임에 대해 걱정하는 특히 35세 이상의 부부에 대한 기초적인 검사는 1년이라는 기간에 꼭 얽매일 필요가 없다.

많은 불임부부들은 스스로를 건강하다고 판단하는 경우가 많고, 시간적 경제적 여유가 많지 않은 경우가 대부분이다. 그러나 불임에 대한 평가와 검사는 시간이 걸리고 또 반복이 필요한 경우가 많으므로 미리 알려 환자와 배우자의 이해를 미리 구하는 것이 바람직하다. 또 여성에 있어서는 생리기간을 고려해야하므로 여성에 대한 평가가 좀 더 오래 걸릴 가능성이 많다. 또한 여성의 나이는 임신에 큰 영향을 미치는데, 나이가 많아질수록 좀 더 적극적인 검사와 치료가 필요하다.

불임부부 그중에서도 불임 남성을 평가하는 목적은 ① 불임 원인이 근본적인 해결이 가능한 것인지, ② 근본적인 해결은 불가능하지만 환자의 정자를 이용한 보조생식술이 가능한 상태인지, ③ 보조생식술로도 해결이 불가능하여 비배우자 공여정자를 이용하거나 양자 입양을 고려해야 할 상태인지, ④ 기존에 불임에 영향을 미칠 만한 의미 있는 질병이 있는지, ⑤ 마지막으로 불임환자와 다음 세대에 영향을 미치는 유전자와 염색체 이상이 동반되어 있는지를 알아보는 것이다.

1. 병력 청취와 남성불임의 원인

병력의 청취는 다른 질환에서와 마찬가지로 불임의 평가와 진단에 매우 중요하다(표 4-1). 하지만 불임의 원인은 매우 다양하며, 그 중에는 성생활에 대한 것도 포함되어 있으므로 다른 사람에게는 밝히기 힘든 내용이 있을 수 있다. 그러므로 인격을 최대한 존중하는 진지한 태도와 신뢰 구축이 필요하며, 환자의 사생활에 대한 존중과 보호가 필요하다. 복합적이고 다양한 요소가 종합적으로 나타나는 결과가 남성불임이므로, 불임의 원인을 분류하는데 있어서도 여러 가지 방법이 사용된다. 일반적으로 정자 생산의 중심 장기인 고환을 중심으로 하여서, 고환 전(pre-testicular), 고환(testicular), 고환 후(post-testicular)로 분류한다(표 4-2). 하지만 이렇게 분류하여도 남성불임의 원발성 원인을 단정적으로 파악하는 것은 어려운 경우가 많아서 아직도 전체 남성불임의 약 1/3은 원인 불명으로 분류된다. 또한 사춘기 이전, 사춘기 이후, 성인기 등을 구분하여 확인하는 것도 좋다.

성생활 및 임신관련 문진이 가장 우선되어야 한다. 부부에게 피임을 하지 않은 상태에서의 불임기간, 과거 피임의 방법, 성생활, 임신여부 등에 대한 조사가 필요하다. 남성에게는 전, 현 배우자를 포함하여 이전에 유산을 포함한 임신 유발 경력의 유무, 정액검사 등 불임에 관한 과거 검사의 유무와 그 진단 결과 및 치료 과정을 알아야 한다. 여성으로부터는 나이와 임신 및 출산 경력의 유무, 생리 상황, 불임에 대한 과거의 부인과적 검사와 그 진단 결과와 치료 과정을 청취한다. 성생활에 있어 성욕, 발기와 성관계 횟수와 습관, 시기, 성기능장애 여부 및 윤활제 사용 여부와 그 종류도 불임 진단에 참고가 된다. 또한, 성관계에 사용되는 윤활제로 일반적인 윤활제나 타액 등은 정자의 운동성을 감소시키지만 식물성 오일, 땅콩기름 등은 영향을 주지 않는 것으로 알려져 있다.

환자의 성장에 관련된 사항도 확인되어야 한다. 잠복고환은 일측성의 경우 특히 적절한 시기에 교정을 받지 않은 경우 가임력에 어느 정도 지장을 받는다. 단측인 경우는 약간 가임력을 줄이지만, 양측인 경우에는 중대한 가임력의 감소를 나타낸다. 양측 고환이 모두 촉지가 아니 되면 양측 모두 복강내 잠복고환일

표 4-1 남성불임 진단을 위한 주요 문진 항목

성생활	피임 여부와 기간, 임신 유발 경험, 과거의 불임 진료 과정
	· 여성 생식력 문항; 연령, 임신 경험 여부와 결과, 생리, 과거 불임 검사와 결과 · 성 생활력 문항; 성욕, 발기력, 성교 횟수와 시기, 윤활제 사용
환경 및 독성 노출력	흡연, 음주, 건강식품, 임신중 복약 고열노출, 화학화학물질노출, 방사선노출
각종병력	성장기 병력: 사춘기 성장 과정, 요도하열, 음낭수종, 정류고환, 고환염전, 외상 내과 병력: 당뇨병, 고혈압, 고열, 다발성경화증, 간질환, 신장질환, 내분비 질환, 종양 및 항암치료병력, 재발성 호흡기 질환 내분비 기능: 시상하부-뇌하수체 관련(두통, 시각 및 후각 기능, 여성형유방, 유즙 분비), 갑상선 관련(추위, 더위에 대한 지구력, 체중 증감, 빈맥, 식욕 증감), 부신관련(근육위축, 혈압, 피부색 등) 감염 병력: 결핵, 부고환염, 이하선염성 고환염, 요로감염, 성병 수술 병력: 후복막, 서혜부, 골반내 장기, 음낭, 뇌하수체 선종 등의 수술 가족력: 성선기능저하증, 선천성 정중선 결손증, 낭종성섬유화증

표 4-2 남성불임의 원인

원발 부위	장애명	기전
고환 전 원인: 시상하부와 뇌하수체 결함	칼만증후군	선천성 GnRH 분비장애, Kal-X 유전자 결함
	원인불명 성선자극홀몬 결핍성-성선기능저하증	선천성 GnRH 분비장애
	Prader-Labhart-Willi 증후군	선천성 GnRH 분비장애
	전신적 사춘기 성장 지연	생물학적 성장계획 장애
	이차성 GnRH 분비장애	종양, 침윤, 외상, 방사선 조사, 혈류장애, 영양결핍, 전신질환
	뇌하수체저하증	종양, 침윤, 외상, 방사선 조사, 허혈, 수술, GnRH 수용체 돌연변이
	Pasqualini 증후군	LH-단독 결핍증
	고프로락틴혈증	선종, 약물처치
고환 원인	선천성/후천성 무고환증	태생기 고환 손실, 외상, 염전, 종양, 감염, 수술
	정류고환	테스토스테론 결핍, MIH결핍, 선천성 해부학적 장해
	정계정맥류	정맥혈 정체
	고환염	생식상피의 감염과 파괴
	지주세포증후군 (Sertoli cell only syndrome)	선천성 / 후천성
	정자형성 중지	선천성 / 후천성
	구형 정자증	정자 선단체 형성 부재
	부동섬모 증후군	dynein 지 부재
	클라인펠터증후군	감수분열 장애
	46XX-남성	Y-염색체 부분 전위
	47XYY-남성	감수분열 장애
	Noonan 증후군	선천성
	염색체 구조 이상군	결손, 전위
	난관 잔존증	MIH 수용체 돌연변이
	성선 발생장애	고환 분화 과정에 유전자 장애
	Leydig cell 형성저하증	LH-수용체 돌연변이
	남성 가성반음양	Testosterone 합성 과정 중 효소 결함
	진성반음양	고환 분화 과정에 유전자 장애
	고환 종양	선천성 / 후천성 ?
	외인 요소/전신질환에 의한 장애	투약처치, 방사선 조사, 고열, 환경/기호 독성물질, 간경화, 신부전
	특발성 불임	?
고환 후 원인: 정로 및 부속 성선 장애	감염	세균, 바이러스, 클라미디아
	폐쇄	선천성 기형, 감염 수술; 정관, 충수돌기, 탈장, 신장이식 등
	낭종성섬유화증	CFTR-gene 변이

표 4-2 남성불임의 원인(계속)

원발 부위	장애명	기전
	선천성양측정관무형성증	CFTR-gene 변이
	Young 증후군	–
	정액의 액화 장애	–
	면역성 불임	자가면역성
	이소성 요도구	선천성
	음경 기형	선천성(후천성)
	발기장애	기질성(정신적) 요인
	사정장애	선천성, 후천성
	포경	선천성
기타 남성호르몬 표적장기 장애	고환 여성화	남성호르몬수용체 완전 결함
	Reifenstein 증후군	남성호르몬수용체 부분 결함
	이분 음낭+요도하열	남성호르몬수용체 부분 결함
	구부 척수 근육 위축	남성호르몬수용체 결함
	회음부 요도하열+가성 질	5-α reductase 결핍
	여성호르몬 저항	여성호르몬수용체 결함
	여성호르몬 결핍	방향화 효소 결핍

가능성도 있으나, 양측무고환(bilateral anorchia, vanishing testis syndrome)일 가능성도 있다. 양측무고환은 출산 전에 고환염전이나 손상, 감염 등에 의하여 소실된 것으로 대개는 외형적으로 남성적 미성숙을 보이며, 각종 영상검사 외에도 HCG 자극검사에 의한 남성호르몬의 반응의 유무로 확인하여 양측성 복강내 잠복고환과 감별할 수 있다. 일측성 고환염전 혹은 고환손상 병력이 있으면 항정자 항체가 생길 수 있어서 손상된 고환뿐 아니라 반대쪽 고환에도 나쁜 영향을 줄 수 있다.

사춘기 이후의 병력은 그 이전의 병력과 구분하여 확인하는 것이 바람직하다. 사춘기 이후의 유행성 이하선염에 걸린 아이 중 30%는 단측의 고환염을 10%는 양측고환염을 가져올 수 있으며, 고환의 기능이상을 유발할 수 있다. 그리고 병력청취와 함께 환자의 전체적인 신체 특징을 관찰하는 것이 필요한데, 부신성기증후군(adrenogenital syndrome), 클라인펠터증후군(Klinefelter syndrome), 칼만증후군(Kallmann syndrome), 남성호르몬수용체 이상 등의 성선기능저하증을 의심할 수가 있고, 여성형 유방이 관찰되면 고프로락틴혈증이나 여성호르몬 이상 등의 내분비 이상도 짐작할 수가 있지만, 비만 성인에서 나타나는 lipomastia와 감별이 되어야 한다. 클라인펠터증후군은 남성불임을 일으키는 가장 흔한 성염색체 이상으로 500명당 1명에서 나타난다. 대개는 작고 단단한 고환, 여성형유방, 이차성징의 지연, 무정자증의 임상 소견을 보인다. 대부분이 47, XXY 형태이지만 10%정도에서는 XY/XXY의 모자이크 형태를 보이며 모자이크형에서는 때때로 정액검사에서 심한 감정자증을 보이기도 한다. 칼만증후군은 10,000명당 1명에서 있으며 시상하부의 성선자극호르몬방출호르몬(gonadotropin releasing hormone, GnRH)이 없어서 나타나며, 가족력이 있고 매우 작은 고환과 무후각증, 색맹, 구개열 등의 정중선 장애가 동반되어 나타나기도 한다.

수술력에서 탈장교정술이나 음낭수종절제술, 고환고정술과 같은 서혜부위 수술은 정관을 직접 손상시키거나 정관과 고환의 혈관을 손상시켜 이차적으로 영향을 미칠 수 있다. 정관절제술, 정관정관문합수술, 뇌수술 등에 대한 조사도 필요하다. 후복막림프절절제술이나 방광에 대한 수술 이후에는 누정의 장애 또는 역행성사정이 나타날 수 있다.

환자의 환경이나 독성물질, 약물복용에 대한 노출도 확인하는 것이 좋다. 방사선이나 고열에 노출되는 직업이 있는 지에 대한 조사도 필요하다. 흡연은 정액검사를 나쁘게 하고 전신건강에도 좋지 않으므로, 불임부부에게는 금연을 권하는 것이 좋다. 담배 이외에 과도한 음주여부에 대한 조사도 필요하다. 코카인이나 마리화나 같은 마약은 생식기능을 저하시키므로 확인이 필요하다. 또한, 운동이나 보디빌딩을 하는 사람에서 근육량을 증가시키는 스테로이드 제제도 정자생성에 나쁜 영향을 줄 수 있다. 항암치료에 쓰이는 화학요법제와 방사선치료는 고환의 정자형성기능에 나쁜 영향을 준다. 화학요법제 중 특히 alkylating 제제가 정자형성에 좋지 않은 영향을 준다. 정자형성과정은 화학요법과 방사선치료 후 4~5년 후에 다시 회복되는 경우도 있지만, 일단 무정자증이 되고 나면 다시 정자를 형성하기가 쉽지 않다. 따라서 항암화학요법이나 방사선 치료를 받아야 하는 남성에서는 치료 전에 정자의 동결보존을 고려할 수 있다. 해충제인 dibromochloropropane은 고환에 독성을 나타내며, 납도 생식기능에 독성을 가지고 있다. 그 외 궤양성 결장염에 사용되는 sulfasalazine은 정자의 수와 운동성을 감소시키며, 진균성질환에 쓰이는 ketoconazole과 그리고 spironolactone, cyproterone, cimetidine 등은 항 남성호르몬으로 작용한다. Calcium channel blocker, nitrofurantoin, tetracycline, erythromycin, gentamycin 등은 정자의 기능과 형성에 영향을 준다. 이러한 약물들은 정자형성과정에 일시적인 영향을 미치므로 사용을 중단하게 되면 대개 회복이 가능하지만, 주의가 필요하다. 최근 발기부전치료제로 흔히 쓰이는 Phosphdiesterase type 5 inhibitor (PDE5I)의 경우 정액검사에 큰 영향을 주지 않는 것으로 알려져 있다.

가족력에 대한 조사도 필요하다. 여기에는 시상하부 이상에 의하여 성선기능저하증과 무후각증 등의 정중부 결손을 보이는 칼만증후군과 남성호르몬수용체 이상으로 인하여 반음양, 이차성징 이상을 보이는 라이펜스타인(Reifenstein syndrome)증후군 등이 있다. 그리고 낭포성섬유증은 정관의 선천적인 결핍에 관련되어 있지만 동양인에는 거의 없다.

앓고 있는 질환에 대한 조사도 필요하다. 최근 3개월 이내의 열성 질환이 있었다면 그 이후 1달에서 3달간 정자형성에 문제가 나타날 수 있다. 당뇨병과 다발성경화증을 가진 환자에서는 발기부전과 함께 사정장애가 있을 수 있으며, 만성신부전 환자에서도 불임이 흔하게 발견된다. 고환암과 림프종 환자의 60%에서 진단 시에 이미 감정자증이 발견되며, 약물화학요법, 방사선치료, 후복막림프절절제술 등을 통해 더욱 나빠져 약 80% 이상에서 불임이 된다. 심한 두통과 유즙분비, 시야손상을 보이는 경우는 뇌하수체 종양을 생각하여야 한다. 자주 호흡기 감염을 보인다면 움직이지 않는 섬모증후군이나, 농축된 물질에 의해 부고환이 막히는 Young 증후군을 고려할 수 있다. 성접촉성 질병이나, 결핵을 포함한 요로감염도 남성의 생식기에 좋지 않은 영향을 준다. 또 부고환염을 앓았다면, 부고환이 막혀서 무정자증이 될 수 있다. 갑상선기능항진증은 뇌하수체와 고환의 기능에 영향을 미쳐 호르몬의 분비를 저하시키고 남성호르몬을 여성호르몬으로 변환시킨다. 부신질환인 쿠싱증후군에서는 과다하게 분비된 코티존이 황체 호르몬을 감소시켜 남성호르몬이 이차적으로 감소하게 된다. 부신피질과 고환에서의 여성호르몬 분비 종양이 있는 경우 여성호르몬을 과다하게 분비하고 이로 인하여 성선자극호르몬이 억제되어 결과적으로 남성호르몬의 분비가 감소하고 정자형성에 장애를 일으키며 발기부전, 여성형유방, 고환위축 등의 증상이 나타난다.

2. 신체검사

전신적인 상태를 살펴보는 것이 중요하다. 키, 전체적인 골격, 근육 발달 상태, 지방의 분포 상태, 체모, 음모의 발육상태와 분포 모양, 정중 결손 여부, 색맹, 시력, 유방, 후각의 정도 등을 살핀다. 그리고 음경과 음낭 및 음낭 내의 장기인 고환, 부고환, 정관, 정삭의 혈관 상태와 그 외의 이차 성징을 살핀다.

먼저 음경의 이상을 살펴보는 것이 중요하다. 요도하열, 음경 만곡, 포경과 같은 음경의 이상은 여성의 생식기로 정액을 전달하는데 장애를 줄 수 있다.

다음은 음낭에 대한 검사가 필요하다. 따뜻한 방에서 시행해야 하며, 환자가 서있는 상태가 좋다. 환자가 심리적으로 안정하여 긴장도를 낮추어 주는 것이 좋다. 정계정맥류 같은 질환은 오른쪽 보다 왼쪽에 더욱 흔하지만, 양쪽 고환 모두 주의 깊은 점검이 필요하다. 크기는 길이 축과 너비를 측정함으로 평가할 수 있지만, 염주처럼 생긴 orchidometer를 활용하는 것이 편리하다. 하지만 초음파검사가 정확한 고환크기의 측정에 도움을 주고, 다른 이상을 함께 발견할 수 있게 해준다.

고환의 크기는 20 ml 전후가 정상이라고 하지만, 한국인에 있어서의 정상크기에 대한 자료가 충분하지 않다. 고환의 단단한 정도도 매우 중요한데, 껍질을 제거한 삶은 메추리알보다 좀 더 단단한 느낌이 나는 것이 정상적이다. 고환의 단단함을 좌우하는 고환의 용적의 80% 이상은 세정관과 정자세포로 구성되어 있기 때문에, 고환의 단단함이 떨어지는 경우 정자형성의 이상을 동반할 가능성이 높다.

부고환의 촉진도 매우 중요하다. 부고환은 고환의 윗부분과 옆에서 부드럽게 만져진다. 부고환에서 결절이나 불규칙하게 단단한 부위가 있으면 이전에 염증이 있었고 현재에도 막혀 있을 가능성이 있는데, 주로 부고환의 두부와 미부에 주로 생긴다. 부고환 두부에서는 낭종이 촉진될 때가 있지만, 촉감만으로는 구분하기가 쉽지 않다. 초음파검사에서는 간단하게 낭종을 구별할 수 있으므로 활용하는 것이 좋다. 부고환의 결절은 정로의 폐색과 영향이 있지만, 흔히 발견되는 낭종의 경우에는 정로폐색과는 큰 연관이 없으며, 주로 정액류(spermatocele)가 많다.

정관도 반드시 확인하여야 한다. 선천성정관무형성증 같은 질환은 정관의 촉지 유무가 가장 중요한 진단의 단초이다. 흔하지는 않지만 정액량이 적고 무정자증으로 나타나게 된다. 정관이 어느 곳에서 갑자기 가늘게 촉지되거나, 정관 전부가 없는 경우가 많은데, 이때에 흔히 부고환의 두부는 존재하고 체부와 미부의 소실이 함께 나타나며, 정낭은 없거나 비정상이다. 따라서 부고환 및 정관에 대한 섬세한 촉진으로 선천성 정로 일부 무형성증이 의심이 되면 이를 확인하기 위한 정액검사, 과당측정 및 영상진단과 복강경검사 등이 필요할 수 있다. 정관에서 결절이 만져지는 경우는 정관절제술, 정관정관문합술 등이 원인이 될 수 있으며, 결핵도 원인이 될 수 있다.

정삭에서 가장 중요한 검사는 정계정맥류에 대한 검사로, 유병률이 높으면서도 많은 경우 치료가 가능하므로 남성불임의 검사에 있어 필수적이다. 정계정맥류는 고환으로 가는 pampiniform plexus의 정맥들이 늘어나고 구불구불해져서 밖으로 드러나거나 만져지는 병으로, 남성불임의 주요 원인 중 하나이다. 심한 정도에 따라 valsalva시에만 만져지는 경우를 grade 1, 서 있는 상태에서 만져지는 경우 grade 2, 서 있을 때 만져질 뿐 아니라 음낭피부를 통하여 보이는 경우 grade 3로 구분한다. 음낭거근 반사가 강한 환자나 고환이 음낭의 위쪽에 위치한 경우는 valsalva를 시키면서 손으로 고환을 천천히 아래로 당기면서 검사를 하면 보다 정확하게 검사할 수 있다. 임상적으로 진단되지 않는(subclinical) 정계정맥류의 발견을 위하여 초음파 검사 등을 보조적으로 사용하기도 한다. 정계정맥류는 10세 이전의 연령에서는 드물게 발견되나, 사춘기와 성인에서의 빈도는 15-20% 정도로 비슷하다. 다양한 인자들이 정계정맥류의 발생 원인으로 거론되고 있으며, 정계정맥류의 80-90%가 좌측에서 발생하는 것과 관련하여 좌측과 우측 고환 정맥의 해부학적 차이에서 오는 hydrostatic pressure의 차이가 정계정맥류 발생의 중요한 원인으로 생각되고 있다. 과거에는 incompetent venous valve가 정계정맥류 발생의 주요 원인으로 생각되었으나, 이견도 있다. 정계정맥류가 있는 환자에서 환측 고환에 성장의 장애가 발생한다는 사실은 여러 연구를 통해 입증되었는데, 고환용적의 감소가 중요하며, 보상성비대가 발견되는 경우도 있다. 또한 maturation arrest, Leydig cell의 hyperplasia 및 atrophy, spermatogenesis의 감소, tubular thickening, Sertoli cell의 fibrosis 등의 조직학적 변화가 환측 고환에서 시작되어 정계정맥류의 심한 정도에 따라 악화되고 대측 고환에까지 영향을 미치게 된다. 이러한 변화는 정맥혈의 울혈로 인한 열손상, 고환 정맥의 저류에 의한 저산소증, 부신과 신장의 독성대사물질의 역류 등의 기전에 의해 발생하는 것으로 알려져 있다. 이러한 정계정맥류에 대한 검사와 치료는 정액검사에 이상이 없는 준임상적 정계정맥류에서는 아직 논란이 있지만, 남성불임 환자에서는 도움이 된다.

전립선과 정낭에 대한 검사도 필요하다. 직장수지검사에서 정상적인 정낭은 대부분의 경우에 만져지지 않지만, 낭종이 있는 경우에는 쉽게 촉진되기도 한다. 전립선은 경험에 의한 촉진으로 모양, 크기, 경도를 판단하여야 한다. 전립선 낭종이 만져지면 사정관폐쇄를 의심할 수 있으므로 경직장 초음파검사를 시행한다.

3. 불임부부에서 여성의 평가

임신을 위해서는 남성과 여성이 모두 함께 필요하다. 따라서 불임부부의 평가에 있어 여성의 평가를 항상 고려하여야 한다. 불임이 있는 부부의 약 4분의 3에서 여성의 이상이 발견된다. 나팔관 이상 25%, 자궁내막증이 4-5%, 자궁경관 점액이상이 4% 정도에서 있을 수 있으며, 고프로락틴혈증을 포함한 배란장애가 약 30%에서 발견된다. 여성에서의 진단은 남성과 유사하여 병력청취, 신체검사 후에 적절한 여러 실험실 검사를 하게 된다. 대개 배란에 대한 평가가 우선되고, 나팔관, 자궁 등 여러 기관에 대한 검사도 필요하다.

여성에서 21일에서 35일 사이의 규칙적인 생리주기가 있다는 것은 정상적인 배란을 의미한다. 이에 반하여 생리주기가 불규칙적이라면 배란장애가 있다는 것을 나타낸다. 배란의 시기를 알기 위해서는 기초체온을 매일 기록하거나 혈중 황체호르몬을 측정하여 알 수 있으며, 보다 정확하게는 소변이나 혈중의 황체화호르몬(luteinizing hormone)과 질식 초음파를 통한 난포의 상태를 측정하여 알 수 있다.

나팔관 질환은 골반염증 질환, 자궁내막증, 이전의 복강 내 염증, 수술 등에 의하여 일어난다. 자궁난관조영술을 시행하면 자궁내강의 상태뿐 아니라 나팔관의 개통성 여부를 알 수 있다. 복강경은 나팔관의 폐색을 좀 더 알기 위하여 사용되기도 하고 이전검사에서 자궁근종이나 골반유착, 자궁내막증이 발견된 경우에 시행된다. 그리고 모든 검사에서 이상이 발견되지 않는 경우에도 일반적으로 시행되어 왔다. 나팔관 질환에 대한 치료로는 수술적 교정을 하거나 보조생식 시술이 사용된다.

여성에서는 위에 언급한 여러 검사가 각각 생리주기의 특정 시기에 행해지기 때문에 남성에 비하여 많은 시간이 소요된다. 불임부부에서 치료방법을 선택하는데 있어서는 여성의 나이를 꼭 고려해야 한다. 여성에서 가임능력은 35-39세 사이에 급격하게 감소되기 때문에 여성의 나이가 40세에 가깝다면 좀 더 적극적인 치료방법을 고려해야 하며, 보다 젊다면 단계별로 천천히 치료를 진행할 수 있다.

4. 요약

인간 생식은 남녀 간에 존재할 수 있는 모든 신체적, 정신적 상태의 총화로 나타나는 결과이기 때문에 불임의 원인은 매우 다양하다. 따라서 비용 - 효율적으로 불임의 원인을 밝히고 치료방침을 결정하기 위해서는 불임 부부에 대한 자세하고 폭 넓은 문진과 숙련된 신체검사가 무엇보다 우선되어야한다.

참고문헌

1. Aafjes JH, van der Vijver JC, Schenck PE. The duration of infertility: An important datum for the fertility prognosis of men with semen abnormalities. Fertil Steril 1978;30:423-425.
2. Anguiano A, Oates RD, Amos JA, Dean M, Gerrard B, Stewart C, et al. Congenital bilateral absence of the vas deferens: a primary genital form ofcystic fibrosis. JAMA 1992;267:1794-1797.
3. Braedel HU, Steffens J, Ziegler M, Polsky MS, Platt ML. A possible ontogenic etiology for idiopathic left varicocele. J Urol 1994;151:62-66.
4. Buch JP, Havlovec SK, Variation in sperm penetration assay related to viral illness. Fertil Steril 1991;55:844-846.
5. Carney SW, Tuttle W. The spermatogenic potential of the undescended testis before and after treatment. J Urol 1960; 83:697-705.
6. Carroll PR, Whitmore WF Jr, Herr HW, Morse MJ, Sogani PC, Bajorunas D, et al. Endocrine and exocrine profiles of men with testicular tumors before orchiectomy. J Urol 1987;137:420-423.
7. Cendron M, Keating MA, Huff DS, Koop CE, Snyder HM 3rd, Duckett JW. Cryptorchidism, orchiectomy and infertility: A critical long-term retrospective analysis. J Urol 1989;142:559-562.
8. Collins JA, Wrixon W, Janes LB, Wilson EH. Treatment-independent pregnancy among infertile couples. N Engl J Med 1983; 309:1201-1206.
9. Costabile RA. The effect of cancer and cancer chemotherapy on male reproductive function. J Urol 1993;149:1327-1330.
10. Dandia SD, Bagree MM, Vyas CP, Singh H, Pendse AK, Joshi KR. Experimental production of varicocele and its effect on testes. Jpn J Surg 1979;9:372-378.
11. Ficarra V, Cerruto MA, Liguori G, Mazzoni G, Minucci S, Tracia A. Treatment of varicocele in subfertile men: The Cochrane Review-a contrary opinion. Eur Urol. 2006;49:258-263.
12. Fisch H, Hynn G, Hensle TW. Testicular growth and gonadotropin response associated with varicocle repair in adolescent males. BJU Int 2003;91:75-78.
13. Ford WC, North K, Taylor H, Farrow A, Hull MG, Golding J. Increasing paternal age is associated with delayed conception in a large population of fertile couples: Evidence for declining fecundity in older men. The ALSPAC Study Team(Avon Longitudinal Study of Pregnancy and Childhood). Hum Reprod 2000;15:1703-1708.
14. Gall H, Rudofsky G, Bahren W, Roth J, Altwein JE. Intravascular pressure measurements and phlebography of the renal vein: a contribution to the etiology of varicocele. Urologe 1987;26:325-330.
15. Goldstein M, Eid JF. Elevation of intratesticular and scrotal skin surface temperature in men with varicocele. J Urol 1989;142:743-45.
16. Green LF, Kelalis PO, Weens RE. Retrograde ejaculation of semen due to diabetic neuropathy. J Urol 1967;98:693-695.
17. Greenberg SH, Lipshultz LI, Wein AJ. Experience with

425 subfertile male patients. J Urol 1978;119:507-510.

18. Grober ED, Chan PT, Zini A, Goldstein M. Microsurgical treatment of persistent or recurrent varicocele. Fertil Steril. 2004;82:718-722.
19. Jarow JP. Life threatening conditions associated male infertility. Urol Clin North Am 1994;21:409-415.
20. Jarow JP, Coburn M, Sigman M. Incidence of varicoceles in men with primary and secondary infertility. Urology 1996; 47:73-76.
21. Jarow JP, Lipshultz LI. Anabolic steroid-induced hypogonadotropic hypogonadism. Am J Sports Med 1990; 18:429-431.
22. Jarvi K, Dula E, Drehobl M, Pryor J, Shapiro J, Seger M. Daily vardenafil for 6 months has no detrimental effects on semen characteristics or reproductive hormones in men with normal baseline levels. J Urol. 2008 Mar;179(3):1060-1065.
23. Klaiber EL, Broverman DM, Pokoly TB, Albert AJ, Howard PJ Jr, Sherer JF Jr. Interrelationships of cigarette smoking, testicular varicoceles, and seminal fluid indexes. Fertil Steril 1987;47:481-486.
24. Kim ED, Lipshultz LI, Howards SS. Male infertilty. In Gillenwater JY, Greyhack JT, Howards SS, Mitchell ME, editors. Adult and Pediatric Urology Philadelphia: Lippincott Williams & Wilkins, 1683-1757.
25. Ku JH, Son H, Kwak C, Lee SE, Lee NK, Park YH. Impact of varicocele on testicular volume in young men: significance of compensatory hypertrophy of contralateral testis. J Urol 2002;168:1541-1544.
26. Lipshultz LI, Caminos-Torres R, Greenspan CS, Snyder PJ. Testicular function after orchiopexy for unilateral undescended testis. N Eng J Med 1976;295:15-18.
27. Lipshultz LI, Corriere JN Jr. Progressive testicular atrophy in the varicocele patient. J Urol 1977;117:175-176.
28. McClure RD. Male Infertility: Male infertility. In Tanagho EA, McAninch JW, editors. Smith' s General Urology 14th ed, Norwalk: Appleton & Lange 1995;745-771.
29. McClure RD, Hricak H. Scrotal ultrasound in the infertile man: Detection of subclinical unilateral and bilateral varicoceles. J Urol 1986;135:711-715.
30. Meacham RB, Townsend RR, Rademacher D, Drose JA. The incidence of varicoceles I the general population, gray scale sonography and color Doppler sonography. J Urol 1994; 151:1535-1538.
31. Mosher WD, Pratt WF. Fecundity and infertility in the United States: Incidence and trends. Fertil Steril 1991;56:192-193.
32. Munkelwitz R, Gilbert BR. Are boxer shorts really better? A critical analysis of the underwear type in male subfertility. J Urol 1998;160:1329-1333.
33. Ozbek E, Turkoz Y, Gokdeniz R, Davarci M, Ozugurlu F. Increased nitric oxide production in the spermatic vein of patients with varicocele. Eur Urol 2000;37:172-175.
34. Paduch DA, Skoog SJ. Current management of adolescent varicocele. Rev Urol 2001;3:120-133.
35. Patrizio P, Leonard DG. Mutation of the cystic fibrosis gene and congenital absence of the vas deferens. Results Probl Cell Differ 2000;28:175-186.
36. Peng BC, Tomashefsky P, Nagler HM. The cofactor effects: Varicocele and infertility . Fertil Steril 1990;54:143-148.
37. Pomara G, Morelli G, Canale D, Turchi P, Caglieresi C, Moschini C, Liguori G, Selli C, Macchia E, Martino E, Francesca F. Alterations in sperm motility after acute oral administration of sildenafil or tadalafil in young, infertile men. Fertil Steril. 2007 Oct;88:860-865.
38. Procope BJ. Effect of repeated increase of body temperature in human sperm cells. Int J Fertil 1965;10:333-339.
39. Pryor JL, Howards SS. Varicocele. Urol Clin North Am 1987;14:499-513.
40. Sawczuk IS, Hensle TW, Burbige KA, Nagler HM. Varicoceles: effect on testicular volume in prepubertal and pubertal males. Urology 1993;41:466-468.
41. Sigman M, Jarow JP. Male Infertility. In Wein AJ, Kvoussi LR, Novick AC, Partin AW, Peters CA, editors. Campbell-Walsh Urology 9th ed, Philadelphia: Saunders, 2007;609-653.
42. Spira A. Epidemiology of human reproduction . Human Reprod 1986;1:111-115.
43. Steeno O, Koumans J, De Moor P. Adrenal cortical hormones in the spermatic vein of 95 patients with left varicocele. Andrologia 1976;8:101-104.

44. Takihara H, Sakatoku J, Fujii M, Nasu T, Cosentino MJ, Cockett AT. Significance of testicular size measurement in andrology: 1. A new orchidometer and its clinical application. Fertil Steril 1983;39:836-840.

45. Thonneau P, Bujan L, Multigner L, Mieusset R. Occupational heat exposure and male fertility: a review. Hum Reprod 1998; 13:2122-2125

46. Thonneau P, Marchand S, Tallec A, Ferial ML, Ducot B, Lansac J, et al: Incidence and main causes of infertility in a resident population (1,850,000) of three French regions(1988-1989). Hum Reprod 1991;6:811-816.

47. Van Uem JF, Acosta AA, Swanson RJ, Mayer J, Ackerman S, Burkman LJ, et al. Male factor evaluation and results in the Norfolk IVF program. Fertil Steril 1984;41:1025-1028.

48. Vine MF, Margolin BH, Morrison HI, Hulka BS. Cigarette smoking and sperm density: A meta-analysis. Fertil Steril 1994;61:35-43.

49. Weidner W, Krause W, Ludwig M. Relevance of male accessary gland infection for subsequent fertility with special focus on prostatitis. Hum Reprod Update 1999;5:421-432.

50. Wilcox AJ, Weinberg CR, Baird DD. Timing of sexual intercourse in relation to ovulation. N Engl J Med 1995;333:1517-1521.

51. Wilton LJ, Teichtahl H, Temple-Smith PD, De Kretser DM. Kartagener syndrome with motile cilia and immotile spermatozoa: Axonemal ultrastructure and function. Am Rev Respir Dis 1986;134:1233-1236.

52. Wilton LJ, Teichtahl H, Temple-Smith PD, Johnson JL, Southwick GJ, Burger HG, et al. Young' s syndrome (obstructive azoospermia and chronic sinobronchial infection): A quantitative study of axonemal ultrastructure and function. Fertil Steril 1991;55:144-151.

53. Zavos PM, Correa JR, Antypas S, Zarmakoupis-Zavos PN, Zarmakoupis CN. Effects of seminal plasma from cigarette smokers on sperm viability and longevity. Fertil Steril 1998;69:425-429.

CHAPTER 05

기본 실험실 검사

Laboratory Examination for Male Infertility

■ 송승훈

1. 정액검사 *Semen Analysis*

정액검사는 남성의 생식능력을 평가하는데 가장 기본적이면서도 중요한 검사이다. 정액검사 결과는 고환의 정자생성능력과 이차검사의 필요성을 판단하는 기준이 되며, 남성불임 환자의 치료 결과를 판정하는 기준이 되기도 한다. 그러나 정액검사 결과만으로 개인의 가임력을 정확히 측정하는 데는 제한점들이 있는데, 그 이유는 정액검사 결과는 금욕기간, 정액채취 방법, 몸 상태 등 여러 가지 요인들에 따라 영향을 받을 수 있고 한 남성의 가임력 평가에는 배우자 여성 측의 상태도 같이 고려되어야 하기 때문이다. 그럼에도 불구하고 정액검사는 남성 생식계에 대한 일차 정보를 제공해 주며, 이를 바탕으로 남성불임 환자들을 분류하여 이차검사 및 치료에 대한 계획을 수립하는데 필수적인 역할을 하고 있다.

1) 정액채취

일반적으로 정액검사는 1회 검사로는 불충분하므로 2주 이상의 간격을 두고 2-3회 정도 검사하는 것이 권장되며 이후 신체검사, 생활습관, 직업환경 등을 고려하여 종합적으로 정액상태를 평가한다. 정액검사를 위한 정액채취는 최소 2일에서 최대 7일 사이의 금욕기간을 가지고 검사하며 반복검사를 하는 경우 금욕기간도 가급적 일정하게 하는 것이 좋다. 채취방법은 입구가 넓고 소독된 용기에 환자 스스로 자위행위를 통해 받되 가능하면 병원이나 검사실에서 받도록 한다. 정액채취실은 가능하면 독립되고 조용한 공간을 확보해 주며 적절한 성적자극을 줄 수 있는 여건을 마련해 주는 것이 필요하다. 채취한 정액은 36-37℃의 항온기(incubator)에서 액화(liquefaction)가 될 수 있도록 30분 정도 기다린 후 검사를 시작한다. 항온기가 없는 경우에는 실온에서 액화를 기다리되 온도가 너무 떨어지지 않도록 주의한다. 검사실에서의 사정을 어려워하는 환자들은 집에서 정액을 받은 후 30분-1시간 이내에 체온으로 검체의 온도를 유지하면서 검사실로 가져오도록 한다. 콘돔을 사용해야 할 경우에는 살정제가 포함되지 않는 콘돔을 사용해야 하며 하반신마비 등으로 인해 정상적인 사정이 불가능한 경우에는 필요에 따라 진동자극이나 전기자극사정술의 도움을 받을 수 있다.

2) 정액의 물리적 특성

(1) 외형

정액은 밝은 유백색 빛을 띠며 밤꽃 냄새가 나고 균질하며 실온에서 30분 이내에 액화되어야 한다. 정액의 액화는 전립선에서 분비되는 여러 가지 효소에 의해 일어나며, 액화가 일어나지 않는 경우 전립선 기능의 이상소견을 시사한다. 혈정액증으로 인해 적혈구가 섞여 있는 경우에는 정액이 갈색을 띠는 경우도 있다.

(2) 양

사정된 정액의 양은 정확히 측정되어야 하며, 정액 배양이 필요한 때는 무균적으로 정액을 다루어야 한다. 정액 양은 대부분 정낭액과 전립선액으로 이루어지므로 사정액이 적은 경우에는 사정관폐쇄나 역행사정 등의 이상소견을 생각할 수 있다.

(3) 점도

점도는 21G 바늘에 담겨진 정액이 늘어지는 길이를 측정함으로 알아본다. 정상적으로는 정액이 작은 방울로 떨어지지만 점도가 높아 2 cm 이상 늘어지면서 떨어지는 경우에는 비정상으로 간주한다. 또는 정액샘플에 유리막대를 넣어 들어 올렸을 때 늘어지는 길이가 역시 2 cm 이상일 때 비정상으로 간주한다. 점도가 높은 경우에는 액화에 문제를 초래하며, 전립선의 기능부전과 연관성을 가진다.

(4) pH

정액의 pH는 정액 한 방울을 pH종이에 균일하게 펼친 다음 30초 후에 pH종이의 색깔변화를 비교함으로 측정한다. 정액의 pH는 산성의 전립선액과 알칼리성의 정낭액에 의해 결정된다. 정상적으로 정액의 pH는 7.2 - 7.8 정도이며, pH가 7.8 이상일 때 전립선염증을 의심하게 되고, pH가 7.0 이하일 때 특히 무정자증과 연관해서 정낭의 기능부전이나 선천정관무발생을 의심할 수 있다.

3) 정자운동성

정자운동성은 정액의 액화 후 바로 검사하는 것이 좋으며 일정양의 정액 (10-15 μl)을 슬라이드에 떨어뜨린 후 20 × 20 mm 혹은 24 × 24 mm 사이즈의 커버글라스를 덮어, 실온에서 400배 시야로 검경하게 되는데, 최소한 4곳이나 6곳을 찾아보면서 200개의 정자를 각각의 그룹으로 분류한다. 정자운동성은 전진 운동군, 비전진 운동군, 무운동군의 3군으로 분류한다. 이전에는 전진운동군을 빠른 속도군과 느린 속도군으로 구분했으나 최근에는 정자가 속도에 관계없이 전진을 보이는 군으로 같이 분류하며, 전진운동성을 보이는 전체 정자수가 생물학적 의미를 가진다.

4) 정자수

정자수 계산에는 Makler chamber가 가장 많이 쓰이며, 혈구계나 일회용 혈구계산판을사용하기도 한다(그림 5-1). Makler chamber를 이용한 정자수 계산법은 희석하지 않은 정액 한 방울을 Makler chamber 중앙에 떨어뜨린 후 1 mm 안에 100개의 정사각형이 그려진 커버글라스를 덮은 후 200배 시야에서 정자의 수와 운동성을 검사하게 된다. 먼저 9개 혹은 16개의 정사각형 안에서 움직이지 않는 정자의 수 (A)를 센 후 같은 범위에서 움직이는 정자의 수 (B)를 세어둔다. 두 정자군의 합(A+B)에 1× 10^6을 곱한 값이 정자의 수가 되며, 두 정자 군의 비율(B/A+B)이 정자의 운동성이 된다. 움직이는 정자의 수는 같은 곳에서 여러 차례 반복해서 세거나 서너 군데 위치를 달리해서 센 후 평균값을 구하도록 한다. 이 과정 후에 정자의 운동성을 평가하여 정자운동성의 질을 평가하도록 한다. 혈구계를 사용하는 경우 희석용액은 $NaHCO_3$ 50 g과 35% 포르말린용액 10 ml에 증류수를 부어 최종 1,000 ml가 되도록 한다. 예비검사에서 정

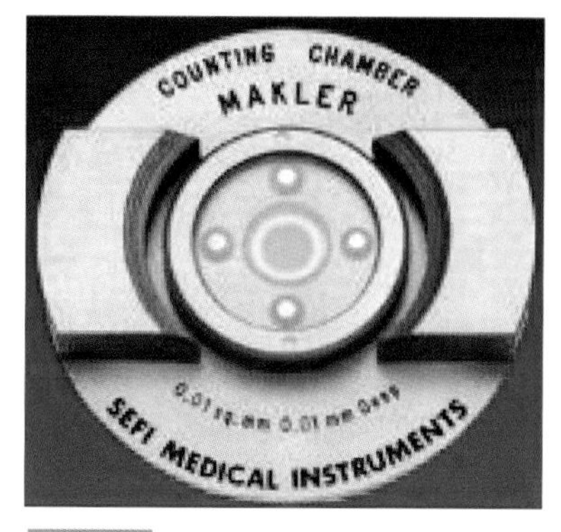

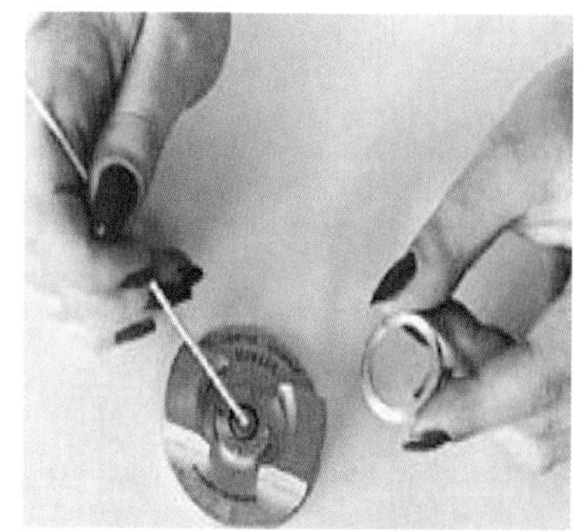
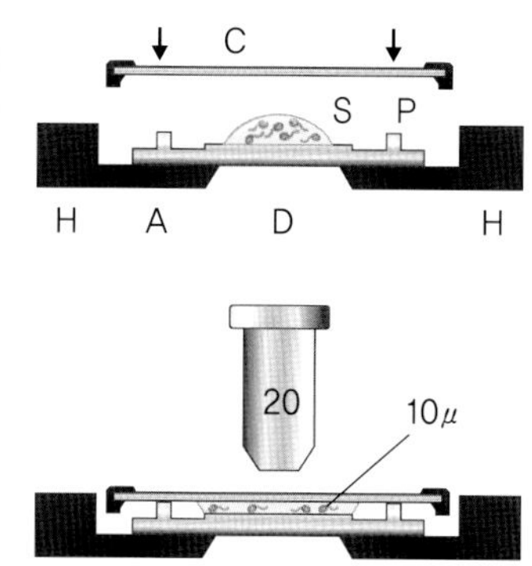

그림 5-1 Makler counting chamber

자농도가 100 × 10^6/ml 이상일 경우에는 1:50의 희석용액을 사용하며, 20 × 10^6/ml 이하일 경우에는 1:10 또는 1:20 희석용액을 사용한다. 정자는 100배 혹은 400배 시야에서 정상적인 모양을 가진 정자만 센다. Neubauer 혈구계는 25개의 큰 사각형을 가지며, 각각의 사각형에 작은 16개의 사각형을 가진다. 일반적으로 25개의 사각형에 포함된 정자수를 센 후 (이웃사각형과 겹친 경우 위쪽이나 좌측 것만 세도록 한다), 여기에 희석배율을 곱하여 × 10^6/ml를 붙이면 정자의 농도가 된다. WHO 5판에서 정자 수의 정상범위 기준은 액화 후 농도가 15 × 10^6/ml 이상이면서 총 정자수가 39 × 10^6/ml 이상이어야 한다.

5) 정자모양

(1) 일반검사

형태적으로 비정상적인 정자는 정상적인 형태의 정자에 비해 수명도 짧을 뿐 아니라 수정능력 역시 떨어진다. 검사방법은 신선한 정액 샘플로부터 3-4장의 표본슬라이드를 만든다. 이후 도말표본 슬라이드를 공기 중에 말린 다음 Papanicolaou, Shorr 또는 Diff-Quik stain 등의 방법으로 염색하여 정자 모양을 검경하는데 어떤 형태의 정자 모양 이상이라도 다 기록하도록 한다. 이때 잘 규정된 기준에 따라 비정상적인 모양의 정자를 기술하고, 나머지 정자들은 비록 경계선상에 있는 정자라도 정상으로 간주하여 평가한다. 정상 모양을 가진 정자의 기준은 머리가 2-3 μm × 3-5 μm 크기의 타원형을 이루며 매끄럽고, 첨체가 머리의 40-70%를 차지하고, 목부위, 중간부위, 꼬리부위에 이상이 없는 것을 말한다. 정자의 머리가 삐죽하게 길어졌거나 첨체가 없는 경우, 이중머리, 무정형의 머리, 바늘크기의 머리크기 등은 모두 비정상으로 분류된다. 목부위는 머리와 종축으로 중앙에 연결되어 있으면서 굵기가 머리의 1/3 이내이어야 하며 7-8 μm 정도 길어야 한다. 꼬리부위는 매끈하면서 꼬이지 않아야 되고 규칙적인 외형과 최소한 45 μm 이상의 길이를 가져야 한다(그림 5-2).

(2) '엄격기준(strict criteria)' 에 의한 정자 모양 검사

1986년 Kruger 등은 체외수정(In vitro fertilization, IVF)법의 수정률과 연관해서 정자 모양에 대한 '엄격한' 기준을 제시했다. 이들은 정자 모양을 검사하기 위해서 정자를 Papanicolaou 법으로 염색한 후 슬라이드당 200개 이상의 정자를 분석한 다음 보다 엄격한 정상기준을 적용하여 WHO 기준에서 '경계선상'으로 분류되는 정자들을 비정상으로 분류하였다. 이 기준에 따르면 정상치가 14% 이하일 때 체외수정의

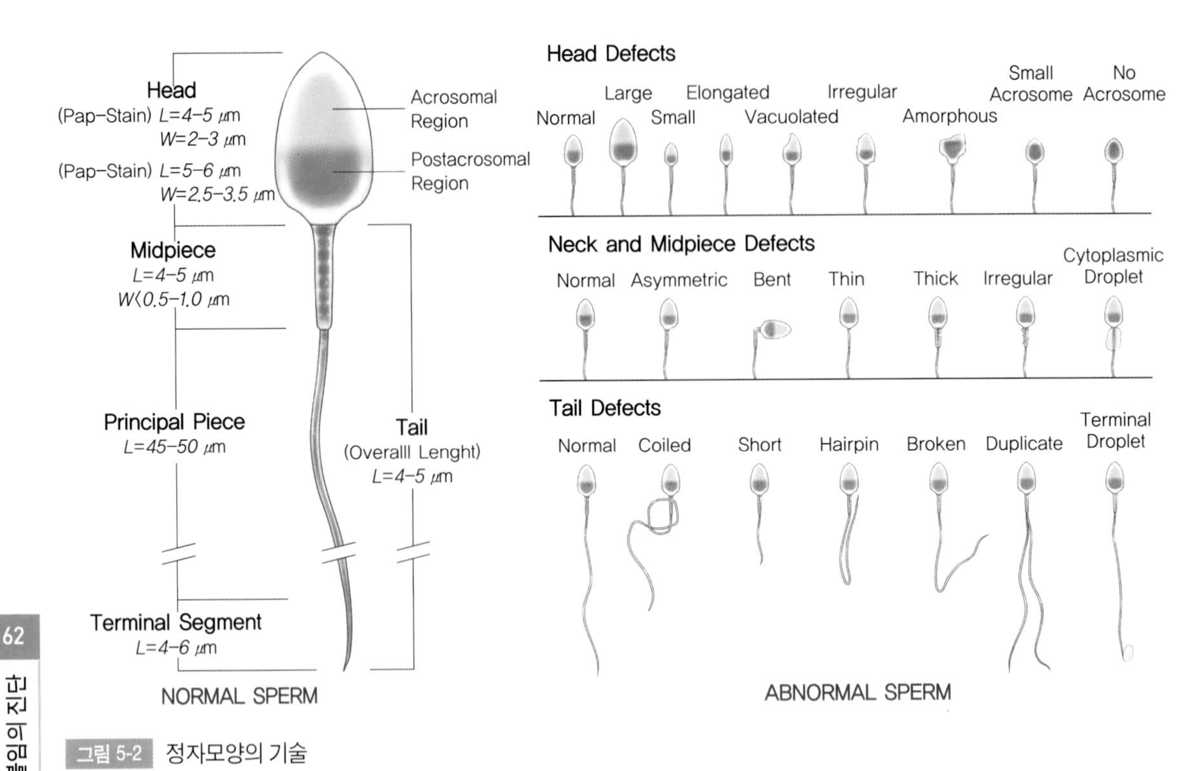

그림 5-2 정자모양의 기술

수정률이 현저히 떨어지기 시작하여 4% 이하이면 더 심각하게 저하되는 것으로 발표하였다. Oehninger 등의 보고에 의하면 정상적인 모양의 정자가 14% 이상일 때 IVF의 수정률은 94.3%, 4-14%일 때는 87.8%에 이르렀지만 4% 미만일 때는 14.5% 정도였다. 이후 추가적인 많은 연구들이 진행되어왔으나 아직 정상 비정상의 명확한 기준치에 대한 논란이 있다. 현재 불임검사실의 정자모양 평가에는 일반적으로 엄격기준을 채택하고 있으며 WHO 매뉴얼도 엄격기준을 채택하는 것을 권장하고 있으나 이 '엄격기준'의 정자모양은 검사실마다 결과의 표준화가 덜 되어 있고 또한 불임전문검사실을 제외하고는 대부분의 검사실에서 검사가 가능하지 못하다는 제한점들이 있다.

6) 정자의 생존성검사(Vitality)

정자생존성은 살아있는 정자에서 정자막이 염료를 배출해 내는 능력을 평가하는 Eosin-Y 염색법을 통해 검사할 수 있다. Eosin-Y 검사에서 검사용액은 0.5 ml의 Eosin용액에 99.5 ml의 생리식염수를 넣어 만든다. 검사는 슬라이드위에 정액 한 방울(10-15 ㎕)과 검사용액 한 방울을 떨어뜨려 섞고 커버글라스를 덮은 후 2분 뒤 400배 시야에서 검경한다. 100개의 정자를 검경하여 정자가 '붉은 오렌지' 색으로 염색된 정자는 죽은 것으로 판단하며, 염색되지 않은 정자는 살아있는 것으로 판단한다. 정자생존성검사는 정자운동성이 심하게 저하된 남성 환자에서 생존정자를 확인하는 데 유용하며 저삼투압 상태에서 정자막의 팽창능력을 평가하는 hypoosmotic swelling(HOS)법을 이용하기도 한다.

7) 컴퓨터 정액분석(Computer-assisted semen analysis, CASA)

컴퓨터 정액분석기는 수동적인(manual) 정액분석으로는 측정할 수 없는 요소들을 결정할 수 있는 장점이 있으며, 현미경, 비디오카메라, 모니터, 컴퓨터프린터로 구성되어 있다. CASA를 통한 정액분석의 경우 정자의 시간당 실제 움직이는 거리를 측정하는 곡선속도(curvilinear velocity), 전진속도를 말해주는 직선속도(straight-line velocity), 직선속도를 곡선속도로 나눈 값인 선형도(linearity)가 측정 가능하다. CASA는 정액검사의 객관적 데이터를 양적으로 얻을 수 있다는 장점으로 최근 임상적으로도 많이 사용되고 있다. 하지만 결과에 영향을 주는 여러 가지 기술적 요소들로 인해 아직 표준화작업은 되지 못한 상태이며, manual 정액분석방법에 비해 예후 예측이나 치료에 더 많은 장점을 가지진 않는 것으로 알려져 있다.

8) 정액검사의 평가

정액검사를 평가할 때 유의할 것은 일반인의 평균적인 정액소견과 통계적으로 임신이 가능하다고 보는 최소한의 기준이 다르다는 점이다. 2010년 발표된 WHO 5판에서는 정상 정액검사의 기준치로 하한 5% 이상을 제시하고 있지만 이 기준만으로 가임과 불임을 절대적으로 나눌 수 있는 것은 아니다. 이는 가임력이 정자수 뿐만 아니라 정액의 다른 요소들과 파트너의 상태 등에 영향을 받기 때문이다(표 5-1). 2010 WHO 기준은 임신시도 12개월 내의 가임력이 확인된 정상 남성들을 대상으로 일측 하한치(one-sided lower reference)를 채택함으로써 이전 WHO 기준들과 비교하여 보다 근거중심(evidence based)의 기준치를 제시하고자 하였다. 하지만 분석에 포함된 피험자의 구성분포, 정자모양 등에 대한 분석방법의 비일관성 등이 2010 WHO 기준의 단점으로 지적되어 새로운 WHO 기준의 임상적 유용성의 평가에는 추가적인 관찰기간이 필요하다고 할 수 있다. 실제 불임부부의 남성의 정액검사를 평가할 때 단순한 일회검사의 결과치로 판단하기 보다는 가급적 2회 이상의 반복검사자료 및 환자에 대한 병력, 신체검사 등의 적절한 임상적인 평가를 병행하여 종합적으로 평가하는 것이 중요하다.

(1) 무정자증(Azoospermia)

무정자증은 일반적으로 폐쇄성 무정자증과 비폐쇄성 무정자증으로 나눌 수 있으며 무정자증의 원인으로 호르몬 이상, 정자생성 능력의 이상, 정자수송로의 이상 등을 감별해야한다. 이를 위해 세밀한 진찰과 호르몬 검사, 필요에 따라 염색체 검사, 유전자 검사와 고환조직검사 등을 시행한다.

(2) 감정자증(Oligozoospermia)

정세포의 정자생성능력 저하 또는 정로의 부분폐쇄 등에서 볼 수 있다. 원인으로는 성선호르몬의 부

표 5-1 정상 정액소견 기준

Semen Characteristics	WHO 4판 (1999)	WHO 5판 (2010)
Volume (mL)	≥2	≥1.5
Sperm count (10^6/mL)	≥20	≥15
Total sperm count (10^6)	≥40	≥39
Total motility (% motile)	≥50	≥40
Progressive motility (%)	≥25% (grade a)	≥32 (grade a+b)
Vitality (% alive)	≥75	≥58
Morphology (% normal forms)	≥14	≥4
Leukocyte count (10^6/mL)	〈 1.0	〈 1.0

족, 고환자체의 손상(정계정맥류, 정류고환, 고환염, 고환염전, 성선독성물질 등) 또는 정로의 부분적 폐색 등을 의심할 수 있으며 여러 검사에도 불구하고 특별한 원인을 찾기 어려운 경우도 많다. 일반적인 정액검사에서는 정자가 관찰되지 않으나 원심분리를 통해서는 소량의 정자가 관찰되는 극희소정자증(cryptozoospermia)의 경우는 완전한 무정자증의 구분이 중요하다.

(3) 약정자증(Asthenospermia)

호르몬계통의 이상(고프로락틴혈증, 갑상선질환, 저성선자극호르몬증), 정계정맥류, 성선 독성물질(약물, 고온환경, 환경호르몬 등), 전신질환(당뇨병, 간질환, 신장질환, 바이러스 감염 등), 부동섬모증후군(immotile cilia syndrome) 등의 고환장애, 항정자항체, 염증, 농정자증, 정로의 부분폐색 등이 원인이 될 수 있다.

(4) 비정형정자증(Teratozoospermia)

정자의 모양은 정자형성과정에서 결정되는데, 고환에 직접적으로 영향을 미칠 수 있는 여러 가지 원인질환들과 함께 과로, 스트레스, 정계정맥류, 성선독성물질, 전신질환 등이 정자모양에 영향을 미칠 수 있다.

2. 호르몬검사 *Hormonal evaluation*

불임남성에서 호르몬검사의 목적은 남성의 가임력을 저하시키는 내분비학적 질환을 발견하고 향후 예후정보를 얻기 위해서이며 남성의 생식능력은 내분비계에 의해 절대적인 조절을 받고 있다. 일반적으로 내분비이상 자체로 인한 불임은 불임 남성의 3% 이하에서 발견되지만 남성불임환자의 30-70%에서 어느 정도의 내분비이상이 동반된다.

남성의 생식기능은 시상하부, 뇌하수체, 고환 사이에 음성되먹임 조절시스템(negative feedback system)을 통해 조절되며 호르몬검사를 통하여 시상하부-뇌하수체 고환축(H-P-G axis)의 이상에 대한 정보를 얻을 수 있다. H-P-G 축에 대한 이해는 1950년대부터 진전되기 시작하여 1970년대 방사선변역측정법이 도입되면서 발전하게 된다. H-P-G축 검사에는 황체화호르몬(LH)과 난포자극호르몬(FSH), 테스토스테론이 모두 포함되며. 호르몬은 생물학적 분석이나 면역분석법에 의해 정량적으로 측정될 수 있다. 생체 내 혹은 시험관내 생물학적 분석은 호르몬의 강도측정에는 아주 유용하지만 검사하기가 어렵고 혈장내 안정도에 따라 심하게 영향을 받는 단점이 있다. 면역분석법은 민감성이 높고 빠르긴 하지만 호르몬의 실제적인 생물학적 활성도를 측정하는 것이 아니라 물질의 구조에 의해 측정한다는 단점을 가진다. 임상적으로 대부분의 검사실에서는 '복합적' 면역분석법인 ELISA법을 사용하고 있다.

1) 기본적 호르몬검사

일반적으로 호르몬검사에는 FSH, LH, 테스토스테론과 프로락틴이 포함된다. 호르몬검사는 일반적으로 내분비이상으로 불임이 초래된 것이 의심될 때 시행하게 되며, 최근에는 불임남성의 기본검사로도 시행되기도 한다. 구체적으로는 이차성징 발현이 전혀 없었거나 후천적으로 점차 소실된 경우, 정액검사에서 무정자증을 포함하여 정자농도가 10×10^6/ml 이하인 경우, 발기부전, 성욕감퇴 등과 같은 성기능 이상증상이 있을 때, 유방비대, 두통, 시야결손 등 특정 내분비이상을 시사하는 증상이 동반된 경우 등이 포함된다.

불임남성의 호르몬검사에서 가장 빈번하게 발견되는 호르몬이상은 혈중 FSH만 증가한 경우로, 이는 정자생성의 이상을 시사해 준다. 그러나 정자생성의 이상이 있는 경우에도 FSH가 항상 증가하는 것은 아니어서 혈중 FSH의 상승은 정자생성과정에 중요한 문제가 있음을 의미하지만, FSH가 정상인 것이 고환의 정자생성기능이 정상이라는 것을 보장해 주진 못한다. 성선자극호르몬(gonadotropin)은 박동성으로 분비되는 성선자극호르몬 분비호르몬(gonadotropin releasing hormone, GnRH)으로 인해 주기적으로 분비된다. 따라서 이론적으로는 성선자극호르몬을 정확히 측정하기 위해서는 15분 간격으로 3번 이상 채혈해야 한다. 그러나 일반적으로 한 번의 채혈로 측정된 호르몬검사만으로도 내분비 이상을 가진 환자를 놓칠 가능성은 거의 없으며, 반복 측정은 한 번의 검사로 임상적 상황을 결정하기 어려울 때에만 추천된다. 고환부전에 빠진 환자들의 경우는 Leydig cell과 Sertoli cell 양자의 기능이 모두 저하되어 있어 LH, FSH가함께 상승되는 소견을 보인다.

2) 역동학적 호르몬검사

시상하부나 뇌하수체 기능 이상에 의한 성선기능 저하증이 의심되는 경우에는 이상 위치 파악을 위하여 역동학적 자극검사를 시행할 수 있다.

(1) 클로미펜자극검사

시상하부의 기능은 항에스트로겐 제제인 클로미펜(clomiphene)을 투여하여 알아 볼 수 있다. 클로미펜은 시상하부에 대한 음성되먹임 인자인 에스트로겐의 역할을 억제하여 성선자극호르몬 분비를 증가시키는 역할을 한다. 일반적으로 클로미펜 50 mg을 하루 두번씩 일주일간 투여하면서 투여당일, 7일째, 10일째 LH, FSH, 테스토스테론치를 측정하게 된다. 정상이라면 7일째의 LH와 FSH 수치는 최소한 50%와 30%씩 증가하게 되며 테스토스테론도 10일째 약 30%정도 상승한다.

(2) GnRH 자극검사

뇌하수체 전엽의 기능은 합성 GnRH를 투여하여 알아 볼 수 있다. 일반적으로 100 ㎍의 GnRH를 투여한 후 30분 간격으로 1-2시간 동안 채혈하게 된다. 정상인 경우 LH는 GnRH자극에 반응하여 급격히 상승하여 30분에 정점에 도달하며, FSH는 좀 더 느리면서 반응이 약하게 나타난다. 뇌하수체 기능에 이상이 있는 경우에는 GnRH 자극에 대한 반응이 없거나 약하게 나타난다.

(3) human chorionic gonadotropin (hCG) 자극검사

체내에서 생성되는 LH와 유사한 활성을 나타내는 hCG는 Leydig cell을 자극하여 테스토스테론을 분비하게 한다. 보통 2,000 또는 3,000 IU을 매일 한번씩 4일간 근주하며, 첫째 날과 4일째 채혈하여 테스토스테론이 2-3배 증가하는 것을 확인한다.

3) 호르몬검사의 평가

(1) 저성선자극호르몬성선저하증 (Hypogonadotropic hypogonadism)

전체 남성불임의 1% 미만을 차지하지만 약물치료가 가능하다는 점에서 남성불임에서 중요한 질환으로 간주된다. 원인은 선천적 요인과 후천적 요인으로 나눌 수 있으며 선천성으로는 Kallmann증후군(무후각증, 사춘기지연, 중간선결손), Prader-Willi증후군(비만, 근력저하, 정신지체, 외소증) 등이 있으며, 후천성으로는 뇌하수체 종양, 방사선 치료, 손상, 스테로이드제제의 투여 등으로 야기된다. GnRH 자극검사로 이상부위가 시상하부인지 뇌하수체인지 구별에 도움을 받을 수 있으며, 치료는 수개월 이상의 성선자극호르몬 분비호르몬이나 성선자극호르몬 투여를 통해 진행하며 고환성장과 이차성징 및 정자생성을 기대해 볼 수 있다.

(2) 고프로락틴혈증(Hyperprolactinemia)

혈청 프로락틴이 증가하면 뇌하수체에서 성선자극

호르몬분비가 억제되고, LH가 고환의 Leydig cell에 결합하는 것을 방해하여 남성호르몬 생성을 감소시켜서 불임을 유발하게 된다. 가장 중요한 원인은 프로락틴을 분비하는 뇌하수체 선종으로 크기에 따라 미세선종(<1 cm)과 거대선종(>1 cm)으로 나눈다. 진단을 위해 두부 MRI 촬영 등이 필요하며 거대선종의 경우는 프로락틴 수치가 전형적으로 50 ng/ml 이상이며, 성선자극 호르몬과 테스토스테론 모두 저하되어 있다. 혈중의 프로락틴의 소량 증가하는 현상은 스트레스, 신부전, 약물복용, 갑상선기능이상 등의 상황에서 종종 발생할 수 있으며 일반적으로 프로락틴 농도가 50 ng/mL를 넘지 않는다.

(3) 고환부전(testicular failure)

대부분 고환의 위축과 함께 FSH의 뚜렷한 상승과 같은 내분비 이상이 동반된다. FSH의 증가는 뚜렷한 반면, LH의 증가가 다소 유동적인 것은 Leydig cell이 정세포 보다 손상에 대한 저항력이 높기 때문으로 이해된다. 선천적 원인으로는 Klinefelter증후군(47, XXY)과 같은 염색체나 유전자 이상과 정류고환 등의 질환을 들 수 있고, 후천적 원인에는 항암치료, 방사선치료 등이 포함된다. 고환생검에서 정자생성부전의 소견을 보이는 경우의 90% 이상에서 FSH가 증가되어 있으며, FSH 수치가 정상보다 3배 이상 높은 모든 경우에 고환생검에서 이상소견을 보이는 것으로 보고 되었다. 다만 일차성 고환부전 환자의 일부에서는 정자생성과정이 국소적으로 진행되고 있는 소견이 발견되기도 하며, 수술적으로 정자채취가 가능한 경우 세포질내 정자주입술(ICSI)을 통해 임신시도가 가능하다.

4. 요약

불임부부의 진단과 치료에 있어 기본 검사실 검사는 남성의 가임능력을 측정하는 일차적으로 중요한 검사이다. 또한 정액검사, 호르몬검사 등의 검사실 결과들은 남성 생식계통에 대한 일차정보를 제공해 주며, 신체검사를 바탕으로 남성불임 환자들의 진단과 이차검사의 필요성 및 적절한 치료방향을 설정할 수 있게 해준다.

참고문헌

1. 대한비뇨기과학회. 성과생식. In: 대한비뇨기과학회. 4th ed. 서울:고려의학; 2007;523-562.
2. 대한비뇨기과학회, 대한남성과학회. 남성성기능 장애 남성불임증 진료지침서. 서울:한학문화; 1997;23-52: 215-249.
3. Bain J, Langevin R, D'Costa M, Sanders RM, Hucker S. Serum pituitary and steroid hormone levels in the adult male: one value is as good as the mean of three. Fertil Steril 1988;49:123-126.
4. Cassiman JJ. Genetic mechanisms of normal and abnormal sexual development in males. In: Comhaire FH, editor. Male Inlertility. London: Chapman & Hall; 1996;11-28.
5. Comhaire FH. Clinical investigation. In: Comhaire FH, editor. Male lnfertility. London: Chapman & Hall; 1996;143-184.
6. David M, Semen analysis, ln: David M, editor, Practical Laboratory Andrology, New York: Oxford university press; 1994;43-88.
7. Devroey P, Fauser BC, Diedrich K; Evian Annual Reproduction (EVAR) Workshop Group 2008. Approaches to improve the diagnosis and management of infertility, Humam Reprod Update 2009;15:391-408.
8. Kruger TF, Acosta AA, Simons KF, Swanson RJ, Matta JF, Oehninger S, Predictive value of abnormal sperm morphology in in vitro fertilization Fertil Steril 1988;49:112-117.
9. Kuper W, Schwinger E, Hiort O, Ludwig M, Nikolettos N, Schlegel PN, et al. Genetics of male subfertility: consequences for the clinical work-up. Human Reprod 1999;14:24-37.

10. Oehninger SC, Acosta AA, Morshedi M. Veeck L, Swanson RJ, Simmons K, et al. Corrective measures and pregnancy outcomes in in vitro fertilization in patients with severe sperm morphology abnormalities. Fertil Steril 1988;50:283-287.

11. Sigman M, Jarow JP. Endocrine evaluation of infertile men. Urology 1997;50:659-664.

12. Sigman M, Jarow JP, Male inferility. ln: Wein AJ, Kavoussi LR, Novick AC, Partin AW, Peters CA, editors. Campbell-Walsh Urology, 9th ed. Philadelphia: Saunders; 2007;623-634.

13. World Health Organisation. WHO Laboratory Manual for the Examination and Processing of Human Semen. 5th ed. Geneva World Health Organization; 2010.

14. Menkveld R1, Holleboom CA, Rhemrev JP. Measurement and significance of sperm morphology. Asian J Androl. 2011;13:59-68.

15. Wosnitzer M, Goldstein M, Hardy MP. Review of Azoospermia. Spermatogenesis. 2014 31;4:e28218.

CHAPTER 06

일차 평가에 따른 진단의 알고리듬

Diagnostic Algorithms Based on the Initial Evaluation

■ 서주태

불임남성에 대한 평가는 자세한 병력청취와 신체검 사로 시작되어야 하며, 그 후 2-3회의 정액검사 및 호르 몬검사 등을 통하여 다양한 원인을 감별해야 한다. 특히 여러 정액검사 지표를 통해 다양한 원인을 생각해 볼 수 있다(그림 6-1). 우선 남성불임 인자는, ① 사정액이 없거나 적은 경우, ② 정액검사에서 정자가 없는 무정자증(azoospermia)인 경우, ③ 정액검사에서 정자는 있으나 정자의 질에 문제가 있는 경우, 즉 정자의 수, 운동성이 감소하거나 정상형태가 감소한 경우, ④ 남성호르몬이 감소된 성선기능저하증(hypogonadism), ⑤ 정액검사에서 특별한 이상이 없는 경우로 나눌 수 있다. 이러한 분류는 의사들에게 치료에 도움이 되는 정보를 제공하여 남성불임의 합리적인 치료를 하게한다.

1. 무정액증 혹은 사정액 감소의 평가

사정액이 없는 경우는 역행사정이거나 정관에서 후부요도로의 정액방출이상을 고려할 수 있다(그림 6-2). 사정액이 전혀 없는 경우는 무정액증(aspermia)이라고 하며, 사정액 속에 정자가 없는 무정자증과는 구별된다. 사정실패의 가장 흔한 원인은 척수신경손상이며, 당뇨병, 다발성경화, 후복막강 수술 시 교감신경손상, 정신 적인 문제 등도 원인이 될 수 있다(표 6-1). 사정액이 적은 경우 검체수집의 문제나 금욕기간이 너무 짧은 경우를 먼저 배제해야 한다. 이러한 경우가 아니라면 역행성사정이나 사정관폐쇄를 의심해야 하며, 그 외 정낭의 이상, 남성호르몬결핍, 선천성 정관무형성 등의 다른 원인도 고려해 볼 수 있다

이렇게 사정액이 없거나 부족한 경우에는 반드시 정액검사를 다시 시행하거나 사정 후 소변검사를 시행하여야 한다. 사정 후 소변검사는 역행성사정을 진단할 수 있으며, 환자의 소변에 있는 정자는 자궁내 정자주입술을 위하여 사용될 수 있다. 사정 후 소변검사에서 정자가 발견되지 않는다면 고환조직검사를 시행할 수도 있으나 필수적이지는 않다. 정액양이 적거나 정액 내 fructose가 없다면 사정관폐쇄를 의심해야 된다. 경직장초음파가 폐쇄부위를 알기 위해 선택적으로 시행 된다. 경직장초음파에서 확실치 않다면 정낭흡입이나 정낭조영술이 도움이 된다. 사정관폐쇄는 경요도절제술에 의해 치료될 수 있다.

또한, 사정시 무정자증이나 정액량이 감소하는 경우 선천성정관무형성증을 고려해야 하며 이는 신체

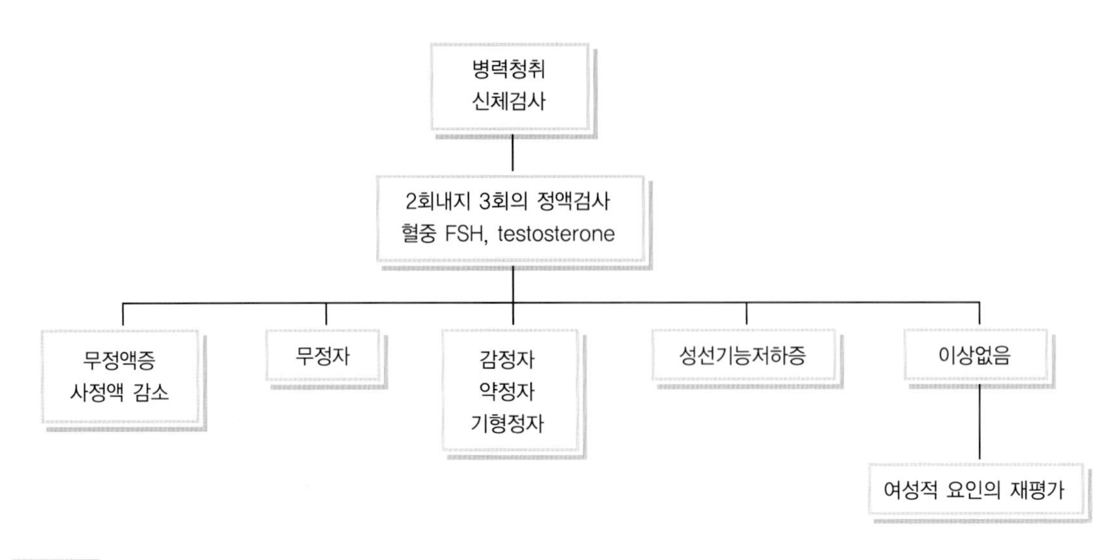

그림 6-1 불임남성의 평가 흐름도 (Algorithm for evaluation of the infertile male) FSH, follicle-stimulating hormone.

표 6-1 정액분석의 진단기준에 의한 남성불임상태의 분류

Ⅰ. 적은 사정량
A. 약(藥)
B. 후복막강 혹은 방광목수술
C. 사정관폐쇄
D. 당뇨
E. 척수손상
F. 심인성
G. 특발성
H. 불완전한 채집 (incomplete collection)
Ⅰ. 무정자증
A. 저성선자극호르몬성 저성선증
1. 칼만신드롬 (Kallmann syndrome)
2. 뇌하수체 종양
B. 정자생성이상
1. 염색체 이상
2. Y염색체 미세결손
3. Gonadotoxin
4. 정계정맥류
5. 바이러스성 고환염
6. 염전
7. 특발성
C. 정관 폐쇄
II. Oligoasthenoteratospermia (OAT)
A. 정계정맥류
B. 잠복고환
C. 특발성
D. 약, 열, 독소
E. 전신적 감염
F. 내분비 이상
Ⅲ. 정액검사는 정상이나 불임인 경우
A. 산과적 이상
B. 비정상적 성교 습관
C. 첨단체 결손 (Acrosomal defects)
D. 항정자항체
E. 원인불명
Ⅳ. 약정자증
A. 정자구조 이상
B. 긴 금욕기간
C. 특발성
D. 생식기 감염
E. 항정자항체
F. 정계정맥류
G. 부분적 폐쇄

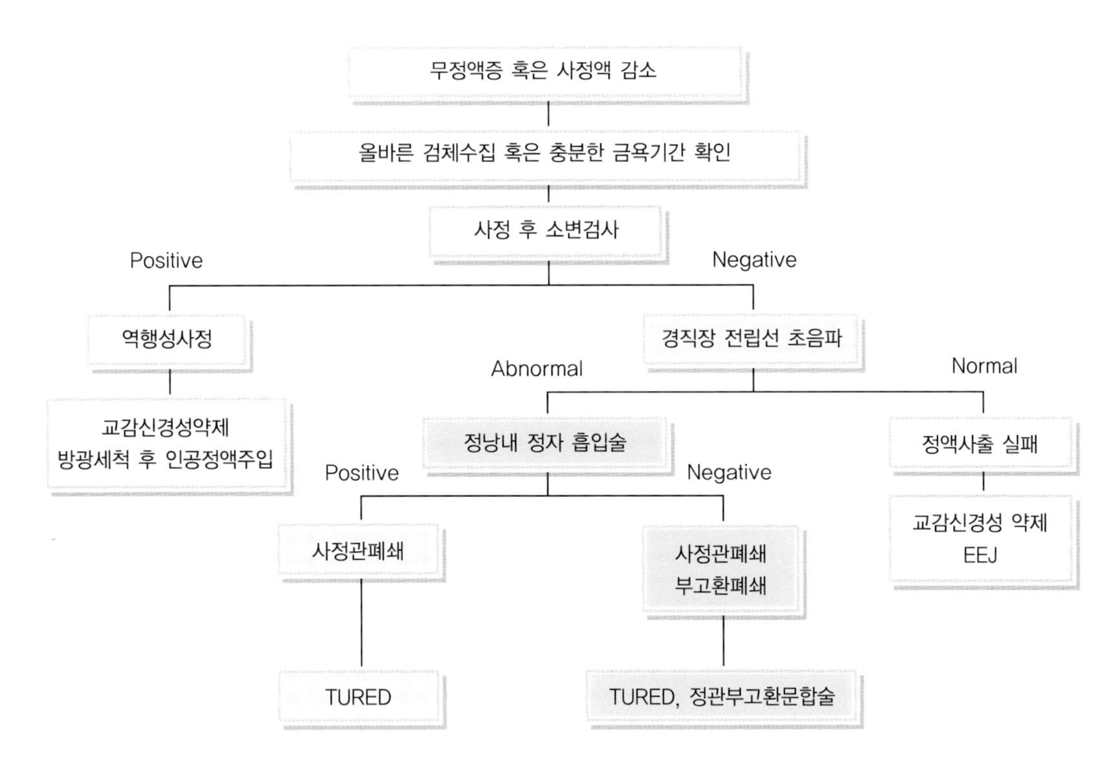

그림 6-2 무정액 혹은 사정액 감소의 평가 흐름도 (Algorithm for evaluation of low-volume or absent (aspermia) ejaculate)
EEJ, electroejaculation; TURED, transurethral resection of ejaculatory duct.

검사에서 정관이 만져지지 않을 때 진단되며 경직장 초음파를 통하여 확인될 수 있다.

2. 무정자증의 평가

통상적인 정액검사에서 무정자증은 정액을 원심분리 한 후에 정자가 있는지 확인하여 확정된다. 무정자증은 병명을 나타내는 용어가 아니라 정액검사에서 정자가 없는 상태를 말하는 것으로 그 원인에 따라서 치료방침이 달라진다. 무정자증으로 확인되면 폐쇄성인지 정자 생성부전에 의한 비폐쇄성인지 감별하여 수술적 교정이 가능한지를 미리 아는 것이 중요하며, 그 다음 단계로 고환 내 정자채취의 가능성에 대한 평가, 무정자증의 유전적 원인에 대한 진단, 보조생식술과 적절한 유전적 상담 및 검사를 시행하여야 한다(그림 6-3). 대개 고환의 크기가 작고 FSH가 정상치의 2-3배 상승되어 있다면 정자생성부전을 의미한다. 정자생성부전의 경우에는 고환생검이 진단적인 의미뿐만 아니라 정자가 채취되는 경우에는 체외수정을 위한 치료적인 의미도 갖는다. 만일 환자가 난자세포질내정자주입법(intracytoplasmic sperm injection, ICSI)을 고려할 경우에 남성에서 유전적 결함이 의심될 때는 핵형분석 및 Y 염색체 미세결실(microdeletion) 등의 염색체 검사가 필요하다. 염색체 검사에서 문제가 발견될 경우에는 환자에게 유전학적 상담을 하여야 한다. 정자가 고환조직검사나 semen pellet에서 발견된다면 ICSI는 선택적이다. ICSI를 원하지 않거나 정자가 발견되지 않을 경우는 환자의 경제적 사정이나 선호도에 따라서 정자은행을

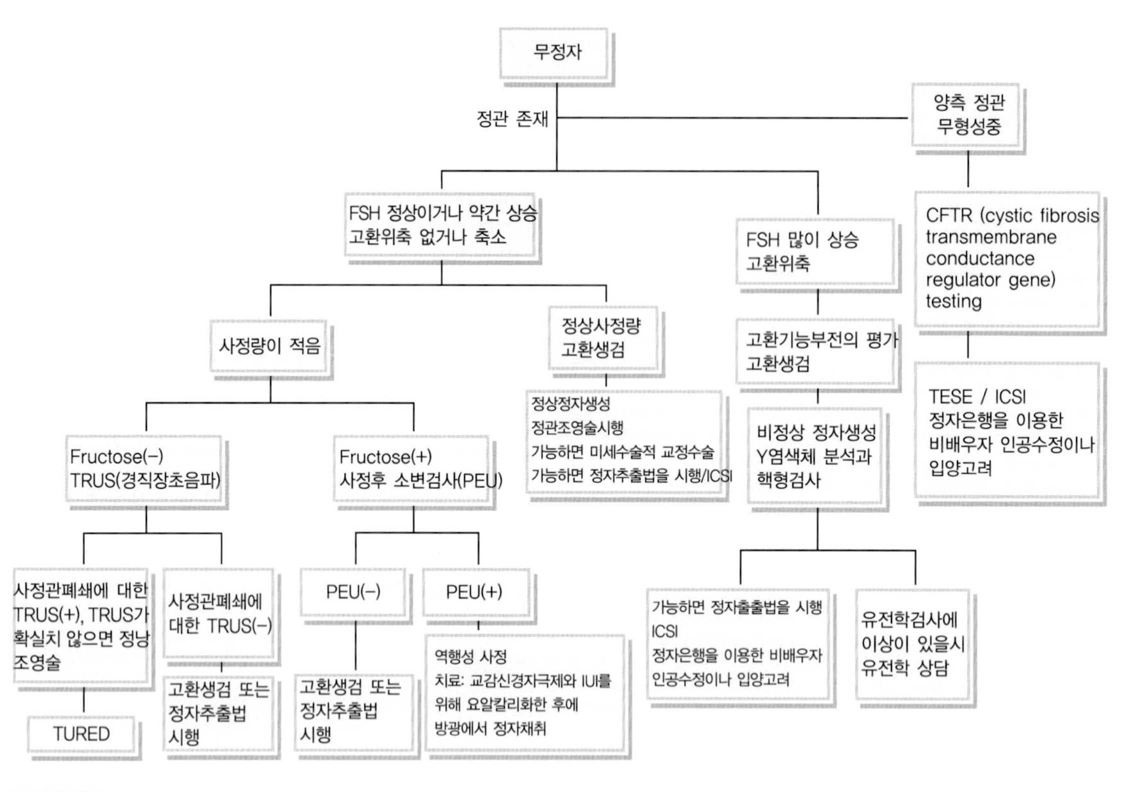

그림 6-3 무정자증의 평가 흐름도 (Algorithm for evaluation of azoospermia) TRUS, transrectal ultrasound; PEU, postejaculatory urine.

이용한 비배우자 인공수정(artificial insemination of donor, AID)이나 입양을 고려해야 한다.

만일 폐쇄가 의심된다면 사정량과 정액 내 fructose가 검사방향을 결정할 것이다. 사정양이 정상이라면 정관이나 부고환에서 폐쇄가 의심되므로 고환생검을 통해 정자생성의 유무를 입증하여야 한다. 고환생검에서 정상인 경우는 폐쇄가 있는 경우로 폐쇄부위는 부고환 정관문합술이나 정관정관문합술 같은 미세복원술의 시행시에 정관조영술을 통하여 확인될 수 있다. 정자가 확인된다면 냉동 보관한다.

3. 비정상적인 정자의 수, 운동성, 형태

감정자증(oligospermia)이란 정자수가 20×10^6/mL 미만으로 흔히 운동성이나 형태 이상을 동반한다. 10×10^6/mL 보다 적은 경우에는 반드시 테스토스테론과 FSH 수치를 검사해야 하며, 두 수치가 모두 비정상시에는 전반적인 내분비 평가가 필요하다. 정액지표 이상에서 감정자증만 있는 경우는 드물며 그 원인은 특발성인 경우가 많고 남성호르몬결핍으로도 생길 수 있다. 정계정맥류는 감정자증의 가장 잘 알려진 원인으로 대개 약정자증 같은 다른 정액지표들의 이상이 함께 관찰된다. 약정자증(asthenospermia)은 정자의 운동성에 결함이 있는 것으로 정자의 구조적 결손, 금욕기간이 긴 경우, 생식기 감염, 항정자항체, 사정관 부분폐쇄, 정계정맥류, 그리고 여러 특발성 요인들이 원인이 된다. 약정자증이 있거나 심한 정자응집이 있는 경우 면역학적 이상 가능성이 높으므로 항정자항체검사를 선행해야 한다(그림 6-4). 기형정자증

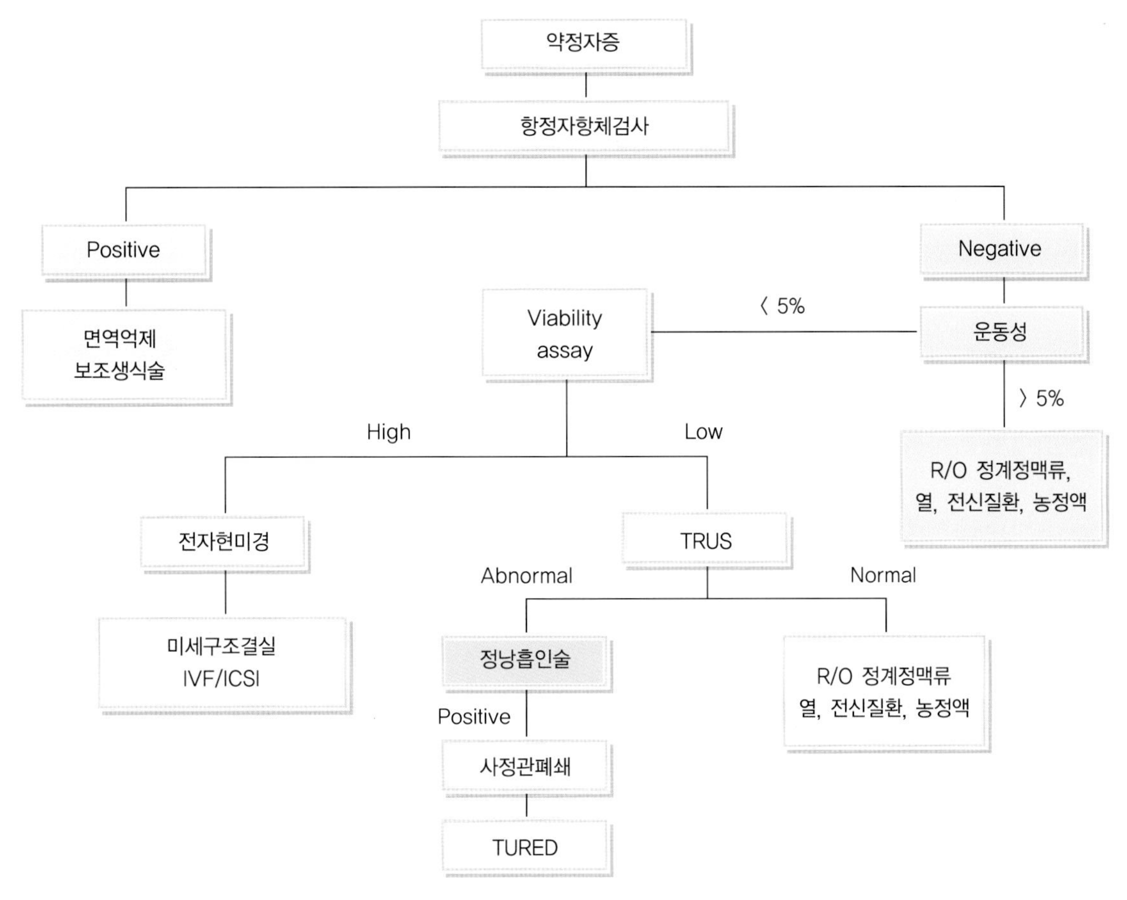

그림 6-4 무정액 혹은 사정액 감소의 평가 흐름도 (Algorithm for evaluation of low-volume or absent (aspermia) ejaculate) TRUS, transrectal resection of the ejaculatory ducts.

(teratospermia)은 정자의 형태이 상을 말하며, 감정자증 및 약정자증과 연관되어 있다. 정자형성과정 중 일시적 손상이나 정계정맥류가 기형 정자증의 잠재적 원인이 되는 경우가 많다.

비정상적 정액의 감별진단은 정계정맥류, 항정자항체, 백혈구가 있는 경우 또는 확인되지 않은 여러 원인 인자들을 포함한다. 정계정맥류는 가장 일반적이고 흔한 정액척도의 장애와 관련이 있는 해부학적 이상이다. 정계정맥류가 있고 다른 중요한 원인인자가 없다면 정계정맥류의 교정이 우선 시행되어야 한다.

정계정맥류가 없고 정액의 질이 개선되지 않는다면 자궁내정자주입법, 일반적인 체외수정(IVF)이나 IVF- ICSI가 시행될 수도 있다. 자궁내정자주입을 할 때 정액검체는 우선 정자세척법(sperm-washing technique)으로 처리되어야 한다. 자궁내정자주입은 최소한 0.5~1.0×10⁶개의 운동성 정자가 필수적이나 주입된 운 동성 정자가 5×10⁶개 이상이고 여성이 과배란된 경우 일 때 가장 좋은 결과를 나타내고 IVF는 여성인자 불임에 선택적으로 이용된다.

항정자항체는 다양한 방법으로 혈액이나 정자에서 발견될 수 있다. Immunobead test는 현재 거의 모든 검사실에서 사용되는 항체조사법이며 각 검사실에서 임상적 중요성에 따라 그 기준이 다르지만 대부분 임상적으로 15에서 20% 이상 결합할 때를 양성으로 본

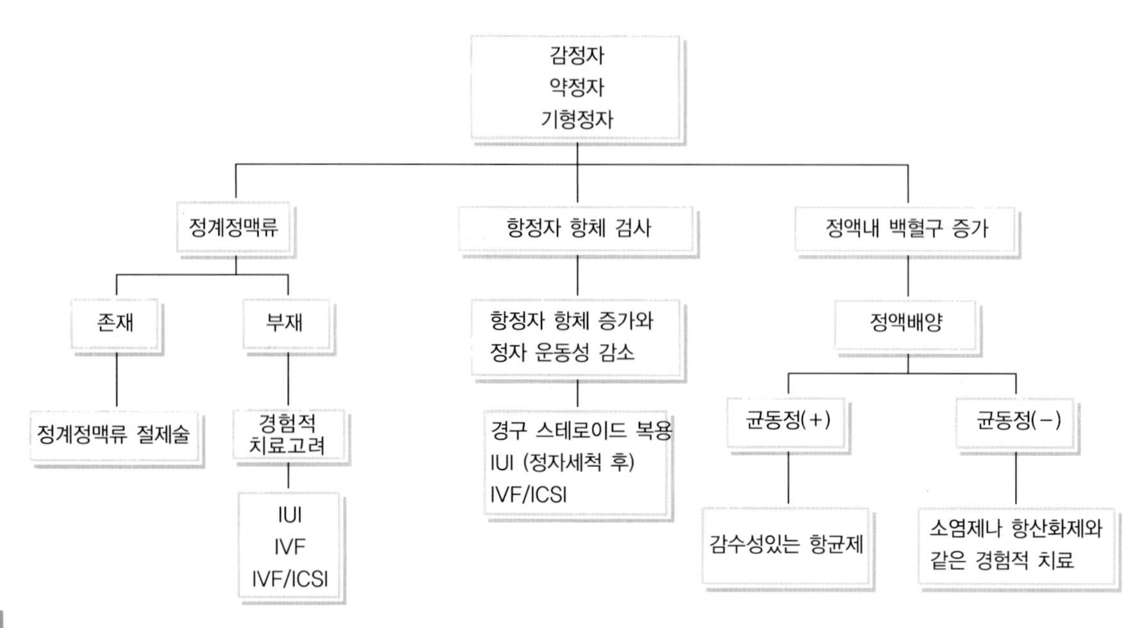

그림 6-5 정액의 질에 이상이 있을 경우의 평가 흐름도 (Algorithm for evaluation of impaired semen parameters)

다. 정액 내에 항정자항체가 있거나 혈액 내에 항정자항체가 증가한다면 임신 가능성이 감소한다. 항정자항체를 가진 환자의 치료로 IVF-ICSI가 효과적이다.

정액내 백혈구가 증가한 경우에는 정액배양이 시행 된다. 백혈구로부터 미성숙된 생식세포일지도 모르는 원형세포를 감별하는 것이 중요하다. 정액배양에서 양성인 경우 항생제로 치료하여야 한다. 정액배양에서 음성인 백혈구증가 환자는 그 분명한 장점은 아직 잘 모르나 소염제나 항산화제가 치료에 이용되기도 한다.

각 정액척도의 이상은 정상적인 임신력을 가진 사람의 37%에서도 존재하며 정액량이 적거나 많거나, 고점도이거나, 운동성 이상이나 저정자밀도 등을 포함한다. 환자들에서 이런 수치들의 어느 것도 장애가 있을 수 있다. 운동성 장애가 가장 일반적이다.

독립된 정액 척도들을 검사할 때에 첫 단계는 정액량을 측정하는 것이다. 정액량이 5.5 mL를 초과할 때는 IUI를 위해 정자세척을 고려하여야 한다. 그러나 사정 량이 1 mL 이하인 경우에는 정액 채취시의 실수나 역행 사정, 사정관폐쇄의 가능성 등을 배제한 후 다음 검사를 진행한다(그림 6-5).

4. 내분비평가

남성불임의 내분비적인 원인은 시상하부-뇌하수체- 고환의 축에 대한 평가에 의해 진단되며 주로 테스토스 테론, FSH, LH 그리고 프로락틴을 측정한다. 이 중 FSH 가 무정자증에서 특히 중요한 의미를 갖는데 이는 지주세포를 자극하여 정자의 형성과 성숙을 촉진시키는데 고환기능부전으로 정자형성장애가 있을 때 FSH는 증가 하게 된다. 또한 FSH, LH가 모두 감소한 경우에는 저성 선자극호르몬성선저하증(hypogonadotropic hypogonadism)이 일반적이며, 다른 뇌하수체 호르몬의 결핍을 동반하거나 GnRH 분비의 장애가 있을 수 있다.

5. 정액검사에 이상이 없는 경우

불임부부에서 통상적인 정액검사에서 정상일 경우는 잘못된 성행위, 면역학적 요인, 여성적 요인을 시사한 다. 여성에 대한 검사가 이상이 없거나 적절한 치료 후에도 임신에 이르지 못하는 경우에는 정자기능에 대한 자세한 검사를 하여야 한다. 그 후에 정자침투검사(sperm penetration test, SPA)나 자궁경부를 통한 sperm migration에서 이상 소견이 있다면 남성인자에 대한 재 조사가 시행되어야 한다. SPA가 정상이라면 여성적 요인에 대한 더 자세한 검사가 이루어져야 한다.

6. 요약

남성불임의 진단과 치료를 위한 평가는 자세한 병력청취와 신체검사 후, 2-3회의 정액검사가 가장 기본이 된다. 이후 단계적인 방법을 통하여 차근차근 그 진단과 치료를 진행하여야 한다. 모든 검사과정을 정리할 순 없어도 크게 5가지로 분류한 흐름도가 도움이 된다. 각각의 평가 흐름도를 완전히 이해하고 숙지함으로 남성불임의 효과적이고 합리적인 치료를 가능하게 한다.

참고문헌

1. Jarow, J.P. (1996) Diagnosis and management of ejaculatory duct obstruction. Tech Urol 2:79-85.
2. Kim ED, Lipshultz LI, Howards SS. Male infertility. In: Gillenwater JY, Grayhack JT, Howards SS, Mitchell ME, editors. Adult and pediatric urology. 4th ed. Philadelphia' Lippincott Williams & Wilkins; 2002;683-757.
3. Kim, K.T., Kim, J.H., Choe, J.H. and Seo, J.T. (2008) Comparison between Conventional and Microsurgical Testicular Sperm Extraction in Non-obstructive Azoospermia. Korean J Urol 49:88-91.
4. Lee, H.D., Lee, H.S., Park, S.H., Jo, D.G., Choe, J.H., Lee, J.S., et al. (2012) Causes and classification of male infertility in Korea. Clin Exp Reprod Med 39:172-175.
5. Lee, H.S. and Seo, J.T. (2012) Advances in surgical treatment of male infertility. World J Mens Health 30:108-113.
6. Lipshultz LI, Kaufman JJ. Subfertility. In: Lipshultz LI, Kaufmann JJ, editors. Current urologic therapy. Philadelphia: Saunders; 1980;399-421.
7. Mumford DM, Warner MR. Male infertility and immunity. In Lipshultz LI, Howards SS, editors. Infertility in the male. 1 st ed London: Churchill Livingstone; 1983;265-282.
8. Park, S.H., G., J.D., S., L.J. and Seo, J.T. (2011) Causes of Obstructive Azoospermia and Outcome of Microsurgical Reconstruction. Korean J Androl 29:151-155.
9. Park, S.H., Lee, H.S., Choe, J.H., Lee, J.S. and Seo, J. T. (2013) Success rate of microsurgical multiple testicular sperm extraction and sperm presence in the ejaculate in korean men with y chromosome microdeletions. Korean J Urol 54:536-540.
10. Rucker, G.B., Mielnik, A., King, P., Goldstein, M. and Schlegel, P.N. (1998) Preoperative screening for genetic abnormalities in men with nonobstructive azoospermia before testicular sperm extraction. J Urol 160:2068-2071.
11. Yanagimachi, R., Yanagimachi, H. and Rogers, B.J. (1976) The use of zona-free animal ova as a test-system for the assessment of the fertilizing capacity of human spermatozoa. Biol Reprod 15:471-476.
12. Sabanegh E, Agarwal A. Male Infertility. . In: Wein AJ, Kavoussi LR, Novick AC, Partin AW, Peters CA, editors. Campbell-Walsh Urology 10th ed. Philadelphia: Saunders; 2012;616-647.

CHAPTER 07

추가 검사

Additional Diagnostic Procedures for Male Infertility

■ 이충현

이 장에서는 남성불임의 원인을 알기 위해 시행되는 특수한 검사들에 대해 알아본다.

1. 항정자항체

항정자항체는 남성불임 환자의 3-12%에서 나타나고 정상인의 2% 정도에서 발견되기도 한다. 항정자항체의 형성에 대해서는 자세히 알려져 있지 않으나, 정상에서는 혈액고환장벽(blood-testis barrier)이 존재해 성숙한 정자에 존재하는 항원이 우리 몸의 면역계에 노출되지 않아 항정자항체가 생성되지 않으나, 이 장벽이 깨지면서 정자항원이 면역계에 노출되면 항정자항체가 형성된다. 항정자항체 형성에 의한 불임은 특징적인 현상이 없어 기본적인 검사에서 밝히기가 어려우나 부부 양측에 특별한 이상이 없는데도 불구하고 임신이 안 되는 경우, 정액검사에서 정자의 운동성이 심하게 감소한 경우, 정자의 응집이 있는 경우이며, 특히 성교후 검사에서 정자의 운동은 있으나 꿈틀꿈틀 될 정도의 미세한운동이 있을 때 의심해 보아야 한다. 항정자항체의 생성 원인으로는 정로의 폐쇄가 있는 경우가 대표적이며, 그 외에 정관수술 후 약60%, 선천성양측정관무형성증, 고환염, 고환염전, 정계정맥류, 잠복고환, 고환의 손상에 의해서 생성될 수 있다.

혈청에는 주로 IgM 항체가존재하고, 세정관, 부고환, 전립선에서 IgA나 IgG가 분비되어 이에 대한 항체가 정자에 존재하게 된다. 항정자항체는 혈청, 정장액, 정자 자체에 생성된다. 그러므로 항정자항체는 정자에 있는 항체를 직접 검사하거나, 환자의 혈청 내에 있는 항체를 검사하면 된다. 그러나 혈청을 통한 간접검사는 정자에서 항체를 발견하는 직접 검사보다 정확도가 떨어지므로 최근에는 정자에 형성된 항체를 발견하는 검사가 주류를 이루고 있다.

대표적인 검사는 면역구슬(iInmunobead)이나 적혈구를 이용해 정자 표면에 있는 항체에 부착하면 항체형성이 있는 것으로 판정하며 20-50% 이상의 정자에 양성을 보일 때 의미 있는 항정자항체가 존재하는 것으로 진단한다. 그러나 실제로 항정자항체를 형성하는 항원은 무수히 많으며 이에 대한 연구가 아직 확실치 않은 단계이고 또, 모든 항체가불임의 원인이 되는 것이 아니고 정상적으로도 존재하는 항체가 있다. 그러므로 모든 불임환자에서 항정자항체 검사를 시행하는 것이 아니라 정액검사에서 정자들이 응집되어 있거나, 항정자항체를 형성할 만한 질환이나 손상이 과거력이 있는 환자에서 정자의 운동성이 감소한 경우, 성교 후 검사나 정자-자궁 경부점액질 검사에서 정자가 진동(shaking)이 나타나면 항정자항체검사를 시행한다.

2. 백혈구 염색

임상적 증상이 없는 남성생식기 감염이나 염증에 의해서도 불임이 초래되고 남성불임 환자의 2-40%에서 농정액증(pyospermia)을 동반한다. 그러므로 정액 내에 백혈구 존재 여부나 분자생물학적 진단방법을 이용한 감염균주를 알아보는 것이 중요하다. 고배율에서 10-15 개의 원형 세포가 발견되거나 mL 당 백만 개 이상의 백혈구가 발견되면 생식기의 감염이나 염증을 의심할 수 있으나 최근에는 mL 당 이백만개 이상을 주장하는 학자도있다 이 경우 정상보다 임신될 확률이 감소되어 불임이 되기 쉽다. 정액 내 백혈구를 검사하는 여러 가지 방법이 있다.

1) 원형세포수(Round cell count)

미숙한 정세포와 백혈구의 모양은 일반정액검사에서 시행하는 현미경검사로는 모양이 비슷해서 감별하기가 어렵다. 실제로 정액검사에서 백혈구같이 보이는 원형세포가 많이 발견되다 하여도 이중 1/3 만이 농정증이고 나머지 2/3 은 미성숙정세포 인 경우가 많다. 그러므로 염색을 하지 않은 정액검사에서는 백혈구, 정세포 모두 합쳐 원형세포수를 측정한다.

2) Papanicolaou 또는 Bryan-Leishman 염색

미성숙 정세포와 백혈구를 감별하는 방법에는 Papanicolau 같은 염색법이 많이 사용되어 왔으나 이를 시행하기 위해서는 많은 시간과 노력, 숙련이 필요하므로 널리 이용되기 어렵다.

3) 면역염색

백혈구표면에 있는 항원을 알아내기 위해 면역조직 검사가 비교적 정확한 검사이기는 하나 8시간 이상의 시간이 필요하며 비용이 많이 들어 쉽게 활용하기 어렵다

4) Peroxidase 검사

정액을 받아 정액에 있는 다형핵백혈구 내의 peroxidase를 보는 검사로 비교적 간단하고, 저렴하고, 정확하다. 그러나 다른 종류의 백혈구에는 peroxidase가 검출이 안 되므로 저평가되기가 쉽다.

3. 정액배양검사

생식기 감염이 불임을 초래하는지에 대해서는 아직 논란이 많으나 방광염, 요도염, 전립선염과 같은 증상이 있으며 배양검사에서 균이 검출되면 항생요법을 시행하여야 한다. 그러나 증상이 없거나, 단순히 농정액증이 있다고 정액배양검사가 필수적인 것은 아니다. 비임균성 요도염을 유발하는 대표적 균주인 *Mycoplasma hominis, Ureaplsma urealyticlm, Chlamydia trachomatis*는 정자에 좋지 않은 영향을 주리라 예측은 되나, 아직 이들 균주가 불임의 직접적 인원인이 된다는 증거는 분명치 않은 상태이다. 그러나 환자의 임상증상이 감염이나 염증의 증후가 있으면 *Mycoplasma genitalilium, Chlamydia trachomatis*에 대한 검사를 시행하여야 한다. 요도 swab을 통한 배양검사보다는 첫 번째 소변을 PCR하는 것이 진단 민감도가 더 높고 환자에게 덜 불편한 방법으로 알려져 있다. 정액배양검사는 요도에 정상균주에 의한 오염으로 인해 신뢰가 떨어지고, 검사전 배뇨나 항생제 복용으로 인해서도 정확한 결과를 얻기 어렵다.

4. 염색질(Chromatin) 및 DNA Integrity Test

정자의 염색질은 핵산과 특수한 단백질로 구성되어 있다. 정자형성 과정이나 부고환을 통과하면서 이 정자 염색질에 변화가 일어난다. 즉 histone이 protamine으로 뀌고 cosslinking disulfide bond를 형성해 염색소가 응축되고 치밀해져서 사소한 유전자적 손상을 견디어 내게 된다. 이 응축과정에 이상이 생기면 유전자적 손상을 입기 쉽고, 약간의 손상은 수정 후 자연 회복이 되지만 손상이 많은 경우 회복이 안 되므로 불임이 초래 된다. 유전자적 손상이 오는 위험인자는 흡연, 산업독소에 노출, 공기 오염, 암 등이 있다. 정상적인 핵 성숙과정에서는 핵산의 조그만 이상은 회복되나, 회복기능에 이상이 있으면 핵산의 손상은 늘어나고 결국 protamine의 기능이나 성분에 이상을 일으킨다.

세포괴사는 정상적인 정자형성 과정에서 나타나서 성숙정자의 수를 조절하는데 이 과정에 이상이 생기면 핵산에 이상이 있는 정자가 만들어지게 되고 결국 반응산소기에 의한 산화스트레스로 인해 정자의 핵산은 손상을 입게 된다. 이런 염색질이나 핵산의 손상을 알아내는 방법은 여러 가지가 있는데 TUNEL (terminal deoxyriboneucleotidyl transferase-mediated dUTP nickend labeling) 검사는 손상된 핵산에 dUTP가 결합 되어 흐름세포측정, 형광현미경 등으로 부착된 dUTP의 양을 보고 핵산의 손상정도를 알 수 있다. Comet 검사는 정자를 agarose gel 위에 놓고, 분해 후 전기영동을 하여 형광처리를 하여 핵산의 손상이 있으면 혜성의 꼬리를 가진 것처럼 보여 이것을 보고 진단 할 수 있다. 그 외에 정자염색질구조검사(sperm chromatin structure assay)는 손상된 핵산이 산성 환경에서 정상 핵산보다 더 쉽게 변성되는 성질을 이용하여 ardine 오렌지를 손상된 핵산에 부착시켜 부서진 DNA가 이중나선 구조이면 초록색을 나타내고, 분쇄된 핵산처럼 손상 받은 부위는 빨간색으로 염색된다. 그러므로이 초록과 빨간색의 비율(DFI)을 보고 손상의 정도를 알 수 있다. 그러나 이런 검사들은 아직 논란의 여지가 있어 정상 염색질을 가진 세포라하여도 모두임신 이 되는 것은 아니지만, 비정상적인 염색질을 지닌 세포의 임신확률은 뚜렷하게 감소한다. 그리고 이들 검사들은 IUI, TVF, ICSI 등의 보조생식술의 성패를 짐작할 수 있다. 즉 핵산에 이상이 많으면 보조생식술을 이용해도 수정이 잘 일어나지 않게 된다. 그러므로 이 염색질이나 핵산검사는 원인을 알 수 없는 불임, IVF를 계속 실패할 경우, 반복되는 유산이 있는 경우 고려하나 아직은 논란이 있는 검사들이다.

5. 전자현미경검사

광학현미경으로 정자의 미부, 첨체의 모양을 관찰할 수 있으나 좀 더 세밀한 구조를 관찰하기 위해서는 전자 현미경을 사용하여 사립체, 외측 밀집섬유, 미세관 등을 관찰할 수 있다. 대부분 전자현미경에 이상이 있는 정자는 살아있으나 움직이지 못하는 경우가 많으므로 정액 검사에는 정자의 농도는 정상이나 운동성이 거의 없는 것으로 나타난다. 그러므로 정자가 죽은 것인지 살아도 움직이지 못하는 것인지는 잘 구별하여야한다. 그러므로 전자현미경검사는 생존해 있는 정자가 많음에도 불구하고 운동성이 5-10% 정도 이하로 심하게 감소한 경우 시행을 고려해 본다.

6. 영상검사

불임환자에서 시행하는 영상검사의 주된 목적은 정자배출 경로의 폐색을 알아보는데 있다. 정관이 완전히 막혔다면 그 환자는 무정자증이 되나,부분적 폐색이 있다면 감정자증, 약정자증등 다양한 정액검사 소견을 나타낸다. 그러므로 부분적 폐색을 알아내는 것이 매우 힘들고 앞으로 연구해야 할 분야이다.

1) 경직장초음파검사

7MHz의 고해상경직장초음파검사는 전립선과 정낭, 정관융기, 사정관의 폐쇄 여부를 비교적 용이하게 진단할 수 있다. 정액검사에서 정액량이 1 mL 이하인 경우, 산성 pH, 정액 내 fructose가 없는경우, 정낭의 이상으로 정액이 응고가 안 되는 경우에 사정관의 폐쇄를 의심할 수 있으며, 이 경우에 경직장초음파검사를 시행하여 사정관폐쇄를 진단할 수 있다. 방광 후부에서 정낭을 가로로 스캔했을 때 직경 1. 5 cm 미만이면 정상이다. 그러나 정낭이 초음파에서 정상인 경우라도 사정관폐쇄가 있을 수 있으므로 애매한 경우는 좀 더 정확한 진단을 위해서 20G의 30 cm 정도의 긴 주사침을 이용해 정낭액을 흡입한다. 그 정낭액에서 100만 이상의 정자가 검출되면 사정관의 폐쇄를 의심한다. 정액량이 정상이거나 약간감소하고, 정자운동성이 감소하고, 고환의 크기가 정상이고 내분비 검사에서 정상인 경우 사정관의 부분 폐쇄를 의심하여야 한다. 경직장초음파에서 사정관내부의 관은 보이지 않고 과반향성선으로 보이거나 사정관이 2 mm 이상 확장되어 있으면 사정관 폐쇄를 의심한다.

2) 정관조영술(Vasography)

정관이나 사정관의 폐쇄를 알아보는 제일 주된 검사이다. 고환조직검사는 정상이나 무정자증인 환자에서 폐색의 정도와 부위를 알아보는데 중요한 검사이다. 방법은 외부에서 정관내의 관에 주사침을 찔러넣어 하기도 하나 매우 어렵고 숙련이 필요하다. 그러므로 대부분 고환부위의 정관을 수술로 노출시켜 시행한다. 정관에 가로로 절개를 가한 후 사정관쪽으로는 methylene blue를 섞은 식염수를 주입해 저항없이 잘들어가고 도뇨를 하여 파란색의 소변이 나오면 폐쇄가 없다고 진단한다.

그러나 식염수가 잘 안 들어가는 경우 2-0 monofliament 봉합사를 넣어보거나, 조영제를 주입해 정관, 정낭, 사정관에 폐쇄 여부를 관찰하며 방광까지 잘 나타나면 폐쇄가 없음을 알 수 있다. 고환쪽의 폐쇄는 정관내의 액체를 400배 배율로 관찰하여 정자가 나오면 폐쇄가 없음을 진단할 수 있다. 그리고 양쪽고환의 크기가 다르고 과거에 탈장교정술 등으로 고환이나 정삭에 손상을 받아 한쪽 정관이 막혔을 가능성이 있는 경우에도 정관조영술을 시행한다. 사정관폐쇄를 알기 위해서는 경직장이나 경회음부로 정낭에 주사바늘을 찔러 넣은 후 조영제를 주입하기도 한다. 그러나 이런 시술이 감염을 초래할 위험성이 높으므로 사정관폐쇄를 수술로 치료할 계획 하에 마취 후 수술 직전에 시행하며 단순히 진단적 목적만을 위해서는 피하는 것이 좋다.

3) 정맥촬영

내정계정맥의 정맥촬영은 정계정맥류의 진단 및 치료에 유용하다. 보통은 대퇴정맥을 통해 Seldinger 방법으로 시행하지만 내목정맥은 우측이나 양측 정계정맥류가 있을 경우 색전술을 시행하는 경우 유용하다. 좌측 정계정맥류 경우 신정맥 내 내정계정맥과 만나는 부위 보다 약간 외측에 카테터의 끝을 위치시킨 후 낮은 압력으로 조영제를 주입하여야 한다. 내정계정맥의 정맥판이 신정맥과 합류하는 부위에 근접해 있으므로 너무과한 압력을 가하거나 이 정계정맥 내까지 카테터를 넣어 정맥판이 손상 받는 경우 위양성으로 나타날 수 있으므로 주의하여야 한다. 또 반대로 환자의 머리 쪽이 높은 역 Trendelenberg 자세를 취하거나, collateral을 통한 역류가 있는데 이를 충분히 조영하지 못하면 위음성으로 나타나므로 조심하여야 한다. 그러므로 정맥촬영의 효과에 대한 논란은 있으나 정계정맥류수술 후 재발 여부의 판별 및 재치료로 이용한다.

4) 음낭초음파

남성불임에서 음낭초음파의 효용성은 정계정맥류를 진단하기 위해 널리 이용 된다. 대부분의 정계정맥류는 신체검사에 의해 진단되지만 확실치 않은 경우 음낭초음파를 이용한다. 초음파에 도플러를 추가한 color duplex 초음파는 정맥촬영술에 비해 덜 침습적인 장점이 있고, 정맥촬영술과 같은 객관화된 진단을 위해 이용된다. 그 외에도 정계정맥류를 진단하기 위한 비침습적인 방법으로는 도플러 청진기, thermography, 동위원소 검사 등이 있다. 음낭초음파검사에서 3.5 mm 이상의 정맥이 여러 개 발견되거나, valsalva 호흡을 하였을 때 혈류의 역류가 있으면 정계정맥류를 진단하나 그 진단 정확도에 문제가 있다. 더군다나 임상적으로 나타나지 않는 정계정맥류의 치료에 대해서는 아직 논란이 많은 상태이므로 신체검사에 특별한 이상이 없는 환자에서 음낭초음파를 시행하는 것은 추천 할 만하지 않다.

5) 복부초음파

정관과 요관은 중신관(mesonephric duct)이라는 동일한 태생학적 배경을 가지고 있으므로 정관형성이 안 된 경우 동측신장의 형성부전 여부를 알기 위해 복부초음파를 실시한다. 실제로 일측정관의 무형성증이 있을 경우 같은 쪽 신장의 80%에서 이상이 있다. 그러나 양측정관무형성증의 경우는 일측성과 다르게 신장의 이상은 거의 생기지 않는다.

7. 정자기능검사

일반적인 정액검사와 더불어 정자기능검사는 보조생식술의 발달과 중금속이나 환경호르몬 등 정자의 기능을 저해하는 많은 유해요소에 노출 될 위험성 많은 현대인에게 필요한 검사이다. 정자기능검사는 정자가 난자를 만났을 때 수정시킬 수 있는 능력이 있는가를 보는 검사이다. 그러나 정자의 기능을 알 수 있는 완벽한 검사는 없고, 결과에 대한 판독도 검사자 마다 다를 수 있으며 단지 체외수정에 도움을 주는 정도이므로 아직 많은 발전이 필요하다.

1) 정자 자궁경부 점액 관련검사

수정이 일어나기 위해서는 정자가 자궁경부점액 내에서 활발히 활동하여 자궁까지 이동하여야 한다. 10%의 부부가 자궁경부 점액에 이상으로 아이를 갖지 못한다. 자궁경부 점액을 월경주기에 따라 성질이 바뀌어 월경 중반기에는 자궁경부 점액은 정자가 수정을 하기 위한 좋은 조건을 갖는다. 이를 알기 위한 검사가 성교 후 검사이다. 점액이 맑고 엷어지는 배란기 직전에 시행하나 60년이라는 긴 시간에도 불구하고 아직 공통의 검사 방법이나 정상치가 정해지지 않았다. 정상으로 생각되는 척도는 400배 시야에서 10-20개의 정자가 발견되고, 대부분 활발히 움직여야 정상으로 판정한다. 이 검사가 비정상인 결과로 나오는 원인은 검사 시기가 적절치 않았던 경우가 제일 많고, 해부학적 구조의 이상, 정액과 점액 내에 항정자항체가 생긴 경우, 성교가 정상적이 아닌 경우 등이 있다. 그 밖에 모세관을 이용한 실험실검사와 Penetrak test, Tu-Trax Assay와 같은 상품화된 검사도 있다.

2) 첨체반응 검사

정자가 수정을 하기 위해서는 수정 능력과 첨체반응을 획득하여야 한다. 첨체란 정자의 두부를 싸는 2겹의 막으로 정자가 난자를 만나면 이 두 개의 막이 합쳐지면서 그 아래에 있는 acrosine, hyaluronidase 같은 효소를 분비하여 난자를 통과 해 수정이 일으키는 중요한 과정이 첨체반응이다. 그러므로 정자가 첨체반응이 있는지를 아는 것이 중요하다. 첨체반응의 여부를 알 수 있는 좋은 방법은 투과전자현미경이나 triple-stain 법 등이 있으나 고가의 장비와 검사에 많은 노고가 필요하므로 그 중요성에 비해 임상적으로 유용한검사법은 아직 충분치 못하다.

3) 정자통과검사

투명대는 난자를 둘러싸는 글리코단백질 층으로, 이종간수정을 방지하는 역할을 한다. 햄스터 난자의 투명대를 제거하면 인간의 정자가 수정이 가능하므로 햄스터 난자를 뚫고 수정에 성공한 인간정자의 수를 세어 정상여부를 판가름 한다. 그러므로 정자가 난자를 뚫고 수정을하기 위해서는 ①capaciation ② acrosomal reaction ③난막과 결합 ④ 난형질과 반응 등의 기능이 정상이어야 한다. 그러나 아직 정상치를 정하지 못할 정 도로 검사 결과가 일정하지 않으며, 그 결과의 판독에 대해서도 일치가 되지 않은 상태이다. 대개 10-30%의 난자가 통과되면 정상으로 생각한다. 정자를 좀 더 강력 한수정능획득배지 정자와 햄스터 난자를 넣고 배양기에서 배양을 하여 비교적 좋은 결과를 나타내었다고 보고한다. 정자통과검사는 정액검사가 모두 정상이나, 모양에 이상이 있어 임신이 안 되는 경우 시행하며, 원인이 확실치 않은 불임 환자에서도 시행한다.

4) 기타 검사

(1) Hemizona assay

인간 난자의 투명대를 현미경으로 반으로 분리 한 후, 각각을 환자와 정상 임신능력을 가진 사람의 정자와 배양하여 난자에 부착된 정자의 수를 세거나, 정상인의 정자부착수에 대한 환자의 정자부착수의 비교치를 계산하여 hemizona index를 구한다. 대부분의 불임 환자 의 index는0.6 이하이나 이 검사도 인간의 난자가 필요하고, 검사기술에 따라 많은 차이가 나서 널리 이용하기에는 제한점이 많다. 정자투과검사에서는 정상이었으나 IVF에 실패하는 경우 필요한 검사이나, 최근 ICSI의 발달로 이 검사의 유용도가 감소한다.

(2) Sperm viability assay

대부분 비활동정자는 죽은 것이지만, 간혹 살아있는 경우도있다. 정자운동성이 5-10% 이하이면 미세구조의 이상을 생각하며, 살아있는 정자인지 여부를 판단하는 것이 매우 중요하다. 전통적인 생존검사는 Eosin Y나 trypan blue 같은 염색약에 정자를 노출시키는 것으로 살아있는 정자는 세포막이 정상이므로 염료가 침입이 불가능하나 죽은 정자 내로는 염료가 침투한다. 그 외에 생존을 알아내는 검사로 hypo-osmotic sperm swelling test (HOST)가 있으며 이는 정자를 저삼투압 용액에 넣어 살아 있는 정자는 삼투압 기울기가 유지되므로 정자가 수분을 끌어 들여 정자가 부어오르게 되나 죽은 세포는 변화가 없다. 이 검사는 정자생존검사의 결과와 유사하며 IVF 후 ICSI 시술 시에 움직이지 않는 정자 중 살아있는 정자를 고를 때 사용한다.

(3) Reative Oxygen species test

과산소기(0_2), 과산화수소(H_2O_2), 수산화기(OH) 등의 여러 가지 산소반응물질이 생성된다. 소량의 산소반응 물질은 정자의 과운동이나 수정능획득에 필요하나, 농도가 너무 높으면 형질막의 지질과산화, 일중나선, 이중나선 구조의 핵산을 파괴해 생식세포에 이상을 초래해서 세포자멸사를 유도한다. 생식세포도 산소반응물질을 형성하나 백혈구가 정액내에 있는 경우 훨씬 많은 산소반응물질을 양산해서 불임의 원인이 되기도 한다. 정상인의 산소반응물질은 지속적으로 항산화제거제에 의해 비활성화 되나, 불임환자는 이런 항산화제거제가 적어 산소반응물질이 증가해 정자의 손상이 초래된다. 산화 스트레스란 산소반응물질들이 황산화제거제의 능력 보다 더 많이 생성되는 현상으로, 정액의 산소반응물질의 생성(ROS)과 산화제거능력(TAC)의 비율(ROS-TAC score)을 측정하기도 한다. 그러나 이 검사 또한 아직 정치와 적응증이 정해지지 않아 기본검사로 응용되기에는 문제점이 있다.

8. 유전 검사

불임의 원인으로 알고 있는 뇌하수체의 이상, LH나 FSH 수용체의 이상등 무수히 많은 원인들이 아직은 잘 알려져 있지 않지만 Y염색체나 X염색체의 이상으로 초래된다. 염색체의 이상은 핵형의 수나 구조적인 이상, Y 염색체의 미세 결손, 유전자돌연변이 등이다. 유전적 이상으로 불임이 초래되는 빈도는 많지 않다고 생각되나, 아직 밝힐 수 없는 유전적 이상에 의해 불임이 초래되는 가능성이 있다. 핵형 검사에서 쉽게 밝혀지는 염색체의 수와 구조적 이상은 핵산자체에는 많은 이상이 초래된 경우이고, 소량의 이상은 이런 핵형검사로는 밝힐 수 없고 미세결손 여부를 알아보아야 한다.

불임 환자에서 일반적인 핵형검사로 6%정도에서 이상이 나타나며, 정자의 수가 감소될수록 그 빈도가 증가 되어 무정자증 환자의 10-15%에서 핵형의 이상이 나타난다. 그리고 감정자증환자의 4-5%, 정액검사가 정상인 환자의 1%에서 핵형의 이상이 나타난다. 무정자증 환자에서는 성염색체의 이상이 감정자증 환자에서는 상염색체의 이상이 주로 나타나며, 제일 흔한 형태가 Klinefelter 증후군이다. Y 염색체의 장완의 미세결손은 무정자증의 13%, 감정자증의 3-7%에서 나타난다.

미세결손의 대부분은 (azoospermia factor, AZF)라고 불리는 부위에 이상이 초래되며, 분자생물학 기법의 발전에 따라 이 AZF는 세분되어 AZFa, AZFb, AZFc로 구분된다. 이 부위에는 많은 유전자 정보를 가지고 있으며 불임에 관련된 대표적인 유전자인 DAZ 유전자도이 부위에 위치한다. 그러므로 이 부위에 결손이 광범위할 수록 불임의 정도는 심해지게 되나, 최근에 이런 유전자 이상이 있는 환자도 생식보조요법으로 치료를 시도하기도 한다. 그러므로 mL 당 5백만 이하의 심한 감정자증이거나 비폐쇄성 무정자증 환자 중 보조생식요법으로 치료를 시도하는 경우 반드시 핵형검사와 Y 염색체의 미세결손 여부를 알아보아야 한다.

선천적으로 양쪽 정관이 없는 경우에는 낭성섬유화와 관련되어 있으므로 CFrR 유전자의 이상여부를 살펴 보아야한다. 북구 유럽에서는 이 유전자의 이상이 매우 높아20명 중 1명의 빈도를 나타내므로 유전자 검사와 상담을 반드시 시행하여야한다 그 외에도 Katagener 증후군, Kallmann 증후군과 같이 유전자의 이상에 의한 질병들이 알려져 있으나, 현 단계에서는 모든 유전자의 이상을 알아내기에는 충분치 못하므로 보조생식술을 시도한다면 비록 현재까지 가능한 유전자 검사에서 정상으로 판명되더라도 알지 못하는 유전자의 이상을 후손에게 물려줄 수 있는 가능성에 대해서는 충분한 설명과 동의를 획득하여야 한다.

9. 고환생검

고환생검은 침습적인 검사이므로 병력청취, 신체검사, FSH 등의 검사를 참고로 하여 꼭 필요한 경우에 시행하여야 한다. 고환의 크기는 정상이고, FSH가 정상이거나 약간 증가한 무정자증일 때 제일 필요한 검사이다. 그리고 ICSI나 round spermatid nuclear injection (ROSNI) 같은 시험관수정을 목적으로 정자를 채취하기 위해 시행한다. 그리고 정상고환과 정상 FSH인 심한 감정자증의 경우에는 부분적 폐쇄를 진단하기 위해 조직 검사를 시행하기도 한다.

고환생검의 방법에는 일반적인 절개방법과 바늘

생검, 가는 바늘흡입 세포검사가 있다. 조직검사는 보통 양측을 하지만 양쪽고환의 크기가 차이가 있으면 큰 쪽만 조직검사를 한다. 고환생검의 판독은 각 연구실마다 주관적이고 일관된 기준이 없는 것이 문제이기는 하지만 세정관의 크기와 수, 기저막의 두께, 세정관내 정세포의 수와 모양, 간질의 섬유화정도, Leydig cell의 존재와 성태 등을 관찰하며 이들 기준으로 정상, 성숙정지, 정자형성저하, 생식세포무형성증으로 구분한다.

1) 정상

정상은 세정관들이 Leydig cell과 혈관, 임파선 등을 포함한 얇은 간질에 의해 잘 구분 된다. Leydig cell은 친산성이고 둥글거나 다각형의 모양을 하고 있으며, 여러개가 그룹을 형성하며, Reinke 소결정을 포함하기도 한다. Seetoli cell과 정조세포가 세정관의 기저부를 형성하고 세정관의 내강으로 갈수록 정모세포부터 정세포까지 모든 단계의 세포들이 나타나야 한다.

2) 정자형성 저하(Hypospermatogenesis)

세정관내에 배상피세포의 수가 감소되어 있어 그 층이 얇으며, 중간 중간 끊기기도 하고, 세정관내에 미성숙 배상피세포가 떠 있기도 한다. 그러나 간질조직과 Leydig cell은 정상이며 정액검사에서 심한감정자증이나 무정자증을 보인다.

3) 성숙정지(Maturation arrest)

어느 단계까지는 정상적으로 정자형성이 되나 더 이상 성숙된 세포가 안 보일 때 성숙정지라고 진단한다. 성숙정지는 제1정모세포, 제2정모세포, 정세포 각 단계 에서 발생할 수 있다. 생식세포의 성숙이 진행되면 정상 조직과 구별이 어려울 수도 있으나 이 경우는 고환 touch preparation으로 감별이 가능하다. 즉 정상인 경우 touch preparation에서 성숙정자를 발견 할 수 있으나, 성숙정지의 경우에는 이들 세포가 발견되지 않는다. 정액검사에서는 성숙정지의 정도에 따라 무정자증 또는 심한 감정자증을 나타내며 정자형성저하와 동반되어 나타난다.

4) 생식세포 무형성증(Germinal cell aplasia)

Sertoli cell only syndrome으로 불리기도 하며 세정관 내에 Sertoli cell만 보이고 생식세포는 보이지 않는다. 세정관의 직경은 감소되어 있고, 간질세포는 거의 정상이다. 고환의 크기는 정상이거나 약간 감소되어 있고, FSH는 상승되어 있는 수가 많다. 그러나 고환생검 결과가 생식세포 무형성증이라고 해도 고환의 다른 부위에서는 약간의 정자형성이 나타나기도 하므로 이를 이용해 인공수정을 성공하는 수도 있다.

5) End-stage testis

세정관이나 세정관 주위가 모두 딱딱하게 굳은 경화현상을 보이고 생식세포는 물론 안보이고, Seltoli cell도 거의 볼 수가 없으며, 경화된 간질조직 내에 Leydig cell 역시 없거나 수가 감소되어 있다. 환자의 고환은 매우 위축되어 있고 단단하며 Klinefelter 증후군에서 전형적으로 볼 수 있는 조직학 소견이다.

10. 요약

남성불임의 검사로는 정액검사가 기본이나 남성불임의 원인을 좀 더 정확히 알기 위해서는 추가검사가 필요하다. 이런 추가검사로는 항정자항체검사, 정액백혈구검사, 정액배양검사, 경직장초음파나 정관조영술과 같은 영상검사, 정자기능검사, 고환생검 등이 있다. 이런 검사를 통해 불임의 원인이 고환 자체에 의한 것인지, 배출경로에 이상인지 아니면 면역학적 이상인지, 감염에 의한 것인지를 밝혀내어 정확한 치료에 도움을 줄 수 있다,

참고문헌

1. 고영근, 박홍원. 남성불임환자의 고환생검 소견. 대한비뇨기과학회지 1983;24:139-142.
2. 박만수, 김영수, 윤율로. 사정관폐쇄에 의한 불임 1례. 대한비뇨기과학회지 1992;33:917-921.
3. 이충현, 채수웅. 남성불임증 환자의 고환조직에 관한 고찰. 대한비뇨기과학회지 1982;23:1175-1178.
4. 이희영, 김석희. 남자불임증에 관한연구(VII): Kleinelelter's syndrome 에 대한 임상적 관찰. 대한비뇨기과학회지 1977;18:153-160.
5. 황국형, 이정주, 박남철, 윤종병 고환 생검을 시행한 불임환자 85례의 임상적 고찰. 대한비뇨기과학회지 1994;35:177-182.
6. Alken RJ, Clarkson JS, Fishel S. Generation of reactive oxygen species, lipid peroxidation and human sperm lunction. Biol Reprod 1989;41:183-197.
7. Alexander NJ. Evaluation of male infertility with an in vitro cervical mucus penetration test. Fertil Steril 1981;36:201-208.
8. Ansbacher R. Sperm-agglutinating and sperm-immobilizing antibodies in vasectomized men, Fertil Steril 1971;22:629-632.
9. Avery S, Bolton VN, Mason BA. An evaluation of the hypo-osmotic sperm swelling test as a predictor of fertilizing capacity in vitro. Int J Androl 1990;13:93-99.
10. Beck J, Lott N, Lamb DJ. Immunobead assay. In: Lipshultz LI, Howards SS, editors, Inlertility in the Male, 3rd Edition, St. Louis: Mosby; 1997;506-508.
11. Beiswanger JC, Deaton JL, Jarow JP, Partial ejaculatory duct obstruction causing early demise of sperm. Urology 1998;51:125-127.
12. Busolo F, Zanchetta R, Bertoloni G. Mycoplasmic localization patterns on spermatozoa from infertile men. Fertil Steril 1984;42:412-417.
13. Carter SS, Shinohara K, Lipshultz LI. Transrectal ultrasonography in disorders of the seminal vesicles and ejaculatory ducts. Urol Clin North Am 1989;16:773-790.
14. Clarke GN, Elliott PJ, Smaila C. Detection of sperm antibodies in semen using the immunobead test a survey of 813 consecutive patients. Am J Reprod Immunol Microbiol1985;7:118-123.
15. Cross NL, Meizel S. Methods for evaluating the acrosomal status of mammalian sperm. Biol Reprod 1989;41:635-641.
16. Donohue RE, Fauver HE. Unilateral absence of the vas deferens: a useful clinical sign. JAMA 1989;261:1180-1182.
17. el Demiry M, James K. Lymphocyte subsets and macrophage in the male genital tract in health and disease: a monoclonal antibody based study. Eur UoI 1988;14:226-235.
18. Endtz AW. A rapid staining method for differentiating granulocytes from "germinal cells" in Papanicolaou-stained semen. Acta Cytol 1974;18:2-7.
19. Franken DR. The clinical significance of sperm-zona pellucida binding. Front Biosci 1998;3:E247-253.
20. Fuchs EF, Alexander NJ. Immunologic considerations before and after vasovasostomy. Fertil Steril 1983;40:497-499.
21. Gaddum-Rosse P, Blandau RJ, Lee WI. Sperm penetration into cervical mucus in vitro: II. Human spermatozoa in bovine mucus. Fertil Steril 1980;33:644-648.
22. Gilbert BR, Witkin SS, Goldstein M. Correlation of sperm-bound immunoglobulin with impaired semen analysis in infertile men with varicoceles. Fertil Steril 1989;52:469-473.
23. Hjort T, Antisperm antibodies and inlertility: an unsolvable question? Hum Reprod 1999;14:2423-2426.
24. Idriss WM, Patton WC, Taymor ML. On the etiologic role of Ureaplasma urealyticum (T mycoplasma) infection in infertility. Fertil Steril1978;30:293-296.
25. Jarow JP. Transrectal ultrasonography of infertile men. Fertil Steril 1993;60:1035-1039.
26. Kremer J, Jager S. The significance of antisperm antibodies lor sperm-cervical mucus interaction. Hum Reprod 1992;7:781-784.
27. Kim FY, Goldstein M. Antibacterial skin preparation decreases the incidence of false-positive semen culture results , Fertil Steril 1999;161:819-821.
28. Lewis RW, Harrison RM, Domingue GJ. Culture of

seminal fluid in a fertility clinic. Fertil Steril1981;35:194-198.

29. Lipshultz L, Thomas AJ , Khera M. Surgical management of male infertility and other scrotal disorders. In: Wein AJ, Kavoussi LR, Novick AC, Partin AW, Peters CA, editors, Campbell-Walsh Urology. 9th ed. Philadelphia: WB Saunders; 2007;654-717.
30. McClure RD, Hricak H. Scrotal ultrasound on the infertile man detection of subclinical unilateral and bilateral varicocele. J Urol 1986;135:711-715.
31. Menge AC, Beitner 0. Interrelationships among semen characteristics, antisperm antibodies, and cervical mucus penetration assays in infertile human couples. Fertil Steril 1989;51:486-492.
32. Oshinsky GS, Rodriguez MV, Mellinger BC. Varicocele-related infertility is not associated with increased sperm-bound antibody. J Urol 1993;150:871-873.
33. Pretorius E, Franken D. The predictive value of the postcoital test lor auto-and isoimmunity to spermatozoa. Andrologia 1989;21 :584-588.
34. Poore RE, Schneider A, DeFranzo AJ, Humphries ST, Woodruff RD, Jarow JP. Comparison of puncture versus vasotomy techniques for vasography in an animal model. J Urol 1997;158:464-466.
35. Schlegel PN, Shin D, Goldstein M. Urogenital anomalies in men with congenital absence of the vas delerens. J Urol 1996;155:1644-1648.
36. Sigman M, Jarow JP. Male inferility In: Wein AJ, Kavoussi LR, Novick AC, Partin AW, Peters CA, editors. Campbell-Walsh Urology, 9th ed. Philadelphia: WB Saunders; 2007;623-634.
37. Sigman M, Lopes L. The correlation between round cells and white blood cells in the semen. J Urol 1993; 149:1338-1340.
38. Tomlinson MJ, Barratt CL, Cooke ID. Prospective study of leukocytes and leukocyte subpopulations in human semen suggests they are not a cause of male infertility. Fertil Steril 1993;60:1069-1075.
39. Witkin SS, Kligman 1, Bongiovanni AM. Relationship between an asymptomatic male genital tract exposure to Chlamydia trachomatis and an autoimmune response to spermatozoa. Hum Reprod 1995;10:2952-2955.
40. Wolff H, Anderson DJ. Immunohistologic characterization and quantitation of leukocyte subpopulations in human semen. Fertil Steril 1988;49:497-504.
41. World Health Organization. Comparison among different methods lor the diagnosis of varicocele. Fertil Steril 1985;43:575-582.

SECTION

남성불임의 치료 03

Chapter 8. 남성불임의 약물치료 .... 박남철
Chapter 9. 외과적 치료 .... 김수웅
Chapter 10. 정자추출법 .... 김종현
Chapter 11. 난자세포질내 정자주입술 .... 이규섭
Chapter 12. ICSI 시대에서 비뇨기과 의사의 역할 .... 김종현
Chapter 13. 정자은행 .... 박남철
Chapter 14. 남성불임치료의 미래 .... 이상곤

CHAPTER 08

남성불임의 약물치료

Medical Treatment of Male Infertility

■ 박남철

남성불임의 원인은 정자형성장애, 정자통과장애, 남성 부성선 기능장애 및 성기능장애로 대별되며 염색체 이상 및 무고환증을 제외한 거의 모든 원인이 약물치료의 대상이 된다. 남성불임의 약물치료에는 확인된 불임의 원인 질환을 치료하는 특이적 약물요법 (specific medical therapy)과 특발성 감정자증이나 약정자증과 같이 불임의 원인 질환을 모르거나 외과적 교정술 등의 일차 치료 후 보조요법(adjuvant therapy)으로 시행되는 비특이적 경험적 약물요법(nonspecific empirical medical therapy) 이 있다. 약물요법에 앞서 음주, 흡연 및 고온의 사우나욕와 같은 생활습관의 교정이나 고환 독성물질의 접촉 차단 그리고 동반된 불임 관련 전신질환의 치료가 우선되어야 한다. 약물요법 시 최소의 치료기간은 고환에서 정자형성에 소요되는 74일과 부고환에서의 성숙이나 저장에 이어 사정관까지 정로를 통한 정자수송에 소요되는 10-14일을 합하여 최소 3개월 이상 필요하다. 치료기간 중 주기적인 정액검사와 임상적으로 필요한 경우 호르몬검사 등의 추적관찰이 필요하다. 치료 후 정자수 30% 이상, 운동성 20% 이상 개선시 임상적 효과가 있는 것으로 판정된다.

1. 특이적 약물요법

Specific medical therapy

명백한 내과적 질환에 의한 남성 불임은 전체 불임의 원인 중 다소 적은 부분을 차지한다. 그러나 특이적 약물요법은 원인에 따른 증거 의존적 치료법이라는 측면뿐만 아니라 비교적 높은 치료 성공률로 인해 불임의 약물 치료 중 가장 중요한 부분을 차지한다. 특이적 약물요법의 대상이 되는 남성 불임의 원인 질환으로는 내분비 장애, 정로감염에 의한 농정자증, 항정자항체에 의한 면역성 불임 및 사정장애 등이 있다.

1) 내분비 장애(Endocrine disorder)

(1) 저성선자극호르몬성선저하증 (Hypogonadotropic hypogonadism)

전체 불임 남성의 1% 미만을 차지하지만, 비교적 치료가 용이한 남성 불임의 원인으로 간주된다. 원인은 선천성으로는 Prader-Willi 증후군(비만, 근력저하, 정신지체, 작은 손발과 외형), Laurence-Moon-Bardet-Biedl 증후군(색소성망막염, 다지증, 기억저하증), 칼만증후군(사춘기 지연증, 무후각증) 등이 있으며, 후천성으로는 방사선 치료, 뇌하수체 선종이나 뇌경색 등이 있다.

치료는 고환의 심한 위축이 없는 경우 성선자극호르몬분비호르몬(gonadotropin-releasing hormone, GnRH), 성선자극호르몬 또는 남성호르몬을 보통 1년 이상 투여하여야 한다. 이 중 GnRH는 4-9 분의 짧은 생물학적 반감기 때문에 빈번한 주입을 필요로 한다. GnRH 비강내 분무제는 0.1-0.5 mg 용량으로 매일 투여 하며, 피하 주사법은 작용시간이 긴 제제인 buserelin을 1-10 μg 주 2회 투여 하며, 자동 펌프(Zyklomat®; Ferring AG)를 이용하는 경우 4-50 μg을 매 1.5-2시간마다 6개월 정도 주입한다. GnRH 투여는 보고 된 예가 많지 않지만 혈중 테스토스테론, 정액지표 및 임신능 회복에 우수한 효과를 나타내려 부작용이 적지만, 높은 비용이 든다는 단점이 있다.

성선자극호르몬은 근주용 human chorionic gonadotropin(hCG), recombinant FSH 또는 human menopausal gonadotropin(hMG)이 주로 이용된다. LH 와 유사한 작용을 가지는 hCG는 1,500-2,500 IU 주 3회, recombinant FSH는 75 IU 매일 혹은 150 IU 주 3회 그리고 LH와 FSH의 특성을 모두 가지고 있는 hMG는 75-150 IU를 주 2-3회 근주한다. 필요에 따라서는 복수의 성선 자극호르몬이 동시에 투여될 수 있다. 성선자극호르몬 치료는 일반적으로 hCG로 치료를 시작하는데 6-12개월 치료 후에도 정자형성이 일어나지 않으면 hMG병합 혹은 대체요법으로 바꾸어 치료한다. 사춘기 이후의 저성선자극호르몬성선저하증 남성에서는 hCG 단독요법으로 과거에 유지되었던 정상 정자형성기능을 다시 회복할 수 있으며, 사춘기 이전에 발생한 경우에서는 hCG/hMG 병합요법으로 정자 수가 정상치에 도달할 수 있다. hCG/hMG 병합요법으로 정자생성이 이루어지면 이후로는 hCG 단독요법만으로도 유지가 가능하다. 이와 같이 저성선자극호르몬성선저하증을 가진 환자에서 정액지표가 저하된 경우 약물요법을 통해 회복을 기대할 수 있으므로 즉각적인 보조생식술을 시행하는 것은 바람직하지 않다.

(2) 고프로락틴혈증(Hyperprolactinemia)

고프로락틴혈증의 원인으로는 특발성, 뇌하수체 종양, 갑상선기능저하증, 간질환, phenothiazine이나 삼환계 항우울제와 같은 중추신경계에 작용하는 약물복용 등이 있다. 혈청 프로락틴이 증가되면 뇌하수체에서 GnRH 분비가 억제되고, LH가 고환의 Leydig cell에 결합하지 못하게 하여 정자형성 기능이 저하되게 된다. 고프로락틴혈증 환자에서는 뇌하수체 종양을 진단하기 위해 뇌하수체 MR촬영이 필요하며, 수술을 필요로 하는 거대선종이 아닌 미세선종 경우에는 대부분 약물요법으로 치료된다. 치료는 dopamine 작용제인 bromocriptine이 주로 이용되는 데 하루 2.5-10 mg씩 6개월 이상 투여된다. 부작용으로는 오심이나 어지러움증이 흔히 관찰된다. 최근에는 부작용이 적고 작용시간이 길어진 새로운 dopamine 작용제인 cabergoline이 개발되어 주 1회 1 mg이 투여된다. 치료 후 관찰기간 중에는 정액지표뿐 만 아니라 혈청 프로락틴과 테스토스테론치도 주기적으로 검사하여야 한다. 치료 후 정액지표가 정상화되지 않는 환자에서는 불임의 다른 원인에 대한 추가 검사가 필요하다. 치료 후 80% 이상에서 혈중 프로락틴치가 정상화되고 정액지표의 개선도 동시에 관찰된다.

(3) 선천부신과다형성 (Congenital adrenal hyperplasia, CAH)

CAH는 보통 소아에서 나타나지만, 드물게 성인 남성에 생긴 CAH에 의해 2차적으로 불임이 동반될 수 있다. 이 질환은 21-hydroxylase의 결핍에 기인하며, 코티졸 분비를 감소시키고 ACTH 생성을 증가시킨다. 정상적인 성적 성숙을 이룬 남성에서는 진단이 쉽지 않고, 혈청 17-hydroxyprogesterone과 요중 pregnanetriol이 증가된 소견으로 진단된다. 치료는 코티코스테로이드로 가능하다.

(4) 단백동화스테로이드(Anabolic steroid) 오남용

단백동화스테로이드는 운동선수의 경기력 향상이나 남성 피임 목적으로 이용되는 데, 이 때 투여된 스테로이드는 시상하부 및 뇌하수체에 대한 되먹임 자극을 억제함으로써 저성선자극호르몬성선저하증을 유발할 수 있다. 스테로이드 투여를 중단하면 대부분의 환자에서 뇌하수체와 고환 기능이 약 3개월 후에 정상으로 회복된 다. 혈중 테스토스테론치와 정액 지표가 회복되지 않으면 hCG 2,000 IU를 4주 동안 주 3회 근주한 후 3,000 IU를 3개월 동안 주 3회 투여한다. 이때 정자형성을 촉진시키기 위해 recombinant FSH 75-150 IU를 주 3-5회 동시에 주사할 수 있다. 스테로이드 과량 투여에 의해 유발된 남성불임은 약물에 의한 고환부전 중에서 치료에 가장 잘 반응한다. 치료기간 동안 뇌하수체의 기능 회복을 평가하기 위해 혈중 LH와 테스토스테론치를 주기적으로 검사한다. 이때 외인성 성선자극호르몬의 조기 보충은 뇌하수체에서 성선자극호르몬 분비를 지속적으로 억제할 수 있으므로 주의하여야 한다. hCG 투여 시 합병될 수 있는 여성형 유방을 예방하기 위하여 항에스트로겐 제제인 tamoxifen이 10 mg 하루 2회 동시 투여될 수 있다.

(5) 갑상선기능저하증(Hypothyroidism)

갑상선기능저하증은 남성 불임의 원인 중 약 0.6%를 차지하며, thyroxin 보충요법만으로 수정능이 잘 회복된다. 반대로 갑상선기능항진증 역시 정자생성을 방해하여 불임을 유발할 수 있다. 갑상선 질환들은 임상적으로 뚜렷한 증상을 나타내기 때문에 무증상의 불임 남성에서 갑상선기능부전에 대한 선별검사는 권유되지 않는다.

(6) 성선기능저하증

혈청 뇌하수체 호르몬치는 정상이면서 혈중 테스토스테론치만 낮은 경우 에스트로겐수용체 차단제, 성선자극호르몬 또는 방향화효소(aromatase) 억제제 투여로 혈중 테스토스테론치가 증가될 수 있다.

테스토스테론(T)과 에스트라디올(E2)을 측정하여, T(ng/dL)/E2(pg/mL) 비가 정상인 경우 clomiphene citrate 25 mg 하루 1회, tamoxifen 10 mg 하루 2회 혹은 hCG 2,000 IU 주 3회 중 한가지 방법을 선택한다. 치료 1개월 후 혈중 테스토스테론치를 측정하고, 매 3개월마다 정액검사를 시행한다.

T/E2비가 10 이하인 경우 aromatase 억제제인 testolactone(Teslac®, Bristol-Meyers Squibb) 50-100 mg 하루 2회, anastrozole(Arimidex®, AstraZeneca) 1 mg 혹은 letrozole 2.5 mg(Femara®, Novartis) 하루 1회 경구투여하면서 같은 방법으로 추적 관찰 한다. 저테스토스테론혈증만 있는 환자에서는 상기 치료로 수정능이 향상되는지는 아직 밝혀지지 않았지만 clomiphene citrate로 치료하였을 때 임신율이 40%까지 증가되었다는 보고가 있다.

(7) 남성호르몬수용체(Androgen receptor, AR)의 short CAG-repeat sequence

AR의 CAG-repeat sequence가 짧은 유전자 배열을 가진 남성은 테스토스테론에 대한 반응성이 약하여 불임이 동반될 수 있다. 치료제로는 다량의 테스토스테론이나 에스트로겐수용체 차단제가 이용된다. 그러나 외인성 테스토스테론을 이용한 치료는 오히려 고환 내 테스토스테론을 감소시키고 정자생성을 억제시킬 수 있으므로 유의하여야 한다.

(8) 고환부전

고환부전이나 비폐쇄성 무정자증 환자에서 혈중 테스토스테론치가 저하된 소견을 나타내는 경우를 흔히 볼 수 있다. 저테스토스테론혈증은 일차적으로는 테스토스테론 분비저하에 의한 것이지만, 테스토스테론의 에스트로겐으로의 과도한 전환이 원인이 되기도 한다. T/E2 비가 10 이하인 경우 testolactone, anastrozole 혹은 letrozole 투여로 T/E2비가 증가되며, 제한된 예에서 치료 후 정액지표의 호전이 관찰된다. 환자 중에서도 약정자증이면서 T/E2비가 비정상이거나 비만인 경우 치료에 잘 반응한다.

2) 농정액증(Pyospermia, Leukocytospermia)

농정액증은 남성불임 환자의 10-20%에서 관찰되며, 정액 내 증가된 백혈구 농도는 남성생식기관 감염이나 염증이 있음을 의미한다. 백혈구는 반응성산소기(reactive oxygen species, ROS)의 생성을 촉진하여 정자의 운동성이나 수정능에 해로운 영향을 끼친다.

진단은 WHO 기준상 정액에서 백혈구 농도가 1× 10^6/mL이상인 경우 가능하다. 그러나 Papanicolaou, Giemsa, eosin 또는 peroxidase 염색(Endtz test) 같은 전통적인 염색법으로는 미성숙 정세포와 백혈구의 감별이 어려운 경우가 많다. 특히 다핵 정자세포(polynucleated spermatid)와 다형핵 과립세포(polymorphonuclear granulocyte), 정모세포와 임파구 또는 단핵구의 감별이 어렵다. 따라서 단일클론항체를 이용한 면역조직세포 학적 진단법이 노력과 비용이 많이 드는 단점이 있지만 정액 내 백혈구를 진단하는 가장 효과적인 선택적 검사법이다. 또한, 농정액증의 가장 흔한 원인인 요도염뿐만 아니라 무증상의 전립선염, 부고환염 또는 정낭염 등이 잠복되어 있을 수 있으므로, 이들 남성 부성선에 생긴 감염질환의 유무도 확인되어야 한다.

치료는 배양검사상 균이 동정되면 감수성이 있는 항균제를 사용하여야 한다. 생식기관내 감염이나 염증은 적절한 약물로 충분한 기간 동안 치료되어야 세정관이나 부고환 세관의 협착이 합병되지 않는다. 35세 이하 남성에서 부고환염의 가장 흔한 원인은 *Chlamydia trachomatis*와 *Neisseria gonorrhea*에 의한 성교전파성 질환이다. *Neisseria gonorrhea* 감염에는 ceftriaxone 2 gm 1회 근주 후 doxycycline 100 mg 하루 2회 10일간 투여한다. *Chlamydia trachomatis* 는 doxycycline 100 mg 하루 2회 10일간, ciprofloxacin 400 mg 하루 2 회 10일간, tetracycline 500 mg 하루 2회 10일간 중 한 가지를 선택하여 치료한다. Cephalosporin에 과민반응이 있는 경우 spectinomycin 2 gm 근주로, tetracycline에 과민반응이 있는 경우 erythromycin 500 mg 하루 4회 10일로 대체 처방될 수 있다. 원인균을 모르는 경우에는 정낭이나 전립선 조직 내에 고농도를 유지할 수 있는 ciprofloxacin이나 trimethoprime-sulfomethoxazole을 하루 2회 2-12주간 투여하며, 대부분의 정로 감염에 유효하다. 만성전립선염이 있는 경우 빈번한 사정과 함께 치료 기간이 길수록 치유율이 높으며, 이 때 균 배양검사에서 음성으로 나오더라도 항균제 투여는 계속될 수 있다. 치료에도 불구하고 농정자증이 지속되는 경우에는 swim-up법이나 density gradient법과 같은 정자분리술로써 운동성이 좋은 정자를 획득할 수 있다.

3) 항정자항체(Antisperm antibody)

정액내 항정자항체는 모든 남성에서 생식능을 억제하는 것은 아니지만, 불임남성에 존재할 경우 정자의 운동성이나 수정능 장애를 유발하는 직접적 원인이 된다. 치료는 항체의 역가를 낮추기 위해 부신피질스테로이드나 cyclosporin 같은 면역억제제가 투여된다. 스테로이드 투여는 prednisolone 하루 60-90 mg의 고용량을 5- 7일간 하루 1회 혹은 20-40 mg을 하루 1회 부인의 생리 주기1-10일에 투여한 다음 5 mg을 하루 1회 부인의 생리 주기 11-14일에 반복 투여하는 방법이 있다. 스테로이드 장기투여 시 기분장애, 당대사 변화, 위궤양 악화, 여드름 및 고관절의 무균성 괴사와 같은 부작용에 유의하여야 한다. Cyclosporin은 하루 5-10 mg을 6개월간 투여하며 신독성과 같은 부작용에 유의하여야 한다. 일반적으로 치료 3개월 후 항정자항체와 정액검사를 반복 시행한다. 치료 성적은 연구자에 따라 다양하여 prednisolone 6-50%, cyclosporin 33%의 임신율이 보고 된 바 있다. 치료 6개월 이후에도 정액지표가 호전되지 않거나 임신이 되지 않는 경우 투약을 중지하고 정자세척후 자궁내정자주입술 혹은 세포질내정자주입술이 고려되어야 한다.

4) 역행사정(Retrograde ejaculation)

역행사정은 사정 시 방광경부의 폐쇄부전으로 인하여 후부요도에서 방광으로 정액이 역류되는 상태를 말한다. 원인으로는 당뇨, 다발성경화증 및 척수손상 등 사정 시 방광경부의 폐쇄를 조절하는 교감신경의 기능 부전을 유발하는 질환이나 외상성 요도협착 같은 원인 질환 외에도 의인성 원인으로 후복막림프절절제술, 방광경부 수술과 같은 외과적 조작, haloperidol 등의 항정신성 약물이나 phenoxybenzamine, terazosin, doxazosin, tamsulosin, alfuzosin, naftopidil 및 silodosin 등의 전립 선비대증치료 목적으로 사용되는 알파차단제 복용이 있다. 역행사정의 진단은 임상적으로는 1 ml 이하의 사정량 감소 소견을 나타낸 경우 의심할 수 있으며, 사정 후 채취된 요검사상 정자가 관찰되면 확진할 수 있다.

치료는 경구용 교감신경자극제인 ephedrine 25-50 mg 하루 4회, pseudoephedrine 60 mg 하루 4회, phenylpropanolamine 75 mg 하루 2회 또는 imipramine 25 mg 하루 2-3회 중 단독 혹은 복합요법으로 투여된다. 약물요법으로 효과가 없는 경우 사정 후 채취된 요에서 정자를 채취할 수 있다. 요 알칼리화를 위하여 중탄산나트륨 1-2 gm 혹은 Polycitra® 5 ml를 요 채취 전일과 당일 아침에 경구 복용하거나 사정 직전에 방광 내에 주입한다. 이 때 사정 1시간 전에 수분을 섭취하여 요 삼투압을 낮추는 것이 좋다. 물론 과도한 수분섭취에 의한 요 희석은 역삼투압으로 인한 정자 세포막의 팽창을 유발 할 수 있으므로 유의하여야 한다. 요 원심분리 후 채취 된 정자는 BWW/Ham' s F-10/HTF 혼합배양액 또는 Ringer' s lactate 액으로 세척 후 인공수정을 시행한다.

5) 무사정증(Anejaculation)

역행사정을 일으킬 수 있는 질환이나 정로 손상이 심한 경우 무사정증을 유발할 수 있다. 치료는 교 감신경자극제를 투여하고, 효과가 없으면 음경의 진동자극이나 경직장 전기자극을 통한 사정법이 시도된다. 전기자극으로 유발된 사정으로 채취된 정자는 운동성이 낮은 경우가 많다. 채취된 정자로써 시도된 자궁내 정자주입법이나 체외수정으로 임신율은 35-40% 정도 된다.

6) 반응성산소기(Reactive oxygen species, ROS)에 의한 산화성 손상

남성불임 환자 정액의 25-40%, 척수손상 환자의 90% 이상에서 ROS가 증가된 소견이 발견된다. 사정액내 높 은 ROS에 의한 산화성 손상은 정자의 운동성, 난자와의 결합능 및 수 정능을 감소시킴으로써 불임의 주요 원인 인자로 작용 한다. ROS는 산소의 대사물로서 과산화 음이온, 과산화 수소, 수화기, 과산화수화기, 질소산화물 등이 있다. ROS의 과다한 존재는 비정상이거나 미성숙된 정자 혹은 정로나 요로계 감염으로 인한 사정액내 백혈구의 존 재를 의미한다. 그 외에도 200-500 g 이상의 원심분리, 정자처리 및 냉동보존과 같은 정자의 인위적 조작과정 에 의해서도 ROS가 발생한다.

ROS의 생성을 감소시킬 수 있는 가장 효과적인 방법은 Percoll gradient wash와 swim-up법이다. 또한 양질의 정자를 분리할 목적으로 정장액을 제거할 경우 정장액 내에 포함된 내인성 항산화제가 제거됨으로써 산화성 손상에 보다 쉽게 노출될 수 있다.

인체의 정상세포는 superoxide dismutase, glutathione peroxidase 및 catalase 등의 효소계 항산화 제나 요산, ascorbate, tocopherol 등의 비효소계 항산화제와 같은 내인성 scavenger를 가진다. 만약 ROS가 과다하게 존재하여 세포 자체가 가지고 있는 내인성 항산제에 의한 고유의 방어기능을 넘어서게 되면, 세포막 지질, 단백질과 핵 DNA에 산화손상을 야기함으로써 세포 고유의 기능이 영향을 받거나 병적 반응을 일으키게 된다.

WHO의 정액검사 매뉴얼(1999)에서도 정자의 주요 기능검사의 하나로서 ROS의 측정이 권유되고 있다. 정액 내 ROS를 제거하기 위한 다양한 항산화제의 효과가 실험적으로 검토되어 왔지만, 치료로는 보조생식술기를 적용하여 채취된 정액에서 백혈구를 제거하거나 정자처리 시 항산화제가 포함된 배양액을 쓰면 효과가 있다. 비타민 E(α-tocopherol)와 비타민 C(ascorbic acid)와 같은 비타민, glutathione, selenium, rebamipide 등의 경구용 항산화제가 효과가 있을 것으로 기대되나 아직 광범위한 위약대조 맹검법에 의한 연구결과가 부족한 실정이다.

2. 경험적 약물요법

Empirical medical therapy

불임 남성에서 비특이성 경험적 약물요법은 원인을 알 수 없는 정액지표 이상이나 시상하부-뇌하수체-성선 축 분비 및 조절 기능 이상 외에도 외과적 교정술 등의 일차 치료 후 보조요법(adjuvant therapy)으로 고려된다. 경험적 약물요법은 항에스트로겐이나 aromatase 억제제를 이용하는 내분비요법과 효소, 항프로스타그란딘, 자율신경계 조절 약물, 비타민, 미네랄 및 생약제제 등을 이용하는 비내분비요법으로 나누어진다. 치료 효과는 환자와 대조군의 선택, 장애 정도, 여성인자 유무, 투여용량, 치료기간, 판정기준 및 추적관찰기간 등의 다양한 인자에 의해 영향을 받을 수 있으므로 평가하기가 매우 어렵다.

경험적 약물요법의 치료성적은 연구자 마다 다양하지만 전체적으로 약 30% 미만의 임신율이 보고되고 있다. 그럼에도 불구하고 원인을 모르는 특발성 불임이 전체 남성불임 원인의 약 1/4을 차지하기 때문에 경험적 약물요법은 남성불임 환자의 치료를 위해 간과할 수 없는 치료법의 하나이다. 최근에는 인공수정이나 체외 수정 등의 보조생식술의 성공률을 높이기 위한 치료법이나 치료 약물의 배양액 첨가제로서의 유용성이 재평가되고 있다. 경험적 약물요법에 쓰이는 약물의 종류, 각각의 작용기전 그리고 치료성적을 종합하면 다음과 같다.

1) 내분비요법

정자형성을 위해서는 시상하부에서 분비된 GnRH에 의해 뇌하수체에서 LH 및 FSH가 정상적으로 분비되고, LH의 자극에 의해 Leydig세포에서 분비된 테스토스테론이 세정관 내에 정상 말초혈액 농도의 50배 이상 높은 농도로 존재하고, FSH가 정자형성의 시작과 유지에 필수적인 호르몬이라는 점에 근거한 것이 내분비요법이다. 따라서 내분비요법은 시상하부-뇌하수체-성선 축이 정상적인 기능을 가진 환자에서만 적응이 되며, 치료 후 혈청 LH, FSH 및 테스토스테론은 주기적으로 검사되어 야 한다.

(1) GnRH

GnRH 제제 선택 및 투여방법은 저성선자극호르몬성 선저하증의 치료에 준한다. 치료 후 정자수 및 운동성의 개선률은 각각 0-67% 및 0-71%, 임신율은 0-24%로 연구자에 따라 매우 다양하다.

(2) 성선자극호르몬

성선자극호르몬 제제의 선택 및 투여방법은 저성선자극호르몬성선저하증에 준한다. 치료 후 hCG는 정자 수 및 운동성의 증가가 0-69% 및 0-94%, 임신율은 0- 47%, hMG는 정자 수 및 운동성의 증가가 각각 19-67% 및 0-5%, 임신율은 0-17%로 연구자에 따라 치료성적이 매우 다양하다. 정계정맥류제거술 후 정자 농도가 10×10^6/ml 이하인 환자에서 보조요법으로 hCG를 투여한 경우 임신율이 44%로서 투여하지 않은 경우의 25% 보다 유의하게 높은 보고도 있다.

(3) 저용량 남성호르몬

원인불명의 감정자증이 혈중 테스토스테론은 정상 범위 내에 있지만 고환 내 저하된 테스토스테론 농도에 의해 유발된다는 데 근거하여 남성호르몬도 불임의 비특이성 치료제로 이용 될 수 있다. 외인성 남성호르몬은 시상하부와 뇌하수체 모두에 음성 되먹임 기전을 일으키지만, 간에서 빠르게 대사되어 성선기능이 정상이라면 실제 혈장과 고환 내 남성호르몬 농도에 대한 영향은 매우 적다. 주로 간독성이 없는 경구용 남성호르몬인 testosterone undecanoate(Andriol®, MSD) 40 mg 하루 3회 혹은 mesterolone(Vistimon®, Jernapharm) 25-75 mg이 하루 2-3회 투여된다. 장기 투여시 여성형 유방, 여드름, 배뇨 장애, 체중 증가, 적혈구증가증, 수면 중 무호흡, 고환 위축, 간기능 장애 등의 남성호르몬 투여시 동반될 수 있는 부작용 발생에 유의하여야 한다. 대부분의 연구에서 남성호르몬 투여 결과는 정액지표나 수정능의 만족스런 개선이 없는 것으로 보고되고 있다.

(4) 고용량 남성호르몬

고용량의 외인성 테스토스테론을 10주 이상 투여하였을 때 뇌하수체에서 성선자극호르몬 분비가 억제되어 고환 테스토스테론 분비가 억제됨으로써 무정자증이 야기되며, 치료 중단 후에는 성선자극호르몬의 반등으로 정자형성은 4개월 내에 다시 시작되어 정자수가 치료 전에 비하여 개선되는 테스토스테론반등요법 (testosterone rebound therapy)이 시도될 수 있다. 치료는 testosterone enanthate나 testosterone cypionate 같은 서방형 테스토스테론 근주제 200-250 mg 매 2주마다 근주 하거나 동시에 경구용 남성호르몬인 norethandrolone 20 mg이 매일 복용된다. 부작용은 저용량 남성호르몬 투여 시와 유사하며, 4-8%에서 무정자증이나 정액지표 이상이 지속된다. 1950년대에 시행된 많은 연구에서 고용량 남성호르몬 투여 후 정액지표의 개선이 보고되었지만, 최근에는 부작용 등으로 인해 거의 사용되지 않는다.

(5) 항여성호르몬

테스토스테론이 방향화되어 생기는 에스트로겐은 고환 고유의 정자형성기능을 억제할 뿐만 아니라 시상하부와 뇌하수체의 분비기능에 억제하는 작용을 가진다. 따라서 항에스트로겐과 aromatase 억제제는 남성호르몬의 분비나 작용에 영향을 미치지 않고 시상하부의 에스트로겐 수용체를 차단하여 에스트로겐에 의한 GnRH 분비 억제 작용을 감소시켜 뇌하수체의 LH 및 FSH의 분비를 정상화시키고 이로 인해 높아진 고환 내 테스토스테론의 농도로 인해 세정관내 정세포의 분화를 자극 한다.

① Clomiphene citrate

Clomiphene citrate는 diethylstilbesterol과 유사한 구조를 가진 합성 비스테로이드성 항여성호르몬제제로서 불임 치료에 가장 흔히 사용되는 약제이다. 주로 강력한 항에스트로겐으로 작용하지만, 과량에서는 에스트로겐 효과도 나타낸다. Clomiphene citrate는 시상하부와 뇌하수체에서 에스트로겐 수용체와 경쟁적으로 결합하고, 고환에서는 소량 존재하는 에스트로겐에 의한 정자형성 억제작용을 차단한다. 시상하부와 뇌하수체에 대한 음성 되먹임 기전 의 억제는 테스토스테론 분비 증가를 유발하는 GnRH, FSH 및 LH 분비를 촉진시켜 정자형성을 자극한다. Clomiphene citrate는 15-50 mg 매일 경구 투여되며, 25 일 투여 후 5일간 쉬는 간헐적 투여법도 이용된다.

치료 중 FSH, LH 및 테스토스테론이 상승하기 때문에 주기적인 혈중 호르몬 측정이 필요하다.

일부 환자에서 혈중 테스토스테론치가 정상보다 높게 유지되어 오히려 정자형성이 억제되는 되먹임 기전이 초래될 수 있으므로 주의하여야 한다. 이는 테스토스테론의 에스트로겐으로의 방향화가 많아지거나, 과도한 테스토스테론에 의해 성선자극호르몬 분비가 억제되기 때문이다. 부작용으로는 오심, 어지러움, 체중증가, 혈압 상승, 과민성 피부염 및 시야장애 등이 5% 이하에서 나타나며, 드물게는 알레르기성 피부염, 성욕 변화 및 여성형 유방도 동반될 수 있다. 치료 성적은 정자 수 및 운동성 증가가 각각 0-78% 및 0-70%, 임신율은 0-58%로 연구자에 따라 다양한 결과가 보고되고 있다(표 8-1).

② Tamoxifen citrate

Tamoxifen citrate는 유방암 치료에 주로 사용되는 항에스트로겐으로 clomiphene citrate와 유사한 작용 기전을 가지지만, 에스트로겐 효과는 보다 약하다. Tamoxifen citrate는 5-10 mg 하루 2회 경구 투여된다. 부작용은 clomiphene citrate와 유사하나 낮은 항에스트로겐 효과에 의해 발생 빈도는 낮다. 치료 성적은 정자수 증가는 11-100%였으나 운동성의 개선 효과는 없었으며 임신율은 11-40%로 연구자에 따라 다양한 결과가 보고되고 있다(표 8-1).

③ 방향화 효소(Aromatase) 억제제

전신 또는 고환내 에스트로겐과 테스토스테론 비의 불균형은 정자형성의 장애를 유발한다. Aromatase 억제제는 테스토스테론이 에스트로겐으로 전환되는 것을 억제하여 감소된 혈청 estradiol에 의해 증가된 LH 및 FSH가 고환에서의 정자형성을 증가시키는 작용을 가진다. 치료는 anastrozole 1 mg 하루 1회, letrozole 2.5 mg 하루 1회 혹은 testolactone 하루 100 mg-2 g이 투여된다. 부작용으로는 테스토스테론 증가에도 불구하고 anastrozole 로 치료시 5% 이상에서 성욕저하가 동반된다. Testolactone 투여후 정자 수의 개선은 56-89%에서 나타났으나 운동성의 개선 효과는 역시 없었으며, 임신율은 22-33%로 보고되고 있다.

(6) 성장호르몬(Growth hormone, GH)

GH는 정상적인 사춘기 고환 성장에 필수적인 뇌하수체 호르몬이다. GH 결핍상태에서는 이차성징의 발현이 늦을 뿐만 아니라 스테로이드 생산도 감소된다. GH는 고환의 인슐린양 성장인자-1(IGF-1)의 분비를 자극하고, IGF-1은 autocrine 및 paracrine 작용에 의해 정상적인 정자형성에 기여한다. 몇몇 연구에서 생식능이 저하된 남성에서 정상 남성보다 낮은 혈중 GH치가 관찰된 바 있다. 감정자증 환자의 치료를 위해서는 GH 2-6 IU를 피하로 투여한다. 부작용은 약 60%에서 동반되는 데 수지감각이상, 관절통 및 부종, 간 및 신기능 이상 및 HbA1c 증가 등이 있으며, 투약을 중지하면 자연 소실된다. 치료 효과는 혈청과 정액내 IGF-1의 유의한 증가에 대한 상반된 연구결과가 있으며, 정액지표나 임신능의 개선 또한 제한적이다.

(7) Clonidine

Clonidine은 아드레날린성 작용제로서 GH의 분비를 자극한다. 치료에 앞서 clonidine 부하 검사로써 GH 분비 장애 유무가 진단되어야 한다. 치료는 clonidine 1.75 mg을 매일 경구 투여한다. 부작용으로는 경도의 저혈압과 졸음이 있다. 치료 효과는 clonidine의 장기 복용 후 약 50%에서 정자 수 개선과 임신이 된 보고가 있지 만, 향후 추가적인 임상 연구가 필요하다.

2) 비호르몬 요법

특발성 남성불임을 위한 비호르몬요법에는 kallikrein이나 비타민 등의 정자형성기능에 영향을 줄 수 있는 다양한 약물들이 쓰이지만 정확한 작용기

표 8-1 특발성 남성불임의 Clomiphene 및 Tamoxifen 투여효과

Author (Year)	Drug Dose	Duration (Months)	No. Patients	Semen Improvement	Pregnancy Rate
Ronnberg et al (1980)	Clomiphene 50mg/day	3	27	78%	10%
Abel et al (1982)	Clomiphene 50mg/day	9	98	0%	17%
Wang et al (1983)	Clomiphene 50mg/day	6-9	18	NR	22%
Micic et al (1985)	Clomiphene 50mg/day	6-9	56	32%	13%
Sokol et al (1988)	Clomiphene 25mg/day	12	23	NR	9%
Check et al (1989)	Clomiphene 25mg/day	8	50	NR	58%
WHO (1992)	Clomiphene 25mg/day	6	94	NR	8%
Vermeulen et al (1978)	Tamoxifen 20mg/day	6-9	21	71%	NR
Willis et al (1978)	Tamoxifen 10mg/day	6	9	11%	11%
Buvat et al (1983)	Tamoxifen 20mg/day	4-12	25	100%	40%

NR = not reported or not evaluated

전을 잘 모르는 경우가 많다. 따라서 치료에 이용되는 비호르몬 제제들이 정자의 운동성, 수정능뿐만 아니라 정세포 대사능 및 고환의 미세순환 개선 등 다양한 목적으로 이용된다.

(1) Carnitine

L-carnitine과 acetylcarnitine은 미토콘드리아 내에서 활성화된 아실기의 운반뿐만 아니라 지방산의 산화와 합성을 조절함으로써 세포내 에너지 대사, 세포막의 안정성 나아가 세포의 생존에 필수적 역할을 한다. 부고환 액에는 L-carnitine이 혈장에 비해 2,000배 이상의 농도로 존재하며, 정장액에는 총 L-carnitine의 약 50%가 acetylcarnitine으로 존재한다. 치료는 L-carnitine 하루 2-3 gm 또는 acetylcarnitine 4 gm이 투여되며, 최근에는 두 약제와 비타민, 미네랄 복합제제인 proXeed™(Sigma-Tau Pharmaceuticals)가 상품화되어 있다. 치료효과는 정자의 운동성 개선에 특히 유효하다.

(2) Kallikrein

Kallikrein은 가장 흔히 이용되는 효소계 약물로서 인체 내에서는 다단백분해 효소인 kininogenase로 존재하면서 kininogen을 분해하여 bradykinin, kallidin, methionylkallidin 등의 kinin을 생산한다. 생물학적으

로 활성화된 다단백인 kinin은 혈관 투과성과 평활근 수축을 증가시키고 세포막 전달을 자극함으로써 정자형성 뿐만 아니라 정자운동성을 개선시켜 자궁점액을 통한 정자의 이동을 촉진하는 역할을 한다. Kallikrein은 인체 내에서 췌장에 가장 많이 존재하며 남녀 생식기의 분비 물에도 존재한다. 투여량은 200 IU 하루 3회 경구 투여한다. 부작용은 드물지만 kinin이 염증을 촉진하여 부고환염이나 전립선염 등을 악화시킬 수 있다. 치료 후 정 자수와 운동성 개선은 각각 0-50% 및 20-67%에서 개선 되며 임신율은 0-38%로 다양한 결과가 보고되고 있다.

(3) Pentoxifylline

Caffeine, theophylline 그리고 pentoxifylline과 같은 methylxanthine 유사물은 phosphodiesterase에 대한 억제작용을 가지는데 다단백 호르몬 작용을 위한 중요한 이차 messenger인 c-AMP의 분해를 저지하여 세포 내 증가된 c-AMP는 정자의 운동성과 호흡대사를 증가시킬 뿐만 아니라 사정을 자극하는 작용을 가진다. Pentoxifylline 400 mg 하루 3회 투여하여 정자 수 및 운동성은 각각 57% 및 41% 그리고 임신율은 17% 개선을 나타낸 보고가 있다. 부작용은 거의 없으나, Caffeine 은 해부학적 이상이나 손상을 초래할 가능성이 많아 임상적 이용은 신중히 검토되어야 한다. 원인불명의 무정자증 환자를 대상으로 pentoxifylline을 6개월간 투여한 연구에서 24-42% 사이의 의미 있는 정자 운동성 증가가 보고된 바 있다. 그 외에도 보조생식술시 체외에서 정액 내에 pentoxifylline을 첨가하면 정자 운동성과 첨체반응의 향상을 유도하는 효과가 있다.

(4) 비스테로이드성 소염제(Nonsteroidal anti-inflammatory agents, NSAID)

과량의 프로스타글란딘은 고환의 스테로이드 합성, 정자생성 그리고 정자 운동성을 방해하는 작용을 한다. 따라서 NSAID의 프로스타글란딘 합성 억제작용은 정자 운동성을 포함한 정액지표를 향상시키는 목적으로 이용될 수 있다. 치료는 indomethacin, ketoprofen 또는 diclofenac sodium 등이 하루 150 mg/kg 경구투여 된다. 부작용은 NSAID의 전형적인 증상인 위염, 구역 및 설사 등이 있지만, 내약성은 비교적 좋다. 치료성적은 indomethacin 또는 ketoprofen을 투여한 결과 정액 내 테스토스테론과 프로스타글란딘 농도가 감소하는 것과 동시에 LH와 FSH의 증가되며, 정자 수, 운동성 및 임신율이 모두 약 35% 개선되는 치료효과가 보고된 바 있다.

(5) 알파차단제

전립선비대증 치료제로 쓰이는 알파차단제는 고환의 혈관 평활근을 이완시킴으로써 혈액순환을 개선시켜 고환기능을 향상시킨다. 치료는 terazocin 하루 2-4 mg 경구 투여된다. 비교적 안전하고 내약성도 좋지만, 기립성 저혈압, 어지러움, 무력증 및 발기부전 등의 부작용을 가진다. Terazosin을 6개월간 투여한 후 정자수와 운동성 개선에 효과가 있다는 보고가 있다.

(6) 기타의 약물

이상의 약물 외에도 bromocriptine mesylate, metergoline, 코티코스테로이드, thyroxine 및 oxytocin 등의 호르몬제, L-arginine, 엽산(folic acid), adenosine triphosphate(ATP) 및 L-glutamine 등의 아미노산, 교감 신경차단제 및 교감신경자극제 등의 자율신경계 약물, serotonin억제제, 프로스타글란딘 합성 억제제, histamine 분비 억제제, 비타민 A, C, E 및 methyl-B_{12}, zinc sulfate 및 selenium 등의 mineral 그리고 음양곽, 당귀 등의 생약이나 팔미지황환, 보중익기탕, 우차신기환 및 인삼영양탕 등의 한방복합제제도 효과가 있는 것으로 알려져 있다. 이상과 같은 경험적 약물요법에 쓰이는 약물들은 주로 단독요법으로 쓰이지만 때로는 몇 개의 약물이 복합적으로 투여됨으 로써 치료 효과를 극대화 시킬 수 있다.

참고문헌

〈특이적 약물요법〉

1. 이희영. 남성과학. 서울: 서울대학교출판부, 1987;91-99.
2. Aitken RJ, Clarkson JS. Cellular basis of defective sperm function and its association with the genesis of reactive oxygen species by human spermatozoa. J Reprod Fertil 1987;81:459-469.
3. Ferrari CI, Abs R, Bevan JS, Brabant G, Ciccarelli E, Motta T, et al. Treatment of macroprolactinoma with cabergoline: a study of 85 patients. Clin Endocrinol 1997;46:409-413.
4. Fuse H, Akashi T, Kazama T, Katayama T. Gonadotropin therapy in males with hypogonadotropic hypogonadism: factors affecting induction of spermatogenesis after gonadotropin replacement. Int Urol Nephrol Int Urol Nephrol 1996;28:367-374.
5. Gilja I, Parazajder J, Radej M, Cvitkovic ′ P, Kovaci ′ c M. Retrograde ejaculation and loss of emission: possibilities of conservative treatment. Eur Urol 1994;25:226-228.
6. Hakim LS, Oates RD. Nonsurgical treatment of male infertility: Specific therapy. In: Lipshultz LI, Howards SS, editors. Infertility in the Male. 3rd ed. St. Louis: Mosby; 1997;395-409.
7. L hteenm ki A, Reima I, Hovatta O. Treatment of severe male immunological infertility by intracytoplasmic sperm injection. Hum Reprod 1995;10:2824-2828.
8. Lenzi A, Culasso F, Gandini L, Lombardo F, Dondero F. Placebo- controlled, double-blind, cross-over trial of glutathione therapy in male infertility. Hum Reprod 1993;8:1657-1662.
9. Nachtigall LB, Boepple PA, Pralong FP, Crowley WF Jr. Adultonset idiopathic hypogonadotropic hypogonadism-a treatable form of male infertility. N Engl J Med 1997;336:410-415.
10. Ord T. Sperm processing. In: Lipshultz LI, Howards SS, editors. Infertility in the Male. 3rd ed. St. Louis; Mosby; 1997;494-500.
11. Raman JD, Schlegel PN. Aromatase inhibitors for male infertility. J Urol 2002;167:624-629.
12. Sharma KK, Barratt CL, Pearson MJ, Cooke ID. Oral steroid therapy for subfertile males with antisperm antibodies in the semen: prediction of the responders. Hum Reprod 1995;10:103-109.
13. Shekarriz M, DeWire DM, Thomas AJ Jr, Agarwal A. A method of human semen centrifugation to minimize the iatrogenic sperm injuries caused by reactive oxygen species. Eur Urol 1995;28:31-35.
14. World Health Organization. WHO laboratory manual for the examination of human semen and sperm-cervical mucus interation. 4th ed. Cambridge: Cambridge University Press; 1999.
15. Yoshida K, Kobayashi N, Negishi T. Chlamydia trachomatis infection in the semen of asymptomatic infertile men: detection of the antigen by in situ hybridization. Urol Int 1994;53:217-221.

〈비특이성 경험적 약물요법〉

16. 이희영, 김하영. 남자불임증: X. 특발성 불임남성에 대한 약물요법. 대 한비뇨기과학회지 1980;21:230-251.
17. Acosta AA, Khalifa E, Oehninger S. Pure human follicle stimulating hormone has a role in the treatment of severe male infertility by assisted reproduction: Norfolk' s total experience. Hum Reprod 1992;7:1067-1072.
18. Anapliotou MG, Evagellou E, Kastanias I, Liparaki M, Psara P, Goulandris N. Effect of growth hormone cotreatment with human chorionic gonadotropin in testicular steroidogenesis and seminal insulin-like growth factor-1 in oligozoospermia. Fertil Steril 1996;66:305-311.
19. Buvat J, Ardaens K, Lemaire A, Gauthier A, Gasnault JP, Buvat- Herbaut M. Increased sperm count in 25 cases of idiopathic normogonadotropic oligospermia following treatment with tamoxifen. Fertil Steril 1983;39:700-703.
20. Check JH, Chase JS, Nowroozi K, Wu CH, Adelson HG. Empirical therapy of the male with clomiphene in couples with unexplained infertility. Int J Fertil 1989;34:120-122.

21. Gregoriou O, Vitoratos N, Papadias C, Gargaropoulos A, Konidaris S, Giannopoulos V, et al. Treatment of idiopathic oligozoospermia with an alpha-blocker: a placebo-controlled double-blind trial. Int J Fertil Womens Med 1997;42:301-305.
22. Jarow JP. Nonsurgical treatment of male infertility : Empirical therapy. In : Lipshultz LI, Howards SS, editors. Infertility in the male. 2nd ed. Philadelphia: Mosby; 1991;395-408.
23. Knuth UA, Honigl W, Bals-Pratsch M, Schleicher G, Nieschlag E. Treatment of severe oligospermia with human chorionic gonadotropin/human menopausal gonadotropin: a placebo- controlled, double blind trial. J Clin Endocrinol Metab 1987;65:1081-1087.
24. Marrama P, Baraghini GF, Carani C. Further studies on the effects of pentoxifylline on sperm count and sperm motility in patients with idiopathic oligoasthenozoospermia. Andrologia 1985;17:612-626.
25. Ovesen P, Jorgensen JO, Kjaer T, Ho KK, Orskov H, Christiansen JS. Impaired growth hormone secretion and increased growth hormone-binding protein levels in subfertile males. Fertil Steril 1996;65:165-169.
26. Schwarzstein L, Aparicio NJ, Schally AV. D-tryptophan-6-luteinizing hormone-releasing hormone in the treatment of normogonadotropic oligoasthenozoospermia. Int J Androl 1982;5:171-178.
27. Sigman M, Vance ML. Medical treatment of idiopathic infertility. Urol Clin North Am 1987;14:459-469.
28. Sokol RZ, Steiner BS, Bustillo M, Petersen G, Swerdloff RS. A controlled comparison of the efficacy of clomiphene citrate in male infertility. Fertil Steril 1988;49:865-870.
29. Tesarik J, Thebault A, Testart J. Effect of pentoxifylline on sperm movement characteristics in normozoospermic and asthenozoospermic specimens. Hum Reprod 1992;7:1257-1263.
30. Wang C, Dahl KD, Leung A, Chan SY, Hsueh AJ. Serum bioactive follicle-stimulating hormone in men with idiopathic azoospermia and oligospermia. J Clin Endocrinol Metab 1987;65:629-633.
31. Willis KJ, London DR, Bevis MA, Butt WR, Lynch SS, Holder G. Hormonal effects of tamoxifen in oligospermic men. J Endocrinol 1977;73:171-178.
32. World Health Organization. Mesterolone and idiopathic male infertility: A double blind study. Int Androl 1989:12:254-264.

CHAPTER 09

외과적 치료

Surgical Treamtment for Male Infertility

■ 김수웅

남성불임의 외과치료는 수술현미경의 도입과 미세술기의 발달, 보조생식술의 발달과 함께 진화해왔다. 특히 부고환관폐쇄에 의한 무정자증의 경우, 수술현미경을 이용한 미세수술법이 도입된 이후 수술 성적이 극적으로 향상되었고, 외과치료 후 남성의 가임력이 완전하게 정상화되지 않더라도 보조생식술의 도움으로 임신을 기대할 수 있게 되었다. 본 장에서는 남성불임의 원인 중 외과치료가 가능한 질환들을 대상으로 외과치료법의 종류 및 방법 등을 다루고자 한다. 넓은 의미에서는 보조생식술 적용을 위한 여러 정자채취술도 남성불임의 외과치료에 속할 수도 있으나 본 장에서는 외과치료만으로 자연 가임력 회복이 가능한 부분만 다루고자 한다. 남성불임 환자의 외과치료를 담당하기 위해서는 기본적으로 수술현미경을 이용한 미세술기의 습득이 우선적으로 요구된다.

1. 정관정관연결술 *Vasovasostomy*

고환에서의 정사생산 능력은 정상이나 이후 정자가 수송되는 통로에 문제가 있는 소위 정로폐쇄는 남성불임 환자의 7.4% 정도에서 발견되는 질환이다. 정관폐쇄의 가장 흔한 원인은 정관절제술이지만 드물게 이전 탈장교정술(herniorrhaphy) 중 입은 정관 손상이 원인이 될 수도 있으므로 탈장교정술의 병력을 꼭 확인해야 한다. 정관정관연결술은 비뇨기과 의사가 가장 많이 시행하는 미세수술이다.

1) 술전 검사

이미 가임력이 입증된 건강한 남성인 경우에는 별다른 술전 검사가 필요하지 않다. 일반적으로 술전 정액검사로 무정자증 상태를 확인해야 하며 고환, 부고환, 정관 등에 대한 신체검사를 시행한다. 과거 정관절제술이 시행된 자리에서 만져지는 결절(nodule)의 위치도 파악해 둔다. 가임력이 입증되지 않았거나 신체검사 결과 고환의 크기가 작거나 굳기가 떨어지는 경우에 한하여 정자발생기능을 알아보기 위하여 혈중 FSH 수치를 측정하기도 한다.

2) 마취

척수마취 또는 경막외마취가 주로 이용되나 환자가 협조적이고 짧은 시간 내(대개 1시간 30분 정도) 수술을 끝낼 수 있는 익숙한 술자라면 국소마취를 이용할 수도 있다. 대개 술자들이 앉은 자세로 수술현

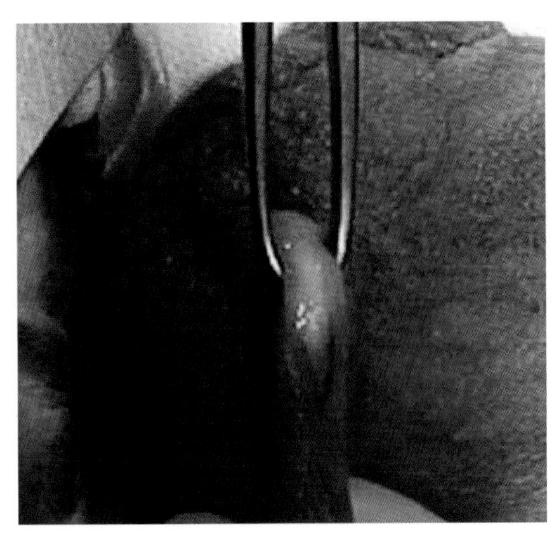

그림 9-1 이전 정관절제술로 인해 형성된 결절을 Allis clamp로 집고 복부 측으로 좀 더 연장된 1-1.5 cm 길이의 피부 절개를 가한다. 이 때 피부 절개창이 음낭 중심선에 가능 한 가까이 위치하도록 한다.

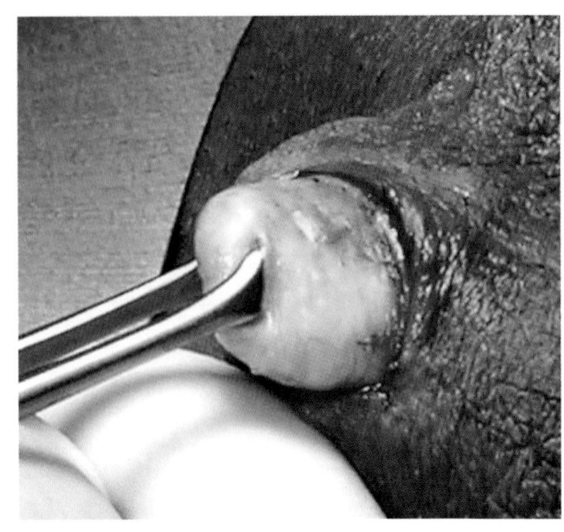

그림 9-2 이전 정관절제술에 의해 형성된 결절을 집고 당기면 근위부와 원위부의 정관이 노출된다.

미경을 보면서 수술을 시행하기 때문에 환자를 가능한 수술대 아래쪽으로 내려서 술자들의 다리가 수술대 아래로 들어가 편안히 수술할 수 있도록 하는 것이 좋다. 저자의 경우에는 환자의 좌측에 앉아서 수술을 시행하고, 우측에 Mayo stand를 두고 그 위에 미세수술 도구들을 얹어 수술 도중 술자가 자유로이 선택하여 사용할 수 있도록 하고 있다.

3) 피부절개와 정관의 박리

미세수술 중 음모는 봉합사와 혼동될 수 있으므로 술전 깨끗이 제모한다. 과거 정관절제술로 인하여 형성된 결절을 잘 만져 가능한 음낭 피부의 직하부에 정관이 위치하도록 한다. 이후 각 결절을 Allis clamp로 집고 양측 음낭 전벽에 1-1.5 cm 길이로 수직 절개한다. 절개창은 결절을 중심으로 복부 쪽으로 좀 더 연장하며 가능한 음낭 중심선에서 1-2 cm 이내에 위치하도록 하는 것이 좋다(그림 9-1). 간혹 이전 정관절제술에 의한 결절이 잘 확인되지 않는 경우에는, 우선 만져지는 직선부 정관의 중간 부위부터 박리를 시작하면 된다. 직선부 정관을 충분히 박리해서 관찰하면 이전 정관절제술로 인한 조직의 유착으로 정관절제술이 시행된 부위를 쉽게 확인할 수 있다.

피부절개 후 끝이 비교적 날카로운 mosquito clamp를 이용하여 층별로 박리를 시행하여 정관을 노출시킨다. 이후 Allis clamp로 결절을 집어서 올리면 결절을 중심으로 근위부와 원위부의 정관이 노출된다(그림 9-2). 정관이 절개창을 통하여 잘 당겨지지 않으면 좀 더 박리를 시행해야 한다. 작은 출혈도 미세수술 시야에서는 수술을 방해하므로 각 과정마다 출혈 부위를 확인하여 세심하게 지혈해 주어야 한다.

결절을 중심으로 근위부와 원위부의 정관을 박리한다. 끝이 날카롭지 않은 mosquito clamp를 이용한 blunt dissection이 유용하다. 정관의 주행이 어긋나 있는 경우가 있으므로 오른손잡이의 경우 좌측 엄지와 검지로 정관을 단단히 고정하고 박리를 시행하는 것이 편리하다. 대부분 연결에 충분한 정관길이를 확보할 수 있으나 길이가 부족하다고 판단될 때에는 서혜부 쪽으로 절개창을 연장한다. 그래도 길이가 부족할 경우에는 굴곡부(convoluted) 정관을 부고환 외피(tunic)로부터 박리한다. 이러한 술기로 대개 4-6 cm 정도의 추가 길이를 얻을 수 있다. 결절이 확실치 않은 경우, 정관절제술이 지나치게 고환 측에 치우쳐 시행된 경우 또는 정관부의 결손이 심하여 연결에 충분한 길이 확보가 어려운 경우 등에는 주저하지 말고 고환을 꺼내야 한다. 나중의 부고환정관연결술을 고려하여 고환초막(tunica vaginalis)을 열지 않는 것이 좋다. 정관을 박리할 때 유입되는 혈관과 외막(adventitia)이 정관 절단부의 말단까지 최대한 보존될 수 있도록 노력한다. 지혈은 조직 손상의 우려가 적은 양극소작기(bipolar cautery)를 이용한다.

연결에 필요한 충분한 길이의 정관 박리가 끝나면 고환측 정관부를 절단한다. 정관의 길이 방향에 대하여 정확하게 수직으로 시행되어야 하며 정관 아래에 기구를 받치거나 정관 집게를 사용하면 도움이 된다(그림 9-3). 한 번에 건강한 절단면을 확보하기 위하여 결절로부터 0.5 cm 정도의 충분한 거리를 두고 절단한다. 절단된 정관의 단면을 수술현미경이나 loupe 등으로 관찰하여 깨끗하고 흰 점막원형(mucosal ring)과 부드럽고 건강해 보이는 근육층을 확인해야 한다. 혈류 공급이 좋지 못하여 정관의 단면이 창백해 보이거나 근육층이 매끄럽지 못하고 껄끄러워 보이면 건강한 조직이 나타날 때까지 반복적으로 절단해 주어야 한다. 정관동맥은 가능한 보존하는 것이 원칙이나 일반적으로 절단이 되므로 결찰하거나 전기소작해 주어야 한다. 가장 흔한 합병증인 출혈을 예방하기 위항 세심한 지혈이 필요하지만 절단된 정관 단면의 출혈은 지혈하지 않는 것이 원칙이다. 고환측 정관부의 건강한 절단면이 확인되면 정관을 부드럽게 짜서 정관액을 유출해 소독된 슬라이드에 가볍게 도말한다. 이후 생리식염수 한 방울을 슬라이드에 떨어뜨려 정관액과 잘 혼합한 후 덮개 슬라이드를 씌우고 현미경검사를 시행한다. 유출된 정관액에서 정자가 관찰되는 경우 90% 이상의 높은 개통률을 기대할 수 있다. 정관절제술 후 오랜 기간이 경과되어 예후가 좋지 못한 경우에는 시간이 걸리더라도 정관액에서 정자의 검출 유무를 확인하려는 노력이 필요하다.

정자는 주위 조직에 자극 반응을 유발할 수 있으므로 정관액이 닿은 조직 부위는 잘 세척해 준다. 정관액의 현미경검사에서 정자가 관찰된다면 운동성과

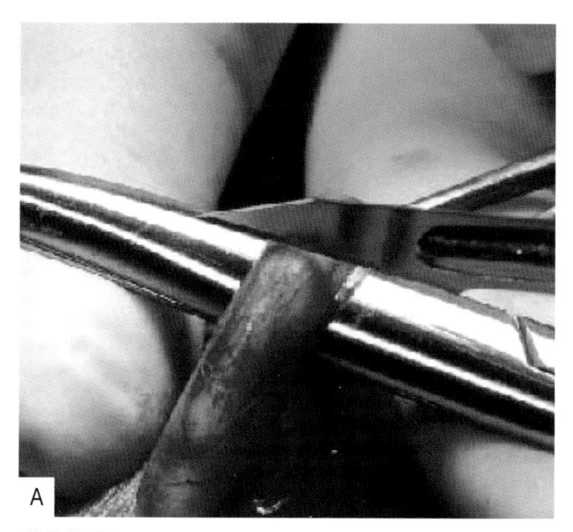

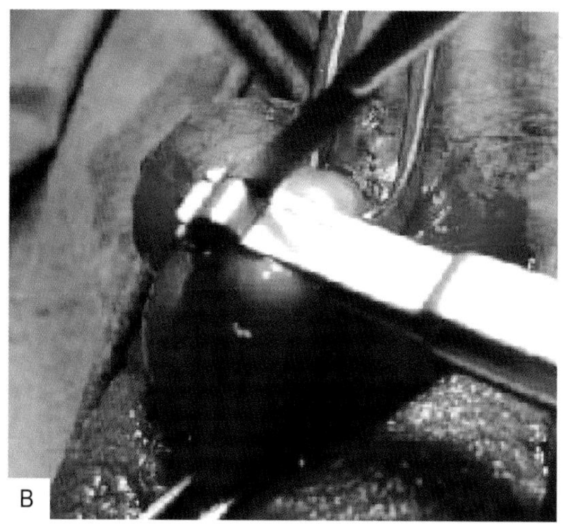

그림 9-3 정관절제술에 의해 형성된 결절에 인접하여 고환측 정관을 수직으로 절단한다. (A) 정관 밑에 흔히 사용하는 수술 기구를 받치고 11번 blade로 절단 (B) 정관 집게용으로 제작된 집게를 이용하여 정관을 절단

모양 등에 대한 정보를 기록해 둔다. 기타 정관액의 양, 색깔, 성상 등에 대한 정보도 기술해 둔다. 복부측 정관부도 동일하게 처리한다. 정관을 절단한 이후에는 미세수술용 혈관확장기(vessel dilator)로 부드럽게 정관의 내강을 확장시키고 원위부의 개통 여부를 확인한다. 원위부의 개통에 조금이라도 의심이 드는 경우에는 4-0 나일론과 같은 봉합사를 삽입하여 사정관까지 저항 없이 잘 진입하는지 확인하거나 24게이지 angiocatheter sheath를 삽입하고 5-6 ml의 생리식염수를 주입하여 저항 없이 주입되는지를 확인한다. 정관절제술 결절은 꼭 제거해 주어야 하는 것은 아니지만 연결에 필요한 충분한 공간을 확보하기 위하여 일반적으로 제거해 준다. 결절에 인접하여 전기소작기로 제거해 주는데 정삭의 혈관이 다치지 않도록 주의해야 하며 결절을 굳이 완전 제거하려고 애쓸 필요는 없다. 세심하게 지혈한 이후 정삭의 구조물을 음낭 내로 재위치 시키면 건강한 절단면을 지닌 연결에 충분한 길이의 정관 길이가 확보된다. 연결 이전의 이 과정이 의외로 어려운 경우가 종종 있으며 이 과정이 순조롭지 못하면 수술현미경 하에서의 정관 연결도 쉽지 않을 수 있다.

4) 연결 방법

1970년대 전만 하여도 맨눈으로 또는 2-8배의 loupe를 이용하여 연결이 시행되었으나 점막층의 정확한 연결이 불가능하여 연결부의 협착 가능성이 높았다. 일반적으로 맨눈 또는 loupe를 사용한 정관정관연결술의 성적은 미세술기를 사용한 수술에 비하여 10-15% 낮은 것으로 알려져 있다. 그러므로 남성불임을 담당하는 의사들의 대부분은 정관정관연결술 시행에 있어서 수술현미경을 이용한 이층 또는 변형 단층연결술을 시행하고 있다. 수술현미경을 사용하는 경우 이 두 가지 연결술은 개통률과 임신율에 있어서 유의한 차이가 없다. 그러나 일반적으로 변형 단층연결술은 정관정관연결술이 직선부 정관에서 이루어지고 연결해야 할 양측 정관의 내강 차이가 크지 않을 때 이상적인 연결술로 받아들여지고 있다. 이에 비하여 이층연결술은 정교한 연결이 가능하다는 점에서 정관 내강의 차이가 크거나 근육층이 상대적으로 적은 굴곡부 정관에서 연결이 이루어지는 경우 보다 적합한 술식이다. 그러나 남성불임을 전문으로 담당하는 의사들은 좀 더 고난이의 술기가 요구되는 부고환정관연결술을 시행하기 위하여 미세술기를 개발하고 유지할 목적으로 예외 없이 미세술기를 이용한 이층연결술을 시행하는 것이 일반적이다. 환자의 좌측에 앉아 연결을 시행하면 고환측의 정관부가 대개 확장되어 있으므로 연결이 용이한 장점이 있다. 정관 접근집게를 사용하여 양측 정관을 고정시키면 편리하다. 상용화 된 집게들을 사용할 수 있으나 플라스틱판을 이용하여 자가 제작할 수도 있다. 주위에서 흔히 구할 수 있는 푸른색 파일 박스의 플라스틱 일부를 T 자 형태로 잘라 고정하고 4개의 구멍을 뚫어 각 2개의 구멍을 Vicryl 등의 봉합사로 느슨하게 연결하여 그 사이로 양측 정관을 고정한다. 수술시야가 좋고 고정이 잘 되어 연결에 유용하다. 푸른색의 배경색이 잘 대비되고 구멍을 통하여 피나 세척한 액이 빠져나갈 수 있다는 것도 장점이다(그림 9-4).

(1) 이층연결술

점막 연결에는 10-0 나일론을, 근육 연결에는 9-0 나일론을 주로 사용한다. 10-0 나일론은 매우 가늘어 육안 식별이 힘든 경우도 있으므로 간호사는 항상 깨끗한 흰 천에 봉합사를 물로 고정시켜 사용에 불편이 없도록 해야 한다. 첫 번째 점막 연결은 복부측 정관의 12시 방향에서 10-0 나일론을 바깥쪽에서 안쪽으로 통과시키고 같은 12시 방향의 고환측 정관 점막을 안쪽에서 바깥쪽으로 통과시킴으로 이루어진다. 이때 점막과 함께 근육층의 내측 1/4가 포함되도록 한다(그림 9-5). 연결할 때 혈관확장기를 정관 내강에 위치시키면 도움이 된다. 봉합사가 점막층을 통과하

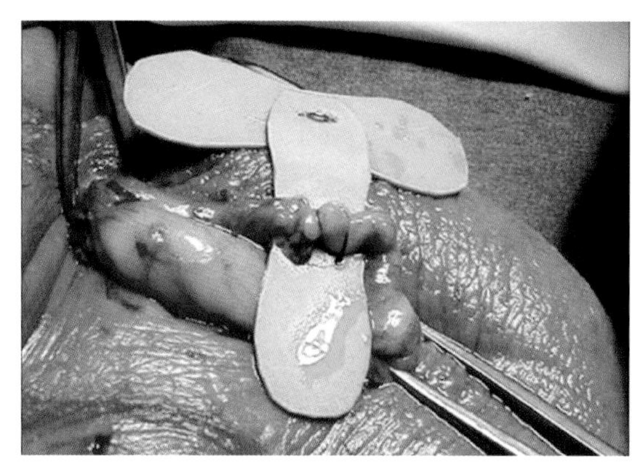

그림 9-4 양측 정관을 절단하고 자가 제작한 정관접근집게에 정관을 고정시킨 후 연결을 시작한다.

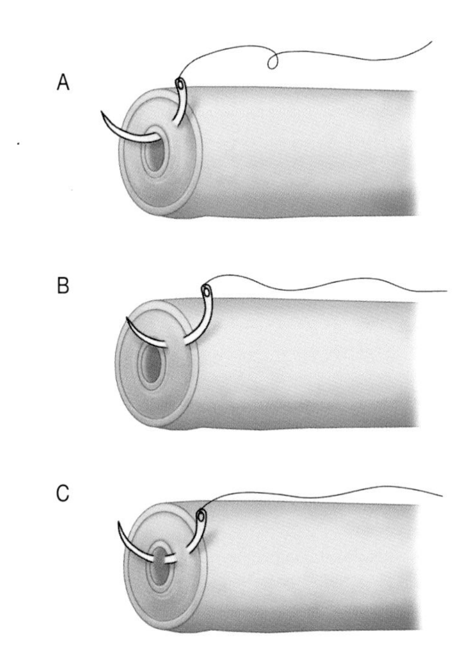

그림 9-5 올바른 점막 연결 (A) 근육층의 내측1/4을 포함한 정확 한 점막 문합이 시행되었다 (B) 근육층은 포함하였으나 점막을 포함시키지 못하였다. (C) 반대편의 정관벽을 포함시켰다

게 되면 봉합사를 살짝 당겨 점막층이 온전하게 포함되었는지를 쉬이 확인할 수 있다(그림 9-6). 특히 바늘의 통과 방향이 바깥쪽에서 안쪽으로 향하게 되는 복부측 정관부의 연결 때 점막층을 제대로 포함시키지 못하는 경우가 많으므로 주의를 기울여야 한다.

이후 6시 방향에서 동일한 점막 연결을 시행한다. 수술에 익숙해지면 바늘이 하나만 달려 있는 봉합사를 사용하여 각 봉합 이후 봉합사를 매고 자른다. 익숙하지 않은 술자에게는 이 두 지점의 봉합사를 매지 않고 고정해 두거나 바늘이 양쪽으로 달려 있는 봉합사를 사용하여 봉합이 항상 안쪽에서 바깥쪽으로 이루어질 수 있도록 하는 방법들이 도움이 될 수 있다.

12시와 6시 방향에서 점막 연결이 이루어지면 그 사이에 추가적인 점막 연결을 시행한다. 한 쪽당 추가 연결의 수는 세 개가 기본이지만 정관 내강의 크기에 따라 두 개 또는 네 개로 조정될 수 있다. 반쪽의 점막 연결이 완료되면 같은 쪽의 근육 연결을 먼저 시행하는 것이 편리하다. 이렇게 하면 반대 편 점막 연결을 위하여 정관을 회전시킬 때 이미 시행해 둔 점막 연결이 손상되는 위험을 줄일 수 있다. 근육 연결에는 9-0 나일론을 주로 사용하며 12시와 6시 방향의 봉합을 각각 0도와 180도라고 가정할 때 30도에서 시작하여 150도에서 끝나게 하여 반대편 점막 연결에 방해가 되지 않도록 한다.

점막 연결시 반대편 정관벽을 뜨지 않도록 매우 주의해야 한다. 특히 사이 연결을 세 개 이상 시행하는 경우 마지막 봉합사가 통과하는 공간이 매우 좁으므로 주의해야 한다. 중간 봉합사를 먼저 통과시킨 후 실을 매지 않고 적당한 길이로 절단해 놓고 나머지 양편의 봉합을 먼저 시행하고 마지막으로 실을 매는 것이 도움이 된다(그림 9-7). 남은 쪽의 점막과 근육 연결은 동일한 방법으로 시행하면 된다. 마지막 점막 연결의 봉합은 반대편 정관벽을 포함시켰는지를 확인하기가 어려우므로 가장 주의해야 한다. 근육 연결을 너무 깊게 하면 점막 연결에 손상을 줄 수 있으므로 주의해야 한다. 연결이 완료된 이후 정관의 외막을 9-0 나일론으로 몇 번 봉합해 준다. 연결부의 긴장이 의심되는 경우에는 6-0 Vicryl과 같은 흡수성 봉합사를 이용하여 정관 주위 조직을 봉합해 준다. 연결이 완료된 이후 양측 정관을 고정해 두었던 Allis

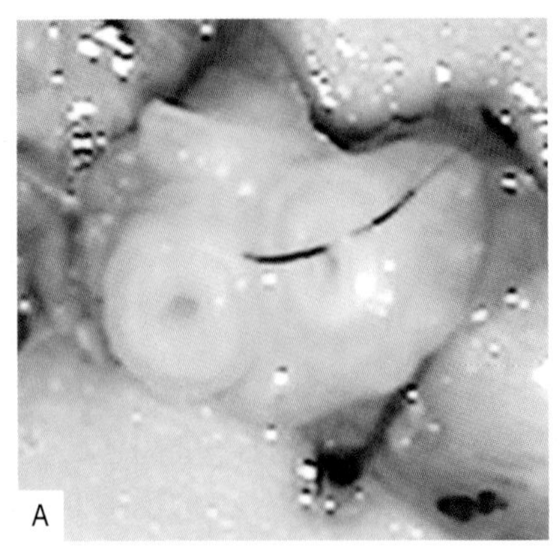

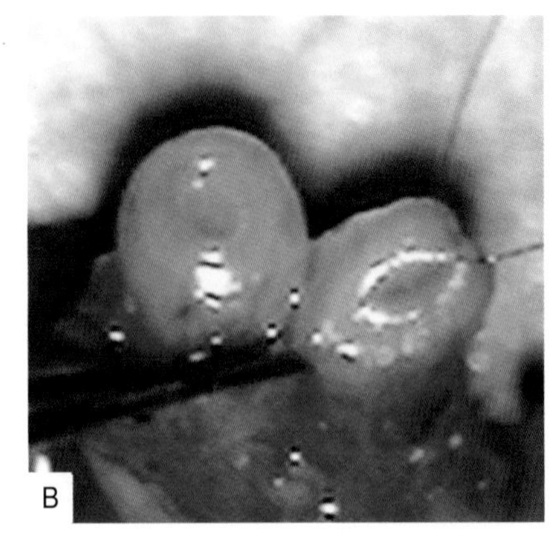

그림 9-6 이층연결술에서 첫 번째 점막 연결 (A) 복부측 정관의 점막을 근육층 내측 1/4이 포함되게 하여 10-0 나일론을 통과시킨다. (B) 봉합사를 살짝 당겨 점막층이 봉합사와 같이 당겨지는 것을 관찰함으로써 점막층이 온전하게 포함되었는지를 확인할 수 있다.

clamp를 풀게 되면 정관이 음낭 내로 들어가 버려 출혈 부위를 놓치는 수가 있으므로 mosquito clamp로 양측 정관의 주위 조직을 집고 Allis clamp를 풀어 출혈이 없는 것을 확인한 이후 정관을 음낭 내로 위치시키는 것이 안전하다(그림 9-8).

(2) 변형 단층연결술

변형 단층연결술은 9-0 나일론을 이용하여 점막을 포함한 정관벽의 전층을 5-6군데 연결하고 그 사이에 9-0 또는 8-0 나일론을 이용하여 근육층을 연결한다는 점 이외에 수술의 원칙이나 기본적 술기는 이층연결술과 동일하다. 술기적인 측면에서 용이하고 시간을 절약시킬 수 있다는 것이 장점으로 초보자 또는 정관정관연결술 시행 건수가 그리 많지 않은 시술자에게 적합한 술식이다. 전층 봉합 때는 가능한 점막층이 최소한으로 포함되도록 주의를 기울여야 한다.

(3) 굴곡부 정관의 연결

건강한 정관 단면을 얻기 위하여 정관을 다시 절단하는 경우 연결이 상대적으로 어려운 굴곡부 정관이 노출되는 것을 꺼려하여 조직이 건강하지 못함에도 불구하고 직선부 정관에서 연결을 시도하려는 경우도 있으나 이는 크게 잘못된 일이다. 굴곡부 정관에서의 연결이 비록 술기적으로 까다롭기는 하나 다음과 같은 수술의 원칙만 제대로 준수한다면 성공적인 연결이 가능하다. ① 정관의 주행을 잘 관찰하여 정관의 내강이 가운데에 위치하도록 수직 절개한다. ② 굴곡부 정관은 원래 구불구불한 곳이므로 이를 풀려고 해서는 안 된다. ③ 굴곡부 정관의 외막을 부고환 외피로부터 조심스럽게 박리하여 연결에 필요한 추가적 길이를 얻을 수 있다. ④ 굴곡부 정관의 근육층과 외막의 봉합 때 지나치게 깊은 봉합은 인접한 굴곡부 정관벽에 손상을 줄 가능성이 있으므로 주의해야 한다. 굴곡부 정관은 내강의 주행 방향이 구불구불하여 상대적으로 근육층이 얇은 부위가 있으므로 이러한 부위에서는 근육 봉합의 깊이를 얕게 하여 반대편 정관벽을 봉합에 포함시키지 않도록 해야 한다.

5) 수술 성적

앞서 기술한 바와 같이 수술 성적에 관해서 이층연결술과 변형 단층연결술 간에 차이는 없다. 수술 성적에 영향을 미칠 수 있는 여러 인자들이 존재하나 이러한 인자들을 무시하고 전체적인 수술 성적을 따져보면 개통률(술후 정로가 재개통 되어 정액 내 정

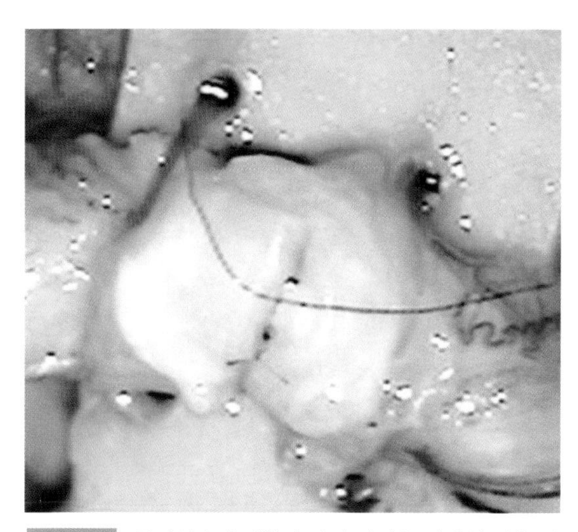

그림 9-7 12시와 6시 방향의 점막 연결을 시행한 이후 사이 연결을 세 개 하는 경우, 중간 연결에 이용된 봉합사를 매지 않고 적당한 길이로 절단해 두었다가 두 개의 사이 연결을 완료한 이후 마지막에 실을 매는 것이 안전한 연결에 도움이 된다.

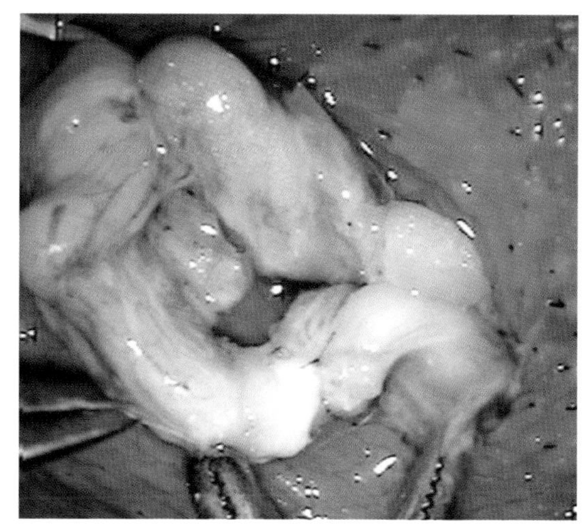

그림 9-8 모든 연결이 완료된 이후 양측 정관을 고정한 Allis clamp를 풀기 전에 mosquito clamp로 정관 주위 조직을 고정해 두었다 출혈을 모두 조절한 이후에 정관을 음낭으로 넣어주는 것이 안전하다.

자가 관찰되는 경우)은 85-98%에 달하지만, 임신율은 이에 비하면 상당히 떨어져 50-60% 정도로 보고되고 있다. 수술 성적에 영향을 미칠 수 있는 인자들 중 가장 중요한 인자는 정관절제술로부터 정관복원술을 받기까지 소요된 시간이다. 대개 폐쇄의 기간이 5년 이내인 경우가 6-10년 된 경우에 비하여 임신율이 유의하게 높은 것으로 알려져 있다. 폐쇄의 기간이 10년을 넘어 선 경우 임신율이 현저하게 저하된다. Vasovasostomy Study Group의 연구결과에 따르면 3년 이내, 3-8년, 9-14년, 15년 이상과 같은 폐쇄기간의 구분에 따라 개통률과 임신율에 있어서 유의한 차이가 난다. 수술 중 절단된 고환측 정관에서 채취된 정관액에서의 정자 검출 유무도 유의한 예후인자로 작용한다. 정관절제술로 인한 정관의 폐쇄는 근위부 정관의 내압을 상승시키고 이로 인하여 손상에 취약한 부고환관의 이차적 폐쇄를 유발하여 정관액에서 정자가 검출되지 않으므로 이러한 경우 정관정관연결술 대신 부고환정관연결술의 시행을 고려해야 한다는 주장도 있다. Vasovasostomy Study Group은 정관액에서 정자가 검출되지 않는 현상은 정관절제술 후의 폐쇄기간에 비례한다고 하였고, 양측 정관액에서 정자가 검출되지 않고 정관액이 탁하면 정관정관연결술의 예후가 좋지 못하므로 부고환정관연결술의 시행을 고려해야 한다고 주장하였다.

6) 실패한 정관정관연결술

미세술기를 이용한 정관정관연결술은 성공률이 높은 수술이지만 약 10% 정도의 환자들은 수술에도 불구하고 정로 개통에 실패하게 되는데, 이의 원인으로 연결 부위의 재폐쇄 또는 이차적인 부고환의 폐쇄 등이 거론되고 있다. 일차 정관정관연결술이 실패한 경우 세포질내 정자주입법(intracytoplasmic sperm injection, ICSI)로 대표되는 보조생식술이 적용될 수도 있으나 수술 성공률과 비용의 측면만을 감안해도 정관복원술을 재시도 하는 것이 원칙으로 되어 있다. 그러나 수술 도중 정관액에서 정자가 검출되지 않는 경우에 정관정관연결술을 다시 시행해야 할지 혹은 술기적으로 힘든 부고환정관연결술을 시행해야 할지에 대해서는 논란의 여지가 있다. 남성불임을 전공으로 하는 구미의 술자들은 이러한 경우 대부분 부고환정관연결술을 선택한다. 이러한 수술 원칙은 정관액에서 정자가 검출되지 않는 것은 정관폐쇄에 따른 이차적인 부고환관의 폐쇄에 기인한다는 Silber의 고전적 연구결과에 그 이론적 근거를 두고 있다. 그 결과 일차 정관정관연결술이 실패하여 시행되는 정관복원 재수술에서 적어도 일측의 부고환정관연결술이 시행되는 빈도는 33-73%에 이르는데 이는 일차 정관복원술에서의 부고환정관연결술 시행 빈도 4%에 비하여 현저히 높다. 그러나 정관액에서 정자가 검출되지 않는 것이 이차적인 부고환폐쇄 때문이라는 임상자료는 아직 충분하지 않다.

국내의 Paick 등은 정관정관연결술 후 정로 개통 실패의 주요 원인은 이차적 부고환폐쇄가 아니라 일차 연결 부위 재폐쇄라는 가정 아래 일차 정관정관연결술에 실패한 환자들의 정관액에서 정자의 검출 유무와 무관하게 미세술기를 이용한 이층 정관정관연결술을 시행하여 기존 보고에 비하여 더 나은 성적을 보고하였다. 일차 정관정관연결술이 실패하여 정관복원술을 재시행한 후 얻은 수술 성적들을 보면 평균 개통률이 73.8%(70-90%), 임신율은 41.3%(32-56%)로 보고되고 있다. 이러한 성적은 ICSI를 통하여 기대되는 성공률에 비해 높기는 하지만 처음 정관정관연결술이 시행되었을 때의 성적에는 미치지 못한다. 그러나 Paick 등의 연구결과에 따르면 정관정관연결술을 시행한 경우 수술의 개통률과 임신율은 91.9%, 57.1%였으며, 출생률은 52.4%에 달하였다. 이들은 기존 보고들에서 정관복원 재수술의 수술 성적이 좋지 못한 것은 부고환정관연결술을 시행한 경우가 많았기 때문이며 이들 중 상당 부분은 실제 부고환폐쇄가 없음에도 불구하고 부고환정관연결술이 시행되었을 가능성을 주장하였다. 따라서 일차 정관정관연결술에 실패한 환자에서 부고환정관연결술의 적응증을 도출해 내기 위해서는 향후 더 많은 연구가 이루어져야 할 것이다.

2. 부고환정관연결술

Epididymovasostomy

고환에서의 정자생산이 정상적으로 이루어지고 정관에 문제가 없음에도 불구하고 무정자증을 보인다면 이는 고환과 정관 사이의 정로에서 폐쇄가 발생하였음을 의미한다. 고환망(rete testis) 또는 고환의 도출관(efferent ducts) 수준에서 폐쇄(empty epididymis syndrome)가 발생할 수도 있으나 실제로 이는 매우 드물며 대부분의 폐쇄는 부고환관에서 발생하므로 잠재적으로 교정 가능하다. 정로폐쇄에 의한 무정자증을 모두 폐쇄무정자증이라 칭하지만 이러한 부고환관의 폐쇄로 유발되는 무정자증이 가장 대표적 질환이며 부고환정관연결술이 그 정통적인 치료법이다. 1900년대 초기에 소개된 방법은 부고환의 외피를 횡으로 절개하고 부고환을 절개하여 정자의 출현을 확인한 이후 정관을 부고환에 측측(side-to side)으로 연결하는 소위 누공(fistula) 형성법이었고 수술 성공률이 매우 낮았다. 1970년대 Silber가 단일 부고환관을 정관에 미세술기로 연결해 주는 미세 단일관 부고환정관연결술(microsurgical single tubular epididymovasostomy)을 도입한 이래 수술 성적이 극적으로 향상되었고 이후 여러 술자들의 개선 노력에 힘입어 오늘에 이르게 되었다.

1) 술전 검사

신체검사에서 고환과 정관이 정상적으로 만져지며 정액검사에서 정액의 양은 정상이나 무정자증을 보이는 환자에서 고환생검을 시행하여 정상적인 정자발생기능을 확인하는 과정으로 진단이 이루어진다. 신체검사에서 부고환에서 결절이 만져지는 경우가 종종 있으나 이러한 소견이 항상 부고환폐쇄를 의미하지는 않는다. 테스토스테론, FSH, LH 등의 호르몬 검사 결과도 정상이다. 원위부 정로의 개통 여부를 확인하기 위하여 시행하는 정관조영술(vasography)

은 대개 수술 중 시행한다.

2) 마취

주로 경막외마취를 이용하며 수술시간이 길므로 국소마취는 적당하지 않다.

3) 피부절개와 박리

일반적으로 음낭의 정중앙 절개창을 통하여 각각의 고환으로 접근한다. 고환초막을 열어 고환, 부고환 및 정삭의 일부를 음낭 외로 노출시킨다. 미세 단일관 부고환정관연결술은 고도의 미세술기를 요구하는 수술로서 연결이 완료된 이후 노출된 고환, 부고환 등을 음낭으로 다시 위치시킬 때 문제가 생기면 섬세하게 연결된 연결부에 손상이 우려되므로 음낭 쪽으로 충분한 박리를 시행한다.

정관조영술을 위하여 굴곡-직선정관 이행부를 박리하고 내강이 반 정도 노출되도록 정관을 수직 절개한다. 고환측 정관액에서 정자가 검출되지 않음을 현미경으로 확인한 이후 직선부 정관 쪽으로 24게이지 angiocatheter sheath를 삽입한다. 만약 고환측 정관액에서 정자가 검출된다면 부고환에 폐쇄가 없음을 의미하므로 환자에 대한 평가가 새로이 이루어져야 한다. 삽입된 angiocatheter sheath를 통하여 소량의 생리식염수를 조심스럽게 넣어 저항 없이 잘 주입되면 골반 scout 필름을 먼저 촬영한다. 이후 수용성 조영제를 각 정관에 5-10 ml 씩 주입하고 촬영을 시행한다. 부고환관에만 폐쇄가 있다면 원위부 정관, 정낭 및 사정관 등이 확장 없이 잘 조영되어야 하며 일부 조영제가 방광으로 유입되는 것을 관찰할 수 있다.

원위부 정로에 폐쇄가 없음을 확인한 이후 수술현미경을 이용하여 부고환관의 확장 상태를 확인한다. 종종 육안으로도 심하게 확장되어 있는 부고환관의 확인이 가능하다. 부고환관에 절개를 가하기 전에 연결에 충분한 길이의 정관을 박리해 둔다. 정관조영술 시행을 위하여 반만 절개해 놓았던 정관을 완전 절단하고 정관의 동맥과 정맥을 결찰하고 정관에 잘 붙여 혈류를 보존하며 충분한 길이를 확보해 둔다. 이후 원래 부고환의 내측에 있던 정관을 부고환의 외측으로 이동시킨다.

4) 단측연결술(End-to side anastomosis)

부고환을 엄지와 검지로 누르며 수술현미경으로 부고환관의 확장 상태를 관찰한다. 정자가 검출되는 부고환관의 탐색은 원칙적으로 부고환의 미부에서 두부로 이동하면서 시행한다. 부고환관의 확장이 확인되는 경우 확장된 관의 가장 원위부에서 첫 정자 탐색이 이루어진다. 부고환을 손가락으로 눌러 확장된 부고환관을 돌출되게 한 이후 Beaver blade를 이용하여 1 cm 미만의 길이로 부고환 외피 절개를 가하며 동반되는 소량의 출혈은 양극소작기로 지혈한다. 외피가 절개되면 끝이 둥근 미세수수용 needle holder (non-locking type)를 이용하여 조심스럽게 박리하여 외피에 온전한 창을 만든다. 외피를 절개한 후 확장된 여러 개의 부고환관이 노출되면 연결에 적합한 하나의 부고환관을 선택하여 주위 결체조직으로부터 조심스럽게 박리한다. 이 때 bulldog clamp로 부고환의 두부 쪽을 집어두면 양손을 사용할 수 있다. 외피의 절개와 부고환관의 박리 도중 뜻하지 않게 부고환관이 터지는 수가 있으므로 매우 조심해야 한다. 끝이 섬세한 혈관확장기를 이용하여 조심스럽게 하나의 부고환관을 주행 방향이 노출될 수 있도록 박리한다.

하나의 부고환관이 분리되어 다른 관들에 비하여 볼록하게 솟아오르면 예리한 칼(1.5 mm 미세수술용 칼 등)이나 미세수술용 가위로 0.5-1 mm의 길이로 선택된 관을 절개한다. 유출되는 부고환액을 24 게이지 angiocatheter sheath로 부드럽게 흡인하고 적절하게 희석하여 현미경에서 관찰한다. 운동성과 무관하게 꼬리를 지닌 온전한 모양의 정자가 확인되면 연결이 시행된다. 부고환액의 반복적 관찰에도 불구하고 온전한 모양의 정자를 검출할 수 없는 경우에는 두부쪽으로 0.5-1 cm 씩 이동하면서 동일한 과정을 반복한다. 운동성이 있는 정자가 검출되면 향후 수술이 실패한 경우 보조생식술의 시행을 고려하여 적절한 배양액과 혼합하여 동결보존해 주어야 한다. 수술현미경에서 확장된 부고환관이 확인되지 않는 경우에는 부고환 미부로부터 동일한 요령으로 정자를 탐색해 나간다. 하나의 부고환관을 다른 부고환관에 손상을 주지 않고 박리하고 절개하여 정자를 탐색하는 과정이 부고환정관연결술에서 가장 시간이 많이 소요되고 어려운 부분 중의 하나이다.

부고환액에서 온전한 모양의 정자가 관찰되고 단일 부고환관이 박리되면 미리 길이를 확보해 둔 정관을 부고환의 외측에 위치시키고 고환초막에 작은 창을 뚫어 이를 통하여 정관을 절개된 부고환관에 가까이 위치시킨다. 연결부와 긴장이 없도록 자연스럽게 위치시키고 고환이 음낭 내 저항 없이 잘 들어갈 수 있는지를 다시 한 번 확인한다. 연결부의 긴장이 우려되는 경우에는 고환을 회전시킬 수 있으며 정관의 외막과 근육층의 일부를 부고환 외피에 몇 군데 고정하는 것이 도움을 준다. 정관 점막과 부고환관의 연결에는 10-0 나일론을, 정관의 근육층과 부고환 외피와의 연결에는 9-0 나일론을 이용한다. 부고환관이 열리면 메틸렌 블루와 같은 염색제를 뿌려주고 생리식염수로 씻어내면 부고환관 점막의 경계를 쉬이 알 수 있어 도움이 된다. 부고환관은 매우 약하므로 6시 방향(뒷면)의 정관 근육층을 부고환 외피에 9-0 나일론으로 고정하는 것이 도움이 되는데 이 봉합이 정관 점막과 부고환관의 연결에 방해가 되지 않도록 연결할 부위보다 조금 떨어져서 고정한다(그림 9-9). 이후 10-0 나일론을 이용하여 6시, 4시, 8시 방향에서 부고환관에서는 밖에서 안으로, 정관의 점막층(약간의 근육층을 포함하는)에서는 안에서 밖으로 향하는 봉합을 시행하여 매듭이 바깥쪽에 위치하도록 한다.

6시 방향의 연결 후 실을 매고 4시와 8시 방향의 봉합사를 맨다. 이후 2시, 10시, 12시 방향에서 연결을 동일하게 시행하는데 12시 방향을 뜬 봉합사는 매지 않고 적당하게 잘라 두었다가 2시와 10시 방향의 연결이 완료되면 마지막으로 매는 것이 안전하다(그림 9-10). 부고환관과 정관 점막의 연결이 완료되면 9-0 나일론을 이용하여 정관의 근육층과 부고환의 외피를 봉합해 준다. 부고환 외피를 봉합할 때 바늘을 지나치게 깊이 통과시키면 아래에 위치한 다른 부위의 부고환관에 손상을 줄 수 있으므로 조심해야 한다. 연결이 끝나면 정관은 부고환의 외측에 위치하게 되며 연결부의 안정을 위하여 정관의 길이를 따라 그 외막을 고환초막에 몇 군데 봉합해 준다.

5) 단단연결술(End-to-end anastomosis)

숙련된 술자에 의해 시행되는 경우 단단연결술도 단측연결술과 대등한 수술 성적을 얻을 수 있지만 술기적인 어려움으로 인하여 단측연결술을 시행하는 것이 일반적이다. 단단연결술은 부고환을 길이 방향에 수직되게 절개하여 연결에 적합한 단일 부고환관을 선택해야 하므로 부고환 절단면에서 나오는 출혈이 연결을 어렵게 하며 연결에 적합한 부고환관을 선택하는 일이 용이하지 않다. 부고환의 미부로부터 절단이 시작되는데 이를 위하여 부고환 미부를 고환으로부터 분리하는 작업이 선행되어야 한다. 고환백막(tunica albuginea)에 인접하여 고환과 부고환 미부 사이를 박리한다. 부고환의 혈류 공급을 주로 담당하는 상부고환동맥(superior epididymal artery)과 그 분지들은 부고환 두부로 유입되므로 혈류 보존에 큰 문제는 없다. 정관과 부고환관의 연결은 단측연결술에서의 방법과 크게 다르지 않다.

6) 수술 성적

누공 형성법을 이용한 부고환정관연결술의 수술 성적은 개통률과 임신율이 각각 40%, 15%에도 미치지 못하였다. 미세 단일관 부고환정관연결술이 도입

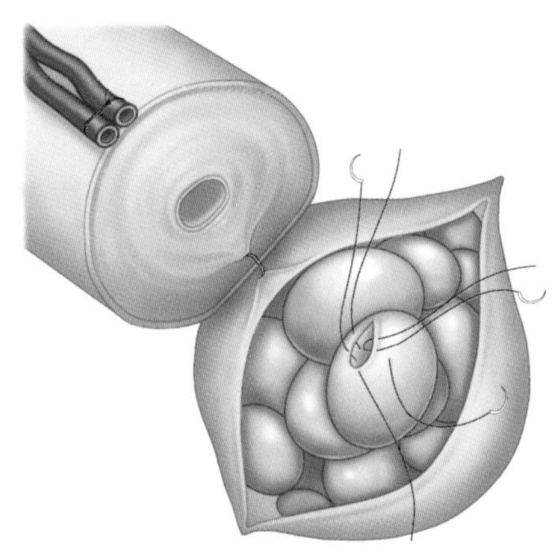

그림 9-9 6시 방향에서 9-0 나일론으로 정관 근육층을 부고환 외피에 고정한 이후 부고환관과 정관 점막에 대한 문합을 시행한다.

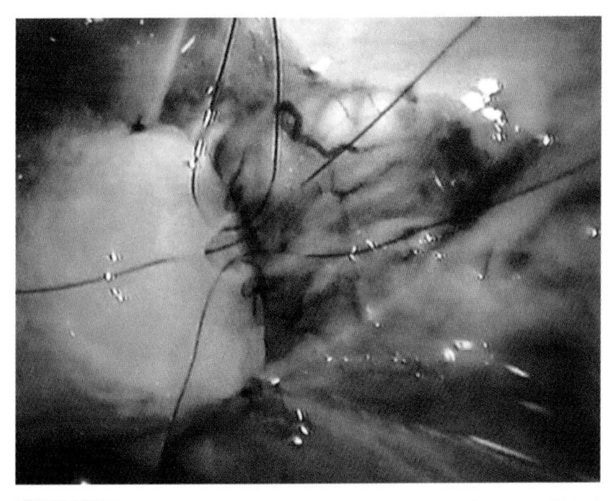

그림 9-10 10-0 나일론을 이용하여 6시, 4시, 8시 방향에서 부고환관과 정관 점막 사이의 연결이 완료되었고 이후 2시, 10시, 12시 방향의 연결을 진행한다.

이래 수술 성적이 크게 향상되어 개통률은 65-80%, 임신율은 35-55% 정도로 보고된다. 일반적으로 부고환액에서 온전한 모양을 지닌 정자가 관찰된다면 그 운동성 유무에 따른 수술 성적의 차이는 없는 것으로 알려져 있다. 일측보다는 양측에서 성공적으로 연결이 시행된 경우 더 나은 수술 성적을 기대할 수 있다. 일반적으로 부고환정관연결술 부위가 부고환의 미부에 가까울수록 임신율이 높은 것으로 알려져 있다. 그러나 연결 부위에 따른 수술 성적의 차이는 거의 없으며 두부 쪽으로 갈수록 운동성이 있는 정자를 관찰할 가능성이 높으므로 부고환정관연결술의 실패를 염두에 둔 정자의 동결보존을 위해 운동성 있는 정자 탐색을 더욱 적극적으로 시행해야 한다는 주장도 설득력이 있다. 하지만 연결이 양쪽 모두 부고환 두부에서 이루어진 경우 대개 수술 성적이 좋지 못하므로 운동성을 가진 정자에 대한 탐색은 부고환 체부 정도로 국한하는 것이 좋겠다. 부고환정관연결술의 수술 성적에 영향을 미칠 수 있는 인자들 중 가장 중요한 것은 역시 수술자의 미세수술 수행능력이다. 그러므로 미세술기에 익숙한 시술자만이 부고환정관연결술을 시행해야 한다. 섬세한 박리를 통하여 다른 부고환관에 손상을 주지 않고 연결에 적합한 하나의 부고환관을 선택하여 정관의 점막에 맞게 절개하는 과정이 이 수술에 있어서 가장 어려운 부분이다.

7) 교차 술식(Crossover Procedures)

한 쪽 고환의 정자발생기능이 저하되어 있으나 정자의 수송을 담당하는 정로는 정상임에 반하여 반대측의 고환 기능은 정상이나 정로가 존재하지 않거나 외과수술이 불가능한 폐쇄가 동반되어 있는 경우가 있다. 선천정관무발생증이 한 쪽에 있으며 반대측의 고환이 없거나 위축되어 있는 경우가 대표적인 예이다. 이러한 경우 정상인 쪽의 정관을 그 혈류를 보존하면서 조심스럽게 박리하여 고환 격막(septum)을 통하여 반대편 고환으로 이동시킨 후 부고환관이나 혹은 부분적으로 남아있는 정관에 연결하는 교차 술식을 시행해 주어야 한다.

3. 사정관폐쇄의 수술치료

Surgery for ejaculatory duct obstruction)

사정관폐쇄는 폐쇄무정자증의 5% 미만을 차지하는 드문 질환이지만 수술로 교정이 가능하다는 점에서 중요한 남성불임의 원인 중 하나이다. 양측 사정관의 완전 폐쇄는 생식기의 해부학적 구조를 감안할 때 사정액에 단지 전립선액만 포함됨을 의미한다. 그러므로 이들 환자들의 정액은 특징적인 소견을 보인다.

1) 평가의 적응증

남성불임 외 혈정액증, 회음부의 통증이나 불쾌함, 사정시 통증 등의 증상이 동반되기도 한다. 대개 그 원인을 정확히 밝혀내기 어려우나 전립선의 염증질환, 요도에 대한 기구조작에 의한 의인손상, 선천기형 등으로 발생할 수 있다고 알려져 있다. 대부분 특별히 동반된 증상도 없고 특정 원인질환을 찾을 수도 없으므로 사정관폐쇄의 가능성을 염두에 두지 않는 한 진단은 쉽지 않다.

사정액은 고환, 부고환, 정낭, 전립선, 요두주위선 등 여러 곳에서 분비된 액으로 구성되는데 그 대부분의 양을 정낭액이 차지한다. 정자의 운동에너지를 제공하는 과당(fructose)과 정액 응고를 담당하는 coagulum도 정낭에서 생산된다. 앞서 기술한 바와 같이 양측 사정관의 완전 폐쇄는 사정액에 전립선액만 포함된다. 그러므로 1 ml 미만의 소량, 산성, 수액성상, 무정자증, 정액의 과당치 결여 등이 양측 사정관폐쇄 환자의 특징적인 정액소견이다. 이러한 소견과 함께 신체검사에서 정관이 정상적으로 만져진다면 사정관폐쇄의 잠정 진단이 내려질 수 있다. 사정관폐쇄는 선천정관무발생증과 동반될 수 있는데 이러한 경우 외과치료가 불가능하므로 신체검사에서 정관의 존재 유무를 꼭 확인해야 한다.

부분 사정관폐쇄는 완전 사정관폐쇄에 비하여 그 임상상이 다양하다. 그러므로 어떤 환자들에서 부분 사정관폐쇄에 대한 진단적 검사를 시행해야 할지에 대해서는 아직도 논란의 여지가 많다. 완전 사정관폐쇄 환자들에 비하여 부분 사정관폐쇄 환자들의 정액검사 소견은 다양하여 정액의 양과 정자수가 작거나 정상일 수도 있으며 운동성이 떨어질 수도 있다. 이전에 보고된 자료들에 의하면 정액의 양이 1.5 ml 보다 소량이거나 운동성을 가진 정자가 30% 미만이거나 정자밀도가 20×10^6/ml 미만인 경우 부분 사정관폐쇄 가능성을 염두에 두고 검사를 시행하는 것이 좋다고 하였다. Paick 등의 국내 보고에 따르면 부분 사정관폐쇄 환자들의 정액은 그 양과 정자수에 있어서 매우 다양한 소견을 보였으나 전례에서 운동성을 지닌 정자는 30% 미만이었다. 부분 사정관폐쇄가 발생하게 되면 정자가 이를 통과하기가 힘들어져 정자가 일종의 저류 상태에 빠지며 체온에 오래 노출되면서 그 운동성을 잃게 된다는 가설이 있다. Meacham 등은 정액의 양과 무관하게 다른 원인으로 설명될 수 없는 정액검사 지표의 이상이 발견되면 일단 경직장초음파검사를 시행하여 부분 사정관폐쇄를 배제해야 한다고 하였다.

2) 술전 검사

일단 병력청취와 신체검사가 선행되어야 한다. 신체검사에서 정상적인 고환과 정관이 양측에서 확인되어야 한다. 항문수지검사는 대개 정상이나 전립선 부위에서 종괴가 만져지거나 확장된 정낭을 확인할 수도 있다. 정액검사는 최소 2회 이상 시행하여 정액의 양, pH, 정자의 수와 운동성에 대한 정보를 얻고 정액 내 과당치도 측정한다. 정액의 양이 적은 경우에는 제대로 정액을 채취했는지와 금욕기간이 너무 짧지 않았는지를 먼저 확인해야 한다. 또한 사정 후 요검사를 시행하여 역행사정(retrograde ejaculation)을 감별해야 하며 호르몬검사를 통하여 생식샘기능저하증 유무도 확인해야 한다.

사정관폐쇄를 확진하는 전통적 검사는 정관조영술이었으나 침습적이며 정관에 대한 의인손상을 유발하여 이차적인 정로폐쇄 유발의 위험성을 가지고 있다. 최근에는 경직장초음파촬영술이 정관조영술을 대체하는 표준 진단법으로 인정된다. 경직장초음파촬영술은 정관조영술에 비하여 훨씬 덜 침습적이며 전립선, 정낭, 사정관 등의 해부학적 구조물들과 그들 사이의 관련성에 대한 구체적 정보를 제공해 줄 수 있다. 특히 사정관폐쇄의 가장 효과적인 치료법으로 알려져 있는 경요도절제술을 시행하고자 할 때, 절제해야 할 폐쇄 부위에 대한 해부학적 정보를 제공해 줄 수 있다. 경직장초음파촬영의 시상면상(sagittal view)에서 정낭의 최장 전후직경이 2 cm를 초과할 때 사정관폐쇄라는 잠정 진단이 내려지게 된다. 사정관폐쇄 환자들에서 경직장초음파촬영을 시행해 보면 흔히 중앙에 위치하는 낭종이 발견된다. 이러한 낭종은 그 발생학적 기원에 따라 몇 가지로 구분될 수 있으나 경직장초음파촬영술로 구분할 수 없으며 치료 방침에 영향을 미치지 못하므로 혼동을 피하기 위하여 흔히 중앙낭종(midline cyst)이라고도 부른다(그림 9-11). 경직장초음파촬영을 통해 정낭의 확장은 비교적 쉽게 관찰되지만 정확한 폐쇄 부위를 알기는 어렵다. 2013년 Guo 등은 18명의 사정관폐쇄 환자들에게 전립선 자기공명영상(magnetic resonance image, MRI)을 술전에 시행한 후 실제 수술 소견과 비교한 결과, MRI의 소견이 실제 수술 소견과 잘 일치한다고 보고하였다. MRI는 경직장초음파촬영술에 비해 번거롭고 가격이 비싸다는 단점이 있지만, 경요도절제술 시 절제 깊이에 대한 정보를 제공해줄 수 있어 필요시 시도될 만하다.

신체검사, 정액검사, 경직장초음파촬영을 통하여 양측 사정관폐쇄의 진단이 내려지면 확진을 위하여 중앙낭종이나 확장된 정낭을 흡인(aspiration)하여 정자의 존재 유무를 확인한다. 검사 전날 사정을 하도록 하고 경직장 전립선생검에 준하는 장처치(bowel preparation)를 시행한다. 흡인액에서 운동성을 가진 정자가 검출되면 사정관폐쇄의 확진이 내려지고 이에 맞는 치료를 시행한다. 정상적으로 정자는 정관, 사정관, 정낭 내에 거의 존재하지 않으나 사정관폐쇄가 발생하면 정낭내로 정자의 역류가 일어나 정낭액에서 다수의 운동성을 지닌 정자가 흔히 발견된다. 정자가 검출되지 않으면 고환생검을 시행하여 정상적인 정자발생기능이 확인되면 사정관폐쇄와 함께 부고환폐쇄의 잠정 진단이 내려진다. 사정관폐쇄와 부고환폐쇄가 같이 있다면 사정관폐쇄의 치료가 우선되어야 한다. 치료 후 정액량의 증가가 유지되면 부고환정관연결술을 염두에 둔 수술을 다음 단계로 시행한다. 그러나 두 가지 수술이 모두 성공할 확률이 높지는 않으므로 정자채취술에 이은 ICSI가 좀 더 현실적인 대안이 될 수 있다.

최근 들어 그 시행 빈도가 현저히 줄어들기는 하였으나 정관조영술은 아직도 사정관폐쇄의 확진 검사로서 그 유용성이 인정된다. 특히 경직장초음파촬영의 결과가 애매할 때 확진 검사로서 유용하다. 또한 폐쇄의 위치가 정낭과 사정관의 연결부위에 인접해 있을 때 경요도 접근법으로 수술이 가능한지를 결정할 때에도 유용한 정보를 제공해 줄 수 있다. 실제 아직까지도 사정관폐쇄의 진단을 위하여 정관조영술의 일상적 시행을 주장하는 술자들도 있다. 정관조영술

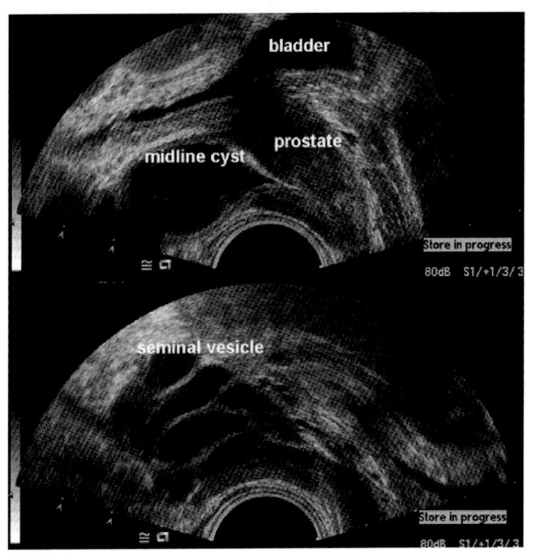

그림 9-11 양측 사정관폐쇄 환자의 경직장초음파촬영 소견. 중앙낭종이 관찰되며 sagittal view에서 직경 2 cm 이상으로 확장된 정낭이 관찰된다.

시행을 위해 정관을 절개하게 되면 유출되는 정관액에서 정자의 검출 유무를 확인해야 한다. 정관액에서 정자가 검출되어야만 정로의 폐쇄는 원위부에 국한된 것임이 확실해지므로 중요한 진단 과정이다.

Kim 등은 경요도절제술이 계획된 사정관폐쇄 환자들에서 수술 직전 경직장초음파 유도로 확장된 정낭이나 중앙낭종을 흡인한 후 정낭조영술(seminal vesiculography)을 시행할 것을 권장한다(그림 9-12). 난소 채취용 침을 경직장초음파 유도로 회음부를 통하여 확장된 정낭이나 중앙낭종 내로 위치시키고 그 내용물을 흡인하여 현미경검사를 시행하고, 1:1로 희석된 수용성 조영제와 함께 염색제인 10% 메틸렌블루(또는 인디고카민)를 주입하고 정낭조영술을 시행한다. 주입된 조영제는 향후 수술에 필요한 해부학적 정보를 제공해 주며 같이 주입된 염색제는 경요도절제술이 성공적으로 시행된 경우 요도로 유출되게 되므로 적절한 수술의 지침을 제공해 준다. 일반적으로 정관조영술에 비하여 어느 정도 덜 침습적인 방법으로 받아들여지고는 있으나 아직까지 표준 진단법으로 인정을 받지는 못하고 있다. 정관조영술 시행 때 조영제와 염색제를 같이 주입하여 동일한 목적을 달성할 수도 있다. 부분 사정관폐쇄는 경직장초음파촬영에서 정상 소견을 보일 수도 있으므로 기능적 검사를 시행해야 한다는 주장도 있으나 아직까지 부분 사정관폐쇄를 진단할 수 있는 표준 진단법은 없다.

3) 치료

가압식 세척법(forceful lavage), 경요도절제술, 풍선확장술(balloon dilatation) 등이 있다. 가압식 세척법은 과거에 시행되었던 방법으로 수술 성적이 좋지 못하여 현재 거의 시행되지 않고 있다. 풍선확장술은 최소한의 경요도절제를 통하여 사정관 안으로 관을 삽입하고 풍선확장으로 폐쇄부위를 제거해 주는 방법이다. 소수의 술자들에 의해서만 시행되고 있다. 최근에는 6 Fr 크기의 가는 내시경을 사정관 안으로

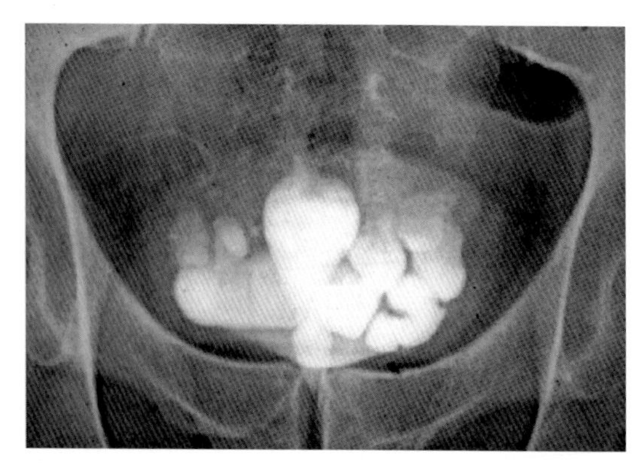

그림 9-12 양측 사정관폐쇄 환자의 술전 경직장초음파 유도 정낭조영술. 중앙낭종을 중심으로 양측으로 심하게 확장된 정낭이 관찰된다.

직접 삽입하여 재개통해주는 방법도 소개되고 있으나, 요도나 요관과 같이 다른 요로계의 폐쇄 때 사용되는 풍선확장술과 마찬가지로 장기성공률이 가장 큰 문제이다. 부분 사정관폐쇄나 폐쇄 부위가 사정관의 근위부에 위치하여 통상적인 경요도절제술로 교정하기 어려운 사정관폐쇄 환자들에서 선택적으로 시도될 만하다.

현 시점에서 사정관폐쇄의 표준적인 치료법은 사정관의 경요도절제술이다. 수술 직전 앞서 기술한 바와 같이 경직장초음파 유도로 정낭 내 조영제와 염색제의 혼합액을 주입할 수 있다. 사정관은 정상적으로 정구(verumontanum) 양측으로 전립선요도내로 개구되며 사정관의 근위부는 전립선 기저부에서 방광경부의 후측 정중앙의 바로 외측에 위치하므로(그림 9-13) 절제 방향은 직장 방향이 아닌 방광경부의 후측이 되어야 한다. 경요도절제술은 중앙낭종을 단순 절개(unroofing)하는 간단한 술식으로부터 주입된 메틸렌블루가 요도로 출현할 때까지 깊이 절제하는 방법까지 그 범위가 다양하다(그림 9-14). 흔히 관찰되는 중앙낭종의 정확한 위치와 방광경부와 요도 점막으로부터의 거리를 술전 경직장초음파촬영을 통해 알아두면 절제가 용이하다. 직장에 손을 넣어 정낭을 짜주는 것이 수술에 도움이 되기도 한다. 사정관의

폐쇄부가 근위부이거나 숙련된 시술자가 아닌 경우 사정관절제술은 위험한 시술이 될 수 있다. 특히 대부분 환자들의 연령이 젊어 전립선이 크지 않으므로 절제의 방향이나 깊이가 적절하지 못한 경우 인접한 직장, 요도괄약근, 방광경부에 중한 손상을 야기할 수 있다. 방광경부와 정구 사이의 부위를 루프로 절제하는 것이 일반적으로 가장 효과적이다. 중앙낭종이 존재하는 경우 절제되는 전립선의 깊이는 통상 1 cm 미만이나 정낭까지 도달하기 위하여 깊고 과감한 절제가 요구되는 경우에는 방광경부와 직장의 손상에 주의를 기울이며 절제를 시행해야 한다. 경요도절제술에 대한 기본 술기가 갖추어져 있고 수술의 원칙만 지킨다면 합병증 발생은 드물다. 경요도절제를 통하여 새로이 개통된 사정관의 재폐쇄를 피하기 위하여 지혈은 최소화한다. 최근 양극소작기나 Holmium 레이저를 이용한 경요도절제술도 소개되고 있으나 수술 결과에 있어 의미 있는 차이를 보이지 않았다. 경요도절제술 시행 후 주요 합병증은 혈뇨와 부고환염으로 수술 후 주의 깊게 관찰해야 한다.

4) 수술 성적

사정관폐쇄가 드문 질환이다 보니 그 치료성적에 대한 보고들도 소수의 환자들을 대상으로 한 연구들이 대부분이다. 어느 정도의 기준을 만족시키는 보고들의 결과를 종합해 보면 술후 약 50%의 환자들에서 정로가 개통되어 정액에서 정자가 출현하며, 약 35%의 환자들이 정액검사에서 정상소견을 모이며, 수술 환자의 25% 정도가 임신에 성공한다고 한다. 이러한 결과는 사정관폐쇄의 수술 성공률이 그 이론적 합리성에도 불구하고 그리 높지 않음을 알려준다. 경요도절제술에도 불구하고 사정액에 정자가 출현되지 않는 환자들에 있어서는 적절한 술기를 통하여 사정관의 개통이 이루어졌는지 여부와 사정관폐쇄 이외에 근위부 정로의 폐쇄는 없었는지에 대한 확인이 필요하다. 실제 일부의 사정관폐쇄 환자들에 있어서는 원위부 폐쇄에 의한 이차적 부고환관의 파열로 부고환 폐쇄가 동반되어 있는 경우가 있다. 그러므로 앞서 기술한 바와 같이 정관조영술시 얻어지는 정관액이나 정낭조영술시 흡인되는 정낭액에서 정자의 검출 유무를 주의 깊게 관찰해야 한다. 또한 낮은 임신율

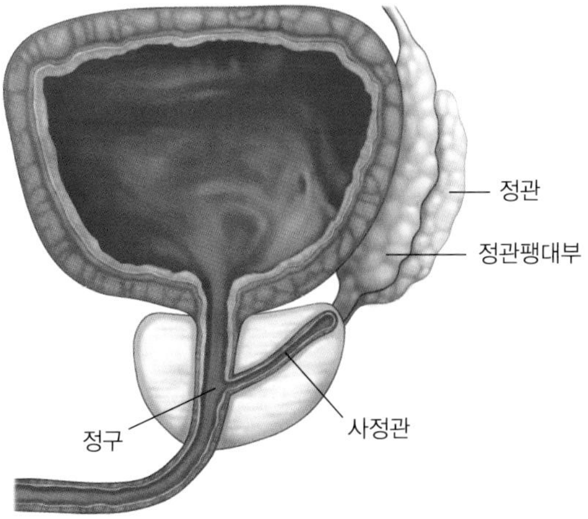

정관
정관팽대부
정구
사정관

그림 9-13 사정관의 해부학. 전립선 기저부에서 정낭관과 정관의 말단이 합쳐져 사정관을 이루고 전립선 중심부를 통과하여 정구의 외측으로 개구된다.

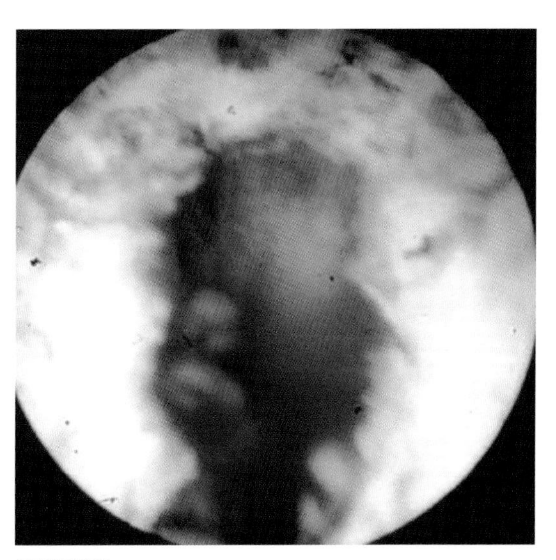

그림 9-14 사정관폐쇄 환자에서 경요도관절제술로 중앙낭종이 열 리며 수술 전날 주입해 두었던 메틸렌블루가 확인된다.

을 감안하여 이 때 얻어진 운동성을 지닌 정자는 필히 동결보존하여 나중의 보조생식술 시행을 대비해야 한다.

Paick 등은 의하면 폐결핵의 과거력이 있으며 경직장초음파촬영에서 정낭의 위축 소견이 확인되면 교정이 불가능하므로 보조생식술을 위한 정자채취술의 시행을 권유하였다. 이들의 보고에 따르면 정액의 과당치 측정은 질적 측정법보다 양적측정법이 더 많은 정보를 제공해 주며 특히 부분 사정관폐쇄 진단에 유용하였다. 중앙낭종이 확인된 환자에서 경요도절제술이 성공적으로 시행되었을 때 가장 좋은 수술 성적을 얻을 수 있었다.

4. 정계정맥류제거술

Varicocelectomy

정계정맥류는 전체 남성 인구의 약 10-15%에서 발견되고 불임남성에서는 일차불임의 경우 30-35%, 이차불임의 경우 70-80%에서 발견되는 흔한 질환이다. 또한 정계정맥류는 수술로 치료될 수 있는 가장 흔한 남성불임의 원인으로 알려져 있다. 정계정맥류는 정계의 정맥총이 확장된 상태를 칭하며 좌측 정계정맥이 신정맥, 부신정맥과 합쳐져 대정맥으로 유입되므로 대부분 좌측에서 발생한다. 1955년 Tulloch가 무정자증을 보인 양측 정계정맥류 환자에서 정계정맥류제거술을 시행한 결과 술후 정액에서 정자가 관찰되고 임신에 이르렀음을 보고한 이래로 여러 가지 방법들이 시도되었다. 정계정맥류에 대한 치료방법은 크게 경정맥색전술, 복강경수술, 절개수술로 대변될 수 있다.

경정맥색전술은 내정계정맥(internal spermatic vein)에 경화제, 풍선, 코일 등을 주입하여 정계정맥류를 제거하는 방법이다. 덜 침습적이기는 하나 재발률이 높으며(6-15%) 주입된 풍선이나 코일의 이탈에 따른 신장손실, 폐색전 등이 발생할 수 있다. 환자의 연령이 적을수록 실패의 가능성이 높아지는 단점도 있다. 정계정맥류의 치료에 있어서 경정맥색전술은 다른 외과치료가 실패하였을 때 시도하는 방법으로 인식되고 있다.

절개수술법 중 초기에 시도되었던 음낭접근법은 술후 고환위축이 나타나는 빈도가 높아 현재 거의 시행되지 않고 있다. 후복막접근법은 내서혜륜(internal inguinal ring) 부위의 절개창을 통하여 후복막강에서 요관 주위의 내정계동맥과 정맥을 확인한 뒤 내정계정맥을 결찰하는 방법이다. 결찰해야 할 정맥이 비교적 크고 숫자가 적으므로 수술이 간편하다는 장점이 있으나 미세정맥들, 서혜부 측부혈행로(collateral) 또는 거고근정맥(cremasteric vein) 등이 남으면서 재발률이 15%에 이른다는 것이 문제점이다. 복강경수술의 원리는 기존의 후복막접근법과 같으나 복강경을 이용하므로 고환동맥의 확인이 용이하고 림프관의 확인도 가능하기 때문에 술후 발생할 수 있는 음낭수종의 발생빈도를 줄일 수 있다는 장점이 있다. 그러나 후복막접근법과 유사한 개념이므로 술후 재발률을 낮출 수 없다는 점이 문제이다. 장손상, 공기색전증 등 복강경수술에 수반되는 합병증이 발생 가능하다는 점과 전신마취가 필요하다는 것도 단점이다. 복강경수술이 도움이 되는 경우는 양측 정계정맥류로서 이는 하나의 접근로를 통하여 양측에 대한 수술이 가능하기 때문이다. 1992년 Goldstein과 Gilbert는 기존 정계정맥류 수술법의 술후 합병증과 재발을 줄이기 위해 미세술기를 이용한 서혜부 정계정맥류제거술을 고안하여 좋은 성적을 얻을 수 있었다고 보고하였다. 본 난에서는 이 수술방법을 집중적으로 다루기로 한다.

1) 마취

전신마취나 척수마취를 이용한다. 국소마취로도 시행이 가능하나 고환을 꺼내어 거고근정맥을 처리하는 경우에는 적절치 않다.

2) 피부절개와 박리

Goldstein과 Gilbert에 의하여 처음 소개된 미세술기를 이용한 정계정맥류제거술의 절개는 서혜접근법이었다. 이후 Marmar 등은 이를 변형한 저위서혜(subinguinal)접근법을 소개하며 외서혜륜을 열지 않고 외서혜륜 직하방에서 정삭을 들어 올려 정맥을 처리함으로써 술후 통증을 줄이고 회복을 빠르게 할 수 있다고 주장하였다. 그러나 저위서혜접근법을 사용하면 처리해야 할 정맥들의 숫자가 상대적으로 많고 고환동맥이 분지하는 경우도 많으므로 서혜접근법에 비하여 술기적으로 어려운 것이 사실이다. 그러므로 미세수술에 익숙하지 않거나 정계정맥류제거술 시행 건수가 그리 많지 않은 술자는 서혜접근법을 사용하는 것이 낫다.

손가락을 음낭에서 서혜부 쪽으로 밀어 넣어 외서혜륜의 위치를 먼저 확인한다. 서혜접근법에서는 외서혜륜에서 피부선을 따라 외측으로 절개창을 연장시키고 저위서혜접근법에서는 외서혜륜의 직하부에서 피부를 절개한다(그림 9-15). 절개창의 길이는 고환의 크기에 따라 달라진다. 서혜접근법에서는 외복사근막(external oblique fascia)을 근섬유의 주행방향으로 절개하고 정삭을 분리한다. 정삭을 주위 조직으로부터 분리하고 Babcock clamp 등으로 집어 밖으로 꺼낸다. 장골서혜부신경(ilioinguinal nerve)과 음부대퇴신경(genitofemoral nerve)을 만나게 되면 정삭으로부터 박리하여 보존한다. 정삭을 노출시킨 후 penrose drain이나 nelaton으로 정삭을 둘러싸고 이를 당기며 고환을 꺼낸다(그림 9-16). 정삭을 부드럽게 견인하며 외정삭근막(external spermatic fascia) 밖에서 정삭으로 수직되게 주행하는 외정계정맥들을 찾아 결찰 후 절단하거나 소작한다. 또한 고환도대(gubernaculum)를 관찰하면서 고환초막에서 음낭으로 유출되는 고환도대 측부혈행로를 결찰하거나 소작한다. 처리하지 않은 고환도대정맥은 재발 원인의 약 10% 정도를 차지하므로 철저하게 처리해 준다. 고환도대가 완전히 절단되면 나중에 고환을 음낭으로 위치시키기가 어려울 수 있으므로 주의해야 한다.

외정계정맥과 고환도대정맥을 처리한 이후 고환을 음낭으로 위치시키고 다음 과정을 진행한다. 외정삭근막과 내정삭근막을 종으로 절개하고 고환동맥의 박동을 관찰한다. 1% papaverine 용액의 점적이 도움을 줄 수 있다. 주의 깊게 관찰하면 대개 고환동맥의 박동이 관찰된다. 대부분의 경우 고환동맥은 주위에 위치하는 정맥망에 둘러싸여 있다. 거즈를 이용해 정삭을 펼치면 정맥들의 사이가 벌어지므로 고환동맥의 주행을 확인하는데 도움을 준다. 이 때 발생하는 미세한 출혈들은 양극소작기로 지혈한다. 정관과 거고근정맥을 정삭으로부터 분리해 두는 것도 수술에 도움을 준다. 수술현미경을 사용하기 시작하면 시간이 걸리게 되므로 가능한 박리를 충분히 시행한 이후 미세수술을 시작하는 것이 유리하다.

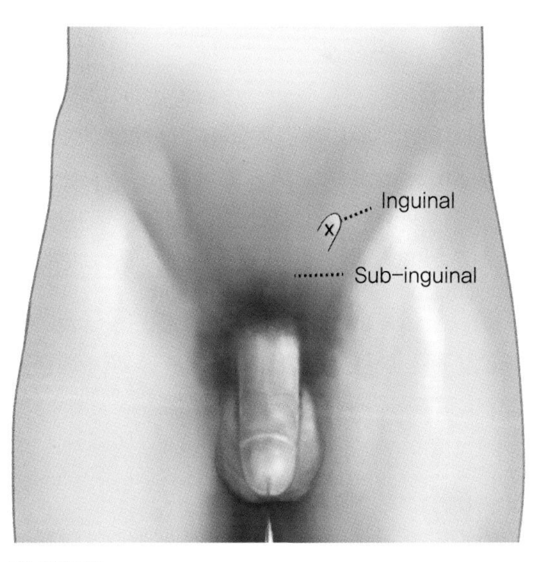

그림 9-15 정계정맥류절제술을 위한 서혜접근법과 저위서혜접근법의 절개. 서혜접근법에서는 외서혜륜(X로 표시)의 외측으로 절개창을 연장시키고, 저위서혜접근법에서는 외서혜륜 직하방에서 내측으로 절개창을 연장시킨다.

수술현미경을 보며 먼저 조심스럽게 고환동맥을 주위의 확장된 정맥으로부터 박리한다. 이 때 미세수술용 needle holder(non-locking type)를 이용한 blunt dissection이 유용하다. 고환동맥에 인접한 미세한 정맥들은 양극소작기로 지혈한다. 고환동맥을 따라 주행하는 정맥들은 재발의 원인이 될 수 있으므로 철저하게 처리해 준다. 고환동맥의 박동을 확인할 수 없는 경우에는 우선 큰 정맥부터 조심스럽게 박리하고 결찰한다. 발생 가능한 동맥손상에 특히 주의해야 하며 술자는 만일의 경우를 대비하여 미세혈관 연결 술기를 갖추고 있어야 한다. 고환동맥을 주위 조직으로부터 박리하면 굵은 silk나 색깔이 있는 vessel loop 등을 걸어 쉬이 식별될 수 있도록 한 이후 1 cm 이상의 길이로 박리해 두는 것이 안전하다. 고환동맥이 박리되면 그 범위에 맞게 모든 내정계정맥들을 조심스럽게 박리하여 결찰 후 절단한다(그림 9-17). 좌측 검지로 정삭을 받히고 우측에 양극소작기를 들고 박리를 시행하는 것이 편리하다. 치밀한 정맥망을 만나게 되면 미세수술용 needle holder로 각각의 정맥을 박리하는 것이 안전하다. 림프관을 보존해야 술후 음낭수종이 발생하지 않는다. 림프관은 수술현미경으로 보면 안이 투명하여 염주 모양으로 관찰되므로 식별이 용이하다. 직경이 2 mm 이상 확장된 정맥은 결찰 후 절단하는데 대개 4-0 black silk를 사용한다. 비용이 들지만 hemoclip을 사용하면 수술 시간을 줄일 수 있다. 미세한 정맥들은 양극소작기로 지혈한다. 저위서혜접근법을 이용하는 경우 고환동맥이 두 개 이상일 경우가 50% 이상이므로 정맥을 처리할 때 이미 확보된 고환동맥 이외의 동맥이 존재할 가능성을 항상 염두에 두어야 한다.

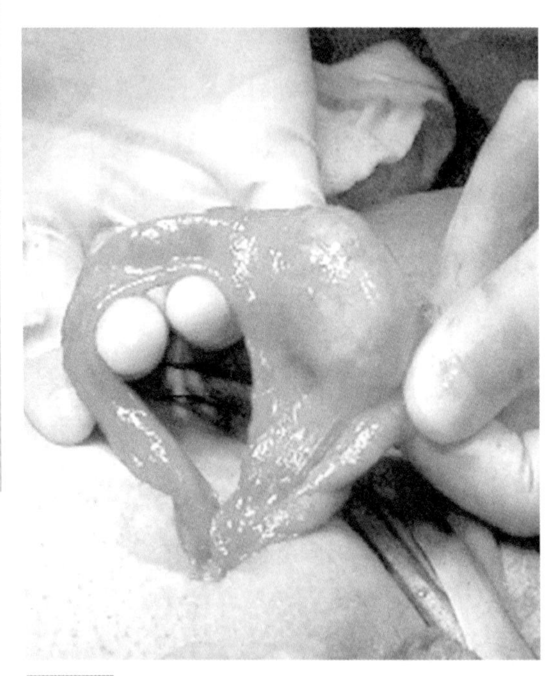

그림 9-16 정삭을 박리하여 고환을 꺼내야 재발의 원인이 될 수 있는 외정계정맥과 거고근정맥을 완전하게 처리해 줄 수 있다.

정삭에서 고환동맥과 림프관을 보존하고 모든 내정계정맥들을 처리한 이후 정관을 관찰한다. 내정계정맥들을 처리하면 고환혈류의 순환을 위하여 적어도 하나 이상의 정관정맥은 정관동맥과 함께 보존해 주어야 한다. 그러나 직경 2 mm 이상으로 확장된 정관정맥이 관찰되면 확장되지 않은 다른 정관정맥을 확인 후 결찰한다. 마지막으로 거고근을 관찰하여 가능한 거고근동맥도 보존해 주고 확장된 정맥들은 처리한다. 거고근동맥의 보존이 필수적이지는 않으나 대부분 큰 정맥에 붙어 주행하므로 경험이 조금만 쌓이게 되면 쉬이 보존할 수 있다. 수술이 완료되면 하나 또는 그 이상의 고환동맥, 정관과 정관동맥, 하나의 정관정맥, 거고근, 거고근동맥, 림프관 등만 남게 된다. 마지막으로 출혈 유무와 고환동맥의 박동을 다시 확인하고 필요한 경우 추가적으로 지혈한다. 정계정맥류제거술 직후에는 정관정맥 이외의 모든 정맥들이 처리되었기 때문에 음낭 쪽으로 위치한 정맥들은 더욱 확장된다. 그러므로 출혈 유무를 다시 확인하는 과정이 필요하다. 출혈의 위험성이 있으므로 silastic drain을 유치하여 음낭 쪽으로 고정시켜 두었다가 수술 다음날 제거해 주는 것이 안전할 수 있다.

3) 수술 성적

정계정맥류제거술은 통증이나 불쾌감을 호소하는 환자들에 있어서의 증상 해소와 불임환자에 있어 정액지표의 향상과 임신에 그 목적을 두고 있다. 정계정맥류를 지닌 불임남성에 있어 수술을 시행하였을 때 통상 60-80%의 환자에서 정자의 밀도와 운동성과 같은 정액지표의 향상을 기대할 수 있다. 여러 무작위대조시험과 메타분석을 통하여 정계정맥류제거술이 정액지표를 향상시킨다는 사실이 입증되었다. 정계정맥류제거술이 임신율을 향상시키는지에 대해서는 다소 논란이 있다. 무작위대조시험의 수가 제한적이고 연구에 포함된 대상군의 이질성도 커 결론을 내리기가 쉽지 않다. 그러나 정액지표는 남성의 가임력을 예측하는데 가장 중요한 요소이므로 정계정맥류제거술로 정액지표가 향상되고 이에 따라 임신율도 증가할 것으로 기대된다. 정계정맥류를 지닌 불임남성이 정계정맥류제거술을 시행 받았을 때 기대되는 임신율은 여성 측의 불임요인을 제외하였을 때 1년째 35-45%, 2년째는 약 70%에 이르는 것으로 받아들여지고 있다.

미세술기를 이용한 정계정맥류제거술의 원리는 수술현미경을 이용하여 고환동맥과 림프관을 보존함으로써 술후 생길 수 있는 음낭수종이나 고환위축 등의 합병증을 예방하는 것이다. 또한 고환을 체외로 꺼내어 정관정맥을 제외한 고환으로부터의 모든 정맥을 처리해 줄 수 있기 때문에 재발의 가능성을 이론적으로 완전 차단할 수 있다는 장점이 있다. 이 수술법은 많은 정맥의 결찰을 요하므로 수술 시간이 다소 길며 미세술기가 필요하다는 단점이 있으나 이미 미세술기를 익힌 술자라면 많지 않은 경험으로 이 수술법에 곧 익숙해질 수 있다. 이 수술법의 장점들을 고려할 때 남성불임을 전문으로 다루는 비뇨기과 의사라면 미세술기를 이용한 정계정맥류제거술을 기본적으로 시행해야 하며 술후 통증을 경감시킬 수 있다는 점에서 저위서혜부 접근법을 우선적으로 고려해야 한다.

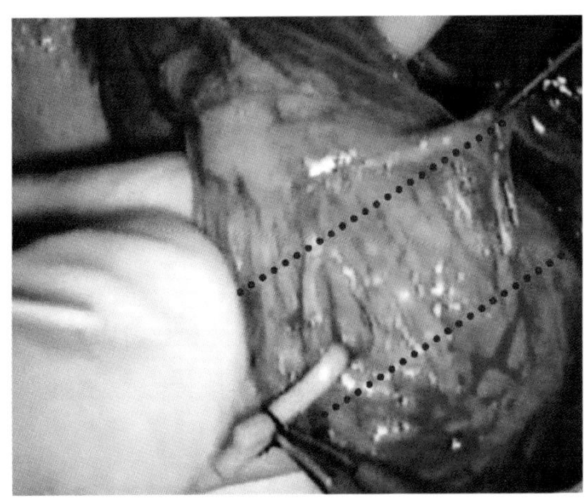

그림 9-17 고환동맥을 1 cm 이상 길이로 박리하여 vessel loop로 걸어두고 고환동맥이 박리된 범위 내에서(점선 표시) 정맥을 처리해 준다.

4) 비폐쇄무정자증 환자에서 정계정맥류 제거술

1990년대 이후 보고된 연구들을 종합해 보면 비폐쇄무정자증 환자에게 정계정맥류제거술을 시행한 결과 정자출현 빈도는 약 39%(23-54%)였고, 자연임신에 성공한 환자는 약 4%(0-13%)였다. 2010년 Haydardedeoglu 등은 정계정맥류가 동반된 비폐쇄무정자증 환자들을 대상으로 정계정맥류제거술 후 미세술기를 이용하여 정자를 추출한 결과에 대해 보고하였다. 그 결과 정계정맥류제거술을 시행한 환자들의 정재채취율은 63%로 정계정맥류제거술을 시행하지 않았을 때의 38%에 비해 유의하게 높았다. 비록 무작위대조시험을 통한 연구는 부족하지만 현재까지의 결과를 종합해보면, 정계정맥류가 동반된 비폐쇄무정자증 환자에게 정계정맥류제거술을 시행하면 고환의 정자발생기능을 향상시켜 일부 환자에서는 수술 후 정자가 검출되고 미세술기를 통한 정자채취성공률 또한 높이므로, 비폐쇄무정자증 환자에게 정계정맥류제거술을 먼저 시행하는 것 또한 좋은 치료 전략이 될 수 있다.

6. 요약

남성불임의 외과치료에 대한 발전은 수술현미경을 이용한 미세수술의 도입과 보조생식술의 발달에 기인한다. 그러므로 남성불임 환자를 전문적으로 다루는 비뇨기과 의사들은 수술에 필요한 미세술기를 습득, 개발, 유지하는데 노력을 기울여야 한다. 또한 교정이 가능한 남성불임의 원인 질환의 병태생리학적 기전을 잘 이해해야 하여 불임으로 방문한 환자들 중 이러한 원인 질환들을 선별하여 최선의 치료에 이를 수 있도록 환자에게 올바른 지침을 제공해 줄 수 있어야 한다. 여러 가지 측면을 고려할 때 발달된 보조생식술의 시대에서도 외과치료가 가능한 남성불임의 원인 질환들을 진단하고 치료하는 비뇨기과 의사들의 적극적인 노력이 요구된다. 그러나 불임의 치료라는 궁극적인 목적을 고려할 때 남성불임의 외과치료와 보조생식술은 서로 경쟁적인 관계이기보다는 상호 보완적인 관계를 유지해야 하므로 각 분야의 의료진끼리의 긴밀한 협조 체계 구축이 필요하다.

참고문헌

1. 박관진, 김수웅, 백재승. 미세수술기법을 이용한 저위서혜부 정계정맥류제거술. 대한비뇨회지 1999;40:372-374.
2. Baazeem A, Belzile E, Ciampi A, Dohle G, Jarvi K, Salonia A, Weidner W, Zini A. Varicocele and male factor infertility treatment: a new meta-analysis and review of the role of varicocele repair. Eur Urol 2011;60:796-808.
3. Belker AM, Thomas AJ Jr, Fuchs EF, Konnak JW, Sharlip ID. Results of 1,469 microsurgical vasectomy reversal by the Vasovasostomy Study Group. J Urol 1991;145:505-511.
4. Choi WS, Kim SW. Current issues in varicocele management: a review. World J Mens Health 2013;31:12-20.
5. Goldstein M, Gilbert BR, Dicker AP, Dwosh J, Gnecco C. Microsurgical inguinal varicocelectomy with delivery of the testis: an artery and lymphatic sparing technique. J Urol 1992;148:1808-1811.
6. Goldstein M. Surgical management of male infertility. In: Wein A, Kavoussi LR, Novick AC, Partin AW, Peters C, eds. Campbell' s urology. Vol 1. 10th ed. Philadelphia: WB Saunders, Co; 2011;648-687.
7. Guo Y, Liu G, Yang D.Role of MRI in assessment of ejaculatory duct obstruction. J Xray Sci Technol 2013;21:141-146.
8. Haydardedeoglu B, Turunc T, Kilicdag EB. The effect of prior varicocelectomy in patients with nonobstructive azoospermia on intracytoplasmic sperm injection outcomes: a retrospective pilot study. Urology 2010;75:2309-2315.
9. Hernandez J, Sabanegh ES. Repeat vasectomy reversal after initial failure: overall results and predictors for success. J Urol 1999;161:1153-1156.
10. Jarow JP, Oates RD, Buch JP, Shaban SF, Sigman M. Effect of level of anastomosis and quality of intraepididymal sperm on the outcome of end-to-side epididymovasostomy. Urology 1997;49;590-595.
11. Jarow JP. Transrectal ultrasonography in the diagnosis and management of ejaculatory duct obstruction. J Androl 1996;17:467-472.
12. Kim SH, Paick JS, Lee IH, Lee SK, Yeon KM. Ejaculatory duct obstruction: TRUS-guided opacification of seminal tracts. Eur Urol 1998;34:57-62.
13. Marmar JL, Agarwal A, Prabakaran S, Agarwal R, Short RA, Benoff S, Thomas AJ Jr. Reassessing the value of varicocelectomy as a treatment for male subfertility with a new meta-analysis. Fertil Steril 2007;88:639-648.
14. Marmar JL, Debenedictis TJ, Praiss D. Subinguinal microsurgical varicocelectomy: a technical critique and statistical analysis of semen and pregnancy data. J Urol 1994;152:1127-1132.
15. Meacham RB, Hellerstein DK, Lipshultz LI. Evaluation and treatment of ejaculatory duct obstruction in the infertile male. Fertil Steril 1993;59:393-397.
16. Netto NR Jr, Esteves SC, Neves PA. Transurethral resection of partially obstructed ejaculatory ducts: seminal parameters and pregnancy outcomes

according to the etiology of obstruction. J Urol 1998;159:2048-2053.
17. Niederberger C, Ross LS. Microsurgical epididymovasostomy: predictors of success. J Urol 1993;149:1364-1367.
18. Paick JS, Hong SK, Yun JM, Kim SW. Microsurgical single tubular epididymovasostomy: assessment in the era of intracytoplasmic sperm injection. Fertil Steril 2000;74:920-924.
19. Paick JS, Kim SH, Kim SW. Ejaculatory duct obstruction in infertile men. BJU Int 2000;85:720-724.
20. Paick JS, Park JY, Park DW, Park K, Son H, Kim SW. Microsurgical vasovasostomy after failed vasovasostomy. J Urol 2003;169:1052-1055.
21. Paick JS. Transurethral resection of the ejaculatory duct. Int J Urol 2000;7 Suppl:S42-47.
22. Pryor JP, Hendry WF. Ejaculatory duct obstruction in subfertile males: analysis of 87 patients. Fertil Steril 1991;56:725-730.
23. Schlegel PN, Goldstein M. Microsurgical vasoepididymostomy: refinements and results. J Urol 1993;150:1165-1169.
24. Silber SJ. Epididymal extravasation following vasectomy as a cause for failure of vasectomy reversal. Fertil Steril 1979;31:309-315.
25. Velasquez M, Tanrikut C. Surgical management of male infertility: an update. Transl Androl Urol 2014;3:64-76.

CHAPTER 10

정자추출법

Sperm Retrieval Technique

■ 김종현

결혼한 부부의 약 15%가 불임이고 이중 40-60%가 남성쪽에 원인이 있는 것으로 여겨진다. 이러한 남성 불임은 정액검사의 결과에 따라 정액검사가 정상인 경우, 정액검사에서 정자는 있으나 정자척도(parameter)에 이상이 있는 경우(감정자증, 약정자증, 기형정자증 등), 그리고 무정자증으로 구분된다. 정액검사에서 정자가 발견되지 않는 무정자증은 정자의 이동 통로가 없거나 막혀서 온 폐쇄성 무정자증(obstructive azoospermia)과 고환 자체의 기능이상에 의한 비폐쇄성 무정자증(non-obstructive azoospermia)으로 나눌 수 있다.

폐쇄성 무정자증 환자에서는 정관정관문합수술이나 정관부고환문합수술과 같은 수술적인 방법으로 근본적인 교정이 가능하지만 폐쇄된 부위가 너무 길거나 여러 곳인 경우, 부고환관 입구부터 막힌 경우, 정관이 없는 선천성양측정관무형성증(congenital bilateral absence of vas deferens, CBAVD) 등의 경우는 수술적 교정이 불가능하다. 이러한 경우는 어쩔 수 없이 부고환이나 고환에서 정자를 얻어서 난자세포질내 정자주입법(intracytoplasmic sperm injection, ICSI)을 해야 하는데 정자를 얻는 방법으로 미세수술적 부고환정자흡입술(microsurgical epididymal sperm aspiratin, MESA), 경피적 부고환정자흡입술(percutaneous epididymal sperm aspiration, PESA), 고환조직정자흡입술(testicular sperm aspiration, TESA), 고환조직정자채취술(testicular sperm extraction, TESE) 등이 시행된다.

폐쇄성 무정자증의 경우 위의 여러 방법을 통하여 부고환이나 고환에서 충분한 정자를 얻을 수 있어 보조생식술을 하는데 문제가 없다. 고환의 정자형성 장애로 인한 비폐쇄성 무정자증에서도 1995년 Devroy 등이 최초로 환자의 고환에서 얻은 정자로 보조생식술을 하여 임신을 보고한 이래로 현재 이들 환자에서도 고환정자를 이용한 보조생식술이 시행되고 있으나 위의 일반적인 정자추출방법으로는 정자를 얻기가 쉽지 않아 고환의 여러 군데에서 조직을 떼어내어 정자를 찾는 다중적 고환조직정자채취술(multiple TESE)을 시행한다. 하지만 비폐쇄성 무정자증 환자의 약 절반에서는 결국 고환 내에서 정자를 찾을 수 없다는 문제점이 있다.

본 장에서는 난자세포질내 정자주입법을 해야만 하는 무정자증 환자에서 어떠한 방법들이 어떠한 경우에 적용되는지 알아보고, 정자를 얻기 어려운 비폐쇄성 무정자증 환자에서 정자를 보다 효율적으로 찾기 위한 최근 경향과 방법들에 대해 알아보고자 한다.

1. 폐쇄성 무정자증 환자에서 정자추출

무정자증 환자에서 정자를 얻는 부위는 폐색의 유무와 위치에 따라 결정된다(그림 10-1).

폐쇄성의 경우 드물게 정자를 정관이나 정낭에서도 얻을 수 있지만 부고환관에서 막혀 있는 경우가 많아 대부분 부고환이나 고환에서 정자를 얻게 된다. 부고환에서 정자를 얻는 MESA, PESA와 고환에서 정자를 얻는 TESA, TESE의 모든 방법이 적용될 수 있다. 과거에는 채취한 정자를 곧바로 사용할 수 있고 사용하고 남은 정자의 냉동보관을 위해서 부고환에서 정자를 얻는 방법이 우선적으로 사용되었지만 현재는 고환조직에서 정자를 추출하는 방법이 보편화되었고 고환조직 자체로도 냉동보관이 가능하여 모든 방법이 일차적으로 사용될 수 있다. 하지만 심한 부고환의 상흔으로 인하여 부고환관 전체가 막혀 있거나 부고환이 선천적으로 발달되어 있지 못한 경우, 부고환에서 얻은 정자가 ICSI하는데 적합하지 못한 경우는 고환에서 정자를 얻어야 한다.

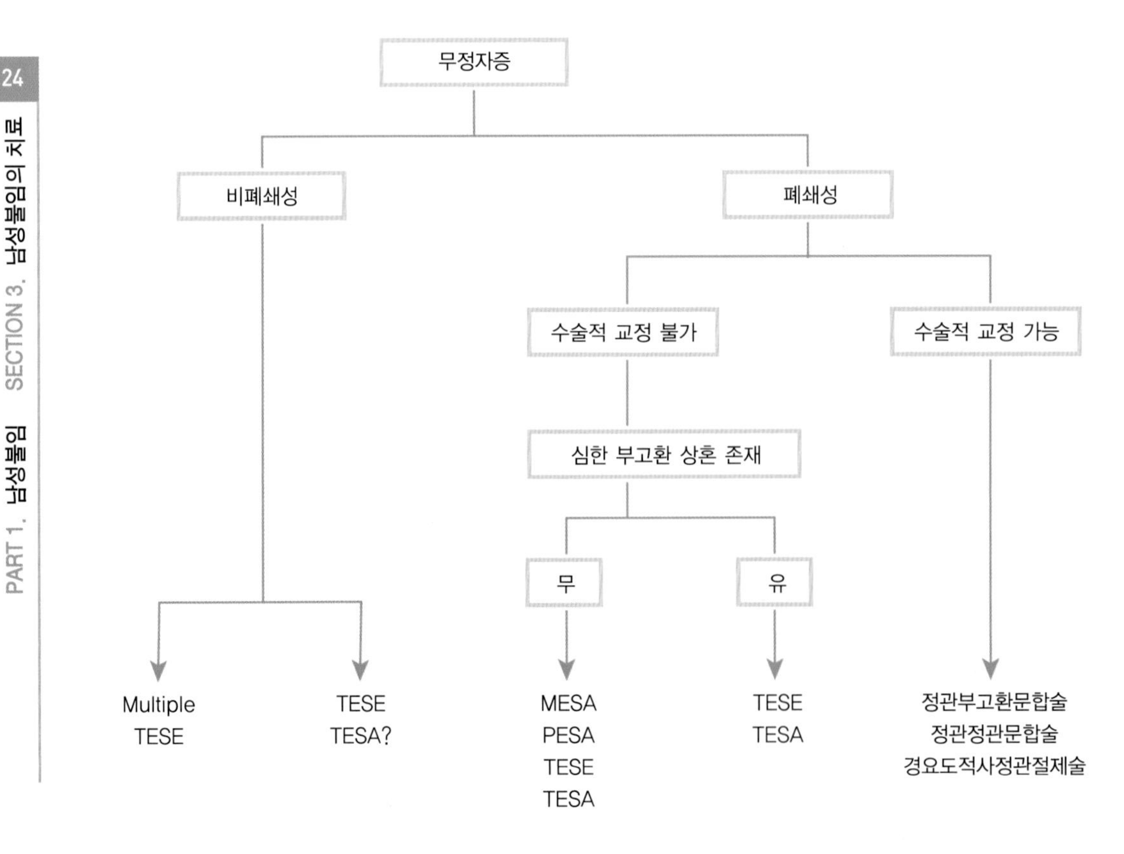

그림 10-1 정자추출을 위한 흐름도(Algorithm for Sperm Procurement)

1) 미세수술적 부고환정자흡입술 (Microsurgical Epididymal Sperm Aspiration, MESA)

국소 또는 전신마취 하에 음낭절개를 한 후 고환과 부고환을 노출시키고 수술현미경 하에 미세수술기구를 이용하여 부고환의 외피에 구멍을 내어 부고환관을 열어 부고환 미부에서 두부 쪽으로 올라가면서 24 G medicut needle 1mL 주사기로 흡입하여 정자의 유무를 관찰하고 정자가 없거나 운동성이 없을 경우 근위부로 올라가서 시행한다. 가능한 한 부고환관의 손상을 줄이기 위하여 미부에서 두부로 시행하는 것이 원칙이나 폐쇄된 부고환관에서 보다 나은 양질의 정자는 두부에서 관찰된다(그림 10-2). 그러나 수술적 교정의 가능성에 대한 정확한 평가 없이 MESA나 PESA를 먼저 시행하는 것은 부고환관이 단일관이므로 이 시술 자체가 인위적으로 영구적인 폐쇄를 만들어 재건의 기회를 불가능하게 할 수 있으므로 정확한 진단 후 시술하는 것이 바람직하다.

부고환 부위의 폐쇄로 정관부고환문합수술을 할 때, 술후 개통에 실패할 경우를 대비하여 MESA를 함께 시행하여 얻은 정자를 냉동보관을 했다가 나중에 ICSI를 시행할 때 사용하기도 한다. 이러한 MESA의 적응증은 선천성양측정관무형성증, 이전에 재건수술이 실패한 경우, 수술적 교정이 불가능한 폐쇄성 무정자증 등이다.

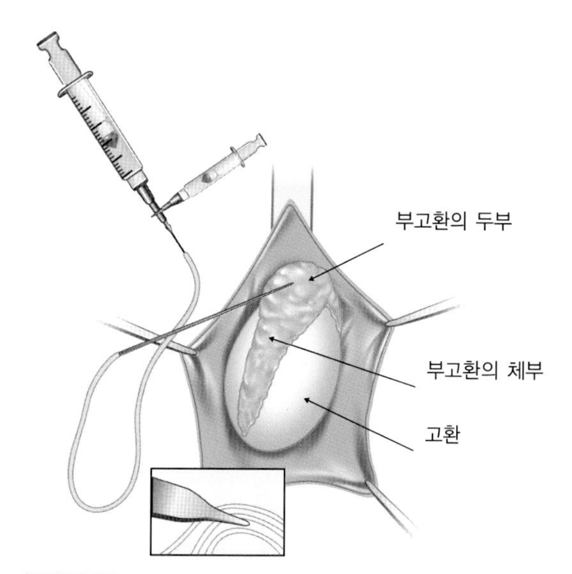

그림 10-2 미세수술적 부고환 정자 흡입술(Mircosurgical Epididymal Sperm Aspiration, MESA)

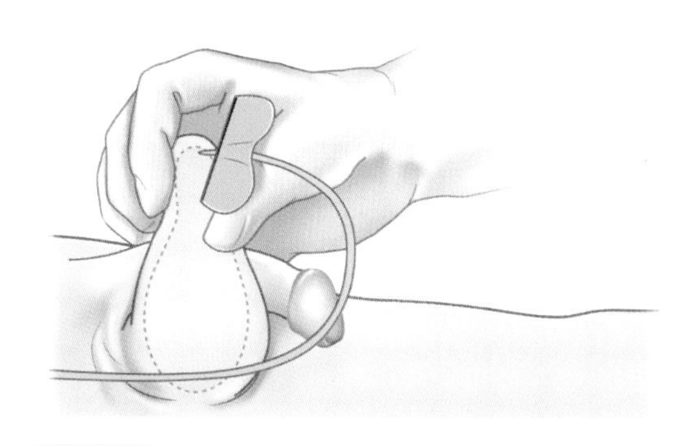

그림 10-3 경피적 부고환 정자 흡입술(Percutaneous Epididymal Sperm Aspiration, PESA)

2) 경피적 부고환정자흡입술 (Percutaneous Epididymal Sperm Aspiration, PESA)

PESA는 21-23 G 바늘을 이용하여 경피적으로 부고환에서 정자를 흡입하는 방법이다. 엄지와 검지로 부고환의 일정부위를 움직이지 않도록 잡아 고정시킨 후 음압을 가해 충분한 양의 정자를 얻는다(그림 10-3). 국소마취 하에 피부절개를 하지 않아도 되고 수술현미경과 미세수술기구가 필요하지 않다는 장점이 있다.

그러나 PESA 역시 부고환관의 손상을 초래하며, 반복적인 PESA와 ICSI를 시행할 경우 부고환관에 회복 불가능한 손상을 초래하여, 후에 미세 복원수술을 불가능하게 만들 우려가 있다.

3) 고환조직정자흡입술 (Testicular Sperm Aspiration, TESA)

고환조직정자흡입술은 고환조직미세흡입술

(testicular fine needle aspiration, TFNA)로도 불리우며, 정삭마취 등의 국소마취 하에서 시행된다. 고환을 고정하고 10-20 mL의 주사기를 Franzen syringe holder에 고정한 후에 21-23 G 바늘을 부착하고 음압을 주면서 수차례 흡입한다(그림 10-4).

PESA와 같이 국소마취 하에 피부절개를 하지 않아도 되며 수술현미경이나 미세수술기구가 필요하지 않다는 장점이 있지만 TESA로 얻어진 정자 수는 제한이 되어 ICSI 하고 남은 정자의 냉동보관이 어려워 매 ICSI 때마다 반복적으로 시행되어야 한다. 비폐쇄성 무정자증 환자에서도 TFNA의 방법으로 정자를 얻어 보조생식술을 통하여 출산이 가능하였다고 보고되었지만 TESA 또는 TFNA로는 얻어진 조직의 양에 한계가 있어 비폐쇄성 무정자증 환자에서 정자를 성공적으로 얻기에는 제한이 있다. TESA에 관련된 합병증으로는 혈수종과 혈종 등이 있다.

4) 고환조직정자채취술 (Testicular Sperm Extraction, TESE)

폐쇄성 무정자증의 경우 부고환에서 정자를 얻고자 할 때 부고환의 심한 반흔으로 정자를 얻을 수 없거나 얻은 부고환 정자가 운동성이 없어서 ICSI를 하는데 적합하지 못한 경우 고환에서 정자를 채취하는 TESE를 시행하게 된다. 하지만 현재는 고환조직에서 정자를 추출하는 방법과 고환정자를 이용하여 ICSI를 하는 방법이 보편화되었고, 고환조직 자체로도 냉동보관이 가능하여 폐쇄성 무정자증 환자에서 TESE를 일차적으로 시행하기도 한다.

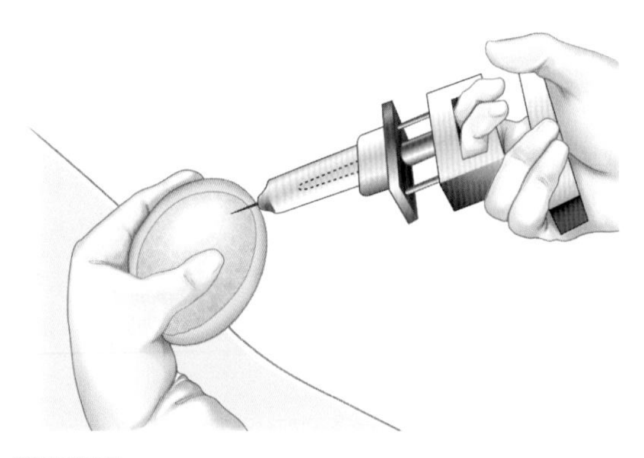

그림 10-4 고환조직 정자흡입술(Testicular Sperm Aspiration, TESA)

TESE 방법은 고환생검 시처럼 국소마취나 전신마취 하에 1-2 cm 정도의 음낭피부절개를 통하여 Dartos근과 고환초막까지 절개하고 고환백막을 노출한 후 혈관이 적은 부위를 선택하여 3-5 mm 정도의 백막절개를 하여 밀려나온 고환조직을 떼어내어 기계적 방법과 효소처리를 통하여 정자를 추출한다(그림 10-5). 폐쇄성 무정자증 환자에서는 1-2군데의 조직 채취로 충분한 정자를 얻을 수 있으며 ICSI를 시행하고 남은 조직은 냉동보관 하였다가 다음 주기에 사용하기도 한다. 하지만 비폐쇄성 무정자증 환자에서는 일반적인 TESE나 TESA의 방법으로는 충분한 고환조직을 얻을 수 없어 정자추출의 가능성이 낮다. 그러므로 여러 군데에서 조직을 떼어내어 정자를 찾아보는 multiple TESE를 시행하게 된다.

실제 TESE는 ICSI의 등장으로 광범위하게 사용되고 있으며 다음과 같은 몇 가지 장점들이 있다. ① TESE는 국소마취 하에서 시행될 수 있고 비교적 시술이 쉽다. ② 특별한 부고환 폐쇄가 없으면서 무정자증일 경우(즉, 사정장애 같은 경우) 부고환에 인위적인 손상 없이 정자를 얻을 수 있다. ③ 부고환이 없거나 부고환에서 정자발견에 실패할 때 시행할 수 있다. ④ 사정정자에서 100% 죽은 정자가 보일 경우 TESE를 통해 살아 있는 정자를 얻을 수 있다. ⑤ ICSI 하고 남은 고환조직은 냉동보관 하였다가 다음 주기에 사용할 수 있어 반복된 수술을 피할 수 있다. ⑥ 비폐쇄성 무정자증 환자에서도 일부 고환조직에서 정자형성이 되고 있는 경우 multiple TESE를 통하여 정자 획득이 가능하다.

그림 10-5 고환조직 정자 채취술 (Testicular Sperm Extraction, TESE)

2. 비폐쇄성 무정자증 환자에서 정자 추출

과거에는 비폐쇄성 무정자증 환자에서는 근본적인 해결방법이 없어 정자은행의 비배우자 정자를 이용하거나 입양이 고려되었다. 그러다가 1995년 Devroy 등에 의해 최초로 이들 환자에서 TESE와 ICSI를 통하여 성공적인 임신과 출산이 보고된 이래로 현재는 비폐쇄성 무정자증 환자에서도 고환정자를 이용한 보조생식술이 시도되고 있다.

고환의 정자형성 장애로 인한 비폐쇄성 무정자증 환자의 경우 정액에서는 정자가 발견되지 않더라도 FSH 수치나 고환크기와 무관하게 고환조직에서 적게나마 정자가 발견될 수 있다. 그리고 진단을 위한 고환조직검사에서 정자세포가 전혀 보이지 않는 생식세포무형성증(germ cell aplasia, Sertoli cell only syndrome) 환자에서도 일부의 세정관에서 국소적인 정자형성 부위가 확인될 수도 있다(그림 10-6).

1) 비폐쇄성 무정자증의 정의와 분류

모든 불임환자의 5-10%를 차지하는데 임상적으로 정액검사에서 무정자증이면서 고환크기의 위축, FSH 호르몬의 증가를 보이면 의심해 볼 수 있지만 최종적으로는 고환생검에서 세정관내에서 정자형성과정이 없거나 비정상적일 경우 확진을 하게 된다.

확진을 위한 고환생검의 결과에 따라 세정관내에서 정자형성과정이 많이 감소되어 적은 수의 성숙정자가 관찰되는 정자형성저하증(hypospermatogenesis), 정자형성과정이 중간에 중단되어 성숙정자가 보이지 않는 성숙정지(maturation arrest), 정자형

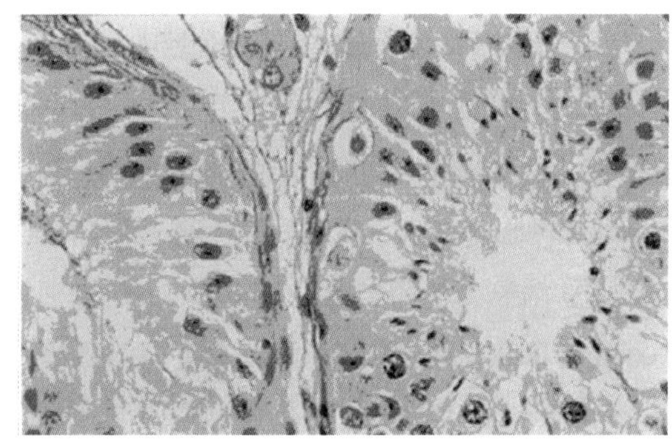

그림 10-6 왼쪽의 세정관은 전형적인 Sertoli cell only syndrome을 보이고 있으나 오른쪽 세정관은 부분적으로 정자형성이 되고 있음 (X400).

성과정이 전혀 보이지 않는 생식세포무형성증으로 크게 나눌 수 있으며 때로는 위의 소견이 혼재되어 나타나기도 한다. 일반적으로 정자형성저하증에서 정자 추출의 가능성이 가장 높으며 생식세포무형성증으로 갈수록 낮아진다. Su 등은 비폐쇄성 무정자증 환자의 정자채취율을 정자형성저하증에서 79%, 성숙정지에서 47%, 생식세포무형성증에서 24%라고 보고하였고, 서 등은 비폐쇄성 무정자증 환자 178례 중 52.8%에서 정자채취에 성공하였는데, 정자형성저하증에서 89.2%, 성숙정지에서 62.5%, 생식세포무형성증에서 16.3%의 정자채취율을 보고하였다(표 10-1).

2) 비폐쇄성 무정자증 환자에서 정자추출의 문제점 및 해결 방향

비폐쇄성 무정자증은 고환에서 정자형성과정이 문제가 되어 나타나는데 대부분의 환자에서 약물 또는 수술적 치료로 근본적으로 해결할 수 없다. 그리하여 고환조직에서 정자를 추출하여 보조생식술을 해야 하는데 성공적인 정자추출을 위해서는 보다 많은 시간과 노력, 세심한 술기가 필요하며, 이를 통하여 결국 약 50%의 환자에서만 정자를 얻을 수 있다. 그리고 어떠한 환자에서 정자를 찾을 수 있을지에 대한 확실한 예측 인자가 없어 난자채취 당일에 정자를 못 찾아 시험관아기 시술이 취소될 가능성이 있을 뿐 아니라 정자채취를 위한 수술 시 혈관손상 및 다량의 고환조직 채취로 인하여 고환기능이 나빠질 수 있다.

그러므로 해결해야 할 방향으로는 정자추출의 성공률을 높이고 고환기능을 보존하기 위한 수술방법의 개발과 시험관아기 시술 전 고환조직 정자채취를 위한 적절한 후보군의 선정이 필요하겠다.

3) 비폐쇄성 무정자증 환자에서 정자추출 방법

비폐쇄성 무정자증 환자에서는 정자추출의 가능성을 높이기 위하여 TESA 보다는 TESE, 특히 여러 군데에서 조직을 채취하는 multiple TESE를 시행하게 된다. 하지만 고식적인 multiple TESE 방법의 경우 무작위로 여러 군데에서 고환조직을 채취하게 되면 고환기능이 감소하게 될 뿐 아니라, 정자형성과정이 있는 세정관의 정확한 부위를 알지 못하고 조직을 떼어내기 때문에 정자추출을 하는데 실패할 수 있다.

그리하여 수술현미경을 이용한 미세수술적 고환조직정자채취술(microsurgical TESE)과 시험관아기시술 전에 미리 fine needle aspiration을 이용하여 mapping을 하고 나중에 TESE를 하는 map-directed TESE가 정자추출의 가능성을 높이고 수술로 인한 합병증을 낮추고자 사용되었으며, 최근에는 같은 목적으로 칼라도플러 초음파를 이용하여 혈류가 많이 공급되는 부분을 선택해서 TESE 하는 방법도 시도되었다.

다음은 그동안 비폐쇄성 무정자증 환자에서 고환내 정자를 추출하기 위하여 사용되었던 수술방법들이다.

표 10-1 고환생검 결과에 따른 성공적인 정자추출률

	SCO	MA	HS
Toumaye et al.	55/112 (49.1%)	39/76 (51.3%)	16/16 (100%)
Su et al.	5/21 (24.0%)	9/19 (47.0%)	31/39 (79.0%)
Seo et al.	13/80 (16.3%)	15/24 (62.5%)	66/74 (89.2%)

* Sco : Sertoli cell only syndrome (germ cell aplasia)
MA : Maturation arrest
HS : Hypospermatogenesis

(1) 고식적인 다중적 고환조직정자채취술 (Conventional multiple TESE)

비폐쇄성 무정자증 환자에서 정자를 얻는데 있어 가장 먼저 시행되어져 왔던 방법으로 1996년 Tournaye 등에 의해 최초로 시도되었다. 이 방법은 난자채취일 당일 날 여러 군데에서 고환조직을 떼어내는 것으로 전통적인 방법으로 사용되어져 왔다. 전신마취 하에 음낭피부절개를 통하여 Dartos근과 고환초막까지 절개하고 고환을 완전히 노출시킨 후 가능한 한 눈에 보이는 백막표면의 혈관을 피하여 3-5mm 정도의 백막절개를 무작위로 여러 부위(각각 4-8군데씩)에서 시행하여 밀려나온 고환조직을 떼어내어 기계적 방법과 효소처리를 통하여 정자를 추출한다(그림 10-7). 정자추출에 성공한 경우 시험관아기시술 후 남은 조직은 동결보존하여 다음 주기에 사용한다.

(2) 진단고환생검 및 정자채취술 동시시술 후 동결보존(Simultaneous diagnostic biopsy and TESE with cryopreservation)

1997년 Oates 등에 의해 제시된 방법으로 난자채취일이 아니고 그 전에 진단을 위한 고환조직생검 시에 동시에 TESE를 시행하여 정자를 찾아 동결 보관해 놓는 방법이다. 정자를 채취하지 못한 경우는 시험관아기시술을 시작하지 않으며 정자를 확보한 경우에만 시험관아기시술을 진행하게 된다. 난자채취일 당일에 정자를 못 찾아 시험관아기시술이 취소되는 것을 막을 수 있다는 장점이 있으나 정자의 숫자가 적은 경우 동결로 인한 정자손상으로 시험관아기시술의 성공률 감소를 초래할 가능성이 있다.

(3) Map-directed TESE

Turek 등에 의해 1997년 처음 시행되었으며, 시험관아기시술에 앞서 어떠한 환자에서 고환에 정자가 있는지를 미리 알아보고 보조생식술을 하는데 적합한 환자를 선택하기 위해 사용되는 방법이다.

국소마취 하에 양쪽 고환에서 약 10군데씩을 mapping하고 23 gauge fine needle을 이용하여 각각의 부위를 aspiration한 후 조직을 슬라이드에 smear하고 95% 에틸알콜로 고정 후 PAP 염색하여 정자의 유무와 어느 부위에서 나왔는지 알아본다(그림 10-8). 정자가 발견되면 시험관아기시술을 진행하게 되며 난자채취일에 정자가 나왔던 부위를 중심으로 TESE를 하게 된다. 이 방법을 통하여 fine needle aspiration mapping을 한 후에 정자가 검출된 환자를 대상으로 난자채취일에 TESE를 했을 때 93-95%의 환

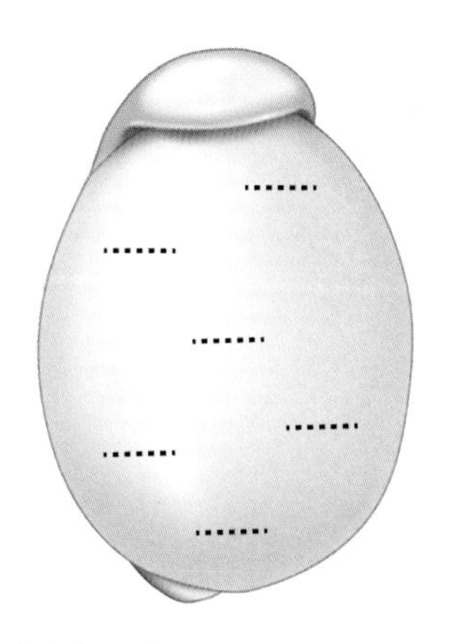
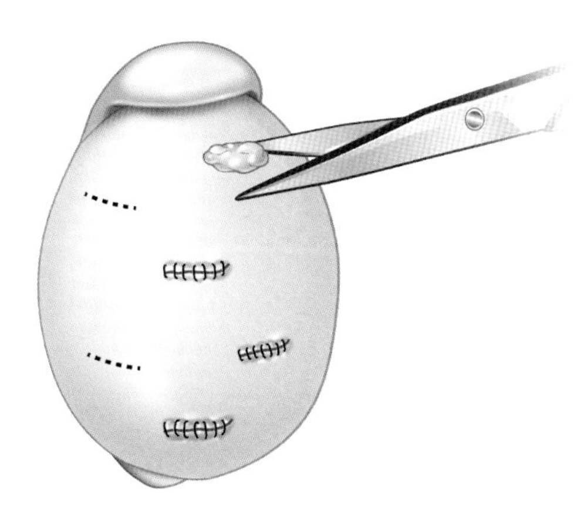

그림 10-7 고식적인 다중적 고환조직 정자 채취술(Conventional multiple TESE) 양쪽 고환을 완전히 노출시킨 후 3-5 mm 정도의 백막절개를 무작위로 여러 부위(각각 4-8군데씩)에서 시행하여 밀려나온 고환조직을 떼어낸다.

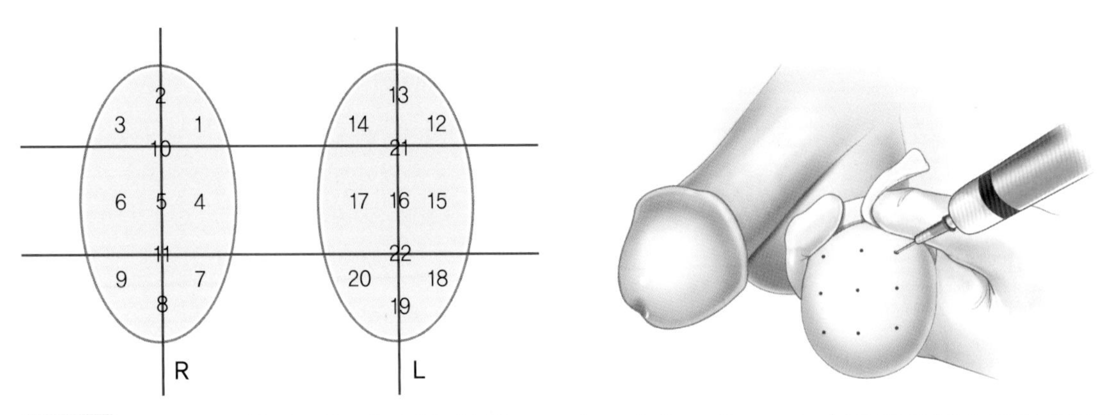

그림 10-8 mapping을 이용한 고환조직 미세흡입술(Fine needle aspiration with mapping) 시험관아기시술 전에 고환에 정자가 있는지를 미리 알아보기 위해 국소마취 하에 양쪽 고환에서 약 10군데씩을 mapping하고 fine needle을 이용하여 각각의 부위를 aspiration한 후 정자검출 유무와 어느 부위에서 나왔는지 알아본다.

자에서 시험관아기시술 하는데 충분한 정자를 얻을 수 있었으며, 일반적으로 2군데의 적은 고환조직만으로도 가능하였다고 한다.

map-directed TESE의 장점으로 비폐쇄성 무정자증 환자에서 TESE 하기에 적절한 환자를 선택하고 보다 적은 조직을 채취할 수 있다는 이론적 근거가 있으나, 생식세포무형성증 환자와 성숙정지 환자에서는 fine needle aspiration으로 얻어지는 정자의 추출률이 기존의 multiple TESE의 결과에 비하여 낮기 때문에 이들 환자에서는 효과와 유용성이 떨어진다고 하겠다.

(4) 미세수술적 고환조직정자채취술 (Microsurgical TESE)

이 방법은 1999년 Schlegel 등이 개발한 방법으로 여러 군데에서 조직을 얻는 것은 multiple TESE와 같으나 수술현미경을 사용하여 정자형성이 일어나는 부위의 세정관을 구분하고 선택하여 정자추출의 성공률을 높일 수 있으며 다량의 조직손실과 혈관손상 등의 합병증을 줄일 수 있다는 장점이 있다.

① 수술방법

국소 또는 전신마취 하에 환자의 고환을 음낭으로부터 완전 분리 노출시키고 수술 현미경을 보면서 4-8배 확대시야에서 가능한 한 고환을 싸고 있는 백막의 혈관부위를 피하면서 백막의 적도면을 따라 길게 횡 절개한 후 노출된 고환조직을 살펴보고 정자형성이 일어나는 부위만을 선택적으로 채취하게 된다. 정자형성부위는 15-25배 확대시야에서 주변부위보다 뿌옇고 확장되어 있어 구별이 가능하다(그림 10-9). 이 때 노출된 조직에서 정자형성이 의심되는 부위가 없다면 고환을 반으로 bivalve 하여 고환 안쪽까지 좀 더 많은 부위를 확인하게 되고 필요하면 반대쪽 고환에서도 시도하게 된다.

② 수술 결과

1999년 Schlegel 등은 최초로 이 방법을 통하여 27명의 환자 중 17명(63%)에서 정자를 성공적으로 추출하였는데 이는 고식적인 방법의 정자추출률 46%보다 의미 있게 높았으며, 고식적인 방법에 비하여 70배적은 조직으로 정자 추출이 가능하였다고 보고하였다. 그 후 고식적인 방법과 비교한 여러 연구들이 보고되었는데 표 10-2는 비폐쇄성 무정자증 환자에서 microsurgical TESE의 정자추출 성공률을 고식적인 방법과 비교한 결과이다. 일반적으로 이 방법을

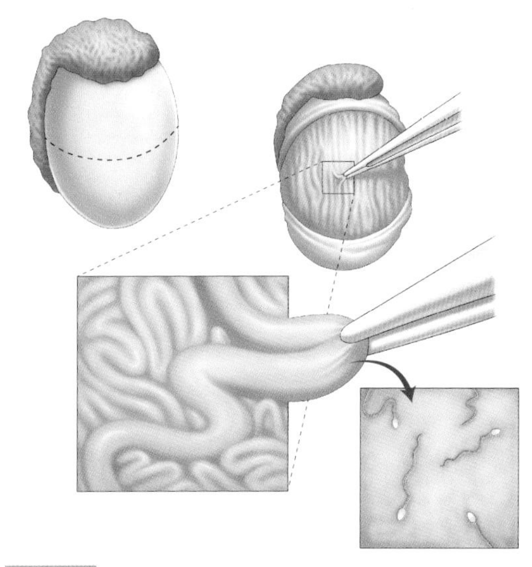

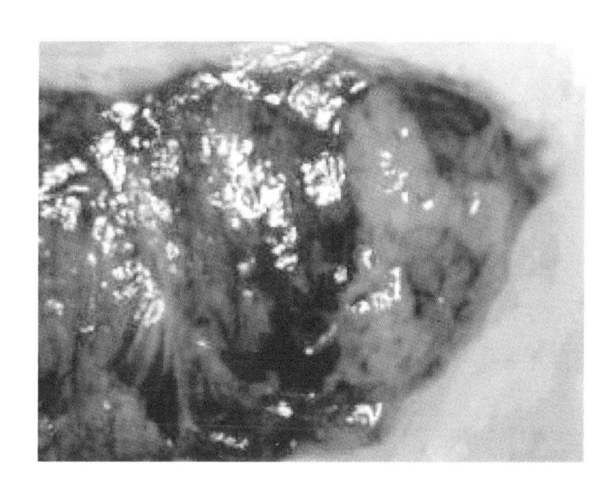

그림 10-9 미세수술적 고환조직 정자채취술(Microsurgical TESE) 4-8배 확대시야에서 가능한 한 고환을 싸고 있는 백막의 혈관부위를 피하면서 백막의 적도면을 따라 길게 횡 절개한 후 노출된 고환조직을 살펴보고 정자형성이 일어나는 부위만을 선택적으로 채취하게 된다. 우측그림-고배율(16배)에서 주변조직에 비해 좀 더 굵고 뿌옇게 보이는 부위가 정자형성부위

표 10-2 비폐쇄성 무정자증 환자에서 Microsurgical TESE의 정자추출 성공률(고식적인 방법과 비교)

	Microsurgical TESE	Conventional TESE
	No.(%)	No.(%)
Schlegel et al. (1999)	17/27(63.0)	10/22(45.5)
Amer et al. (2000)	47/100(47.0)	30/100(30.0)
Okada et al. (2002)	33/74(44.6)	4/24(16.7)
Okubo et al. (2002)	8/17(47.1)	4/17(23.5)
Tsujimura et al. (2002)	24/56(42.9)	13/37(35.1)
Ramasamy et al. (2005)	267/460(58.0)	27/83(32.5)
Kim et al. (2008)	54/173(31.4)	85/277(30.7)

통하여 고식적인 방법에 비하여 약 50%정도 성공률을 높일 수 있었으며, 특히 정자추출이 가장 어렵고 전체 고환 중 극히 일정부분에서 국한되어 정자형성 부위가 있는 생식세포무형성증 환자에서 보다 효과적이라고 한다. 이전에 고식적인 방법을 시행하여 정자추출에 실패한 환자에서도 microsurgical TESE를 salvage 요법으로 시행하는 경우 정자추출 성공률이 45-57%로 보고되었다.

이상에서 microsurgical TESE를 통하여 비폐쇄성 무정자증 환자에서 정자추출률의 향상을 기대할 수 있으며, 비폐쇄성 무정자증 환자에서 정자추출 성공률은 정확한 정자형성 부위를 찾아내는 수술자의 술기와 경험 뿐 아니라 조직에서 정자를 회수하는 연구실의 숙련도 및 전문성에 영향을 받는다.

③ 수술 합병증

정자추출을 위한 고환조직 채취수술의 합병증으로는 혈종, 고환내 섬유화, 고환위축, 성선기능 저하증 등이 있을 수 있다. microsurgical TESE를 시행하게 되면 고식적인 방법에 비하여 고환조직의 다량손실과 혈관손상을 피할 수 있어 이론적으로 고환기능을 보존하는데 도움이 되는데 실제 수술 후 초기 고환초음파 검사에서 고식적 방법에 비하여 microsurgical TESE 후에 혈종 등의 고환의 급성변화가 나타날 확률이 더 적은 것으로 몇몇 연구에서 보고되었다(7-44% vs 30-80%). 수술 후 남성호르몬 변화에 대한 연구에서 고식적인 방법과 microsurgical TESE 방법 모두 수술 후 3-6개월에는 테스토스테론 수치가 수술 전의 80%로 감소되었으나 12개월 후에는 85%, 18개월 후에는 95%로 회복되었다고 한다.

3) 비폐쇄성 무정자증 환자에서 정자채취일 결정

가능하면 시험관아기시술 난자채취일 당일에 맞춰 정자를 얻는 것이 가장 좋겠지만 비폐쇄성 무정자증 환자의 경우 약 50%에서는 결국 정자를 얻지 못한다. 정자형성저하증 환자에서는 고환조직정자채취술을 통하여 대부분에서 정자를 얻을 수 있지만 정자형성과정이 전혀 관찰되지 않는 생식세포무형성증 환자에서는 정자추출의 가능성이 낮으며, 정자를 못 찾을 경우 이로 인하여 난자채취일 당일에 시험관아기시술이 취소되는 문제가 발생할 수 있다.

이러한 문제로 시험관아기시술 전에 정자를 미리 확보하고 동결보존한 후 난자채취일에 녹여서 사용하는 방법이 선호되기도 하는데 이 방법은 정자를 못 얻어 시험관아기시술을 취소하는 것을 방지할 수 있다는 장점이 있지만 정자동결로 인하여 최상의 정자를 사용하지 못한다는 문제점이 발생할 수 있다. 동결보존을 하게 되면 정자는 저온에 의하여 영향을 받게 되어 운동성과 생존성이 감소되는데 특히 다수의 정자를 확보하기 어려운 비폐쇄성 무정자증 환자에서는 그 영향이 적지 않다고 하겠다.

Turek 등의 연구에 의하면 비폐쇄성 무정자증 환자에서 동결보존된 정자를 해동하였을 때 운동성 0.2%, 생존성 50%미만으로 나타나 신선정자의 운동성 5%, 생존성 86%에 비하여 낮게 나타났다고 하였고, Hopps 등은 동결보존 전에 정자의 운동성이 확인된 경우라도 동결 후 난자채취일에 해동하게 되면 단지 33%에서만 생존성을 보인다고 하였다. Schlegel 등은 난자채취일에 신선정자를 이용한 경우 임신율이 48%였으며 동결 및 해동 후에는 생존성이 있는 정자를 사용하여도 33%로 신선정자를 사용하였을 때가 임신율이 높게 나타나 비폐쇄성 무정자증 환자에서는 신선정자를 이용하는 것이 최선이라고 하였다.

그러므로 최적의 정자를 이용하고자 난자채취일에 맞춰 TESE를 하려 한다면 정자를 찾지 못할 경우를 대비하여 비배우자 정자의 사용여부를 미리 합의하여 준비하는 것이 필요하며, 비배우자 정자를 사용할 계획이 없다면 동결보존으로 인한 정자손상의 가능성을 설명하고 시험관아기시술에 앞서 TESE를 먼저 하기도 한다. 결론적으로 비폐쇄성 무정자증 환자의 정자채취일 선정은 비배우자 정자의 사용여부 및 이전 시술시 정자추출경력과 고환생검 결과를 토대로 한 정자추출의 가능성에 대하여 환자부부와 상의한 후 결정하여야 한다.

3. 요약

ICSI라는 강력한 보조생식술 도구가 개발된 후 부고환이나 고환의 정자로도 수정과 임신이 가능하게 되어 남성불임치료에 있어서 많은 변화를 가져왔다. MESA와 TESE의 도입으로 이전에 치료가 불가능했던 불임부부들에게 희망과 해결책이 되었지만 미세수술로 근본적인 치료가 가능한 폐쇄성 무정자증 환자에서는 이에 앞서 우선적으로 수술적 치료가 고려되어야 한다.

고환의 정자형성장애로 인한 비폐쇄성 무정자증 환자의 경우 정자추출율은 약 50% 정도이며, 일반적인 정자추출방법으로는 정자를 얻기가 쉽지 않아 여러 군데에서 고환조직을 채취해야 정자추출의 가능성을 높일 수 있다. 비폐쇄성 무정자증 환자에서 수술현미경을 이용하는 미세수술적 고환조직정자채취술은 고환기능저하 등의 수술합병증을 줄이고 정자추출의 성공률을 높이는데 유용하다. 비폐쇄성 환자의 정자채취일 선정은 정자추출의 가능성과 비배우자 정자의 사용여부 등을 시험관아기시술 전에 환자부부와 충분히 상의 후 결정하여야 한다.

참고문헌

1. Altay B, Helkimgil M, Cikili N, Turna B, Soydan S. Histological mappin of open testicular biopsies in patients with unobstructive azoospermia. Br J Urol Int 2001;87:834-837.
2. Amer M, Ateyah A, Hany R, Zohdy W. Prospective comparative study between microsurgical and conventional testicular sperm extraction in non-obstructive azoospermia: follow-up by serial ultrasound examinations. Hum Reprod 2000;15:653-656.
3. Berookhim BM, Schlegel PN. Azoospermia due to spermatogenic failure. Urol Clin North Am 2014;41:97-113.
4. Bourne H, Watkins W, Speirs A, Baker HW. Pregnancies after intracytoplasmic injection of sperm collected by fine needle biopsy of the testis. Fertil Steril 1995;64:433-436.
5. Devroey P, Liu J, Nagy Z, Goossens A, Tournaye H, Camus M, et al. Pregnancies after testicular sperm extraction and intracytoplasmic sperm injection in non-obstructive azoospermia. Hum Reprod 1995;10: 1457-1460.
6. Donoso P, Tournaye H, Devroey P. Which is the best sperm retrieval technique for non-obstructive azoospermia? A systematic review. Hum Reprod Update. 2007;13:539-549.
7. Friedler S, Raziel A, Strassburger D, Soffer Y, Komarovsky D, Ron-El R. Testicular sperm retrieval by percutaneous fine needle aspiration compared with testicular sperm extraction by open biopsy in men nonobstructive azoospermia. Hum Reprod 1997;12: 1488-1493.
8. Hopps CV, Veeck LL, Tackeuchi T. Limitations of cryopreserved sperm for ICSI in men with non-obstructive azoospermia. Fertil Steril 2003;80:S9.
9. Kalsi J, Thum MY, Muneer A, Abdullah H, Minhas S. In the era of micro-dissection sperm retrieval (m-TESE) is an isolated testicular biopsy necessary in the management of men with non-obstructive azoospermia? BJU Int 2012;109:418-424.
10. Kim ED, Lipshultz LI, Howards SS. Male infertility. In: Gillenwater JY, Grayhack JT, Howards SS, Mitchell ME, editors. Adult and pediatric urology 4th ed, Philadelphia: Lippincott Williams&Wilkins, 2002;1:683-757.
11. Lipshultz LI, Thomas AJ Jr, Khera M. Surgical management of male infertility. In: Wein, AJ, Kavoussi LR, Novick AC, Partin, AW. Peters CA. editors. Campbell's Urology 9th ed, Philadelphia : Saunders, 2007;20:654-717.
12. Meng MV, Cha I, Ljung B-M, Turek PJ. The relationship between classic histologic pattern and sperm findings on fine needle aspiration map in infertile men. Hum Reprod 2000;15:1973-1977.
13. Mulhall JP, Burgess CM, Cunningham D, Carson R, Harris D, Oates RD. Presene of mature sperm in testicular parenchyma of men with nonobstuctive azoospermia: prevelance and predictive factors. Urology 1997;49:91-96.
14. Oates RD, Mulhall J, Burgess C, Cunningham D, Carson R. Fertilization and pregnancy using intentionally cryopreserved testicular tissue as the sperm source for intracytoplasmic sperm injection in 10 men with non-obstructive azoospermia. Hum Reprod 1997;12:734-739.
15. Okada H, Dobashi M, Yamazaki T, Hara I, Fujisawa M,

Arakawa S, Kamidono S. Conventional versus microdissection testicular sperm extraction for nonobstructive azoospermia. J Urol 2002;168:1063-1067.

16. Okubo K, Ogura K, Ichioka K, Terada N, Matsuta Y, Yoshimura K, et al. Testicular sperm extraction for non-obstructive azoospermia: results with conventional and microsurgical techniques. Hinyokika Kiyo 2002; 48:275-280.
17. Palermo G, Joris H, Devroey P, Van Steirteghem AC. Pregnancy after intracytoplasmic injection of single spermatozoon into an oocyte. Lancet 1992;340:17-18.
18. Ramasamy R, Schlegel PN. Microdissection testicular sperm extraction: effect of prior biopsy on success of sperm retrieval. J Urol. 2007;177:1447-1449.
19. Ramasamy R, Yagan N, Schlegel PN. Structural and functional changes to the testis after conventional versus microdissection testicular sperm extraction. Urology 2005;65:1190-1194.
20. Schill T, Bals-Pratsch M, Kupker W, Sandmann JJ, Johannisson R, Diedrich K. Clinical and endocrine follow-up of patients after testicular sperm extraction. Fertil Steril 2003;79:281-286.
21. Schlegel PN. Testicular sperm extraction: microdissection improves sperm yield with minimal tissue excision. Hum Reprod 1999;14:131-135.
22. Schlegel PN, Liotta D, Hariprashad J, Veeck LL. Fresh testicular sperm from men with nonobstructive azoospermia works best for ICSI. Urology 2004; 64:1069-1071.
23. Schlegel PN, Palermo GD, Goldstein M, Menendez S, Zaninovic N, Veeck LL, et al. Testicular sperm extraction with intracytoplasmic sperm injection for nonobstructive azoospermia. Urology 1997;49:435-440.
24. Seo JT, Ko WJ. Predictive factors of successful testicular sperm recovery in non-obstructive azoospermia patients. Int J Androl 2001;24:306-310.
25. Sharma RK, Padron OF, Thomas AJ Jr, Agarwal A, et al Factors associated with the quality before freezing and after thawing of sperm obtained by microsurgical epididymal aspiration. Fertil Steril 1997;68:626-631.
26. Silber SJ, Devroey P, Tournaye H, Van Steirteghem AC. Fertilizing capacity of epididymal and testicular sperm using intracytoplasmic sperm injection (ICSI). Reprod Fertil Devel 1995;7:281-292.
27. Sigman M, Jarow JP. Male infertility. In: Wein AJ, Kavoussi LR, Novick AC, Partin AW, Peters CA, editors. Campbell-Walsh Urology. 9th ed. Philadelphia: WB Saunders;2007:609-653.
28. Su LM, Palermo GD, Goldstein M, Veeck LL, Rosenwaks Z, Schlegel PN. Testicular sperm extraction with intracytoplasmic sperm injection for nonobstructive azoospermia: testicular histology can predict success of sperm retrieval. J Urol 1999;161:112-116.
29. Tournaye H, Clasen K, Aytoz A, Nagy Z, Van Steirteghem A, Devroey P. Fine needle aspiration versus open biopsy for testicular sperm recovery: a controlled study in azoospermic patients with normal spermatogenesis. 1998;13:901-904.
30. Tournaye H, Liu J, Nazy PJ, Camus M, Goosens A, Silber S, et al. Correlation between testicular histology and outcome after intracytoplasmic sperm injection using testicular spermatozoa. Hum Reprod 1996;11: 127-132.
31. Tournaye H, Verheyen G, Nagy P, Ubaldi F, Goossens A, Silber S, et al. Are there predictive factors for successful testicular sperm recovery in azoospermia patients? Hum Reprod 1997;12:80-86.
32. Tsujimura A, Matsumiya K, Miyagawa Y, Tohda A, Miyura H, Nishimura K, et al. Conventional multiple or microdissection testicular sperm extraction: a comparative study. Hum Reprod 2002;17:2924-2929.
33. Tsujimura A, Miyagawa Y, Takao T, Takada S, Koga M, Takeyama M, et al. Salvage microdissection testicular sperm extraction after failed conventional testicular sperm extraction in patients with nonobstructive azoospermia. J Urol 2006;175:1446-1449.
34. Turek PJ, Bachtell N, Conaghan J. The relative viability of human sperm from the testis, epididymis and vas deferens before and after cryopreservation. Hum Repord 1999;14:3048-3051.
35. Turek PJ, Cha I, Ljung BM. Systematic fine-needle aspiration of the testis: correlation to biopsy and results of organ "mapping" for sperm in azoospermic men. Urology 1997;49:743-748.

CHAPTER 11

난자세포질내 정자주입술

Intracytoplasmic Sperm Injection(ICSI) for Male Infertility

■ 이규섭

남성요인에 의한 난임증 및 반복적인 체외수정 실패 환자의 치료는 고식적인 체외수정으로는 임신성공이 매우 어려운 분야였다. 그러나 1992년 최초로 세포질내정자주입술로 임신에 성공한 이후 세포질내 정자주입술은 남성요인에 의한 난임증 뿐만 아니라 다양한 요인에 의한 난임증에 그 활용도를 넓혀가고 있다. 전 세계적으로 남성요인에 의한 체외수정에서 수정방법으로 사용되고 있으며 남성요인이 아니지만 이전 시술에서 수정률이 낮은 경우나 난자의 성숙도를 파악하기 어려운 경우 등에서도 그 적응증을 넓혀가고 있는 추세이다. 그러나 세포질내정자주입술은 정자를 난자의 세포질 내에 직접 주입하는 방법으로 난자의 세포분열에 관여하는 세포내 소기관에 상해를 일으킬 수 있다. 그러므로 무조건적인 적용은 난임원인의 규명과 근본적인 치료에 제한점을 줄 수 있기 때문에 시술의 적용에 신중을 기할 필요가 있다. 또한, 이 방법을 통해 난임의 원인이 유전되거나 새로이 생성될 가능성을 배제할 수 없으므로 유전상담과 시술 이후의 산전검사도 또한 고려되어야 한다.

1. 남성요인 난임치료에 도입된 세포질내정자주입술의 역사

난임치료에 있어 미세조작기(micromanupulator)를 통한 여러 시술을 미세조작술이라고 하며, 이 중에서 현재 남성요인의 난임치료에 가장 널리 사용되는 방법이 세포질내정자주입술이라고 할 수 있다. 미세조작술을 시행하기 위한 기본적인 장비인 미세조작기는 바닥층의 진동과 소음에 의한 미세피펫(micropipette)의 떨림을 방지하기 위한 무진동테이블이 있어야 하며 그 위에 난자의 입체상을 살려주는 Normalski나 Hoffman 타입의 콘덴서와 micromanupulator가 부착된 도립현미경(inverted microscope)이 필요하다. Micromanupulator는 난자를 직접 고정시키는 고정피펫(holding pipette) 및 정자를 난자의 세포질 안으로 주입시키는 주입피펫(injection pipette)을 장착하여 정밀한 움직임이 가능한 기구이다(그림 11-1). Holding pipette과 injection pipette은 상품화된 제품을 구입하여 사용하거나 연구실에서 직접 만들어서 사용할 수 있다. 피펫제작을 위한 도구로는 피펫을 가늘게 뽑는 micro-puller, 가늘게 뽑혀진 피펫을 적당한 직경에서 자르거나 원하는 각도로 굽히거나 피펫 끝의 모양을 바꾸어주는 micro-forge와 잘라진 피펫을 원하는 각도로 갈아주는 micro-grinder가 필요하다. 미세주입기(micro-injector)는 장착된 injection pipette이 정자를 흡입 또는 방출시키고 holding pipette이 난자를 고정시킬 수 있도록 유압을 조절하는 도구이다.

미세조작술의 역사를 고찰해보면 시작은 동물실험을 통해 축적된 미세보조수정술(microassisted fertilization)을 기초로 하여 Uehara와 Ynagimachi 등이 인간정자를 미수정 햄스터 난자 내에 직접 주입하여 수정에 성공한 이래 많은 연구가 이루어졌다. Cohen 등은 난자의 투명대를 micropipette을 이용하여 일부분을 절개하여 정자가 난자내로 들어가기 용이하도록 하여 수정을 도와주는 부분투명대절개법(partial zona dissection, PZD)을 개발하였고 Bongso와 Fishel 등은 micropipette으로 여러 마리의 정자를 채취하여 직접 투명대를 지나 위란강(perivitelline space, PVS)으로 주입해주는 투명대하 정자주입법(subzonal insemination, SUZI)을 개발하였다. 이러한 방법의 도입은 과거 체외수정으로 수정란을 생산하지 못했던 중증남성요인 난임 환자도 정상적인 수정란을 생산할 수 있도록 하였고 이후 임신에도 성공하여 남성난임의 극복가능성을 높였다. 하지만 이러한 방법은 둘 이상의 정자가 난자와 결합하는 비정상적인 다정자수정(polyspermia)의 빈도가 25% 이상으로 높아, 기대한 것보다 수정률과 임신율이 높지 못하였다. 그러나 Palermo 등이 한 마리의 정자를 난자의 세포질내로 넣어주는 세포질내정자주입술(intracytoplasmic sperm injection, ICSI)로 임신에 성공한 이후 미세조작술이 남성요인에 의한 체외수정에 본격적으로 이용되면서 수정률과 임신율이 크게 향상되었다(그림 11-2).

세포질내정자주입술은 고환 내 정자를 이용할 수 밖에 없는 일부 무정자증 환자의 난임 극복에도 유용한 방법이다. 무엇보다도 세포질내정자주입술은 기존의 어떤 방법보다도 높은 수정률을 얻을 수 있을

그림 11-1 Micromanupulator(미세조작기, IA-1/pneumatic manual injector, S Co., Ltd, Tokyo, Japan)

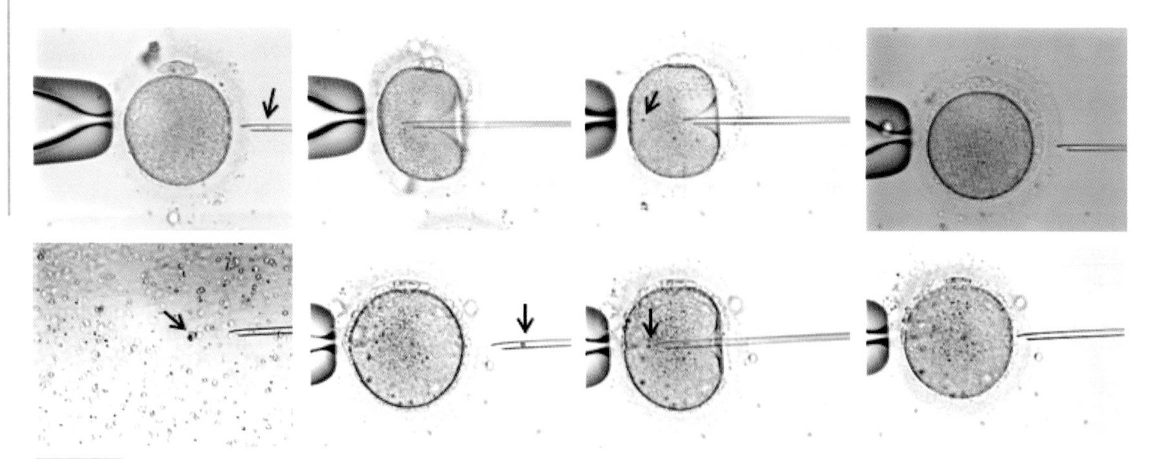

그림 11-2 Intracytoplasmic sperm injection (ICSI, 세포질내정자주입술)와 Round spermatid injection (ROSI, 원형정세포주입술)

뿐만 아니라 다정자수정률도 매우 낮으며, 배아의 발생률과 임신율도 일반적인 체외수정과 유사하여 남성요인에 의한 체외수정의 새 장을 열었다. 최근에는 양질의 정자 선택을 위해 움직이는 정자구조형태검사(motile sperm organelle morphology examination)가 제안되었고 이를 세포질내정자주입술에 결합한 방법으로 정자형태 선별 미세조작술(intracytoplasmic morphologically selected sperm injection, IMSI)이 소개되었다. 현재까지의 자료들을 바탕으로 하면 무작위 난임부부에서 정자형태 선별 미세조작술이 고식적 세포질내정자주입술을 시행한 경우보다 더 좋은 결과를 나타내는 것으로 보이지는 않으나, 임상적 관점에서 일부 선별된 환자에서는 유의한 결과를 보여줄 것으로 기대되고 있다.

2. 세포질내정자주입술과 그 적응증

세포질내정자주입술의 시행 과정을 간단히 살펴보면 우선 남성요인 난임환자로부터 회수된 정액을 세척한 후에 실온에 놓아둔다. 난자는 채취하여 4-6시간 배양 후 난구세포(cumulus cell)를 제거하여 제 1 극체가 배출된 성숙난자를 세포질내정자주입술을 시행할 배양액 소적으로 옮긴다. 세척된 정자는 10% PVP(polyvinylpyrrolidone) 용액 소적에 넣어 운동성을 감소시킨 후에 injection pipette으로 정자꼬리의 중심부를 건드려서 운동성을 없앤 후에 다시 정자 꼬리부터 흡입하여 난자 내에 직접 주입한다. 이 때 난자의 제 1 극체가 6시 혹은 12시 방향으로 위치하도록 하여 holding pipette으로 난자를 고정하고 injection pipette으로 정자를 세포질 내로 넣어준다. 이론상으로 난자 한 개당 한 개의 운동성 있는 정자만이 필요한 세포질내정자주입술은 정자수가 극도로 적은 심한 중증 남성요인 난임 환자뿐만 아니라 미세수술적 부고환정자흡입술(microsurgical epididymal sperm aspiration, MESA) 또는 고환정자채취술(testicular sperm extraction, TESE) 같은 수술적인 방법으로 고환이나 부고환 내 정자만을 사용할 수밖에 없는 폐쇄성 무정자증 환자에게도 그 적용이 가능하다. 또한 이는 동결정자나 동결고환조직으로부터 회수된 정자로도 적응증이 확대되었고 난자 내에 주입되는 정자가 생존만 하고 있다면 신선정자와 비교하였을 때, 수정 능력의 차이를 관찰할 수 없다는 결과들이 발표되고 있다. 세포질내정자주입술은 초기에는 남성요인의 난임환자(5×10 6 /mL의 정자 수, 4% 이하의 strict criteria morphology)를 대상으로 주로 사용되었으나, 남성 요인 외에도 항정자항체를 가져 수정이 잘 되지 않는 면역요인, 심한 자궁내막증이나 다낭성난소증후군, 원인불명으로 여러 차례 체외수정 시술에 실패한 혼합요인과 여성요인의 난임환자에게도 그 적응증을 넓혀가고 있다. 2012년 미국 SART의 자료에 의하면 약 67%의 체외수정 시술환자가 세포질내정자주입술을 이용하여 수정을 시도하는 것으로 보고되고 있다. 또한 최근 들어서는 남성요인이 심각하지 않거나 수정여부를 예측하기 어려울 때 진단의 개념을 도입하여 채취된 난자의 절반은 고식적인 체외수정을 하고 나머지 절반을 세포질내정자주입술을 시도하는 분할수정법을 이용하는 경우도 늘고 있다.

포배아(blastocyst)의 영양막세포(trophoblast) 일부를 떼어내어 배아가 착상되기 전에 유전적 결함의 여부를 미리 진단하여 이상이 없는 포배아를 이식하여 유산율을 줄이기 위한 착상전유전선별검사(preimplantation genetic screening, PGS) 방법에도 미세조작술이 이용된다. 이상과 같이 세포질내정자주입술은 체외수정에서 점점 적응증을 넓혀가는 추세이다. 하지만 난임의 원인에 상관없이 수정률을 높이는 데 급급하여 무조건적으로 세포질내정자주입술을 도입하는 것은 불임원인의 규명과 임신율의 증진에 별다른 도움이 되지 못한다.

3. 세포질내정자주입술의 임상결과

1992년 벨기에에서 세계 최초로 세포질내정자주입술로 임신과 출산에 성공한 이후 세포질내정자주입술은 세계적으로 급속히 전파되었다. 국내에서도 첫 임신이 다음해인 1993년에 성공하였고, 다른 보조생식술에 비해 그 중요성과 파급효과가 큰 특성 때문에 전국적으로 급속히 퍼져나가 가장 일반적인 치료기술이 되었다.

세포질내정자주입술에 의한 임신 성공률은 일반 체외수정과 비교했을 때 전혀 차이가 없는 것으로 알려지고 있다. 대한산부인과학회의 조사에 의하면 세포질내정자주입술을 이용한 체외수정 성공률은 2005년에 이식당 28.6%, 2009년에는 28.5%였다(표11-1). 치료센터에 따라 큰 차이가 있으나, 국내 평균 임신율은 유럽전체 평균 임신율 28.7%와 큰 차이가 없으며, 실제로 연령대를 통한 비교에서도 고령으로 갈수록 임신율이 감소하여 일반적인 체외수정과 유사한 경향성을 보여주고 있다(표11-2). 또한 세포질내정자주입술에 이용된 정자의 기원(사정정자, 부고환 내 정자, 고환 내 정자, 동결정자)에 따른 임상시술 결과에서도 차이점이 많지 않았다(표11-2, 표11-3).

하지만 정자의 상태에 따른 수정률에는 약간의 논란이 있다. 세포질내정자주입술이 도입된 1990년대에 수행된 많은 연구에 의하면 정자의 운동성이 약간만 있다면 정자의 수나 형태에 의한 수정률과 임신율에는 어떠한 차이도 없다는 보고가 많았다. 더욱이 정자의 형성과정 장애가 있는 비폐쇄성 무정자증 남성으로부터 얻은 정자도 수정과 임신능력에는 차이가 없는 것으로 여겨졌다. 하지만 최근의 일부 연구에서는 정자의 형태 및 운동성 이상이 유전자 또는 DNA의 이상에 의해 유발되며, 이러한 이상이 수정이나 착상과정에는 큰 영향을 미치지 않으나 후기 배아나 태아발생과정에 나쁜 영향을 미친다는 결과들이 보고되고 있다.

4. 세포질내정자주입술을 통한 남성 난임의 유전가능성

세포질내정자주입술은 수정 실패를 극복하기 위한 가장 성공적인 기술이다. 실제로 남성요인 난임 환자의 약 95% 이상이 자신의 유전형질을 가진 아이를 가질 수 있게 되었다. 중증 남성요인이거나 심지어 무정자증인 환자의 경우에도 과거에는 수정이 불가능하였으나 세포질내정자주입술의 도입으로 극히 적은 수의 살아있는 정자만 존재한다면 정상적인 수정이 가능하게 되었다. 그러나 남성난임 환자의 약 30%는 유전적 이상의 가능성이 있는 것으로 보여 세포질내정자주입술을 이용한 경우, 유전적인 질환이 다음 세대로 전해질 잠재적인 위험요소를 제공할 수 있다. 실제로 남성요인 난임을 유발하는 인자로서 Y-염색체 미세결실이 보고된 바 있고, 세포질내정자주입술로 염색체 이상이 후대로 전달된 예가 보고된 바 있다. 그러므로 남성요인의 난임부부에게 이러한 난임요인에 관한 유전적 스크리닝이 필요하고 세포질내정자주입술을 통해 전달될 가능성이 있다는 사실을 사전에 알려주는 것이 바람직할 것이다. 과거 여러 연구진에 의해 세포질내정자주입술을 통하여 출생한 신생아에서 2-6%의 중증 또는 경증의 기형이 보고된 바 있으나 일반 출산에서의 2.0-2.9%와 별 차이가 없어 이 시술과의 정확한 상관관계는 밝혀지지 않았다. 또한 세포질내정자주입술로 태어난 아기의 성염색체 이상도 통계학적으로 큰 차이가 없고 이러한 이상이 꼭 세포질내정자주입술과 관련된 것이라 할 수도 없다. 다른 많은 보고들에서도 세포질내정자주입술이 난임이나 다른 유전적 질병의 발생을 증가시키는 원인이 되지 않는다고 결론을 내리고 있다. 그러나 세포질내정자주입술에 의해 태어난 대다수의 아이가 성년에 이르지 않았기 때문에 앞으로 의학적, 심리학적 발달에 문제가 없는지, 수정 능력에 이상이 있는지 등에 관하여 지속적으로 관찰할 필요가 있다.

표 11-1 세포질내 정자주입법을 시행 받은 환자의 연도별 시술건수 및 임신율

연도	2005	2006	2007	2008	2009
시작한 시술수	8262	12972	12389	12439	12050
난자채취된 시술수	7985	12786	11984	12016	11575
배아이식된 시술수	7497	11691	11264	11200	11283
1개 배아이식	882	1455	1395	1460	1856
2개 배아이식	1143	1720	1738	3129	2789
3개 배아이식	1541	2594	2775	3157	4273
4개 배아이식	2331	3311	2892	2376	1790
5개 배아이식	1045	1989	1976	755	493
6개 이상 배아이식	555	622	488	145	82
임상적 임신수	2145	3758	3410	3312	3211
난자채취 주기당 임신율	26.90%	27.90%	28.50%	27.60%	27.70%
배아이식 주기당 임신율	28.60%	32.10%	30.30%	29.60%	28.50%
신생아 출생수	1762	2105	2699	2773	2792
난자채취 주기당 생아 출생률	22.10%	21.20%	22.50%	23.10%	24.10%
배아이식 주기당 생아 임신율	23.50%	18.00%	24.00%	24.80%	24.70%

* (대한산부회지, 한국보조생식술의 현황 인용)

5. 세포질내정자주입술의 제한점

세포질내정자주입술은 체외수정 과정에서 점차 그 적응증이 확대되고 있다. 그러나, 세포질내정자주입술은 수정의 문제만을 해결하는 수단일 뿐이다. 일반적인 체외수정에 의해 수정이 실패한 난자에 다시 세포질내정자주입술을 이용해 수정을 유도한 경우에도 정상적인 수정이 가능하지만 임신율은 극히 저조하다. 또한, 난자의 질이 저조하여 세포질내정자주입술을 이용하여 수정을 유도한 경우, 높은 수정률은 얻을 수 있지만 배아 발생이나 임신율은 매우 저조하여 난임의 원인에 대한 근본적인 접근이나 치료 없이 세포질내정자주입술의 도입을 통한 수정률만의 향상은 난임치료에 큰 의미를 가지지 않는다는 점을 알려주고 있다.

세포질내정자주입술에서 좋은 임상결과를 얻기 위해서는 난자와 배아발생에 관한 많은 식견과 기술을 습득한 연구자의 확보가 매우 중요하다. 또한, 인간 난자나 배아는 그 어떤 동물보다도 외부환경 노출에 민감하므로 최고수준의 시설과 배양환경이 필요하다.

세포질내정자주입술이 처음 도입되었을 때 이미 수정률은 약 50-60%였고, 임신율은 30%를 기록했다. 특히, 개발과 도입 초기에 매우 집중적인 많은 연구가 이루어져 수정률은 더 증가해서 70-80% 이상이 된 반면, 임신율에는 큰 변화가 없다. 이는 세포질내정자주입술이 단지 수정의 문제점만 해결하였을 뿐이며 난자나 배아의 발생과 착상기전에 대한 연구가 아직도 부족하기 때문으로 여겨진다. 또한, 세포질내정자주입술은 많은 남성요인의 난임환자로 그 적응증이 확대되었지만, 아직도 globozoospermia나 정자형성장애를 가지는 환자의 경우에는 해결방법이 없는 상태이다. 일부 연구진에 의해 난자활성화의 병행으

표 11-2 세포질내 정자주입술을 시행 받은 환자의 연령 분포에 따른 임신율

연령분포	2005		2006		2007		2008		2009	
	난자채취 주기	임상적임 신율(%)	난자채취 주기	임상적임 신율(%)	난자채취 주기	임상적임 신율(%)	난자채취 주기	임상적임 신율(%)	난자채취 주기	임상적임 신율(%)
〈25	46	41.3	61	49.2	75	46.7	59	42.4	142	19.7
25-29	947	36.6	1372	36.7	1240	36.8	1134	40.7	2417	13.2
30-34	3580	32.0	5596	34.1	4684	36.2	4543	36.3	7099	19.9
35-39	2139	25.0	4076	24.2	3678	27.9	3931	26.9	5417	21.1
〉40	1223	10.7	1876	10.0	1797	9.6	1850	10.1	2510	9.7

* (대한산부회지, 한국보조생식술의 현황 인용)

표 11-3 고환 내 정자를 사용하여 세포질내정자주입술을 시행 받은 환자의 연도별 임신율

	2005	2006	2007	2008	2009
난자채취시도된 시술수	529	805	745	559	730
배아이식주기	505	761	694	529	833
임상적 임신율(%)	34.0	33.3	31.4	35.4	29.3
난자채취 주기당 생아출생율(%)	24.2	25.8	24	27.2	12.9

* (대한산부회지, 한국보조생식술의 현황 인용)

로 globozoospermia에서도 임신 성공이 보고된 바 있고, 고환 내 원형정자 세포주입(round spermatid injection, ROSI)이 도입된 바 있으나 효율은 매우 낮다(그림 11-2). 그러므로 보다 많은 남성요인 난임환자의 치료를 위해 정자형성과정에 관한 기초연구의 병행이 절실하다.

6. 요약

1992년 인간에게 도입된 세포질내정자주입술은 남성요인 난임환자의 치료 뿐만 아니라 전체 체외수정 시술의 패러다임을 바꾸었다. 수정을 시도하지 못해 정자공여를 받거나 입양 또는 임신을 포기할 수밖에 없었던 많은 환자에게도 자녀를 가질 수 있게 해주었다. 그러나 이러한 세포질내정자주입술은 역으로 필요하지 않은 많은 사람에게도 시술을 하게하여 잠재적인 위험에 노출하게끔 하고 있으며, 세포질내정자주입술에 대한 과신은 남성 난임에 대한 원인과 치료에 관한 연구의 필요성을 약화시키는 결과를 가져오고 있다. 그러나, 전술한 바와 같이 세포질내정자주입술은 단지 수정의 문제점만을 해결한 것이고 보다 근본적인 난임 요인에 대한 해결책은 아니며, 아직도 알려진 바가 많지 않다. 보다 많은 난임 환자에게 정상적인 임신과 출산의 기쁨을 주기 위해서는 난임의 원인에 대한 보다 체계적인 기초의학적인 연구가 필요하다.

참고문헌

1. 김수경, 변혜경, 최수진, 박용석, 송상진, 전진현 등. 정자의 획득 방법 에 따라 얻어진 ICSI 배아의 동결-융해 이식 후 임신 결과. 대한산부회지 2004;47:2167-2172.
2. 김정훈, 채희동, 강은희, 전용필, 홍석호, 강병문 등. 동결-융해된 고환 조직내 정자를 이용한 난자세포질내 정자주입술에 관한 연구. 대한산부회지 1999;42:1926-1934.
3. 대한 산부인과학회 인공수태시술 의료기관 심사소위원회. 한국보조생식술의 현황; 2009년. 대한산부회지 2013;56:353-361.
4. 대한 산부인과학회 인공수태시술 의료기관 심사소위원회. 한국보조생식술의 현황; 2008년. 대한산부회지 2011;54:741-763.
5. 대한 산부인과학회 인공수태시술 의료기관 심사소위원회. 한국보조생식술의 현황; 2007년. 대한산부회지 2010;53:1052-1076.
6. 대한 산부인과학회 인공수태시술 의료기관 심사소위원회. 한국보조생식술의 현황; 2006년. 대한산부회지 2009;52:1212-1238.
7. 대한 산부인과학회 인공수태시술 의료기관 심사소위원회. 한국보조생식술의 현황; 2005년. 대한산부회지 2008;12:1425-1447.
8. 문신용, 김석현, 김광혜, 채회동, 이재훈, 정경남 등. 남성인자 불임환자에서의 체외수정시술시 난자 세포질내 정자 주입술을 이용한 미세 보조 수정술의 임상적 효용성에 관한 연구. 대한산부회지 1996;39:2310-2323.
9. 박기상, 박윤규, 송해범, 이택후, 전상식. IVF, ICSI 또는 TESE-ICSI에서 수정을 유도한 난자의 배아 발생능력 및 임신율. 대한불임학회지 2004;31:169-176.
10. 박찬우, 궁미경, 양광문, 김진영, 유근재, 서주태 등. 폐쇄성 무정자증 과 비폐쇄성 무정자증에서 체외수정시술 후의 임신 결과 비교. 대한불임학회지 2003;30:207-215.
11. 이영일, 이상훈, 김영선. 부고환 및 고환정자를 이용한 세포질내 정자주입술에 관한 임상 연구. 대한불임학회지 1996:39:1315-1330.
12. 손지온, 신지수, 정창진, 조용선, 엄기붕, 최동희 등. 심한 무력정자증 환자의 ICSI 시행시 Pentoxifylline을 사용한 정자처리법이 임상결과에 미치는 영향. 대한불임학회지 2002;29:97-103.
13. 전진현, 임천규, 김정욱, 변혜경, 한미현, 이호준 등. 사정 정자를 이용한 세포질내 정자주입술에서 수정률과 임신율에 영향을 미치는 요인. 대한산부회지 1998;41:1001-1007.
14. Medhat A, Wael Z, Taha Abd El N, Hossam H, Mohammed A, Emad F. Single tubule biopsy: a new objective microsurgical advancement for testicular sperm retrieval in patients with nonobstructive azoospermia. Fertil Steril 2008;89:592-596.
15. Andersen AN, Goossens V, Ferraretti AP, Bhattacharya S, Felberbaum R, de Mouzon J, et al. European IVF-monitoring (EIM) Consortium European Society of Human Reproduction and Embryology (ESHRE). Assisted reproductive technology in Europe, 2004: results generated from European registers by ESHRE. Hum Reprod 2008;23:756-771.
16. Andersen AN, Goossens V, Bhattacharya S, Ferraretti AP, Kupka MS, de Mouzon J, et al. European IVF-monitoring (EIM) Consortium, for the European Society of Human Reproduction and Embryology (ESHRE). Assisted reproductive technology and intrauterine inseminations in Europe, 2005: results generated from European registers by ESHRE: ESHRE. The European IVF Monitoring Programme (EIM), for the European Society of Human Reproduction and Embryology (ESHRE). Hum Reprod 2009;24:1267-1287.
17. Andersen AN, Goossens V, Gianaroli L, Felberbaum R, de Mouzon J, Nygren KG. Assisted reproductive technology in Europe, 2003. Results generated from European registers by ESHRE. Hum Reprod 2007;22:1513-1525.
18. Andersen AN, Carlsen E, Loft A. Trends in the use of intracytoplasmatic sperm injection marked variability between countries. Hum Reprod Update 2008;14:593-604.
19. Centers for Disease Control and Prevention, American Society for Reproductive Medicine, Society for Assisted Reproductive Technology. 2012 Assisted Reproductive Technology Success Rates: National Summary and Fertility Clinic Reports, Atlanta: U.S Department of Health and Human Services, Centers for Disease Control and Prevention; 2014.
20. Uehra T, Hanagimachk R. Microsurgical injection of spermatozoa into hamster eggs with subsequent

transformation of sperm nuclei into male pronuclei. Biol Reprod 1976;15:467-470.
21. Ng SC, Bongso A, Ratnam SS, Satananthan H, Chan CL, Wong PC, et al. Pregnancy after transfer of sperm under zona. Lancet 1988;2:790.
22. Fishel S, Timson J, Lisi F, Rinaldi L. Evaluation of 225 patients undergoing subzonal insemination for the procurement of fertilization in vitro. Fertil Steril 1992; 57:840-849.
23. Cohen J, Malter H, Wright G, Kort H, Massey J, Mitchell D. Partial zona dissection of human oocytes when failure of zona pellucida penetration is anticipated. Hum Reprod 1989;4:435-442.
24. Dozortsev D, Neme R, Diamond MP, Abdelmassih S, Abdelmassih V, Oliveira F, et al. Embryos generated using testicular spermatozoa have higher developmental potential than those obtained using epididymal spermatozoa in men with obstructive azoospermia. Fertil Steril 2006;86:606-611.
25. John C. M. Dumoulin JM, Coonen E, Bras M, Bergers-Janssen JM, Ignoul- Vanvuchelen RC, et al. Embryo development and chromosomal anomalies after ICSI: effect of the injection procedure. Hum Reprod 2001;16:306-312.
26. La Sala GB, Nicoli A, Fornaciari E, Falbo A, Rondini I, Morini D, et al. Intracytoplasmic morphologically selected sperm injection versus conventional intracytoplasmic sperm injection: a randomized controlled trial. Reprod Biol Endocrinol 2015;13:97.
27. Joanne G, Salim D. IVF Directors Group of the Canadian Fertility and Andrology Society. Assisted reproductive technologies (ART) in Canada: 2002 results from the Canadian ART Register. Fertil Steril. 2006;86:1356-1364.
28. Joanne G, Salim D. IVF Directors Group of the Canadian Fertility and Andrology Society. Assisted reproductive technologies (ART) in Canada: 2001 results from the Canadian ART Register. Fertil Steril 2005;84:590-599.
29. Hammitt DG, Ferrigni RG, Sattler CA, Rebert JA, Singh AP. Development of a new and efficient laboratory method for processing testicular sperm. J Assist Reprod Genet 2002;19:335-342.
30. Khalili MA, Kalantar SM, Vahidi S, Ghafour-Zadeh M. Failure of fertilization following intracytoplasmic injection of round-headed sperm. Ann Saudi Med 1998;18:408-411.
31. Lee R, Li PS, Goldstein M, Tanrikut C, Schattman G, Schlegel PN. A decision analysis of treatments for obstructive azoospermia. Hum Reprod 2008;23:2043-2049.
32. Levran D, Nahum H, Farhi J, Weissman A. Poor outcome with round spermatid injection in azoospermic patients with maturation arrest. Fertil Steril 2000;74:443-449.
33. Lewis SE. Is sperm evaluation useful in predicting human fertility? Reproduction 2007;134:31-40.
34. Lin YH, Huang LW, Seow KM, Huang SC, Hsieh ML, Hwang JL. Intentional cryopreservation of epididymal spermatozoa from percutaneous aspiration for dissociated intracytoplasmic sperm injection cycles. Acta Obstet Gynecol Scand 2004;83:745-750.
35. Navarro J, Risco R, Toschi M, Schattman G. Gene therapy and intracytoplasmatic injection (ICSI) - a review. Placenta 2008;29 (suppl B):193-199.
36. Neri QV, Takeuchi T, Palermo GD. An update of assisted reproductive technologies results in the United States. Ann N Y Acad Sci 2008;1127:41-48.
37. Staffan N, Urban W, Ann-Britt E, Dan H. Single blastocyst transfer after ICSI from ejaculate spermatozoa, percutaneous epididymal sperm aspiration (PESA) or testicular sperm extraction (TESE). J Assist Reprod Genet 2007;24:167-171.
38. Palermo G, Joris H, Devroey P, Van Steirteghem AC. Pregnancies after intracytoplasmic injection of single spermatozoon into an oocyte. Lancet 1992;340:17-18.
39. The management of infertility due to obstructive azoospermia. Fertil Steril 2008;90:S121-124.
40. Practice Committee of American Society for Reproductive Medicine; Practice Committee of Society for Assisted Reproductive Technology. Genetic considerations related to intracytoplasmic sperm injection (ICSI). Fertil Steril 2008;90:S182-184.
41. Schiff JD, Luna M, Barritt J, Duke M, Copperman A, Bar-Chama N. The morphology of extracted testicular sperm correlates with fertilization but not pregnancy

rates. BJU Int 2007;100:1326-1329.

42. Silber SJ, Van Steirteghem AC, Liu J, Nagy Z, Tournaye H, Devroey P. High fertilization and pregnancy rate after intracytoplasmic sperm injection with spermatozoa obtained from testicle biopsy. Hum Reprod 1995;10:148-152.

43. Sukcharoen N, Sithipravej T, Promviengchai S. Epididymal distension as a predictor of the success of PESA procedures. J Assist Reprod Genet 2002;19:295-297.

44. Ferraretti AP, Goossens V, Kupka M, Bhattacharya S, de Mouzon J, Castilla JA, et al. Assisted reproductive technology in Europe, 2009: results generated from European registers by ESHRE. Hum Reprod 2013;28:2318-2331.

45. Tejera A, Moll M, Muriel L, Remoh J, Pellicer A, De Pablo JL. Successful pregnancy and childbirth after intracytoplasmic sperm injection with calcium ionophore oocyte activation in a globozoospermic patient. Fertil Steril 2008;90:1202.e1-5.

46. Andersen AN, Gianaroli L, Felberbaum R, de Mouzon J, Nygren KG. Assisted reproductive technology in Europe, 2002. Results generated from European registers by ESHRE. Hum Reprod 2006;21:1680-1697.

47. Uehara T, Yanagimachi R. Microsurgical injection of spermatozoa into hamster eggs with subsequent transformation of sperm nuclei into male pronuclei. Biol Reprod 1976;15:467-470.

48. Bulent U, Cengiz A, Senai A, Ramazan M, Alp N, Alper M et al. Transfer at the blastocyst stage of embryos derived from testicular round spermatid injection. Hum Reprod 2002;17:741-743.

49. van Rumste MM, Evers JL, Farquhar CM, Blake DA. Intra-cytoplasmic sperm injection versus partial zona dissection, subzonal insemination and conventional techniques for oocyte insemination during in vitro fertilization. Cochrane Database Syst Rev 2003;2: CD001301

50. World Health Organization (1999) WHO laboratory manual for the examination of human semen and semen-cervical mucus interaction. 4th ed. Cambridge: Cambridge University Press

CHAPTER 12

ICSI 시대에서 비뇨기과 의사의 역할

The Role of Urologist in the Era of ICSI

■ 김종현

생식의학은 1990년대 들어서 배아복제 등 많은 변화와 발전이 있었다. 남성불임 또한 보조생식술(assisted reproductive technology, ART), 특히 난자세포질내 정자주입법(intracytoplasmic sperm injection, ICSI)이 개발되면서 과거에는 해결이 불가능했던 많은 남성불임 환자들도 2세를 가질 수 있게 되었다. 하지만 이러한 고도의 기술과 고비용을 요구하는 치료법은 불임부부에서 남성 쪽의 진단과 치료를 간과하게 하며, 불임과 연관된 유전적인 이상이 다음 세대로 전달되는 문제점이 발생할 수 있다. 즉 정계정맥류, 정로폐색, 감염과 같이 쉽게 그리고 효과적으로 해결될 수 있는 남성불임의 많은 원인들이 무시될 뿐 아니라 고환암이나 뇌하수체종양 등의 의미 있는 질병을 충분한 평가 없이 지나칠 수도 있으며, 2세에게 불임의 원인을 제공할 수 있다.

불임남성을 평가하는 목적으로는 첫 번째로 불임의 원인이 근본적인 해결이 가능한 것인지, 두 번째로 근본적인 해결은 불가능하지만 본인의 정자를 이용한 보조생식술이 가능한 상태인지, 세 번째로 보조생식술로도 해결이 불가능하여 비배우자 공여정자를 사용하거나 입양을 고려해야 할 상태인지, 네 번째로는 기존에 의미 있는 질병이 있는지, 마지막으로 불임환자와 다음 세대에 영향을 미치는 유전자와 염색체 이상이 동반되어 있는지를 알아보는 것이다.

보조생식술 시대에 있어 비뇨기과 의사의 중요한 역할은 남성불임환자를 한 단계 위로 격상(upgrade)시키는 것이다. 즉 내과적 약물치료나 여러 수술적 방법을 통하여 아무것도 할 수 없는 상태에서 최소한 IVF/ICSI를 할 수 있는 상태로, IVF 또는 IVF/ICSI 대상환자를 자궁강내 정액주입(intrauterine insemination, IUI)이나 정상임신이 가능한 상태로, 그리고 IUI 대상환자를 정상임신이 가능한 상태로 올려놓는 것이다. 이와 더불어 보조생식술을 통해 2세에게 전달이 가능한 유전적인 문제에 대하여 보조생식술 전에 유전상담을 해야 한다.

본 장에서는 보조생식술 시대에 남성불임환자를 upgrade시키는 방법들에는 어떠한 것이 있으며, 유전상담은 어떠한 환자들에서 적용되고 이떠한 검사법들이 사용되고 있는지에 대하여 알아보고자 한다.

1. Upgrading

불임클리닉에서 불임부부의 문제를 해결하는데 있

어 가장 이상적인 것은 정상적인 부부관계를 통하여 자연임신을 하여 건강한 아기를 출산하는 것이다. 하지만 현실적으로 모든 불임부부에서 이것을 기대할 수는 없으며, 자연임신이 어려운 경우에는 IUI, IVF, IVF/ICSI와 같은 보조생식술을 고려해야 한다. 보조생식술 시대에 있어 비뇨기과 의사는 여러 가지 치료 방법을 통하여 좀 더 자연스럽고 이상적인 임신과 출산을 위하여 남성불임 환자를 한 단계 위로 Upgrade 시켜야 한다(표 12-1. 12-2).

그리고 보조생식술 개발 이전에는 무정자증 환자에서 수술 후 또는 약물치료 후 사정액에 정자가 출현하더라도 그 수나 운동성에 문제가 있어 자연임신이 되지 않은 경우 치료 실패로 간주 하였지만 지금은 이들 불임환자에서도 보조생식술을 이용하면 사정액내 정자로 얼마든지 임신이 가능하게 되었다. 그러므로 교정이 가능한 남성불임의 원인을 적극적으로 찾아 치료하여 upgrade시키는 것은 보조생식술 시대에서 더욱 중요하다 하겠다.

1) From IUI to natural conception

주로 정액검사에서 정자의 수나 운동성이 감소되어 있는 감정자증이나 약정자증 환자에게 적용되며 정계정맥류절제술, 약물치료, 생활습관개선(life style modification) 등이 여기에 해당된다.

표 12-1 Grade for conception

1. Natural conception
2. IUI(intrauterine insemination)
3. Conventional IVF(in vitro fertilization)
4. IVF/ICSI(intracytoplasmic sperm injection)
5. IUI or IVF with donor sperm
6. Adoption

표 12-2 Upgrading

1. From IUI to natural conception
2. From IVF or IVF/ICSI to IUI or natural conception
3. From nothing to something(IVF/ICSI)

(1) 정계정맥류절제술

정계정맥류는 수술적으로 교정이 가능한 가장 대표적인 남성불임의 원인으로 남성불임 환자의 약 40%에서 발견되며, 수술 후 60%이상에서 정액개선이 발견되며 자연임신율은 약 40%에 이른다고 한다. 그러므로 정계정맥류를 가진 남성불임 환자에서 여성 쪽이 정상이고 비정상적인 정액검사 소견을 보이는 경우 일차적으로 수술적 치료가 고려되어야 한다.

정계정맥류의 수술방법은 여러 가지 방법이 있는데 과거에는 후복막강 접근법인 변형된 Palomo방법과 서혜부위를 통한 변형된 Ivanissevich법이 주로 사용되어져 왔으나, 1992년 Goldstein 등과 1994년 Marmar 등이 서혜부 또는 저위서혜부(subinguinal)를 통한 미세수술적 정계정맥류절제술을 시행한 이래로 최근에는 이 방법이 보편적으로 사용되고 있다. 이 방법의 장점은 수술현미경하에서 수술을 하기 때문에 내정계동맥과 림프관을 보존하면서 작은 정맥까지 절제할 수 있으며, 외정계정맥과 도대정맥까지도 절제가 가능하여 수술의 합병증을 피하고 재발률을 낮출 수 있다는 것이다.

(2) 약물치료

현재 불임환자에서 약물치료는 확실히 치료가 될 원인이 있는 경우에서 사용된다. 여기에는 Kallmann 증후군과 같이 성선자극호르몬의 장애가 있는 경우와 고프로락틴혈증, 선천성부신증후군, 갑상선기능저하증과 항진증, 감염으로 인한 농정액증, 항정자항체, 역행성사정 등이 해당된다. 하지만 남성불임의 약 25%를 차지하는 원인미상의 불임환자에서는 clomiphene citrate이나 성선자극호르몬 등이 경험적인 치료법으로 사용되기도 하였지만 정액검사와 임신율의 개선에 있어 일관된 치료 효과를 나타내지 못하였다.

(3) 생활습관의 개선

남성의 가임 능력을 개선시키기 위하여 쉽고 간편하게 사용할 수 있는 방법으로 가장 기본이 되면서도 중요하다. 여기에는 금연과 금주, 적절한 운동, 꽉 조이는 내의착용 금지 및 뜨거운 장소를 피하는 것(사우나, 반신욕 및 뜨거운 작업장) 등이 해당된다. 이 밖에도 불임의 원인이 되는 활성화 산소를 제거하기 위해 비타민 C, 비타민 E, 글루타치온, 아연제제와 같은 항산화제를 보충하는 것도 도움이 된다.

2) From IVF or IVF/ICSI to IUI or natural conception

정자의 이동통로인 정로가 막힌 폐쇄성 무정자증 환자와 정액검사에서 심한 감정자증을 보이는 환자에게 적용되며 여기에는 부고환정관문합수술 등의 미세수술적 재건수술, 경요도사정관절제수술, 정계정맥류절제술이 해당된다.

여러 보고들에서 남성불임을 해결하는데 미세수술적 재건수술과 정계정맥류절제술이 ICSI 방법보다 비용 대비 임신과 출산율에 있어 더 효과적이라고 하였다. 또한 ICSI 방법은 임신과정이 자연스럽지 못하고 다생아 출산가능성이 증가하며, 자연임신으로 염색체나 유전자 이상이 걸러지는 과정이 생략되기 때문에 이러한 이상이 다음 세대에게 그대로 전달될 수 있을 뿐 아니라 여성에게도 많은 부작용을 초래할 수 있다. 그러므로 교정이 가능한 남성불임 환자에서는 보조생식술 이전에 수술적 방법으로 해결하려는 노력이 필요하다.

(1) 미세수술적 재건수술

부고환 부위가 막혀서 시행하는 부고환정관문합수술은 처음에는 부고환에 누공을 만들고 여기에 정관을 연결하는 누공정관문합술을 시행하였으나 수술결과는 좋지 못하였고, 1978년에 Silber가 처음으로 부고환관과 정관을 직접 단단(end-to-end)으로 연결시키는 보다 진보된 미세현미경수술을 시행하여 86%의 개통률을 발표한 이래로 현재는 부고환관정관문합수술이 여러 변형된 방법으로 시행되고 있다. 1980년 Wagenknecht에 의해 처음 시도된 단측연결술(end-to-side anastomosis)의 경우 67-85%의 개통률과 27-49%의 임신율이 보고되었으며, 최근에는 문합을 좀 더 쉽게 하기 위하여 부고환관을 정관의 내강으로 중첩시켜 함입시키는 invagination 술기가 소개되었다.

(2) 경요도사정관절제수술

사정관폐색으로 인한 무정자증이나 심한 감정자증의 경우 시행하게 된다. 사정관폐색의 원인으로는 선천성사정관협착, 전립선의 염증성질환, Mullerian duct 낭종과 Wolffian duct 낭종이 있다. 경요도절제경을 이용하여 정구의 전립선 측을 절제하는 방법으로 시행하며, 수술 후 개통률은 21-100%, 임신율은 9-100%로 다양하게 보고되었다.

(3) 정계정맥류절제술

IVF나 IVF/ICSI를 고려할 정도의 심한 감정자증이나 약정자증 환자에서도 정액개선을 통한 upgrade를 위하여 정계정맥류절제술을 시행할 수 있다.

(4) 비용 효용성 비교(수술적 치료 vs IVF/ICSI)

수술적 치료방법과 IVF/ICSI 방법 중 어떠한 것을 선택하느냐는 여성불임의 동반여부와 각 방법의 임신율, 출산율, 비용 측면에 따라 영향을 받게 되며, 특히 비용 대비 효용성(cost effectiveness)은 치료방법을 선택하는 중요한 요소가 된다. 여기서 비용 대비 효용성이란 각 방법의 출산율과 소요되는 전체 비용을 산출하여 각 출산 당 소요되는 비용을 말한다. 1997년 Pavlovich와 Schlegel이 최초로 보고한 이래로 여러 외국 연구들에서 정관수술 후 무정자증 환자와 부고환관이 막힌 폐쇄성 무정자증 환자에서 미세수술적 재건수술 했을 때 비용 대비 효용성이 IVF/ICSI 보다 효과적이라고 하였다. 그리고 1997년 Shlegel은 남성이 정계정맥류를 가진 불임부부에서 비용 대비 효용성을 조사하였는데, 정계정맥류 절제수술을 한 경우가 IVF/ICSI보다 비용 대비 효용성이 더 높아 불임부부에서 IVF/ICSI와 같은 ART를 하기 전에 정계정맥류를 평가하기 위한 남성 쪽 검사가 필요하다고 하였다.

3) From nothing to something (IVF/ICSI)

수술적 교정이 불가능한 폐쇄성 무정자증 환자와 고환의 정자형성장애로 인한 비폐쇄성 무정자증 환자에게 적용되며 여기에는 부고환이나 고환조직내 정자추출술, 정계정맥류절제술, hCG/hMG 호르몬치료, dopamin 수용체 agonist 약물치료가 해당된다.

(1) 폐쇄성 무정자증 환자의 정자추출

폐쇄성 무정자증의 경우 정관정관문합수술이나 정관부고환문합수술과 같은 수술적인 방법으로 근본적인 교정이 가능하지만 폐쇄된 부위가 여러 곳이거나 부고환관 입구부터 막힌 경우, 선천적으로 정관이 없는 정관무형성증(congenital bilateral absence of vas deferens) 등의 경우는 수술적 교정이 불가능하다. 이러한 경우는 어쩔 수 없이 부고환이나 고환에서 정자를 얻어서 ICSI를 해야 하는데 정자를 얻는 방법으로 미세수술적 부고환정자흡입술(microsurgical epididymal sperm aspiratin, MESA), 경피적 부고환정자흡입술(percutaneous epididymal sperm aspiration, PESA), 고환조직정자흡입술(testicular sperm aspiration, TESA), 고환조직정자채취술(testicular sperm extraction, TESE) 등이 시행된다.

(2) 비폐쇄성 무정자증 환자의 정자추출

비폐쇄성 무정자증은 고환에서 정자형성과정이 문제가 되어 나타나기 때문에 성공적인 정자추출을 위해서는 보다 많은 시간과 노력, 세심한 술기가 필요하며, 이를 통하여 결국 약 50%의 환자에서 정자를 얻을 수 있다. 비폐쇄성 무정자증 환자에서는 일반적인 TESE나 TESA의 방법으로는 충분한 고환조직을 얻을 수 없어 정자추출의 가능성이 낮다. 그러므로 여러 군데에서 조직을 채취하는 다중적 고환조직정자채취술(multiple TESE)을 시행한다. 그런데 기존의 고식적인 multiple TESE 방법의 경우 무작위로 여러 군데에서 고환조직을 채취하게 되면 고환백막의 혈관손상과 다량의 조직손실을 초래하여 고환기능이 감소하게 될 뿐 아니라, 정자형성과정이 있는 세정관의 정확한 부위를 알지 못하고 조직을 떼어내기 때문에 정자추출을 하는데 실패할 수 있다는 문제점이 있다.

이러한 문제점을 해결하기 위하여 수술현미경을 이용한 미세수술적 고환조직정자채취술(microsurgical TESE)과 고환조직미세흡입술(fine needle aspiration, FNA) mapping을 이용한 map-directed TESE가 정자추출의 가능성을 높이고 수술로 인한 합병증을 낮추고자 사용되었다. 하지만 map-directed TESE의 경우 생식세포무형성증 환자와 성숙정지 환자에서는 fine needle aspiration으로 얻어지는 정자의 추출률이 기존의 multiple TESE의 결과에 비하여 낮기 때문에 이들 환자에서는 효과와 유용성이 떨어진다고 하며, microsurgical TESE의 경우 고식적인 방법에 비하여 약 50%정도 더 정자채취 성공률을 높일 수 있어 현재는 이 방법이 주로 사용되고 있다.

비폐쇄성의 무정자증은 고환조직검사의 결과에 따라 세정관내에서 정자형성과정이 많이 감소되었지만 적은 수의 성숙정자가 관찰되는 정자형성저하증(hypospermatogenesis), 정자형성과정이 중간에 중단되어 성숙정자가 보이지 않는 성숙정지(maturation arrest), 정자형성과정이 전혀 보이지 않는 생식세포무형성증(germ cell aplasia, Sertoli cell only syndrome)으로 나눌 수 있으며 때로는 위의 소견이 혼재되어 나타나기도 한다.

비폐쇄성 무정자증은 조직검사 결과에 따라 정자 추출 가능성이 다르게 나타나는데, 조직검사 소견이 정자형성저하증인 경우는 90%이상에서 정자를 얻을 수 있지만 성숙정지의 경우는 23-51%, 생식세포무형성증의 경우는 5-44%로 낮게 나타난다. 이 결과를 참조하여 TESE 및 ICSI를 진행할 지 여부, TESE 시행시기, 비배우자 정자의 사용여부 등에 대하여 불임부부와 상담을 하게 된다.

(3) 정계정맥류절제술

전에는 정계정맥류절제술은 감정자증 환자에서 주로 시행되었지만 최근에는 비폐쇄성 무정자증 환자에서도 시행하면 정자형성과정을 일으켜 21-56% 환자에서 정액 내에서 정자를 얻을 수 있다고 여러 연구들에서 보고되었다. 수술 후 자연임신을 보고한 연구도 있었지만 술후 정액내 정자의 상태는 자연임신을 기대하기에는 부족한 경우가 대부분이어서 비폐쇄성 무정자증 환자에서 수술의 주목적은 TESE를 피하고 정액내 정자를 이용하여 보조생식술을 하는 것이라고 하겠다.

(4) hCG/hMG 호르몬 치료

대부분의 비폐쇄성 무정자증 환자는 호르몬 등의 약물치료에 효과가 없지만 시상하부의 성선자극호르몬 분비호르몬(GnRH) 분비에 문제가 생겨서 나타나는 선천성저성선자극호르몬성 성선기능저하증(Hypogonadotropic hypogonadism)인 Kallmann증후군의 경우 hCG/hMG 치료를 통하여 정액 내 정자를 얻을 수 있어 보조생식술을 통한 임신이나 자연임신을 기대해 볼 수 있다.

(5) Dopamin 수용체 agonist 약물치료

고프로락틴 혈증을 보이는 환자는 시상하부에서 GnRH의 분비를 억제하여 정자형성 과정에 문제를 초래한다. 이 경우 dopamin 수용체 agonist를 사용하여 prolactin 수치를 조절하면 불임의 치료가 가능하며 주로 cabergolin 이나 bromocriptin 약물을 사용한다.

2. 유전상담(Genetic counseling)

ICSI라는 보조생식술을 시행함으로써 수정과 임신을 하는데 있어 자연선택의 장벽이 없어지게 되었고, 과거에는 2세를 가질 수 없었던 난치성 남성불임 환자 부부도 생물학적 부모가 될 수 있다. 하지만 이로 인하여 불임과 연관된 유전적 이상이 다음 세대로 전달되는 문제가 발생하게 되었는데, 남성불임과 연관된 유전적 문제는 염색체의 이상(결손, 중복, 전좌, 역전)과 Y 염색체의 부분결손(SRY, AZF), 단일 유전자 이상 등이 있다. 이로 인한 남성불임 환자들도 정액 내에 정자가 있을 수 있으며 고환조직 내에서 정자의 추출이 가능하므로 보조생식술을 통하여 얼마든지 임신이 가능하다. 그러므로 유전적 이상을 가진 남성불임 환자부부에서는 보조생식술을 하기 전에 유전상담이 필요하며, 착상전 유전진단(PGD)과 양수검사나 융모막 생검과 같은 산전검사 또한 고려되어야 한다. 표 12-3에는 유전상담과 착상전 유전진단이 필요한 대표적인 남성불임의 원인들에 대하여 열거되어 있다.

유전상담을 하기 위한 대표적인 검사법으로는 염색체검사, Y 염색체 미세결실 검사, CFTR (cystic fibrosis transmembrane regulator) 유전자 검사가 있는데, CFTR 유전자 변이는 동양인에서는 발견되지 않으므로 우리나라에서는 염색체검사와 Y 염색체 미세결실 검사를 시행하게 된다. 이 검사법들은 비폐쇄성 무정자증이거나 정자수가 5-10 $\times 10^6$/mL 미만의 감정자증 환자들에서 시행된다.

표 12-3 유전상담 및 착상전 유전진단이 필요한 남성불임의 원인

Chromosomal disorder Y chromosomal microdeletion(AZF) Sex chromosomal aneuploidy(Klinefelter synd, XYY male) Chromosomal translocation or inversion
Single gene disorders Cystic fibrosis with congenital absence of vas agenesis (CFTR mutations) Myotonic dystrophy

1) 염색체 검사(Chromosomal study)

성염색체 이상을 보이는 Klinefelter증후군(XXY)이나 XYY 남성의 경우도 매우 드물게나마 정액에서 정자를 보이기도 하고 어렵지만 고환 조직내에서도 정자의 추출이 가능하다. 이들 환자에서 대부분의 정자는 정상적인 X bearing 또는 Y bearing 정자이긴 하지만 정상 남성에 비하여 XX나 XY aneuploidy 정자의 출현 가능성이 높기 때문에 보조생식술 전에 유전상담이 필요하며, 보조생식술 직후에는 배아의 착상전 유전진단을 시행하여 성염색체의 이상 여부를 미리 알아보고 정상적인 배아 이식을 하는 것이 가능하다.

염색체의 전좌나 역전에 의해서도 남성불임이 초래되는데 특히 reciprocal 전좌, Robertsonian 전좌와 9번 염색체 역전은 정상인에 비해 불임환자에서 8배 많다고 하며, 감정자증을 보이는 남성불임 환자의 5.3%에서 전좌가 발견된다고 한다. 전좌는 직접 정자형성 관련 유전자를 변형시키거나 정자형성 중에 염색체의 감수분열 및 pairing을 방해하여 불임을 유발할 뿐 아니라 Robertsonian 전좌의 경우는 습관성 유산을 일으키며 다운증후군과 같은 유전질병을 가진 아기를 출산하게 된다. 염색체 전좌를 가진 남성불임 환자에서 착상전 유전진단의 목적은 unbalanced 배아로부터 정상 혹은 balanced 배아를 구분하여 이식하여 자연유산의 가능성을 감소시키고 건강한 아기를 출산하는데 있다.

2) Y 염색체 미세결실검사(Microdeletion of Y chromosome)

Y 염색체는 남성불임영역에서 초기 성분화와 정자형성에 관여한다. 중심절을 중심으로 단완(Yp)과 장완(Yq)으로 나뉘며 단완의 근위부에 배아 발달단계에서 미분화 성선을 고환으로 분화시켜 남성 성분화를 유도하는 SRY gene이 있으며, 장완의 euchromatin 부위의 interval 5와 6에는 정자형성에 관여하는 여러 후보 유전자들을 포함한 AZF(Azoospermia factor) 부위가 존재한다.

1976년 Tiepolo와 Zuffardi는 1,170명의 무정자증이나 감정자증을 가진 남성불임환자에서 현미경적 검사를 시행한 결과 6명(0.5%)에서 Y 염색체 장완의 결실을 최초로 발견하여 이 부위에 정자형성을 조절하는 유전적 요소가 존재한다고 제안하였고 그 유전적 요소를 Azoospermic Factor(AZF)라 명명하였다. 그 이후 PCR의 발달로 많은 연구자들에 의해 핵형분석으로 관찰되지 않았던 미세결실(microdeletion)의 존재가 밝혀지게 되었다. Y 염색체 장완(Yq11)에서 유일한 sequence를 가지는 sequence tagged sites(STS) primer를 이용하여 PCR을 수행한 결과 이러한 미세결실은 불임환자의 약 3-35%로 다양하게 나타났다. 그 정확한 위치는 Yq11.21-23이며, 1996년 Vogt등은 결손부위에 따라 정자형성장애가 다양하게 나타나는 것을 관찰하고 이에 따라 크게 3부분으로 나누어 근위부로부터 AZFa, b, c로 명명하였다.

미세결실 부위에 따른 환자의 고환조직 및 정액검사 표현형에 대한 연구는 정확하지는 않지만 대체로 AZFa나 AZFb부위에 전체 결실이 있는 경우는 생식세포무형성증이나 성숙정지와 같은 심한 형태로 나타나는데 반하여 AZFc부위 결실의 경우는 정액이나

고환조직 내에 성숙정자가 발견되는 정자형성저하증으로부터 생식세포무형성증까지 다양하게 나타난다. 이러한 표현형의 차이는 각 개인의 유전적 배경(X와 상염색체 homologue의 보상에 의한 가능성 등)과 환경적인 요인에 의한 영향이 다르기 때문으로 생각되며, AZFc 미세결실 환자의 경우는 시간이 지남에 따라 세정관내의 생식상피(germianl epithelium)가 점진적으로 퇴행함으로써 그 상태가 나빠져서 다양하게 나타난다고 생각되어지고 있다. 실제 여러 연구들에서 AZFa 나 AZFb 전체 결실이 있는 환자에서는 고환조직내 정자채취 수술을 했을 때 정자추출율이 0%인데 반하여 AZFc 결실 환자에서는 정자추출율이 43-72%로 보고되었다. 그러므로 AZFa 나 AZFb의 결실이 발견되는 것은 고환조직 정자채취술의 나쁜 예후를 의미하며, AZFc 미세결실을 가진 심한 감정자증 환자는 시간이 지나면서 나빠질 가능성이 있으므로 미리 정자를 냉동보관 하는 것도 고려되어야 한다.

미세결실을 가진 환자들에서 고환이나 정액에서 정자추출이 가능한 경우 보조생식술을 통한 임신이 가능하다. 이 경우 아버지의 미세결실 부위는 아들에게 그대로 전해져서 다음 대에서도 같은 문제가 발생하기 때문에 이러한 문제에 대하여 보조생식술 전에 유전상담이 필요하다. 보조생식술을 진행할지의 여부와 수정 후에 착상전 유전진단을 통하여 여자배아만을 선택하여 이식하는 것이 상의되어야 한다.

Knock out model에 의한 동물실험에서는 Y 염색체 뿐 아니라 X 염색체나 상염색체의 여러 유전자들도 정자형성, 이동, 성숙, 수정, 배아발달에 관여한다고 알려져 있다. 인간에서도 확실하지는 않지만 이들 유전자들이 관여할 수 있으며 이는 정상적인 Y 염색체만으로는 불임에 대한 유전적인 문제가 없다는 것을 의미하는 것은 아니다. 그러므로 불임환자 부부와 유전상담 시 미세결실이 발견되지 않는다고 해서 유전적 문제가 없다고 말해서는 안 된다.

3. Sperm DNA integrity

정액검사는 남성불임을 평가하는데 있어 가장 중요한 방법이지만 정자의 기능을 포함한 모든 부분을 알려주지 못하며, 실제 남성불임 환자의 약 15%에서는 정액검사가 정상소견을 보인다. 최근 남성불임의 원인에 대한 중요한 연구 중의 하나가 성숙정자의 핵내 DNA의 integrity에 관한 것이다.

정자는 핵내 DNA packagin과정을 거쳐 DNA integrity가 잘 유지되어야만 정자가 생식도관을 이동할 때 산화작용(oxidation)과 온도(temperature) 등의 외부 스트레스로부터 손실 없이 부계 유전정보를 난자 내로 전달할 수 있다. 그리하여 배아발달 시 적절하게 유전정보가 나타나 최종적으로 건강한 출산을 얻게 된다. 정자 핵내 DNA integrity가 유지되지 못한다는 것은 DNA fragmentation이나 DNA denaturation과 같은 DNA 손상을 의미하는 것으로 수정과 배아발달에 나쁜 영향을 미쳐 불임의 원인이 된다. 자연임신 시에는 자연선택의 과정을 통하여 문제가 없는 정상적인 유전정보를 가진 건강한 한 마리의 정자가 수정과 임신에 관여하게 되지만 ICSI와 같은 보조생식술을 하게 되면 이러한 자연선택의 장벽을 지나치게 되어 DNA integrity에 문제가 있는 정자가 선택될 수 있으며, 이는 결국 낮은 임신성공과 높은 유산 등 바람직하지 못한 결과를 초래할 뿐 아니라 출산아의 유전적 문제나 선천성 기형에 대한 가능성을 제기한다. 그러므로 이러한 정자 핵내 DNA integrity의 문제를 정확히 이해하고 이를 측정하는 것은 보조생식술의 시대에 있어 중요하다고 하겠다.

정자 핵내 DNA 손상을 일으키는 대표적인 비뇨기과적 문제로는 정계정맥류, 요로생식계 감염, 고열, 대기오염, 흡연, 나이 등이 있으며 이들은 모두 활성화 산소(reactive oxygen species)의 과다 발생과 연관이 있다. 이러한 정자 핵내 DNA 손상은 자연임신 뿐 아니라 IUI와 IVF의 결과에도 좋지 않은 영향을 미친다고 한다. 그러므로 정자 핵내 DNA 손상이 높은 남성불임환자에서는 그 손상의 원인을 찾아내 교정하는 적극적인 노력이 필요하다. DNA 손상을 일으키는 원인들 중 교정이 가능한 질환이나 요인으로 정계정맥류, 요로생식계 감염, 흡연, 대기오염 등이 있을 수 있으며, 이 문제들에 대하여 수술적 교정(정계정맥류 절제술)이나 약물치료(항산화제, 염증치료), 금연 등이 적용될 수 있겠다.

4. 요약

ICSI라는 강력한 보조생식술의 등장으로 많은 난치성 남성불임환자들도 생물학적 아버지가 될 수 있다. 하지만 이로 인하여 불임부부에서 남성 쪽의 정확한 진단과 치료를 간과하게 되며, 불임과 연관된 유전적인 이상이 다음 세대로 전달되는 문제점이 발생할 수 있다.

ICSI의 시대에 있어 비뇨기과 의사는 남성불임의 정확한 원인과 치료법을 찾아서 upgrade가 될 수 있도록 최선의 노력을 해야 하며, 보조생식술을 통해 유전적인 이상이 다음세대로 전달되는 가능성에 대하여 시술 전 불임부부와 충분한 유전상담을 해야 한다. 아울러 자연임신과 보조생식술의 성공률을 높이기 위하여 핵내 DNA integrity가 잘 유지된 건강한 정자를 보다 많이 얻기 위한 노력 또한 잊지 말아야 하겠다.

참고문헌

1. Agarwal A, Allamaneni SS. Sperm DNA damage assessment: a test whose time has come. Fertil Steril 2005;84:850-853.
2. Benchaib M, Braun V, Lornage J, Hadj S, Salle B, Lejeune H, et al. Sperm DNA fragmentation decreases the pregnancy rate in an assisted reproductive technique. Hum Reprod 2003;18:1023-1028.
3. Berger RE. Triangulation end-to-side vasoepididymostomy. J Urol 1998;159:1951-1953.
4. Bergere M, Wainer R, Nataf V, Bailly M, Gombault M, Ville Y, et al. Biopsied testis cells of four 47, XXY patients: fluorescence in?situ hybridization and ICSI results. Hum reprod 2002;17:32-37.
5. Berookhim BM, Schlegel PN. Azoospermia due to spermatogenic failure. Urol Clin North Am 2014;41(1):97-113.
6. Blanco J, Egozcue J, Vidal F. Meiotic behaviour of sex chromosomes in three patients with sex chromosome anomalies(47,XXY, mosaic 46,XY/47,XXY and 47,XYY) assessed by fluorescence in?situ hybridization. Hum Reprod 2001;16:887-892.
7. Brandell RA, Mielnik A, Liotta DY, Veeck LL, Palermo GD, Schlegel PN. AZFb deletions predict the absence of spermatozoa with testicular sperm extraction: preliminary report of a prognostic genetic test. Hum Reprod 1998;13:2812-2815.
8. Bungum M, Humaidan P, Spano M, Jepson K, Bungum L, Giwercman A. The predictive value of sperm chromatin assay(SCSA) parameters for the outcome of intrauterine insemination, IVF and ICSI. Hum Reprod 2004;19:1401-1408.
9. Calogero AE, Garofalo MR, Barone N, De Palma A, Vicari E, Romeo R, et al. Spontaneous regression over time of the germinal epithelium in a Y chromosome-microdeleted patient: Case report. Hum Reprod 2001;16:1845-1848.
10. Chang PL, Sauer MV, Brown S. Y chromosome microdeletion in a father and his four infertile sons. Hum Reprod 1999;14:2689-2694.
11. Check JH, Graziano V, Cohen R, Krotec J, Check ML. Effect of and abnormal sperm chromatin structural assay(SCSA) on pregnancy outcome following (IVF) with ICSI in previous IVF failures. Arch Androl 2005;51:121-124.
12. Devroey P, Liu J, Nagy Z, Goossens A, Tournaye H, Camus M, et al. Pregnancies after testicular sperm extraction and intracytoplasmic sperm injection in non?obstructive azoospermia. Hum Reprod

1995;10:1457-1460.

13. Devroey P, Nagy P, Tournaye H. Liu J, Silber S, Van Steirteghem A. Outcome of intracytoplasmic sperm injection with testicular spermatozoa in obstructive and non?obstructive azoospermia. Hum Reprod 1996;11:1015-1018.

14. Dubin L, Amelar RD. Magnified surgery for epididymovasostomy. Urology 1984;23:525-528.

15. Duran EH, Morshedi M, Taylor S, Oehninger S. Sperm DNA quality predicts intrauterine insemination outcome: a prospective cohort study. Hum Reprod 2002;17:3122-3128.

16. Erenpreiss J, Spano M, Erenpreisa J, Bungum M, Giwercman A. Sperm chromatin structure and male fertility: biological and clinical aspects. Asian J Androl 2006;8:11-29.

17. Evenson DP, Larson KL, Jost LK. Sperm chromatin structure assay: its clinical use for detecting sperm DNA fragmentation in male infertility and comparisons with other techniques. J Androl 2002;23:25-43.

18. Goldstein M, Gilbert BR, Dicker AP, Dwosh J, Gnecco C. Microsurgical inguinal varicocelectomy with delivery of the testis: An artery and lymphatic sparing technique. J Urol 1992;148:1808-1811.

19. Kamp C, Huellen K, Fernandes S, Sousa M, Schlegel PN, Mielnik A, et al. High deletion frequency of complete AZFa sequence in men with Sertoli-cell-only syndrome. Mol Hum Reprod 2001;7:987-994.

20. Kim ED, Leibman BB, Grinblat DM, Lipshultz LI. Varicocele repair improves semen parameters in azoospermic men with spermatogenic failure. J Urol 1999;162:737-740.

21. Kim ED, Lipshultz LI, Howards SS. Male infertilty. In Gillenwater JY, Greyhack JT, Howards SS, Mitchell ME, editors. Adult and Pediatric Urology philadelphia: Lippincott Willians & Wilkins, 1683-757.

22. Kolettis PN, Thomas AJ Jr. Vasoepididymostomy for vasectomy reversal: A critical assessment in the era of intracytoplasmic sperm injection. J Urol 1997;158:467-470.

23. Krausz C, Quintana-Murci L, McElreavey K. Prognostic value of Y deletion analysis: what is the clinical prognostic value of Y chromosome microdeletion analysis? Hum Reprod 2000;15:1431-1434.

24. Lamb DJ. Debate: is ICSI a genetic time bomb? Yes. J Androl 1999;20:23-33.

25. Larson-Cook KL, Brannian JD, Hansen KA, Kasperson KM, Aamold ET, Evenson DP. Relationship between the outcomes of assisted reproductive techniques and sperm DNA fragmentation as measured by the sperm chromatin structure assay. Fertil Steril 2003;80:895-902.

26. Lee R, Li PS, Schlegel PN, Goldstein M. Reassessing reconstruction in the management of obstructive azoospermia: reconstruction or sperm acquisition? Urol Clin North Am. 2008;35:289-301.

27. Lipshultz LI, Thomas AJ Jr, Khera M. Surgical Management of Male infertility. In: Wein AJ, Kavoussi LR, Novick AC, Partin AW, Peters CA, editors. Campbell-Walsh Urology. 9th ed. Philadelphia: Saunders; 2007:609-653.

28. Marmar JL. Modified vasoepididymostomy with simultaneous double needle placement, tubulotomy and tubular invagination. J Urol 2000;163:483-486.

29. Marmar JL, Kim Y. Subinguinal microsurgical varicocelectomy: a technical critique and statistical analysis of semen and pregnancy data. J Urol 1994;152: 1127-1132.

30. Matthews GJ, Matthews ED, Goldstein M. Induction of spermatogenesis and achievement of pregnancy after microsurgical varicocelectomy in men with azoospermia and severe oligoasthenospermia. Fertil Steril 1998;70:71-75.

31. McClure RD. Male Infertility: Male infertility. In Tanagho EA, McAninch JW, editors. Smith's General Urology 14th ed, Norwalk: Appleton & Lange 1995;745-771.

32. Munkelwitz R, Gilbert BR. Are boxer shorts really better? A critical analysis of the underwear type in male subfertility. J Urol 1998;160:1329-1333.

33. O'brien J, Zini A. Sperm DNA integrity and male infertility. Urology 2005;65:16-22.

34. Okada H, Dobashi M, Yamazaki T, Hara I, Fujisawa M, Arakawa S, et al. conventional versus microdissection testicular sperm extraction for nonobstructive azoospermia. J Urol 2002;168:1063-1067.

35. Pagani R, Brugh VM 3rd, Lamb DJ. Y chromosome

genes and male infertility. Urol Clin North Am 2002;29:745-753.

36. Palermo G, Cohen J, Alikani M, Adler A, Rosenwaks Z. Intracytoplasmic sperm injection: a novel treatment for all forms of male factor infertility. Fertil Steril 1995;63:1231-1236.

37. Palermo G, Joris H, Devroey P, Van Steirteghem AC. Pregnancy after intracytoplasmic injection of single spermatozoon into an oocyte. Lancet 1992;340:17-18.

38. Pavlovich CP, Schlegel PN. Fertility options after vasectomy: a cost-effectiveness analysis. Fertil Steril. 1997;67:133-141.

39. Procope BJ. Effect of repeated increase of body temperature on human sperm cells. Int J Fertil 1965;10:333-339.

40. Saleh RA, Agarwal A, Sharma RK, Said TM, Sikka SC, Thomas AJ Jr. et al. Evaluation of nuclear DNA damage spermatozoa from infetile men with varicocele. Fertil Steril 2003;80:1431-1436.

41. Schlegel PN. Is assisted reproduction the optimal treatment for varicocele-associated male intertility? A cost-effective analysis. Urology 1997;49:83-90.

42. Schlegel PN. Management of ejaculatory duct obstruction. In: Lipshultz LI, Howards SS, editors. Infertility in the male. Third ed. St Louis: Mosby;1997. P385.

43. Schlegel PN. Testicular sperm extraction: Microdissection improves sperm yield with minimal tissue excision. Hum Reprod 1999;14:131-135.

44. Sigman M, Jarow JP. Male infertility. In: Wein AJ, Kavoussi LR, Novick AC, Partin AW, Peters CA, editors. Campbell-Walsh Urology. 9th ed. Philadelphia: WB Saunders; 2007:609-653.

45. Silber SJ. Microscopic vasoepididymostomy: specific microanastomosis to the epididymal tubule. Fertil Steril 1978;30:565-571.

46. Simoni M, Gromoll J, Dworniczak B, Rolf C, Abshagen K, Kamischke A, et al. Screening for deletions of the Y chromosome involving the DAZ(Deleted in Azoospermia) gene in azoospermia and severe oligospermia. Fertil Steril 1997;67:542-547.

47. Simpson JL, Bischoff F. Genetic counseling in translocations. Urol Clin N Am 2002;29:793-807.

48. Thonneau P, Bujan L, Multigner L, Mieusset R. Occupational heat exposure and male fertility: a review. Hum Reprod 1998;13:2122-2125.

49. Tiepolo L, Zuffardi O. Localization of factors controlling spermatogenesis in the nonfluorescence portion of the human Y chromosome long arm. Hum Genet 1976;34:119-124.

50. Tournaye H, Liu J, Nazy PJ, Camus M, Goossens A, Silber S, et al. Correlation between testicular histology and outcome after intracytoplasmic sperm injection using testicular spermatozoa. Hum Reprod 1996;11:127-132.

51. Tournaye H, Verheyen G, Nagy P, Ubaldi F, Goossens A, Silber S, et al. Are there any predictive factors for successful testicular sperm recovery in azoospermia patients? Hum Reprod 1997;12:80-86.

52. Turek PJ, Ljung BM, Cha I, Conaghan J. Diagnostic findings form testis fine needle aspiration mapping in obstructed and nonobstructed azoospermic men. J Urol 2000;163:1709-1716.

53. Turek PJ, Reijo Pera RA. Current and future genetic screening for male infertility. Urol Clin North Am 2002;29:767-792.

54. Vine MF, Margolin BH, Morrison HI, Hulka BS. Cigarette smoking and sperm density: A meta?analysis. Fertil Steril 1994;61:35-43.

55. Vogt PH, Edelmann A, Kirsch S, Henegariu O, Hirschmann P, Kiesewetter F, et al. Human Y chromosome azoospermia factors(AZF) mapped to different subregions in Yq11. Hum Mol Genetics 1996;5:933-943.

56. Zavos PM, Correa JR, Antypas S, Zarmakoupis-Zavos PN, Zarmakoupis CN. Effects of seminal plasma from cigarette smokers on sperm viability and longevity. Fertil Steril 1998;69:425-429.

57. Zini A, Blumenfeld A, Libman J, Willis J. Beneficial effect of microsurgical varicocelectomy on human sperm DNA integrity. Hum Reprod 2005;20:1018-1021.

CHAPTER 13

정자은행

Sperm Bank

■ 박남철

정자은행이란 정자를 채취한 뒤 동결보존액과 혼합하여 동결용 바이알에 넣고 -196℃ 액체질소 탱크 속에 동결시켜 보관하였다가 필요할 때 필요한 양만을 녹여 수태를 위한 인공수정, 시험관아기시술 등의 보조생식술 혹은 생명과학 분야의 연구에 사용하는 보관시설과 방법을 말한다. 정자은행은 최근 보조생식술의 발전에도 불구하고 가임력 보존과 수태 기회 제공의 측면에서 없어서는 안되는 생식의학의 중요한 분야의 하나이다. 동결 정자의 장기적 보존과 이용은 지난 반세기 동안 이루어진 냉동생물학의 발전을 토대로 세포손상을 극소화 할 수 있는 glycerol 등 동결보존제와 세포배양액의 개발과 프로그램 동결기 등 동결 및 해동 기술 발전이 크게 기여하였다. 이와 같은 기술 발전을 기반으로 동결정자를 이용하여 임신한 경우는 문헌상 동결 기간이 최장 23년이며 부산대병원 정자은행에서는 13년의 기록을 보유하고 있다.

정자은행의 운영 형태는 국가, 공공 및 상업으로 나누어지며 효율적 운영을 위해서는 정자 동결해동을 위한 시설과 기술 뿐만 아니라 표준운영지침, 관련법 규정 확립 그리고 국가적 네트워크 구축 등이 선행되어야 한다. 특히 우리나라와 같이 초저출산 상태로 인한 인구절벽 등의 사회적 국가적 문제에 직면한 상태에서는 정자은행의 효율적 운영을 통하여 가임력 보존 뿐만 아니라 출산과 양육의 조건이 갖추어진 불임부부에서 가임 기회를 줌으로써 인구 문제 해결에도 상당히 기여할 수 있을 것으로 기대된다.

본 장에서는 정자 동결보존과 정자은행의 역사, 관련법 규정, 동결해동기술, 배우자(artificial insemination by husband: AIH) 및 비배우자 인공수정(artificial insemination by donor: AID)의 적응, 선별, 장단점, 결과에 대하여 기술하고자 한다.

1. 정자 동결보존과 정자은행의 역사

의학에서 동결보존기술은 후일의 연구나 불임 치료 등의 이용 목적으로 결빙점 이하의 온도에서 세포의 기능을 가역적으로 정지 보존시키는 냉동생물학의 한 분야로서 발전하여 왔다. 최근 냉동생물학은 단순한 동결보존 목적 외에도 병든 조직의 파괴, 세포구조의 보존과 같은 생태계의 연구 분야에서 광범위하게 이용되고 있다. 불임분야에서도 냉동생물학적 지식이 보조생식술의 발달과 함께 정자, 난자와 배아의 동결보존 및 해동과 관련된 기술에도 적용되어 임상에서 널리 이용되고 있다.

정자 동결보존의 역사를 고찰해보면 1776년 Spallanzani가 눈 속에서 인간정자의 생존을 관찰함으로써 정자에 대한 저온효과와 동결보존에 관련된 연구가 처음 시작되었다. 그 후 약 1세기가 경과한 후 Mantegazza에 의해 소의 정자를 동결 보존하여 종우를 보존하려는 축산목적과 전쟁에서 사망한 남편의 아이를 수태하기 위한 목적으로 정자은행의 필요성이 처음으로 소개되었으며 당시 동결정자의 생존율은 약 10%에 불과하였다. Glycerol의 동해방지효과는 1948년 영국 국립의학연구소의 Rostand에 의해 밝혀진 이후 1949년 Polge 등에 의해 처음으로 glycerol을 이용한 정자의 동결이 시도되었다. 이 기술은 초기에는 동물의 번식을 위해 널리 이용되었지만 인간에게는 오랫동안 적용되지 않다가 1953년 Bunge와 Sherman에 의해 드라이아이스에서 동결된 인간 정자가 해동된 뒤 수정되어 정상적으로 배아가 발생되는 것을 처음으로 발견되었다. 이어 1953년 Polge에 의해 인간 동결정자를 이용한 최초의 임신이 보고된 바 있으며, 1964년에는 액화질소에서 동결된 정자를 이용한 인공수정으로 출산이 처음으로 보고되었다. 같은 해 동결보존제인 dimethyl sulfoxide (DMSO)가 정자에 대한 독성이 있다는 사실도 처음으로 밝혀졌다. 이러한 과학적 결실에도 불구하고 인간에서 동결 정자를 이용한 불임 치료는 1970대에 와서 보편화 되었다.

불임치료 목적의 정자은행은 1964년 미국 아이오와 주와 일본 동경에서 처음으로 설립되었다. 미국에서는 1976년 미국조직은행(American Association of Tissue Banks)이 설립되고 그 후 항암 치료나 방사선 치료와 같은 정자형성을 장애하는 치료나 정관절제술에 앞서 수정능을 보존하거나 비배우자인공수정을 위한 상업적 정자은행으로 발전되었다. 현재 미국에는 Cryos International®, California Cryobank® 등 대표적인 상업적 정자은행, 주립대학병원, 불임전문센터 등에 약 650개의 정자은행이 운용되고 있으며 정자은행을 통해 지난 30년간 매년 3만명씩 약 100만명의 출산이 비배우자인공 수정으로 이루어진 바 있다. 유럽에서는 미국의 상업적 정자은행과는 다르게 프랑스나 영국 등의 주요국에서 중앙정자은행과 지역거점병원에 설립된 정자은행을 network화한 국가정자은행 형태로 운영되고 있다. 프랑스에서는 1973년 정부가 관리하는 중앙정자은행(Centre d'Etude et de Conservation du Sperme; CECOS)과 지역 거점대학병원에 23개의 정자은행이 설립되었으며 현재 28개로 확대되어 운영되고 있다. 영국은 주요 도시에 있는 국민건강보험(NHS)병원에 불임센터와 함께 정자은행이 설립되어 운영되고 있다. 1978년에는 프랑스 파리에서 인간정자의 동결보존에 관한 국제학회가 처음으로 개최되어 정자은행 설립과 운영 관련된 국제적 컨센서스를 이루는 계기가 되었다. 유럽 국가 중 로마 교황청의 영향을 받은 이탈리아와 출산율이 높은 스칸디나비아 국가들은 비배우자인공수정이 금지되고 있다. 아시아권인 중국에서도 1981년 국가정자은행이 후난성에 최초로 설립되어 1983년 동결정자를 이용한 최초의 출산이 이루어졌으며 2015년 현재 17개 성의 거점병원에 정자은행이 설립되어 운영 중에 있다. 국내에서도 동결정자를 이용한 수태는 1983년 고려의대에서 최초로 시도되어 1986년 최초의 출산이 이루어졌으며, 현대적 개념의 개방형 정자은행은 1997년 부산대병원에서 최초로 설립된 이래 2000년 서울대병원, 2003년 전남대병원에 정자은행이 설립되었지만 2003년 생명윤리 및 안전에 관한 법률 제정 이후 비배우자간 인공수정(artificial insemination by donor: AID)은 급속히 위축된 상태에 있다. 2015년 현재 382개소의 인공수태인증병원에 양질의 정자동결보존시설과 인력들을 갖추고 있지만 정자형성장애나 정로 폐색에 의한 남성불임 환자에서 자체적으로 채취된 정자를 동결보존하여 배우자간인공수정(artificial insemination by husband: AIH) 목적으로 제한적으로 이용되고 있는 실정에 있다.

2. 정자은행 관련 국내외의 법규정과 관리

정자은행은 운영형태의 다양성에도 불구하고 정자의 획득과 방출과 관련한 행위들이 윤리적 법적 기준에 부합하여야 하고 특히 국가나 공공의 운영 형태인 경우 정부의 재정지원이 필수적이다. 따라서 프랑스는 생명의학청(Agence de la biomedecine), 영국은 보건성 산하의 human federation and embryology authority(HFEA), 미국은FDA 산하 human cell & tissue bank product(HCT/Ps), 중국은 각 성의 위생부에서 정자은행의 관리와 지원을 맡고 있으며 한국은 보건복지부 산하 한국생명윤리정책연구원에서 주로 생명윤리적 측면에서 관리 지원하고 있는 실정이다. 이중 미국은 전문학회인 미국생식의학회(American Society for Reproductive Medicine, ASRM)에서 제정된 정자의 선별, 동결보존과 비배우자간 인공수정에 관한 지침이 1986년 최초 제정된 이후 비배우자간 인공수정의 빈도가 증가되고 성교전파성질환 중 후천성면역결핍증의 정액을 통한 전염성질환의 전파 위험이 커지면서 2004년까지 6회에 걸쳐 개정되어 정자은행의 표준운용지침(standard operation protocol; SOP)으로 이용되고 있다. 그 외에도 실험실 혹은 임상검사실에서 사용되는 정자의 동결과 해동에 관련된 표준 기술지침으로는 WHO가 제정한 Laboratory Manual for the Examination of Human Semen and Sperm-Cervical Mucus Interaction(5th edn.2010)이 널리 준용되고 있다.

국내의 정자은행의 운영과 관련된 법규정으로는 1990년대 초 신선정액을 이용한 비배우자간 인공수정이 후천성면역결핍증예방 규정에 저촉됨으로써 사회적 문제가 된 이래 1993년 대한의학협회의 "인공수태윤리에 관한 선언" 그리고 2011년 대한산부인과학회의 보조생식술 윤리지침이 제정 선포됨으로써 비배우자간 인공수정, 체외수정 및 배아이식 등의 인공수태시술에 있어서 윤리의식의 제고와 과학적 시술원칙의 준수를 위한 전문학회의 자율선언이 제시된 바 있다. 관련 법률로서는 2003년 생명윤리 및 안전에 관한 법률(법률 제 7,150호, 2003년 12월 29일 제정, 2005년 1월 1일 시행), 생명윤리 및 안전에 관한 법률시행령(대통령령 제 18,621호, 2003 년 12월 30일 공포, 2005년 1월 1일 시행) 및 생명윤리 및 안전에 관한 법률시행규칙(보건복지부령 제305호, 2004년 12월 30일 공포, 2005년 1월 1일 시행)이 공표된 후 4회에 걸쳐 개정된 바 있다. 이와 같이 관련 법률이 제정 공표되어 생명과학기술에 있어서 생명윤리 및 안전을 확보하여 인간의 존엄과 가치를 침해하거나 인체에 위해를 주는 것을 방지하고 생명과학기술이 인간의 질병 예방 및 치료 등을 위하여 개발 이용될 수 있는 법률적 환경이 조성되었다. 정자은행과 관련한 주요 내용으로는 비배우자인공수정 자체는 허용하고 있지만 금전 재산상의 이익 또는 그 밖의 반대 급부를 조건으로 정자, 난자 혹은 배아를 제공 또는 이용하거나 이를 유인 알선한 경우 3년 이하의 징역에 처할 수 있도록 규정하고 있다. 이와 같이 신선 정액 혹은 비정상적인 정자를 이용한 비배우자간 인공수정이나 상업적 정자 매매행위가 엄격히 금지되고 있다. 따라서 불법 정자 매매를 방지하고 공여정자가 필요한 1차성 정자형성장애와 같은 치료불능의 남성인자에 의한 불임 부부를 위하여 법적 보호 장치를 받고 운영될 수 있는 공공정자은행의 설립과 운영이 절실한 실정에 있다.

3. 배우자인공수정과 비배우자인공수정의 적응증

정자의 동결보존의 대상은 배우자인공수정과 비배우자인공수정 목적으로 나누어질 수 있다(그림 13-1). 배우자인공수정에는 정관절제술과 같은 영구피

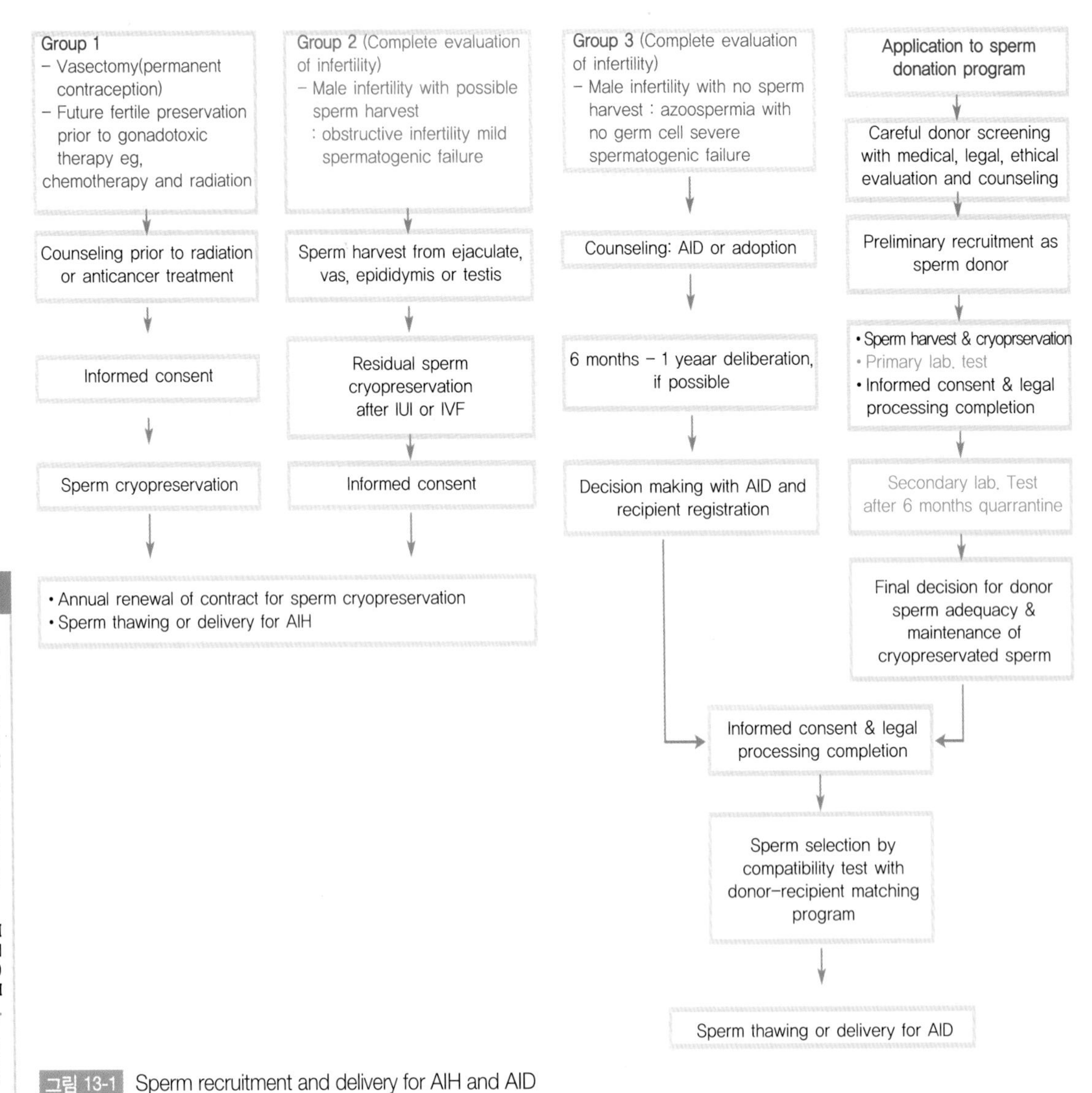

그림 13-1 Sperm recruitment and delivery for AIH and AID

임술이나 가임 연령층 암환자에서 고환독성이 있는 화학요법이나 방사선치료 등을 앞둔 경우(제1군), 그리고 불임환자의 완전한 평가 후 폐색성 무정자증이나 고도의 정자형성장애로 진단된 뒤 보조생식술등의 불임시술 목적으로 채취된 정자를 시술 후 남은 정자의 동결보존이 필요한 경우(제2군)이다. 세포내 정자주입술과 같은 보조생식술의 발달로 인해 동결정자를 이용한 AID의 필요성은 감소되고 있는 반면 부고환이나 고환으로부터의 정자흡입술과 같은 외과적 술기에 의한 정자채취의 기회가 증가되어 남편으로부터 채취된 정자의 동결보존과 AIH의 기회는 오히려 증가되고 있다. 나머지 비배우자인공수정은 완전한 평가후 정세포가 없는 무정자증이나 정자 채취가 불가능한 고도의 정자형성장애가 동반된 남성불임 환자에서 자발적 무상 정자공여자로부터 선별검사후 채취된 건강한 정자를 이용하여 수태를 시도하는 경우(제3군)이다.

1) AIH의 적응증

(1) 정관절제술을 시행하기 전에 후일 애기를 원할 때를 대비하여 정자가 동결 보존될 수 있다. 국내에서 연간 약 30,000 례의 정관절제술이 시행되는 데 비하면 정관절제술이 영구 피임술이며 정관복원술이 100% 성공할 수 없다는 점 그리고 술전에 정자동결보존의 필요성과 장점에 대하여 일반인이나 의료진 모두에게 잘 홍보되어 있지 못한 실정에 있다. 동결보존을 원하는 경우 술 전 2-3일의 금욕 후 최대 3-5회 정액을 채취한다. 이 정액으로 최소 6 회의 자궁내 인공수정과 2회 이상의 체외수정을 시도할 수 있다.

(2) 조정기능이나 사정장애를 유발할 수 있는 질환이나 치료에 앞서 정자가 동결 보존될 수 있다. 병의 진행에 의해 조정기능이 억제될 수 있는 종양으로 백혈병, 임파종, 고환종양 등이 있다. 이들 환자에서 정자의 동결보존은 암이 진단된 뒤 가능하면 빠를수록 좋다. 그 외에도 고환 독성 혹은 사정장애가 예견되는 치료로는 항암요법, 방사선치료 외에도 후복막임파절절제술 같은 수술이 있다. 이들 환자군에서도 정관수술에서와 같이 의사나 환자에게 치료 시작 전에 정자 동결보존의 필요성에 대해 인식시키는 것이 중요하다. 암환자에서 해동 후 $0.2\text{-}4.2\times10^6$ ml의 정자농도와 운동성이 있는 정자를 이용한 체외수정에서 수정률은 60%, 임신률은 40% 정도 된다. 암환자에서 동결정자를 이용한 임신율은 임파종에서 가장 좋으며 고환종양에서 가장 낮은 것으로 알려져 있다.

(3) 감정자증 환자에서 수회에 걸쳐 채취된 정자를 동결 보존하여 수주-수개월간 저장한 뒤 해동하여 낮은 속도로 원심 분리하여 원래보다 높은 농도 혹은 운동성을 가진 정자를 얻을 수 있다. 이러한 방법은 정자의 운동성이 떨어진 약정자증 환자에서도 적용될 수 있다.

(4) 분할사정법은 정액의 양이 과도하게 많거나 항정자항체가 증가되었거나 정장액의 질이 좋지 않는 경우 정자의 농도나 질을 높이기 위하여 이용될 수 있다. 따라서 사정 전반부에 획득된 양질의 분할사정액을 동결 보존하여 사용한다면 보다 높은 임신률을 기대할 수 있다.

(5) 남편 정자가 정상인 경우에도 부인의 배란일에 일시적 혹은 영구적으로 내원할 수 없는 경우, 심리적 장애로 정자를 적절한 시기에 채취할 수 없는 경우에도 동결 보존할 수 있다.

(6) 부고환 혹은 고환으로부터 직접 채취된 정자 중 첫 번째 체외수정에서 사용되고 남은 정자를 동결 보존하여 적어도 2회이상의 체외수정을 시도함으로써 정자 채취를 위한 외과적 처치를 줄이고 경비 절감 효과를 얻을 수 있다.

(7) 정액 성상의 변동이 심한 남성에서 신선정액 만으로 임신이 불가능한 경우 채취된 양질의 정자를 동결 보존할 수 있다.

2) AID의 적응증

(1) 비가역적인 무정자증에 의한 난치성 남성불임
(2) 고도의 감약기형정자증(oligoasthenozoospermia, OATS)이 치료될 수 없거나 보조생식술에도 임신이 되지 않는 경우
(3) 남편 측에 유전질환이나 선천성질환이 있는 경우
(4) 외상, 방사선 피폭, 화학요법, 수술, 정신장애 등에 의해 정자형성이 되지 않는 경우
(5) 방사선 피폭, 화학요법 혹은 독성 화학물질에 노출 후 유전적 결함이 예견되는 경우
(6) Rh부적합(Rh음성 여성과 Rh양성 남편 사이의 심한 Rh-isoimmunization)이 있는 경우

4. 공여 정자의 획득 및 비배우자인 공수정

1) 정자 공여자

(1) 공여자의 선별검사 및 정자획득

비배우자 인공수정을 위한 자발적 정자 공여자에 대하여 유전질환, 정신질환, 성교 전파성질환 등의 선별검사와 채취된 정액에 대한 정액 검사가 시행되어야 한다. 정자 공여자로 선택하기에 앞서 정자의 공여와 동결보존에 대한 충분한 설명을 통해 이해시킨 뒤 불임부부를 위해 공여자가 자발적으로 동의해야 한다. 연령적 측면에서는 상염색체 돌연변이의 빈도가 낮은 40세 이하의 공여자가 좋다. 물론 정자 공여자는 한민족의 혈통을 지닌 자로 국한되어야 하며, 다만 피시술자 부부 중 한쪽이 한민족이 아닌 경우에는 예외로 할 수 있다. 자발적 정자 공여 희망자에 대해서는 먼저 병력, 과거력 및 가족력이 조사되고 신체검사가 시행되어야 한다. 과거력상 동성연애자, 약물남용자, 6개월 이내에 1명 이상의 성파트너를 가진 자, 후천성면역결핍증후군환자 혹은 우려가 있는 자와의 성접촉을 한 자, 1년 이내에 성교전파성질환에 감염된 병력이 있는 자 등 성교전파성질환의 이환가능성이 높은 군은 공여자에서 제외되어야 한다. 병력상 정신질환, 당뇨, 간질, 관상동맥질환 등이 있거나, 신체검사상 요도분비물, 외성기 궤양, 콘틸로마가 있는 경우에도 공여자로서 이용될 수 없다. 가족력으로는 친가 및 외가의 조부모 및 삼촌, 부모 그리고 형제에서 다운 증후군, 정신지체, 간질, 근조절능 이상, 조기노화(50세 이전), 난청(60세 이전), 시력소실, 백내장(40세 이전), 정신분열증, 조울증, 구개열, 구개순, 선천성 만곡족, 척추결손 또는 수두증, 선천성 심질환, 선천성 고관절 기형, 2회 이상의 유산 또는 사산, 당뇨병, 갑상선 질환, 진행성 신질환, 만성피부병, 낭종성섬유화증, 관절염(50세 이전), 조기사망(50세 이전) 등의 유무에 대하여 조사해야 한다. 정액채취는 최소 2-3일의 금욕 후 정자은행에서 자위행위로 채취된 뒤 동결전 정액검사가 시행된다. 동시에 흉부단순촬영, 요검사를 통한 임질, 비임균성요도염, 트리코모나스감 염, 진균감염 및 신질환 유무, ABO-Rh 혈액형 검사, 혈청검사를 통한 간기능 이상, B형 및 C형 간염, 거대세포 바이러스감염 및 매독 감염 유무를 확인하기 위한 선별 검사가 시행된다. 비배우자 공여정자의 정액검사 소견 은 양은 1.0 ml 이상, 농도는 운동성을 가진 정자가 50×10^6/ml 이상, 운동성은 60%이상이 정상운동 그리고 해동 후 생존율은 50% 이상 되어야 한다. 계속적인 공여자인 경우 매 6개월마다 선별검사를 반복하여 재선별하여야 한다. 염색체 검사는 유전적 선별검사의 강화를 위해 공여자 선별검사 중에 포함되기도 하지만, 가계력이 적절히 조사되고 유전질환의 잠재적 위험이 없다면 꼭 시행할 필요는 없다. 혈액형 또한 과거의 검사결과를 공여자가 정확하게 알고 있다면 시행하지 않아도 된다. 검사결과 정신적 육체적으로 건강하며 유전질환이나 성교전파성질환과 같은 전염성질환이 없으며 채취된 정액이 정상범위 내의 소견을 보이면 최종적으로 책임자의 확인과정을 거쳐 정자는 동결 보존된다. 동결 보존된 정자는 정자공여 6개월후 공여자에 대한 후천성면역결핍증의 혈청검사가 완료된 뒤 AID의 적응이 되는 남성불임환자의 치료목적으로 이용될 수 있다. 이상과 같은 정상적인 선별검사를 통해 획득된 공여정자를 이용한 AID에서 선천성 기형의 빈도는 정상에서보다 1/5로 줄일 수 있다. 추가하여 현행법상 사체에서 수태 목적의 정자 채취는 엄격히 금지된다.

(2) 공여자의 특성 조사

불임부부가 비배우자 정자 선택 시 고려되는 공여자의 체형, 유전, 혈연적 특성으로 혈액형, 신장, 체중, 체형, 홍채, 모발색, 모발형, 피부색, 학력, 직업, 취미, 성씨 본관 등을 조사하여야 한다.

(3) 공여자에 대한 보상

금전적 보상이 정자 공여의 동기가 되어서는 안된다. 혈액은행에서 매혈자보다 헌혈자에서 양질의 혈액을 채취할 수 있는 것과 같이 자발적 정자 공여자를 구하는 편이 좋다. 현재 법령상으로도 정자의 매매를 금지하고 있으며 정자공여자에 대한 보상은 금전적 보상보다는 혈액관리법에서와 같이 선별검사를 통한 건강진단의 기회제공과 교통비, 식대 및 예상 수입 상실분 등 최소의 경비를 보상하는 정도가 권유된다.

(4) 기록 및 비밀 유지

공여정자의 사용에 관한 충분하고 정확한 기록이 유지되어야 한다. 공여자나 정자은행을 보호하는 법적 기준이 없는 상태에서 공여자와 관련된 기록은 반드시 비밀이 보장되어야 한다. 관련 의무기록의 보존은 향후 수혜자를 위한 익명의 자료로 이용될 수 있도록 의료법에서 규정하고 있는 10년 보다는 장기적으로 보존되는 것이 권유된다.

어떠한 경우에도 공여자의 신분은 보장되어야 하며 공여자에게도 시술결과를 공개해서는 안 된다.

2) 비배우자인공수정이 필요한 불임 부부의 평가 및 준비

비배우자인공수정이 필요한 불임부부는 치료에 앞서 남성인자에 관한 검사를 포함하여 완전한 평가가 이루어지고 비배우자인공수정의 의학적 적응증에 해당 되는지 확인되어야 한다. 이에 관한 기록이 첨부 또는 보존되고 시술이 시행되기 전에 반드시 재검토되어야 한다. 물론 임신의 금기증, 유전질환과 관련된 가족력, 성교전파성질환의 이환, 생식기 이상 및 생식능 유무 등 여성불임인자에 대해서도 충분히 조사되어야 한다. 물론 여성불임인자에 의해 임신이 될 수 없거나, 여성 성기에 감염이 있거나 감염될 위험이 높은 경우 그리고 부부 어느 한 쪽에 만성질환, 정신 박약이 있거나 자식을 양육할 능력이 없는 경우에는 비배우자인공수정이 시도될 수 없다. 비배우자인공수정을 원하는 부부는 시술과정을 이해하고 부부간에 시술에 대한 충분한 협의를 거친 후 이에 대한 남편의 동의가 반드시 있어야 한다. 비배우자인공수정이 경우에 따라서는 심한 정신적 후유증이 동반될 수 있다는 점도 충분히 설명되어야 한다. 필요한 경우 부부 모두에서 전문 카운슬러와의 상담이나 정신과 전문의에 의한 정신과적 평가가 권유될 수 있다. 시술대상 부부는 비배우자인공수정으로 태어난 출생아를 정상적으로 부양할 능력이 있어야 하며 부모로서 사회적 도덕적 법적 의무를 다하여야 함을 확인하여야 한다. 비배우자인공수정의 최종 결정을 위해서는 최소 6개월의 숙려기간이 필요하다.

3) 인공수정 혹은 체외수정의 시술

공여 정자를 이용한 인공수정이나 체외수정은 현대의학과 생명의 존엄성에 입각하여 정도 관리에 최선을 다하여야 한다. 또한 한명의 공여자로부터 채취된 정자를 이용한 임신횟수는 근친혼의 발생위험으로 일정 횟수 이하로 제한되어야 한다. 나라에 따라 동일 공여자의 정자를 이용할 수 있는 횟수의 기준이 다르며, 1명의 공여자로 부터 중국은 5명 이내의 임신을, 영국은 10명 이상의 출생이 되지 않도록, 미국은 인구 80만명당 25명 이내의 출생이 되도록 권유되고 있다. 국내에서는 대부분의 정자은행에서 1명의 공여자로부터 최대 5명에게 정자를 공여하는 것을 원칙으로 하고 있다. 향후 발생할 수 있는 법적 분쟁의 예방을 위해 비배우자인공수정의 결정과 시술과정에 전문 카운셀러나 법조인의 자문에 따른 법적 절차가 반드시 필요하다.

5. 동결정자의 장점

1) 장점

(1) 비배우자인공수정인 경우 공여 6개월 후 공여자를 검진하여 AIDS감염을 예방할 수 있다. 선별되지 않은 정자를 통한 성교전파성질환의 감염빈도는 0.6-1.0% 정도에 이른다.
(2) AID인 경우 유사한 외면적 특성 혹은 적합한 혈액형의 정자를 선택할 수 있다.
(3) 동일한 정자공여자로부터 연속적 임신이 가능하다. 일회 사정액으로 5-6회 시술가능하며 피시술자의 정신적 면역학적 손상을 줄일 수 있다.
(4) 배란시기에 따른 시간적 공간적 제약을 극복할 수 있다. 배란일에 남편이 내원할 수 없거나 추정배란일 주변에 여러 번의 수정 기회를 제공할 수 있다.
(5) 정관절제술, 항암요법, 방사선치료 등의 정자형성에 장애를 초래할 수 있는 수술이나 치료에 앞서 정자를 보관하여 수정능을 보존할 수 있다.
(6) 배란 주기가 불규칙한 여성에서 반복 수정이 가능 하다.
(7) 체외수정에서 정자의 수정능을 개선시키고 남은 정자를 보존할 수 있다. 한번 채취하여 동결보존된 정자를 이용해 여러번 시술을 할 수 있으므로 정자를 채취하기 위한 시술의 횟수를 줄일 수있다.

2) 단점

(1) 신선정액 보다 수정률 및 임신률이 약간 낮다.
(2) 동결 및 유지에 비용이 많이 든다.

6. 배우자간인공수정 혹은 비배우자 인공수정시 주요 고지 및 동의 사항

1) 배우자간 인공수정을 결정한 불임부부

(1) 동결정자를 이용한 배우자간 인공수정이 필요함을 증명할 수 있는 의무 기록과 담당의의 소견서 혹은 진단서를 준비하여야 한다.
(2) 정자의 동결보존 기간을 명시하고 매년 지불하여야 할 동결보존 비용에 대하여 동의하여야 한다. 이를 위해 정자은행과 주기적으로 접촉하여야 하며 주소 변경시 고지하여야 한다.
(3) 인공수정 및 체외수정에서 자연임신에서 유발될 수 있는 산과적 합병증과 자연유산이 동반될 수 있다.
(4) 인공수정 및 체외수정에서도 자연임신에서 유발될 수 있는 약 4%의 선천적 이상을 가진 아이가 태어날 수 있다.
(5) 동결 보존된 정자가 불임부부 중 한쪽이 사망하였거나 가임의 필요성이 없어진 경우 자동폐기와 연구 목적으로 사용 가능 여부에 대하여 결정하여야 한다.
(6) 동결 보존된 정자가 천재지변, 파업, 다른 작업에 의한 방해 등 정자은행 혹은 관련 시술자의 의사와 무관하게 동결상태가 보존 유지되지 못하거나 정자가 손상된 경우 정자은행이 책임지지 않는다.

2) 비배우자인공수정을 위한 자발적 정자공여자

(1) 공여자는 수혜자 혹은 불임부부에 관하여 알려고 해서는 안 되며 정자은행 또한 공여자의 인공수정에 필요한 의학적 신체적 특징 등의 제한된 정보만 수혜자나 불임부부에 제공한다.

(2) 공여자는 자신의 건강상태, 유전정보, 감염질환 유무에 관하여 보고하여야 한다.
(3) 공여자는 자신의 건강과 유전인자에 관한 최신 정보를 제공하기 위해 정자은행과 주기적으로 접촉하여야 하며 이를 위해 주소변경 시 반드시 고지하여야 한다.
(4) 공여자는 자신의 정자를 무상으로 제공함을 원칙으로 하되 정자은행으로부터 법에 규정한 최소의 보상을 받을 수 있다. 따라서 경제적 보상이 정자공여의 동기가 될 수 없으며, 정자의 채취와 동결보존과정에서 어떠한 금품도 요구할 수 없다.
(5) 정자는 인공수정 및 체외수정 외에도 공여자의 허락을 득한 다음 연구 목적으로 이용될 수 있으며 그 결과의 공개를 요구할 수 없다.
(6) 인공수정 및 체외수정으로 태어난 신생아에 대하여 어떠한 경우에도 친자관계나 재산의 증여나 상속을 청구할 수 없다.

3) 비배우자간 인공수정을 결정한 불임부부

(1) 비배우자 인공수정이 필요함을 증명할 수 있는 의무기록과 담당의의 소견서 혹은 진단서를 준비하여야 한다.
(2) 수혜자는 인공수정 및 체외수정과 관련된 제한된 정보 외에는 공여자에 관하여 알려고 해서는 안 되며 정자은행 또한 불임부부에 관하여 공여자의 신분관련 정보를 제공하지 않아야 한다.
(3) 가능하면 동일한 공여자의 정자로써 반복적인 인공수정이 시도되지만 때로는 동일한 공여자의 정자만으로 수정이 시도된다고 보장할 수 없다.
(4) 보통 인구의 약 20%에서 임신에 실패하며 따라서 공여자의 정자를 이용한 시술에서도 100% 임신으로 이어질 수는 없으며 공여 정자의 질에 따라서는 임신률이 낮아질 수 있다.
(5) 비배우자간 인공수정에서도 자연임신에서 유발될 수 있는 산과적 합병증과 자연유산이 동반될 수 있다.
(6) 비배우자간 인공수정에서도 자연임신에서 유발될 수 있는 약 4%의 선천적 기형을 가진 아이가 태어날 수 있다.
(7) 인공수정 및 체외수정으로 태어난 아이의 혈액형, 신체적 정신적 특징에 대하여 책임질 수 없다.
(8) 동결정자를 이용한 인공수정 및 체외수정에 의한 수정 후 임신 유지 실패, 임신과 출산시의 합병증, 출산 이상 및 결함에 대하여 정자은행과 소속 감독자, 의사 및 관련 직원의 무과실성을 인정하여야 한다.
(9) 인공수정 및 체외수정의 과정에서 통상의 선별검사상 인지되지 않는 전염성질환이 부득이 이환될 수 있다.
(10) 잉태되었거나 출산된 아이 혹은 아이들은 인공수정 및 체외수정을 시술 받은 부부의 법적 자녀가 되며 따라서 그들은 상속자로서 모든 법적 권리를 가질 수 있다.

7. 정자의 동결보존 및 해동기법

정자은행에서 정자 동결보존과 이용을 위한 기본 과정으로는 기구와 시약의 준비, 정자의 채취, 정자 처리, 동결 및 해동이 있다.

1) 기구와 시약

동결보존을 위한 시약이나 기구로는 동결보존제, 정자배양액, 액체질소, 동결기, 배양기, 슬라이드 온열기, 원심분리기, 위상차현미경, 동결용 바이알(cryovial) 또는 관, 튜브홀더, 동결용 장갑, 동결용 펜, 액화질소탱크 및 가열 block 등이 있다. 정자를 담는 용기로는 유리앰플(glass ampules), 플라스틱 관

(plastic straw), 동결용 바이알이 흔히 쓰이며 이들 용기가 준비되지 않 은 경우 10 cm 길이의 튜버큘린 주사기도 이용될 수 있다. 이들 중 플라스틱 관은 가는 것을 이용하기 때문에 표면적이 넓어 냉각속도가 균일한 장점이 있지만 액화질소탱크 속에서의 분류 등 관리하는 데 어려운 단점이 있다. 유리앰플은 열전도율이 높은 장점은 있으나 깨어지기 쉬운 단점으로 널리 쓰이지는 않는다. 최근에는 용량 2 ml, 직경 8 mm의 동결용 바이알과 튜브홀더가 동결정자의 분류 및 관리가 용이하여 가장 흔히 이용된다.

2) 정액의 채취와 처리

정액은 2-3일의 금욕 후 가급적 정자은행 내 위치한 편안한 환경에서 자위행위 혹은 진동 자극기를 이용하여 정자 채취가 가능한 공간에서 채취되어야 한다. 가정에서 채취된 경우에는 1시간 이내에 정자은행으로 가져와야 한다. 채취시 윤활제나 다른 보조기구는 사용하지 않아야 하며 수집용기는 납이 들어 있지 않는 의료용 플라스틱 컵을 사용하여야 한다. 수집 용기에는 환자의 성명 및 등록번호 그리고 동결보존용 정액임이 표시되어야 한다. 채취된 정액은 동결보존 또는 인공수정을 수행하기에 적절한 지를 판단하기 위해 채취 후 20-30분 이내에 정액검사가 시행되어야 한다.

3) 동결

동결과 해동속도는 정자의 희석용액, 동결보존제 그리고 세포내의 수분이나 세포막의 투과성과 같은 냉동생물학적 조건에 따라 다양하게 고려될 수 있다. 포유류 정자의 동결은 보통 -10 ~ -100℃/min 범위내의 속도로 수행 될 수 있다.

(1) 프로그램 동결기에 의한 동결

전자식으로 동결속도를 적절히 조절 가능한 프로그램 동결기를 이용하는 방법으로 가장 선택적인 방법으로 알려져 있다. 동결속도는 운동속도가 낮을수록 낮은 동결속도가 선택된다. 프로그램 동결기를 사용하는 경우 -5℃까지는 -0.5 ~ -1.0℃/min의 완속냉각, 다음 - 80℃까지의 얼음 결정 형성 영역에서는 -10 ~ - 30℃/min으로 급속 냉각된다. 일반적으로 실온과 -4℃ 까지는 -0.5℃/min, -4℃에서 -90℃까지는 -10℃/min의 동결속도가 선택된다.

(2) 프로그램 동결기를 사용하지 않는 경우

① 급속동결법: 냉동 캔을 4℃ 냉장고에 1시간 정치 후 액체질소 중에 직접 넣어 동결하는 방법이다.

② 드라이아이스 블록을 이용한 정제화 동결법: 프로그램 동결기가 고가이고 대규모시설에서 이용되는 반면 정제화 동결법은 간단하고 값싸게 신속하게 동결할 수 있다는 장점이 있다. 드라이아이스 블록에 드릴로써 직경 6 mm, 깊이 수 mm의 구멍을 뚫은 다음 정자와 동결보존액의 혼합액을 100 ㎕을 떨어뜨려 동결시킨다. 수분 후에 정제상으로 동결되면 플라스틱 튜브에 옮겨 액체 질소 중에 보존한다.

③ 액체질소증기에 의한 간이동결법: 1964년 Sherman이 제안한 액화질소 증기를 이용한 방법을 기본으로 최근에는 액체질소 표면으로부터의 높이가 전자식으로 자동 조절되는 장치들이 개발되어 있다. Sherman은 처음 액체질소 표면으로부터 15 cm상방에서 정자를 50분간 유치하여 정자를 동결하였으나 그 후 다양한 액체질소증기에 의한 동결법이 고안되었다. 액체 질소 표면 2 cm위에 유치하여 약 5분간 -100℃까지 동결시키는 방법도 이용되며 이 때 액체질소 표면 2 cm위에서 동결속도는 -38℃/min 정도 된다. 그 외에도 액체질소 20 cm(약 -2℃)위에서 25분, 13.5 cm(-40℃) 위에서 10분, 12 cm(약 -90℃)위에서 10분간 유치하여 정위차 동결법도 있다.

4) 동결보존

동결과정이 종결되면 검체에는 인식번호, 환자 성명 및 저장일이 기록된 뒤 액체질소 탱크 내로 옮겨 동결보존에 들어간다. 저장탱크 내 액체질소의 수위는 매주 검사되고 기록되어야 한다. 최근에는 액체질소 충전상태를 자동으로 감지하여 보충하는 시스템도 개발되어 있다.

5) 해동

동결 보존된 정자는 등록번호를 확인한 다음 사용되기 45분전에 액체질소탱크로부터 꺼내어 20-35℃ 실온 에서 30분간 완속 해동하거나 37℃ 수조에 10분간 방치하여 급속해동하는 방법이 선택된다. 실온이 40℃이상인 경우에는 정자의 운동성이 심하게 감소될 수 있으므로 주의하여야 한다. 해동된 정액에 1:1 혹은 1:2의 비로 정자세정액을 가하여 300 gm, 6~10분간 원심 분리한 다음 0.25~0.6 ml의 하층액을 채취한다. 채취된 하층액내 정자 농도, 운동성, 형태 그리고 백혈구 유무에 대한 검사를 시행한 다음 인공수정이나 체외수정을 시행한다.

6) 법적 분쟁

정자의 동결과 해동과 관련하여 다양한 법적 분쟁이 유발 될 수 있는 데 정자의 동결 보존 실패, 사전고지 없이 보존 정자의 폐기, 사전허가 없이 다른 사람의 정자 사용, 정자의 혼입, 실험실 직원의 위법행위 등이 있다.

8. 동결정자를 이용한 시술 결과

동결정자를 이용한 수정률 및 임신률은 신선정액을 이용한 경우 보다 약간 낮다는 견해가 많으나 큰 차이가 없다. AID인 경우 임신률은 40-80%로 다양하다. AID의 성공률에 영향을 미치는 많은 인자가 있으므로 관련된 남성 및 여성불임인자는 시술에 앞서 충분히 평가되어야 한다. 물론 성공률에 영향을 미치는 가장 중요한 인자는 시술자의 경험이다. AIH와 비교하여 자연 유산, 쌍생아 출산, 임신기간 및 출생 시 체중 등은 차이가 없으며, 남녀 비는 약간 증가되지만, 공여자에 대한 선별검사가 정상적으로 수행된 경우 선천성 기형의 빈도는 정상 임신에서 보다 1/5정도로 아주 낮다.

9. 요약

불임은 임신을 원하는 가임 연령대에 있는 부부의 약 15%에서 발생하며 불임과 관련된 선천성 후천성 질환의 증가, 환경오염, 가족계획 및 매스컴의 홍보효과로 인해 불임클리닉을 찾는 남성불임환자 수는 매년 증가되고 있다. 이 중 상당 수가 보조생식술의 괄목할만한 발전에도 불구하고 AID 혹은 입양이 필요한 무정자증 혹은 난치성 감정자증환자이다. 그 외에도 조정기능이 약화되었거나 이에 영향을 줄 수 있는 질환이나 치료로 인해 배우자 정자의 동결보존이 필요한 임상증례 또한 급격히 증가되고 있는 실정이다. 따라서 자가 수정의 기회를 높임과 동시에 유전질환, 정신질환 혹은 감염 질환이 없음이 확인된 건강한 정자가 치료적 비배우자 인공수정에 이용되기 위해서는 표준운영지침의 확립 뿐만 아니라 생명윤리적 법적 보호장치가 있는 공공정자은행의 설립과 운영이 시급한 실정이다.

참고문헌

1. British Andrology Society. British Andrology Society guidelines for the screening of semen donors for donor insemination Human Reproduction 1999;14:1823-1826.
2. Bunge RG, Sherman JK. Fertilizing capacity of frozen

human spermatozoa. Nature 1953;172:767-768.
3. Daudin M, Rives N, Walschaerts M et al. Sperm cryopreservation in adolescents and young adults with cancer: results of the French national sperm bank network (CECOS). Fertil Steril 15;103:478-486.
4. Ethics Committee of the American Society for Reproductive Medicine. Using family members as gamete donors or surrogates. Fertil Steril 2012;98:797-803.
5. Ethics Committee of the American Society for Reproductive Medicine, Interests, obligations, and rights in gamete donation: a committee opinion. Fertil Steril 2014;102:675-681.
6. Gazvani R, Hamilton MPR, Simpson A, Templeton A. New challenges for gamete donation programmes: changes in guidelines are needed. Hum Fertil 2002;5:183-184.
7. Hafez, ES, Arias E. Andrology, semen-banks and IVF centers: HIV/ARC/STD. Arch Androl 1988;21:75-119.
8. Harris SE, Sandlow JI. Sperm acquisition in nonobstructive azoospermia: what are the options? Urol Clin North Am 2008;35:235-242.
9. Linden JV, Centola G. New American Association of Tissue Banks standards for semen banking. Fertil Steril 1997;68:597-600.
10. Mahony MC, Morshedi M, Scott RT, De Villiers A, Erasmus E. Role of spermatozoa cryopreservation in assisted reproduction. In: Acosta AA, KrugerTF, Swanson RJ, van Zyl JA, Ackerman SB, Menkveld R, editors. Human spermatozoa in assisted reproduction. Baltimore: William & Wilkins; 1986;310-318.
11. Mantegazza J. Fisiologia sullo sperma umano. Rendic Reale Instiit Lomb 1866;3:183.
12. Polge G, Smith Au, Parkers AS. Revival of spermatozoa after titrification and dehydration at low temperature. Nature 1949;164:666-676.
13. Rostand J, Cole R. Glycerine et resistance du sperme aux basses temperatures. Acad Sci Paris, 1946;222: 1524.
14. Rowe PJ, Comhaire FH, Hargreave TB et al. WHO manual for the standardized investigation, diagnosis and management of the infertile male. Cambridege; 2000.
15. Spallazani L. Opuscoli di fisca spermamtici, animale e vegatabile, opuscule II. Osservaziioni, a sperienze intorno ai vermicelli dell' uomo et degli animale. Modena, Italy, 1776. quoted in Royere D, Barthelemy C, Hamamah S, Lansac J. Human Reprod 1996;2:553-559.
16. Sawada Y. The preservation of human semen by deep freezing. Int J Fertil. 1964;9:525-532.
17. Tomlinson MJ, Pooley K, Pierce A, Hopkisson JF. Sperm donor recruitment withib an NHS fertility service since the removal of anonymity. Hum Fertil 2010;13:159-167.
18. The American Society for Reproductive Medicine. Appenddix A: Minimal genetic screening for gamete donors. Fertil Steril 2002;77:S15-S16.
19. The American Society for Reproductive Medicine. Guidelines for sperm donation. Fertil Steril 2002;77-6(suppl 5):S2-S5.
20. The American Society for Reproductive Medicine. Guidelines for sperm donation. Fertil Steril 2004;82(suppl 1):S9-S12.
21. The American Society for Reproductive Medicine. 2002 Guidelines for gamete and embryo donation: a practice committee report Guidelines and minimum standard. Fertil Steril 2004;82(suppl 1):S8
22. The Danish Council of Ethics. Scandinavian recommendations: sperm donation. Bull Med Ethics. 2003;191:8-9.
23. *van Casteren NJ, van Santbrink EJ, van Inzen W, Romijn JC, Dohle GR. Use rate and assisted reproduction* technologies outcome of cryopreserved semen from 629 cancer patients. Fertil Steril 2008;90: 2245-2250.
24. Whittingham DG, Leibo SP, Mazur P. Survival of mouse embryos frozen to -196 degrees and -269 degrees C. Science 1972;178:411-414.
25. Witt MA. Sperm banking. In: Lipshultz LI, Howards SS. Infertility in the male. 3rd ed. St. Louis: Mosby; 1997; 501-505.
26. World Health Organisation. WHO Laboratory Manual for the Examination and Processing of Human Semen, 5th ed. Geneva: world Health Organisation; 2010.

CHAPTER 14

남성불임치료의 미래

Future Treatment for Male Infertility

■ 이상곤

가임 연령의 8-12%에서 불임이 차지하는데 그 발생빈도는 증가추세에 있어 산업화된 국가에서는 20-35%에 달해 인류건강의 주요 문제로 되고 있다. 과거 50년동안 정상정자의 수는 절반으로 감소되었고 불임 환자의 절반이상이 남성측 원인이다. 남성불임의 10% 는 비폐쇄성 무정자증이다. 비폐쇄성 무정자증인데, 일차적 치료는 고환정자채취술(TESE)과 세포질내정자주입술(ICSI)로 1978년도에 첫 아이를 탄생시킨 후 현재까지 500만명 이상의 아이를 출산시켜 안전이 확립된 효율적인 불임환자의 표준 치료로 자리 잡고 있다. 조출생률(crude delivery rate)은 37% 정도이고 축적된 기대치 출산률은 78%에 달한다. 그러나 세포질내정자주입술로 태어난 아이가 자연 분만에 의해 태어난 아이에 비해 아직 주산기 유병률이 높은 수준이다. 성염색체 이상의 빈도가 일반 체외수정보다 높아, 세포질내정자주입술의 경우 0.8-1.0%, 일반 최외수정(IVF)은 0.2%수준이다. 원인은 다태아 출산, 부모나이의 고령화, 보조생식술 과정의 가능한 영향을 들 수 있다. 그러나 세포질내정자주입술 시술이 출산아의 발달장애에 영향을 미치지는 않는 것으로 보고되고 있다.

향후 불임을 극복하기 위한 과제로는 가능한 불임의 예방이 중요하고, 보다 모자에 안전하고 효율적인 인공수정술기의 개선, 가임력의 보전과제 들을 들 수 있다.

1. 세포질내정자주입술의 안정성

보조생식술을 시행한 환자에서 상염색체 이상의 빈도가 감정자증에서 4.6%인데 비해 무정자증에서 13.7%로 높다. Y 염색체 미세결손은 무정자증의 10-15%, 감정자증의 5-10%가 AZF 결손과 연관이 있는 경우 세포질내정자주입술로 태어난 남아는 동일한 유전자결손이 전달될 가능성이 높아 자녀를 갖기 위해 다시 세포질내정자주입술을 시행해야 한다. 세포질내정자주입술은 심한 남성불임 치료에서 유일하게 효율적이고 안전한 시술 방법으로 자리잡고 있으나 세포질내정자주입술 기법으로 소수의 정자를 수정시켜 출산한 태아에서 자연적 생체의 염색체 전달과정에서 선택과정을 생략함으로써 장기적 성장발달에 문제가 있을 수 있다는 대해 우려가 지속적으로 제기되었다. 조산(preterm birth), 유전체 각인(imprint) 질환의 증가, 다태아 출산에 의한 산모의 유병률 증대,

저체중 출산 등이 문제가 있을 수 있다. 선천적 기형 비율은 5.6-9.0% 로, 정상임신에서의 4.2-5%로 비해 약간 높은 것으로 보고되고 있다. 반면에 인지기능, 운동기능 발달에서 체외수정이나 정상 출산된 아이와 유의한 차이는 없었다. 아이의 인지기능의 발달은 수태의 방식보다는 오히려 모성의 나이와 교육정도와 연관이 있는 것으로 분석되고 있다.

1) 세포질내 정자주입시술로 유전체각인 (genetic imprinting) 질환 증가

유전자가 정상 발현하기 위해서는 부모로부터 특정 유전자의 발현여부에 대해 조정을 받는 유전자외적(epigenetic) 현상이다. 100여개의 인간유전자가 배아, 태아발달과정에서 각인된다고 알려져 있는데, 유전체 각인과정이 보조생식술 시행시의 물리적, 화학적 자극에 의해 영향을 받을 수 있다. 발생빈도는 매우 드물지만 각인된 유전자에 의해 불임을 포함하여, Beckwith-Wiedermann, Prader-Willi, Angelman syndrome 등의 여러 질환이 자연분만에 비해 증가한다. 이러한 원인이 불임부부의 유전적 특성인지, 보조생식시술과정과 연관된 효과인지는 아직 확실히 밝혀지지 않고 있다. 유전자 질환진단이 필수적인데 정자생성에 관여하는 유전자는 knockout 쥐의 모델로 밝혀진 것만 388개에 달해 현재의 검사 기법으로 불임의 유전적 진단은 매우 어렵다. 향후에 In-Vitro 인간모델이 개발되면 불임의 유전자질환 진단이 도움이 될 것이다.

2) 안전하고 효율적이며 저비용의 세포질내정자주입술의 개발:

(1) 정자핵의 형태기준으로 한 정자선택법(Motile sperm organelle morphology examination: MSOME)

세포질내정자주입술시 선택된 정자핵의 형태는 배아착상률을 높이는데 중요한 요소이다. 기존의 세포질내정자주입술은 정상 핵을 가진 정자수가 20%미만일 때 임신이 가능하지 않지만 근래에는 실시간으로 고해상도 현미경하에서 정자의 핵의 형태를 기준으로 선택된 정자를 사용하는 방법 (motile sperm organelle morphology examination:MSOME)을 이용한 세포질내정자주입술은 착상율과 임신율이 기존의 세포질내정자주입술 방법에 비해 착상률 3배, 임신률 2배 높이고, 반면에 유산율을 70% 감소시켰다. 따라서 아주 심한 남성불임 환자에서 유용한 체외수정방법으로 기대되고 있다.

(2) 체외난자성숙기법(In Vitro Maturation: IVM)

세포질내정자주입술 비용이 높고 또한 다태아 출산의 증가는 산모와 태아에 출산 유병률 증가와 연관되어 있다. 체외수정시술이 가능한 지역은 서방세계를 중심으로 전세계국가의 55%에 해당하고 아프리카, 남미지역, 동남아시아 등 같이 아직 혜택을 못 받는 지역이 많다. 따라서 근래에 불임부부에게 안전하고, 효과적인 저비용의 보조생식술을 제공받을 수 있도록 WHO와 European Society of Human Reproduction and Embryology (ESHRE) 지원 하에 보다 단순화된 FSH 난자자극 요법, 단일 배아 이식 등으로 저비용의 체외수정기법이 개발되었다. 기존의 체외수정기법이 성선자극호르몬 투여를 통해 모체 내에서 난자를 성숙시켜 추출하는데 비해 체외난자성숙기법은 성선자극 호르몬주입을 단축시켜 미성숙난자를 채취하여 체외에서 난자를 배양성숙시켜 체외수정을 하는 방법이다. 체외난자성숙기법의 특징은 난자를 자극하기 위한 FSH 주입량의 감량, 보다 간편화한 난자이식기법, 그리고 단순화된 추적프로그램 등을 통해 비용을 절약할 수 있으며, 혈중 에스트로겐 농도를 많이 높이지 않아 산모가 유방암 등 암종의 위험도가 높을 경우에 유리하고, 다발성 배란의 빈도를 줄일 수 있다는 장점이 있다. 저비용 체외난자성숙 기법과 기존의 체외수정기법(ICSI)을 비교할 때 선천성 기형발생률의 차이는 없었다. 체외난자성숙기법을 통한 체외수정결과, 임신율이나 정상 신생아 출산율은 각각 26.2%와 15.9%로 기존의 체외수정방법시 각각 38.3%, 26.2%에 비해 아직 낮은 수준이나 미성숙난자 이용이 선천성 기형발생률은 기존 세포질내정자주입술방법에 비해 차이없어 향후 보다 출산 성공률을 높일 수 있는 방법이 개발된다면 기존의 방법을 대체할 수 있을 것으로 기대하고 있다.

2. 가임력의 보존

청소년기의 암종치료는 비교적 성공률이 높아 향후 가임력의 보존은 삶의 질 차원에서 중요한 과제이다. 그리고, 정류고환, 고환절제술시행한 환자, 클라인펠터 증후군 등이 보존 가능한 대상이 된다. 가장 신뢰성 있는 방법은 치료전에 정자, 또는 고환조직의 냉동 보전이다. 향후 유망한 방법은 미성숙고환조직의 자가 이식, 생식세포의 in vitro 성숙방법은 암세포의 오염을 극복할수 있는 최선의 방법으로 알려져 있다. 미래에 주목 받는 방법은 고환생식세포 냉동보전 후 추후 고환에 이식하는 방법으로 이식방법에는 줄기세포 이식, 자가이식 또는 이종이식(Xenograft) 방법이 있다. 원숭이대상에서 자가이식에서 정자생성을 유도하는데 성공했으나 사람에서 아직 실용화되지 않았다. 암세포의 오염을 방지하기 위한 방법으로는 생식세포의 in-Vitro 배양으로 기대되는데, 3차원 구조의 조직배양(organ culture)이 in-Vitro 정자생성에 성공할 수 있는 유망한 기법이다.

3. 불임 예방

보조생식술에 의한 출산은 자연분만에 비해 산모와 태아에게 주산기 합병증이 증가하고 치료에 드는 경제적 부담이 크다. 따라서 예방이 가능한 불임의 원인을 차단함으로써 불임치료에 대한 부담을 줄일 수 있다. 남자는 스테로이드제제, 칼슘채널차단제, 각종 항생제 등 치료약제 마리화나 등 마약류, 환경오염과 관련된 물질, 내분비 교란 물질, 살충제 등은 정자생성 저하와 연관이 될 수 있다. 생활습관과 연관된 비만을 포함한 영양상태불균형, 흡연, 음주, 카페인 섭취, 정신적, 신체적 스트레스 등도 가임력을 저하시킬 수 있다. 성매개질환의 예방과 적절한 치료로 폐쇄성 정로 질환을 예방할 수 있다. 그 중에서 남녀 모두 적절한 나이에 임신을 시도하는 것이 중요하다. 남자의 경우 35세이후에 정자의 질이 감소되고 DNA 손상의 비율이 증가한다. 여성의 임신률은 30세 이전에는 71%, 36세 이후에는 41%로 저하된다. 유전성 원인의 불임은 예방이나 IVF의 발달에도 치료는 어려운 현실이지만, 우선은 어떠한 습관이나 환경이 남녀의 가임력을 저하시키는가에 대한 인식과 대부분이 예방이 가능한 것이 많아 교육이 필요하고 생활습관도 바꾸도록 해야 한다.

4. 불임부부에 대한 사회의 지원

불임부부에 대한 사회의 관심과 지원이 필요하다. 불임이 남성불임인 경우도 여성으로 책임으로 간주되어 지역에 따라 문화적, 종교적 배경으로 이혼 등 가정의 붕괴현상이 사회문제가 되고 있다. 따라서 자녀의 출산은 공동의 책임이며 반드시 결혼에 자녀가 필수요소는 아니라는 인식과 양자 입양에 대한 인식변화 등 삶의 다양성을 받아드릴 수 있는 사회적 기관지원, 사회의 공감대가 형성되어야 한다.

참고문헌

1. Bartoove BB, Berkovitz A, Eltes F Koqosowski A, Menezo Y, Bara Y., Relationship between human sperm subtle morphological characterstics and IVF-ICSI outcome. J Androl 2002;23:1-8.
2. Bergh T, Ericson A, Hillensjo T, Nygren KG, Wennerholm UB. Deliveries and children born after in-vitro fertilisation in Sweden 1982e95: a retrospective cohort study. Lancet 1999;354:1579-1585.
3. Berkovitz A, Eltes F, Soffer Y, Zabludovsky N, Beyth Y, Farhi J, Levran D, Bartoov B., ART success and in vivo sperm cell selection depend on the ultramorphological status of spermatozoa. Andrologia 1999;31:1-8.
4. Berkovitz A, Eltes F, Yaari S, Kaz N, Barr I, Fishman A, Bartoov B., The morphological normalcy of the sperm nucleus and pregnancy rate of intracytoplasmic injection with morphologically selected sperm. Hum Reprod 2005;20:185-190.
5. Boivin J, Bunting I, Collins JA, Nygren KG. International estimates of infertility prevalence and treatment-seeking: potential need and demand for infertility medical care. Human Reprod 2007;22:1506-1512
6. Child TJ, Philipes SJ, Abdul-Jalil, Gulekli B, Tan SL, A comparision of in vitro maturation and in vitro fertilization for women with polycystic ovaries. Obstet Gynecol 2002;100;665-670.
7. ESHRE. IVF for 200 euro per cycle: first real-life proof of principle that IVF is feasible and effective for developing countries. 2013. http://www.eshre.edu/Londen2013/Media /Releases /Elke-Klerckx.aspx
8. Gallagher J. IVF as cheap as LE, doctors claim. BBC News, 2013. www.bbc.co.uk/ health-23223752
9. Goossens E, Frederickx V, De Block G, Van Steirteghem A, Tournaye H. Reproductive capacity of sperm obtained after germ cell transplantation in a mouse model. Hum Reprod 2003;18:1874-1880.
10. Goossens E, Frederickx V, De Block G, Van Steirteghem A, Tournaye H. Evaluation of in vivo conception after testicular stem cell transplantation in a mouse model shows altered post-implantation development. Hum Reprod 2006;21:2057-2060.
11. Hansen M, Kurinczuk J, Bower C, Webb S. The risk of major birth defects after intracytoplasmic sperm injection and in vitro fertilization. N Engl J Med 2002;346:725-730.
12. Henningsen A-K A, Pinborg A, Birth and perinatal outcomes and complications for babies conceived following ART Seminar in Fetal & Neonatal Medicine 2014;19:234-238.
13. Inbar-Feigenberg M, Choufani S, Butcher DT, Roifman M, Weksberg R. Basic concepts of epigenetics. Fertil Steril 2013;99:607-615.
14. Inborn MC, Patrizio P. Infertility around the globe: new thinking on gender, reproductive echnologies and global movements in the 21st century Human Reproduction Update, 2015;21:411-426.
15. Jahnukainen K, Ehmcke J, Quader MA, Saiful Huq M, Epperly MW, Hergenrother S, Nurmio M, Schlatt S., Testicular recovery after irradiation differs in prepubertal and pubertal nonhuman primates, and can be enhanced by autologous germ cell transplantation. Hum Reprod 2011;26:1945-1954.
16. Jahnukainen K, Stukenborg J-B, Present and future prospects of male fertility preservation for children and adolescents. J Clin Endocrinol Metab 2012;97:4341-4351.
17. Koivurova S, Hartikainen AL, Gissler M, Hemminki E, Sovio U, Jarvelin MR.Neonatal outcome and congenital malformations in children born after invitro fertilization. Hum Reprod 2002; 17: 1391-1398.
18. Merlob P, Sapir O, Sulkes J, Fisch B. The prevalence of major congenital malformations during two periods of time, 1986-1994 and 1995-2002, in newborns conceived by assisted reproduction technology. Eur J Med Genet 2005;48:5-11.
19. Mutsaerts MA, Groen H, Huiting HG, Kuchenbecker WK, Sauer PJ, Land JA,Stolk RP, Hoek A: The influence of maternal and paternal factors on time to pregnancy?a dutch population-based birth-cohort study: the GECKO drenthe study. Hum Reprod 2012, 27:583-593.
20. Ombelet W,Cooke I,Dyer S, Serour G,Devroey P. Infertility and the provision of infertility medical

services in developing countries. Human Reprod Update 2008a;14:605-621.

21. Ombelet W, Devroey P, Gianaroli L, te Velde E (eds). Developing Countries and Infertility. Spec Issue Human Reprod 2008;1-117.

22. Ponjaert-Kristoffersen I, Bonduelle M, Barnes J, Nekkebroeck J, Loft A, Wennerholm UB, et al. International collaborative study of intracytoplasmic sperm injection-conceived, in vitro fertilization-conceived, and naturally conceived 5-year-old child outcomes: cognitive and motor assessments. Pediatric 2005;115:283-289.

23. Sauerbrun-Cutler M-T, Vega M, Kelt M, McGovern PG. In Vitro maturation and its role in clinical assited reproductive technology. Obste Gynecol Surv 2015;70: 45-57.

24. Setti AS, Braga DPAF, Figueira RCS, Iaconelli Jr. A, Borges E, Intracytoplasmic morphologically selected sperm injection results in improved clinical outcomes in couples with previous ICSI failures or male factor infertility: a meta-analysis, European J Obstet & Gynecol and Reprod Biol 2014;183:96-103.

25. Van Assche E, Bonduelle M, Tournaye H, Joris H, Verheyen G, Devroey P, Van Steirteghem A, Liebaers I., Cytogenetics of infertile men. Hum Reprod 1996;(Suppl. 4):1-24. Discussion 25-26.

26. Wilding M, Coppola G, di Matteo L, Palagiano A, Fusco E, Dale B. Intracytoplasmic injection of morphologically selected spermatozoa (IMSI) improves outcome after assisted reproduction by deselecting physiologically poor quality spermatozoa. J Assist Reprod Genet 2011;28:253-262.

PART 02

성기능 장애 Sexual Dysfunction

SECTION 1. 남성성기능
SECTION 2. 발기부전의 원인
SECTION 3. 발기부전의 진단
SECTION 4. 발기부전의 치료
SECTION 5. 사정장애
SECTION 6. 기타
SECTION 7. 여성 성기능 및 성기능 장애

SECTION

남성성기능 01

Chapter 15. 성기능 장애의 역학 …… 안태영

Chapter 16. 음경의 해부학 …… 현재석

Chapter 17. 음경의 혈역동학적 발기기전 …… 백재승

Chapter 18. 음경의 분자생물학적 발기기전 …… 류지간

CHAPTER 15

성기능 장애의 역학

Epidemiology of Erectile Dysfunction

■ 안태영

남성성기능장애는 남성에서 흔한 질환으로서, 광범 위한 신체적 및 심리학적인 상태를 포함하는 의미로 사용된다. 그 중에서도 가장 많이 연구된 발기부전은 노화와 여러 가지 질병상태와 동반되어 흔히 나타난다. 발기부전의 정의로는 1992년 미국 국립보건원 (National Institutes of Health, NIH)의 consensus conference에서 제시된 '만족스러운 성생활을 누리는데 충분한 발기를 얻지 못하거나 유지할 수 없는 상태' 가 현재까지도 가장 많이 사용되고 있다. 발기부전 치료제의 개발은 대중과 매체의 관심을 증가시키는 한편, 발기부전 환자의 진단과 치료의 발전 및 증가를 가져왔다. 그럼에도 불구하고 발기부전에 대해 대규모로 잘 수행된 역학 조사는 드문 편이었다. 본 장에서는 발기부전의 유병률과 그 위험 인자로 거론되는 요소들을 살펴보기로 한다.

1. 발기부전의 유병률

발기부전의 유병률에 관하여 최초로 보고한 사람은 1948년 Kinsey였다. 이 연구에서는 노화에 따라 발기부전이 증가하며, 그 유병률은 30-45세는 3%, 45-55세는 7%, 65세는 25%, 75세는 55%라고 하였다. 이 연구 이후 많은 결과들이 발표되었다(표 15-1). 미국에서 시행된 대규모 연구로는 국민 건강 및 사회생활 연구(National Health and Social Life Survey, NHSLS)가 있다. 이는 18세에서 59세 사이의 남녀를 대상으로 하였는데, 대상 남자는 1,410명이었다. 이 연구에서는 18-29세의 7%, 30- 39세의 9%, 40-49세의 11%, 50-59세의 18%에서 발기부전이 있으며, 기혼자보다 미혼자에서 발기부전 빈도가 높고, 교육수준이 높을수록 발기부전 발생이 감소한다고 하였다. 또 다른 대규모 연구인 메사추세츠 남성노화 연구(Massachusetts Male Aging Study, MMAS)에서는 40-70세 사이의 남자 1,709명을 대상으로 하였는데, 발기부전의 전체 유병률은 52%였으며, 완전 발기부전이 10%, 중등도 발기부전이 25%, 경도 발기부전이 17%였다. 연령에 따른 변화를 보면, 40세부터 70세 사이에 완전 발기부전은 5.1%에서 15%로, 중등도 발기부전은 17%에서 34%로 각각 증가하였지만, 경도 발기부전의 비율은 17% 정도에서 크게 변하지 않았다. 이 결과를 근거로 계산하면 미국 내에 3천만 명 이상, 전 세계에는 1억 이상의 남성이 어느 정도의 발기부전을 가지고 있다고 추정된다.

표 15-1 미국과 유럽의 발기부전 유병률

연구자	연구 대상	유병률
Kinsey 등 (1948)	25세 이상, 4108명	25-30세, 〈1% 30-45세, 〈3% 45-55세, 6.7% 65세, 25% 75세, 55%
Morley 등 (1986)	Baltimore Longitudinal Aging Study (BLSA)	55세, 8% 65세, 25% 75세, 55% 80세, 75%
Laumann 등 (1994, 1999)	National Health and Social Life Survey (NHSLS)	18-29세, 7% 30-39세, 9% 40-49세, 11% 50-59세, 18%
Feldman 등 (1994)	Massachusetts Male Aging Study (MMAS), 40-70세, 1709명	전체, 52.0% 경도, 17.2% 중등도, 25.2% 완전, 9.6%
Panser 등 (1995)	배뇨증상과 건강상태에 관한 Olmsted County 연구, 40-79세, 2115명	완전, 11.6% 40-49세, 0.3% 70-79세, 27.4%
Fugl-Meyer와 Fugl-Meyer (1999)	덴마크 18-29세, 1288명	5%
Braun 등 (2000) 4489명	독일 Cologne Male Survey, 30-80세	전체, 19.2% 30-39세, 2.3% 40-49세, 9.5% 50-59세, 15.7% 60-69세, 34.4% 70-80세, 53.4%
Green 등 (2001)	영국	완전, 13.2% 55-70세, 2002명 55-60세, 6.9% 61-65세, 12.5% 66-70세, 22.2%
Rosen 등 (2003)	미국, 1915명 유럽, 10900명	미국 54.9% 유럽 45.3% 전체 50-59세, 30.8%

표 15-1 미국과 유럽의 발기부전 유병률(계속)

연구자	연구 대상	유병률
		60-69세, 55.1% 70-80세, 76.0%
Fung 등 (2004)	미국 1810명	30-39세, 10% 40-49세, 30% 50-59세, 45% 60-69세, 65%
Rosen 등 (2004)	유럽 20-29세, 10729명	8%

표 15-2 아시아 지역 국가의 발기부전 유병률

연구자	연구 대상	유병률
Sato 등 (1995)	일본 20-90세, 3940명	20-44세, 〈2.5% 45-59세, 10% 60-64세, 23% 65-69세, 30.4% 70세 이상, 44.3%
Wang 등 (1997)	중국 40세 이상, 1582명	40-49세, 32.8% 50-59세, 36.4% 60-69세, 74.2% 70세 이상, 86.3%
김 등 (1998)	한국 30세 이상, 855명	전체, 52.2% 30-39세, 14.3% 40-49세, 26.2% 50-59세, 37.2% 60-69세, 69.2% 70-79세, 83.3% 80세 이상, 100%
Marumo 등 (2001)	일본 23-79세, 1517명	연령, 중등도, 완전 23-29세, 1.8%, 0% 30-39세, 2.6%, 0% 40-49세, 7.6%, 1.0% 50-59세, 14.0%, 6.0% 60-69세, 25.9, 15.9% 70-79세, 27.9%, 36.4%
Ahn 등 (2007)	한국 40-79세, 1570명	자기보고식 : 13.4% 설문지 (IIEF-5 ≤ 17) : 32.4%

발기부전의 유병률에 관한 유럽의 결과는 표 15-1와 같다. 특히 약 4,500명을 대상으로 지역 조사한 Braun 등의 연구에 의하면, 조사 대상의 19.2%에서 발기부전이 있음에도 불구하고 전체의 88.3%가 자위 행위나 삽입 없는 애무 등 성적인 행위를 즐기고 특히 70대 남성도 42%가 1주에 1회 이상 이 같은 성적인 행위를 즐긴다고 하였다.

아시아권에서는 발기부전의 유병률에 관한 연구가 상대적으로 적은 편인데, 국내에서는 1998년 저자 등이 농촌지역의 역학조사를 바탕으로, 30세 이상 남성의 52.2%가 발기부전이라고 발표한 이후 많은 연구가 이루어졌다. 특히 2007년 대한남성과학회에서 40-79세 남성 1,570명을 대상으로 유병률 연구를 진행하였다. 그 결과 발기부전의 유병률이 IIEF-5 점수 기준(17점 이하)으로 는 32.4%, 자기보고결과로는 13.4%로 각각 조사되었고, 발기부전은 당뇨, 고혈압, 심장질환, 심리적 스트레스, 비만 등과 관계가 있었다. 발기부전군은 정상군에 비해 HbA1c, triglyceride, 테스토스테론, DHEA-S 등이 유의한 차이를 보였다. 또 Cheng 등이 아시아인의 발기부전 유병률에 대한 메타분석을 한 결과에서는, 각 연구결과마다 전체 유병률이 2%에서 81.8%로 차이가 많지만, 전반적으로 20대의 15.1%, 30대의 29.6%, 40대의 40.6%, 50대의 54.3%, 60대의 70.0% 유병률을 각각 보여, 연령 에 따라 증가함을 보여주었다.

이처럼 발기부전의 유병률은 연령에 따라 증가하지만, 발기부전을 불편하게 생각하는 정도는 반대로 연령에 따라 감소한다. 한편 Masumori 등이 미국과 일본의 발기부전을 비교 조사한 지역연구에서는 일본 남성에서 발기부전의 빈도가 높고 성욕 감소가 많았음에도 불구하고 자기기입식 만족도 조사에서는 비슷한 결과를 보여, 발기부전의 유병률 연구에는 문화적인 차이도 고려해야 한다는 점을 강조하였다.

발기부전 유병률 연구의 또 다른 문제점은 발기부전의 정의와 조사방법이 다양하다는 점이다. 유병률

표 15-3 메사추세츠 남성노화연구 추적조사에 의한 발기부전 발병률

	발병률 (1000명-년 당)	연령보정 상대위험도
전체	25.9	
연령		
40-49세	12.4	
50-59세	29.8	
60-69세	46.4	
교육 정도		
고졸 이하	32.9	*
대졸	30.9	1.03
대학원 이상	16.8	0.64
수입 (년간)		
4만 달러 미만	32.6	*
4만-8만 달러	23.8	0.87
8만 달러 이상	20.7	0.73
당뇨병		
없음	24.8	*
있음	50.7	1.83
심장 질환		
없음	23.9	*
비치료군	38.7	1.54
치료군	58.3	1.96
고혈압		
없음	23.2	*
비치료군	26.5	1.13
치료군	42.5	1.52
흡연		
비흡연	25.8	*
지난 1년간 흡연	23.3	1.08
현재도 흡연	26.5	1.17

이 지역마다, 연구마다 차이를 보이는 이유를 이러한 점으로 설명하고 있기 때문에 유병률을 해석할 때에는 이 점을 고려해야 할 것이다.

표 15-4 발기부전 발생에 대한 여러 인자

인자	Odd Ratio
연령 : 40대 (vs 30대)	3.72
연령 : 50대 (vs 30대)	5.16
연령 : 60대 (vs 30대)	11.02
연령 : 70대 (vs 30대)	22.42
골반내 수술	6.03
하부요로증상	2.11
고혈압	1.58
당뇨병	3.95

2. 발기부전의 발병률

발기부전에 대한 장기간의 추적 연구가 없기 때문에 발기부전의 발병률에 대한 자료도 많지 않다. 1987년부터 1989년 사이에 행해진 MMAS의 조사 대상 환자들에 대해서 1995년부터 1997년 사이에 추적 조사를 시행하였고 이를 통해 발병률에 대한 자료를 얻을 수 있었다(표 15-4). 조사대상은 처음 연구 때 발기부전이 없었던 남성으로서 그들의 평균 연령은 첫 조사 때 52.2세(40- 69세)였고, 이들 중 매년 발기부전의 발병률은 1,000명 당 25.9명이었다. 연령에 따라서는 40-49세가 12.4명, 50-59세가 29.8명, 60-69세가 46.4명이었다. 당뇨 환자 군에서의 발병률은 50.7명, 치료중인 심장병 환자에서는 58.3명, 치료중인 고혈압 환자는 42.5명으로 각각 증가되어 있었다. 이 같은 결과로 추정해보면 미국 내에서 매년 60만 명 이상의 발기부전 환자가 새롭게 발생한다고 볼 수 있다. 국내에서는 발병률에 관한 자료가 아직 없다.

3. 발기부전의 위험 인자

발기부전과 관련된 많은 요소들이 있고, 동시에 여러 가지 약을 복용하는 경우가 많기 때문에 발기부전의 정확한 원인 분석이 어려운 경우가 많다. 약의 복용과 발기부전 사이에 시간적으로 직접적인 인과관계가 있거나 복용중단 시 발기가 개선될 경우 강력히 의심할 수 있다.

발기부전과 관련되어 있다고 보고된 약물은 히스타 민(H_2) 수용체 차단제, 호르몬, 항콜린성약제, 세포독성 항암약물, 고혈압 치료제, 향정신성 약물 등이다. 가장 흔한 약물은 고혈압 치료제인데, 복용자의 4-40%에서 발기부전이 보고되고 있으며 중추성으로 자율신경계에 작용하기도 하고 말초성으로 해면체내 압력과 음경강 직도를 유지하는데 필요한 혈압을 떨어뜨림으로써 발기부전이 유발되기도 한다. LHRH 촉진제나 H2 차단제, 에스트로겐, spironolactone 등은 항남성호르몬 효과에 의해 발기부전이 유발된다고 생각된다.

생활양식과 관련된 요소는 흡연, 음주, 마리화나, 코데인, 데메롤, 헤로인 등의 만성적인 사용이다. MMAS에서는 흡연이 심혈관계 질환이나 약물과 관계된 발기부전의 발생위험을 증가시킨다고 하였는데, 심장질환으로 치료 받은 남성에서 현재 흡연을 하는 경우 완전 발기부전의 가능성은 56%인데 반해 비흡연자의 경우는 21%였다. 고혈압으로 치료중인 남성도 현재 흡연중인 경우 완전 발기부전의 가능성이 20%인데 반해 비흡연자는 8.5%로써, 일반인의 9.4%와 유사한 결과를 보였다. 흡연은 또한 약물이 발기부전에 미치는 영향을 악화시켰는데, 완전 발기부전의 가능성을 심장약(14%→41%), 고혈압약(7.5%→21%), 혈관확장제(21%→52%) 모두에서 증가시켰다. 그러나 MMAS에서는 흡연이 정상인 에게 미치는 영향을 밝히지 못했는데, 완전 발기부전의 유병률이 흡연자는 11%, 비흡연자는 9.3%로 큰 차이가 없었다.

한편 호르몬 중에서는 테스토스테론이 발기에 중추성으로 작용하여, 말초기관의 기능보다는 성욕 등에 작용하는 것으로 알려져 있다. MMAS에서는 조사된 17개 의 호르몬이 대부분 발기부전과 관계가 없었으나, 혈중 DHEAS(dehydroepiandrosterone sulfate)가 낮을 경우 완전 발기부전의 빈도가 증가하였다. 성선기능저하증(hypogonadism)이 있는 경우 발기부전과 연관되어 있지만, 고환절제술을 한 경우에도 항상 발기부전이 발생하지는 않는다는 점은 특기할 만하다. 기질성 발기부전 5% 정도는 내분비 질환에 의해 발생한다고 하며, 이와 같은 내분비 질환으로는 고프로락틴혈증, 성선기능 저하증, 갑상선기능저하증(속발성 저성선증을 유발), 갑상선기능항진증(혈중 estradiol을 증가시킴), 당뇨병, 부신질환(남성호르몬 분비 장애 등)이 포함된다.

만성질환 중에서는 당뇨병이 발기부전과의 연관성에 대해 가장 많은 연구가 행해졌는데, 당뇨환자 중 발기부전의 유병률은 35-75%이며, MMAS에서도 당뇨병이 없는 경우에 비해 완전 발기부전의 빈도가 3배나 증가하였다. 당뇨병 진단 후 10년 이내에 50% 이상의 환자에서 발기부전이 발생하며, 당뇨 환자의 12%는 발기부전으로 인해 당뇨병이 발견되기도 한다. 2형 당뇨병보다는 1형 당뇨병에서 발기부전 발생이 더 많고, 고혈압도 있는 경우 발기부전의 발생은 더 증가한다.

이 밖에도 발기부전과 관련이 있다고 알려진 만성질환으로는 다발경화증, 기타 신경계 질환(뇌졸중, 측두엽 간질, Guillain-Barre증후군, 자율신경병증, 알츠하이 머병, 뇌종양, 척수종양, Arnold-Chiari 증후군, 다발성 신경병증 등), 우울증, 만성 신부전, 간부전증, 만성폐색성 폐질환, 페이로니병, 만성감염질환, 피부경화증 등이 있다. 특히 신부전 환자의 40%에서 발기부전이 보고되었는데, 그 원인으로는 성선기능저하증이나 고프로락틴 혈증, 당뇨병성 신경병증, 혈관병증 등이 거론된다. 한편, 신장이식을 할 경우 발기능이 개선되었다는 보고도 있다.

심혈관계 질환이나 고지혈증 등도 발기부전의 발병 가능성을 증가시킨다. 심장마비나 말초성 혈관질환, 고혈압의 과거력이 있는 환자는 발기부전 발병률이 높다. 심근경색 및 관상동맥우회수술(CABG)을 한 환자의 57- 64%에서 발기부전이 발병하며, 말초혈관질환 환자의 80%까지 에서 발기부전이 발병한다.

최근에는 대사증후군(metabolic syndrome)과 발기부전의 연관성에 대하여 많은 관심이 쏟아지고 있다. 그 기전으로는 동맥경화로 인한 골반조직의 허혈상태, NO 결핍, 교감신경계 활성의 증가, 인슐린 내성으로 인한 속발성 고인슐린혈증 등이 추정되고 있다. 대사증후군 중에서도 특히 내장 비만(visceral obesity)은 염증반응의 증가로 인한 내피세포 기능부전(endothelial dysfunction), 혈중 테스토스테론 저하 등으로 발기부전을 유발한다고 생각된다. 우리나라에서도 이 등이 하부 요로증상이 있는 남성을 대상으로 조사한 바에 따르면, 당뇨나 고혈압, 중심부 비만이 있는 남성에서 성기능, 성적 만족도 등이 낮았다.

골반에 대한 수술이나 손상도 발기부전 발생을 증가 시킨다. 자전거타기의 경우, 총음경동맥(common penile artery)이 좌골치골지(ischiopubic ramus)를 가로 질러 주행하기 때문에 안장이 좁은 자전거를 탈 경우 안장과 골반골 사이에서 압박될 수 있다. Goldstein 등은 육상 클럽과 자전거 클럽의 남성들을 연령보정 비교를 한 결과 발기부전을 포함한 성적인 증상이 각각 4.2%와 1.4%로 자전거를 타는 사람들에게서 3배나 증가하였고, 특히 1주일에 3시간 이상 자전거를 타는 경우에 발기부전 빈도가 유의하게 증가한다고 하였다. 그러나 이에 대한 인과관계는 아직 확실하지 않다. 최근에는 자전거로 인한 동맥성 지속발기증도 보고된 바 있다.

1995년부터 1997년 사이에 추적 연구가 시행된 MMAS의 결과를 바탕으로, 위험요소를 고치는 것이 발기부전의 발생에 어떤 영향을 미치는 지를 조사하였는데, 체중 감량, 음주량 감소, 흡연량 감소 또는 금연 등은 발기부전의 발생을 줄이지 못하였으나, 운동을 적극적으로 한 경우에는 발기부전의 발생이 감소하였다.

한편 노화에 따라 발기부전 유병률이 증가하는 것처럼 전립선비대증의 유병률도 증가하는데, 이 두 인자가 상호 영향을 미치는지 또는 단순히 둘 다 연령이 증가함에 따라 증가하는 것인지는 확실하지 않다. 다만 BPH가 발기부전 발생에 영향을 미친다면 그 기전으로 추정되는 것은, 첫째, 두 장기의 인접한 위치로 인한 해부학적 원인, 둘째, 야간빈뇨와 이로 인한 수면장애가 REM 수면 및 전체 수면양상에 영향을 미쳐서 발기력을 저하시킨다는 점, 셋째, BPH로 인한 삶의 질 저하가 발기능을 비롯한 정상적인 기능에 악영향을 미친다는 점, 넷째, BPH의 치료가 발기능을 떨어뜨린다는 점 등이다. Green 등의 연구에서는 완전 발기부전이 노화 및 BPH 와 관련이 있지만 전립선의 크기나 요속검사 결과와는 상관관계가 없음을 밝힘으로서 발기부전과 BPH가 둘 다 노화에 동반된 것일 뿐이라고 주장했다. 그러나 최근 Rosen 등은 대규모 역학조사 결과, 당뇨와 다른 요소들을 고려하더라도 발기부전이 하부요로증상, 야간뇨, 전립선염 등과 모두 유의한 관계가 있다고 하였다.

4. 요약

발기부전의 유병률은 연구의 대상이나 조사방법, 발기부전의 진단기준 등에 따라 차이는 있으나, 대체로 40세 이상 남성에서 5-10%의 완전 발기부전을 포함하여 20- 50%에서 발기부전이 보고되고 있으며, 이 중 치료를 받는 사람은 아직 소수이지만 인구의 노령화에 따라 더욱 증가할 것이다.

발기부전은 당뇨, 고혈압, 심장질환 등뿐만 아니라 약물이나 생활습관과도 관련이 있으며 최근에는 대사증후군과의 연관성도 많이 밝혀지고 있다. 따라서 발기부전은 전신질환의 차원에서 고려하여야 하며 적극적인 환자교육과 치료를 통해 발기부전의 발생과 관련된 고칠 수 있는 요소들을 예방하거나 바꾸는 데에도 노력을 아끼지 않아야 할 것이다.

참고문헌

1. 김미진, 신건희, 류석태, 고성민, 김희진, 송상훈 등. 한국 젊은 남성의 발기부전 유병률과 위험요인에 대한 인터넷 조사 연구. 대한남성과학 회지 2006;24:76-83.
2. 양동환, 정진영, 장숙랑, 이상곤, 최용준, 김동현. 중년 이후 남자에서 발기부전의 유병률과 관련 위험 요인: 한림 노년 연구. 대한비뇨기과 학회지 2007;48:1258-1276.
3. 홍진표, 송해철, 이무송, 이창화, 안준호, 한오수 등. 일 농촌지역에서 발기부전의 유병률 및 상관 요인 신경정신의학 2005;44:708-713.
4. Ahn TY, Park JK, Lee SW, Hong JH, Park NC, Kim JJ, et al. Prevalence and risk factors for erectilie dysfunction in Korean men: results of an epidemiological study. J Sex Med 2007;4:1269-1276.
5. Borges R, Temido P, Sousa L, Azinhais P, Concei o P, Pereira B, et al. Metabolic Syndrome and Sexual (Dys)function. J Sex Med 2009;6:2958-2975.
6. Braun M, Wassmer G, Klotz T, Reifenrath B, Mathers M, Engelmann U. Epidemiology of erectile dysfunction: results of the 'Cologne Male Survey'. Int J Impot Res 2000;12:305-311.
7. Cheng JY, Ng EM, Chen RY, Ko JS. Prevalence of erectile dysfunction in Asian populations: a meta-analysis. Int J Impot Res 2007;19:229-244.
8. Derby CA, Mohr BA, Goldstein I, Feldman HA, Johannes CB, McKinlay JB. Modifiable risk factors and erectile dysfunction: can lifestyle changes modify risk? Urology 2000;56:302-306.
9. De Rose AF, Giglio M, De Caro G, Corbu C, Traverso P, Carmignani G. Arterial priapism and cycling: a new worrisome reality? Urology 2001;58:462.
10. Feldman HA, Goldstein I, Hatzichristou DG, Krane RJ, McKinlay JB. Impotence and its medical and psychosocial correlates: results of the Massachusetts Male Aging Study. J Urol 1994;151:54-61.
11. Green JS, Holden ST, Bose P, George DP, Bowsher WG. An investigation into the relationship between

prostate size, peak urinary flow rate and male erectile dysfunction. Int J Impot Res 2001;13:322-325.

12. Johannes CB, Araujo AB, Feldman HA, Derby CA, Kleinman KP, McKinlay JB. Incidence of erectile dysfunction in men 40 to 69 years old: longitudinal results from the Massachusetts male aging study. J Urol 2000;163:460-463.
13. Kaminetsky J. Epidemiology and pathophysiology of male sexual dysfunction. Int J Impot Res 2008;20:S3-10.
14. Kinsey AC, Pomeroy WB, Martin CE. Sexual behavior in the human male. Philadelphia: WB Saunders;1948.
15. Laumann EO, Paik A, Rosen RC. Sexual dysfunction in the United States: prevalence and predictors. JAMA 1999;281:537-544.
16. Lee SH, Kim JC, Lee JY, Kim JH, Oh CY, Lee SW, et al. Effects of components of metabolic syndrome on sexual function in Korean BPH/LUTS patients. J Sex Med 2009;6:2292-2298.
17. Marceau L, Kleinman K, Goldstein I, McKinlay J. Does bicycling contribute to the risk of erectile dysfunction? Results from the Massachusetts Male Aging Study (MMAS). Int J Impot Res 2001;13:298-302.
18. Marumo K, Murai M. Aging and erectile dysfunction: The role of aging and concomitant chronic illness. Int J Urol 2001;8:S50-57.
19. NIH Consensus Conference: Impotence. NIH Consensus Development Panel on Impotence. JAMA 1993;270:83-90.
20. Rosen RC, Link CL, O' Leary MP, Giuliano F, Aiyer LP, Mollon P. Lower urinary tract symptoms and sexual health: the role of gender, lifestyle and medical comorbidities. BJU Int 2009;103:S42-47.
21. Traish AM, Feeley RJ, Guay A. Mechanisms of obesity and related pathologies: androgen deficiency and endothelial dysfunction may be the link between obesity and erectile dysfunction. FEBS J 2009;276:5755-5767.

CHAPTER 16

음경의 해부학

Anatomy of penis

■ 현재석

1. 음경의 해부학적 구조

Anatomy of the penis

1) 음경

음경은 섬유조직에 싸인 3개의 원통형 해면 조직으로 구성되어 있다. 즉, 한 쌍의 음경해면체가 서로 붙어 있고 그 하부에 요도 해면체가 있다. 요도해면체의 끝은 귀두부를 형성하고 있으며 요도구로 개구되어 있다. 음경 피부는 하복부에서 시작하여 음경 말단부에서 귀두포피를 형성하며 귀두부를 덮고 있다. 음경이 발기되어 있을 때의 상부 피부측이 배측(dorsum)이 되고 음경의 하부 피부측 즉, 요도가 있는 부위가 복측(ventrum)이 된다.

음경은 크게 음경근(root)과 음경체(body)로 나누어진다. 음경근은 음경이 요생식격막(urogenital diaphragm)과 치골궁(pubic arch)의 하면에 고정된 부분으로 음경각(crus of penis), 구부요도(bulb), 좌골해면체근(ischiocavernous muscle)과 구해면체근(bulbospongious muscle)으로 구성되어 있다. 음경각부는 음경 전체 길이의 약 2/5에 해당한다. 음경각의 근위부는 양측으로 분리되어 있고 각 음경각의 끝부분은 좌골치골지(ramus of ischium)의 하방에 붙어 고정되어 있으며 좌골해면체근이 덮고 있다. 구부요도는 구해면체근이 감싸고 있다. 음경체(body)는 치골궁 밖으로 노출되어 있는 부분을 말하며, 음경체에는 한 쌍의 음경해면체가 빗살모양충격(pectiniform septum)을 사이에 두고 서로 붙어 있지만 중격 사이로 혈류가 양측으로 자유로이 교통되므로 기능적으로는 단일 발기 단위로 작용한다. 음경 귀두는 요도해면체의 말단 부분이 확대되어 형성된 부분으로 음경의 머리 부분에 해당한다. 귀두는 음경해면체 끝부분을 덮으면서 넓어져 귀두관(corona of glans)을 형성한다.

2) 음경의 단면적 5층 구조

음경은 ① 음경 피부, ② 표재음경근막(superficial fascia of the penis, 혹은 dartos fascia), ③ tela subfascialis, ④ 심부음경근막(deep fascia of the penis, 혹은 Buck's fascia), ⑤ 음경백막의 5층으로 구성되어 있다(그림 16-1). 음경 피부는 얇고 피하지방층이 없으며 피하층과는 느슨하게 붙어있어 이동성과 팽창성이 좋아 음경 발기 시 쉽게 팽창된다. 음경 피부는 원위부로 갈수록 털의 수가 적어지고 땀샘의 수도 적어진다. 음경 피부의 원위부는 음경포피를 형성하

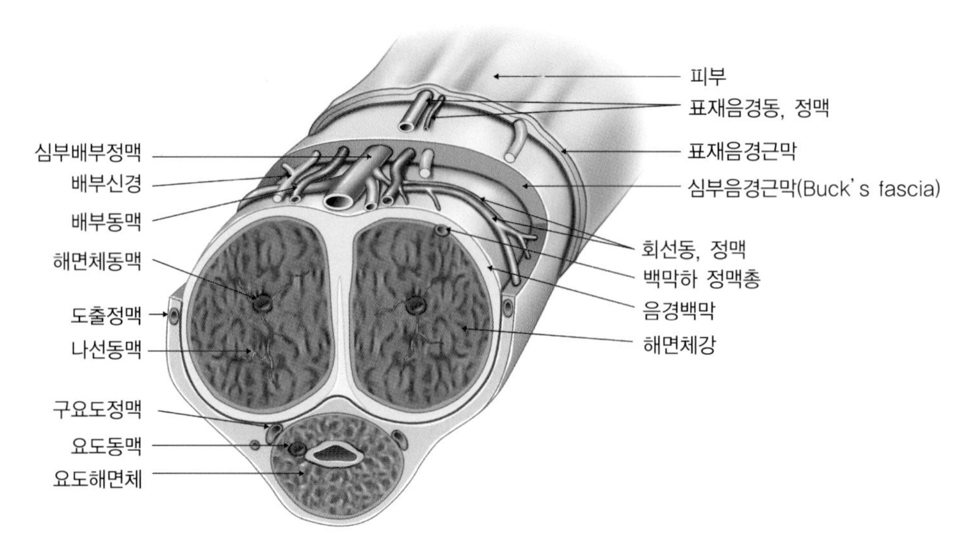

그림 16-1 음경의 횡단 구조

면서 귀두와 붙어있다. 음경포피의 배측에서 귀두의 요도측과 연결 되는 정중앙의 주름띠를 포피소대(frenulum)라고 한다. 표재음경근막은 서혜부와 회음부의 표재 근막 혹은 Colles ' 근막이 음경부로 연장되는 조직층이며 음경피부에 혈액을 공급하는 표재 음경 동맥과 정맥을 둘러싸고 있다. 표재음경근막 밑에는 얇은 결합 조직층인 tela subfascialis가 존재하며, 이 층은 음경 근위부에서 잘 발달되어 있다. 심부음경근막은 음경해면체를 둘러싸고 있으며 아울러 요도해면체를 음경해면체에서 분리시키고 요도해면체를 둘러싸고 있는 탄력층(elastic layer)이다. 또한 심부음경근막은 심부배부동맥, 정맥과 신경을 싸고 있으며 종축으로 향하는 근막 섬유로 이루어져 있고 하부의 음경백막에 단단히 결합되어 있다. 음경백막은 해면체 조직을 싸고 있는 단단한 막으로 외종층(outer longitudinal layer)과 내환상층(inner circular layer)의 2층으로 구성되어 있다. 음경백막 복측은 요도해면체가 자리 잡을 수 있게 고랑(groove)모양을 하고 있으며 배측에 비해 막이 더 두꺼운 모양을 하고 있다. 배측 음경백막은 외종층이 복측에 비해 얇고 음경각에서는 내환상층만이 존재한다.

3) 음경백막(Tunica albuginea)의 구조

음경백막은 음경발기 시 해면체강에 찬 혈액을 가두어 두는 외막의 역할을 할 뿐만 아니라 요도해면체를 싸고 있는 백막과는 달리 두께가 두꺼워 발기 시 음경의 강한 강직도를 유지하게 한다. 음경백막은 외종층과 내환상층의 2층으로 구성되어 있으며 그 두께는 음경의 위치에 따라 다르다. 외종층은 음경 배측보다는 복측이 더 두꺼우며, 복측의 5시에서 7시 방향에는 외종층이 없는 대신 요도해면체가 자리 잡고 있다. 음경백막 5시 방향의 외종층의 두께는 3시 방향의 외종층보다는 약 3배 정도 두껍기 때문에 음경골절은 주로 3시나 9시 방향의 음경백막에서 일어난다. 음경백막의 내환상층은 6시 방향에서 양측의 내환상층이 만나 12시 방향으로 뻗치는 중격을 형성한다. 음경 근위부에서는 완전한 중격을 형성하여 양측 음경해면체를 나누는 역할을 하지만 원위부에서는 불완전한 중격이 되면서 양측 음경해면체가 서로 교통이 가능하게 되어있다(그림 16-2).

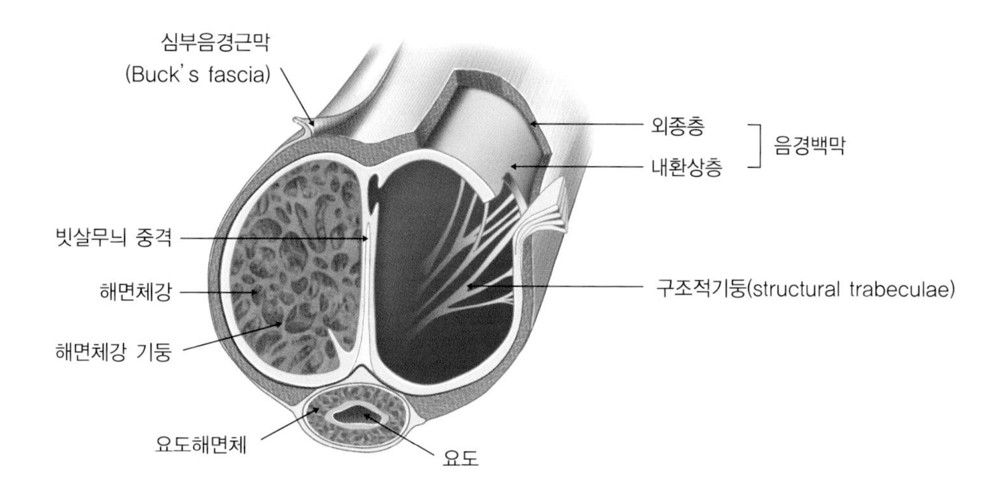

그림 16-2 음경해면체 및 백막의 구조

요도해면체를 싸고 있는 백막의 두께는 음경해면체를 싸고 있는 백막 두께의 1/2정도로 얇고 사정 시 정액의 배출을 용이하게 하는 평활근 섬유가 함유되어 있다. 요도해면체의 지름은 음경체에서는 일정하지만 구부요도에서는 점차 커져 팽대된 모양을 나타내며 구해면체근에 둘러싸인다.

음경체의 기시부는 윤상인대(fundiform ligament)와 현수인대(suspensory ligament)에 의해 백선(linea alba)과 치골에 연결되어 지지를 받는다. 윤상인대는 하부 백선에서 기원하여 Colles' 근막에 연결된다. 그 하방에 치골결합(symphysis pubis)에서부터 Buck 근막에 결합되어 있는 단단한 인대가 현수인대이다. 이 현수인대가 성교시 음경이 제 위치에 고정된 상태를 유지하게 하는 역할을 한다.

4) 음경해면체(Corpus cavernosum)의 구조

두 개의 음경해면체는 두꺼운 백막이 해면체 사이에 중격을 형성하면서 양측 해면체 조직을 나누고 있다. 이 백막은 음경의 원위부의 배측에서는 불완전한 중간막으로 존재하여 빗살모양중격을 형성하면서 양측 해면체 조직이 서로 교통하게 된다. 음경해면체내에는 음경백막에 둘러 싸여 형성된 많은 해면체강 기둥(sinusoidal trabeculae)이 해면체강을 지지하며, 이 해면체강 기둥은 섬유조직, 탄력조직 그리고 내피세포로 덮여있는 평활근으로 구성되어 있다. 내피세포로 덮여 있는 해면체강은 발기 시 혈액으로 가득 차게 된다. 음경 해면체의 해면체강은 해면체의 중앙부가 넓으며 주변부로 갈수록 좁아진다. 각 음경해면체의 중앙부에는 중심동맥(central artery)이 있다. 3개의 해면체가 만나는 지점, 즉 양측 음경해면체와 요도해면체가 만나는 지점에서 생긴 구조적 기둥(structural trabeculae 또는 intracavernous pillars)이 동측의 음경백막 중간부분에 붙어 음경해면체의 지지대 역할을 한다. 이 해면체내 기둥(pillar)은 음경 원위부로 갈수록 숫자가 많아지면서 음경발기 시 음경내부의 지지대 역할을 한다.

2. 음경의 동,정맥 혈류

Arterial/venous supply of the penis

1) 음경 동맥 혈류

음경의 동맥혈류는 크게 두 가지 혈관에서부터 온다. ① 음경 표재 동맥혈류는 외음부동맥(external pudendal artery)에서, ② 심부 동맥혈류는 내음부동맥(internal pudendal artery)에서 온다. 음경피부와 귀두포피에 혈액을 공급하는 표재 음경동맥(superficial penile artery)은 표재 음경근막에 싸여있으며 대퇴 동맥의 한 가지인 외음부 동맥에서부터 기시된다. 양측의 표재 음경동맥은 음경의 기저부에서 배외측(dorsolateral)과 복외측(ventrolateral) 가지로 나뉘어져 음경을 따라 주행하다 음경말단부에서는 다시 여러 개의 가지로 나누어지며 반대 측에서도 가지를 내어 혈류를 공급한다.

음경 심부의 동맥혈류는 내음부동맥에서 온다. 내장골동맥의 전가지(anterior branch)는 하둔부동맥(inferior gluteal artery)과 내음부동맥으로 나누어진다. 골반 내에서 내음부동맥은 천극인대(sacrospinous ligament) 하방과 천결절인대(sacrotuberous ligament) 상방 사이를 통과하여 회음부동맥(perineal artery)과 음경동맥(penile artery)으로 나누어진다. 음경동맥은 천횡회음근(superficial transverse perineal muscle)과 치골 결합 하부를 주행하다 요생식격막(urogenital diaphragm)을 통과하여 치골하지의 내측 모서리를 따라 주행하다 요도구(urethral bulb) 가까이에서 ① 구요도동맥(bulbourethral artery) ② 요도동맥(urethral artery), ③ 심부음경동맥(deep artery of penis) 혹은 음경해면체 동맥(cavernosal artery)의 3개의 분지로 나누어진다. 구요도동맥은 구부요도, 구해면체근과 요도해면체의 근위부 1/4에 혈액을 공급하며 요도동맥은 요도해면체에, 그리고 심부음경동맥은 음경해면체동맥이라 부르기도 하는데 음경해면체동맥과 배부동맥(dorsal artery)으로 나누어지기도 하며 양측 음경해면체 동맥은 양측 음경각부위에서 해면체내 정중앙부위로 들어가 음경을 따라 종주하며 음경발기 시 혈류공급을 한다. 배부동맥은 심부음경동맥에서 기원하여 음경배부에서 심배부정맥(deep dorsal vein)을 중심으로 양측 배부동맥이 음경을 따라 주행하면서 동측 음경 백막을 통과하는 회선동맥(circumflex artery) 분지를 내어 음경해면체에도 혈류

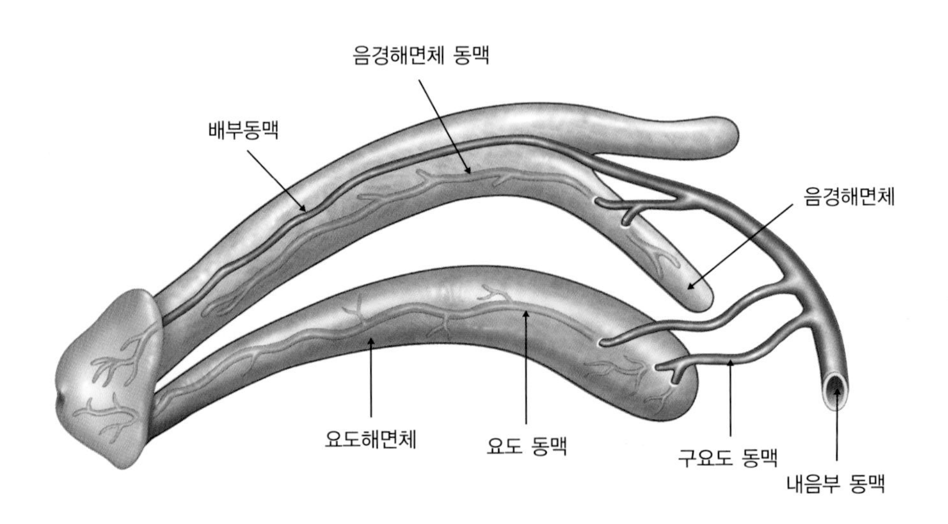

그림 16-3 음경의 동맥혈류

를 공급한다. 배부동맥은 궁극적으로 귀두부에서 끝난다(그림16-3).

2) 음경 정맥 혈류

음경의 정맥혈류는 ① 표층, ② 중간층, ③ 심층의 3가지 경로로 배출된다. 표층에 있는 정맥의 배출 경로는 귀두 포피, 음경피부와 피하조직에서 배출되는 정맥혈이 표재음경근막 하에 있는 정맥을 따라 배출된다. 이들 정맥들은 표재배부정맥(superficial dorsal vein)을 통해 주로 좌측 대복재정맥(great saphenous vein)으로 배출된다.

중간층 정맥의 배출경로는 귀두, 요도해면체 그리고 음경해면체의 원위부 2/3에서 나온 혈액이 심배부정맥과 회선정맥을 통해 배출된다. 귀두와 두 개의 음경해면체가 만나는 부위에서 귀두에서 나온 많은 작은 정맥들이 모여 후관상정맥총(retrocoronal plexus)을 형성하면서 심배부정맥으로 배출된다. 음경해면체에서 직접 음경백막을 뚫고 나온 도출정맥(emissary vein)은 회선정맥을 통해 심배부정맥으로 이어진다. 심배부정맥은 Buck 's 근막 하에 있으면서 현수 인대와 치골전립선 인대(puboprostatic ligament) 사이의 공간을 통해 전립선정맥총(prostatic plexus)으로 배출된다. 심배부정맥이 전립선정맥총으로 이어지는 부위에는 여러 개의 이판밸브(bicuspid valve)가 존재한다. 전립선정맥총은 방광정맥총(vesical plexus)을 통해 내장골정맥(internal iliac vein)으로 배출된다.

심부정맥에는 음경해면체정맥, 구해면체정맥과 각정맥(crural vein)이 있다. 음경 근위부 1/3의 해면체강(sinusoid)에서 모인 혈액은 음경백막하정맥총(subalbugineal venous plexus)으로 모인 후 도출정맥을 통해 직접 해면체정맥으로 배출된다. 양측 음경해면체 정맥은 음경각 사이에서 주음경해면체정맥(main cavernous vein)으로 합쳐지면서 구해면체와 음경각 부위를 지나 내음부정맥(internal pudendal vein)을 거쳐 내장골정맥으로 이어진다. 해면체정맥은 획일적으로 이판밸브가 존재하며 전립선정맥총과도 연결되어 있다. 각정맥은 양측 음경각의 배외측에서 여러 개가 나와 내음부정맥과 이어지고 일부는 전립선정맥총과 이어진다. 구부요도에서는 구부정맥이 나와 전립선정맥총으로 이어진다(그림 16-4).

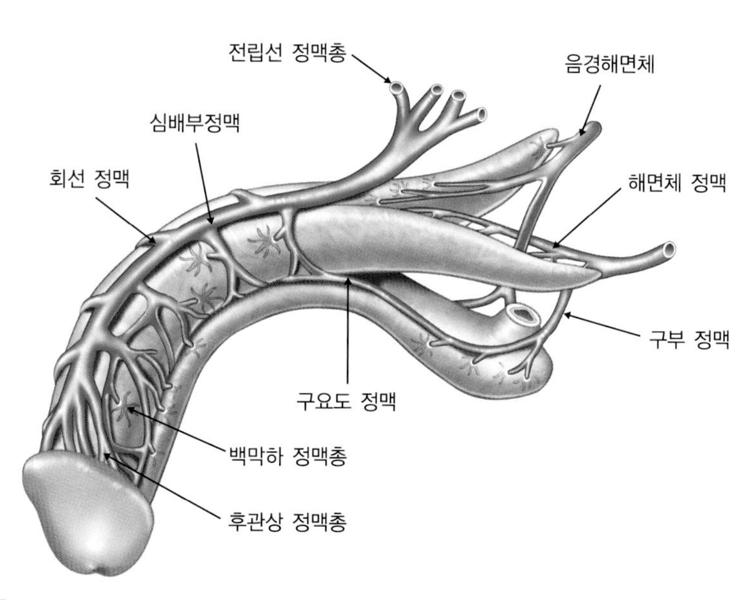

그림 16-4 음경의 정맥혈류

3) 음경 해면체내 혈류

음경 발기조직에 동맥혈을 공급하는 주된 혈관은 해면체동맥이며, 해면체 동맥은 양측 음경해면체의 중앙 부위에 존재하면서 여러 개의 나선동맥(helicine artery)으로 분지되면서 해면체강에 혈액을 공급한다. 나선동맥은 음경 이완 상태에서는 나선형으로 구불구불한 모양으로 수축되어 있으나 발기 시에는 직선형으로 펴지면서 내경이 확장된다. 나선동맥에서 공급된 혈액은 해면체 중심부에서 해면체강을 통과하면서 백막하정맥총(subtunical venous plexus)으로 모인 후, 음경백막을 통과하는 도출정맥을 통해 음경백막 밖으로 빠져 나온 후 회선정맥으로 이어지며 회선정맥은 다시 음경 배부 중심을 지나는 심배부정맥으로 이어진다.

3. 음경발기에 관여하는 중추 및 말초 신경계

Central and peripheral nervous system

1) 음경발기의 중추신경계

중추나 말초신경계가 음경발기에 관여하는 기전은 주로 전기적 자극이나 신경계에 손상을 초래한 후의 반응을 관찰하거나, 화학적 자극을 특정 부위에 준 후 반응을 관찰하여 조사한다. 이러한 조사 방법은 매우 침습적이어서 인간에게 직접 실험하기에는 많은 제약이 있기 때문에 현재까지 보고되고 있는 연구결과는 주로 쥐나 고양이, 원숭이 등의 실험동물을 대상으로 얻은 결과이다. 최근에는 인간 뇌의 기능적 이미지를 얻을 수 있는 양성자방출단층촬영(positron emission tomography;PET), 기능적 자기공명영상술(functional magnetic resonance imaging; fMRI), 뇌파을 이용해 음경 발기에 관여하는 중추 신경계의 부위를 밝혀내기 위한 연구가 진행되고 있다. 시각, 공상, 후각, 촉각 등에 의해 일어나는 음경발기는 주로 중추 신경계의 자극에 의해 일어난다. 대부분의 연구결과에서 시상하부(hypothalamus)와 변연계(limbic system)가 음경 발기에 중요 역할을 하는 부분으로 인식되고 있다. 변연계는 촉각, 청각, 미각, 후각에 의한 외적인 성적 자극을 받아들인다. 상상적 자극에 의한 대뇌피질의 흥분도 여기에서 관장한다. 변연계의 여러 부위 중 해마(hippocampus)가 음경발기에 중요역할을 하는 부위로 알려져 있다. 해마에 전기자극을 가하면 음경내압이 증가됨을 확인할 수 있다. 시상하부의 내시각 교차전 구역(medial preoptic area, MPOA)과 뇌실곁핵(paraventricular nucleus. PVN)이 음경 발기를 유도 하는데 주요 역할을 하며, 성적 반응과 관련된 자율신경의 흥분도 조절하는 역할을 한다. 안쪽 시각로 앞핵은 음경발기에 중요한 중추 신경계이며 자극 시 음경내압이 증가되며 사정에도 관여한다. 뇌실곁핵에서 척수로 가는 경로는 옥시토신(oxytocin), 바소프레신(vasopressin), 엔케팔린(enkephalin), 도파민(dopamine)과 같은 신경전달물질을 함유하고 있다. 실험쥐에서 뇌실곁핵에 옥시토신, 글루탐산염(glutamate), 산화질소(NO), 도파민 대항제 등을 주입 시 음경발기가 유도된다. 시상 하부의 신경흥분이 요추 자율신경중추에 전달되는 경로는 전기 자극이나 바이러스를 이용한 신경추적을 이용하여 확인되고 있다. 첫 번째 경로는 시상하부 등내측(dorsomedial)에서 회색질(gray matter) 등측과 중앙을 통해 청반(locus coeruleus)으로 내려간다. 뇌에서 원심성 입력(input)은 척주(dorsal column)를 통해 흉요추 자율신경 중추와 천골 자율신경 중추까지 내려간다. 두 번째 경로는 시상하부 등내측과 배내측(ventromedial)에서, 정중 전뇌(median forebrain)를 거쳐 유두체(mammillary body)와 유두각(mammillary peduncle)으로 내려간 후, 배측 뒤판부(ventral tegmental region)와 중심 뒤판부(central tegmental field)를 통해 내려가며, 중뇌 하부의 원심성 통로는 교뇌(pons)와 연수(medulla)의 배외측부를 통해 마침

내 척수의 등내측 섬유단(funiculus)으로 이어진다(그림 16-5).

2) 음경발기의 말초신경계

(1) 자율신경계

음경의 발기에 관여하는 해면체 조직과 음경혈관은 자율신경계의 교감 신경과 부교감 신경의 지배를 받으며, 좌골해면체근과 구해면체근 같은 회음부 근육은 체신경의 지배를 받는다. 척수의 흉요수절(T11-L2)의 백질(white matter)에서 중심관(central canal)으로 뻗어나가는 중간대(intermediate zone)에 신경절전(preganglionic) 교감신경이 있다. 음경으로 가는 교감 신경은 두 가지 통로가 있다. 척추전로(prevertebral passway)에는 요내장신경(lumbar splanchnic nerve), 미추 장간막 신경총(caudal mesenteric plexus), 하복신경(hypogastric nerve), 골반 신경총과 해면체신경으로 이루어져 있다. 척추주위로(paravertebral passway)는 요천추 척추주위 교감신경사슬을 형성한다. 이 신경섬유는 천추부위에서 신경사슬을 나와 골반신경총과 해면체신경으로 골반신경이나 음부신경을 통해 간다. 신경절전 부교감신경은 천추(S2-S4)의 천수 부교감신경핵에서 나와 골반신경으로 간 후, 직장의 측면에 있는 골반신경총으로 이어지고 골반신경총을 지난 신경절후(postganglionic) 부교감 신경은 해면체신경으로 간다. 해면체신경은 전립선 첨부(apex)의 후외측을 지나 요생식격막을 요도의 배측 2시와 10시 방향으로 관통하여 해면체신경총을 형성한다. 해면체신경은 근치적 전립선 적출술이나 요도수술 시 쉽게 손상을 입을 수 있다.

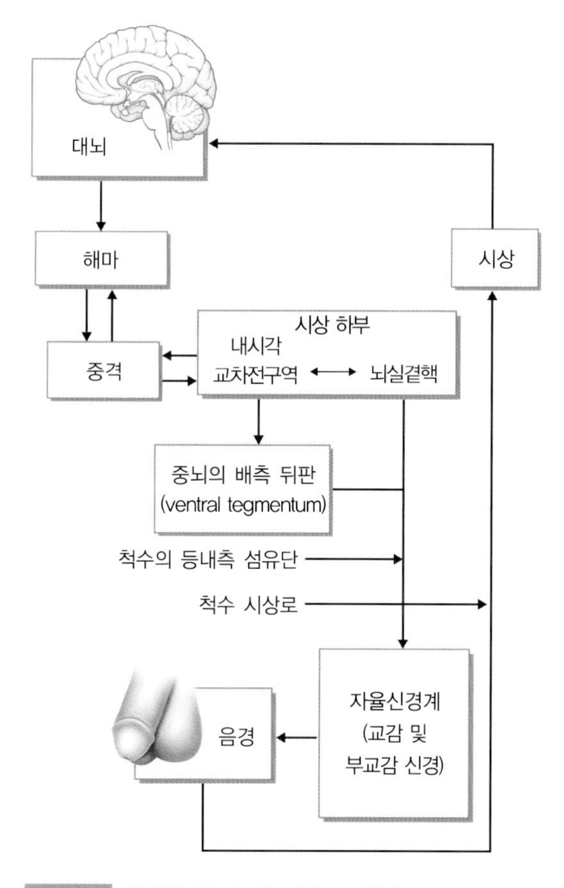

그림 16-5 음경의 발기에 관여하는 신경계

(2) 체신경계

제2천수(S2) 전각의 앞쪽 내측에는 다른 전각운동신경원보다는 작은 운동신경세포들로 구성된 세포군이 있으며 이를 Onuf 핵(Onuf' s nucleus)이라고 한다. 이 핵은 음부신경을 통해 골반저(pelvic floor)의 괄약근(sphincter muscle)과 좌골해면체근, 구해면체근을 지배한다. 구해면체근과 좌골해면체근을 지배하는 부분은 여성에서는 거의 발달해있지 않으며, 남성에서는 발달되어 있는 성적 차이가 있는 핵(sexually dimorphic nucleus)이다. 이 핵은 발달과정에서 남성호르몬의 양에 따라 형태가 달라진다고 생각되며 동물에서는 이 같은 사실이 입증되어 있다. 음부신경은 척수의 천수절(S2-S4)에서 기원하며 대좌골공(great sciatic foramen)을 통과해서 좌골극(ischial spine)을 교차하여 소좌골공(lesser sciatic foramen)을 지나 골반내로 들어간다. 음부신경은 다시 알콕관(Alcock' s canal) 내를 지난 다음 음경 배부신경, 회음부 신경 및 하치신경(inferior hemorrhoidal nerve)으로 분지된다. 음경 배부신경은 음경해면체, 요도해면체 및 요도에 분지를 내고 음경배부를 종주하여 귀두와 음경 피부의 감각 신경을 형성한다.

4. 요약

음경은 3개의 원통형 해면조직으로 구성되어 있다. 즉, 한 쌍의 음경해면체가 서로 붙어 있고 그 하부에 요도 해면체가 있다. 내피세포로 덮여져 있는 해면체강은 발기 시 혈액으로 가득 차게 된다. 각 음경해면체의 중앙부에는 중심동맥(central artery)이 있다. 음경백막은 음경발기 시 해면체강에 찬 혈액을 가두어 두는 외막의 역할을 할 뿐만 아니라 요도해면체를 싸고 있는 백막과는 달리 두께가 두꺼워 발기 시 음경의 강한 강직도를 유지하게 한다. 음경발기에 관여하는 중추신경부위는 시상하부의 안쪽 시각로 앞핵과 뇌실곁핵이며, 음경의 해면체 조직과 음경혈관은 자유신경계의 교감신경과 부교감신경의 지배를 받으며 좌골해면체근과 구해면체근과 같은 회음부 근육은 체신경의 지배를 받는다.

참고문헌

1. Andersson KE. Neurotransmitters: central and peripheral mechanisms. Int J Impot Res 2000;12:S26-33.
2. Benoit G, Delmas V, Gillot C, Jardin A. The anatomy of erection. Surg Radiol Anat 1987;9:263-272.
3. Benoit G, Droupy S, Quillard J, Paradis V, Giuliano F. Supra and infralevator neurovascular pathways to the penile corpora cavernosa. J Anat 1999;195:605-615.
4. Breza J, Aboseif SR, Orvis BR, Lue TF, Tanagho EA. Detailed anatomy of penile neurovascular structures: surgical significance. J Urol 1989; 141:437-443.
5. Chen KK. Paraventricular nucleus of hypothalamus - a brain locus in central neural regulation of penile erection in the rat. Int J Androl 2000;23:81.
6. Cruz MR, Liu YC, Manzo J, Pacheco P, Sachs BD. Peripheral nerves mediating penile erection in the rat. J Auton Nerv Syst 1999;76:15-27.
7. Dail WG, Walton G, Olmsted MP. Penile erection in the rat : stimulation of the hypogastric nerve elicits increases in penile pressure after chronic interruption of the sacral parasympathetic outflow. J Auton Nerv Syst 1989;28:251-257.
8. Fitzpatrick TJ. Venography of the deep dorsal venous and valvular systems. J Urol 1974;111:518-520.
9. Fitzpatrick TJ. The penile intercommunicating venous valvular system. J Urol 1982;127:1099-1100.
10. Fitzpatrick TJ, Cooper JF. A cavernosogram study on the valvular competence of the human deep dorsal vein. J Urol 1975;113:497-499.
11. Hinman F Jr, Stempen PH. Penis and male urethra. In; Hinman F Jr, editors. Atlas of Urosurgical Anatomy. Philadelphia: Saunders; 1993;418-470.
12. Giuliano F, Bernabe J, Brown K, Droupy S, Benoit G, Rampin O. Erectile response to hypothalamic stimulation in rats: role of peripheral nerves. Am J Physiol 1997;273:R1990-1997.
13. Giuliano F, Rampin O, Bernabe J, Rousseau JP. Neural control of penile erection in the rat. J Auton Nerv Syst 1995;55:36-44.
14. Goldstein AM, Padma-Nathan H. The microarchitecture of the intracavernosal smooth muscle and the cavernosal fibrous skeleton. J Urol 1990;144:1144-1146.
15. Goldstein AM, Meehan JP, Morrow JW, Buckley PA, Rogers FA. The fibrous skeleton of the corpora cavernosa and its probable function in the mechanism of erection. Br J Urol 1985;57:574-578.
16. Goldstein AM, Morrow JW, Meehan JP, Buckley PA, Rogers FA. Special microanatomical features surrounding the intracorpora cavernosa nerves and their probable function during erection. J Urol 1984;132:44-46.
17. Hoznek A, Rahmouni A, Abbou C, Delmas V, Colombel M. The suspensory ligament of the penis: an anatomic and radiologic description. Surg Radiol Anat 1998;20:413-417.
18. Hsu GL, Brock G, von Heyden B, Nunes L, Lue TF,

Tanagho EA. The distribution of elastic fibrous elements within the human penis. Br J Urol 1994;73:566-571.

19. Juenemann KP, Lue TF, Schmidt RA, Tanagho EA. Clinical significance of sacral and pudendal nerve anatomy. J Urol 1988;139:74-80.
20. Lepor H, Gregerman M, Crosby R, Mostofi FK, Walsh PC. Precise localization of the autonomic nerves from the pelvic plexus to the corpora cavernosa: a detailed anatomical study of the adult male pelvis. J Urol 1985;133:207-212.
21. Lierse W. Blood vessels and nerves of the human penis. Urol Int 1982;37:145-151.
22. Lue TF, Zeineh SJ, Schmidt RA, Tanagho EA. Neuroanatomy of penile erection: its relevance to iatrogenic impotence. J Urol 1984;131:273-280.
23. Marson L, McKenna KE. The identification of a brainstem site controlling spinal sexual reflexes in male rats. Brain Res 1990;515:303-308.
24. McKenna KE. Central nervous system pathways involved in the control of penile erection. Annu Rev Sex Res 1999;10:157-183.
25. McKenna KE. Some proposals regarding the organization of the central nervous system control of penile erection. Neurosci Biobehav Rev 2000;24:535-540.
26. Montorsi F, Sarteschi M, Maga T, Guazzoni G, Fabris GF, Rigatti P, Pizzini G, Miani A. Functional anatomy of cavernous helicine arterioles in potent subjects. J Urol 1998;159:808-810.
27. Naylor AM. Endogenous neurotransmitters mediating penile erection. Br J Urol 1998;81:424-431.
28. Nitahara KS, Lue TF. Microscopic anatomy of the penis. In; Carson C, Kirby R, Goldstein I, editors. Text book of erectile dysfunction. Oxford: Isis Medical Media; 1999;31-41.
29. Paick JS, Donatucci CF, Lue TF. Anatomy of cavernous nerves distal to prostate: microdissection study in adult male cadavers. Urology 1993;42:145-149.
30. Pearl RK, Monsen H, Abcarian H. Surgical anatomy of the pelvic autonomic nerves. A practical approach. Am Surg 1986;52:236-237.
31. Pinheiro AC, Costa WS, Cardoso LE, Sampaio FJ. Organization and relative content of smooth muscle cells, collagen and elastic fibers in the corpus cavernosum of rat penis. J Urol 2000;164:1802-1806.
32. Rampin O, Giuliano F. Brain control of penile erection. World J Urol 2001;19:1-8.
33. Rampin O, Giuliano F, Dompeyre P, Rousseau JP. Physiological evidence of neural pathways involved in reflexogenic penile erection in the rat. Neurosci Lett 1994;180:138-142.
34. Rosen RC, Sachs BD. Central mechanisms in the control of penile erection: current theory and research. Neurosci Biobehav Rev 2000;24:503-505.
35. Sachs BD, Bitran D. Spinal block reveals roles for brain and spinal cord in the mediation of reflexive penile erections in rats. Brain Res 1990 Sep 24;528:99-108.
36. Sathananthan AH, Adaikan PG, Lau LC, Ho J, Ratnam SS. Fine structure of the human corpus cavernosum. Arch Androl 1991;26:107-117.
37. Shafik A. Perineal nerve stimulation: role in penile erection. Int J Impot Res 1997;9:11-16.
38. Shetty SD, Farah RN. Anatomy of erectile dysfunction. In; Carson C, Kirby R, Goldstein I, editors. Text book of erectile dysfunction. Oxford: Isis Medical Media; 1999;25-29.
39. Simonsen U, Garcia-Sacristan A, Prieto D. Penile arteries and erection. J Vasc Res 2002;39:283-303.
40. Steers WD. Neural pathways and central sites involved in penile erection: neuroanatomy and clinical implications. Neurosci Biobehav Rev 2000;24:507-516.
41. Tai C, Booth AM, de Groat WC, Roppolo JR. Penile erection produced by microstimulation of the sacral spinal cord of the cat. IEEE Trans Rehabil Eng 1998;6:374-381.
42. Veronneau-Longueville F, Rampin O, Freund-Mercier MJ, Tang Y, Calas A, Marson L, McKenna KE, Stoeckel ME, Benoit G, Giuliano F. Oxytocinergic innervation of autonomic nuclei controlling penile erection in the rat. Neuroscience 1999;93:1437-1447.
43. Yang CC, Bradley WE. Peripheral distribution of the human dorsal nerve of the penis. J Urol 1998;159:1912-1916.

CHAPTER 17

음경의 혈역동학적 발기기전

Hemodynamic Mechanism of Penile Erection

■ 백재승

1. 음경발기의 혈류역동학

Hemodynamics of penile erection

어떤 의미에서 음경은 하나의 거대한 혈관이라고 할 수 있다. 다른 혈관들과 다른 점은 평소에는 아주 적은 양의 혈액이 흐르다가 필요한 경우 발기될 때 많은 양의 혈액이 들어와서 높은 압력을 이루며 유지된다는 것이다. 또 매일 잠자는 동안 이러한 발기 현상이 3-4회 반복된다는 점도 특이할 만하다. 이 장에서는 이러한 발기과정에 따라 음경에서 일어나는 혈류의 변화를 알아보았다.

음경 발기의 기전은 오래 전부터 의학적 관심사였다. 과거의 여러 이론 중 하나를 살펴보면, 1952년 Conti는 12명의 사체해부를 통한 연구 보고에서 음경 내 구심성 또는 원심성 혈관 내부에는 돌출된 polster가 있으며, 이것이 음경의 동맥과 정맥을 열고 닫는 역할을 하리라 추정하였다. 정맥의 polster가 수축하고 동맥의 polster가 이완하면, 동맥의 혈류가 증가하고 정맥의 혈류가 감소하여 발기가 일어난다는 이론이었다. 음경이 평상시로 복귀하는 과정은 이와는 반대일 것으로 생각하였다. 하지만 신생아나 젊은 성인에서는 이러한 polster가 발견되지 않아 이러한 가설은 받아들여지지 않고 있으며, 노인에게서 발견되는 polster는 동맥경화의 일부분으로 여겨지고 있다.

음경발기에 있어 동맥과 정맥 등의 해부학적인 변화는 전자현미경 연구를 통하여 밝혀지기 시작하였다. 이러한 연구에서 평상시 음경해면체에서는 수축된 동양혈관강(lacunar space)과 수축된 동맥이 관찰되었으며, 음경 백막 아래의 정맥이 잘 보였다. 하지만 발기상태의 음경에서는 늘어난 동맥들과 동양혈관강의 확장 그리고 백막 아래 정맥이 압박된 모습을 볼 수 있었다. 이러한 연구결과와 혈관확장제의 음경내 주입이 음경발기를 유도한다는 사실 등으로 인하여, 음경해면체와 동맥에 있는 평활근의 이완이 발기에 있어 매우 중요한 역할을 한다는 사실이 밝혀지기 시작했다.

1) 음경해면체 동맥계

음경의 발기는 혈액이 음경 내로 들어와서 유지되는 복잡한 과정이다. 음경해면체 평활근이 이완되어 해면체 내강이 확장되면 해면체 동맥을 통하여 들어오는 혈액의 양이 증가하게 된다. 해면체를 가득 매운 혈액은 백막으로 둘러싸인 공간에서 높은 압력을 이루게 되어 발기가 일어난다.

음경 해면체에 혈류를 공급하는 동맥은 내음부동맥(internal pudendal artery)의 분지인 총음경 동맥(common penile artery)에서 나오는 해면체 동맥(cavernosal artery)으로 발기에 필요한 혈액을 해면체에 공급한다. 하지만, 상당수의 남성에서 외장골동맥(external iliac artery), 폐쇄동맥(obturator artery), 방광동맥(vesical artery), 대퇴동맥(femoral artery)에서 나오는 부음부동맥(accessory pudendal artery)이 존재하며, 일부에서는 부음부동맥이 음경해면체에 혈류를 공급하는 데 주된 역할을 담당하며 심지어는 유일한 혈류 공급원인 경우도 있다. Nehra 등이 79명의 발기부전 환자를 대상으로 한 최근 연구에 의하면 54%의 환자에서 부음부동맥이 음경해면체의 주된 혈류 공급원이었으며, 11%의 환자에서는 유일한 혈류 공급원이었다. 이러한 연구 결과는 근치적 전립선적출술 중 부음부동맥 보존의 중요성을 시사한다. 신경신호에 의한 음경해면체 평활근의 이완과 해면체동맥 평활근의 이완은 발기에 필요한 혈액이 해면체 동맥을 통하여 공급되는데 필수적이다. 하지만 음경 해면체에 어느 정도 이상의 혈액이 들어와 발기가 시작되고 나면 음경해면체는 백막으로 둘러싸인 폐쇄된 공간이므로 발기를 유지하는 데에는 그리 많은 혈류가 필요하지 않다. 따라서 정상적인 조건에서 음경의 강직도를 결정하는 것은 혈류보다는 동맥혈의 압력이 보다 중요하다. 양측 해면체에 각각 존재하는 해면체 동맥은 일부에서 반대측 해면체 동맥 및 배부동맥과 연결되어 있는데, 이는 해면체 동맥의 동맥 질환에 대한 보완역할을 하리라 추정된다.

2) 음경해면체 정맥계

음경의 발기가 시작되고 유지되는 동안 음경 해면체로부터 나가는 정맥은 적절하게 차단된다. 평상시 음경해면체에서는 동맥과 소동맥이 약간 꼬여있고 수축되어 있으며 동양혈관도 수축되어 있고, 백막하 소정맥과 도출정맥(emissary vein)은 열려 있다. 평상시에는 신경전달물질에 의한 내인성 평활근의 긴장이 음경해면체 평활근의 수축 상태를 유지시킨다. 따라서 높은 말초저항으로 단지 적은 양의 혈액만 동양혈관강 내부로 들어오게 된다. 해면체내로 들어온 혈액 배출은 음경백막 직하방의 동양혈관강에서 나오는 소정맥에 의해 이루어지며, 이러한 백막하 소정맥은 음경백막과 동양혈관 사이를 주행하여 백막하 정맥총(subtunical venous plexus)를 형성하고 도출정맥을 통해 해면체 밖으로 나가게 된다(그림 17-1).

음경 백막은 일반적으로 콜라겐 섬유의 구조처럼 서로 얽혀있으며 탄력성이 있는 섬유로 이루어져 있다. 이 백막은 여러 층의 구조로 되어있지만, 크게 원형 구조의 섬유로 이루어진 내부층과 길이로 달리는 섬유로 이루어진 외부층으로 구성되어있다. 각각의 음경해면체 사이의 격막은 내부층의 원형 섬유가 만나서 이루어진 것으로 음경이 발기되는 동안 내부의 높은 압력을 지지하고 음경의 모양을 유지하는데 필수적인 구조물이다. 내부층에서 기원한 해면체내 지주(intracavernous pillar)는 격막 및 발기조직을 지지하는 역할을 담당한다. 외부층의 섬유질은 귀두 부위로부터 치골 각각의 해면체까지 길게 달리고 있다. 해부학적인 부위에 따라 각각 섬유의 방향과 연결망은 조금 다른 모양을 보인다. 해면체로 들어오는 동맥은 백막의 외부층과 내부층을 함께 통과하여 바로 들어오고, 해면체에서 나오는 정맥은 짧은 길이이지만 백막의 내부층과 외부층 사이를 지난다. 하는데 구조는 음경이 발기될 때, 해면체 백막에 가해지는 압력이, 해면체로부터 나오는 정맥을 압박하는데 도움을 주게 된다. 하지만 요도 해면체의 백막은 음경해면체의 백막과는 달리 외부층의 섬유질과 해면체 내 지주가 없어 얇은 구조이므로 음경이 발기되어있는 동안에도 낮은 압력을 유지하고 있다.

음경이 발기될 때, 음경 해면체 정맥혈류를 차단하는데 있어 현재까지 알려진 가장 유력한 이론은 백막을 지나는 정맥이 팽창된 동양혈관강에 의하여 압박

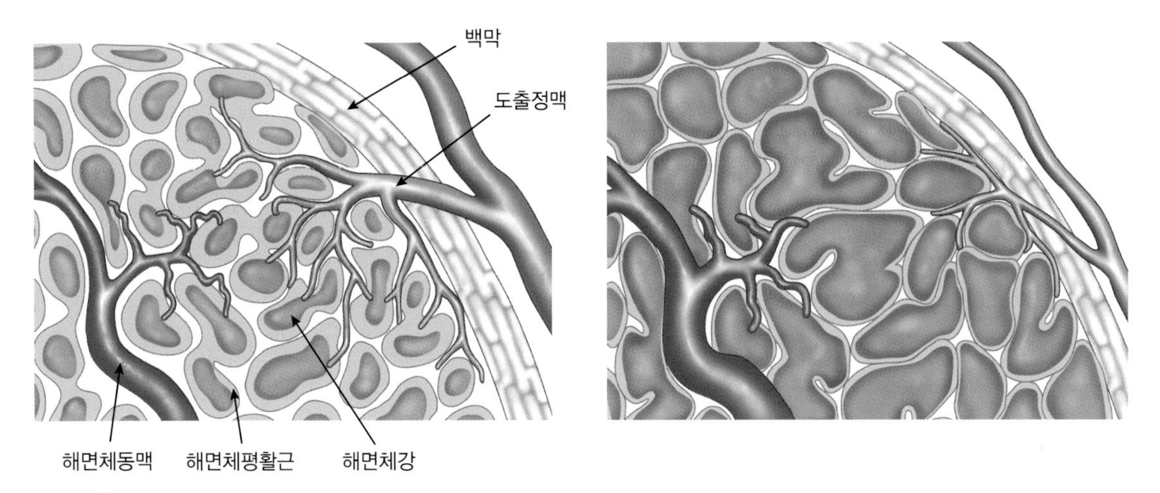

그림 17-1 이완기와 발기기의 음경해면체 내부 (modified with permission of Kim SC)

되어 차단되는 것이다. 음경해면체 백막은 단단한 조직이므로 신장력의 제한이 있어, 그리 많이 늘어나지 못한다. 음경이 발기되면, 단단한 해면체 백막과 동맥혈로 인하여 팽창된 동양혈관강에 의해 백막하 정맥들이 눌리게 되어, 음경해면체 내부의 혈액 유출이 감소하게 된다. 이런 혈액 유출의 감소는 음경해면체 내압을 더욱 증가시켜, 정맥들을 더욱 누르게 된다(그림 17-1). 그러나 음경 해면체 내압이 점차 수축기 혈압에 가까워짐에 따라 동맥혈의 유입도 점차 감소하게 된다. 또한 음경해면체 내부에 있는 소정맥 역시 압박되어 혈액의 흐름이 거의 없어지게 된다. 음경이 발기 될 때, 동양혈관강 전반에 걸친 순응도의 증가에 의해 혈액이 충만하면 백막이 팽창할 수 있는 한계까지 음경의 길이와 직경은 급격히 증가된다. 이때 늘어난 동양혈관강은 이웃 동양혈관강을 서로 압박하게 되어 동양혈관강 사이에 있는 소정맥을 압박하게 된다. 아울러 백막 하에 있는 소정맥들로 이루어진 정맥총을 팽창력이 한계에 이른 해면체 백막이 벽처럼 압박하게 되어 정맥의 폐색 효과를 가져오게 된다. 동양혈관강이 더욱 팽창하면 백막을 통과하는 도출정맥을 더욱 압박하게 되므로 혈액유출은 최소한으로 감소하게 된다. 이와 같은 과정을 통하여, 음경해면체로 들어온 혈액은 정맥을 통하여 배출되지 않고 해면체 내부에 대부분 남아있게 되며, 이는 높은 압력을 이루어 발기된 음경을 단단하게 유지하게 된다.

발기가 되는 동안 음경 귀두 역시 팽창되고 충만하게 된다. 하지만 음경 귀두부와 요도해면체의 혈류역동학은 음경해면체와는 다르다. 음경이 발기될 때, 귀두부와 요도해면체 역시 동맥혈류가 증가하게 된다. 그러나 귀두부에는 백막이나 정맥 차단 장치가 없고, 요도해면체 백막은 얇기 때문에 정맥 차단 효과가 미미하여 요도해면체와 귀두내 압력이 음경해면체의 1/3~1/2에 불과하다. 따라서, 귀두부나 요도해면체를 통하여 들어온 혈액은 동정맥루(arteriovenous fistula)처럼 정맥을 통하여 그냥 나가게 된다. 하지만 완전 발기기(full erection phase)에서 백막의 바깥에 있는 심배부정맥(deep dorsal vein)이나 나선정맥(circumflex vein)도 늘어난 음경해면체에 의하여 어느 정도는 압박을 받게 되며, 발기된 음경해면체와 치골사이에서 증가되는 압력의 영향을 받게 되어 부분적으로 정맥혈류가 감소하게 된다. 따라서 음경이 발기되는 동안 늘어난 동맥혈류와 부분적으로 압박되어 감소되는 정맥혈류로 인하여 귀두부 역시 어느 정도 커지고 늘어나게 된다. 또한, 강직발기기(rigid erection phase) 동안 좌골해면체근(ischiocavernous muscle)과 구해면체근(bulbocavernous muscle)의 수축이 요도해면체와 음경정맥을 압박하여 귀두부와 요도해면체내 압력이 좀더 증가한다.

3) 음경발기의 단계

음경의 발기과정은 동맥, 정맥 등의 작용에 따라 6단계로 나눌 수 있다(그림 17-2).

① 이완기(Flaccid phase)

이 단계에는 영양을 목적으로 최소량의 혈액이 음경해면체내로 들어가게 된다. 따라서 혈액가스 소견도 정맥혈과 유사하다.

② 충만기(Filling phase)

이 단계에는 수축기와 확장기 모두 내음부동맥의 혈류가 증가하여 혈류속도가 최고에 이르며, 음경 길이의 증가가 일어난다. 이는 성적인 자극이나 상상 등으로 인한 부교감신경계의 활성이 선행되게 된다. 하지만 음경 해면체내압은 증가하지 않고 그대로 있다. 이때 해면체 혈액가스는 동맥혈의 양상을 띄게 된다.

③ 팽창기(Tumescence phase)

이 단계에서는 완전발기가 일어날 때까지 음경 해

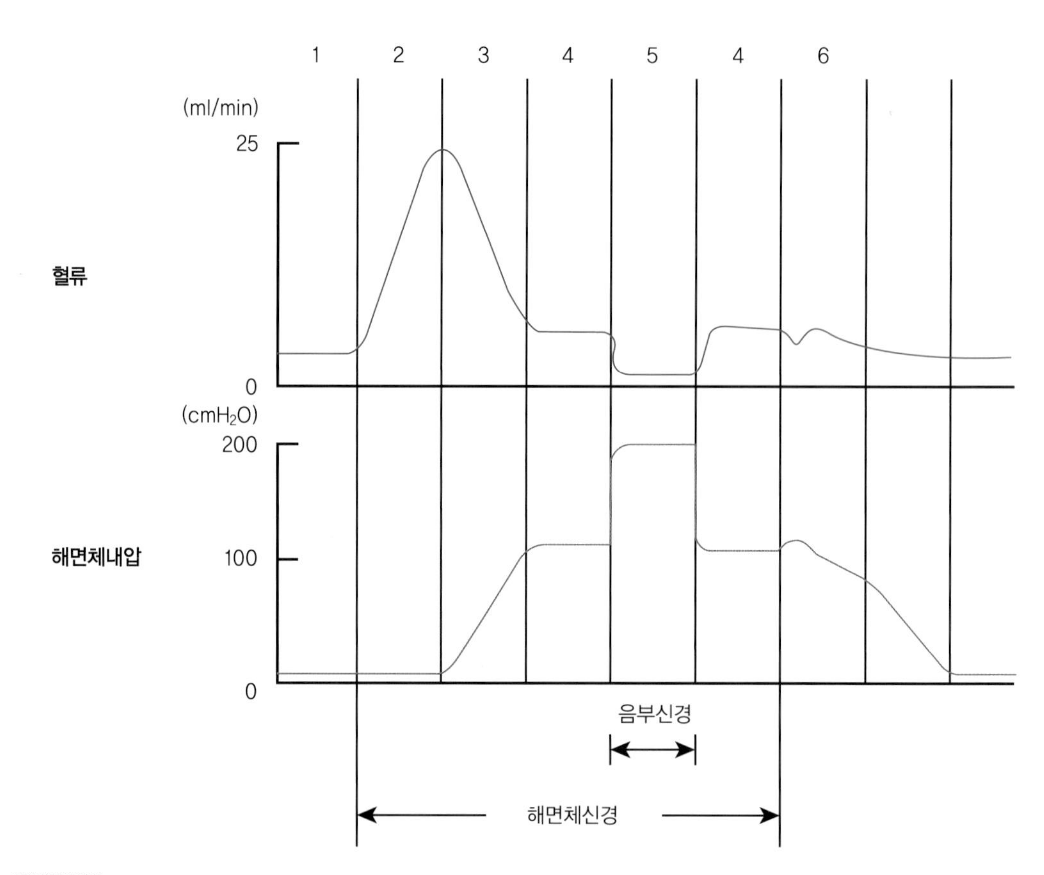

그림 17-2 음경발기의 단계 (modified with permission of Kim SC)

면체내압이 상승한다. 따라서 유입되는 혈액의 양은 늘어나지만, 유입혈류 속도는 점차 감소하기 시작한다. 이때 음경은 급격히 팽창하며 최고로 길어진다. 해면체 내압이 확장기 혈압 이상으로 상승하게 되면 혈액유입은 수축기 동안만 일어난다.

④ 완전 발기기(Full erection phase)

이 단계가 되면 음경 해면체 내압은 수축기 혈압의 80-90%에 이르게 된다. 내음부동맥의 혈류는 충만기 때보다는 훨씬 적고 팽창기 때보다도 적으나, 평상기에 비해서는 아직 많다. 정맥은 대부분 압박되어 있지만 팽창기 동안 음경 용적과 해면체 내압은 그대로 유지되므로 정맥혈 배출량이 동맥혈 유입량과 일치한다 할 수 있다. 그러므로 정맥혈류는 평상기 때보다는 약간 증가되어 있다.

⑤ 강직 발기기(Skelectal or rigid erection phase)

이 단계에는 좌골해면체근(ischiocavernous muscle)이 수축하여 음경 해면체 내압이 수축기 혈압보다 높게 증가된다. 따라서 아주 단단한 강직성 발기가 일어나게 된다. 음경 해면체 내압이 수축기 혈압보다 높으므로 당연히 이 기간 동안 내음부동맥을 통한 해면체동맥의 혈류는 거의 없다. 따라서 이 기간동안 음경해면체는 주위 조직과 혈류가 차단된 상태가 된다. 혈류가 차단되었지만 이러한 강직 발기기는 근육의 피로 때문에 오래 지속될 수 없으므로 혈액공급중단으로 인한 조직의 허혈이나 손상은 일어나지 않는다. 이렇게 음경해면체 내압이 수축기 혈압보다 높은 상태는 자위행위나 성행위 중에 성기가 약간 휘는 경우에도 일어날 수 있다. 동물실험에서도 이 시기에는 혈류가 매우 감소함이 밝혀져 있다.

⑥ 발기 소실기(Detumescence phase)

성적 극치감(orgasm)에 동반되는 사정 이후 또는 성적 자극을 중단한 후에는 교감신경계의 활성이 다시 시작되게 된다. 이러한 교감신경계의 활성화는 동양혈관과 소동맥 주위의 평활근을 수축시킨다. 이로인해 동맥혈류는 평상시 정도로 감소되며, 정맥은 다시 열려 음경해면체 내부에 평소 보다 많이 들어와 있던 상당량의 혈액이 배출된다. 음경은 평상시 길이와 둘레로 돌아온다.

4) 기타

많은 척추동물들은 음경 해면체 내부에 뼈로된 단단한 구조(os penis)를 가지고 있다. 왜 사람의 음경에는 다른 동물들처럼 뼈로 된 구조물이 없을까?

음경해면체 속의 뼈로 된 구조물은 음경의 강직도를 높이는데 도움을 준다. 하지만 척추동물이 두발로 걷게 되면서 이러한 단단한 뼈는 전쟁이나 사냥에서 쉽게 손상받을 수 있는 구조물이 되었다. 어느 정도 두발로 생활하는 영장류들은 음경해면체 속에 뼈를 가지고 있지만 이는 네발동물의 뼈보다는 아주 작다. 영장류가 사람으로 진화하면서 이런 희미하게 남아 있던 뼈도 없어지고 완전히 혈관의 구조를 가지게 되었다. 두발로 걷는 사람에게 있어, 평상시 부드러운 음경은 쉽게 손상 받지않는 구조물이 된 것이다. 하지만 음경에 뼈가 없어지면서 또 하나의 보상기전이 나타났는데, 이것은 음경 백막이 두꺼워진 것이다. 사람의 백막은 개나 영장류의 백막보다 더 두껍다. 따라서 같은 해면체 압력에도 사람의 음경은 좀더 강한 강직도를 가질 수 있는 것이다.

음경이 혈관구조로 되어 있는 것도 사람으로서는 여러 가지 장점이 있다. 평소 운동이나 업무를 볼 때에는 음경이 나와서 방해하거나 손상을 입지 않도록 이완되어 있을 수 있으며, 성적이 자극이 있으면 몇 배의 부피로 늘어날 수 있다. 또한 두꺼운 백막이 있으므로 혈액이 차는 것만으로도 충분히 단단한 강직도를 가질 수 있다.

2. 음경발기의 신경생리

Neurophysiology of penile erection

음경의 발기는 최종적으로 혈관계의 작용이지만 이에 앞서, 복잡한 신경의 작용이 함께 한다. 눈으로 보는, 냄새로 맡는, 손이나 다른 신체부위로 만지는, 피부의 감각으로 느끼는 모든 성적자극은 뇌로 모여서, 정신적인 스트레스, 현재 자신의 몸 상태에 대한 정보 등과 함께 정리된다. 뇌에서 정리된 신호는 척수로 내려 보내지게 된다. 이러한 신호는, 음경을 직접 자극해서 일어나는 반사성 신경신호와 함께 정리되어 음경으로 가는 최종적인 신경 신호를 이루게 된다.

1) 중추신경계의 작용

음경의 발기에 있어 중추신경계의 역할에 대한 연구는 주로 동물이나 신경손상이 있는 환자들에서 주로 이루어졌다. 최근에는 양전자방출단층촬영(positron emission tomography)나 기능적 자기공명영상(funtional magnetic resonance imaging)을 이용하여 사람 뇌의 혈류나 활성 변화 및 기능적 이미지를 분석하여 음경의 발기에 관여하는 중추신경계 부위를 규명하기 위한 연구들이 시행되고 있다. 음경의 발기는 크게 세 가지 형태로 구분될 수 있는데, 첫 번째는 음경에 가해지는 자극에 대한 반사성 발기(reflexogenic erection)이고, 두 번째는 음경에 대한 직접적 자극이 아닌 정신적 성적 자극으로 나타나는 정신적 발기(psychogenic erection)이며 세 번째는 대체로 REM (rapid eye movement) 수면기 동안 발생하는 야간수면중 음경발기(nocturnal penile tumescence)이다.

음경에 대한 자극으로 일어나는 반사성 발기는 음경에서 척수의 발기중추(T11-L2와 S2-S4), 자율신경핵(autonomic nucleus)을 거쳐 해면체 신경을 통해 음경으로 가는 신경망으로 이루어진다. 따라서 대뇌와 같은 상부신경계가 직접적으로 관여하지 않는 발기이다. 따라서 상부척추 이상의 손상을 입은 환자들의 경우에도, 이러한 반사성 발기는 유지되어있는 것이 보통이다. 반면 하부척추에 손상을 입은 환자들에서는 반사성 발기가 이루어지는 신경망이 함께 손상받게 되므로, 반사성 발기는 일어나지 않게 된다. 정신적 자극은 눈을 통하여 들어오는 시각적 자극과 후각을 통한 자극, 그리고 신체 접촉을 통한 자극 등과 함께 성적인 상상을 통한 신경계 자극이 모두 포함된다. 이러한 자극은 척수의 발기중추(T11-L2와 S2-S4)를 통해 내려가 말초신경을 따라 음경에 발기를 유발하는 신경신호를 보내게 된다. 정상적인 상황에서는 이러한 반사성 발기와 정신적 발기가 함께 작용하여 최종적으로 말초신경을 통하여 발기반응을 일어나게 한다.

발기에 영향을 주는 여러 자극이 어떻게 모여지고 통합되는 지에 대한 정보는 그리 많지 않다. 여러 가지 자극이 성적인 행동과 발기반응에 관여하고 있다. 여기에는 시각적인 자극과 일부 자극은 시상핵(thalamic nuclei)이나 양측 하부측두엽피질(inferior temporal cortex)을 통하여, 후각자극은 후뇌(rhienencephalus)를 통하여, 성적인 기억이나 상상은 변연계(limbic system)나 해마(hippocampus)를 통하여 들어오게 된다. 최근의 연구들은 시상하부(hypothalamus)와 변연계 등이 주된 역할을 하리라 추정하고 있으며, 그 중에서도 특히 내시각 교차전구역(medial preoptic area, MPOA)과 뇌실결핵(paraventricular nucleus, PVN), 전시상하부영역(anterior hypothalamic region), 내측 편도(medial amygdala) 등이 중요한 역할을 한다고 알려지고 있다. 즉 이들 부위가 대뇌에서 여러 가지 성적 자극에 의한 신경 신호들이 모여져서 정리되는 곳으로 알려져 있다.

2) 말초신경계의 작용

음경은 천골부 부교감신경(sacral parasympathetic nerve)과, 흉요추 교감신경(thoracolumbar sympathetic nerve) 그리고 체신경의 지배를 받고 있다. 발기에는 이 세 가지 신경계가 모두 작용한다.

(1) 부교감신경계

부교감신경계는 음경의 발기에 있어 가장 주된 신경신호를 보낸다. 부교감신경계 전달경로는 2,3,4번 천추부 intermediolateral cell column의 신경세포에서 시작되게 된다. 이러한 부교감신경은 골반신경(pelvic nerve)을 거쳐, 골반신경총(pelvic plexus)에 이르게 되며, 여기에서 상복신경총(superior hypogastric plexus)을 거쳐 오는 교감신경계와도 만나게 된다(그림 17-3, 4).

해면체 신경은 이 골반 신경총의 한 분지로 음경을 지배하게 된다. 이 골반신경총이나 해면체신경에 대해 자극하면 음경의 발기가 유도됨이 잘 밝혀져 있다. 골반 신경총의 다른 분지들은 직장이나 방광, 전립선, 요도 괄약근 등을 지배하게 되는데, 해면체 신경(cavernous nerve)은 이러한 장기의 수술에 쉽게 손상 받을 수 있다. 사체 해부를 통한 연구에서 해면체 신경의 내측 분지는 요도의 주행과 함께 하며, 외측 분지는 요도 괄약근의 4-7mm 외측으로 요생식횡격막(urogenital diaphragm)을 통과하게 된다. 이 해면체신경과 배부신경 사이에는 많은 연결이 있음이 역시 밝혀져 있다.

(2) 교감신경계

교감신경계는 주로 발기된 음경이 평상 상태로 복원되는데 관여한다. 교감신경은 주로 11번 흉추부터 2번 요추 사이에서 시작한다. 이러한 교감신경계는 하부내장신경총(inferior mesenteric plexus)와 상부하복신경총(superior hypogastric plexus)에서 하복신경(hypogastric nerve)을 거쳐 골반신경총(pelvic plexus)을 통하여 음부신경과 해면체 신경에 포함되게 된다(그림 17-3, 4).

(3) 체신경계

음경은 자율신경계의 신경지배 이외에 음부신경과 배부신경(dorsal nerve)을 통한 체신경의 지배를 함께 받고 있다. 음경피부의 감각수용체에서 시작된 신경섬유들은 배부신경으로 합쳐지고 다른 신경들과 함께 음부신경을 형성한다. 음부신경은 2,3,4번 천추부 신경근(nerve root)을 통해 척수로 들어간다. 배부신경에서 상부신경계로 가는 신경자극을 전하는 신경섬유는 주로 무수(unmyelinated) 신경섬유인 C-섬유(C fiber)와 유수(myelinated) 신경섬유인 A-delta 섬유(A-delta fiber)로 이루어져 있다. 음경 피부에 대한 접촉 자극은 이러한 배부신경의 신경섬유를 통하여 상부신경계로 올라간다. 따라서 노화나 당뇨 등은 이러한 배부신경을 손상시켜 발기부전을 일으킬 수 있다.

음경의 체운동(somatomotor) 신경중추인 2,3,4번 천추부에 있는 Onuf 핵(Onuf' s nucleus)으로부터 시작되는 체신경 섬유는 역시 음부신경을 통하여, 구해면체근(bulbocavernous muscle)과 좌골해면체근을 지배하게 된다. 이러한 좌골해면체근의 수축은 발기된 음경의 해면체를 압박하여 더욱 단단한 발기를 이루게 하며, 구해면체근의 율동수축(rhythmic contraction)은 사정에 중요한 역할을 담당한다(그림 17-3, 4).

3) 신경전달물질

음경발기의 주된 신경 조절은 교감신경과 부교감신경의 균형으로 이루어진다. 하지만 음경의 발기에 있어, norepinephrine으로 대표되는 교감신경과 acetylcholine으로 대표되는 부교감신경 이외에도 비아드레날린성 비콜린성 신경의 복합적인 작용이 함께 관여하게 된다. 음경을 평상 시 무발기 상태로 유지하는 데에는 내인성 근육 활성(intrinsic myogenic activity), 아드레날린성 신경전달물질 및 angiotensin II, prostaglandin(PG) F2α, endothelin과 같은 혈관내피세포분비 수축물질(endothelium-derived contraction

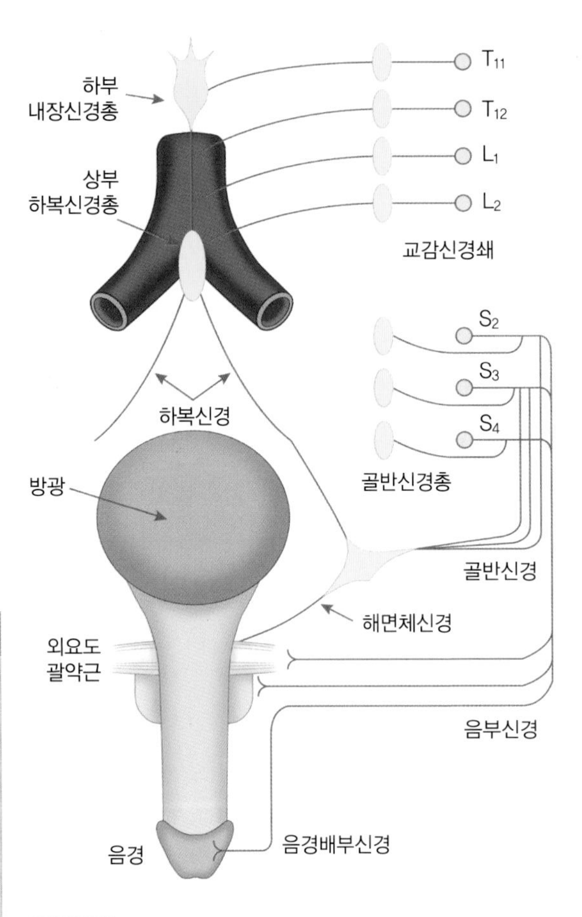

그림 17-3 음경을 지배하는 신경 (modified with permission of Kim SC)

factor) 등의 세 가지 인자가 관여한다. 노르에피네프린(norepinephrine)은 평상시 음경을 유지하는 데에도 중요한 역할을 하며, 발기 또는 사정 이후 음경이 평상 상태로 복원하는 데에도 가장 중요한 역할을 하는 신경전달물질로 알려져 있다. 이 외 강력한 혈관수축물질의 하나인 endothelin, angiotensin II, thromboxane A 및 PGF2α도 음경이 평상 상태로 복원하는데 관여하는 것으로 알려져 있다.

(1) 발기에 관여하는 음경의 신경전달물질

해면체 신경을 자극하면 콜린성 신경으로부터 acetylcholine이 분비되고 발기가 일어나게 된다. 하지만 강력한 항콜린성 물질인 atropine을 투여하더라도 이러한 발기는 모두 가라앉지 않는다. Acetylcholine과 유사 자극들은 직접적으로 음경 해면체 평활근을 이완시켜 발기를 유발하기보다는, 음경해면체 혈관의 내피세포에서 산화질소(nitric oxide, NO)를 분비하게 하여 발기를 유발시키는 간접적인 작용을 한다. 내피세포 뿐만 아니라 비아드레날린성 비콜린성 신경으로부터도 분비되는 NO는 guanylyl cyclase를 활성화시켜 세포 내 cGMP(cyclic guanosine monophosphate)의 생산을 증가시켜 해면체 평활근의 이완을 유도한다(그림 17-5). 이러한 NO는 산소와 L-arginine을 원료로 하여 산화질소합성효소(nitric oxide synthase, NOS)에 의해 만들어 진다. NOS는 신경성(neuronal), 내피성(endotherial) 그리고 반응성(inducible) 세가지 종류가 있다. 내피세포와 신경에서, NO는 이러한 NOS의 작용으로 만들어 진다. cGMP을 통한 평활근의 이완은 음경해면체뿐만 아니라 혈관과 기도, 그리고 장의 평활근에서도 일어난다. Nitrergic 신경의 신경성 NOS에서 생성되는 NO는 음경의 발기 시작에 관여한다. 또한 발기 유지에는 평활근 이완에 내피세포의 내피성 NOS에서 생성되는 NO가 관여한다. 따라서 현재 NO는 음경 발기의 가장 핵심적인 신경전달물질로 생각되고 있다.

세포 내 cGMP의 작용기전은 아직 완전하게 밝혀지지 않았다. 몇 가지 알려진 작용은 cGMP에 의하여 활성화되는 단백효소(protein kinase G)가 myosin-light chain(MLC) kinase를 비활성화 시키고, 칼륨 통로 개방을 통한 과분극화(hyperpolarization), 세포내부의 이온화 된 칼슘을 L-type의 칼슘통로를 통하여 endoplasmic reticulum으로 이동하게 하는 것 및 전압의존성(voltage-dependent) 칼슘통로 차단을 통한 세포 내 칼슘 유입 억제 등이다. 결과적으로 세포내부의 이온화 된 칼슘 감소를 통해 해면체평활근 이완이 이루어진다. Phosphodiesterase(PDE)는 cGMP를 분해하여 활성도를 감소시키는데 음경에서는 PDE5

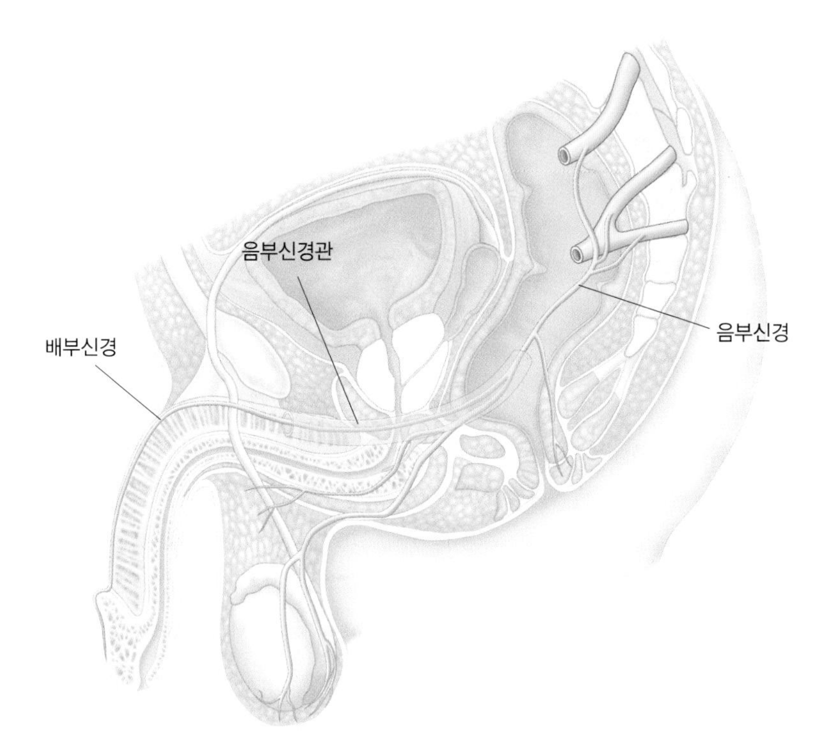

그림 17-4 음경의 신경해부학

(phosphodiesterase type 5)가 주된 작용을 한다(그림 17-5). NO 외에도 내피세포에서 분비되는 다른 물질들도 음경발기에 관여한다. 여기에는 prostaglandin, 혈관내피세포분비 이완물질(endothelium derived relaxing factors, EDRF), 혈관내피세포분비 수축물질 등이 있다. cGMP 뿐만 아니라 cAMP(cyclic adenosine monophosphate)도 cGMP과 유사한 기전으로 음경해면체 평활근의 이완을 유발하는 것이 알려져 있다. 이 cAMP 기전을 활성화시키는 대표적인 물질로는 칼시토닌유전자관련펩티드(calcitonin gene-related peptide) 및 주사제로서 상품화되어 있는 PGE1을 들 수 있다.

음경이 평상상태로 복귀하는 것은 신경전달물질의 분비가 멈추고, 앞에서 설명한 평활근 세포 내에 남아 있는 이차 전령들이 PDE에 의하여 분해되고 사성시 교감신경계가 활성화되면서 이루어진다. 음경해면체 평활근은 수축하게 되고 해면체동맥으로 들어오는 혈류 양은 줄면서 음경 백막을 관통하는 정맥이 열려서 음경내부에 차있던 혈액이 배출되게 된다. PDE는 지금까지 적어도 11가지의 family들이 밝혀져 있다. 이들 중 일부의 family는 하나 이상의 아형을 가지고 있다. 음경해면체 평활근에도 이미 13가지의 PDE유전자가 밝혀져 있다. 그러나 PDE5를 제외한 다른 PDE들의 역할은 아직 불확실하다. 이들 유전자의 기능이 밝혀지면 이들을 겨냥한 새로운 발기부전 치료제의 개발이 기대된다. 교감신경계의 활성은 주로 시냅스후 알파 1A, 1D 및 시냅스전 알파2 아드레날린 수용체(alpha1-adrenergic receptor)를 통하여 해면체 평활근을 수축시키며 알파 1A(alpha1A subtype) 및 1D 아형(alpha1D subtype)이 해면체 평활근에 높은 밀도로 발현된다. 아드레날린 수용체는 중추신경계에도 분포하고 있어 발기기전과의 연관이 추정되

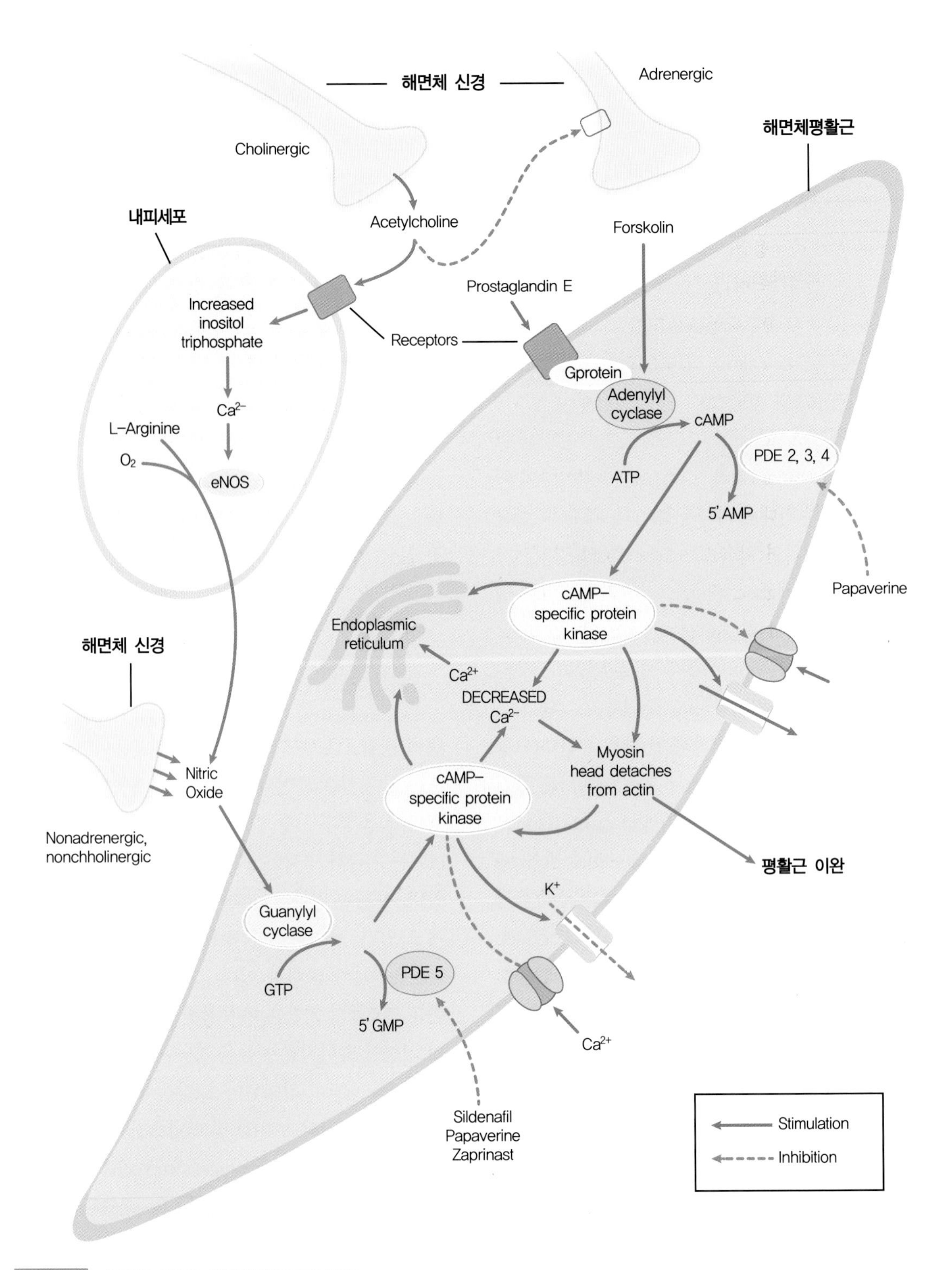

그림 17-5 음경해면체와 신경전달물질의 작용

기는 하지만 아직 그 기능은 분명하지 않다.

(2) 평활근의 수축과 이완

평활근은 횡문근과 유사한 구조를 가지고 있다. 하지만 횡문근과 같이 actin과 myosin이 일정하게 배열되어 있지 않다. 평활근의 마이오신은 light chain을 가지고 있어 수축작용을 하게 된다. 평활근의 수축에 칼슘의 존재는 필수적이다. 세포내의 칼슘 농도가 이완상태의 120-270 nM 에서 500-700 nM 정도로 상승하게 되면, 칼슘과 calmodulin의 결합체가 myosin light-chain kinase와 결합하게 된다. 이렇게 활성화된 myosin light-chain kinase는 myosin light chain의 인산화(phosphorylation)를 일으켜 수축이 일어나게 한다. 이완은 이와 반대의 과정을 밟는다. 세포 내 칼슘의 농도가 떨어지면 칼슘과 calmodulin의 결합체가 떨어지고 myosin light-chain kinase와도 떨어지게 된다. myosin light-chain kinase의 비활성화는 light chain의 탈인산화(dephosphorylation)를 가져와 myosin의 작용이 중지되고 평활근 세포의 이완이 일어나게 된다.

(3) 발기에 관여하는 중추신경계의 신경전달물질

다른 신체기능이나 행동과 마찬가지로 음경의 발기 역시 중추신경계의 지배와 조절을 받는다. 중추신경계가 발기에 관여하는 여러 가지 증거들이 있으며, 최근 많은 사실들이 밝혀지고 있다. 발기에 대한 중추신경계의 조절은 말초신경을 통해 음경에 작용하게 된다. 발기에 관여하는 뇌의 부위들은 medial amygdala, 내시각 교차전 구역(MPOA), 뇌실곁핵(PVN), periaqueductal gray(PAG) 그리고 ventral tegmentum 등으로 알려져 있다. 중추신경계에서 성기능에 중요한 역할을 할 것으로 생각되는 신경전달물질로는 도파민(dopamine), 옥시토신(oxytocin), 세로토닌(serotinin), 노르에피네프린(norepinephrine), 프로락틴(prolactin) 및 산화질소(NO) 등이 있다. 이들 중 도파민과 옥시토신 신경경로에 대한 연구가 많이 진행되어 있다.

도파민성 뉴런은 incerto-hypothalamic area에 주로 분포하고 있으며 내시각 교차전 구역이나 뇌실곁핵으로 뻗어 있다. 또한 시상하부(hypothalamus)에서 척수로 내려가 요천수부(lumbosacral spinal cord)로 향하는 경로도 밝혀져 있다. Apomorphine같은 도파민 수용체 작용제들은 백서 등의 동물에서 발기를 유발함이 밝혀져 있다. 도파민의 수용체는 D1, D2 두 가지가 있는데, 뇌실곁핵에서 발기에 관여하는 주된 수용체는 D2로 알려져 있다. 뇌실곁핵으로 들어가는 도파민성 뉴런은 주로 oxytocin을 분비하는 신경세포에 작용하게 되고, 이 옥시토신성 뉴런들은 척수를 타고 내려가 척수 내의 신경말단에서 옥시토신을 분비한다(그림 17-6). 이렇게 분비된 oxytocin은 척수에서 음경으로 향하는 신경을 통하여 NO 신호전달체계를 활성화시켜 발기를 유발하게 된다. 음경해면체

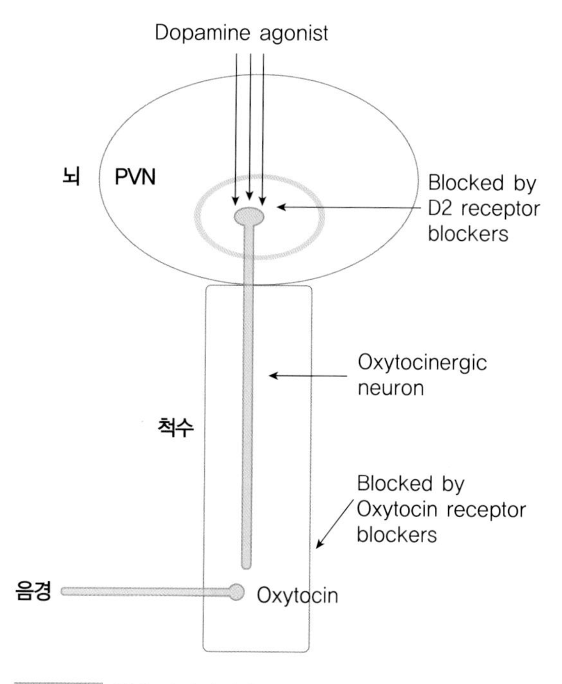

그림 17-6 중추신경계에서 도파민계 물질이 발기에 관여하는 기전

에서처럼 중추신경계에도 발기반응에 NO가 필수적이라는 증거들이 계속 나타나고 있다. Oxytocin이 뇌실결핵(PVN)에서 NO의 생산을 증가시킨다는 등의 많은 증거들은 NO가 뇌실결핵에서 음경발기를 일으키게 하는 생리적 매개체임을 증명해주고 있다. 내시각 교차전 구역, 뇌실곁핵에 NOS 억제제 주입 시 dopamine agonist, corticotropin에 의한 발기가 억제된다. 최근 백서를 이용한 동물실험에 따르면 배아형성 시 뇌실하 부위(subventricular zone)에서 nNOS가 증가된다고 밝혀졌는데 이는 신경발생(neurogenesis)에 NO 경로가 관여함을 시사한다. 이와 같이 NO는 중추신경계에서 신경절이전(preganglionic) 교감 및 부교감신경 경로와 체감각(somatosensory) 경로 등 많은 부분에서 발기에 관여한다고 알려져 있다.

또한 혈관확장물질인 NO가 뇌졸중 후 신경회복(neurorestoration)에 중요한 역할을 한다는 보고가 있다. NO의 투여가 백서의 뇌실하 부위와 치아 이랑(dentate gyrus)에서 신경발생을 증가시키며 기능적 예후 면에서 효과가 있다고 제시된 바 있다. 하지만 최근 여러 연구들에서 중추신경계의 신경회복에 있어서 산화질소 투여 시 상반된 결과들이 제시되었기 때문에, 산화질소의 투여를 통해 cGMP를 증가시키는 전략 외에 PDE5를 억제하여 cGMP를 조절하는 전략이 대두되었다. 이러한 PDE5 억제제 중 가장 많이 연구된 것이 sildenafil이다. 뇌졸중의 동물실험 모델에서 sildenafil 투여 후 cGMP의 증가 및 그 하위경로인 phosphoinositol-3-phosphate kinase(PI3K)/Akt 경로, VEGF(vascular endothelial growth factor), cAMP response element binding protein(CREB)의 상향조절을 통해 뇌혈류, 신경발생, 시냅스형성(synaptogenesis), 혈관생성(angiogenesis)의 증가가 밝혀진 바 있다. 임상적으로도 뇌졸중 환자에게 sildenafil 투여가 회복에 효과적이었다고 보고된 바 있으며, 현재 질산염제제 및 sildenafil을 이용한 임상시험이 진행되고 있다. Tadalafil도 동물실험에서 뇌졸중의 회복에 효과가 증명된 바 있으나, vardenafil은 효과가 없었다. 또한 파킨슨병의 동물모델에서 sildenafil 투여가 흑질선조체 도파민신경원(nigrostriatal dopamine neuron)에 별 영향을 미치지 않기 때문에 파킨슨병을 동반한 발기부전 환자에게 sildenafil이 안전하게 사용될 수 있다고 제시되었다. 현재까지 교감신경 활성 조절에 대한 NO의 역할에 대해서는 상반된 의견이 있다. 최근 백서모델에서 중추신경계로 직접 sildenafil을 투여하였을 때 교감신경 활성을 증가시켰으며 이는 압력수용체(baroreceptor)와는 무관하였다는 보고가 있다.

도파민 수용체 작용제인 apomorphine을 투여하여 발기를 유발하였을 때 옥시토신 수용체 길항제를 같이 투여하면 농도 의존적으로 발기유발 효과가 저해됨이 밝혀져 있다. Apomorphine을 투여하면 발기가 유발되지만 너무 높은 농도에서는 오히려 발기를 저해하며, 또한 뇌실곁핵이나 내시각 교차전 구역이 아닌 척수에 apomorphine을 투여하면 오히려 발기반응을 저해한다. 그리고 apomorphine이 백서에서 누정(seminal emission)을 증강시키고, 방광 과민성을 유발시킨다는 보고들이 있어 이와 관련된 연구가 기대된다. 세로토닌성 신경원이 척수상부 구역(supraspinal area)에 존재하고 성적활동에 연관되어 있다는 사실은 세로토닌(serotonin, 5-hydroxytriptamine, 5-HT)이 발기에 관여함을 시사한다. 천수의 일부 신경절이전 신경원(preganglionic neuron)과 운동신경원(motoneuron)은 세로토닌성 신경원과 시냅스를 형성하고 있다. 세로토닌성 수용체는 여러 아형(subtype)이 존재하는데 수용체의 위치 및 어느 아형이 자극되느냐에 따라 발기가 촉진 또는 저해된다. 즉, 세로토닌 1A 수용체(5-HT_1A)가 자극되면 발기가 저해되고 1C 수용체(5-HT_1C)나 2C 수용체(5-HT_2C)가 자극되면 발기가 촉진된다. NO와 oxytocin도 세로토닌 1C 수용체 활성화에 의한 자극에 일부 역할을 한다고 보고된 바 있으며 trazodone의 대사산물이 세로토닌 2C 수용체 작용제(5-HT_2C agonist)이므로 발기부전 치료제로서의 가능성이 대두되고 있다. 항우울제인 선택적 세로토닌 재흡수억제제(selective serotonin reuptake inhibitor, SSRI)는 부작용으로서 성기능장애가 알려져 있으며 그 제시된 기전으로는 세로토닌에 의한 도파민 운반 및 도파민 전달 감소, 시냅스 구역에서 도파민 감소가 그 기전으로 제시된 바 있다. 최근 연구에 의하면 요천추척수 부위(lumbosacral spinal area)의 세로토닌 2C 수용체가 발기능에 도파민-옥시토신-세로토닌의 작용뿐만 아니라 melanocortin의 작용을 매개하며 세로토닌 경로는 도파민-옥시토신 경로와 melanocortin 경로의 하위경로로 작용한다고 보고된 바 있다.

프로락틴은 성기능을 억제한다고 알려져 있다. 이러한 프로락틴의 성기능 억제 기전으로는 내시각 교차전 구역에서 도파민 활성 억제, 테스토스테론 감소 및 해면체평활근 수축 유도 등이 보고된 바 있다.

a-melanocyte stimulating hormone(a-MSH)과 부신피질호르몬(adrenocorticotropic hormone, ACTH)의 경우 발기를 유발함이 알려져 있다. 이 두 호르몬은 모두 melanocortin 수용체에 작용하여 발기와 하품, 기지개 등을 유발하는 것으로 알려져 있다. 이중 시상하부와 변연계(limbic system)에 많이 분포하는 MC3 수용체가 발기와 연관이 있는 것으로 알려져 있다. a-MSH analog인 melanotan II를 이용한 임상연구에서는 발기유발 뿐만 아니라 성욕 증진도 함께 보고되어 주목된다. 그 외 노르에피네프린이나 gamma-amino butyric acid(GABA), opioid peptide 등 다양한 신경전달물질들도 발기에 관여한다고 추정되고 있다.

3. 음경발기의 내분비학

Endocrinology of penile erection

남성호르몬은 남성의 성적성숙에 필수적이다. 테스토스테론(testosterone)은 성선자극호르몬(gonadotropin)의 분비를 조절하고 근육의 발달을 조절한다. 또한 남성호르몬은 발기기능에 중요한 영향을 주는 시상하부에 작용한다. 남성에 있어 남성호르몬의 결핍은 성욕의 감소와 정액의 감소를 가져온다. 그리고 야간음경 발기의 횟수나 강도, 시간들이 감소하게 된다. 하지만 남성호르몬이 결핍된 남성에게서도 여러 가지 성적인 자극으로 유도되는 발기반응은 거의 영향을 받지 않는 것으로 알려져 있다. 따라서 남성호르몬은 남성의 성적 성숙이나 성욕의 유지에는 필수적이지만 발기 자체에는 크게 영향을 미치지 않는 것으로 생각되었으나 최근 동물모델을 이용한 연구들은 남성호르몬이 발기에 중요한 역할을 한다고 보고하고 있다. 제시된 생리학적 기전으로는 첫째, 해면체 신경 및 배부 신경이 남성호르몬에 의존적이며 거세된 백서에서 해면체 신경 및 배부 신경에 구조적 변화가 일어나서 발기능의 저하로 이어진다는 것이다. 또한 백서 모델에서 내시각 교차전 구역의 자극에 의해 유발된 발기는 테스토스테론에 의존적이라는 보고가 있다. 따라서, 테스토스테론이 중추와 말초 신경계통 양쪽 모두에 영향을 미쳐 발기를 조절한다고 추정되고 있다. 둘째, 테스토스테론이 NOS의 발현과 활성도를 조절한다는 것이다. 거세된 동물 모델에서 테스토스테론 또는 5α-dihydrotestosterone (5α-DHT) 투여가 음경의 발기 반응과 NOS의 발현을 회복시킨다는 것이 확인되었다. 셋째, 남성호르몬이 NOS 뿐만 아니라 PDE5 활성도의 발현 상승도 유발시킨다는 것이다. 이는 발기에 중요한 효소들 간에 일정한 비율 및 cGMP 수치의 균형을 유지하는 항상성 기전(homeostatic mechanism)으로 해석될 수 있다. 넷째, 테스토스테론이 세포 성장 및 분화를 조절한다고 보고되었다. 수술이나 약물에 의해 남성호르몬 박탈(androgen deprivation)후 해면체평활근 양의 유의한 감소와 결체조직 침착의 증가 및 백막하 부위에 지방함유세포들이 관찰되었고 이러한 구조적 변화는 발기능의 소실과 연관되었다. 이러한 지방함유세포의 비정상적인 침착은 항남성호르몬 효과가 있는 estrogen 투여 후에도 관찰되었다. 또한 백서에서 거세 4주후 백막의 탄력섬유가 감소되고 백막이 얇아졌다는 보고가 있다. 최근 남성호르몬이 혈관평활근 세포의 성장과 분화를 조절한다고 보고된 바 있는데 그 기전은 남성호르몬이 다능성(pluripotent) 줄기세포의 지방조직세포로의 분화 억제와 근육세포로의 분화 촉진 및 근육세포에서 지방세포로의 교차분화(transdifferentiation)로 추정되고 있다. 다섯째, 당뇨유발 토끼 및 백서모델에서 혈장 테스토스테론 감소와 남성호르몬에 의존적인 부속샘(accessory gland)의 위축이 관찰되었고 테스토스테론 투여 후 eNOS 및 nNOS와 PDE5 발현의 증가가 관찰되었다. 하지만 동물모델에서 확인된 이러한 기전들이 인체에서는 연구된 바가 거의 없고 단지 테스토스테론의 혈관확장 효과에 대한 간접적인 증거들만이 제시된 바 있다.

남성호르몬은 나이가 들어가면서 점차 감소하는 것으로 알려져 있다. 이러한 남성호르몬의 감소는 일부는 고환에서의 생산감소와 연관이 있고, 일부는 시상하부와 뇌하수체의 기능이상과 연관이 있다고 밝혀져 있다. 성욕감소와 연관이 있는 남성호르몬의 임계농도는 개인 간 편차가 심하고 다양한 정신적 또는 환경적 요인에 좌우되기 때문에 그 명확한 기준이 아직 밝혀지지 않고 있다. 하지만 남성호르몬의 투여가 남성호르몬이 '정상범위' 이내에 있는 사람에게서도 성욕의 증가와 연관이 있다는 연구 결과가 있다. 또한, NOS와 NO 합성 및 cGMP 생성 자극 등의 음경발기 과정에 일정량의 남성호르몬이 필요하며, 음경발기에 필요한 임계농도에 다다르면 이러한 남성호르몬에 의한 촉진 작용이 둔화된다. 최근 보고에 의하면 백서모델에서 테스토스테론의 생리적 정상 혈장 농도의 10-12%에서도 발기가 유지되나 이 수치 이하에서는 테스토스테론의 농도 의존적으로 발기능이 유의하게 저하된다고 하였다. 따라서 나이에 따른 남성호르몬의 정상범위는 무엇인지 그리고 남성호르몬 수치는 나이에 따라 다르게 해석해야 하는지 등에 대한 연구가 필요한 실정이다.

4. 야간수면중 발기

Nocturnal penile tumescence

야간수면중 음경발기(nocturnal penile tumescence)는 성기능이 정상인 남자에서 수면 중 주기적으로 일어나는 불수의적인 발기현상이다. 이는 REM(rapid eye movement) 수면기와 밀접한 관련이 있고 REM 수면기 시작과 비슷한 시점에서 시작되어 급속히 완전 발기기에 도달하게 되며 REM 수면기가 끝나면 발기 소실이 이루어진다. 이러한 야간수면중 음경발기는 대략 80분마다 일어나며 각각의 발기는 약 20분 정도 지속되는 것으로 알려져 있다. 야간수면중 음경발기는 대부분의 심리적 원인으로부터 자유롭지만 주요 우울증에서는 야간수면중 음경발기가 저하되어 있는 것으로 미루어 볼 때 심리적 요소와 완전히 분리되어 있지는 않은 것 같다. REM 수면 동안 뇌교 부위(pontine area), 편도(amygdala) 및 전측 대상회(anterior cingulate gyrus)에서 뇌활성이 증가되어 있으나 전전두엽 피질(prefrontal cortex) 및 두정엽 피질(parietal cortex)에서는 뇌활성 감소가 관찰된 바 있다. REM 수면과 관련된 발기는 전뇌(forebrain)로부터 척수까지의 모든 레벨의 뇌척수간(neuraxis)에 걸쳐있는 신경조직의 통합조정된 조절에 의존한다. 전술한 바와 같이 교감신경계는 발기 소실과 이완 상태 유지에 중요하다. 피부전기 활성도(electrodermal activity)를 이용한 이전 연구에 의하면 이런 교감신경계가 서맥수면기(slow wave sleep)나 REM 수면기의 병적인 상황에서 발기 억제에 중요한 역할을 할 수 있다고 보고한 바 있다. 백서에서 중흉부레벨(midthoracic level)의 척수 절단 또는 사람에서 하반신마비 후 REM 수면과 관련된 발기능이 소실된 것을 미루어 볼 때 반사성 발기와는 대조적으로 REM 수면과 관련된 발기는 뇌로부터 척수의 발기 중추(spinal erection generator)까지의 연결이 중요한 것으로 보인다. REM 수면 시 발기에 대해 척수상부의 조절에 대해서는 명확히 밝혀진 바는 없지만 반사성 발기나 정신적 발기와는 다른 특이적인 중추조절기전이 관여한다고 추정되고 있다. 최근 동물모델을 이용한 연구에서 전뇌가 야간수면중 음경발기의 신경생리에 중요한 역할을 한다고 보고되었다. 백서에서 내시각 교차전 구역의 양측 병변은 발기나 서맥수면구조에 영향을 미치지 않았으나 외시각 교차전 구역(lateral preoptic area, LPOA)의 세포독성 병변은 REM 수면기와 관련된 발기를 심하게 저해하였다. 반면에 깨어있는 상태에서의 발기는 유지되었다. 내시각 교차전 구역과 뇌실결핵, 전시상하부영역 등과 같이 외시각 교차전 구역도 척수에 직접 뻗어있지 않고 발기 유발 부위인 뇌실결핵와 발기 억제 부위인 연수의 거대세포성핵(nucleus paragigantocellularis)과의 연결을 통해 야간수면중 음경발기를 조절한다고 알려져 있다. 또한 야간수면중 음경발기동안 좌측에 비해 우측 측두엽(temporal lobe)의 뇌파 활성도가 더 크지만 양측 두정엽(parietal lobe)의 뇌파는 차이가 없다고 보고된 바 있다. 하지만 야간수면중 음경발기에의 전뇌의 역할 및 뇌간에서 외시각 교차전 구역으로의 정확한 상행기전에 대해 명확히 알기 위해서는 좀 더 많은 연구가 필요하다.

또한 심혈관계 질환, 만성 신부전, 낮은 남성호르몬을 동반한 내분비 질환이 야간수면중 음경발기를 저하시킨다고 알려져 있다. 여러 연구들에 의해 성선기능저하증(hypogonadism)을 지닌 남성에게 남성호르몬 대체요법 후 야간수면중 음경발기의 빈도, 강도, 지속 시간, 강직도는 호전됨이 보고된 바 있다. 야간수면중 음경발기는 사춘기 시작 시 증가한다고 알려져 있으며 이는 야간수면중 음경발기가 테스토스테론 증가에 의해 강화될 수 있음을 시사한다. 하지만 이는 남성호르몬 결핍이 야간수면중 음경발기에 악영향을 미치긴 하지만 성선기능저하증 남자에서도 일반적으로 정상적인 야간수면중 음경발기가 이루어진다는 점을 미루어볼 때 야간수면중 음경발기는 남성호르몬에 민감하지만(androgen-sensitive) 남성호르몬에 의존적인(androgen-dependent) 것은 아닌 것으로 생각된다. 하지만 남성호르몬이 야간수면중 음경발기를 증가시키는 기전에 대해서는 아직 밝혀진 바가 없어 이에 대한 연구가 기대된다.

5. 요약

음경은 하나의 거대한 혈관이다. 평소에는 아주 적은 양의 혈액이 흐르다가 발기될 때 많은 양의 혈액이 들어와서 높은 압력을 이루며 유지되며, 이를 위해서는 음경동맥과 정맥, 음경해면체 평활근이 적절하게 기능하여야 한다. 이러한 발기의 과정은 동맥, 정맥 등의 작용에 따라 평상기, 충만기, 완전 발기기, 강직발기기, 발기소실기의 6단계로 나눌 수 있다. 음경의 발기 역시 다른 신체 부위와 마찬가지로 중추신경계의 조절을 받는다. 발기에 관여하는 중추신경계의 부위들이 연구되고 있으며, 도파민과 옥시토신 신경경로에 대한 연구가 많이 진행되어 있다. 또한, 중추신경계의 신경전달물질로서 산화질소, 세로토닌의 역할이 밝혀지고 있으며, 뇌졸중 환자의 신경회복 면에서 PDE5의 가능성이 제시되고 있다. 음경은 천골부 부교감신경과 흉요추 교감신경, 그리고 체신경의 지배를 받고 있다. 발기에는 이 세 가지 신경계가 모두 작용하는데, 부교감신경계는 음경의 발기에 있어 주된 신경신호를 보내며, 교감신경계는 주로 발기된 음경이 평상 상태로 복원되는데 관여한다. 현재 음경의 발기에 있어 산화질소는 음경의 발기에 있어 가장 중요한 신경전달물질로 생각되고 있다. 남성호르몬은 남성의 성적 성숙이나 성욕의 유지에는 필수적이지만 발기 자체에는 크게 영향을 미치지 않는 것으로 생각되었으나 최근 동물모델을 이용한 연구들은 남성호르몬이 발기에 중요한 역할을 한다고 보고하고 있다. 야간수면중 음경발기는 성기능이 정상인 남자에서 수면 중 주기적으로 일어나는 불수의적인 발기 현상으로서 이는 REM 수면기와 밀접한 관련이 있다. 이러한 야간수면중 발기는 남성호르몬에 민감하지만 남성호르몬에 의존적인 것은 아닌 것으로 생각된다.

참고문헌

1. 김세철. 남성성기능장애의 진단과 치료. 서울 고려의학, 1997;2-35.
2. Andersson KE, Wagner G. Physiology of penilegy of pen. Physiol Rev 1995;75:191-236.
3. Andersson KE, Christian S. Oral α-adrenoreceptor blockade as a treatment of erectile dysfunction. World J Urol 2001;19:9-13.
4. Andersson KE. Neurophysiology/pharmacology of erection. Int J Impot Res 2001;13:S8-S17.
5. Bancroft J, Wu FCW. Changes in erectile responsiveness during androgen replacement therapy. Arch Sex Behav 1983;12:59-66.
6. Banya Y, Ushiki T, Takagane H, Aoki H, Kubo T, Ohhori T et al. Two circulatory routes within the human corpus cavernosum penis: a scanning electron microscopic study of corrosion casts. J Urol 1989;142:879-883.
7. Bednar MM. The role of sildenafil in the treatment of stroke. Curr Opin Investig Drugs 2008;9:754-759.
8. Benson GS, McConnell J, Lipshultz LI, Corriere JN Jr, Wood J. Neuromorphology and neuropharmacology of the human penis: an in vitro study. J Clin Invest 1980;65:506-513.
9. Burnett AL, Lowenstein CJ, Bredt DS, Chang TS, Snyder SH. Nitric oxide: a physiologic mediator of penile erection. Science 1992;257:401-403.
10. Burnett AL. Novel pharmacological approaches in the treatment of erectile dysfunction. World J Urol 2001;19:57-66.
11. Conti G: L' erection of penis humain et ses bases morphologico-vascularies. Acta Anat 1952;14:217.
12. De Groat WC, Steers WD. Neuroanatomy and neurophysiology of penile erection. In: Tanagho ER, Lue TF, McClure RD (eds) Contemporary management of impotence and infertility. Baltimore: Williams and Wilkins. 1988:3-27.
13. Dean RC, Lue TF. Physiology of penile erection and pathophysiology of erectile dysfunction. Urol Clin North Am. 2005;32:379-395.
14. Eckhard C. Untersuchungen uber die erection des penils beim hunde. Beitr Anat Physiol 1863;3:123-150.
15. Fazan R Jr, Huber DA, Silva CA, Dias da Silva VJ, Salgado MC, Salgado HC. Sildenafil acts on the central nervous system increasing sympathetic activity. J Appl Physiol 2008;104:1683-1689.
16. Fournier GR Jr, Juenemann KP, Lue TF, Tanagho EA. Mechanism of venous occlusion during canine penile erection: an anatomic demonstration. J Urol 1987;137:163-167.
17. Giuliano F, Allard J. Dopamine and sexual function. Int J Impot Res 2001;13:S18-S28.
18. Hatzichristou DG, Saenz de Tejada I, Kupferman S, Namburi S, Pescatori ES, Udelson D et al. In vivo assessment of trabecular smooth muscle tone, its application in pharmacocavenosometry and analysis of intracavernous pressure determinants. J Urol 1995;153:1126-1135.
19. Hedlund H, Andersson KE: Comparison of the responses to drugs acting on adrenoreceptors and muscarinic receptors in human isolated corpus cavenosum and cavernous artery. J Auton Pharmacol 1985;5:81-88.
20. Hedlund H, Andersson KE, Fovaeus M, Holmquist F, Uski T. Characterization of contraction-mediating prostanoid receptors in human penile erectile tissues. J Urol 1989;141:182-186.
21. Hellstrom WJ. Clinical applications of centrally acting agents in male sexual dysfunction. Int J Impot Res 2008;20 Suppl 1:S17-23.
22. Herbert J. The role of the dorsal nerve of the penis in the sexual behavior of the male rhesus monkey.

Physiol Behav 1973;10:292-300.

23. Hirshkowitz M, Schmidt MH. Sleep-related erections: clinical perspectives and neural mechanisms. Sleep Med Rev. 2005;9:311-329.

24. Holmquist F, Andersson KE, Hedlund H. Actions of endothelin on isolated corpus cavenosum from rabbit and man. Acta physiol Scand 1990;139:113-122.

25. Hsu GL. The three dimensional structure of the human tunica albuginea: Anatomical and ultrastructure levels. Int J Impot Res 1992;4:117.

26. Halata Z, Munger B. The neuroanatomical basis for the protopathic sensibility of the human penis. Brain Res 1986;371:205-230.

27. Ignarro LJ, Bush PA, Buga GM, Wood KS, Fukuto JM, Rajfer J. Nitric oxide and cyclic GMP formation upon electrical field stimulation cause relaxation of corpus cavernosum smooth muscle. Biochem Biophys Res Commun 1990;170:843-850.

28. Janis KL, Brennan RT, Drolet RE, Behrouz B, Kaufman SK, Lookingland KJ, Goudreau JL. Effects of sildenafil on nigrostriatal dopamine neurons in a murine model of Parkinson's disease. J Alzheimers Dis 2008;15:97-107.

29. Johnson RD, Murray FT. Reduced senssitivity of penile mechanoreceptors in aging rats with sexual dysfunction. Brain Res Bull 1992;28:61-64.

30. Kimura Y, Naitou Y, Wanibuchi F, Yamaguchi T. 5-HT(2C) receptor activation is a common mechanism on proerectile effects of apomorphine, oxytocin and melanotan-II in rats. Eur J Pharmacol 2008;589:157-162.

31. Kwan M, Greenleaf WJ, Mann J, Crapo L, Davidson JM. The nature of androgen action on male sexuality: a combined laboratoryl-self-report study on hypogonadal men. J Clin Endocrinol Metab 1983;57:557-562.

32. Lepor H, Gregerman M, Crosby R, Mostofi FK, Walsh PC. Precise localization of the autonomic nerves from the pelvic plexus to the corpora cavernosa: a detailed anatomical study of the adult male pelvis. J Urol 1985;133:201-212.

33. Lue TF, Takamura T, Schmidt RA, Palubinskas AJ, Tanagho EA. Hemodynamics of erection in the monkey. J Urol 1983;130:1237-1241.

34. Lue TF. Physiology of penile erection and pathophysiology of erectile dysfunction. In: Wein AJ, Kavoussi LR, Novick AC, Partin AW, Peters CA, eds. Campbell-Walsh Urology 10th ed. Philadelphia: Elsevier Saunders;2012: 688-720.

35. Lue TF: The mechanism of penile erection in the monkey. Semin Urol 1986;4:217-224.

36. Lue TF. Anatomy and physiology of the penis. In: Lue TF. Contemporary diagnosis and management of male erectile dysfunction. 1st ed, Pennsylvania: Handbooks in Health Care co., 1998;5-23.

37. Lue TF. Male sexual dysfunction. In: Tanagho EA, McAninch JW. Smith's general urology. 15th ed. The McGraw-Hill co. Columbus, 2000;788-810.

38. Lue TF. Erectile dysfunction. N Engl J Med 2000;342: 1802-1813.

39. MacLean PD, Denniston RH, Dua S. Further studies on cerebral representation of penile erection: caudal thalamus, midbrain and pons. J Neurophysiol 1963;26:274-293.

40. Maggi M, Filippi S, Ledda F, Magini A, Forti G. Erectile dysfunction: from biochemical pharmacology to advances in medical therapy. Eur J Endocrinol 2000;143:143-154.

41. Marston L, McKenna K E. The identification of a brainstem site controlling spinal sexual reflexes in male rats. Brain Res 1990;151:303-308.

42. Mikhail N. Does testosterone have a role in erectile function? Am J Med. 2006;119:373-382.

43. Miner MM, Seftel AD. Centrally acting mechanisms for the treatment of male sexual dysfunction. Urol Clin North Am 2007;34:483-496.

44. Moncada S. The first Robert Furchgott lecture:From endothelium-dependent relaxation to the L-arginine: NO pathway. Blood Vessels 1990;27:208-217.

45. Motofei IG. A dual physiological character for sexual function: the role of serotonergic receptors. BJU Int 2008;101:531-534.

46. Murray RK: Muscle. In: Murray RK et al ,editors. Harper's Biochemistry, 24th ed. Appleton & Lange, 1996.

47. Nehra A, Kumar R, Ramakumar S, Myers RP, Blute ML, McKusick MA. Pharmacoangiographic evidence of the presence and anatomical dominance of accessory

pudendal artery(s). J Urol 2008;179:2317-2320.

48. Newman HF, Tchertkoff V. Penile vascular cushions and erection. Invest Urol 1980;18:43-45.

49. O' Carroll R, Bancroft J. Testosterone therapy for low sexual interest and erectile dysfunction in men: a controlled study. Br J Psychiatry 1984;145:146-151.

50. Onjf (Onufrowicz) B. On the arrangement and function of the cell groups of the sacral region of the spinal cord in man. Arch Neurol Psychopathol 1900;3:387-411.

51. Paick JS, Lee SW. The neural mechanism of apomorphineinduced erection: an experimental study by comparison with electrostimulation-induced erection in the rat model. J Urol 1994;152:2125-2128.

52. Paick JS, Donatucci CF, Lue TF. Anatomy of cavernous nerves distal to prostate: microdissection study in adult male cadavers. Urology 1993;42:145-149.

53. Pick J, Sheehan D. Sympathetic rami in man. J Anat 1946;80:12-20.

54. Ra S, Aoki H, Fujioka T, Sato F, Kubo T, Yasuda N. In vitro contraction of the canine corpus cavernosum penis by direct perfusion with prolactin or growth hormone. J Urol 1996;156:522-525.

55. Royl G, Balkaya M, Lehmann S, Lehnardt S, Stohlmann K, Lindauer U, Endres M, Dirnagl U, Meisel A. Effects of the PDE5-inhibitor vardenafil in a mouse stroke model. Brain Res 2009;10:148-157.

56. Saenz de Tejada I, Angulo J, Cellek S, Gonzalez-Cadavid N, Heaton J, Pickard R, Simonsen U. Physiology of erectile function. J Sex Med 2004;1:254-265

57. Saenz de Tejada I, Goldstein I, Azadzoi K, Krane RJ, Cohen RA. Impaired neurogenic and endothelium-mediated relaxation of penile smooth muscle from diabetic men with impotence. N Engl J Med 1989;320:1025-1030.

58. Saenz de Tejada I, Moroukian P, Tessier J, Kim JJ, Goldstein I, Frohrib D. Trabecular smooth muscle modulates the capacitor function of the penis. Studies on a rabbit model. Am J Physiol 1991;260:H1590-5.

59. Steers WD, Mackway A, de Groat WC. Electrophysiological properties of the cavernous nerve in the streptozotocin diabetic rat. Int J Import Res 1991;3:197-205.

60. Traish AM, Goldstein I, Kim NN. Testosterone and erectile function: from basic research to a new clinical paradigm for managing men with androgen insufficiency and erectile dysfunction. Eur Urol 2007;52:54-70.

61. Wegner HE, Andresen R, Knispel HH, Banzer D, Miller K. Evaluation of penile arteries with color-coded duplex sonography: prevalence and possible therapeutic implications of conections between dorsal and cavernous arteries in impotent men. J Urol 1995;153:1469-1471.

62. Wessells H, Gralnekb D, Dorrc R, Hrubyd VJ, Hadleye ME, Levinef N. Effect of an alpha-melanocyte stimulating hormone analog on penile erection and sexual desire in men with organic erectile dysfunction. Urology 2000;56:641-646.

CHAPTER 18

음경의 분자생물학적 발기기전

Molecular Mechanism of Penile Erection

■ 류지간

음경발기와 소실(flaccidity)은 음경해면체동맥(cavernous artery)과 음경해면체 평활근의 이완(relaxation)과 수축에 의해서 조절된다. 음경발기 기전에 대한 활발한 기초연구를 바탕으로 동맥 및 음경해면체평활근의 긴장도(tone), 즉 이완과 수축을 통합하고 조절하는 인자 및 세포내 신호전달경로에 대한 이해의 폭이 넓어졌다(표 18-1). 본 장에서는 음경발기와 관련된 분자생물학적 기전에 대해서 알아보고자한다.

1. 수축인자

Contractile factors

음경은 교감신경, 즉 α-adrenaline 긴장도가 주로 작용함으로써 발기소실 상태를 유지한다. 그 외 endothe- lins, 수축성 prostanoids, angiotension, Rho kinase 경로가 음경동맥(penile artery) 및 해면체평활근 수축에 관여한다.

1) 혈관 평활근 수축의 신경조절 (Neural control of vasocontriction)

(1) 노르아드레날린(Noradrenaline)

음경해면체평활근은 풍부한 교감신경의 지배를 받으며 아드레날린성신경은 noradrenaline의 긴장성분비를 통해서 음경발기가 해제되어 발기소실상태(flaccid state)가 유지될 수 있게 한다. 이는 음경해면체 조직에서 α-adrenaline 수용체가 β-adrenaline 수용체에 비해 10배 이상 높은 밀도로 분포되어 있다는 점에 의해서도 뒷받침된다. Noradrenaline은 접합후(post-junctional) α_1 수용체의 활성을 통해서 세포내 칼슘농도를 증가시킴으로써 음경동맥 및 해면체평활근의 수축을 유발하고, 접합전(prejunctional) α_2 수용체에서는 혈관확장성 신경전달물질의 분비도 억제한다. 한편, noradrenaline은 음경동맥에서 접합전 α_2 수용체에 작용해서 자기 자신의 분비를 억제하기도 한다.

아드레날린성 전달물질은 β-adrenaline 수용체를 통해서 음경동맥의 확장에도 관여하는데, 동물실험에서 β_2-adrenaline 작용제는 발기를 유발하였다. 최근 인간의 음경해변체조직에서 β_3-adrenaline 수용체

표 18-1 음경혈관 및 해면체평활근의 수축과 이완에 관여하는 인자

수축인자	이완인자
신경전달물질	신경전달물질
노르아드레날린	신경원성 NOS (nNOS)
신경펩티드 Y (neuropeptide Y)	아세틸콜린
세로토닌	도파민
	VIP
엔도텔린 (endothelin)	
수축성 prostanoids	이완성 prostanoids
$PGF_{2\alpha}$ – FP 수용체	PGE_1 – EP_2, EP_4 수용체
TXA_2 – TP 수용체	PGE_2 – EP_2, EP_4 수용체
PGE_2 – EP_1, EP_3 수용체	PGI_2 – IP 수용체
Angiotensin II	EDHF
세포내 신호전달 경로	세포내 신호전달 경로
RhoA–Rho kinase 경로	산화질소–환식일인산구아노신(NO–cGMP) 경로
	Adenylyl cyclase–환식일인산아데노신 (cAMP) 경로

$PGF2\alpha$, prostaglandin $F_{2\alpha}$; TXA_2, thromboxane A_2; PGE_2, prostaglandin E_2; nNOS, neuronal nitric oxide synthase; VIP, vasoactive intestinal polypeptide; PGE_1, prostaglandin E_1; PGI_2, prostaglandin I_2; EDHF, endothelium-derived hyperpolarizing factor; NO, nitric oxide; cGMP, cyclic guanosine monophosphate; cAMP, cyclic adenosine monophosphate.

의 존재도 밝혀졌는데, 이 아형은 주로 평활근세포에 분포되었다. 흥미로운 점은 이 수용체의 활성이 cGMP (cyclic guanosine monophosphate) 의존적, 산화질소 (nitric oxide, NO) 비의존적으로 혈관확장을 일으킨다는 점이다. 음경해면체조직이 β_3-adrenaline 수용체-매개 혈관 확장을 나타냈고, 이는 Rho kinase 경로의 억제와 관련이 있었다.

(2) 신경펩티드 Y(Neuropeptide Y)

교감신경이 활성화되면 α-adrenaline 수용체를 차단한다 하더라도 여전히 발기를 억제하는 효과를 가지고 있는데, 이는 noradrenaline 외에도 음경에서 혈관수축성 교감신경활성에 관여하는 신경전달물질이 있음을 의미한다. Neuropeptide Y(NPY)는 혈관주변 교감신경에서 일반적으로 noradrenaline과 같은 분포를 보인다. NPY는 음경발기조직에 광범위하게 분포되어 있으며, 특히 나선동맥(helicine artery) 주변에 높은 농도로 분포되어 있다. NPY의 수용체로는 Y_1, Y_2 두 종류의 수용체가 있으며, 연접후(postsynaptic) Y_1, Y_2 수용체는 noradrenaline에 의한 평활근 수축을 촉진하는 반면, 연접전(presynaptic) Y_2 수용체는 신경말단에서 noradrenaline 분비를 억제한다. Y_1 수용체는 G-단백연결수용체(G-protein-coupled receptor)로서 동맥평활근을 탈분극(depolarization)시키거나 cAMP(cyclic adenosine monophosphate)-매개 이완반응을 억제함으로써 수축반응을 항진시킨다. Y_1 및 Y_2 수용체를 억제하면 NPY는 음경동맥에서 내피세포에 위치한 비정형 수용체를 통해서 NO-비의존성 이완을 유발할 수 있다.

(3) 세로토닌(Serotonin)

대뇌에서 세로토닌 (5-hydroxytryptamine, 5-HT) 경로는 음경발기를 유발하는 것으로 알려져 있으나, 말초에서의 역할은 상대적으로 덜 알려져 있다. 동물실험에서 세로토닌은 음경동맥의 수축을 유발함으로써 음경발기를 억제하였다. 인간의 음경조직에서도 세로토닌은 음경정맥의 수축을 유발하였다. 음경해면체 평활근의 수축에는 $5\text{-}HT_{1A}$, $5\text{-}HT_{1B}$, $5\text{-}HT_{2A}$ 수용체가 관여하고, $5\text{-}HT_3$ 수용체는 이완을 유발한다. 따라서 음경신경에서 유리되는 세로토닌은 음경해면체 긴장도 조절에 있어서 중요한 역할을 하는 것으로 여겨진다.

2) 엔도텔린(Endothelins)

Endothelins은 내인성 peptide의 일종으로서 주로 내피세포에서 분비되며 ET_A와 ET_B로 불리는 두 종류의 수용체를 통해서 강력한 혈관수축작용과 압력작용을 나타낸다. ET_A 및 ET_B 수용체가 인간의 음경해면체평활근 세포막에서 발견되었다. Endotheline-1은 음경해면체 조직 및 음경해면체 동맥(cavernous artery)에서 오랫동안 지속되는 강력한 수축반응을 유발하고 endotheline-2와 endotheline-3도 비록 endotheline-1 만큼 강력하진 않지만 음경해면체 조직을 수축시킨다. Endotheline-1은 세포 내 칼슘농도를 증가시킴으로써 수축반응을 유발한다. 특히 세포내 칼슘 저장소로부터의 칼슘이동은 inositol 1,4,5-triphosphate(IP3)-민감 세포내 칼슘저장소가 관여하고 세포막을 통한 칼슘의 이동은 전압의존성(voltage-dependent) 또는 수용체작동 (receptor-operated) 칼슘통로가 관여한다.

3) 수축성 prostanoids (Contractile prostanoids)

음경발기조직에서는 여러 가지 수축성 prostanoids가 합성되고 국소적으로 대사된다. Prostaglandin(PG) $F_{2\alpha}$, thromboxane A2(TXA_2), PGE_2는 각각의 수용체, 즉 FP, TP, EP_1과 결합하고, 이는 α_q-containing G-단백과 결합해서 adenylyl cyclase 대신 phospholipase C를 활성화시켜 세포내 칼슘농도를 증가시킴으로써 작용을 나타낸다. 발기조직에서의 이들 prostanoids의 생성은 음경해면체평활근의 긴장성수축의 유지에 중요한 역할을 한다. 한편, EP_3 수용체도 평활근수축과 관련이 있는데, 이는 α_i-containing G-단백과 결합해서 adenylyl cyclase를 억제함으로써 cAMP 생성을 감소시킨다.

4) Angiotensin II/Angiotensin and angiotensin-converting enzyme

Angiotensin II는 나트륨분비, 교감신경활성, 갈증반응을 조절함으로써 혈장부피 및 혈압을 조절하고, 적어도 두 종류의 고친화력 세포막수용체, 즉 AT_1 및 AT_2을 통해서 효과를 나타낸다. Angiotensin II는 음경에서 해면체평활근과 내피세포에서 국소적으로 생성되며, AT_1 수용체를 통해서 수축효과를 나타낸다. 임상연구에서 발기소실기 및 이완상태에서 음경해면체 혈액 내 angiotensin II 농도가 전신순환계 혈액 내 농도보다 약 30% 더 높았다. 이로 미루어 angiotensin II는 교감신경활성 증가의 결과로서 발기소실의 시작에 관여하는 것으로 생각된다.

5) 세포내 신호전달 경로 (Intracellular signaling pathway)

음경의 발기소실 및 이완상태의 유지는 상기에 언급한 여러 수축인자의 분비에 의해서 발생한다. 이들 인자들은 수용체 단계에서 세포내 칼슘농도 및 칼슘민감(calcium sensitization)을 조절함으로써 수축을 유발한다. 세포내 유리칼슘의 증가는 myosin-light chain(MLC) kinase의 활성화 및 MLC 인산화(phosphorylation)를 통해서 평활근세포의 수축을 유발한다. 한편 calcium sensitization은 MLC 탈인산화

(dephosphorylation)를 유발하는 MLC phaphatase를 억제함으로써 일어나는데, 이 또한 평활근 수축에 있어 중요한 역할을 한다. G-단백연결수용체(G-protein-coupled receptor)에 작용제(agonist)가 결합하면 세포내 저장소로부터 칼슘이동을 증가시키고, dihydropyridine-민감 L-type 및 non-L-type 칼슘통로를 통한 칼슘 유입이 증가된다. 수컷 쥐의 음경배부동맥(dorsal artery)에서 α_1-adrenaline 수용체- 또는 TP 수용체-매개 수축반응은 전압-의존성 L-type 및 수용체-작동 칼슘통로를 통한 칼슘의 세포내 유입에 의존한다.

상기에 언급한 칼슘의 이동과 더불어 protein kinase C, tyrosine kinase, Rho kinase 등의 수축성 단백에 의한 calcium sensitization도 음경혈관수축에 중요한 역할을 하며, 특히 RhoA/Rho kinase 경로가 중요한 역할을 한다. RhoA는 monomeric G-단백으로서 GTP(guanosine triphosphate)가 결합하면 활성을 보여 Rho kinase을 활성화시킨다. 활성화된 Rho-kinase는 calcium sensitization에 직접적으로 관여하며, MLC phosphatase의 조절부위를 인산화(phosphorylation)시킴으로써 phosphatase 활성을 억제한다. 따라서 RhoA/Rho kinase의 생리적 활성이 음경의 flaccidity 유지에 중요한 역할을 한다. 동물실험에서 Rho kinase 억제는 NO와는 독립적으로 음경발기를 유발하였다. 한편 Rho kinase는 calcium sensitization 뿐만 아니라 α_1-adrenaline 수용체 활성에 반응해서 수용체-작동 칼슘통로를 통한 칼슘유입의 조절에도 관여한다.

2. 이완인자 *Relaxing factors*

음경발기에 있어서 평활근세포 이완과 관련된 많은 연구가 이루어졌고, NO-cGMP 경로가 주된 역할을 함이 밝혀졌다. 그 외 adenylyl cyclase-cAMP 경로, 이완성 prostanoids, endothelium-derived hyperpolarizing factor(EDHF), acetylcholine, 혈관활성장펩티드 (vasoactive intestinal peptide, VIP) 등이 음경동맥 및 해면체평활근 이완에 관여한다.

1) 혈관 평활근 이완의 신경조절 (Neural control of vasodilatation)

(1) 신경원성 산화질소합성효소 (Neuronal nitric oxide synthase)

NO는 NOS의 촉매작용(catalytic action)에 의해서 L-arginine과 산소 분자로부터 L-citrulline과 함께 생성된다. 두 종류의 constitutive NOS 아형이 있는데, 여기에는 신경원성 NOS (neuronal NOS, nNOS)와 내피성 NOS (endothelial NOS, eNOS)가 있으며, 그 작용을 위해서는 칼슘과 calmodulin이 필요하다. nNOS와 eNOS는 음경발기와 밀접한 관련이 있으며, 각각 신경세포와 내피세포에 존재한다. nNOS는 골반신경총(pelvic plexus)과 음경혈관 및 해면체평활근을 지배하는 음경해면체신경(cavernous nerve)의 말단분지에서 발견이 된다. nNOS와 아세틸콜린소포전달체(vesicular acetylcholine transporter, VAChT)가 음경소동맥 주위의 대부분의 신경말단에 같이 분포됨이 보고되었는데, 이는 NO와 acetylcholine이 음경동맥의 긴장도를 조절하는 부교감 콜린성신경에 같이 존재함을 의미한다. NO는 인간의 음경동맥 및 정맥의 이완을 유발하였다.

음경혈관 및 음경해면체에서의 nNOS의 활성은 신경전달물질, 호르몬, prostanoids, 산소분압과 같은 여러 요소에 의해 조절된다. Noradrenaline은 음경동맥에서 α_2-adrenaline 수용체를 통해서 NO 분비를 감소시킨다. 한편, 음경에는 VIP를 함유하는 신경이 풍부하게 존재하는데, VIP는 음경동맥과 정맥의 강력한 이완을 유발한다. 이러한 혈관확장 작용은 VIP 길항제에 의해서는 억제되지 않은 반면, NOS 억제제에 의해서는 부분적인 억제를 보여서 VIP가 nitrergic neurotransmission에 있어서 촉진작용을 하는 것으로 생각된다. 수컷 쥐에서 거세는 발기반응과 NOS 활성에 장애를 주고, 남성호르몬 보충 후에는 이러한 변화가 회복되었다. 또한, PGE1을 반복 투여한 경우 음경에서 nNOS와 eNOS 양을 모두 증가시켰고, 장기간 동안 NO 합성을 증가시켰다. 산소 분자가 신경 및 내피에서의 NO 합성에 있어서 기질로서 작용하기 때문에 음경해면체 혈액에서의 산소분압은 음경혈류역동 조절에 있어서 중요한 역할을 한다. 토끼에서 죽상경화로 인한 만성적인 음경해면체 허혈을 유발하면, nNOS 및 eNOS 단백 발현이 현저하게 감소된다. 이 결과로 미루어 동맥부전과 이로 인한 발기조직의 저산소증 상태는 NO 합성을 감소시키고, 음경해면체평활근 이완장애를 유발하는 것으로 생각된다.

최근 음경발기에 있어서 nNOS와 eNOS의 활성이 각기 다른 역할, 즉 nNOS는 발기과정의 시작을, eNOS는 발기과정의 지속을 담당한다는 사실이 밝혀졌다(그림 18-1). 성적자극, 즉 시각 및 촉각 자극은 nNOS의 활성을 유발하는데, 이 과정은 칼슘 및 calmodulin-의존적이며 매우 신속하고 짧게 일어난다. 이 신경신호로 인해 발기과정이 시작되며, 신경기원의 NO가 혈관확장과 혈류 증가를 유발해서 음경혈관과 해면체조직의 물리적인 팽창을 유발한다. 이로 인해 혈관내피에 전단력(shear force)이 작용하게 되고, 이는 phosphatidylinositol-3 kinase(PI3 kinase)/Akt 경로를 활성화시켜서 칼슘 및 calmodulin-비의존적으로 eNOS의 인산화와 활성화를 유발한다. 따라서 지속적인 NO 분비 및 이로 인한 음경발기의 유지가 가능하게 된다.

(2) 아세틸콜린(Acetylcholine)

인간 및 여러 동물의 음경에는 콜린성신경이 풍부하게 존재한다. 이러한 신경말단에서 분비된 acetylcholine은 음경해면체 내피세포 및 평활근세포에 위치하고 있는 muscarinic 수용체에 작용을 한다. 4 종류의 muscarinic 수용체가 있고 (M_1-M_4), 혈관내피세포에는 M_3 수용체가, 평활근세포에서는 M_2 수용체가 주로 존재하는 것으로 알려져 있다. Acetylcholine은 음경해면체, 음경동맥, 배부정맥에서 내피세포-의존성 이완을 유발한다.

(3) 도파민(Dopamine)

중추신경에서 도파민과 도파민 수용체의 음경발기에 대한 역할은 잘 알려져 있지만, 말초 장기, 즉 음경조직에서의 역할은 상대적으로 많이 알려져 있지 않다. 도파민 D_1-, D_2-like 수용체가 주로 음경해면체 평활근세포에서 분포하고 있음이 밝혀졌다. 도파민 작용제인 apomorphine은 음경해면체 조직에서 직접적인 이완효과를 보였고, adrenaline 활성을 억제하였다. 이러한 apomorphine의 효과는 주로 D_1-like 수용체에 의해 매개되고, 부분적으로는 혈관내피세포에서 NO 분비를 통해서 이루어지는 것으로 보인다.

2) 이완성 prostanoids

음경해면체조직에서는 이완성 prostanoids도 생성되는데, PGE_1과 PGE_2는 음경평활근에서 주로 생성되고, PGI_2는 혈관내피세포에서 생성된다. 이들은 각각 이완과 관련된 PGE 수용체인 EP_2 및 EP_4, 그리고 PGI 수용체인 IP 수용체와 결합하는데, 이는 αs-containing G-단백과 결합해서 adenylyl cyclase를 활성화시켜서 세포내 cAMP 농도를 증가시킨다. 하지만 음경발기 조직에서는 주로 IP 수용체 보다는 EP 수용체가 풍부하게 분포되어 있기 때문에, 평활근 이완작용은 주로 PGE_1 및 PGE_2이 EP_2 및 EP_4 수용체에 작용함으로써 일어난다. 한편, 평활근에 대한 직접적인 이완효과 외에도 PGE_1과 PGE_2는 음경해면체에서 transforming growth factor-β_1에 의한 콜라겐(collagen) 합성을 억제한다. 이들 이완성 prostanoids의 생성은 산소분압에 의해 조절되는데, 저산소증 상태에서는 생성이 억

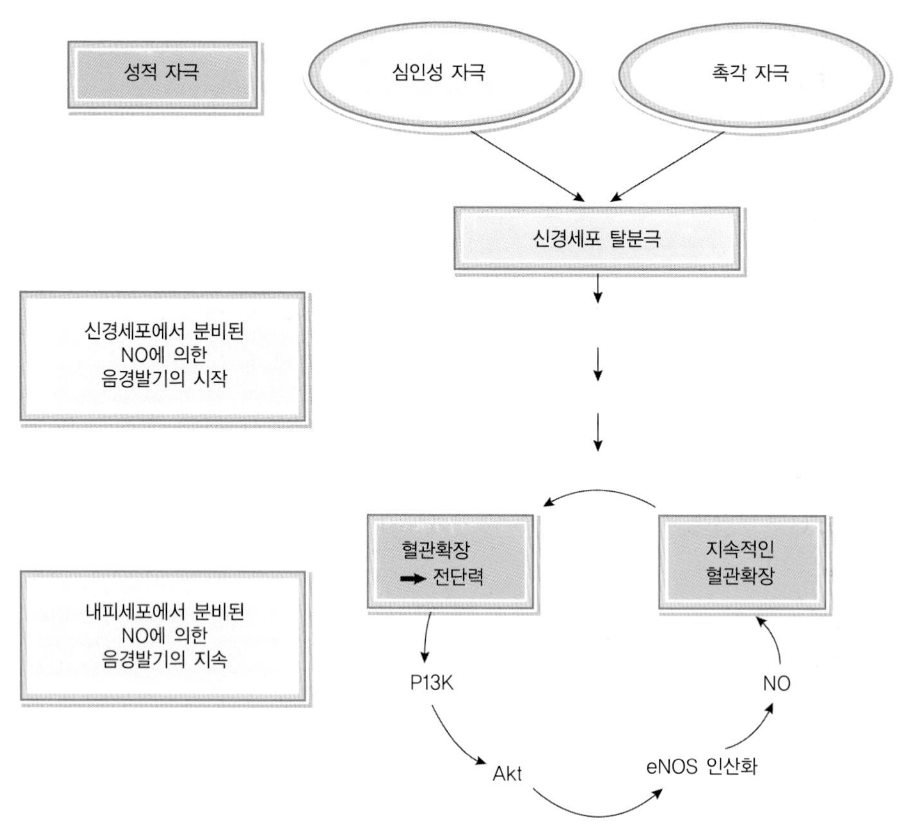

그림 18-1 산화질소 (NO)와 음경발기 신경성 NOS (nNOS)는 음경발기의 시작에 관여하고, 내피성 NOS (eNOS)는 음경발기의 유지 및 지속에 관여함. CaM, calmodulin; nNOS, neuronal nitric oxide synthase; eNOS, endothelial nitric oxide synthase; NO, nitric oxide; PI3K, phosphatidylinositol-3 kinase.

제된다.

3) Endothelium-derived hyperpolarizing factor(EDHF)

전신동맥에서 NO 및 prostanoids 외에 혈관이완을 유발시키는 내피인자가 처음 발견이 되었고, cAMP- 및 cGMP-비의존적으로 동맥평활근을 과분극화시키는 것으로 알려지면서 이를 EDHF라고 부르게 되었다. 이러한 현상은 음경해면체조직보다는 음경소동맥에서 흔히 나타나는 것으로 알려져 있다. 과분극화는 전압-의존 칼슘통로의 폐쇄를 일으키고, 세포내 유리칼슘 농도를 낮춰서 평활근을 이완시킨다. 과분극화의 기전 중 하나가 포타슘통로의 개방이다. ATP-sensitive 포타슘통로(K_{ATP} 통로)와 Ca^{2+}-activated 포타슘통로(K_{Ca} 통로)의 개방은 과분극화를 일으키고 혈관평활근을 이완시킨다. 이들 두 유형의 포타슘통로는 인간의 음경해면체평활근에도 존재하며, K_{ATP} 통로의 약리적자극은 음경해면체평활근을 이완시켰다. K_{ATP} 통로 개방제(opener)를 음경해면체에 주입한 결과 음경발기를 유발하였다. Maxi-K로 알려진 large-conductance K_{Ca} 통로의 개방은 인간의 음경해면체조직의 과분극화 및 이완을 유발하였다. 포타슘통로의 개방은 protein kinase A(PKA), protein kinase G(PKG) 또는 cGMP에 의해 촉진될 수 있다. 이러한 과분극화는 음경동맥의 내피-의존 이완에도 중요한 역할을 하는데, 음경동맥에서 NO 및 prostaglandin 합성을 억제했음에도 불구하고 현저한 이완이 지속되었다. 이러한 활성은 K_{Ca} 통로를 열고 과분극화와 혈관확장을 유발하는 EDHF에 기인하는 것으로 보인다.

4) 세포내 신호전달 경로 (Intracellular signaling pathway)

(1) NO-cGMP 경로

신경말단 또는 내피세포에서 분비된 NO는 인접한 혈관 또는 해면체평활근세포로 확산되어, 그 수용체인 guanylyl cyclase와 결합해서 세포내 cGMP 농도 및 PKG 활성을 증가시킨다. PKG는 세포내 유리칼슘 농도 및 칼슘에 대한 수축 단백의 민감도를 낮춤으로써 평활근 이완을 유발한다. PKG는 통로단백의 인산화를 통한 칼슘의 세포내 유입감소 또는 포타슘의 세포외 배출증가, 그리고 세포내 저장소로부터의 칼슘 유리를 억제함으로써 세포내 유리칼슘 농도의 감소를 유발한다. 포타슘통로의 활성은 혈관평활근 과분극화 및 이완에 있어 중요한 기전이며, cGMP와 cAMP 모두 포타슘통로의 활성을 조절해서 혈관확장을 유발할 수 있다. K_{Ca} 통로는 세포내 칼슘과 탈분극(depolarization)에 의해서 활성화되며, 음경해면체조직과 음경동맥에서 NO-cGMP 경로의 하위 매개체이다. 한편 PKG에 의한 MLC phosphatase의 활성은 발기조직에서의 칼슘민감도를 감소시켜 평활근이완을 유발한다. 인간의 음경해면체 조직에서 PKG를 cGMP 유사체와 같이 자극하면 calcium sensitization 뿐만 아니라 비특이적 또는 endothelin-유발 G-단백연결수용체의 활성에 의한 수축반응을 역전시킨다. 또한 PKG는 RhoA를 인산화시켜서 RhoA-유발 calcium sensitization 및 actin cytoskeleton organization을 억제함으로써 NO의 혈관확장작용을 매개한다. PDE는 cGMP 및 cAMP을 파괴해서 이들의 생물학적 작용을 없애는 일종의 가수분해효소이다. 그 중 PDE5가 음경해면체평활근에서 가장 주된 cGMP 분해효소이며, 발기부전 치료에 있어서 가장 중요한 치료표적이다.

(2) Adenylyl cyclase-cAMP 경로

β-adrenaline 수용체, EP_2 및 EP_4 등의 prostanoid 수용체, 그리고 VIP 수용체는 adenylyl cyclase를 활성화하고 cAMP를 증가시키는 G-단백연결수용체이다. 혈관평활근에서의 cAMP-매개 이완은 PKA 활성화 및 이로 인한 세포내 유리칼슘농도 및 칼슘민감도의 감소로 인해 나타난다. 음경에서 cAMP 활성은 주로 PDE 4형과 3형에 의해 결정되며, 음경동맥에서 PDE 4형 및 3형의 선택적 억제는 강력한 이완반응을 유발하였다.

3. 음경발기와 동반된 분자생물학적 변화

상기에 기술한 바와 같이 음경발기와 관련된 분자생물학적 기전에 대해서는 많은 연구가 이루어져 왔다. 그러나 음경발기 후 음경해면체 조직에서 나타나는 분자생물학적 변화 및 음경발기 자체의 생리적 의미에 대한 연구는 거의 없다. 필자가 정상 마우스에서 음경해면체 신경자극으로 인위적으로 발기를 유도한 후 음경해면체에서 나타나는 변화를 규명한 연구에서, 음경발기는 혈관생성과 관련된 인자(vascular endothelial growth factor, hepatocyte growth factor, angiopoietin-1 등)의 발현을 증가시켰고, 세포생존 및 증식에 관련된 경로(PI3K/phospho-Akt/Akt, phospho-ERK/ERK)를 활성화 시킨 반면, 조직섬유화에 관련된 경로(phospho-Smad2/Smad2, phospho-Smad3/Smad3, plasminogen activator inhibitor-1)는 억제하였다. 이 결과는 음경발기가 단순히 신경-혈관 반응의 결과물이 아니라, 그 자체로서 혈관생성, 세포생존 및 증식, 항섬유화 경로를 활성화시킴으로써 음경 발기 조직의 항상성 유지에 중요한 역할을 함을 의미한다.

4. 요약

지난 수십 년간 음경발기의 생리, 특히 분자생물학적 발기기전을 이해하는 데 있어서 상당한 진전이 있었다. NO-cGMP 경로, adenylyl cyclase-cAMP 경로, 이완성 prostanoids, acetylcholine이 음경혈관 및 음경해면체평활근 이완 및 이로 인한 음경발기에 주된 역할을 하는 반면, noradrenaline, neuropeptide Y, endothelin, angiotensin II, RhoA-Rho kinase 경로는 음경혈관 및 음경해면체평활근 수축 및 음경발기소실을 유발한다. 상기 인자 및 경로는 칼슘통로 및 포타슘통로에 작용해서 세포내 칼슘농도를 조절함으로써 이완 또는 수축반응에 관여한다. 상기에 언급한 분자생물학적 기전의 이해는 발기의 생리뿐만 아니라 발기부전의 병태생리 규명에도 지대한 역할을 하며, 나아가 이들 인자 및 경로는 발기부전 치료제 개발에 있어서 중요한 분자표적이 된다. 이미 PGE1 및 다양한 PDE5 억제제가 발기부전의 치료제로서 널리 사용되고 있으며, 좀 더 심도 있는 연구를 통해서 향후 발기부전의 원인에 근거한 다양한 종류의 발기부전 치료제 개발이 가능할 것으로 보인다.

참고문헌

1. Andersson KE. Mechanisms of penile erection and basis for pharmacological treatment of erectile dysfunction. Pharmacol Rev 2011;63:811-859.
2. Angulo J, Cuevas P, Fernandez A, Gabancho S, Videla S, Saenz de Tejada I. Calcium dobesilate potentiates endothelium-derived hyperpolarizing factor-mediated relaxation of human penile resistance arteries. Br J Pharmacol 2003;139:854-862.
3. Becker AJ, Uckert S, Stief CG, Truss MC, Hartman U, Sohn M, et al. Systemic and cavernous plasma levels of endothelin 1 in healthy males during different phases of penile erection. World J Urol 2000;18:227-231.
4. Berridge MJ. Calcium signalling: dynamics, homeostasis and remodelling. Nat Rev Mol Cell Biol 2003;4:517-529.
5. Burnett AL, Lowenstein CJ, Bredt DS, Chang TS, Snyder SH. Nitric oxide: a physiologic mediator of penile erection. Science 1992;257:401-403.
6. Busse R, Edwards G, Feletou M, Fleming I, Vanhoutte PM, Weston AH. EDHF: bringing the concepts together. Trends Pharmacol Sci 2002;23:374-380.
7. Christ G J. The penis as vascular organ: the importance of corporal smooth muscle tone in the control of erection. Urol Clin North Am 1995;22:727-745.
8. Christ GJ. K channels as molecular targets for the treatment of erectile dysfunction. J Androl 2002;23:S10-19.
9. Chitaley K, Wingard CJ, Clinton Webb R, Branam H, Stopper VS, Lewis RW, et al. Antagonism of Rho-kinase stimulates rat penile erection via a nitric oxide-independent pathway. Nat Med 2001;7:119-122.
10. Cirino G, Sorrentino R, di Villa Bianca R, Popolo A, Palmieri A, Imbimbo C, et al. Involvement of beta3-adrenergic receptor activation via cyclic GMP-but not NO-dependent mechanisms in human corpus cavernosum function. Proc Natl Acad Sci U S A 2003;100:5531-5536.
11. Cirino G, Fusco F, Imbimbo C, Mirone V. Pharmacology of erectile dysfunction in man. Pharmacol Ther 2006;111:400-423.
12. Daley JT, Brown ML, Watkins T, Traish AM, Huang YH, Moreland RB, et al. Prostanoid production in rabbit corpus cavernosum: I. Regulation by oxygen tension. J Urol 1996;155:1482-1487.
13. Giuliano F, Bernabe J, Jardin A, Rousseau JP. Antierectile role of the sympathetic nervous system in rats. J Urol 1993;150:519-524.
14. Giuliano F. Neurophysiology of erection and

ejaculation. J Sex Med 2011;8:310-315.

15. Hannan JL, Albersen M, Kutlu O, Gratzke C, Stief CG, Burnett AL, et al. Inhibition of Rho-kinase improves erectile function, increases nitric oxide signaling and decreases penile apoptosis in a rat model of cavernous nerve injury. J Urol 2013;189:1155-1161.
16. Hedlund P, Alm P, Andersson KE. NO synthase in cholinergic nerves and NO-induced relaxation in the rat isolated corpus cavernosum. Br J Pharmacol 1999;127:349-360.
17. Hedlund P, Ny L, Alm P, Andersson KE. Cholinergic nerves in human corpus cavernosum and spongiosum contain nitric oxide synthase and heme oxygenase. J Urol 2000;164:868-875.
18. Holmquist F, Kirkbey HJ, Larsson B, Forman A, Andersson KE. Functional effects, binding sites and immunolocalization of endothelin-1 in isolated penile tissues from man and rabbit. J Pharmacol Exp Ther 1992;261:795-802.
19. Jin LM. Angiotensin II signaling and its implication in erectile dysfunction. J Sex Med 2009;6 (Suppl 3):302-310.
20. Kirkeby HJ, Jorgensen JC, Ottesen B. Neuropeptide Y (NPY) in human penile corpus cavernosum tissue and circumflex veins-ccurrence and in vitro effects. J Urol 1991;145:605-609.
21. Levin R M, Wein AJ. Adrenergic alpha receptors outnumber beta receptors in human penile corpus cavernosum. Invest Urol 1980;18:225-228.
22. Lin CS. Phosphodiesterase type 5 regulation in the penile corpora cavernosa. J Sex Med 2009;6(suppl 3):203-209.
23. McFadzean I, Gibson A. The developing relationship between receptor-operated and store-operated calcium channels in smooth muscle. Br J Pharmacol 2002;135:1-3.
24. Moreland RB, Albadawi H, Bratton C, Patton G, Goldstein I, Traish A, et al. O2-dependent prostanoid synthesis activates functional PGE receptors on corpus cavernosum smooth muscle. Am J Physiol Heart Circ Physiol 2001;281:H552-558.
25. Prieto D, Buus C, Mulvany MJ, Nilsson H. Interactions between neuropeptide Y and the adenylate cyclase pathway in rat mesenteric small arteries: role of membrane potential. J Physiol 1997;502:281-292.
26. Prieto D, Simonsen U, Hernandez M, Garcia-Sacristan A. Contribution of K+ channels and ouabain-sensitive mechanisms to the endothelium-dependent relaxations of horse penile small arteries. Br J Pharmacol 1998;123:1609-1620.
27. Prieto D, Buus CL, Mulvany MJ, Nilsson H. Neuropeptide Y regulates intracellular calcium through different signalling pathways linked to a Y(1)-receptor in rat mesenteric small arteries. Br J Pharmacol 2000; 129:1689-1699.
28. Prieto D, Rivera L, Benedito S, Recio P, Villalba N, Hernandez M, et al. Ca2+-activated K+ (KCa) channels are involved in the relaxations elicited by sildenafil in penile resistance arteries. Eur J Pharmacol 2006;531: 232-237.
29. Prieto D. Physiological regulation of penile arteries and veins. Int J Impot Res 2008;20:17-29.
30. Priviero FB, Jin LM, Ying Z, Teixeira CE, Webb RC. Up-regulation of the RhoA/Rho-kinase signaling pathway in corpus cavernosum from endothelial nitric oxide synthase (NOS), but not neuronal NOS, null mice. J Pharmacol Exp Ther 2010;333:184-192.
31. Ritchie R, Sullivan M. Endothelins & erectile dysfunction. Pharmacol Res 2011;63:496-501.
32. Sauzeau V, Le Jeune H, Cario-Toumaniantz C, Smolenski A, Lohmann SM, Bertoglio J, et al. Cyclic GMP-dependent protein kinase signaling pathway inhibits RhoA-induced Ca2+ sensitization of contraction in vascular smooth muscle. J Biol Chem 2000;275: 21722-21729.
33. Simonsen U, Prieto D, Saenz de Tejada I, Garcia-Sacristan A. Involvement of nitric oxide in the non-adrenergic noncholinergic neurotransmission of horse deep penile arteries: role of charybdotoxin-sensitive K(+)-channels. Br J Pharmacol 1995;116:2582-2590.
34. Simonsen U, Garcia-Sacristan A, Prieto D. Penile arteries and erection. J Vasc Res 2002;39:283-303.
35. Somlyo AP, Somlyo AV. Signal transduction by G-proteins, rho-kinase and protein phosphatase to smooth muscle and non-muscle myosin II. J Physiol 2000;522:177-185.

36. Venkateswarlu K, Giraldi A, Zhao W, Wang HZ, Melman A, Spektor M, et al. Potassium channels and human corporeal smooth muscle cell tone: Diabetes and relaxation of human corpus cavernosum smooth muscle by adenosine triphosphate sensitive potassium channel openers. J Urol 2002;168:355-361.

37. Vick RN, Benevides M, Patel M, Parivar K, Linnet O, Carson CC. The efficacy, safety and tolerability of intracavernous PNU-83757 for the treatment of erectile dysfunction. J Urol 2002;167:2618-2623.

38. Villalba N, Stankevicius E, Garcia-Sacristan A, Simonsen U, Prieto D. Contribution of both Ca2+ entry and Ca2+ sensitization to the α_1-adrenergic vasoconstriction of rat penile small arteries. Am J Physiol Heart Circ Physiol 2007;292:H1157-169.

39. Wang H, Eto M, Steers WD, Somlyo AP, Somlyo AV. RhoA-mediated Ca2+ sensitization in erectile function. J Biol Chem 2002;277:30614-30621.

40. Wespes E, Schiffmann S, Gilloteaux J, Schulman C, Vierendeels G, Menu R, et al. Study of neuropeptide Y-containing nerve fibers in the human penis. Cell Tissue Res 1988;254:69-74.

41. Zhang MG, Shen ZJ, Zhang CM, Wu W, Gao PJ, Chen SW, et al. Vasoactive intestinal polypeptide, an erectile neurotransmitter, improves erectile function more significantly in castrated rats than in normal rats. BJU Int 2011;108:440-446.

SECTION 02

발기부전의 원인

Chapter 19. 심인성 발기부전 ······ 김기호
Chapter 20. 혈관인성 발기부전 ······ 박종관
Chapter 21. 신경인성 발기부전 ······ 송윤섭
Chapter 22. 내분비성 발기부전 ······ 홍준혁
Chapter 23. 대사증후군과 발기부전 ······ 서준규
Chapter 24. LUTS/BPH와 발기부전 ······ 양상국
Chapter 25. 약물부작용에 의한 발기부전 ······ 문기학
Chapter 26. 의인성 및 기타원인에 의한 발기부전 ······ 박민구

CHAPTER 19

심인성 발기부전

Psychogenic Erectile Dysfunction

■ 김기호

심인성 발기부전이란 주로 심리적 또는 대인관계 요소로 인해 만족스러운 성적 행위를 유지할 수 있을 정도로 충분치 않거나 유지되지 않는 것을 말한다. 이러한 발기부전은 자신감 상실, 배우자와의 갈등, 심리적 좌절 등으로 인한 개인적인 문제와 가정불화 등의 사회적인 문제를 야기할 수 있다. 환자에게 발기부전을 진단하기 위해서는 지속적인 증상의 발현이 있어야 한다. 최소 3개월의 지속기간이 진단을 위해서 필요하다. 단, 일부 외상이나 수술에 의하여 유발된 발기부전의 경우에는 3개월이 되기 이전에 진단이 내려질 수 있다. 국제성의학회(International Society for Sexual Medicine)의 정의에 따르면 심인성 발기부전의 진단을 위해서는 다음과 같은 3가지 중요한 조건을 충족하여야 한다. ① 심인성 발기부전은 발기부전의 다른 원인이 불확실하거나 알려지지 않았다고 해서 배제진단으로 진단되어서는 안 된다. ② 사회심리적 인자들이 장애의 유일하거나 주가 되는 원인으로 확인되어야 한다. ③ 환자의 증상들이 현재의 발기부전의 정의에 맞아야 한다. 심인성 발기부전은 빈번하게 다른 성기능 장애들, 주로 성적 욕구의 저하 및 주요 정신과 질환들, 특히 우울과 불안장애들과 공존하는 경우가 많다.

성적 욕구의 저하는 일반 인구군에서 가장 흔한 성 관련 문제들 중의 하나이다. 미국정신의학협회에서 발간된 정신질환 진단 및 통계 편람(Diagnostic and statistical manual of mental disorders-IV-text revision)에 따르면, 성욕감퇴장애(hypoactive sexual desire disorder, HSDD)는 지속적이거나 반복적으로 성적 환상 및 성적 활동에 대한 욕구가 줄어들거나 아예 사라져서, 두드러진 불편감을 겪게 하거나 대인관계에서의 어려움을 경험하게 하는 일종의 성기능 장애로 정의된다. 남성의 경우 HSDD는 발기부전과 흔히 관련되어 있으며, 발기부전의 병인으로 작용하게 된다.

과거에는 발기부전의 원인의 대부분이 심인성이며 기질적인 원인들은 단지 일부의 경우에만 해당하는 것으로 여겨졌으나 근래에는 오히려 기질적인 원인들이 발기부전의 더욱 흔한 원인으로 밝혀지고 있다. 이러한 경향은 특히 50세 이후의 연령층에서 뚜렷하며 심혈관계 질환과의 관련성이 빈번하게 보고된다. 그럼에도 불구하고 심인성 인자들은 많은 경우에 발기부전을 유발할 수 있으며 다른 신체질환과 함께 발기부전에 중요한 영향을 주게 된다. 따라서 발기부전을 보고하는 많은 남성들이 기질적인 질환을 가지고 있더라도, 동시에 심인성 발기부전의 가능성은 항상 염두에 두어야 한다.

1. 심인성 발기부전의 역학

발기부전은 조루증 다음으로 남성에서 두 번째로 흔한 성기능 장애이다. 성기능 장애로 치료받는 남성들의 35-50%에서 발기부전을 호소한다. 심인성 발기부전의 빈도는 연구자마다 차이가 있으나 심인성 원인은 35.6-41.0%으로 보고되고 있으며 기질적 원인은 35.9-64.4%으로 보고되고 있고 두 가지 원인이 복합된 경우는 16.0-25.8%으로 보고되고 있다.

심인성 발기부전은 흔히 성욕의 감퇴를 불러올 수 있는 다른 정신과 질환들과 공존한다. 이러한 경우에는, 발기부전 치료의 첫 단계로 발기부전 자체에 대한 치료와 함께 정신과 질환에 대한 치료가 필요하게 된다. 우울증은 발기부전과의 연관성에 대해 가장 활발하게 연구가 진행되어온 정신과 질환이다. 발기부전이 우울증상과 관련이 있다는 보고에서는 연령, 결혼상태 및 공존질환들의 영향을 배제한 다음에도 우울증이 있는 남성에서의 발기부전의 비율이 전립선 비대증이 있는 남성의 경우보다 2배 이상 높았다. 국내의 연구에서도 우울증이 있는 남성에서 발기부전 위험이 1.6-3.6배로 증가하였다. 우울증 환자에서는 성욕 결핍 또는 상실증과 성기반응부전이 일어나는데 단극성 우울증에서 72%, 양극성 우울증에서 77%에서 나타났다.

매사추세츠 남성노화연구(Massachusetts Male Aging Study, MMAS)에 따르면 심한 우울증 환자에서는 약물치료의 부작용과 성적 욕구의 저하 등이 복합적인 영향을 주어 발기부전의 비율이 90%까지 올라갈 수 있다고 보고하였다. 정신분열병도 성욕의 저하와 관련이 있는 주요정신과 질환이며 Teusch 등에 따르면 발기부전의 비율이 47%에 달하는 것으로 알려져 있다. 정신분열병의 증상을 조절하기 위해 사용되는 항정신병약물은 약물의 종류에 따라 발기에 이르고 지속하는 능력과 극치감에 이르고 성적인 만족감을 얻는 능력 모두에 부정적인 영향을 줄 수 있다.

2. 심인성 발기부전의 기전

심인성 발기부전은 성적 수행(performance)에 대한 불안, 상대방과의 관계에서 오는 긴장과 스트레스, 특히 우울 및 불안 정서들과 관련이 많다. 지속적인 기분의 저하, 흥미와 즐거움의 상실, 그리고 수면과 식욕, 성적 욕구의 저하는 우울증의 주요 증상들이며 시상하부-뇌하수체 축의 기능변화와 관련이 있다. 우울증에서 관찰되는 신경내분비계의 기능이상은 직접적으로 발기부전에 영향을 미칠 수 있으며 우울증을 치료하기 위해 사용되는 항우울제들이 이차적으로 발기부전을 유발하거나 증상을 악화시킬 수 있다.

많은 정신성적 발달(psychosexual development) 단계의 인자들이 발기부전에 기여하는 것으로 생각된다. 남성 성기능 이상의 발생기전에 대한 정신분석학적 설명은, 정신분석에서의 일반적인 다른 정신과적 질환들의 발병기전에 대한 이론들과 유사하다. 특정 발달시기에서 유래한 해결되지 않은 무의식적인 갈등이 있을 때, 이러한 갈등의 반복적인 재경험이나 원래의 갈등과 유사한 현재의 갈등에 의하여 특정 증상들이 발현하게 된다는 것이다. 프로이드는 3-5세 소아기에 시작되는 오이디푸스(Oedipus) 갈등이 해결되지 않을 경우에 결과적으로 사랑하는 대상과의 관계가 근친상간적인 대상(어머니, 누이)과의 관계와의 혼동이 일어나면서 발기부전이 발생한다고 보았다. 따라서 상대방과 성관계를 갖는 것은 위험하고 금기시되는 일이 되면서, 이는 성적 활동을 불편하게 하고 성관계를 불가능하게 만든다.

또한 친밀감을 느끼는 능력에 장애를 가져오게 하는 경험들은 부적절감이나 불신감을 가져 오거나, 사랑이 없거나 사랑받지 못한다는 감정을 느끼게 하여서 결과적으로 이러한 발기부전을 가져올 수 있다. 한사람이 자신의 욕구나 화난 감정들을 상대방과의 직접적이고 건설적인 방식의 의사소통을 통하여 해소할 수 없을 때에, 이러한 어려움들이 발기부전을 통하여 나타날 수도 있다. 일단 한번 발기부전이 발생하게 되면, 남성이 점차적으로 자신의 다음의 성적 접촉에 대해서 불안하게 되면서, 연속적인 발기부전의 삽화들이 일어날 수 있는 계기가 만들어지게 된다. 원래의 발기부전의 이유가 무엇이든, 발기상태가 되어서 이를 유지하는 것에 대한 남성의 예기불안은 부담감을 동반하면서, 성적인 접촉에서 얻을 수 있는 즐거움을 얻기 힘들게 하고, 자극에 대하여 적절한 반응을 보이는 능력을 저하시키면서 결과적으로, 발기부전 문제를 지속시키고 고착되게 만든다.

심인성 발기부전 환자들에서 발기부전은 적어도 다음 두 가지의 생물학적 기전이 관련된 심리적인 억압에 의하여 유발된다. 흥분기 동안에 실패에 대한 공포나 부정적인 기대가 있을 때에 뇌에서 천수(sacral spinal cord)로 가는 자극이 발기 반사를 억제할 수 있다. 또한 스트레스나 불안 수준이 높을 때에는 과도한 교감신경계 흥분이 순환하는 catecholamine의 양을 증가시키면서 혈관이 수축하게 되어서, 발기에 필요한 음경해면체 평활근의 이완을 방해하게 되어 발기부전이 올 수 있다. 이 두 기전들은 다른 정신병리적인 인자들이 없는 개인에서도 경우에 따라서는 동시에 작용하여 일시적으로 발기부전을 가져올 수 있다.

신경생물학의 발전은 감정과 감정의 장애에 대한 신경학적인 기전을 점차 밝혀나가고 있다. 따라서 향후에는 이러한 심인성 발기부전의 원인으로, 신경 회로 및 다른 생물학적 조절 인자들에 관련된 기질적 기전을 좀 더 구체적으로 밝힐 수 있을 것으로 기대된다.

3. 심인성 발기부전의 진단

발기부전을 진단하기 위한 가장 중요한 수단은 철저한 내과적 및 성적 이력 조사를 하는 것이며 만약 이로 충분하지 않다면, 내과적 검사 및 다른 관찰이 필요하게 된다. 성적 이력 조사의 목적은 발기부전을 식별하여서 그 정도와 빈도를 파악하고 이에 영향을 미칠 수 있는 인자들을 찾아내는 것이다. 내과적, 성적 및 심리사회적 이력에 대해서 조사하는 데에는 충분한 시간이 필요함을 인식하여야 한다.

심인성과 기질성 발기부전 사이의 구분이 최근에는 덜 뚜렷하여지기는 하였으나, 오랜 동안 발기부전은 기질성과 심인성의 두 가지 유형으로 구분되어 왔다. 그러나 오늘날에는 단지 일부의 발기부전만이 온전히 심인성이거나 기질성으로 구분이 가능하며, 임상에서 가장 흔한 유형은 이러한 두 가지 유형이 혼합된 경우로 생물학적, 심인성, 대인 관계적 및 문화적 측면이 조합되어서 나타나는 것이다. 따라서 한 가지 유형의 가능성이 크다고 생각되더라도 다른 유형의 원인이 현 환자의 발기부전에 영향을 미칠 가능성에 대하여도 주의를 기울일 필요가 있다. 두 가지가 혼합된 유형의 경우는 전형적으로는 중년기에, 심인성인 경우에는 더 젊은 연령 군에서, 기질성인 경우에는 좀 더 높은 연령의 남성 군에서 진단되는 경우가 많다.

심인성 발기부전은 그 발현 양상, 강도 및 환경인자들과의 관련성에서 기질성 발기부전과 임상적으로는 서로 구분되는 특징을 갖는다. 심인성 발기부전은 일반적으로 갑작스럽게 발현되면서 완전하고도 즉각적인 성기능의 상실을 특징으로 하며, 그 발현양상이 상대방과 환경에 따라서 다양하게 나타난다. 일부 예외를 제외하면 환자들은 기상 시나 야간에 성적 자극 없이 자발적 발기를 경험하는 경우가 많다. 따라서 남성이 성교를 계획하고 있지 않을 때에도 자발적 발기가 때때로 일어나는지 여부가 구분에 중요할 수 있다. 야간수면중발기 검사(noctural penile tumescence and rigidity, NPTR)를 시행하여 음경 원위부에서 측정된 강직도가 60% 이상이며 10분 이상 지속되는 수면 중 발기가 1회 이상 확인되면 정상으로 간주하며 심인성 발기부전을 강력히 시사한다.

기질성 발기부전의 경우에는 즉각적인 외상에 의한 경우를 제외하면, 좀 더 서서히 발생하면서 그 기능이상의 정도가 점진적으로 심하여지는 특징을 보인다. 이때에는 가장 성적으로 자극적인 상황에서도 발기가 일반적으로 관찰되지 않는다. 이와 같은 구분은 환자에서의 발기부전을 어떻게 다루어야 할 것인지 향후 치료방향을 설정하는 데에 도움이 된다.

4. 심인성 발기부전의 분류

심인성 발기부전에 대한 확장 분류 체계가 국제 발기부전 연구학회의 병명 위원회에 의하여 제안되었다(표 19-1). 관련된 신경생리학적 과정들에 대하여 아직 완전히 밝혀져 있지는 않지만, 최근의 연구들은 남성의 성적 각성의 조절에서 중추신경계에서의 흥분 및 억제 기전의 역할이 중요함을 보여주고 있으며 따라서, 이러한 개념들이 연구 및 임상치료에서의 참조를 위한 지침으로 쓰이기 위하여 이 분류체계에는 들어가 있다. 이 분류 체계에서는 임상적인 유형[일반형(generalized)과 상황형(situational)]과 발기부전의 원인 기전 가설들(중추 신경계의 흥분 또는 억제)에 따라서 각 아형을 구분하고 있다. 이러한 분류 이외에도 평생에 걸쳐서 지속적으로 일어나는 원발성과 일정 기간 동안에는 만족스러운 성기능을 보이다가, 이후에 발생하는 이차성으로도 구분할 수 있는데, 원발성은 상대적으로 드물며 보통 만성적인 성적 또는 대인관계에서의 억압과 관련하여 이차성으로 나타나는 경우가 일반적이다.

표 19-1 심인성 발기부전의 분류

I. 일반형
A. 일반적 무반응형
1. 성적 각성능력의 일차적 부족
2. 성적 각성능력의 연령 관련 저하
B. 일반적 억제형
1. 성적 친밀성의 만성 장애
II. 상황형
A. 상대방 관련형
1. 특정 관계에서의 각성 능력의 부족
2. 성적 대상 선호도에 기인한 각성 능력의 부족
3. 상대방과의 갈등 또는 위협에 기인한 상위 중추성 억제
B. 수행 관련형
1. 다른 성기능 이상 (예, 조기 사정)과의 관련
2. 상황에 따른 수행 불안 (예, 실패에 대한 공포)
C. 심인성 스트레스 또는 적응 관련형
1. 부정적 기분상태 (예, 우울) 또는 주된 생활 스트레스 (예, 배우자의 사망) 관련

5. 심인성 발기부전의 치료

발기부전 환자 및 그의 파트너는 발기부전의 약물 치료와 함께 성에 대한 교육과 상담을 받는 것이 좋다. 성교육은 이해를 쉽게 도울 수 있는 교육 자료를 이용해 발기의 기전을 설명하고, 발기부전은 치료가 가능한 질환 임을 강조해야 한다. 일반적으로 정신치료는 장기간의 시간이 필요하고 그 효과도 다양하게 보고되고 있다. 다음의 경우는 정신과 전문의의 상담을 받는 것이 좋다.

① 명확한 기질적 원인 없이 첫 성교부터 시작된 발기부전
② 신경학적 혹은 혈관 질환의 과거력 없이 PDE5 억제제에 효과가 없는 경우
③ 환자 혹은 배우자가 성적 학대나 성적으로 충격적인 경험이 있는 경우
④ 우울증

6. 요약

심인성 발기부전은 빈번하게 다른 성기능 장애들, 주로 성적 욕구의 저하 및 주요 정신과 질환들, 특히 우울과 불안장애들과 공존하는 경우가 많다. 근래에는 오히려 기질적인 원인들이 발기부전의 더욱 흔한 원인으로 밝혀지고 있으나, 그럼에도 불구하고 심인성인자들은 많은 경우에 발기부전을 유발할 수 있어서, 발기부전을 보고하는 많은 남성들이 기질적인 질환을 가지고 있더라도, 동시에 심인성 발기부전의 가능성은 항상 염두에 두어야 한다.

심인성 발기부전은 성적 수행에 대한 불안, 상대방과의 관계에서 오는 긴장과 스트레스, 특히 우울 및 불안 정서들과 관련이 많다. 단지 일부의 발기부전만이 온전히 심인성이거나 기질성으로 구분이 가능하며, 임상에서 가장 흔한 유형은 이러한 두 가지 유형이 혼합된 경우로 생물학적, 심인성, 대인 관계적 및 문화적 측면이 조합되어서 나타나는 것이다. 심인성 발기 부전에 대한 분류 체계로는 국제성의학회에 의하여 제안된 분류가 대표적으로 사용되고 있다.

참고문헌

1. Ahn TY, Park JK, Lee SW, Hong JH, Park NC, Kim JJ, Park K, Park H, Hyun JS. Prevalence and risk factors for erectile dysfunction in Korean men: results of an epidemiological study. J Sex Med 2007 Sep;4:1269-1276.
2. Burneltt AL. Erectile Dysfunction. J Urol 2006;175:S25-31.
3. Corona G, Mannucci E, Petrone L, Giommi R, Mansani R, Fei L, Forti G, Maggi M. Psycho-biological correlates of hypoactive sexual desire in patients with erectile dysfunction. Int J Impot Res 2004;16:275-281.
4. Farre JM, Fora F, Lasheras MG. Specific aspects of erectile dysfunction in psychiatry. Int J Impot Res 2004; 16:S46-49.
5. Feldman HA, Goldstein I, Hatzichristou DG, Krane RJ, Mckinlay JB. Impotence and its medical and psychosocial correlates: Results of the Massachusetts Male Aging Study. J Urol 1994;151:54-61.
6. Francesco Montorsi. Assessment, diagnosis, and investigation of erectile dysfunction. Clinical Cornerstone 2005;7:29-34.
7. Hartmann U. Psychological subtypes of erectile dysfunction: results of statistical analyses and clinical practice. World J Urol 1997;15:56-64.
8. Laumann EO, Paik A, Rosen RC. Sexual dysfunction in the United States: prevalence and predictors. JAMA 1999;281:537-544.
9. Lizza EF, Rosen RC. Definition and classification of erectile dysfunction: Report of the nomenclature committee of the International Society of Impotence Research. Int J Impot Res 1999;11:141-143.
10. Moreira ED Jr, Kim SC, Glasser D, Gingell C. Sexual activity, prevalence of sexual problems, and associated help-seeking patterns in men and women aged 40-80 years in Korea: data from the Global Study of Sexual

Attitudes and Behaviors (GSSAB). J Sex Med 2006;3: 201-211.

11. Rosen RC. Psychogenic erectile dysfunction. Classification and management. Urol Clin North Am 2001;28:269-278.

12. Sachs BD. The false organic-psychogenic distinction and related problems in the classification of erectile dysfunction. Int J Impot Res 2003;15:72-78.

13. Sadock BJ, Sadock VA. Human sexuality. In: Sadock BJ, Sadock VA . Kaplan & Sadock' s synopsis of psychiatry. 10th ed. Philadelphia: Lippincott Williams & Wikins; 2007;680-717.

14. Shabsigh R, Klein LT, Seidman S, Kaplan SA, Lehrhoff BJ, Ritter JS. Increased incidence of depressive symptoms in men with erectile dysfunction. Urology 1998;52:848-852.

15. Teusch L, Scherbaum N, Bohme H, Bender S, Eschmann-Mehl G, Gastpar M. Different patterns of sexual dysfunctions associated with psychiatric disorders and psychopharmacological treatment. Results of an investigation by semistructured interview of schizophrenic and neurotic patients and methadone-substituted opiate addicts. Pharmacopsychiatry 1995;28:84-92.

CHAPTER 20

혈관인성발기부전

Vasculogenic Erectile Dysfunction

■ 박종관

음경은 혈관의 한 변형이다. 음경동맥, 음경정맥, 그리고 음경해면체 육주평활근의 혈류역동학적 변화가 발기의 정도를 결정한다. 즉, 음경동맥을 통한 혈액의 유입과 음경정맥을 통한 혈액배출의 차이와 해면체내강에 발생한 압력에 의하여 결정되는 해면체강의 혈액 량이 발기의 정도를 결정한다. 정상적으로 음경동맥을 통한 혈액의 유입이 적고 음경정맥을 통한 혈액의 유출 이 같거나 많으면 발기가 되지 않으며 동맥을 통한 유입이 증가하고 정맥을 통한 유출이 적으면 발기가 일어난다. 음경해면체 육주평활근에 작용하는 수축성물질에는 norepinephrine, neuropeptide Y와 같이 신경에서 유리 되는 물질과 endothelin, prostaglandin I_2, prostaglandin $F_{2\alpha}$, angiotensin, thromboxane A_2, endothelium derived contractile factor (EDCF), Rho A/Rho-kinase 와 같이 내피세포에서 유리되는 물질이 있다. 이완성 물질에는 nitric oxide (NO), acetylcholine, vasointestinal active polypeptide (VIP), calcitonine gene related peptide (CGRP), carbon monoxide (CO)와 같이 신경에서 유리되는 물질과 prosgtaglandin E_1, bradykinin, pituitary adenylate cyclase activating peptide, endothelium derived hyperpolarizing factor, endothelin, hydrogen disulfid (H_2S) 과 같이 내피세포에서 유리되는 물질이 있다(표 20-1)(그림 20-1).

발기 또는 발기부전은 음경동맥과 음경해면체 육주 평활근에 작용하는 이완성 물질들과 수축성 물질들의 합에 의해 발생되는 평활근의 긴장도에 의하여 결정된다(그림 20-2). 혈관인성 발기부전은 크게 동맥성, 해면체성 또는 정맥성, 그리고 두 가지가 혼합된 원인의 발기부전으로 나눌 수 있다.

1. 동맥성 발기부전

Arteriogenic erectile dysfunction

1) 동맥성 발기부전의 특징 (Characteristics of arteriogenic erectile dysfunction)

발기부전과 심혈관계질환은 같은 위험인자를 가지고 있으며, 발기부전의 발생은 심혈관계질환발생의 전구증상으로 생각하기도 한다(표 20-2). 또한, 발기부전의 심한정도는 심혈관계질환의 심한정도와 비례한다. 동맥성 발기부전은 음경동맥으로 흐르는 혈류의 장애에 의하여 발생하며, 음경동맥에 발생하는 질

표 20-1 음경해면체육주평활근의 긴장도에 영향을 미치는 물질

	수축인자	이완인자
신경성분비	Noradrenalin Nitric oxide(NO)	Neuropeptide Y Acetylcholine Vasoactive intestinal polypeptide (VIP) Calcitonine gene related peptide (CGRP) Carbon monoxide (CO)
전신순환성	Arginine Vasopressin	
국소적 합성	Endotheline-I(ETA 수용체를 통함) Thromboxane A_2 Prostaglandin $F2_{alpha}$. Angiotensin Rho A protein Superoxide anion	Nitric oxide (NO) Endothelin (ETB 수용체를 통함) Prostaglandin A_2 Prostaglandin E_1, prostaglandin E_2, Prostaglandin I_2 Histamine Adenosine triphosphate Endothelium derived hyperpolarizing factor Hydrogen disulfide (H_2S)

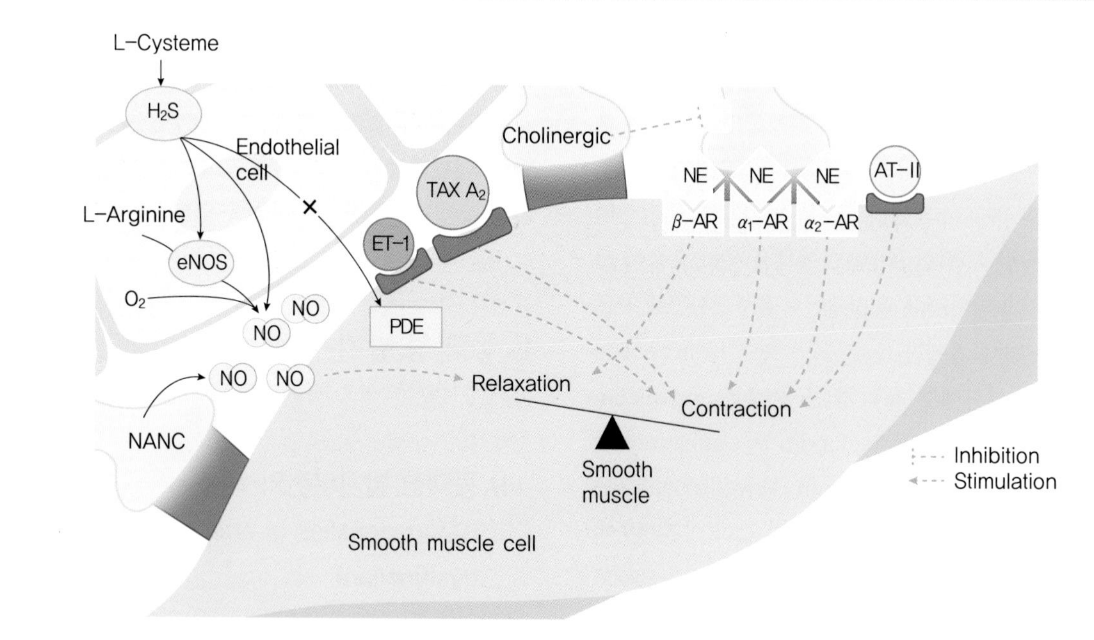

그림 20-1 음경해면체육주평활근에서 수축 또는 이완을 일으키는 물질들

환이나 손상에 의하여 발생한다(표 20-3). 대개 정상 음경동맥은 0.5 mm의 직경을 가지고 있다.

동맥성 발기부전을 일으키는 대표적 질환으로 관상 동맥경화증이 있다. 동맥성 발기부전의 특징은 점진적이며, 결국은 동맥부전과 정맥-폐쇄장애를 동반하여 발기 시 강직도가 소실된다. 대동맥과 장골동맥

표 20-2 발기부전과 관상동맥질환의 위험인자

발기부전	관상동맥질환
나이	나이
고지혈증	고지혈증
고혈압	고혈압
당뇨	당뇨
흡연	흡연
앉아서 일하는 생활습관	앉아서 일하는 생활습관
비만	비만
우울증	우울증
남성	관상동맥질환, 국소혈관질환

표 20-3 동맥성 발기부전을 일으키는 원인

원인	질환
관상동맥경화	내장골동맥의 관상동맥경화
	Pelvic steal 증후군
혈관 손상을 일으키는 치료	심혈관 수술
	대동맥-장골동맥수술
	반복된 신장이식
	방사선 치료에 의한 혈관 손상
외부 손상	골반골절에 의한 음경동맥 손상
	장시간 지속적인 자전거 타기
	주사바늘에 의한 음경동맥의 손상
기타	적절히 치료되지 않는 음경지속 발기증
	Trash pelvis

(internal iliac artery) 사이에 발생하는 관상동맥경화증에 의하여 발생하는 Leriche증후군이 대표적이며, 대동맥부터 장골동맥 사이의 어느 부분이든 동맥경화가 발생하면 발기부전이 발생할 수 있다. 동맥성 발기부전을 초래하는 질환인 pelvic steal 증후군은 관상동맥경화에 의한 외측 장골동맥(external iliac artery) 의 광범위한 폐쇄질환으로 과격한 활동 시 하지로 흐르는 혈액이 내측장골동맥에서 공급되기 때문에 발기부전이 발생한다.

2) 동맥성 발기부전의 발생기전(Mechanism of arteriogenic erectile dysfunction)

구조적 변화, 평활근의 과수축 및 혈관수축, 내피의존성 해면체 육주평활근의 이완 장애가 복합적으로 발기부전을 일으킨다.

동맥성 발기부전 시 혈액속의 낮은 산소포화도는 PGE1과 PGE2를 낮추어 TGF beta1에 의한 콜라젠의 합성이 증가되고 해면체 육주평활근의 비율이 낮아져 정맥으로의 혈액유출이 증가되어 발기부전이 초래된다. 또한, 미토콘드리아와 신경의 변화가 초래된다. RhoA/Rho Kinase-calcium 민감도와 endothelin 1의 증가로 평활근의 긴장도가 높아지며, 여러 가지 물질에 의한 내피의존성 이완반응이 감소된다. 또한

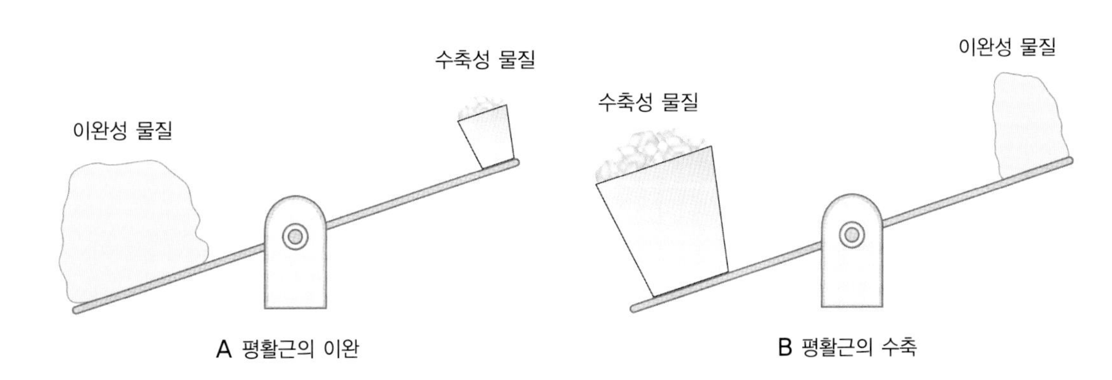

그림 20-2 이완과 수축을 일으키는 물질에 의해 결정되는 평활근의 이완과 수축

허혈은 백막의 elastin 과 collagen의 양도 변화시켜 백막에 의한 정맥폐쇄의 구조에 더욱 나쁜 변화를 초래한다.

3) 동맥성 발기부전을 일으키는 위험인자

심혈관계질환의 위험인자는 나이, 고혈압, 고지질증, 당뇨, 비만, 우울증, 지나친 흡연, 장기간 지속적으로 자전거를 타는것, 골반주위의 방사선치료 등이 있다. 이 중 고지혈증과 흡연은 음경해면체 내피와 음경해면체 육주평활근에 직접적인 영향을 미친다. 심장질환과 발기부전의 발생비율은 나이와 비례하는데 이는 심장혈관뿐 아니라 음경동맥 또는 해면체 내피의 손상이 같은 시기에 발생할 수 있음을 의미한다. 고지혈증은 일산화 질소합성효소를 억제하여 발기부전을 초래하며, 발기부전환자의 42.4%에서 동반된다. 높은 저밀도지질단백콜레스테롤과 낮은 고밀도지질단백콜레스테롤은 발기부전의 발생위험도를 높이며, 고지혈의 증가정도와 발기부전의 심한정도가 비례한다. 고혈압환자에서 발생하는 발기부전은 혈관의 기존질환과 관련이 있으며, 고혈압은 관상동맥경화증의 발생을 촉진시킨다. 이뇨제와 같은 항고혈압제의 사용이 발기부전의 발생을 초래한다. 당뇨가 있는 환자에서 동맥성 발기부전은 음경동맥의 경화, 고지혈증 등에 의하여 발생하며 내피의 증식, 석회화, 내경의 협착 등이 초래된다. 흡연에 의한 니코틴의 흡수는 음경동맥과 해면체의 이완을 방해하여 혈류의 흐름을 약화시킬 뿐 아니라 정맥을 통한 혈류의 차단을 방해하여 발기부전을 초래한다. 우울증은 성욕과 발기능의 저하를 초래하며, 교감신경의 과잉항진 또는 척추발기의 억제가 발기부전의 원인이 된다. 중심비만과 더불어 중성지방의 증가, 낮은 고밀도지질단백콜레스테롤, 높은 혈압, 공복시 높은 혈당 중 2가지 이상이 복합되어 있을 때 대사증후군이라하며, 염증과 혈관내피의 장애를 초래하여 발기부전의 발생을 높인다.

4) 혈관손상에 의한 발기부전(Erectile dysfunction by vascular injury)

사고에 의한 골반골절, 회음부의 둔상, 지속적 자전거타기에 의한 압박, 주사바늘에 의한 음경동맥의 손상이 원인이다.

5) 혈관수술 또는 방사선치료에 의한 동맥성 발기부전

음경으로 흐르는 혈류의 감소를 초래할 수 있는 수술이 이에 해당한다. 대표적인 것이 대동맥장골동맥 사이의 수술이며, 역으로 이 부분의 성공적인 수술로 발기부전이 치료될 수도 있다. 동맥류의 수술은 죽종(atheroma) 또는 혈전이 골반내의 동맥으로 이동하여 음경해면체 동맥을 막아 발기부전을 일으키는 소위 trash pelvis를 초래할 수 있다. 반복적인 신장이식으로 양측 내측대퇴동맥을 사용하면 발기부전이 초래될 수 있다. 또한 방사선치료에 의한 혈관염은 음경동맥으로 가는 혈류를 차단하여 발기부전을 초래한다. 음경지속 발기증 시 허혈은 음경해면체 육주평활근의 섬유화를 초래하여 동-정맥성 발기부전이 발생된다.

2. 정맥성 발기부전

Venogeic erectile dysfunction

정맥성 발기부전은 해면체 육주평활근에 의한 정맥성 폐쇄기전의 장애로 정맥을 통한 혈류의 유출이 동맥을 통한 혈류의 유입보다 많을 때 발생하며, 발기부전의 가장 많은 원인을 제공한다. 정상적인 발기를 위하여서는 동맥을 통한 혈류의 흐름, 음경 해면체 육주평활근의 이완, 그리고 백막의 기능이 정상이어야 한다. 이 세가지의 기능 중 어느 하나라도 정상적인 기능을 하지 못할 때는 음경해면체내의 혈액이 전신혈관계로 빠져나가는 것을 막는 정맥폐쇄기능이 소실되어 정맥성 발기부전이 발생한다(표 20-4). 정

표 20-4 정맥성 발기부전을 일으키는 원인

병태 생리	형태	질환
비정상적 정맥의 존재	선천성 정맥성 발기부전 후천성 정맥성 발기부전	과잉의 선천적 도출 정맥 음경지속발기증의 수술 요도협착 수술 페이로니질환의 수술
비정상적 정맥폐쇄기능	비정상적 음경해면체 육주평활근의 구조 및 작용	교감신경의 과잉 작용 해면체 허혈 고지혈증 노화 당뇨
	백막의 비정상적 기능	페이로니 질환 해면체 허혈 노화

맥성 발기부전환자에서는 음경에 발기유발제를 주입하였을 때 혈압이 떨어지거나, 어지러움 등 혈관이완 증상이 발생할 수 있다. 이런 경우에는 음경 기저부를 고무밴드로 묶고 발기유발제를 주입 하면 혈관 이완에 의한 증상들이 사라진다. 그러나 정맥성 발기부전의 치료를 위하여 혈액이 새어나가는 음경의 정맥을 결찰하는 수술을 해도 정상적인 발기가유지 되지 않는 것으로 보아 단순한 기전으로만 생각하기는 어렵다. 정맥성 발기부전의 발생 원인으로는 백막의 퇴행성 변화, 섬유탄력성구조의 변화, 육주평활근의 불완전한 이완, 정맥누공으로 크게 분류되며, ① 페이로니 질환, 노화, 당뇨, 음경골절등 백막의 퇴행성 결함이 초래된 경우, ②선천적으로 백막을 통과하는 정맥수가 과다하게 많은 경우, ③음경해면체 육주, 음경해면체 육주평활근, 내피세포의 구조적 결함, ④ 이완성 신경물질의 불충분한 분비 또는 수축성 물질의 과잉 분비로 인한 음경해면체 육주평활근의 부적절한이완, ⑤ 선천적 또는 음경지속발기증(priapism)을 치료하기 위한 수술 시 발생한 해면체와 요도해면체 사이의 누공, ⑥당뇨, 노화, 심한 동맥질환, 음경지속발기증의 후유증으로 해면체 육주평활근이 섬유성 조직으로 대치, ⑦치료되지 않은 음경골절 등으로 세분화된다. 백막의 변성은 백막 하 또는 도출정맥(emissary vein)을 적절하게 압축하지 못해 해면체로 유입된 혈액을 저장하지 못하고 곧바로 정맥을 통해 전신으로 유출시킨다.

3. 혈관성 발기부전을초래할수 있는 기타질환

Other disease related to vasculogenic erectile dysfunction

1) 내피 결함(Impairment of endothelium)

내피는 전신 혈관구조물(성기해면체 포함)의 내측을 덮는 한층의 세포로 되어있다. 성인남성의 경우 500 g 이며, 대부분 폐혈관에 존재한다. 건강한 내피세포는 항염증성, 항종죽성, 항혈전성 기능 외에 혈관 또는 음경해면체 육주평활근을 조절하는 수축, 이완물질을 분비한다. 혈관내피결함에 의한 이완물질의 생산장애와 수축물질의 과잉분비는 평활근의 내피의

존성 이완반응장애를 초래해 국소적 저항을 높이고, 수축물질에 대한 과잉 반응을 일으켜 혈관성 발기부전을 초래한다. 혈관내피의 손상은 단위 면적당 혈류역학적 부담 또는 압력과 관련이 있으며, 노화, 고혈압, 당뇨, 고지혈증, 흡연, 신부전 때 손상된다.

2) 혈관조절 물질의 이상분비(Abnormal production of vasoactive substance)

신경, 혈관 또는 음경해면체 내피는 혈관의 힘을 조절하는 물질을 분비하여 음경내부에 발생하는 힘을 조절하는데, 당뇨나 고지혈증과 같은 질환이 있으면 일산화질소의 분비가 감소되거나, 혈관수축물질의 과잉분비로 음경해면체 육주평활근의 이완이 부적절하여 발기부전이 초래된다. H_2S는 직접 phosphodisesterase (PDE)를 억제, eNOS활성화에 의한 일산화질소의 생산성증가, 일산화질소의 생물학적 유용성을 높여 혈관평활근의 힘을 조절하는데, 해면체평활근에도 같은 변화를 일으킬 것으로 보고하였다. H_2S는 K_{ATP}채널, T-형 칼슘이온채널, L-형 칼슘이온채널, transient receptor potential ankyrin-1(TRPA1)채널, BKca채널의 조절과 NMDA 수용체의 활성화에 관여한다.

3) 간극결합 장애 (Dysfunction of gap junction)

음경해면체의 간극결합(gap junction)은 수축과 이완에 관계된 물질을 순간적으로 이동시켜 평활근의 운동이 동시에 일어날 수 있도록 하는 구조로, 심한 동맥의 질환 시 세포막사이에 collagen이 침착되면 세포와 세포사이의 신호전달에 필요한 간극결합이 차단되어 발기부전이 초래된다. 간극결합을 통과할 수 있는 대표적 물질로는 calcium, potassium, cAMP, cGMP, inositol 1, 4, 5, triphosphate (IP3), diacylglycerol 등이 있다.

4) 수술(Surgery)

혈관성 장애에 의한 발기부전을 초래할 수 있는 수술은 대동맥-장골동맥수술, 신장이식, 음경지속발기증 치료를 위한 수술, 요도성형수술, 근치적 전립선절제술 등이 있다.

5) 평활근 구성장애(Abnormal composition of smooth muscle)

음경해면체에서 평활근이 차지하는 비율은 적절한 발기상태를 유지하는데 있어 매우 중요하다. 음경해면체 육주평활근의 구성은 정상에서는 antidesmin에 염색된 평활근이 38.5%, antiactin 에 염색된평활근이 45.2% 정도이다(그림 20-3). 정맥성 발기부전의 환자에서는 27.4%, 34.2%, 동맥성 발기부전환자의 조직에서는 23.7%, 28.9%로 해면체 육주평활근이 감소하면 발기부전이 발생할 수 있음을 암시한다. 혈관성 발기부전환자의 음경해면체 육주평활근은 신경자극에 의한 이완 뿐 아니라 교감신경수용체 자극에 대한 반응

그림 20-3 Antiactin, CD 31, PGF 9.5로 형광염색된 인체 음경해면체 평활근 (파란색), 해면체 내피 (붉은색), 신경 (초록색)을 동일초점 (confocal) 현미경으로 재구성한 사진

까지 약화되어 있다. 평활근의 이완에는 칼슘과 potassium이온 통로가 중요한데 발기부전의 환자에서는 이완에 관여 하는 maxi-K+통로가 변화하여 세포의 과분극화 (hyperpolarization)가 적게 일어나며, 칼슘 항상성 (calcium homeostatsis)이 변화하여 평활근의 이완이 적게 일어난다.

4. 요약

발기는 해면체 육주평활근이 수축하는 힘과 이완하는 힘의 합에 의하여 조절된다. 따라서 이완을 일으키는 물질의 기능이 약하거나 수축을 일으키는 물질의 힘이 강하면 혈관인성 발기부전이 발생하며, 해면체 육주평활근의 구조적 결합이 발생하면 역시 혈관인성발기부전이 발생한다. 혈관인성 발기부전을 일으키는 질환으로 노화, 고혈압, 고지질증, 당뇨, 비만, 우울증, 지나친 흡연, 장시간 지속적 자전거 타기, 골반주위의 방사선치료, 수술 등이 있으며, 이 위험인자는 심혈관질환을 일으키는 위험인자로도 될 수 있다. 발기부전은 심혈관계질환의 전구증상으로 생각하며, 내피세포와 해면체 육주평활근, 혈관평활근과 이를 조절하는 물질에 영향을 미치는 질환에 대한 연구역시 혈관인성 발기부전과 심혈관계질환의 예방과 치료에 도움을 줄 것이다.

참고문헌

1. Andersson KE, Hedlund P, Alm P. Sympathetic pathways and adrenergic innervation of the penis. Int J Impot Res 2000;12:S5-12.
2. Anersson KE. Pharmacolgy of erectile function and dysfunction. Urol Clin North Am 2001;28:233-247.
3. Andersson KE. Pharmacology of penile erection. Pharmacol Rev 2001;53:417-450.
4. Andersson KE. Neurophysiology/pharmacology of erection. Int J Impot Res 2001;13S8-17.
5. Azadzoi KM, Park K, Andry C, Goldstein I, Siroky MB. Relationship between cavernosal ischemia and corporal veno-occlusive dyslunction in an animal model. J Urol 1997;157:1011-1017.
6. Becker AJ, Uckert S, Stief CG, Truss MC, Machtens S, Scheller F, et al. Possible role of bradykinin and angiotensin II in the regulation of penile erection and detumescence. Urology 2001;57:193-198.
7. Bella AJ, Lue TF, Male sexual dyslunction, In: Tanagho EA, McAninch JW, editors, Smith's Urology. 17th ed, New York McGraw-Hill; 2008;589-610.
8. Burnett AL. Nitric oxide regulation 01 penile erection: biology and therapeutic implications. J Androl 2002; 23:S20-26.
9. Campos de Carvalho AC, Roy C, Moreno AP, Melman A, Hertzberg EL, Christ GJ, et al. Gap junctions formed of connexin43 are found between smooth muscle cells of human corpus cavernosum. J Urol 1993;149:1568-1575.
10. Christ GJ. The penis as a vascular organ. The importance of corporal smooth muscle tone in the control of erection. Urol Clin North Am 1995;22:727-745.
11. Eardley I, Sethia K. Erectile dysfunction: Pathophysiology of erectile dysfunction. In Eardley I, Sethia K, editors, Erectile dysfunction, London: Mosby-Wolle; 1998;21-32.
12. Giraldi A, Serels S, Autieri M, Melman A, Christ GJ. Endothelin-1 as a putative modulator of gene expression and cellular physiology in cultured human corporal smooth muscle cells. J Urol 1998;160:1856-1862.
13. Gur S, Kadowitz PJ, Sikka SC, Peak TC, Hellstrom WJ. Overview of potential molecular targets for hydrogen sulfide: A new strategy for treating erectile dysfunction. Nitric Oxide 2015;14;50:65-78.
14. Hakim LS, Goldstein I. Diabetic sexual dysfunction. Endocrinol Metab Clin North Am 1996; 25:379-400.
15. Hedlund P, Alm P, Ekstrom P, Fahrenkrug J, Hannibal J, Hedlund H, et al. Pituitary adenylate cyclase-activating polypeptide, helospectin, and vasoactive intestinal polypeptide in human corpus cavernosum.

Br J Pharmacol 1995;116:2258-2266.

16. Jackson G, Cooper A. Vascular risk factors and erectile dysfunction, In: Carson III CC, Kirby RS, Goldstein R, Wyllie MG, editors, Textbook of erectile dysfunction , 2nd ed, New York Informa Healthcare; 2009; 120-5.

17. Jones RW, Rees RW, Minhas S, Ralph D, Persad RA, Jeremy JY. Oxygen free radicals and the penis. Expert Opin Pharmacother 2002;3:889-897.

18. King BF, Lewis RW, McKusick MA. Radiologic evaluation of impotence. In: Bennett AH, editor. Impotence. 1st ed. Philadelphia: Saunders; 1994;52-91.

19. Lee SW, Wang HZ, Zhao W, Ney P, Brink PR, Christ GJ. Prostaglandin E1 activates the large-conductance KCa channel in human corporal smooth muscle cells. Int J Impot Res 1999;11:189-199.

20. Lue TF. Physiology of penile erection and pathophysiology of erectile dysfunction. In: Wein AJ, Kavoussi LR, Novick AC, Partin AW, Peters CA, editors, Carnpbell-Walsh Urology. 9th ed. Philadelphia: WB Saunders; 2007;718-749.

21. Melman A, Christ GJ. Integrative erectile biology. The effects of age and disease on gap junctions and ion channels and their potential value to the treatment of erectile dysfunction. Urol Clin North Am 2001;28:217-231.

22. Mills TM, Chitaley K, Lewis RW. Vasoconstrictors in erectile physiology. Int J Impot Res 2001;13:829-834.

23. Mills TM, Chitaley K, Wingard CJ, Lewis RW, Webb RC. Effect of Rho-kinase inhibition on vasoconstriction in the penile circulation. J Appl Physiol 2001;91:1269-1273.

24. Mills TM. Vasoconstriction and vasodilation in erectile physiology. Curr Urol Rep 2002;3:477-483.

25. Nehra A. Erectile dysfunction and cardiovascular disease: efficacy and safety of phosphodiesterase type 5 inhibitors in men with both conditions. Mayo Clin Proc 2009;84:139-148.

26. Park JK, Kim SZ, Kim SH, Park YK, Cho KW. Senin angiotensin system in rabbit corpus cavernosum: functional characterization of angiotensin receptors. J UroI 1997;158:653-8.

27. Saenz de Tejada. Molecular mechanisms for the regulation of penile smooth muscle contractility. Int J Impot Res 2002;14:S6-10.

28. Saenz de Tejada. Physiology of erectile function and pathophysiology of erectile dysfunction, In: Lue TF, Basson R, Rosen R, Giuliano F, Khoury S, Montorsi F, editors. Sexual Medicine: sexual dysfunctions in men and women. 21st ed. Paris: Health publications; 2004;287-343.

29. Sato M, Kawatani M. Effects of noradrenaline on cytosolic concentrations of Ca(2+) in cultured corpus cavernosum smooth muscle cells of the rabbit. Neurosci Lett 2002;324:89-92.

30. Simonsen U, Garcia-Sacristan A, Prieto D. Penile ateries and erection. J Vasc Res 2002;39:283-303.

31. Taher A, Birowo P, Kamil ST, Shahab N. Relaxation effect of nitric oxide-donor on diabetic penile smooth muscle in vitro. Clin Hemorheol Microcirc 2000;23:277-281.

32. Traish A, Kim NN, Moreland RB, Goldstein I. Role of alpha adrenergic receptors in erectile function. Int J Impot Res 2000;12:848-863.

33. Udelson D, L, Esperance J, Morales AM, Patel R, Goldstein I. The mechanics of corporal veno-occlusion in penile erection: a theory on the effect of stretch-associated luminal constrictability on outflow resistance. Int J Impot Res 2000;12:315-327.

34. Vanhatalo S, Parkkisenniemi U, Steinbusch HW, de Vente J, Klinge E. No colocalization of immunoreactivities for VIP and neuronal N0S, and a differential relation to cGMP-immunoreactivity in bovine penile smooth muscle. J Chem Neuroanat 2000;19:81-91.

35. Wespes E. The ageing penis, World. J Urol 2002;20:36-39.

36. Wespes E. Smooth muscle pathology and erectile dysfunction. Int J Impot Res 2002;14:817-821.

CHAPTER 21

신경인성 발기부전

Neurogenic Erectile Dysfunction

■ 송윤섭

발기부전의 약 10-19%가 신경인성 발기부전으로 추산된다. 의인성과 복합원인을 포함하면 유병율은 훨씬 높다. 발기는 신경혈관 이벤트이므로 뇌, 척수, 음경해면체 혹은 회음부 신경의 질환이나 영향을 미치는 기능장애는 발기부전을 야기할 수 있다.

발기는 신경혈관계조절에 의존하므로 뇌, 척수, 해면체신경(cavernous nerve) 및 외음부신경(pudendal nerve), 평활근의 장애나 질환은 발기부전을 일으킬 수 있으며(그림 21-1), 많은 신경 질환들은 발기능 이외에 직간접적으로 감각인지 및 사정능 등을 감퇴시킬 수 있다. 일부의 심인성 발기부전도 음경발기의 중추신경의 장애에 의해 야기될 수 있다.

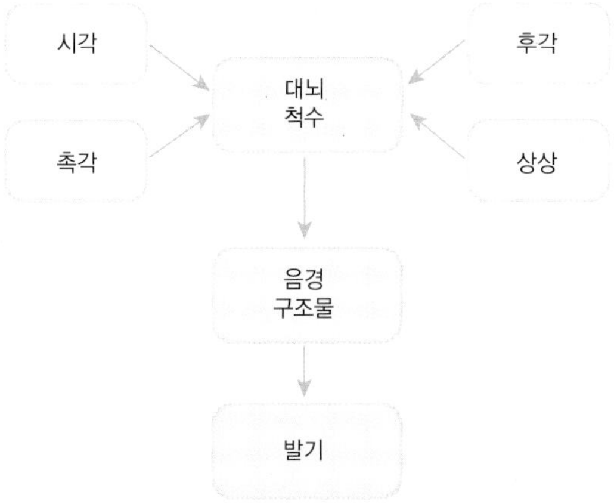

시각 → 대뇌 척수 ← 후각
촉각 → 대뇌 척수 ← 상상
대뇌 척수 → 음경 구조물 → 발기

그림 21-1 발기 기전의 신경학적 모식도

발기부전의 원인이 되는 많은 질환들은 신경전달물질의 부족이 최종경로이다. 신경 질환들은 손상과 같은 급성 질환에 의해 발생하기도 하고 당뇨와 같은 만성 질환에 의해 야기 되기도 하며 또한 발기에 관여하는 중추를기준으로 발기능 및 성기능에 차이를 보이기도 한다. 본 단원에서는 발기부전이나 성기능부전을 야기할 수 있는 신경 질환들을 뇌질환, 척수질환, 말초신경질환, 의인성 및 기타 신경질환 등 부위별로 구분하여 각 질환에 의한 발기능의 양상을 고찰하고자 한다(표 21-1).

1. 뇌질환 *Brain diseases*

내시각 교차 전구역(medial preoptic area, MPOA), 실 방 핵(paraventricular nucleus, PVN), 해마 (hippocampus)는 동물 실험에서 발기의 중요 중추로 간주되어 왔다. 뇌졸중, 측두엽 간질, Shy-Drager증후군, 파킨슨병 등이 부위를 침범하는 뇌질환의 경우 발기부전을 유발할 수 있다.

표 21-1 신경인성 발기부전의 원인

1. 뇌질환
1) 두개강내 질환에 의한 성기능 장애
(1) 성교시 두통
(2) 만성통증
(3) 기질적 뇌질환
(4) 뇌졸중
2) 측두엽 간질
3) Shy-Drager 증후군
4) 파킨슨 병
5) 알츠하이머 병
6) 뇌손상
7) 뇌종양
8) 뇌증
9) 송과체 질환
2. 척수질환
1) 척수손상
2) 다발경화증
3) 기타 척수질환: 이분척추, 횡단척수염, 추간판탈출증, 척수공동증, 척수종양, 척수로(Tabes dorsalis)
3. 말초신경질환
1) 당뇨병
2) 알코올 중독
3) 기타 말초신경 질환 및 손상: Fabry 병, 유전성 아밀로이드증, 골반골 골절
4. 의인성 및 기타 신경질환
1) 골반손상, 방광 수술, 전립선 수술, 직장 수술

1) 두개강내 질환에 의한 성기능장애 (Intracranial diseases)

(1) 성교시 두통(Sexual headache)

두개강내 질환이 있는 경우 오르가즘 전에 머리와 목, 어깨의 평활근 긴장으로 인해 두통이 발생하며, 혈류역 동학적 원인에 의한혈관성 두통 및 뇌척수액 변화에 의한 간헐적 두통도 생길 수 있다. 성행위 동안 두개강내 동맥류 파열로 두개강내 출혈이 발생하여 심한 두통이 발생할 수 있는 바, 12%의 지주막하 뇌출혈이 성행위 중에 생긴다. 많은 경우 휴식과 안정으로 좋아지며, 심한 경우는 베타차단제와 atenolol로 치료한다.

(2) 만성통증으로언한성기능감소(Chronic pain)

통증을 느끼는 곳은 대뇌이므로 통증의 뚜렷한 원인이 없으면서도 뇌에서 통증을 느끼는 경우가 문제가 되고 성에 대한 호기심과 활동이 감소되는 바, 60-70%의 만성통증 환자에서 성활동이 감소하고 16%의 환자는 성생활을 하지 않는다.

(3) 기질적 뇌질환(Organic brain diseases)

대뇌가 음경발기와 오르가즘에 필수적인 부위는 아니지만 뇌질환은 성기능 저하를 유발할 수 있으며 뇌피질, 시상하부, 중뇌, 연수 등이 연관된다. 전두엽 백질제거 및 측두엽 제거와 같은 뇌질환, 중격핵의 자극, 기저 전두엽피질 이상 등의 뇌질환은 성활동을 증가시키기도 한다. 성 주체성에 대한 변화는 측두엽과 시상하부 뇌질환 후 나타난다.

(4) 뇌졸중(Stroke)

뇌졸중의 후유증으로서 발기부전을 비롯해 성교 횟수 감소, 성교시 만족감 감소 등의 문제가 발생할 수 있다. 그러나 성교 활동이 증가하는 경우도 있다. 뇌졸중 이후 58.6%의 환자에서 성활동에 만족하지 못했고, 27-58%에서 성욕의 감소가 있었고, 발기능, 사정, 오르가즘, 성교 시 만족감 등이 의의있게 감소하였다. 뇌졸중 전에 비해 뇌졸중 후에 발기능의 감소를 호소하는 환자는 40%가 넘으며, 성교가 줄어드는 원인으로 성욕의 감소가 50-58%를 차지하였다. 뇌졸중 후에는 발기능 외에도 성교 횟수도 감소하는 데 26-75%의 환자는 성교 횟수가 감소하거나 성교를 중단하게 된다. Coslett과 Heilman은 우측(75%)에 병변이 있는 경우 좌측(29%) 보다 발기부전의 빈도가 높다고 하였으나 Tamam 등은 그들의 연구에서 양측부위에 따른 의의있는 차이는 없다고 말했다. 또한, 뇌졸중의 원인, 뇌졸중 환자의 성이나, 결혼 상태는 성생활과 무관하며 오히려 우울, 당뇨의 유무 및 정도와 심혈관계 치료 등이 성생활과 연관된다. 뇌졸중이 발기부전을 야기하는 것은 행동양식의 변화, 호르몬의 변화, 거동제한, 정신적 및 심리적 위축, 인지장애, 기억장애, 우울, 불안, 요실금 및 변실금의 동반 등에 기인한다고 생각된다. 전두엽이나 측두엽의 이상은 주의장애, 무관심 등을 야기하고 운동실조의 정도나 감각장애가 성교 횟수 감소의 원인이 되므로, 뇌졸중은 성기능의 생리적인 면보다는 행동적인 면에 영향을 준다. 최근의 연구에서는 뇌졸중 전 성생활의 질이 뇌졸중 후 성생활의 회복을 예측할 수 있는 인자였다. 시상, 시상땀, 소뇌편도(amygdala), 소뇌편도와 근접한 측두엽의 전내 기저부위, 전두엽의 기저내측의 손상을 야기하는 뇌졸중은 가끔 성에 대한 관심과 성활동을 증가시킨다.

2) 측두엽 간질(Temporal epilepsy)

동물실험에서 측두엽은 성, 생식, 내분비 기능을 조절함이 밝혀졌다. 성행동을 관장하는 시상하부 핵과 연결되어 이를 조절하는 측두엽에서 높은 빈도의 신경학적 신호가 발생하면 성기능 감소를 일으킬 수 있다. 그러므로 측두엽 간질은 성기능 장애와 흔히 연관된다. 측두엽 간질 환자는 비정상적 성행동이 흔하고 일반인에 비해 5배의 발기부전 발생위험이 있으며 반수 이상의 환자가 발기부전의 위험을 가지고 있다. 간질의 수술적 교정이 성기능을 향상시킬 수 있으며, 항간질제인 lamotrigine이 간질뿐만 아니라 발기부전도 호전시킬 수도 있다.

3) Shy-Drager증후군
(Shy-Drager Syndrome)

Shy-Drager 증후군은 다발성 전신위축(multiple systemic atrophy) 이라는 광범위한 신경계 질환의 한 양상으로 환자의 90% 이상에서 발기부전이 동반되며 1/3은 발기부전이 첫 번째 증상으로 발현된다. 발기부 전의 기전은 부교감신경이 나오는 척수의 내외간주(intermediolateral column)의 진행성 세포소실로 알려져 있다.

4) 파킨슨병(Parkinson's disease)

파킨슨병 환자에서 발기부전은 흔히 관찰되어 60%의 환자에서 발기부전이 발생한다. 파킨슨병에서 발기부전은 도파민 경로의 불균형에 의해 야기되는데 도파민은 뇌의 시상하부와 척수의 자율신경핵에 작용하여 교감신경의 작용을 억제하고 부교감신경의 작용을 활성화시킨다. 파킨슨병 환자에서는 척수 내외간주내의 세포, 복측각(ventral horn)의 소수초섬유(small myelinated fiber)의 소실, 배측미주신경핵(vagal nuclei) 내 신경원(neuron) 소실이 일어난다.

5) 알츠하이머병(Alzheimer' s disease)

알츠하이머병은 노령 인구의 증가와 함께 점점 중요한 질환으로 대두되고 있다. 그러나 아직까지 알츠하이머병과 발기부전의 관련성에 대한 연구는 거의 없으며 알츠하이머병 환자의 반수 이상에서 발기부전이 동반되고 발기능 상실은 인지 기능, 연령, 우울의 정도와 무관하다고 알려져 있다. 또한 동일 연령에서 알츠하이머병 환자의 발기부전 빈도는 일반인에서 연령이 증가함에 따라 증가되는 발기부전의 빈도 보다 높으므로 알츠하이머병 자체가 발기부전의 원인일 수 있다.

6) 뇌손상(Brain injury)

뇌손상은 성활동의 변화를 초래하며, 심한 손상 후 뚜렷한 구조적 손상이 없어도 감정과 인지능력의 변화가 발생하는 바, 뇌진탕증후군이 그 예이다. 소뇌의 손상으로도 발기장애가 보고되었고, 권투선수와 같이 만성적으로 뇌손상을 입는 경우 30%까지 성기능장애가 생긴다.

(1) 성행위 억제곤란(Hypersexual disorders)

성행위 억제곤란은 측두엽이나 전두엽 안구부위의 손상 시 나타나며, 성활동 증가는 내측 기저전두엽이나 간뇌 손상 시 발생한다.

(2) 성 정체성변화(Alteration of sexual identity)

변연계의 손상 후 성 정체성의 변화가 있을 수 있다.

(3) 뇌수술(Brain surgery)

파킨슨병의 치료나 공격성을 감소시키기 위해 뇌의 일부를 파괴시키는 수술을 시행하게 되는데 양쪽 내측 시 상하부를 파괴시키면 성욕과 발기가 감소된다. 성범죄 후 성 활성을 감소시키기 위해 후부 시상하부 부위를 제거하기도 한다. 전두엽이 손상되면 성기능이 증가하며, 특히 광범위한 우측 반구 손상 후에는 성에 탐닉하게 된다. 중격 핵 손상 후 과대성행위가 발생하기도 한다.

7) 뇌종양(Brain tumor)

시상과 시상하부, 복측 중뇌, 연수 부위의 성상세포종(astrocytoma)은 과대 성행위를 유발할 수 있다. 전두엽의 종양은 성행위의 변화를 초래할 수 있고, 성행위의 변화는 뇌종양의 조기 증상일 수 있다.

8) 뇌증(Encephalopathy)

손상이나 대사성 질환, 감염 등과 같은 광범위 뇌질환은 성행위의 변화를 가져오는 바, 조기 성숙이나 과소성기능, 과도 성기능이 발생할 수 있다. 깊숙한 전두 측두엽 종양이나 간뇌 손상, 뇌연성 혼수, 공수병으로 인한 광범위 대뇌염 등은 과대 성행위를 나타낼 수 있다. Kleine-Levin 증후군에서 과대 성행위를 나타낼 수 있으며, Kluver-Buct 증후군에서도 양쪽 전측두엽이 파괴되면 과도한 성행위가 나타난다.

9) 송과체 질환(Pineal diseases)

송과체의 손상도 성기능장애를 유발할 수 있다고 알려져 있다.

2. 척수질환 *Spinal diseases*

척수손상, 다발경화증, 이분척추, 횡단 척수염, 척수 공동증(syringomyelia), 척수종양, 척수로(tabes dorsalis) 등 척수를 침범하는 질환에서 신경의 구심로 및 원심로의 손상으로발기부전이 유발될 수 있다.

1) 척수손상(Spinal cord injury)

척수손상은 신경섬유의 파괴나 신경원 세포체의 파괴를 야기한다. 손상 직후 척수의 부종 및 주위의 출혈 등에 의해 압력이 상승하게 되어 후주(posterior column) 부위에 원형 형태의 괴사가 유발된다. 손상 2-3주 후부터 부종과 출혈은 점차 감소하여 소실되는데 심하게 손상된 부위는 5년내에 결합조직으로 대치된다.

척수손상 환자에서 성생활에 대한 관심은 발기능의 회복은 이들환자의 재활에 중요한 부분이며 척수손상후 발기는 반사성 발기, 심인성 발기, 혼합성 발기로 분류된다. 척수손상 환자의 경우 발기능은 손상부위와 정도에 의해 결정되며 천수 부교감 신경원은 반사성 발기에 가장 중요하다(표 21-2). 그러므로 반사성 발기는 상부운동신경원 완전손상 환자의 95%에서 유지되지만, 하부운동신경원 완전손상 환자는 25%만이 발기가 가능하다. 그러나 흉요추 신경계가 연접연결(synaptic connection)을 통해 천수부위의 손상을 보상할 수도 있다, 이와는 반대로 심인성 발기는 상부운동신경원 완전손상 환자에서는 불가능하지만 하부운동신경원 완전손상 환자에서는 신경 유지

표 21-2 척수손상 환자의 손상부위에 따른 성기능

손상부위	성기능	
	남성	여성
마미/원추	반사성 발기(보통 불가능) 심인성 발기(드물게 가능) 사정능(이따금 가능)	질분비(자주 불가능) 가임력(대체로 가능)
경추/흉추	반사성 발기(우세) 심인성 발기(대체로 불가능) 사정능(이따금 가능)	질분비(가능) 가임력(가능)

정도에 따라 가능하게 된다. 불완전손상환자는 완전 손상 환자보다 발기능이 더 좋으며, 불완전손상인 경우 상부운동신경원과 하부운동신경원 손상 환자의 90% 이상에서 발기가 가능하다. 발기부전을 호소하는 척수손상 환자의 10%는 심인성에 의한 발기부전이라는 보고도 있다.

대부분의 환자는 척수손상 후 성생활에 대한 관심은 유지되지만 성욕 및 성생활의 빈도는 1년 정도 지나면 감소하게 되는데, 이는 성생활에 대한 기회가 줄어들기 때문이며 손상부위나 정도는 영향을 주지 않는다.

척수손상 환자에서 흔히 동반되는 성기능장애 중 하나는 사정장애이며 환자의 0-55%(평균15%) 에서 정상사정이 가능하다. 또한 정액의 질도 정상인에 비해 감소하게 되는데 특히 정자의 운동능력이 가장 감소하게 된다. 이에 대한 치료로 cholinestrase inhibitor의 척수내 혹은 피하 주입, 직장을 통한 전기사정(electroejaculation), 음경 진동 자극(penile vibration stimulation) 등이 사용되고 있다. 척수손상 환자에서 극치감(orgasm)에 대해 조사한 논문들은 설문지 작성을 통해 시행되었으며 38-47%에서 극치감을 느낀다고 하여 비슷한 결과를 보여준다. 그러나 이들 연구들은 극치감과 관련된 느낌에 대한 자세한 정보가 부족하다는 단점이 있다.

국내의 연구에서는 척수손상 환자에서의 발기능과 사정능이 서구보다 다소 높았는데 발기와 사정이 각각 79%와 31%에서 가능하였다. 손상부위와 정도에 따른 차이는 불완전 상부 운동신경원손상과 불완전 하부 운동신경원손상에서 발기능과 사정능이 각각 91%와 66%로 가장 높았고 완전 히부운동신경원손상과 완전 상부운동원손상에서 발기능과 사정능이 각각31%와 14%로 가장 낮았다.

2) 다발경화증(Multiple sclerosis)

다발경화증 환자는 남성에서는 50-90%, 여성에서는 40-50%에서 성생활의 장애를 경험하며 남성에서 더 흔하다. 50%의 환자에서 성교 횟수가 감소하고, 19-62%의 환자에서 발기부전이 오며, 60%의 환자에서 성욕 및 오르가즘 감소가 있었다.

다발경화증 환자에서 발기부전은 다발경화증 질환의 기간, 무기력 정도, 피로 유무 등과는 무관하다. 환자는 피로, 거동장애, 근무력증, 경련, 요실금, 변실금, 인지장애, 통증등 다양한 증상을 경험하는 데, Barak 등은 다발경화증 환자에서 우울증과 발기부전이 연관성이 있다고 하였지만 일반적으로 다발경화증 환자에서 발기부전은 음경으로 가는 신경로의 직접적 손상에 기인한다고 생각된다. Betts 등은 천수 근위부에 위치한 척수 병변이 발기부전의 원인이라고 하였으며 Kirkeby 등은 환자의 음경 혈관계는 정상이라고 하였다. 그러나 최근의 연구에서 수면시 무발기와 요역동학검사의 이상소견은 발기부전과 연관성이 없으므로 심리적 요인이나 거동장애 등이 발기부전의 원인이라는 결과도 있다.

3) 기타 척수질환(Other spinal diseases)

의학의 발전으로 이분 척추 환자의 수명과 삶의 질은 향상되었지만 성인까지 성장한 뒤 발기부전은 흔하게 동반된다. 방광부위의 교정이 생명과 직결된 요로손상을 피하기 위하여 중요하기 때문에 성문제는 관심을 잘 끌지 못하다가 늦게 발견된다. 최근 경구용 약제의 개발로 이분척추 환자에 합병되는 발기부전도 치료 가능하게 되었다.

흔하게 진단되는 추간판탈출증에서 발기부전의 빈도는 명확하지 않으며 현재까지 30례 미만의 증례보고가 있었다. 그러나 이것은 추간판탈출증 환자에서 동반되는 발기부전을 간과했기 때문이며 그 빈도는 훨씬 높을 것으로 생각된다. 보고된 증례에서는 추간판탈출증의 교정으로 발기능은 조기에 회복되었다.

척수의 염증에 의해 야기된 횡단 척수염은 전신의 신경학적 회복 후에도 발기능과 방광 기능에 영구적 장애를 초래하기도 한다. 척수종양 환자에서 발생한 발기부전이 종양제거 후 회복될 수 있다. 그 외에 척수공동증은 척수나 신경원에 손상을 일으키는 낭종이나 가성낭 종으로 성기능 장애를 가져올 수 있으며 신경매독은 배측 신경근과 후측 척수신경을 손상시켜 발기부전을 초래할 수 있다.

3. 말초신경질환 *Peripheral neuropathy*

당뇨병, 알코올 중독, 비타민 부족 등 말초신경병을 야기하는 경우 해변상신경 말단의 손상으로 신경전달 물질의 분비 장애가 유발될 수 있다.

1) 당뇨병(Diabetes mellitus)

당뇨병 환자에서 발기부전은 흔한 합병증이며 일반인에 비해 2배의 빈도를 가진다. 발기부전은 II 형 당뇨보다 I 형 당뇨에서 더 흔하며 발기부전을 예측할 수 있는 인자는 유병기간, 연령, 음주량, 초기 당 조절 유무, 합병증 유무 등이다. 당뇨병 환자에서 신경인성 및 내피의존 이완장애는 산화질소의 분비를 감소시킨다. 최근 내피 세포 과분극인자(Endothelium-derived hyperpolarizing factor)가 음경동맥의 내피세포의존성 이완에 중요한 역할을 하고 있으며, 당뇨병 환자에서 음경 동맥의 저항으로 내피세포과분극인자로 매개되는 이완의 부전이 의의있게 발생하여 이로 인해 내피기능장애가 발생할 수 있다는 연구들이 있다. 또한, 당뇨병 환자에서 증가된 반응성산소(oxygen free radical) 수치가 산화질소의 활동성 부전을 가져올 것이라는 의견들도 제시되고 있다. 동물 모델에서 당뇨병은 손상된 adenylate cyclase 활동성과 함께 프로스타글란딘과 같은 혈관이완 prostanoid의 생성을 감소시켰다는 보고도 있다.

그러나 최근의 연구들은 당뇨 환자의 발기부전의 원인으로 신경 병변의 중요성도 제시하고 있으며 특히 음경의 감각장애는 발기부전의 중요한 원인이다. 조와 최는 streptozotocin 투여로 유발된 당뇨병 흰쥐에서 콜린성 및 VIP(vasoactive intestinal peptide)성 해변체신경의 염색 농도가 감소되었다고 하였으며 Saenz de Tejada와 Goldstein은 당뇨환자의 조직에서 norepinephrine, cholinesterase와 VIP가 감소되어 있다고 하였다. 이러한 결과는 당뇨병에 의한 신경장애는 자율신경계의 손상임을 시사한다.

당뇨 환자에서는 발기부전이 자율신경계 이상으로 발생할 수도 있지만 일부환자에서는 자율신경계 손상의 초기 증상으로 나타날 수도 있다. 또한, 최근의 연구는 말초 신경계 이상과는 별개로 중추신경계 이상으로 발기부전이 발생할 수도 있다고 하였다.

음경의 자율신경 지배는 직접 조사가 어려우므로

신경인성 발기부전 진단에 주의를 기울여야한다. 음경해면체 근전도검사(corpus cavernosum electromyograph)가 개발되어 자율신경계 신경장애(autonomic neuropathy)를 포함한 음경에 영향을 미치는 여러 상황에 대한 개선된 진단이 가능해졌으나 아직 임상적 용을 위한 기구(device)는 연구 중이다.

2) 알코올중독(Alcoholic intoxication)

발기부전은 알코올 중독과 흔히 연관되며 알코올 중독환자의 약60%는 발기부전이 동반된다. 알코올 중독에 의한 발기부전은 내분비계 이상, 간부전, 심인성 원인 등에 유발될 수 있지만 알코올에 의한 직접적 신경손상도 원인이 될 수 있다. 보고된 바에 의하면 알코올은 자율신경계와 말초신경계 모두에 용량의존적으로 영향을 주지만, 금주 후에는 자율신경계의 기능이 정상범위까지 회복될 수 있으므로 알코올에 의한신경계 손상은 가역적이며 간 손상 정도는 발기능 회복과 무관하다.

3) 기타 말초신경질환 및 손상 (Other peripheral neuropathies & trauma)

유전성 아밀로이드증 환자의 대부분에서 발기부전이 동반되며 발기부전이 첫 증상일 수 있다. 경구용 sildenafil이 아밀로이드증 환자의 발기능을 호전시킬 수 있다. 골반 골절 후 발기부전은 15-60%의 빈도로 발 생하며, 90%의 환자에서 해면체내 주사요법으로 호전 되므로 골절시 동반되는 신경손상이 발기부전의 주요 원인으로 생각되며, 부위는 전립선-막양부요도 외측부의 해면체 신경이 가장 흔히 손상된다. 매독성 다발성근 신경증은 요천추 부위 척수신경근을 침범하여 성기능 장애를 일으킬 수 있다.

4. 의인성 및 기타 신경질환

Iatrogenic &other neuropathies

근치적 전립선적출술, 직장 수술, 골반손상 등도 음경으로 가는 신경 경로를 파괴시킬 수 있으며, 해면체신경과 골반장기는 근접해 있으므로 이 장기들에 대한 수술은 발기부전의 흔한 원인이 된다.

음경해면체 신경은 천수분절로 부터 기원해서 직장을 싸고돌아 전립선 외측을 지나서 골반 횡격막을 지난다. 광범위한 골반장기 수술은 음경해면체 신경의 손상을 야기할 수 있으므로 음경해면체 신경의 손상을 피하기 위해서 특별한 조작을 하지 않으면 직장, 방광과 전립선의 근치적절제시에 흔하게 손상된다.

과거 의인성 발기부전의 빈도는 각각 근치적 전립선 적출술 43-100%, 회음부 전립선적출술 29%, 직장수술 15-100%, 외요도괄약근절개술 2-49%이다. 그러나 최근 신경해부학적 이해의 증가로 직장, 방광, 전립선 수술의 술기가 발전되어 왔고 이로 인해 의인성 발기부전의 빈도는 감소하고 있는 추세이다. 대표적인 예로 신경보존 전립선적출술 후 발기부전의 빈도는 30-50%로 감소하였다. Ficarra 등은 로봇 복강경 신경보존근치적전립선적출술의 도입으로 19%의 발기부전만 보고되어 관혈적 신경보존 근치적전립선적출술의 51% 보다 발기부전 발생률이 감소하였다고 보고하였다. 경구용발기부전치료제를 이용한 조기음경재활 등으로 발기부전의 회복이 개선되었다. 대동맥재건술, 고환암의 후복막림프절절제술 후에 척추부근의 교감신경절들이 손상 받아 사정장애가 온다. 최 등은 전립선암의 근치전립선절제술과 외부방사선요법 후에 성기능의 감소가 각각 100%와 65%로 보고하였다.

이 외에 경요도 전립선 수술도 발기부전을 야기할 수 있는 바, 경요도 전립선절제술 후 발기부전은 약 0-53.3%의 빈도이고 비침습적 치료는 이보다 낮은 빈도이다. 국내의 보고에서도 고에너지 극초단파 열치료가 경요도 전립선절제술보다 성기능, 사정능 및 성만족도에서 잘 유지되거나 호전된다고 하였으며 간질성 레이저 응고술도 사정기능 감소외에 발기능이나 성교 만족도 등에는 영향을 주지 않는다고 하였다. 그러므로 전립선 비대증에 의한 하부요로증상의 치료에서 경요도 전립선절제술은 레이저나 열치료 등 비침습적 치료보다 발기부전의 위험이 높다고 알려져 왔었다. 그러나 최근 holmium laser 전립선적출술 후 53.3%의 성기능 감소가 있었고, 경요도 전립선절제술을 받은 환자에서는 발기 능력에 변화가 없거나 오히려 발기능이 향상되었다는 보고도 있다. 음경골절에서 발기부전은 음경해면체신경 손상 혹은 혈관 불충분(vascular insufficiency)이다. 후부요도손상(posterior urethral injury)에서 발기능력을 보존하는 성적은 조기 요도정렬(early realignment)이 지연 문합(delayed anastomosis) 보다 좋았다.

의인성 발기부전 이외에 고령도 신경인성 발기부전 원인 중 하나이다. 연령이 증가하면서 감각신경의 둔화가 심화되고 MAO(monoamine oxidase) 억제제의 증가로 norepinephrine이 감소하게 되며 결과적으로 성선자극호르몬 분비효소의 분비에 영향을 주게 된다. 또한 도파민과 β-아드레날린성 결합부위도 연령이 증가함에 따라 감소한다. 음경으로부터의 감각신경의 유입은 반사성 자극에의한 발기의 성취와 유지에 필수적이다. 또한 정신적 자극에 의한 발기가 고령에서 점차적으로 줄어들 때는 더욱 중요하다. 그러므로 감각 검사는 뚜렷한 신경질환 유무에 관계없이 발기부전의 평가에서 필수적이다.

5. 요약

성교시 두통, 만성통증, 기질적 뇌질환, 뇌졸중과 같은 두 개강 내 질환 및 측두엽 간질, Shy-Drager 증후군, 파킨슨병, 알츠하이머병, 뇌손상, 뇌종양, 뇌증, 송과체 질환 등의 뇌질환이 성기능장애를 일으킬 수 있다. 척수손상, 다발경화증, 이분척추, 횡단척수염, 척수공동증, 척수종양, 척수로 등 척수를 침범하는 질환에서 신경의 구심로 및 원심로의 손상으로 발기부전이 유발될 수 있다. 당뇨병, 알코올 중독, 유전성 아밀로이드증, 골반골 골절, 매독성 다발성근신경증, 비타민 부족 등 말초신경병을 야기하는 경우 신경전달물질의 분비 장애가 유발되어 발기부전이 유발될 수 있다. 근치적 전립선적출술, 직장 수술 등으로 음경으로 가는 신경 경로가 손상되어 의인성 발기부전이 유발된다. 연령 증가에 의한 감각신경의 둔화와 도파민과 베타-아드레날린성 결합 부위 및 성선자극호르몬 분비효소의 변화에 의해 발기부전이 유발될 수 있다.

참고문헌

1. Benvenuti F, Boncinelli L, Vignoli GC. Male sexual impotence in diabetes mellitus: vasculogenic versus neurogenic factors. Neurourol Urodyn 1993;12:145-151.
2. Betts CD, Jones SJ, Fowler CG, Fowler CJ. Erectile dysfunction in multiple sclerosis. Associated neurological and neurophysiological deficits, and treatment of the condition. Brain 1994;117:1303-1310.
3. Biering-Sorensen F, Sonksen J. Sexual function in spinal cord lesioned men. Spinal Cord 2001;39:455-470.
4. Briganti A, Naspro R, Gallina A, Salonia A, Vavassori 1, Hurle R, et al. Impact on sexual function of holmium laser enucleation versus transurethral resection of the prostate: results of a prospective, 2-center, randomized trial. J Urol 2006;175:1817-1821.
5. Cameron NE, Cotter MA. Erectile dysfunction and diabetes mellitus: mechanistic considerations from studies in experimental models. Curr Diabetes Rev 2007;3:149-158.
6. Choi KS, Kim JS. Poststroke emotional incontinence and decreased sexual activity. Cerebrovasc Dis 2002; 13:31-37.

7. Ficarra V, Novara G, Fracalanza S, D' Elia C, Secco S, Iafrate M Cavalleri S, et al. A prospective, non-randomized trial comparing robot-assisted laparoscopic and retropubic radical prostatectomy in one European institution. BJU Int 2009;104:534-539.
8. Hecht MJ, Neundorfer B, Kiesewetter F, Hilz MJ. Neuropathy is a major contributing factor to diabetic erectile dysfunction. Neurol Res 2001;23:651-654.
9. Irekpita E, Salami TA. Erectile dysfunction and its relationship with cardiovascular risk factors and disease. Saudi Med J 2009;30:184-190.
10. Jung JH, Kam SC, Choi SM, Jae SU, Lee SH, Hyun JS. Sexual dysfunction in male stroke patients: correlation between brain lesions and sexual function. Urology 2008;71:99-103.
11. Kautz DD. Hope for love: practical advice for intimacy and sex after stroke. Rehabil Nurs 2007;32:95-103.
12. Kosteljanetz M, Jensen TS, Norgard B, Lunde I, Jensen PB, Johnsen SG. Sexual and hypothalamic dysfunction in the post - concussional syndrome. Acta Neurolog Scand 1981;63:169-180.
13. Lue TF. Neurogenic erectile dysfunction. Clin Auton Res 2001;11:285-294.
14. Marinkovic S, Badlani G. Voiding and sexual dysfunction after cerebrovascular accidents. J Urol 2001;165:359-370.
15. Mark SD, Keane TE, Vandemark RM, Webster GD. Impotence following pelvic fracture urethral injury: incidence, aetiology and management. Br J Urol 1995;75:62-64.
16. Maruta T, Osborne D, Swanson DW, Halling JM. Chronic pain patients and spouses: Marital and sexual adjustment. Mayo Clin Proc 1981;56:307-310.
17. Muntener M, Aellig S, Kuettel R, Gehrlach C, Sulser T, Strebel RT. Sexual function after transurethral resection of the prostate (TURP): results of an independent prospective multicentre assessment of outcome. Eur Urol 2007;52:510-515.
18. Obayashi K, Ando Y, Terazaki H, Yamashita S, Nakagawa K, Nakamura M, et al. Effect of sildenafil citrate (Viagra) on erectile dysfunction in a patient with familial amyloidotic polyneuropathy ATTR Val30Met. J Auton Nerv Syst 2000;80:89-92.
19. Palmer JS, Kaplan WE, Firlit CF. Erectile dysfunction in spina bifida is treatable. Lancet 1999;354:125-126.
20. Palumbo PJ. Metabolic risk factors, endothelial dysfunction, and erectile dysfunction in men with diabetes. Am J Med Sci 2007;334:466-480.
21. Pistoia F, Govoni S, Boselli C, Sex after stroke: a CNS only dysfunction? Pharmacol Res 2006;54:11-18.
22. Price D, Hackett G, Management of erectile dysfunction in diabetes: an update lor 2008, Curr Diab Rep 2008;8: 437-443.
23. Schmidt EZ, Hofmann P, Niederwieser G, Kaplhammer HP, Bonelli RM. Sexuality in multiple sclerosis. J Neural Transm 2005;112:1201-1211.
24. Schmidt DM, Schurch B, Hauri D, Sildenafil in the treatment of sexual dysfunction in spinal cord-injured male patients. Eur Urol 2000;38:184-193.
25. Spinella M. Hypersexuality and dysexecutive syndrome after a thalamic infarct. Int J Neurosci 2004;114:1581-1590
26. Tal R, Alphs HH, Krebs P, Nelson CJ, Mulhall JP, Erectile function recovery rate after radical prostatectomy: a meta-analysis. J Sex Med 2009;6:2538-2546.
27. Tamam Y, Tamam L, Akil E, Yasan A, Tamam B, Post-stroke sexual functioning in first stroke patients. Eur J Neurol 2008;15:660-666.
28. Teloken P, Mesquita G, Montorsi F, Mulhall J. Post-radical prostatectomy pharmacological penile rehabilitation: practice patterns among the international society for sexual medicine practitioners. J Sex med 2009;6:2032-2038.
29. Villalta J, Estruch R, Antunez E, Valls J, Urbano-Marquez A. Vagal neuropathy in chronic alcoholics: relation to ethanol consumption. Alcohol Alcohol 1989; 24:421-428.
30. Wermuth L, Stenager E, Sexual aspects of Parkinson' s disease. Semin Neurol 1992;12:125-127.
31. Zeiss AM, Davies HD, Wood M, Tinklenberg JR, The incidence and correlates of erectile problems in patients with Alzheimer's disease. Arch Sex Behav 1990;19:325-331.

CHAPTER 22

내분비성 발기부전

Endocrinologic Erectile Dysfunction

■ 홍준혁

성욕(libido)과 발기력이 남성호르몬과 관련되어 있다는 것은 오래 전부터 알려져 왔으며 발기부전 환자에게 남성호르몬 투여를 시도한 것도 오래되었다. 남성호르몬인 테스토스테론이 감소된 경우 대부분은 성욕이나 발기력이 영향을 받지만, 반대로 성욕이나 발기력이 감소되었다고 항상 테스토스테론이 감소된 것은 아니다. 즉, 발기부전 환자 중 내분비계의 이상이 발기부전의 주 원인인 경우는 많지 않다. 그러나 노화가 진행되면 혈중 테스토스테론이 감소하고 발기부전의 빈도도 증가하므로, 남성호르몬과 발기부전 사이의 연관성은 오래 전부터 관심의 대상이었다.

한편 시상하부-뇌하수체-성선축(H-P-G axis)의 이상, 고프로락틴혈증, 당뇨 등의 내분비 장애도 발기부전의 중요한 요인이 될 수 있으며, 갑상선 및 부신질환, 칼슘 대사이상 등에 의해서도 발기부전이 초래될 수 있다.

이 같은 내분비성 발기부전은 대부분 중년 이후의 남성에서 문제가 되지만, 드물게는 40세 이하의 젊은 남성에서도 증상을 나타낼 수 있다. 젊은 남성에서 내분비성 발기부전의 원인으로 추정되는 질환은 표 22-1과 같다.

일반적으로 발기부전의 치료법은 원인질환에 관계없이 치료효과 위주로 결정되는데 반해서, 일부 내분비 질환의 경우 원인질환을 치료함에 따라 발기부전도 치료되는 경우가 있다. 대표적인 경우가 프로락틴분비종(prolactinoma)인데, 고프로락틴혈증이 치료되면 발기력이 회복될 수 있다.

본 장에서는 당뇨를 제외한 내분비계 질환과 발기부전의 관계에 대해 살펴보기로 한다.

1. 테스토스테론 *Testosterone*

1) 테스토스테론과 성기능

남성호르몬 감소 또는 성선기능저하증(hypogonadism)은 건강한 젊은 남성들의 정상 혈중테스토스테론 치(300-1000 ng/dL 또는 10.4-34.7 nmol/L)보다 지속적으로 낮은 경우를 의미한다. 남성호르몬이 감소한 경우에도 성욕과 비슷한 느낌이 생기거나 발기가 가능한 경우가 있지만, 테스토스테론이 거세 수준인 경우에는 대부분 성적 흥미나 성기능이 저하된다. 이처럼 성기능에 남성호르몬이 중요하지만, 발기부전 환자 중에서 남성호르몬 저하가 발기부전의 주원인인 경우는 생각보다 많지 않다. 테스토스테론은 성적인 흥미(sexual interest)를 증가시켜서, 성적 행동(sexual act)의 빈도를 증가시키고, 수면중 발기(sleep-related erection)의 빈도를 증가시키지만, 공상에 의한 발기(fantasy-induced erection)나 시각자극에 의한 발기에는 영향을 거의 미치지 못한다.

남성호르몬이 저하된 경우, REM(rapid eye movement) 수면과 관련된 발기는 소실되지만 깨어있는 상태에서 성적 흥분에 의한 발기는 유지될 수 있다 즉, 야간음경팽창(nocturnal penile tumescence, NPT)이나 자발적 발기는 남성호르몬 의존적(androgen dependent)이지만, 시청각자극에 의해 유발되는 발기는 남성호르몬 비의존적인(androgen insensitive) 경로를 통해 일어난다고 생각되고 있다. 발기능의 감소 외에, 사정액 양이 감소하고 정액의 성상도 나빠진다. 반면, 성선기능저하증 환자에게 테스토스테론 보충요법 (testosterone replacement therapy, TRT)을 하여 혈중 테스토스테론 치가 정상이 되더라도 성욕이나 발기력이 모든 환자에서 회복되지는 않으며, 남성 태아에서 산전초음파로 음경발기가 관찰된 결과도 있다. 이같은 사실을 볼 때 혈중 테스토스테론치와 임상양상이 맞지 않는 경우가 있음을 항상 염두에 두어야 한다.

한편, 야간음경발기에 필요한 테스토스테론의 최저치가 200 ng/dL 정도라고 주장한 사람도 있지만, 테스토스테론치가 경계역에 속하는 발기부전 환자에서는 테스토스테론을 투여하더라도 발기력에 큰 영향은 미치지 못한다. 발기를 유지하기 위한 혈중 테스토스테론의 최소값은 아직까지 뚜렷이 알려져 있지 않다. 한편 비만 환자에서 발기부전의 빈도가 높은 것을 테스토스테론 저하로 설명하는 연구도 많다.

2) 테스토스테론과 성기능에 관한 최근의 연구결과

동물실험결과에 따르면 테스토스테론은 NO synthase (NOS)의 활성화 등을 통해서 음경이나 관상동맥의 혈관을 확장시킬 수 있다(표 22-2). 거세한 쥐 음경의 NOS 활성도는 45% 감소되어 있고, 테스토스테론을 주면 이 같은 감소가 예방된다. 또 거세된 쥐에서는 알파아드레날린성 작용제인 phenylephrine에 대한 반응성도 6배 증가되어 있어서, 테스토스테론이 교감신경계에 의한 음경해면체 평활근 수축을 억제함으로써 간접적으로 발기를 촉진할 수 있다고 생각하게 되었다.

표 22-1 40세 이하 젊은 남성에서 내분비성 발기부전의 원인으로 추정되는 질환들

HIV-induced decrease in testosterone
Klinefelter's syndrome
Congenital hypogonadotropic hypogonadism
Acquired hypogonadotropic hypogonadism
High soy diet
Diabetes mellitus
Hyper-/hypothyroidism

사람에서도 1940년대부터 테스토스테론을 협심증 치료에 시도해 왔으며, 이후 관상동맥질환환자에게 테스토스테론을 투여하여 상완동맥의 이완을 관찰하였고, 이 같은 혈관확장효과는 폐경기 여성에서도 관찰되었다. 그러나 테스토스테론이 음경동맥에 직접적으로 혈관확장 효과가 있는지는 아직 확실히 입증되지 않았다.

말초에서뿐 아니라 테스토스테론이 중추의 도파민 영역에서 발기를 촉진하는 기전도 추정되고 있다. 젊은 남성에게 시청각 성적자극을 줄 때 PET 검사에서 paralimbic zone이 활성화되었는데, 이처럼 테스토스테론이 고위중추에 미치는 영향에 대해서는 더많은 연 구가 필요하다.

3) 발기부전 환자에서 남성호르몬 검사

발기부전 환자의 남성호르몬 검사에 대해서는 많은 논란이 있다. 발기부전 환자에서 성선기능저하증

의 유병률은 5% 정도로 알려져 있지만, 연구마다 17%부터 35%까지 다양하게 보고되고 있다. 이것은 연구대상군, 발기부전과 성선기능저하증의 정의, 테스토스테론 측정 방법 등의 차이에서 기인한다. 혈중 테스토스테론과 발기능의 상관관계에 대하여 상반된 결과가 많은데, 발기부전의 역학조사로 유명한 Massachusetts Male Aging Study (MMAS)에서는 테스토스테론의 전구물질인 DHEA-S 외에는 남성호르몬과 발기부전 사이의 연관성을 밝히지 못했다. 즉 DHEA-S가 10 μg/mL에서 0.5 μg/mL로 감소하면 발기부전은 3.4%에서 16%로 증가하지만, 테스토스테론은 발기부전과 연관성을 보이지 않았다. Rhoden 등의 결과도 이와 비슷했지만, 반면 Tsujimura 등은 테스토스테론과 IIEF-5 점수 사이에 유의한 상관관계가 있다고 하였다. 우리나라에서 시행된 연구에서 Ahn 등은 정상군에 비해 발기부전군에서 DHEA-S 뿐 아니라 테스토스테론도 유의하게 낮음을 보고하였다.

모든 발기부전 환자에서 호르몬 검사를 하는 것에 반대하는 사람들의 주장은, 성선기능저하증이 발기부전의 원인이 되는 경우가 흔치 않으며, 검사비용이 많이 들고, 과거력과 신체검사로 알 수 있는 것보다 많은 정보를 주지 못하고, 또 호르몬치료를 하더라도 치료의 결과를 성욕의 변화 등에 근거해서 추정할 뿐이라는 점 등이다. 그래서 이들은 성욕감소나 양측성 고환위축 등 성선기능저하증의 임상적 증거가 있는 경우에만 호르몬검사를 하자고 주장한다.

그러나 중년 이후 성선기능저하증이 생각보다 흔하다고 알려져 있으며, Buvat 등도 성욕감소와 고환위축이 있을 경우에만 호르몬검사를 하면 성선기능저하증 환자의 40% 이상을 놓친다고 하였다. 이들은 50세 이하의 발기부전 환자는 성욕감소, 고환위축이 있을 경우에만 검사를 하고, 50세 이상에서는 모든 환자에서 호르몬검사(총테스토스테론 및 유리형 테스토스테론)를 권하였다.

표 22-2 남성호르몬 제거(androgen deprivation)가 음경조직에 미치는 영향

• 평활근세포의 degeneration 및 지방조직 침착에 따른 음경해면체의 섬유화
• eNOS와 nNOS 발현의 감소
• 음경해면체의 동맥혈 유입 감소 및 정맥혈 유출 증가
• 혈관 및 평활근 수축 매개체 (알파아드레날린 작용제)에 대한 반응의 증가
• 성적자극에 의한 NO-매개성 평활근 이완의 감소
• PDE5 유전자 및 단백질 발현의 감소

최근에는 모든 발기부전 환자에서 테스토스테론을 검사해야 한다는 주장이 점차 우세한데, 그 근거는 다음과 같다. 첫째, 테스토스테론보충요법(TRT)이 성욕에 미치는 효과가 입증되었다. 둘째, 성선기능저하증환자에서 TRT가 발기능, 골밀도, 제지방체중 등을 개선시킴이 대조군 연구에서 입증되었다. 셋째, 성선기능저하증이 심한 경우 PDE5 억제제의 효과가 떨어지고, 반대로 TRT로 PDE5 억제제의 효과를 개선시킬 수 있다. 넷째, 성선기능저하증은 임상증상이 비특이적이고 경미한 경우가 많아 임상양상만으로 진단하기는 어렵다. 다섯째, 저성선자극호르몬성 성선기능저하증(hypogonadotropic hypogonadism)이 진단될 경우 prolactinoma나 nonsecretory pituitary macroadenoma 같은 치료가능한 질환이 발견될 수 있다.

성인의 성선기능저하증을 과거력과 신체검사만으로 진단하는 것은 어렵다. 성욕은 테스토스테론이 정상인 사람에서도 감소되어 있을 수 있으며, 우울증 등 다른 질환의 영향을 받을 수도 있고, 고환의 크기도 개인차가 심하다. 성선기능저하증의 가장 흔한 증상은 표22-3와 같다.

4) 호르몬 검사

기본적인 남성호르몬 검사는 아침에 혈중 총테스

표 22-3 Testosterone deficiency syndrome에서 나타나는 내분비계의 변화

• 테스토스테론 생산의 감소
• 뇌하수체 성선자극호르몬(FSH, LH) 분비의 일간변동 양상 소실
• SHBG의 증가
• DHEA와 DHEA-S의감소
• 성장호르몬 생산의 감소
• 어두움과 저혈당에 대한 송과체(pineal body)의 반응 저하
• 갑상선 호르몬 생산의 감소
• 혈중 렙틴(leptin)의 증가
• Corticosteroid와 estradiol 생산은 큰 변화 없음

토스테론을 측정하는 것이다. 그러나 비만한 사람과 나이든 사람에서는 성호르몬결합글로불린(sex hormone - binding globulin, SHBG)이 증가해서 테스토스테론의 활성화를 방해할 수 있다는 점에 주의해야 한다. 총테스토스테론치의 정상치는 건강한, 젊은 남성의 수치에서 결정되었는데, 대개 300-1,000 ng/dL (10.4-34.7 nmol/L)로 삼고 있다. 한편 MMAS 결과를 근거로 연령대에 따라서, 40대는 251 ng/dL (8.7 nmol/L), 50대는 216 ng/dL (7.5 nmol/L), 60대는 196 ng/dL (6.8 nmol/L), 70대는 156 ng/dL (5.4 nmol/L)를 경계치로 하자는 주장도 있다.

유리형 테스토스테론(free T)은 고환의 내분비 기능을 좀 더 반영할 수 있지만, 특히 equilibrium dialysis에 의한 방법은 검사방법이 까다롭고 비싸다는 문제가 있다. 생체이용가능 테스토스테론(bioavailable T, bT)은 free T와 알부민결합 테스토스테론을 더한 것인데, 표적 장기에서 bT의 양을 나타낸다는 점에서 가장 믿을만한 검사가 되겠지만, 검사비용이 비싸기 때문에 널리 사용되고 있지 못하다.

혈중 테스토스테론은 일간변동을 보이며, 아침에 최고치에 달했다가 오후에 최저치가 되지만, 노년층에서는 이 같은 일간변동 폭이 줄어든다. Morales와 Heaton은 검사의 정확도와 비용, 검사시행의 편리성 등을 고려하여, 총테스토스테론과 SHBG를 면역분석법으로 동시에 측정하는 것을 권하였다. 처음 검사에서 비정상치가 나오면 검사를 다시 시행하며, 이때 시상하부-뇌하수체-성선축을 평가하기 위해 난포자극호르몬(follicle-stimulating hormone, FSH)과 황체화호르몬(luteinizing hormone, LH)도 함께 측정한다. 성선기능저하증에서 프로락틴이 증가된 경우도 흔히 있으므로 프로락틴을 측정하는 것도 권장된다. Mikhail은 아침에 총테스토스테론을 반복측정(1-2주 간격으로 2-3회 검사)하는 것이 비교적 정확하며, free T나 bT는 SHBG에 변동이 올 수 있는 노년, 비만 등의 경우에만 검사를 권하였다.

5) 기타호르몬의 변화

이상의 검사 이외에도 임상증상이나 의사의 관심 등에 따라 호르몬 검사를 더 시행하기도한다. 특히 최근에는 남성갱년기(late onset hypogonadism, LOH 또는 testosterone deficiency syndrome, TDS)에 동반된 발기부전의 치료에 관한 연구도 활발히 진행되고 있다.

발기부전 환자에서 호르몬 검사를 광범위하게 시행하는 것은 성선기능저하증이 입증되거나 특정 호르몬 결핍의 증상을 보이기 전에는 적절하지 않다. FSH와 LH 검사는 일차성과 이차성 성선기능저하증의 감별에 도움이 된다. 그러나 중년 이후에는 시상하부도 영향을 받기 때문에, 발기부전 남성에서 테스토스테론치가 낮으면서도 성선자극호르몬은 정상이거나 조금만 증가된 경우가 흔하다.

다른 내분비계의 검사, 즉 성장호르몬, 멜라토닌, 렙틴 등의 검사는 발기부전 환자에서 꼭필요한 것은 아니다. 갑상선 기능도 드물게 성기능에 영향을 미칠 수 있으나, 모든 환자에서 검사하지는 않는다. 다만 프로락틴치가 증가된 경우 갑상선저하증에 의해 초래될 수도 있으므로 이때는 갑상선호르몬을 검사해

야 된다. 갑상선과다증의 경우 혈중 에스트로겐을 증가시켜 성욕감소가 발생되고 드물게는 발기부전도 초래할 수 있다.

2. 고프로락틴혈증 *Hyperprolactinemia*

1) 프로락틴과 발기부전

프로락틴 분비는 궁상핵(arcuate nucleus)의 tuberoinfundibular neuron에서 기원하는 시상하부 도파민에 의해 억제조절된다. 프로락틴의 분비를 촉진하는 것으로는, 갑상선자극호르몬 분비호르몬(thyrotropin-releasing hormone, TRH), VIP, PHI (peptide histidine isoleucine) 등이 있다. 시상하부의 도파민이 뇌하수체의 lactotroph에 도달하지 못하여 lactotroph의 막수용체와 결합하지 못하게 되고, 그로 인해 cAMP 생성과 phosphoinositide 경로를 억제하지 못함으로써 고프로락틴혈증이 발생한다. 이 같은 도파민의 작용기전을 근거로하여 도파민 작용제인 bromocriptine이 고프로락틴혈증의 치료제로 이용된다.

도파민성 신경원(neuron)을 파괴하는 시상하부질환, 뇌하수체 전엽으로의 도파민 이동을 막는 뇌하수체경(stalk)의 병변, 뇌하수체 종양으로 인해 문맥혈관(portal vessel)이 압박되어 도파민 이동이 방해받았을 때 등의 경우에 고프로락틴혈증이 초래될 수 있다. 도파민 수용체를 억제하는 metoclopramide와 phenothiazine 등도 비슷한 결과를 초래한다. Prolactinoma은 여성에서는 가장 흔한 뇌하수체종양이지만 남성에서는 드문 편이다.

2) 발기부전의 빈도 및 증상

발기부전 환자 중에 고프로락틴혈증은 드물지만, 반대로 고프로락틴혈증 환자들의 많은 경우(~90%)는 첫 증상으로 발기부전이나 성욕감소를 나타낸다. Franks는 prolactinoma 환자 21명 중 8명에서 진단시 주 증상이 발기부전이었다고 하였다. Buvat 등은, 850명의 발기부전 환자에서 프로락틴 검사를 한 결과 10명(0.2%)이 700 mU/L 이상이었고, 이중 6명에서 뇌하수체선종이 발견되었다. 고프로락틴혈증환자에서 성선기능저하증은 대개 서서히 나타나기 때문에 대부분 발기부전증상을 노화 등의 탓으로 돌리고 무시하기 쉽다.

프로락틴을 분비하는 미세선종(microadenoma)은 대부분 양성의 경과를 거치며, 치료하지 않고 사라지기도 한다. 증상은 성욕감소, 발기부전, 두통, 시각장애, 유루증(galactorrhea) 등이며, 고프로락틴혈증 자체, 또는 그로 인한 남성호르몬감소에 의해 이 같은 증상이 생길 수 있다. 신체검사에서는 시야결손, 여성형 유방, 근육량이나 체모의 감소, 뇌하수체기능저하증(hypopituitarism) 등을 보인다.

프로락틴치의 증가 정도와 증상의 유무가 항상 관계가 있는 것은 아니다. 뇌하수체종양에 의한 고프로락틴혈증시 성욕감소와 발기부전은 80-90%에서 나타나며, 사정량도 감소한다. 그 밖에 시력장애(41%), 시야결손(36%), 복시(9%), 유루증이나 여성형 유방(4-33%), 두통, 체모감소 등이 나타난다. 불임도 초래될 수 있는데 Segal 등은 171명의 남성불임 환자중 7명(4%)에서 고프로락틴혈증이 있었다고 하였지만, 모든 남성불임 환자에서 프로락틴검사를 하지는 않는다.

여성도 시상하부-뇌하수체 질환이 있는 경우 62-79%에서 성욕저하가 보고되었는데, 특히 이 중 고프로락틴혈증이 있는 경우는 84.1%, 없는 경우는 32.6%에서 각각 성욕저하를 보였다.

3) 혈중프로락틴의 측정

모든 발기부전 환자에서 프로락틴 검사를 할 것인지는 논란이 있지만, 검사비용이 많이 비싸지 않고 치료가능한 질병을 진단할 수 있다는 점에서 비용효과적이다. Johri 등은 국제발기능지수(IIEF)의 발기능영역(erectile function domain) 점수가 10점 미만인 경

표 22-4 고프로락틴혈증의 원인

1. 도파민 합성의 장애
2 시상하부질환
   종양 : 두개인두종(craniopharyngioma), 제3뇌실 종양, 신경아교종(glioma), 과오종(hamartoma), 전이성 종양
   육아종 (granuloma) : sarcoidosis, histiocytosis X, 결핵종 (tuberculoma)
3. 뇌하수체질환
   종양 : 프로락틴종양, 말단비대증(acromegaly)
   뇌하수체경(pituitary stalk)의 손상 : 수술후, 외상, 수막종 (meningioma)
4. 약물 : 도파민길항제(phenothiazine, metoclopramide 등), methyldopa, reserpine, 에스트로겐, 아편제재 (opiate), cimetidine, 항정신병제(antipsychotic agent)
5. 기타질환
   원발성 갑상선저하증, 만성신부전, 간경화, 흉벽의 병변, 스트레스, 원인 미상

우 프로락틴치를 반드시 검사해야 된다고 하였다.

프로락틴은 박동성으로 분비되고 두려움, 통증, 정맥 천자의 스트레스 등으로 증가될 수 있으므로 최소 3회 이상 측정하여 확진해야 한다. 원인인자중 약제나 전신질환을 제외하면, 프로락틴을 분비하는 뇌하수체의 미세선종이나 거대선종이 있을 가능성이 많으며, 이는 MRI나 CT 촬영으로 진단할 수 있다. 방사면역측정법에 의한 혈청 내 프로락틴의 정상범위는 남자에서 25 ng/mL이하이다.

프로락틴치의 증가 외에도 테스토스테론치의 감소, FSH와 LH의 감소소견을 보인다. 또 TRH가 프로락틴 분비를 촉진하므로 갑상선저하증을 감별해야 한다.

4) 발기부전의 발생기전

프로락틴이 증가된 경우 첫째, 시상하부에서의 GnRH 분비 억제, 뇌하수체의 GnRH에 대한 반응성을 감소시킴으로써 LH 분비를 억제, 또는 LH의 Leydig cell에 대한 작용 억제 등으로 테스토스테론치가 감소된다. 둘째, 말초조직에서의 5a reductase의 활성도가 감소된다. 셋째, 뇌하수체의 침윤성 종양이 있을 경우 종양자체가 문맥혈류(portal blood flow)를 차단하여 GnRH의 이동을 방해하며, 넷째, 성선자극호르몬생산세포의 직접적인 손상에 의해 저성선자극호르몬성 성선기능저하증이 초래될 수 있다. 다섯째 프로락틴이 시상하부에서 도파민의 활성을 억제시켜서 성욕을 감소시킨다. 그러나 고프로락틴혈증이 있는 발기부전 환자에게 테스토스테론을 투여해도 발기부전이 교정되지 않고 프로락틴을 감소시키는 약물을 투여해야 발기부전이 개선되는 것으로 보아, 고프로락틴혈증 자체가 발기부전과 관련이 있음을 추정할 수 있다.

5) 치료

테스토스테론 투여만으로는 성기능을 개선시킬 수 없다. 의심되는 원인 약물이 있으면 제거한다. Bromocriptine은 도파민 작용제로서 프로락틴치를 낮추고 테스토스테론을 정상화시킬 수 있으나 부작용으로 구역, 구토, 체위성저혈압 등이 있다. 치료는 대개 평생 지속해야하며, 처음 프로락틴치가 200 ng/mL 이하였던 미세선종 환자의 경우 관해율(remission rate)은 약 82%이다. 약물치료에 반응하지 않는 경우 수술적 치료를 고려할 수 있는데, 이때 관해율은 54-86% 정도이다. Cabergoline은 새로 개발된 도파민 작용제로서, bromocriptine 보다 신속하게 프로락틴치를 정상화시키며 부작용이 적고 투여간격이 길다는 장점이 있다. 이 외에도 pergolide, quinagolide 등이 있다. Bromocriptine은 처음 2.5 mg/일로 시작하여, 임상양상이 안정되고 프로락틴치가 정상화될 때까지 3-7일마다 증량하여, 대개 5-7.5 mg/일을 투여한다.

Netto 등의 연구에서는 다른 이상 없이 프로락틴치만 20-40 ng/mL로 약간 증가한 사람에게 bromocriptine을 투여한 결과 프로락틴치는 모두 정상이 되었지만 발기력이 회복된 것은 단 1명에 불과했다. 반면, 40 ng/mL 이상으로 증가되어 있던 사람에서는 78%에서 발기력이 회복 되었다. 이로 보아 프로락틴이 약간만 증가한 경우에는 혈관이나 신경 등 다른 원인이 발기부전의 주원인이라고 생각할 수 있다.

3. 갑상선 질환 *Thyroid diseases*

갑상선 질환과 발기부전의 연관성은 알려져 있지만, 직접 유발하는지는 알려져 있지 않다. 다만 발기부전 원인 중 6%를 차지한다는 보고는 있다. 갑상선과다증 환자에서 성욕감소(71%), 여성형 유방(40-83%), 발기부전, 고환용적 감소, 정자수 감소 등이 나타나는데, 이는 혈중 에스트로겐과 성호르몬결합글로불린(SHBG)이 증가된 때문으로 추정된다. 갑상선저하증 환자는 흔히 기면(lethargy), 성욕감소 및 발기부전을 호소하는데, 이는 테스토스테론 감소와 프로락틴 증가가 원인이다. 따라서 원인 불명의 발기부전이 있을 때에는 갑상선기능도 검사해야 된다.

4. 부신질환 및 칼슘대사 이상

Adrenal diseases and calcium metabolic disorders

이 경우 비특이적으로 발기부전이 생길 수 있으며, 원인질환의 치료로 회복될 수 있다.

5. 만성신부전 *Chronic renal failure*

만성신부전 환자에서 발기부전, 성욕감소, 불임 등이 나타날 수 있다. 신부전 환자의 20-60%가 완전 발기부전이라는 보고도 있으며, 78%의 환자가 음경해면체동맥의 폐색소견을 보이며, 90%가 정맥폐쇄부전이라는 보고도 있다. 이때 추정되는 기전으로는, 1) 프로락틴 증가 및 테스토스테론 감소, 2) 당뇨, 3) 혈관질환(vascular insufficiency), 4) 고혈압약, 항우울제를 비롯한 여러 가지 약제들, 5) 자율신경 및 체성 신경병증, 6) 심리적 스트레스, 7) 아연(zinc) 결핍 등을 들 수 있다. 또 투석에 의해서도 동맥경화증이 악화될 수 있다. 요독증 독소 (uremic toxin)가 고환조직에 독성효과를 나타내어 정자 형성과정이 심한 손상을 받기도 한다. 만성적인 빈혈이 동반된 환자에게 erythropoietin을 투여하면 성욕과 발기력이 개선되기도 한다.

신장이식을 받은 뒤에는 50-80%의 환자에서 병을 앓기 전의 발기력이 회복된다. 수술후 2-3개월 내에 혈중 테스토스테론, LH, FSH, 프로락틴치가 정상화되며, 정자의 수와 운동성은 9-16개월 후에 정상화된다. 신장이식을 하기 전에 음경보형물수술을 원한다면 방광 앞쪽에 저장고가 있는 세조각형은 피해야 하는데, 이는 신장 이식 수술을 방해할 수 있기 때문이다. 또 신장이식을 할 경우 내장골동맥(internal iliac artery)에 단대단(end-to-end) 연결을 하는데, 첫 이식에 실패해서 두번째 이식을 할 경우 반대편 내장골동맥에 단대단연결을 하면 발기부전이 악화되므로 이때는 외장골동맥(external iliac altery)이나 총장골동맥(common iliac artery)에 단대측(end-to-side) 연결을 하는 것이 좋다. 즉 일측만 내장골동맥에 단대단 연결을 한 경우 혈관인성 발기부전이 10%에서 초래되지만, 양측을 단대단 연결한 경우에는 65%로 증가한다.

6. 요약

성선기능저하증을 과거력과 증상, 신체검사만으로 진단하는 것은 쉽지 않으므로 의심될 경우에는 혈액검사가 필요하다. 발기부전 환자에서도 성욕감소 여부와 관계없이 혈중 테스토스테론의 검사가 권장된다. 그러나 모든 발기부전 환자에서 테스토스테론투여를 일차치료방법의 하나로 고려해야 하는 것은 아니다. 하지만 성선기능저하증을 포함, 내분비계 질환에 의한 발기부전이 있을 경우 그 일부는 쉽고 효과적으로 치료될 수 있으므로, 모든 비뇨기과 의사는 이에 대한 관심을 가지고 진단을 위해 노력해야 할 것이다.

참고문헌

1. Benson GS, Boileau MA. The penis: Sexual function and dysfunction. In: Gillenwater JY, et al. editors. Adult and pediatric urology. 4th Ed. Philadelphia: Lippincott Williams & Wilkins; 2002;1935-1974.
2. Benson GS, Boileau MA. The penis: Sexual function Blute M, Hakimian P, Kashanian J, Shteynshluyger A, Lee M, Shabsigh R. Erectile dysfunction and testosterone deficiency. Front Horm Res 2009;37:108-122.
3. Broderick GA, Lue TF. Evaluation and nonsurgical management of erectile dysfunction and premature ejaculation. In: Wein AJ, Kavoussi LR, Novick AC, Partin AW, Peters CA, editors. Campbell-Walsh Urology. 9th ed. Philadelphia : WB Saunders; 2007; 750-787
4. Buvat J, Bou Jaoude G. Significance of hypogonadism in erectile dysfunction. World J Urol 2006;24:657-667.
5. Feeley RJ, Traish AM. Obesity and erectile dysfunction: Is androgen deficiency the common link? Scientific World Journal 2009;9:676-684.
6. Gades NM, Jacobson DJ, McGree ME, St Sauver JL, Lieber MM, Nehra A, et al. The associations between serum sex hormones, erectile function, and sex drive: the Olmsted County Study of Urinary Symptoms and Health Status among Men. J Sex Med 2008;5:2209-2220.
7. Gore JL, Swerdloff RS, Rajfer J. Androgen deficiency in the etiology and treatment of erectile dysfunction. Urol Clin North Am 2005;32:457-468.
8. Greco EA, Spera G, Aversa A. Combining testosterone and PDE5 inhibitors in erectile dysfunction: basic rationale and clinical evidences. Eur Urol 2006;50:940-947.
9. Hwang TI, Lin YC. The relationship between hypogonadism and erectile dyslunction. Int J Impot Res 2008;20:231-235.
10. Isidori AM, Giannetta E, Gianlrilli D, Greco EA, Bonilacio V, Aversa A, et al. Effects of testosterone on sexual lunction in men: results of a meta-analysis. Clin Endocrinol (Oxf) 2005;63:381-394.
11. Johri AM, Heaton JP, Morales A. Severe erectile dyslunction is a marker lor hyperprolactinemia. Int J Impot Res 2001;3:176-182.
12. Ludwig W, Phillips M. Organic causes of erectile dysfunction in men under 40. Urol Int 2014;92:1-6.
13. Lue TF, Broderick GA. Evaluation and nonsurgical management of erectile dysfunction and premature ejacualtion. In: Wein AJ, Kavoussi LR, Novick AC, Partin AW, Peters CA, editors Campbell-Walsh Urology. 9th ed. Philadelphia : Saunders; 2007;750-787.
14. Mikhail N. Does testosterone have a role in erectile function? Am J Med 2006;119:373-382.
15. Morales A, Heaton JP. Hormonal erectile dysfunction: Evaluation and management. Urol Clin North Am 2001;28:279-288.
16. Morelli A, Corona G, Filippi S, Ambrosini S, Forti G, Vignozzi L, et al. Which patients with sexual dysfunction are suitable for testosterone replacement therapy? J Endocrinol Invest 2007;30:880-888.
17. Nehra A. Treatment of endocrinologic male sexual dysfunction. Mayo Clin Proc 2000;75:S40-45.
18. Saad F, Grahl AS, Aversa A, Yassin AA, Kadioglu A, Moncada L, et al. Effects of testosterone on erectile function: implications for the therapy of erectile dysfunction. BJU Int 2007;99:988-992.
19. Stanworth RD, Jones TH. Testosterone lor the aging male; current evidence and recommended practice. Clin Interv Aging 2008;3:25-44.
20. Tsujimura A, Matsumiya K, Matsuoka Y, Takahashi T, Koga M, Iwasa A, et al. Bioavailable testosterone with age and erectile dyslunction. J Urol 2003;170:2345-2347.

CHAPTER 23

대사증후군과 발기부전

Metabolic Syndrome and Erectile Dysfunction

■ 서준규

대사증후군은 증후군X(Syndrome X), 혹은 인슐린 저항성증후군이라고도 불리기도하며, 이는 최종 질환이라기보다 에너지 소모와 저장의 장애가 있는 상태를 말한다. 이는 세계적으로 공중보건을 위협하는 가장 중요한 요인으로 여겨지고 있는데, 심혈관질환과 2형당뇨와 동일한 병인을 가지고 있기 때문이다. 이 증후군의 유병율은 30%나 되며 해마다 지속적으로 증가하고 있고, 전체 사망의 6-7%, 심혈관 질환의 12-17%, 당뇨의 30-52%에서 대사증후군이 원인을 제공하고 있다. 그리고, 이 것은 발기부전과도 밀접한 관계가 있으므로 남성학 측면에서도 중요하게 다루어지고 있다.

이 증후군은 특징적으로 복부 비만, 이상 지질혈증(dyslipidemia), 인슐린 저항성(insulin resistance, glucose intolerance), 고혈압, 전염증성 상태(pro-inflammatory status), 전혈액응고 상태(prothrombotic status) 등의 여러 대사성 위험요인(risk factor) 들에 의한 증상을 나타내며, 이의 진단기준은 역학조사에 따라 다양하게 규정되고 있다. 이 중 National Cholesterol Education Program-Third Adult Treatment Panel (NCEP-ATP III) 기준이 흔히 유용되는데, 이는 기준 항목이 비교적 단순하여 임상의사가 심혈관 위험도를 쉽게 예측할 수 있기 때문이다(표 23-1).

1. 대사증후군과 발기부전의 연관성

대사증후군은 발기부전의 독립적인 위험인자이다. 대사증후군이 있는 경우에는 그렇지 않은 경우에 비해 발기부전의 유병율이 2.6배나 높다. 실제, 대사증후군의 위험요인의 수가 증가할수록 발기부전의 유병율이 높아지는데, 발기부전 환자의 20%, 30%, 35%에서 각각 3, 4, 5 개의 대사증후군 구성요인을 가지는 것으로 보고되고 있다. 나아가, 대사증후군의 각 요인도 발기부전의 독립적인 위험인자로 여겨진다. 역으로, 발기부전도 대사증후군의 예측인자로 밝혀졌고, 또한, 이의 선행 징후로도 부각되고있다(그림 23-1). 장기간 인구집단을 조사한 Massachusetts Aging Male Study 에서 발기부전 환자가 그렇지 않은 경우에 비해, 대사증후군에 이환될 위험도가 보다 높은 것으로 나타났다. 그리고 발기부전의 정도가 심한 경우, 대사증후군이 나타나는 정도도 보다 큰 것으로 보고되고 있다.

표 23-1 대사증후군 정의*

항목	기준
중심성 비만	허리둘레〉102 cm
과중성지방혈증	중성지방 ≥ 150 mg/dL (1.7 mm) 혹은 치료
낮은 고밀도지단백질	〈 40 mg/dL (1.03 mm) 혹은 치료
고혈압	혈압 ≥ 130/85 mmHg 혹은 치료
공복 혈장 혈당	≥110 mg/dL (6.1 mm) 혹은 당뇨병

* National Cholesterol Education Program-Third Adult Treatment Panel 에 의한 기준으로서, 이 중 3가지 혹은 그이상이면 대사증후군에 해당함

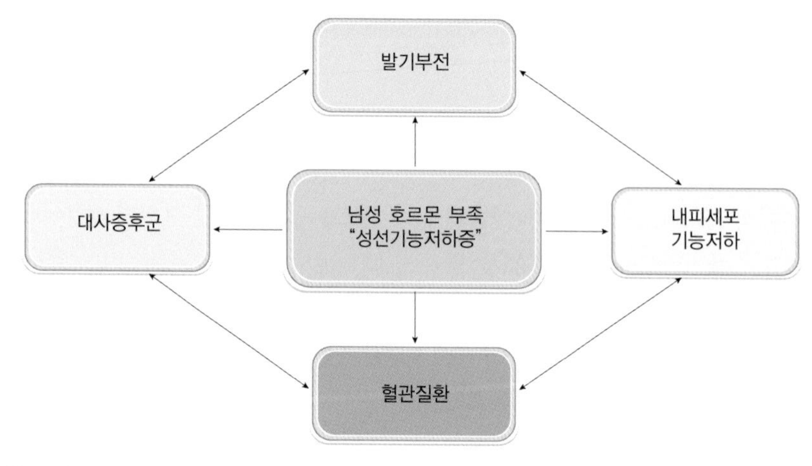

그림 23-1 남성호르몬부족 대사증후군, 혈관질환 및 발기부전의 상호관계

2. 인슐린 저항성과 발기부전

인슐린 저항성은 당뇨와 대사증후군의 기저 병인으로 간주되고 있다. 인슐린에 대한 감수성이 정상적인 사람에서는 인슐린의 작용에 의해 일산화 분비에 따른 혈관 확장효과가 우세하다. 반면에, 인슐린 저항성의 경우에는 이러한 혈관 확장효과는 감소하고, endothelin-1 의 분비에 따른 혈관 수축작용은 보존된다. 또한, 인슐린 저항성의 경우에는 증가된 혈중 염증성 싸이토카인에 의해 혈관과 발기조직에서 동맥경화와 같은 만성 혈관성 염증을 일으킴으로써, 음경해면체 동맥의 혈류에 지장을 초래하고 발기력의 저하를 일으킨다.

3. 복부 비만(Visceral obesity)과 발기부전

복부 비만은 대사증후군을 이루는 복합적 위험인자들, 즉 당뇨, 고혈압, 지질이상의 기반으로 여겨지고 있으며, 흔히 발기부전과 심혈관 질환을 일으킬 수 있다. 체질량지수가 높은 사람이 정상인에 비해 높은 발기부전의 유병율을 보이는데, 허리둘레가 정상 보다 긴 경우에는 발기부전이 발생활 확률이 1.7 배나 높다. 역으로, 체중 감량이 성기능의 호전을 가져오기도 한다.

복부 비만이 발기부전을 일으키는 병인으로서, 심혈관 위험인자가 복부 비만과 동반함으로써 발기조

직의 내피손상이 중요하다. 또한, 비만은 남성 생식샘기능저하와 상호연관되어 발기부전을 일으킬 수 있다. 즉, 지방세포가 leptin 을 분비함으로써 내분비 기능을 담당하는데, 과다한 지방세포의 생성은 라이디히 세포에 있는 leptin 수용체를 통하여 테스토스테론 생성을 억제한다. 또한, 인슐린저항에 의한 고인슐린증은 라이디히 세포의 인슐린 수용체에 작용함으로써, 직접적으로 라이디히 세포의 테스토스테론 생성을 방해한다. 또 다른 기전으로서, 비만시에 aromatase 활성도가 높아져 테스토스테론이 에스트라디올로 변환되기 때문이기도 하다.

4. 당뇨와 발기부전

2형 당뇨는 대사증후군과 밀접한 관계가 있으며, 75%에서 발기부전을 초래하며, 정상 혈당의 경우에 비해 3-4배 높은 유병율을 보인다. 당뇨에서 발기부전을 일으키는 것은 발기조직을 포함한 혈관성, 신경인성, 약물투여, 심인성 요인, 등의 복합적인 작용에 기인한다. 이 중에서 혈관성 병변과 신경인성 병변은 당뇨에 의한 대사장애로 인한 합병증의 발생에 있어, 흔히 공통적인 기전을 가진다. 당뇨에 의한 발기부전의 구체적인 기전으로서, (1) 고혈당이 오래 지속되면 발기조직의 탄성 섬유의 당화가 진행됨으로써, 조직의 이완에 지장을 초래하고, (2) 해면체 내피세포의 병변으로 인하여 산화질소(nitric oxide)와 같은 내피의존성 이완물질들(endothelium derived relaxing factors)의 분비가 저하되거나 이들의 작용이 억제됨으로써, 해면체 평활근의 위축이 올 수 있고, (3) 해면체내 혈관주위세포(pericyte)의 병변으로 인하여 해면체 내피세포-내피세포의 이음부의 손상을 일으킴으로써 혈액내 염증성 물질들의 해면체내 이동을 촉발시키며, (4) 당의 대사물인 최종 당화산물(advanced glycosylation end products)이 당뇨 환자의 해면체에 축적되어 반응성 산소화합물(reactive oxygen species)의 생성을 증가시키고, 이 것이 동맥혈관과 해면체 조직에서 산화질소를 억제, 혹은, 비활성화시키며, (5) 지질 이상(dyslipidemia) 으로 인하여 말초혈관질환으로 인하여 혈류유입의 장애를 초래하거나, (6) 당뇨성 신경병증으로 인하여 신경인성 (NO)의 감소와 산화질소 생성의 지장을 유발하며, (7) 성선기능부전으로 인하여 남성호르몬 생성의 감소를 초래하거나, (8) 당뇨 합병증의 치료를 위하여 복용하는 약물들이 발기력을 저하시킨다.

5. 고혈압과 발기부전

고혈압은 발기부전의 흔한 위험인자이다. 실제로, 발기부전은 정상 혈압에 비해 고혈압 환자에서 1.5-2배 정도 유병율이 높다. 또한, 발기부전은 혈관합병증으로서 관상동맥질환이나 신부전 환자에서 흔히 볼 수 있으며, 이들에 대한 전조 증상으로 여겨지기도 한다.

이렇게 고혈압은 그 자체의 유병율도 높고, 발기부전과 더불어 심각한 혈관성 합병증을 잘 일으킴으로 인하여, 고혈압 환자의 혈압 조절은 의학적으로 매우 중요하다.

그리고, 고혈압은 혈관 합병증 외에도, 혈중 테스토스테론치의 저하를 초래함으로써 발기부전에 기여할 수 있다.

6. 생식샘기능저하증과 대사증후군 및 발기부전

남성호르몬은 심혈관계의 항상성을 유지함에 있어 중요한 역할을 하는데, 남성호르몬의 결핍은 혈관내피세포기능부전을 초래함으로써, 이것이 대사증후군의 주된 병인으로 작용할 뿐만 아니라 다양한 심혈관 질환이나 발기부전으로의 발전에도 관여한다(그림 23-1). 실제로, 연령이 높을수록 대사증후군의 유병율이 높으며, 또한, 테스토스테론치가 높은 사람은 낮은 사람에 비해, 대사증후군의 위험인자를 보다 적게 가지고 있는 것으로 밝혀진 바 있다. 나아가, 전립샘암 환자에서 남성호르몬저하치료(androgen deprivation treatment)는 혈중 콜레스테롤의 증가, 체지방과 혈중 인슐린의 증가, 당화헤모글로빈의 증가를 흔히 보인다. 역으로, 2형당뇨가 동반된 생식샘기능저하증에서 장기간 테스토스테론 보충 치료를 하면 인슐린저항성을 줄이고 혈당조절을 개선시키며, 체지방-근육 불균형을 교정함으로써, 대사성증후군에 좋은 영향을 줄 수 있다. 따라서, 남성호르몬의 저하는 대사증후군과 발기부전의 병인에 중요한 요소이며, 혈중 전체 테스토스테론치의 저하는 성호르몬결합단백의 저하와 더불어 대사증후군 발생의 위험인자로 여겨진다.

7. 요약

대사증후군은 흔히 비만, 혈중 중성지방의 증가, 고밀도콜레스테롤의 감소, 고인슐린증, 고혈압, 등의 대사성 위험요인들이 복합적으로 동반된 증상이다. 최근 이의 유병율의 증가와 더불어, 각종 심혈관 질환, 당뇨, 그리고 발기부전으로의 위험인자로서의 의미가 증대되고 있다. 이의 기본적 병인으로서, 인슐린저항성의 증가는 발기조직을 포함한 심혈관에서 내피세포의 기능부전을 일으킴으로써, 각종 혈관병변과 발기부전을 초래한다. 비만, 2형 당뇨, 지질이상, 등과 같은 각각의 위험요인도 내피세포나 혈관주위세포의 기능부전과 혈류장애를 통하여 발기부전에 관여하는 것으로 밝혀지고 있다. 또한, 고령, 남성호르몬 억제치료에 의한 발기부전의 발생이 증가하고 있는데, 이에는 생식샘기능저하증이 대사증후군, 혈관성 질환, 발기부전에 공통적인 요인으로 관여함을 의미한다. 그러므로, 운동, 식생활 조절을 포함한 생활습성의 조절(lifestyle modification), 남성호르몬보충치료, 등은 대사증후군의 증상을 호전시킬수 있고, 발기부전을 포함한 혈관성 질환의 예방에도 기여할 수 있다.

또한, 발기부전이 대사증후군의 위험인자가 될 수 있으므로, 발기부전 환자에서 적절한 생활 습성의 조절은 향후에 발생할 대사증후군과 혈관합병증의 예방과 억제에 도움이 될 수 있다.

참고문헌

1. 대한남성과학회. 남성과학. 제2판. 서울: 군자출판사, 2010;247-257.
2. Aslan Y, Guzel O, Balci M. The impact of metabolic syndrome on serum total testosterone level in patients with erectile dysfunction. Aging Male. 2014;17:76-80.
3. Akishita M, Hashimoto M, Ohike Y. Low testosterone level is an independent determinant of endothelial dysfunction in men. Hypertens Res. 2007; 30:1029-1034.
4. Allan CA, Strauss BJG, Burger HG. Testosterone therapy prevents gain in visceral adipose tissue and loss of skeletal muscle in non-obese aging men. J Clin Endocrinol Metab. 2008;93:139-146.
5. Bansal TC, Guay AT, Jacobson J, Woods BO, Nesto RW. Incidence of metabolic syndrome and insulin resistance in a population with organic erectile dysfunction. J Sex Med. 2005;2: 96-103.
6. Besiroglu H, Otunctemur A, Ozbek E. The relationship between metabolic syndrome, its components, and erectile dysfunction: a systematic review and a meta-analysis of observational studies. J Sex Med. 2015;12:1309-1318.
7. Braga-Basaria M, Dobs AS, Muller DC. Metabolic syndrome in men with prostate cancer undergoing long-term androgen-deprivation therapy. J Clin Oncol.

2006;24: 3979-3983.

8. Corona G, Mannucci E, Petrone L. NCEP-ATPIII-defined metabolic syndrome, type 2 diabetes mellitus, and prevalence of hypogonadism in male patients with sexual dysfunction. J Sex Med. 2007b;4:1038-1045.

9. Demir T, Demir O, Kefi A. Prevalence of erectile dysfunction in patients with metabolic syndrome. Int J Urol. 2006;13:385-388.

10. Garcia-Cruz E, Leibar-Tamayo A, Romero J. Metabolic syndrome in men with low testosterone levels: relationship with cardiovascular risk factors and comorbidities and with erectile dysfunction. J Sex Med. 2013;10:2529-2538.

11. Ginsberg HN. Insulin resistance and cardiovascular disease. J Clin Invest. 2000;106:453-445.

12. Guay AT, Traish A. Testosterone deficiency and risk factors in the metabolic syndrome: implications for erectile dysfunction. Urol Clin North Am. 2011;38:175-183.

13. Kaya E, Sikka SC, Gur S. A comprehensive review of metabolic syndrome affecting erectile dysfunction. J Sex Med. 2015;12:856-875.

14. Heidler S, Temml C, Broessner C, Madersbacher S, Ponholzer A. Is the metabolic syndrome an independent risk factor for erectile dysfunction? J Urol. 2007;177:651-654.

15. Muller A and Mulhall JP. Cardiovascular disease, metabolic syndrome and erectile dysfunction. Curr Opin Urol. 2006;16:435-443.

16. Ryu JK, Jin HR, Yin GN. Erectile dysfunction precedes other systemic vascular diseases due to incompetent cavernous endothelial cell-cell junctions. J Urol. 2013;190:779-789.

17. Traish AM, Feelwy R and Saad F. The dark side of testosterone deficiency: Metabolic syndrome and erectile dysfunction. J Androl. 2009;30:10-22.

18. Vlachopoulos C, Rokkas K, Ioakeimidis N. Inflammation, metabolic syndrome, erectile dysfunction and coronary artery disease: Common links. Eur Urol 2007;52:1590-600.

19. Weinberg AE, Eisenberg M, Patel CJ. Diabetes severity, metabolic syndrome, and the risk of erectile dysfunction. J Sex Med. 2013;10:3102-3109.

20. Yassin DJ, Doros G, Hammerer PG. Long-term testosterone treatment in elderly men with hypogonadism and erectile dysfunction reduces obesity parameters and improves metabolic syndrome and health-related quality of life. J Sex Med. 2014; 11(6):1567-76

21. Yin GN, Das ND, Choi MJ. The pericyte as a cellular regulator of penile erection and a novel therapeutic target for erectile dysfunction. Sci Rep. 2015 5;5:10891.

CHAPTER 24

LUTS/BPH와 발기부전

Lower Urinary Tract Symptoms secondary to Benign Prostatic Hyperplasia & Erectile Dysfunction

■ 양상국

1. 서론

전립선비대증(benign prostatic hyperplasia, BPH)에 의한 하부요로증상(lower urinary tract symptoms, LUTS)은 60세 이후 남성에서 발생하는 LUTS의 가장 흔한 원인으로 대부분 서서히 진행하며 삶의 질과 밀접한 관계가 있다. 발기부전 또한 연령의 증가에 따라 증가되고 삶의 질을 저하시키는 대표적인 질환이다. 전립선비대증과 발기부전은 모두 노령에서 발생빈도가 증가하는 질환이므로, 흔히 병발되는 현상은 노화에 따른 자연스러운 과정으로 생각되었다. 그러나 연령과 심혈관질환, 당뇨, 고혈압 등의 기저 질환의 변수를 보정하더라도 전립선비대증과 발기부전의 발생이 뚜렷한 연관성을 보인다는 역학조사가 2000년대 초반부터 보고되기 시작했고, 현재 많은 연구결과가 축적되면서 두 질환의 밀접한 관계가 더욱 입증되었다. 이러한 밀접한 연관성은 음경과 배뇨근의 평활근이완에 관여하는 산화질소(Nitiric oxide, NO)-환식일인산구아노신(cyclic guanosine monophosphate, cGMP) 신호전달의 감소, 칼슘농도와 무관하게 평활근의 수축에 관여하는 Rho-kinase 신호전달의 증가, 전립선요도 평활근 수축과 음경혈관의 수축에 관여하는 자율신경항진과, 혈액공급에 직접적인 관련이 있는 골반죽상경화증과 만성염증의 증가 등 공통된 병태생리기전에 기반을 두고 있다. 발기부전의 일차 치료제인 phosphodiesterase type 5 inhibitors (PDE5-inhibitors, PDE5-Is)를 복용한 환자에서 LUTS의 개선 효과를 보고하는 잘 조직된 임상연구들이 연이어 보고되면서, 2013년 유럽비뇨기과학회에서 tadalafil을 전립선비대증에 의한 하부요로증상(LUTS secondary to BPH, LUTS/BPH)의 일차치료제로 추천하였다. LUTS/BPH로 내원한 환자에서 발기부전이 동반되었는지 평가해야 하며, 발기부전으로 내원한 노령의 환자에서 LUTS/BPH가 동반되었는지 확인하는 과정이 필수적이며 병발된 경우 두 질환을 모두 치료하려는 접근방법이 남성건강의 수호측면에서 매우 중요하다.

2. LUTS/BPH와 발기부전 연관성의 근거

1) 역학적 근거(Epidemiologic Evidences)

노화는 발기부전 발생에 가장 중요한 위험 인자이고 또한 LUTS/BPH의 발생과 매우 밀접한 관련이 있다. 40대와 비교해서 50대의 경우 발기부전의 상대적 위험도가 2배 정도 증가하며, 60대의 경우 약 5배 정도 증가한다. 지역사회 역학연구를 통하여 LUTS 및 발기부전과 연령의 밀접한 연관성을 알 수 있다. National Health and Social Life Survey에서 50-78세 남성에서 LUTS가 있는 경우 발기부전 발생의 교차비(odds ratio)는 3.13으로 분석되어 연관성(association)을 보였다. Krimpen survey에서도 심한 하부요로증상은 발기부전 발생과 7.5의 교차비를 보였다. 한국을 포함한 여러 나라의 역학조사들에서도 일관된 연관성을 보여주고 있다. Cologne Male Survey에서 발기부전과 배뇨장애의 연관성을 설문지로 분석한 결과, 발기부전이 있는 군에서 LUTS는 72.2%로 동반되어 발기부전이 없는 군의 37.7%에 비해 두 배 정도 차이를 보였고 동반 질환의 변수를 보정하여도 LUTS는 발기부전의 발병에 있어 독립적인 위험요소로 분석되었다. 대규모 역학조사인 남성 노화에 관한 다국적 설문 연구(Multinational Survey of the Aging Male; MSAM-7) 에서 발기부전을 유발하는 원인으로 분석된 당뇨, 고혈압, 심혈관 질환, 고지혈증과 비교하여 LUTS의 중등도가 더 중요한 독립적인 예측 인자로 보고되었다. Rosen 등도 국제전립선증상점수(International Prostate Symptom Score, IPSS)와 삶의 질 점수가 높을수록 발기부전과 사정장애의 증상 정도가 심해진다고 하였다. 국내 역학조사에서도 LUTS의 유무 및 정도는 발기부전의 독립적인 위험요소로 분석되었다. 중등도 또는 중증의 LUTS를 가지고 있는 남자의 경우 발기부전을 가지고 있을 가능성이 4-9배 높았고, 발기부전을 가지고 있는 경우는 중등도 또는 중증의 LUTS를 가지고 있을 가능성이 5배 높았다. 이러한 역학조사를 통해 LUTS/BPH와 발기부전 사이의 연관관계는 심장질환이나 당뇨 등과 같은 만성 동반 질환들이나 나이와 상관없이 서로 독립적인 위험요소로 작용하고 있음을 알 수 있다. 대부분의 역학연구들은 발기부전에서 LUTS 가 동반된 경우 또는 LUTS에서 발기부전이 동반된 경우에 대해서 기술하고 있기 때문에 조사대상의 연령분포에 따라 매우 다양한 유병율을 보인다. 일반적으로 발기부전이 LUTS보다 일찍 발생하기 때문에 발기부전에서 LUTS 유병율이 LUTS에서 발기부전유병율보다 낮게 보고된다. LUTS와 발기부전의 연관성 정도는 연구의 대상군과 평가도구에 영향을 받아 편차가 심하다. 하지만, LUTS가 심할수록 발기부전의 정도가 심하고 발기부전이 심할수록 LUTS의 정도가 심한 일관된 결과를 보여준다. 일반인구집단에 비하여 증상이 있어 병원을 찾는 환자의 경우에 특히 중등도 이상의 증상이 동반된 경우가 약 2/3로 높게 관찰된다. 인종적, 문화적, 의료시스템의 차이에 따른 연관성의 차이도 보고되고 있어, 이 분야에 대한 추가 역학연구가 필요하고, 특히 LUTS와 발기부전이 동시에 발병(joint prevalence)된 집단의 특성을 파악하기위한 심도있는 역학연구도 필요하다. 역학조사를 통해 확립된 LUTS/BPH와 발기부전의 상호연관성(correlation)은 다음과 같은 공통된 매개병인(common pathophysiology)이 관여할 것으로 추정된다(그림 24-1).

2) 공통병인(Common Pathophysiology between LUTS/BPH and ED)

(1) NO-cGMP 신호전달의 감소(reduced Nitric oxide-cGMP signalling pathway)

산화질소는 강력한 평활근이완제인 cGMP를 생성하는 효소인 guanylyl cyclase를 활성화시키는 주요 인자이다. 음경해면체 평활근에서 NO-cGMP 경로는 발기의 기전에서 결정적인 역할을 한다. 해면체 조직의 즉각적인 이완은 신경성 NO에 의해서 유발되지만, 혈관내피성 NO는 이런 이완을 지속시키는 작용을 한다. NO가 증가하면 cGMP의 생산이 증가되고 증가된 cGMP는 cGMP specific protein kinase A를 자극해서 세포 내의 칼슘 양을 감소시켜서 평활근의 이

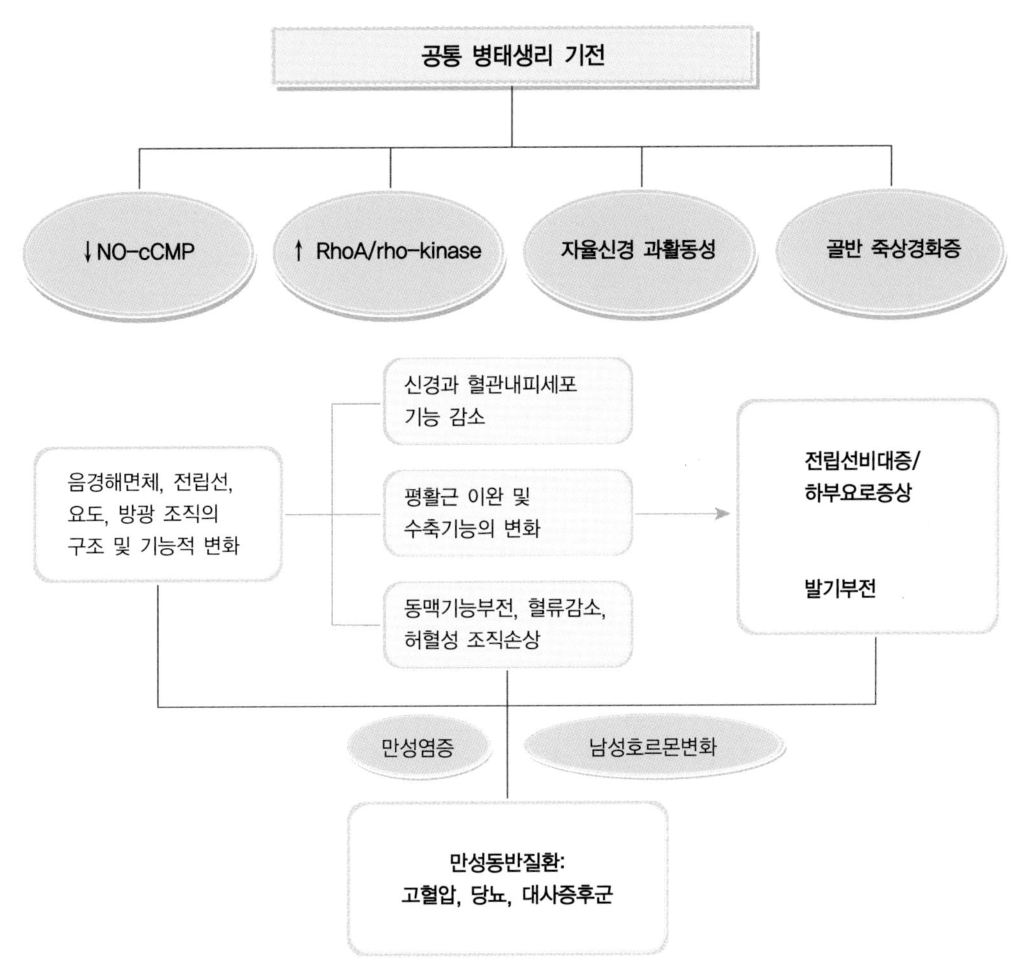

그림 24-1 전립선비대증에 의한 하부요로증상과 발기부전의 공통병인(NO; nitric oxide, cGMP cyclic guanosine monophosphate)

완을 유발하게 되는데 이런 cGMP의 불활성화를 담당하는 효소가 phosphodiesterase이다. 음경뿐만이 아니라 전립선, 방광, 요도에도 NO와 phosphodiesterase가 존재한다는 것이 밝혀졌다. 요도와 방광의 구심성 신경의 신경전달을 억제함으로써 NO가 배뇨과정에도 관여하고, 또한 NO가 전립선 평활근의 긴장도, 선분비, 혈류에도 작용하는 것이 밝혀졌다. 전립선비대증 조직과 정상 조직을 비교하였을 때 전립선 이행부의 NO/NO synthase가 감소되었고 특히 nitrinergic innervation이 전립선비대증조직에서 감소되어 있다. 즉 전립선비대증에서 nitrinergic innervation의 감소는 NO가 중개하는 평활근의 이완을 감소시키고 이런 작용이 LUTS와 밀접한 관련이 있을 것으로 추정된다. 하부요로기관에 다양한 phosphodiesterase 아형들이 존재하는데, 전립선 이행부에 PDE4 및 PDE5가 분포하고 있다. 특히 PDE4는 이행부의 선조직뿐 아니라 간질에도 분포하여 sildenafil을 투여하였을때 전립선 이행부 조직의 이완이 확인되었다. PDE5 억제는 전립선 평활근의 긴장도를 감소시킬 뿐 아니라 다양한 전립선 구성성분들에 대한 항증식 효과(antiproliferative effect)도 보고되고 있다. 또한 PDE5-Is가 방광에서도 평활근의 긴장을 조절하고

NO/cGMP 신호전달에 관여함으로써 LUTS와 관련된 방광기능 이상에서의 효과도 인정되고 있다.

(2) RhoA/Rho-kinase 신호전달의 증가 (Increased RhoA/Rho-kinase signalling pathway)

일반적으로 평활근수축에 세포 내 칼슘농도가 중요한 역할을 하지만, 칼슘농도와 무관하게 평활근의 수축에 관여하는 Rho-kinase pathway가 활성화되면 LUTS와 발기부전이 초래된다. 작은 G protein인 RhoA와 Rho-kinase는 발기 중 norepinephrine과 endothelin-1에 의해서 유발되는 평활근 수축에 관여하는데, 이는 Rho-kinase가 미오신 경쇄 (myosin light chain, MLC) phosphatase를 억제한 결과로 알려져 있다. 즉, MLC kinase가 인산화가 되어도 MLC가 활성화된 상태로 남아있게 됨으로써 결과적으로 칼슘농도에 영향을 받지 않고 지속적인 평활근 수축을 유발하게 된다. 또한 인체의 방광에서 Rho-kinase pathway는 혈관내피성 NOS의 활성화 및 평활근의 이완을 억제하여 방광의 유순도를 낮추는 것으로 알려져 있고, 방광출구폐색, 고혈압 또는 당뇨 등이 있는 동물의 음경해면체, 배뇨근, 전립선 등에서 Rho-kinase 활성도가 증가되어 있는 것이 관찰되기도 하였다.

(3) 자율신경 과활동성 (Autonomic Hyperactivity)

역학조사에서 LUTS는 당뇨, 비만, 고지혈증, 고혈압 등 대사증후군과 밀접한 관련을 보인다. 특히 고혈압과 발기부전은 상호간의 연관성이 크며, 고혈압 환자에서 50-70%의 높은 발기부전 유병률을 보인다. 고혈압에 의해 동맥경화가 촉진되면 먼저 구경이 작은 음경혈관이 영향을 받아, 음경의 혈류 공급 압력이 떨어지게 되고 교감신경이 활성화되어 동맥의 혈관수축신경 긴장도를 증가시키고 내피세포 의존성 혈관확장을 감소시켜 발기부전으로 진행된다. 대사증후군의 기본병태생리는 인슐린 매개성 포도당 흡수의 장애로 인해 발생하는 인슐린 저항성에 의한 이차적 고인슐린혈증이다. 고인슐린혈증에 의한 인슐린 증가는 시상하부의 교감신경계 활성을 증가시키며, 또한 말초 교감신경계도 자극을 받아 교감신경계의 항진을 초래한다. 인슐린 저항성이나 고인슐린혈증은 교감신경 활성도를 증가시켜 하부요로에 영향을 미쳐 배뇨증상을 일으키게 된다. 또한 증가된 인슐린은 전립선의 증식에 중요한 역할을 하는 IGF-1(insulin-like growth factor-1) 수용체와 결합하여 전립선 증식에 관여하고, 교감신경계의 과활성도 초래해서 LUTS의 악화에 영향을 미친다. 대사증후군에서 증가된 low-density lipoprotein cholesterol은 NO synthase를 파괴하여 동맥경화의 초기에 내피상피에 대한 NO의 생체이용률을 감소시킨다. 이런한 과정으로 혈관수축 물질들이 우세하게 되어 내피상피가 손상된다. 대사증후군에서 혈관과 음경해면체 혈관의 내피상피의 손상이 흔히 동반되며 대사증후군은 발기부전 발생의 중요한 위험 요소이다. 부교감 및 교감신경 조절의 부조화인 자율신경 과활동성 (autonomic hyperactivity)은 대사증후군에서 흔히 동반되는 병인이다. 연구를 통해 자율신경계 활동성을 증가시키면 전립선비대증 및 발기부전이 모두 발생되었고, 또한 고지방 식이를 통해서 고지혈증을 유발시키면 전립선비대, 방광 과활동성 및 발기부전이 발생되어 자율신경과활동성이 중요한 매개기전으로 추정된다. 부교감신경 및 교감신경의 조절에 의해 방광 및 전립선 평활근 이완이 영향을 받고, 평활근은 교감신경 말단에서 분비되는 norepinephrine과 혈관내피세포에서 분비되는 endothelins, prostaglandin F2-α에의해 수축한다. PDE5-Is는 cGMP를 상승시킴으로써 norepinephrine에 의해 활성화된 전립선 긴장도를 감소시키고 endothelin 및 PGF2-α도 억제한다. 이런 결과에서 LUTS와 발기부전의 병태생리 및 PDE5-Is의 LUTS 개선효과에 있어서 자율신경 과활동성도 중요한 역할을 하고 있음을 알 수 있다.

(4) 골반죽상경화증의 진행(increased pelvic atherosclerosis)

고혈압, 당뇨, 고지혈증, 흡연과 같은 발기부전 및 LUTS/BPH의 위험요소들은 죽상경화증의 위험요소와 비슷한 것을 알 수 있는데, 죽상경화증의 위험요소가 2가지 이상 존재하는 경우 그렇지 않은 경우보다 유의하게 IPSS 점수가 높았다. 또한 골반허혈증과 고지혈증에 의해 유발되는 배뇨근 및 음경 평활근의 변화는 매우 유사한 것으로 나타났다. 골반혈관에서 혈류공급을 받는 인접한 골반장기인 전립선, 방광, 요도는 폭넓게 진행되는 골반죽상경화증의 악영향을 동시에 받는 경우가 많기 때문에 LUTS/BPH와 발기부전이 동반되는 주요 원인 중 하나라고 생각된다. 혈액공급에 직접적인 관련이 있는 골반죽상경화증이 점차 진행되면 음경, 방광, 전립선에 허혈(ischemia/hypoxia)를 초래하여 평활근이 소실되고 섬유화과 진행되며 NO synthase가 감소된다. 음경 평활근의 소실은 발기부전을 유도하고 방광 평활근의 소실은 방광의 섬유화 및 유순도의 감소를 유발할 수 있으며 전립선의 경우 요도 유순도를 감소시켜서 요류의 저항이 증가하고 결과적으로 LUTS의 악화를 유발하게 된다. 골반의 죽상경화증은 NO/cGMP 신호를 감소시키고 Rho-kinase 활성도를 증가시키며 자율신경 과활동성을 증가시켜 상기한 여러 병태생리기전의 중요한 연결고리로 생각된다.

(5) 만성염증과 스테로이드호르몬 (chronic inflammation and altered steroid hormone)

① 만성염증

LUTS/BPH와 발기부전의 연관성은 상기 열거한 기전 이외에 만성염증과 스테로이드호르몬의 변화 및 대사증후군과 연관된 병태생리에 다양하게 관여 할 것으로 추정된다. PDE5-Is의 작용기전에 대한 연구가 활발하게 진행되면서 새로운 역할이 밝혀지고 있으며, 이들 공통매개기전을 이해하는데 도움을 주고 있다. PDE5-Is의 LUTS/BPH개선효과는 NO/cGMP 신호를 강화시키고, RhoA/Rho-kinase를 억제시키며, 자율신경계 과활동성을 감소시키며 방광과 전립선요도의 혈류를 개선시켜 평활근을 이완시키는 기전으로 요약 할 수 있다. 하지만 이러한 기전이외에 PDE5-Is에 의하여 증가된 cGMP가 전립선 내에서 직접 또는 간접적으로 항염증작용을 보여 하부요로 증상을 호전시킨다는 가설도 점차 설득력을 얻고 있다. 전립선비대증에서 염증세포의 침윤은 약 40%에서 관찰되는데, 전립선내 염증정도와 전립선비대증의 진행(progression)과의 연관성을 보이는 역학조사결과를 통해 전립선내 만성염증이 공통병인으로 작용할 가능성을 추정할 수 있다. 발기부전과 심혈관질환은 밀접한 관계가 있는데 만성염증이 중요한 매개인자로 생각되며, 대사증후군에 흔히 병발되는 발기부전도 결국 만성염증과 동반된 내피세포의 손상이 주된기전으로 알려져 있다. BPH와 대사증후군의 연관성이 많다고 알려져 있고, 대사 증후군을 구성하는 각 요인들은 발기부전의 위험인자이다. 대사증후군에서 인슐린저항성은 비만, 특히 내장지방과 밀접한 관련이 있다. 정상체중보다 35-40% 체중이 증가하면 인슐린감수성은 30-40% 감소한다. 내장지방이 피하지방보다 인슐린저항성 유발과 대사증후군에 중요한 역할을 하는데 내장지방이 다른 부위의 지방 조직보다 인슐린에 대한 감수성이 떨어지기 때문이다. 중심성 비만에 수반되는 혈청 유리지방산(free fatty acid)의 증가는 고인슐린혈증과 인슐린저항성을 악화시킨다. 인슐린저항성을 유발하는 또 다른 원인은 만성염증이다. 복부비만은 그 자체로 전신적 만성염증 상태를 유발하여 여러 가지 염증성 cytokines의 생성을 증가시킨다고 알려져 있다. 즉 복부비만은 내장지방의 증가를 의미하고 내장지방은 잉여에너지의 저장소 역할과 함께 낮은 정도의 전신적인 만성적인 염증(chronic low grade systemic inflammation)을 초래하기 때문에 대사성염증(metaflammation, metabolic inflammation)의 발생에서 중요하다고 할 수 있다.

② 남성호르몬

전립선비대증의 발생에 남성호르몬은 필수요소이지만 남성호르몬 단독으로 전립선비대증을 유발하지 않는다. 또한 정상적인 발기능의 유지에 최소한의 남성호르몬은 필수적이지만, 발기부전이 남성호르몬과 항상 관계있는 것은 아니다. 만성전립선염의 병인에 전립선조직내의 감소된 남성호르몬이 염증의 진행과 관계가 있다는 보고도 있고, PDE5-Is가 전립선 조직에 직접적인 항염증작용을 보여 하부요로 증상을 호전시킨다는 가설, 전립선내 염증정도와 전립선비대증의 진행과의 연관성을 보이는 역학조사결과, 전립선통에서 PDE5-Is가 치료적 효과를 보인다는 임상보고를 통해 조직내 남성호르몬의 감소가 공통병인으로 작용할 가능성을 추정할 수 있다. 하지만 LUTS와 발기부전의 발생에 남성호르몬이 공통병인으로서의 직접적인 역할에 대한 근거는 제한적이다. 비뇨생식계는 골반신경절에서 교감 신경과 부교감 신경의 분포를 받으며 테스토스테론은 골반자율신경계의 유지에 중요한 역할을 한다는 사실이 동물실험을 통하여 알려져 있다. 백서의 이행상피세포, 방광 평활근, 근위부 요도주위근육, 전립선 신경총 및 토끼의 방광과 요도 이행상피세포에서 androgen과 estrogen 수용체가 확인되었고 이들이 LUTS에 중요한 역할을 할 것으로 추정되고 있다. 평활근 이완작용을 하는 NO는 비뇨생식계에 non-adrenergic non cholinergic neurotramsmitter로 작용하여 방광경부와 요도 확장에 중요한 역할을 하는데, nNOS 결손 생쥐 모델에서 테스토스테론 투여시 관찰되는 방광 평활근의 안정에 따른 저장증상의 호전은 테스토스테론과 밀접한 관계가 있다고 생각된다. 혈중 남성호르몬의 수치와 LUTS의 연관성을 평가하는 역학조사는 연관성에 대해 상이한 결과를 보이는 경우가 많았다. 가장 대규모의 역학조사인 보스턴지역에 거주하는 30-79세의 5,506명을 대상으로한 연구에서 연령의 변수를 보정한 후에 혈중 남성호르몬의 농도의 수준은 LUTS를 예측할 수 있는 인자가 아닌 것으로 관찰되었다. 하지만 finasteride가 전립선암 발생율을 감소시킬 수 있는지 확인하고자 시행한 7년간의 대규모 전향적인 PCPT연구에 참여했던 1417명의 위약군에서, 전립선비대증의 위험도와 성호르몬 농도의 상관성을 관찰한 Kristal 등의 연구에서는 상반된 결과를 보였다. 즉 테스토스테론과 에스트라디올 농도가 높을수록, T:DHT(testosterone: dihydrotestos- terone) metabolite의 비율이 높아 전립선조직에서 테스토스테론의 생체이용율이 감소할수록 전립선비대증의 발생위험도는 감소하여 남성호르몬과 상관관계가 있다고 관찰되었다. 이들은 5알파-환원효소의 활성도를 감소시키는 유적적인 또는 환경적인 요인을 중요한 기전으로 추정하였다. 성호르몬농도와 20년간의 LUTS 발생위험도를 조사한 지역주민을 대상으로 한 Trifiro 등의 전향적연구에서는 총 테스토스테론은 LUTS 발생에 영향이 없었지만, T:DHT의 비율이 높은 군에서 LUTS 발생을 66% 감소시켰다고 보고하여, 혈중 남성호르몬의 LUTS 발생에 대한 예방효과 (protective role)의 가능성을 제시하였다. 상기 연구들은 남성호르몬의 활성도를 파악하기 위하여 측정한 호르몬종류가 다양하고 전립선조직내의 DHT의 활성도를 예측하기위해 측정한 혈중의 대사산물도 서로 달라 직접적인 비교가 어렵다. 전립선조직내의 DHT 활성도를 직접 측정할 수 없고 혈중 DHT과 전립선조직내 DHT의 농도는 비례하기 않는 한계점을 극복할 수 있는 표준화된 방법이 개발되면 남성호르몬의 공통병인으로서의 역할을 파악할 수 있을 것이다. 혈중 남성호르몬 수준과 LUTS와의 연관성에 대한 연구와 별도로, 근래에 보고되는 남성갱년기 (Late onset hypogonadism) 환자에서 남성호르몬 보충요법의 전립선비대증에 대한 영향에 대한 연구결과도 주목된다. 남성갱년기 환자에서 저농도의 테스토스테론은 방광출구폐쇄 및 배뇨근 과활동성과 관련이 있다는 보고와, 남성갱년기환자에서 테스토스테론 투여 시 IPSS점수 및 IIEF-5가 26주 후 의미있는 호전을 보인다는 결과와 함께 남성호르몬 보충요법이 전립선의 조직학적 특성을 변화시키지 않고 전립선조직의 biomarker나 유전자발현에 영향을 주지 않았다는 많은 임상보고를 종합하면, 전립선비대증의 발생은 남성호르몬 보충요법보다는 연령과 더욱 밀접한 관계가 있다고 추정할 수 있다. 하지만 대부분의 임상연구는 대상군이 적고, 수 년 이내의 단기추적관찰 연구이기 때문에 장기적인 변화에 대해 자료가 부족하고 남성호르몬 보충요법 시행 후 LUTS/BPH의 변화를 일차목표로 시행한 연구는 많지 않아 통일된 결론을 내릴 수 없는 실정이다. 현재까지 보고된 연구결과를 종합하면 혈중남성호르몬 수준과 하부요로증상의 연관성은 불확실하나, 남성호르몬보충요법의 적응이 되는 경우에 LUTS를 악화시키는 경우는 드물고 대부분 개선시킨다고 판단된다.

3. 전립선비대증 약물이 발기능에 미치는 영향

1) 알파차단제

알파차단제의 성기능에 대한 영향은 긍정적, 부정적 효과가 모두 보고되고 있다. 음경에 존재하는 α-수용체의 자극은 음경의 수축에 관여한다. 음경해면체 및 혈관 평활근에 분포하는 α1-수용체와 α2-수용체의 분포 및 농도 차이가 음경 수축에 중요한 역할을 하는데, 배뇨증상 호전을 위해 가장 많이 사용되는 알파차단제는 음경해면체 및 혈관평활근도 이완시키므로 발기능 향상의 이론적 배경이 된다. 알파차단제 사용 후 성기능은 LUTS 완화로 인한 삶의 질 개선과 동반되어 부수적으로 호전될 수 있으나, 음경해면체 평활근에 대한 직접적인 효과도 중요한 기전으로 알려지고 있다. α1, α2-수용체를 모두 차단하는 phentolamine이 1990년 후반까지 발기부전 치료에 사용되었으나, 빠르고 분명한 효과를 보이는 PDE5-Is가 개발되면서 이에 대한 연구는 거의 중단된 실정이다. 현재 시판중인 알파차단제에서 발기능개선효과를 일차연구목표로 시행된 연구는 거의 없다. 하지만 알파차단제가 어느정도의 발기능 개선을 보인다는 증거는 지역기반연구, 후향적 또는 메타분석을 통해 확인 되었다. 알파차단제의 성기능에 대한 부정적인 효과는 발기부전과 성욕저하 보다는 주로 사정장애와 연관되어 있다. α1-하위 수용체의 선택성이 낮은 alfuzosin, doxazosin, terazosin과 α1A-수용체의 선택성이 큰 tamsulosin은 α1-차단제의 구조, 수용체 결합력, 약물의 조직내 분포 차이에 의하여 약리작용의 차이를 보인다. tamsulosin의 α1A/α1B 수용체 선택성은 20:1로 alfuzosin, doxazosin, terazosin의 0.33:1-0.43:1보다 우수하다. 이러한 차이는 tamsulosin이 다른 α1-차단제에 비하여 역행성사정에 의한 사정액 감소의 빈도가 높은 원인으로 생각된다. tamsulosin은 용량의존적으로 역행성사정을 증가시킨다. silodosin은 α1A/α1B 수용체 선택성은 580:1 로 매우 높아 역행성사정을 가장 많이 초래한다. α1A/α1B 수용체 선택성이 높을수록 배뇨개선 효과가 우수할 것으로 생각되나 LUTS의 개선 효과는 약재의 종류에 따른 차이가 거의 없다. 알파차단제에서 발생하는 사정액 감소는 역행성사정뿐만 아니라 전립선과 정낭의 수축장애를 매개한 기전도 중요한 역할을 한다고 밝혀지고 있다. 이러한 사정장애가 환자의 불편감으로 발현되면 알파차단제로 교체하거나 감량을 시도 할 수 있으나, 지속되는 경우가 많아 알파차단제 중단의 원인이 되기도 한다.

2) 5α 환원효소억제제

5α환원효소는 테스토스테론을 더욱 강력한 남성 호르몬인 dihydrotestosterone(DHT)으로 전환하는 효소로 1형과 2형의 두 형태가 존재한다. 1형을 억제하는 finasteride는 혈중 DHT의 70%까지 억제하며, 1형과 2형 모두 억제하는 dutasteride는 90%까지 억제한다. 알파차단제에 비하여 5α환원효소 억제제는 성기능 장애를 유발할 가능성이 더 크며 발기부전 3-16%, 성욕감소 2-10%, 사정장애 0-8% 로 높게 보고되고 있다. 이러한 성기능장애는 finasteride와 dutasteride 간에 유의한 차이를 보이지 않으며 알파차단제와 병용투여 하였을 때 발생률은 증가한다. 5α환원효소억제제를 투여해도 혈중 테스토스테론은 대부분 정상범주에서 유지되거나 약간 증가하여 혈중 테스토스테론 감소가 성기능장애의 직접적 원인은 아니라고 생각된다. 5α환원효소억제제가 성기능장애를 초래하는 기전은 아직 확실히 규명되지 않았으나 1) 음경 조직내에 DHT의 농도의 저하 2) 음경내에 NO나 NOS의 활성도 감소 3) brain내의 neurosteroid 감소로 인한 성각성(sexual arousal)의 감소 4) 개인 간의 안드로겐수용체의 감수성차이와 연관이 있다고 추정된다. 5α환원효소 억제제와 연관된 발기부전 발생은 위약군과 비교하여 첫 1년에 주로 발생하며, 1년 이후에는 위약군과 비교하여 차이를 보이지 않는다. 5α환원효소 억제제에 의하여 발생하는 발기부전은 투약을 중지하면 대부분에서 증상이 소실되는 가역적인 부작용으로 알려져 있다. 하지만, 1997년 FDA에서 finasteride 1mg을 남성형탈모 치료제로 승인한 후 finasteride 사용량은 급증하였는데, finasteride를 복용한 후 발생하는 성기능장애가 약물중단 후에도 지속되는 보고가 증가하고 있다. 'post-finasteride syndrome' 이라고 명명된 비가역적인 부작용은 성욕저하, 발기부전, 사정장애 뿐만 아니라 만성피로, 불안, 우울, 불면, 자살 등 성적, 정신적, 신체적 부작용을 모두 포함하고 있다. 2012년 FDA에서는 이러한 성기능관련 비가역적 부작용 가능성을 약품설명서에 포함시킬 것을 권고하였다. 일부 부작용 지지자들은 인터넷에서 finasteride의 비가역적인 부작용에 대해 토론하는 홈페이지(http://www.propeciahelp.com)를 개설하여, 부작용을 경험한 환자들의 사례를 홍보하고 내분비계통의 중대한 기능부전까지 초래할 수 있다고 주장하고 있다. post-finasteride syndrome은 주로 젊은 연령의 남성에서 탈모로 치료받은 경우에 호발 되는 것으로 알려져 있지만, 임상적 실체는 불확실하고 근거는 부족하다. 노령에서 발생율이 현저히 낮은 이유로 내분비계가 남성호르몬에 노출된 기간과 관련이 있다는 추정도 가능하고, 일부 androgen 수용체의 exon 1의 CAG repeats 수와 관계된 partial androgen resistance 같은 유전적 소인과 관계가 있다는 보고도 있으나 논란이 많다. 2011년 6월 악성도가 높은 전립선암의 발생률이 증가될 수 있다는 FDA 경고와, post finasteride syndrome 같은 우려에도 불구하고 5α환원효소억제제의 사용은 최근 10년간 꾸준히 증가되고 있다. 대부분의 약물에서 투여 후 증상 회복에 대한 기대감으로 발생하는 위약 효과는 잘 알려져 있다. 위약 효과는 질병의 치료에 좋은 반응을 보이는 효과로 약물 자체의 특수성 보다는 치료의 환경에 의한 효과로 생각되며, 환자의 정신적인 상태에 의하여 영향을 받는다. 위약은 많은 부분에서 윤리적으로 허용되어 연구가 활발하게 진행되는 반면, 부정적인암시 (negative suggestion or explanation)로 증상 악화를 유발하는 nocebo phenomenon의 경우 연구는 활발하지 않다. Mondaini 등은 finasteride의 투여 환자에서 성기능장애 발생 가능성을 설명한 군과 설명하지 않은 군으로 구분하였을 때, 부작용 설명 군에서 3배정도 성기능장애가 증가하는 nocebo phenomenon을 보고하였다. 5ARI 처방시 성기능 발생가능성에 대해 설명할 때 환자의 성격이나 우려에 따라 영향을 받는 점도 고려하는 것이 바람직하다.

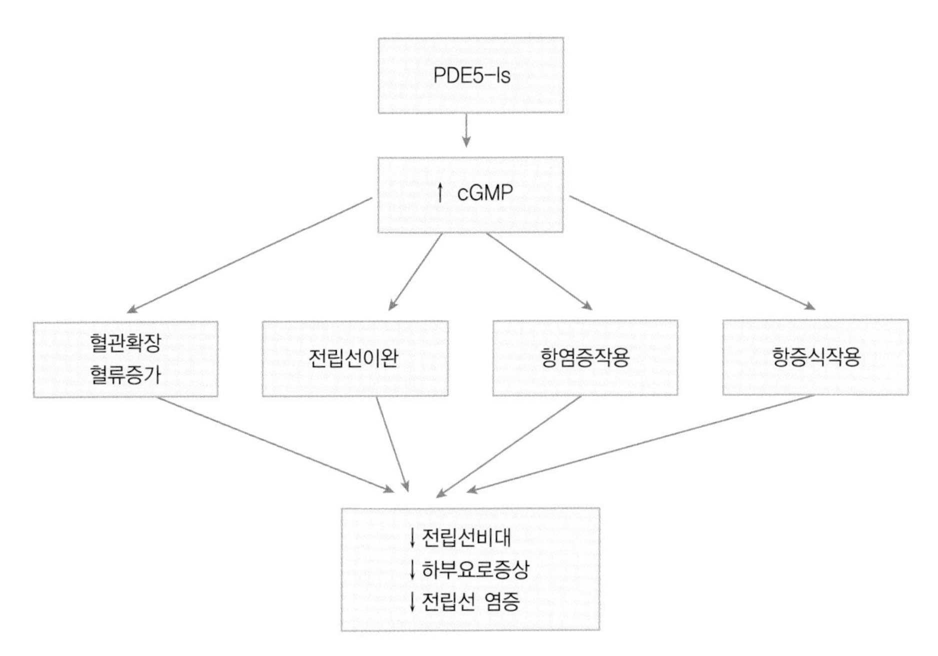

그림 24-2 PDE5-Is의 전립선비대증에 의한 하부요로증상과 전립선염증의 개선효과의 추정되는 기전 (PDE5-Is:phosphodiesterase type 5 inhibitors, cGMP cyclic guanosine monophosphate)

3) PDE5-Is for LUTS/BPH

phosphodiesterase type 5 isoenzyme은 전립선 조직, 특히 이행대 및 방광의 배뇨근, 요도를 포함한 남성의 생식계에 분포되어 있으므로 PDE5-Is는 이들 조직에서 NO/cGMP경로를 활성화시키고, RhoA/Rho-kinase경로를 억제하며 교감신경과활동성을 억제하여 평활근의 이완을 유도한다. 또한 최근에 밝혀지고 있는 cGMP의 증가에 따른 항염증작용과 항증식작용도 LUTS의 개선에 관여할 것으로 추정된다(그림 24-2). PDE5-Is가 임상에 도입되면서 초기에 우려되었던 반응저하현상(tachyphylaxis) 발생의 가능성은 장기복용에도 낮은 약물 중단률과 PDE5 수용체의 발현 증가, 음경해면체 평활근의 기능 회복효과가 입증되면서 점차 희석되고 있다. 이러한 장기투여에 따른 약물 안정성이 확보됨에 따라 필요에 따라 복용하던 투여법(on demand)에서 진보하여 지속적인 매일투여법(chronic dosing/daily dosing)이 활발히 시도되고 있으며, LUTS의 개선을 목적으로 한 저용량 매일요법이 중요한 치료법으로 자리잡고 있다. PDE5-I의 LUTS의 개선효과를 파악하고자 시행된 근래의 임상연구에서 sildenafil, tadalafil, vardenafil 모두 2-5점의 IPSS점수 호전을 보인다. 초기의 이러한 연구들은 배뇨평가 약물의 임상연구에 비해 PDE5-Is의 투여기간이 상대적으로 짧으며, 요속 및 잔뇨량 개선에 대한 자료가 부족하였다. 하지만 잘 짜여진 대규모의 임상연구에서 우수한 결과가 지속적으로 보고되었다. 2013년 EAU guideline on male LUTS 에서 반감기가 18시간으로 가장 긴 tadalafil이 요속개선의 효과는 부족하지만 LUTS 개선효과가 일관되고 분명하여 level of evidence Ib, grade of recommendation A 로 공표하였다. 여러 임상연구를 종합한 최근의 체계적 문헌고찰(systematic review)과 메타분석의 결과를 종합하면, PDE5-I는 알파차단제와 병용하였을경우 IPSS총점의 개선효과는 물론 저장증상(storage subscore)과 배뇨증상(voiding subscore)의 개선효과가 분명하고, 알파차단제 또는 PDE5-Is 단독치료에 비해 증상개선

효과가 우수하여 발기부전 동반유무에 무관하게 LUTS/BPH에서 선택할 수 있는 치료방법이라고 할 수 있다. 근래에 5ARI와 PDE5-Is의 병합치료가 시도되어 성기능 부작용은 감소시키고 효과는 증가시키는 결과를 보이기도 하였고, 국내에서 PDE5-Is와 고혈압치료제 또는 알차파단제와 복합제형태로 개발하고자 연구가 진행중이다. 국내에서 사용 중인 6종의 PDE5-Is 중 전립선비대증에 승인된 약물은 tadalafil이 유일하나, udenafil도 전립선비대증에 승인을 받기 위하여 임상연구가 진행 중 이다. 성기능장애의 관리는 전립선비대증 약물치료의 순응도를 증가시키는데 중요한 역할을 한다고 알려져 있고 당뇨, 고혈압, 심혈관질환, 대사증후군등 만성질환에서 내피세포보호효과를 보이는 기초와 임상결과도 지속적으로 보고되고 있어 향후 적응증이 확대될 것으로 기대된다.

4. 기타 고려상황

1) 쏘팔메토

쏘팔메토(Serenoa repens)는 톱야자 나무의 열매에서 추출한 제제로서 전립선 비대증과 이에 관련된 성기능개선에 국내에서 흔히 사용되는 대표적인 생약제제이다. 쏘팔메토의 LUTS 개선효과에 대해 2003년 AUA에서는 어느 정도 효과가 있을지 모른다는 여지를 남겨놓았으나, 2010년 추가연구를 통해 효과가 없어 추천할 수 없다고 하였다. 쏘팔메토에 대한 연구는 대부분 대상군이 적고, 추적관찰 기간도 짧으며, 용량도 다양하다. 2011년 JAMA에 게재된 보고는 쏘팔메토 추출물의 용량을 3배까지 증량하여 장기간의 효과를 판정한 대표적인 위약대조군 전향적연구이다. 연구대상자는 97%의 높은 순응도를 보였고, 72주간의 장기간 투여 후 효과를 판정하였다. 배뇨증상, 야간뇨, 요속, 잔뇨, PSA, 발기능, 사정, 수면, 요실금에 관련된 모든 항목에서 위약군과 차이를 보이지 않았다. 오히려 증상점수와 삶의 질에서 통계적 차이는 없었으나 위약이 쏘팔메토보다 개선효과가 높았다. 현재까지의 임상자료로 전립선비대증 또는 이에 연관된 성기능장애로 내원한 환자에서 쏘팔메토를 처방 할 수 있는 근거는 매우 빈약하다. 일부 유럽국가에서 증상이 없는 전립선비대증환자에서 예방적으로 투여 할 수 있는 선택사항으로 분류하기도 한다.

2) PDE5-Is의 초장기투여효과의 검증

PDE5-Is 의 LUTS/BPH에 대한 효과는 대부분 12주 투여후의 결과를 평가한 것이며, 2년간 추적관찰한 연구도 있지만 6개월 이상 관찰한 연구는 드물다. 전립선비대증이 노령에서 호발하고 발기부전의 병인에 대사증후군이 밀접하게 관계되어있어 노령의 LUTS/BPH와 발기부전은 비뇨기과영역에서 대표적인 만성질환의 범주에 포함된다. 당뇨와 고혈압 등의 만성질환은 치료약물의 장기적인 효과의 평가를 위해 대규모의 장기적인 연구가 많이 진행되었다. 하지만 PDE5-Is의 장기적인 투약효과에 대한 평가는 매우 부족한 실정이다. 산발적으로 melanoma, 시력 및 청력소실 등의 부작용이 보고되기도 하였다. 국내에서 PDE5-Is 복제약 출시후 접근성이 용이해지고 있어 사용량이 증가추세에 있기 때문에 이분야에 대한 관심과 연구도 필요하다.

3) 설문지의 개발

전립선비대증 환자에서 정량화된 설문인 국제전립선증상점수표는 하부요로증상을 파악하고 치료 방법의 선택과 치료 후 결과를 판정하는 데 도움이 되어 일차 설문지로 널리 사용되고 있다. 하지만 IPSS는 발기능 및 통증과 요실금에 대한 항목이 없고, 저장증상점수가 배뇨증상점수보다 삶의 질에 연관성이 좀 더 많으나 저장증상 항목이 배뇨증상의 항목보다 적다는 점, 총 증상점수와 불편의 정도가 일치하지 않을 수 있다는 문제점이 있다. 이러한 문제점을 극복하기 위하여 발기능이 포함된 변형된 IPSS가 제시되었으나, 아직도 임상에서 널리 사용되지 않는다. 따라서 LUTS/BPH와 발기부전의 연관성이 입증된 현 시점에서 발기능에 대한 평가를 IIEF-5등의 설문을 통하여 동시에 평가해야 한다는 주장도 설득력이 있다. 또한 야간뇨는 일상생활에 지장을 주고 삶의 질을 저하시키는 가장 흔한 하부요로증상으로 흔히 수면 장애 및 생활 활력의 감소를 동반하여 남성건강의 측면에서 관심이 증가되고 있다. 노인에서 4회이상의 야간뇨는 남성호르몬의 감소와 연관성을 보인다는 보고도 있고, 국제전립선증상점수에서 야간뇨 항목만 혈중의 남성호르몬 수치와 연관성을 보인다는 최근의 연구결과를 고려할 때 야간뇨와 중년이후의 남성건강의 상관관계에 대한 더 많은 연구와 관심이 필요하며 발기능과 하부요로증상을 포괄하는 설문지 개발도 필요하다.

4) 과민성방광치료제

전립선비대증에 동반되는 과민성방광은 대부분 알파차단제로 효과적인 조절이 어렵다. 따라서 알파차단제를 먼저 사용하여 방광출구폐색이 어느 정도 해결된 후에도 저장증상이 지속되는 경우에 항무스카린제를 추가하는 병용치료(add on)가 널리 사용되고 있다. 항무스카린제를 추가하여 과민성방광의 증상은 호전되지만, 구갈과 변비가 증가하여 약물순응도가 1년후 30%정도에 이를 정도로 현저히 감소된다. 근래에 출시된 β-3 agonist인 mirabegron은 이러한 항콜린제와는 다른기전으로 배뇨근수축을 억제하여 과민성방광의 증상을 개선시키기 때문에 부작용의 가능성이 낮다고 보고되어, 전립선비대증이 동반된 과민성방광의 새로운 치료제로의 역할이 기대된다. 과민성방광치료제가 발기능에 미치는 영향에 대한 연구는 거의 없지만, 삶의 질 개선을 통해 간접적인 영향을 줄 가능성이 있다. mirabegron이 인체와 쥐의 음경해면체 조직절편에서 평활근에 분포하는 β-3 수용체를 자극하여 음경해면체를 이완시킨다는 보고가 있고 전립선과 폐의 평활근에서 NO분비를 촉진하여 이완시킨다는 보고도 있어 발기부전과 방광출구폐색의 개선효과에 대한 연구도 필요하다.

5. 요약

연령과 동반질환의 변수를 보정하더라도 LUTS/BPH는 발기부전의 발생과 뚜렷한 연관성을 보인다. 연관성의 기전으로 음경과 배뇨근의 평활근이완에 관여하는 NO-cGMP 신호전달의 감소, Rho-kinase 신호전달의 증가, 자율신경항진, 골반죽상경화증의 증가 및 만성염증과 스테로이드호르몬의 변화가 관여한다고 추정된다. PDE5-Is는 발기부전치료제로서의 역할을 넘어 전립선비대증에 대한 효과가 점차 인정되고 있으며, 특히 알파차단제와 병용하였을 경우 LUTS개선에 우수한 치료효과를 보인다. LUTS/BPH의 약물치료에 사용되는 알파차단제나 5알파-환원효소억제제는 단독 또는 병용치료를 할 때 다양한 성기능부작용이 발생 할 수 있고, 성기능의 관리는 약물순응도를 증가시킨다. 따라서 LUTS/BPH의 진료에 반드시 성기능에 대한 평가가 동반되어야 하며, 발기부전으로 내원한 노령의 환자에서 LUTS/BPH가 동반되었는지 확인하는 진단과정과 치료적 전략수립이 필요하다.

참고문헌

1. 대한남성과학회. 남성과학. 제2판. 서울: 군자출판사. 2010.
2. 박홍재. 발기부전과 전립선비대증/하부요로증상. In: 남성건강학. 제2판. 서울: 군자출판사. 2013:355-371.
3. Abrams P, Cardozo L, Fall M, Griffiths D, Rosier P, Ulmsten U, et al. The standardisation of terminology of

lower urinary tract function: report from the Standardisation Sub-committee of the International Continence Society. Neurourol Urodyn 2002;187:167-178.

4. Andersson KE, de Groat WC, McVary KT, Lue TF, Maggi M, Roehrborn CG, et al. Tadalafil for the treatment of lower urinary tract symptoms secondary to benign prostatic hyperplasia: pathophysiology and mechanism(s) of action. Neurourol Urodyn. 2011 Mar;30:292-301.
5. Barry MJ, Meleth S, Lee JY, Kreder KJ, Avins AL, Nickel JC, et al. Effect of increasing doses of saw palmetto extract on lower urinary tract symptoms: a randomized trial. JAMA 2011;306:1344-1351.
6. Calmasini FB, Candido TZ, Alexandre EC, D' Ancona CA, Silva D, de Oliveira MA, et al. The beta-3 adrenoceptor agonist, mirabegron relaxes isolated prostate from human and rabbit: new therapeutic indication? Prostate. 2015 Mar 1;75:440-447.
7. Chapple CR and Roehrborn CG. A shifted paradigm for the further understanding, evaluation, and treatment of lower urinary tract symptoms in men: focus on the bladder. Eur Urol 2006;49:651-658.
8. Chung BH, Lee JY, Lee SH, Yoo SJ, Lee SW, Oh CY. Safety and efficacy of the simultaneous administration of udenafil and an alpha-blocker in men with erectile dysfunction concomitant with BPH/LUTS. Int J Impot Res. 2009 Mar-Apr;21:122-128.
9. Fusco F, D' Anzeo G, Sessa A, Pace G, Rossi A, Capece M, et al. BPH/LUTS and ED: common pharmacological pathways for a common treatment. J Sex Med. 2013 Oct;10:2382-2393.
10. Gacci M, Corona G, Salvi M, Vignozzi L, McVary KT, Kaplan SA, et al. A systematic review and meta-analysis on the use of phosphodiesterase 5 inhibitors alone or in combination with alpha-blockers for lower urinary tract symptoms due to benign prostatic hyperplasia. Eur Urol. 2012 May;61:994-1003.
11. Gacci M, Eardley I, Giuliano F, Hatzichristou D, Kaplan SA, Maggi M, et al. Critical analysis of the relationship between sexual dysfunctions and lower urinary tract symptoms due to benign prostatic hyperplasia. Eur Urol. 2011 Oct;60:809-825.
12. Kalinchenko S, Vishnevskiy EL, Koval AN, Mskhalaya GJ, Saad F. Beneficial effects of testosterone administration on symptoms of the lower urinary tract in men with late-onset hypogonadism: a pilot study. Aging Male 2008;11:57-61.
13. Kim JW, Oh MM, Yoon CY, Bae JH, Kim JJ, Moon du G. Nocturnal polyuria and decreased serum testosterone: is there an association in men with lower urinary tract symptoms? Int J Urol. 2014 May;21:518-523.
14. Li WJ, Park K, Paick JS, Kim SW. Chronic treatment with an oral rho-kinase inhibitor restores erectile function by suppressing corporal apoptosis in diabetic rats. J Sex Med. 2011 Feb;8:400-410.
15. McVary KT, Monnig W, Camps JL Jr, Young JM, Tseng LJ, van den Ende G. Sildenafil citrate improves erectile function and urinary symptoms in men with erectile dysfunction and lower urinary tract symptoms associated with benign prostatic hyperplasia: a randomized, double-blind trial. J Urol 2007;177:1071-1077.
16. McVary KT, Roehrborn CG, Avins AL, Barry MJ, Bruskewitz RC, Donnell RF, et al. Update on AUA guideline on the management of benign prostatic hyperplasia. J Urol 2011;185:1793-1803.
17. McVary KT, Roehrborn CG, Kaminetsky JC, Auerbach SM, Wachs B, Young JM, et al. Tadalafil relieves lower urinary tract symptoms secondary to benign prostatic hyperplasia. J Urol 2007;177:1401-1407.
18. Mondaini N, Gontero P, Giubilei G, Lombardi G, Cai T, Gavazzi A, et al. Finasteride 5 mg and sexual side effects: how many of these are related to a nocebo phenomenon? J Sex Med 2007;4:1708-1712.
19. Oudot A, Oger S, Behr-Roussel D, Caisey S, Bernabe J, Alexandre L, et al. A new experimental rat model of erectile dysfunction and lower urinary tract symptoms associated with benign prostatic hyperplasia: the testosterone-supplemented spontaneously hypertensive rat. BJU Int. 2012 Nov;110:1352-1358.
20. Ozden C, Ozdal OL, Urgancioglu G, Koyuncu H, Gokkaya S, Memis A. The correlation between metabolic syndrome and prostatic growth in patients with benign prostatic hyperplasia. Eur Urol 2007;51:199-206.
21. Paick JS, Kim SW, Yang DY, Kim JJ, Lee SW, Ahn TY, et al. The efficacy and safety of udenafil, a new

selective phosphodiesterase type 5 inhibitor, in patients with erectile dysfunction. J Sex Med. 2008 Apr;5:946-953.

22. Park J, Lee YJ, Lee JW, Yoo TK, Chung JI, Yun SJ, et al. Comparative analysis of benign prostatic hyperplasia management by urologists and nonurologists: a Korean nationwide health insurance database study. Korean J Urol. 2015 Mar;56:233-239.
23. Park HJ, Won JE, Sorsaburu S, Rivera PD, Lee SW. Urinary Tract Symptoms (LUTS) Secondary to Benign Prostatic Hyperplasia (BPH) and LUTS/BPH with Erectile Dysfunction in Asian Men: A Systematic Review Focusing on Tadalafil. World J Mens Health. 2013 Dec;31:193-207.
24. Polackwich AS, Ostrowski KA, Hedges JC. Testosterone replacement therapy and prostate health. Curr Urol Rep 2012;13:441-446.
25. Rosen RC, Wei JT, Althof SE, Seftel AD, Miner M, Perelman MA, et al. Association of sexual dysfunction with lower urinary tract symptoms of BPH and BPH medical therapies: results from the BPH Registry. Urology 2009;73:562-566.
26. Rosen R, Altwein J, Boyle P, Kirby RS, Lukacs B, Meuleman E, et al. Lower Urinary Tract Symptoms and Male Sexual Dysfunction: The Multinational Survey of the Aging Male (MSAM-7). European Urology. 2003;44:637-649.
27. Sarma AV and Wei JT. Clinical practice. Benign prostatic hyperplasia and lower urinary tract symptoms. N Engl J Med 2012;367:248-257.
28. Seftel AD, de la Rosette J, Birt J, Porter V, Zarotsky V, Viktrup L. Coexisting lower urinary tract symptoms and erectile dysfunction: a systematic review of epidemiological data. Int J Clin Pract. 2013 Jan;67:32-45.
29. Trifiro MD, Parsons JK, Palazzi-Churas K, Bergstrom J, Lakin C, Barrett-Connor E. Serum sex hormones and the 20-year risk of lower urinary tract symptoms in community-dwelling older men. BJU Int 2010;105:1554-1559.
30. Vignozzi L, Gacci M, Cellai I, Morelli A, Maneschi E, Comeglio P, et al. PDE5 inhibitors blunt inflammation in human BPH: a potential mechanism of action for PDE5 inhibitors in LUTS. Prostate. 2013 Sep;73:1391-1402.
31. Vignozzi L, Rastrelli G, Corona G, Gacci M, Forti G, Maggi M. Benign prostatic hyperplasia: a new metabolic disease? J Endocrinol Invest. 2014 Apr;37:313-322.

CHAPTER 25

약물부작용에 의한 발기부전

Drug-induced Erectile Dysfunction

■ 문기학

고혈압치료제나 항우울제, 신경안정제 등의 많은 종류의 약물들의 부작용으로 성기능장애가 유발되기도 하는데, 보고자에 따라 차이는 있으나 성기능장애 환자의 약 25%가 약물부작용과 연관이 되어 있다. 약물부작용으로 인한 성기능장애로는 성욕감퇴, 발기부전, 사정 장애 및 여성형유방 등이 있다. 정상 남성 성기능에 관여하는 중추신경과 말초신경에 약물이 부작용을 초래 하는 기전을 보면, 중추신경계에 진정작용을 히는 약물은 성욕과 발기력 및 극치감의 감소를 초래하고 신경절전과 신경절후에 영향을 주는 약물은 발기부전과 사정장애를 일으킬 수 있다. 또한, 중추 혹은 말초혈류에 직접 혹은 간접적으로 영향을 주는 약물들도 성기능장애를 일으킬 가능성이 있다, 약물에 의한 성기능장애의 특정은 다른 동반질환이나, 함께 복용하는 다른 약물들 때문에 정확한 원인 약물을 밝혀내는 것이 매우 어렵기 때문에 각종 약물을 처방할 때마다 이러한 문제를 고려하여야 하고 환자에 대한 면밀한 조사가 필요하다(표 25-1).

1. 항고혈압제

Antihypernsive agents

현재 처방되고 있는 거의 대부분의 항고혈압제가 발기나 사정장애를 일으키는 것으로 알려져 있지만, 각각의 약제에 의한 부작용과 그 발생 빈도를 정확하게 알기는 어렵다. 고혈압환자의 8-10%는 진단 당시 발기부전을 호소하고, 진단에 따른 부가적인 불안감이나 우울증상이 야기될 수 있으며, 이들 환자에서 발기부전과 관련이 있는 기질적 질환이 동반되는 경우가 많기 때문에 성기능장애의 원인을 항고혈압제로만 돌릴 수는 없다. 또한 항고혈압제 복합요법을 사용하는 환자에서는 어느 약물에 의해 성기능장애가 발생했는지를 밝히는데 어려움을 주는 요인이 된다.

1) 교감신경차단제(Sympatholytics)

α-methyldopa은 중추교감신경계를 차단하여 발기부전을 일으키는 것으로 알려져 있으며, 그 발생 빈도는 30%에 달한다. 또한 α-methyldopa는 진정작용과 우울증으로 인한 성욕감퇴와 혈중 프로락틴치의 증가 등으로 인해 약 10%의 환자에서 성욕감퇴와 사정장애를 일으킨다. Clonidine은 신경절전 α-아드레날린성 수용제에 작용하여 교감신경 차단효과를 나

표 25-1 성기능장애를 일으킬 수 있는 약제

항고혈압제	교감신경차단제(a-methyldopa, clonidine)
	α-아드레날린성 차단제(phentolamine, phenoxybenzamine)
	β-아드레날린성 차단제(propranolol, atenolol)
	이뇨제(spironolactone, thiazide)
	혈관확장제 (hydralazine)
5α 환원효소억제제	FInasteride
(5α reductase inhibitors, 5ARI)	Dutasteride
향정신병제	Chlorpromazine, thioridazine, Haloperidol, thiothixene
항우울제	삼환계항우울제(fluoxetine, sertraline, paroxetine, fluvoxamine, venlafaxine)
	MAO (monoamine oxidase inhibitors)
항콜린성약물	Atropine, banthine, probanthine
습관성약물	Alcohol, nicotine, marijuana, cocaine, amphetamine
내분비약물	Estrogen, LHRH analogues, cyproterone
기타	Cimetidine, digoxin, metoclopramide

타내어 발기부전을 일으키는 것으로 생각된다. Clonidine 복용환자의 4-41%에서 발기부전이 발생하며, 이는 용량에 비례하지만 매일 600μg 이하로 투여하는 경우에는 드문 것으로 알려져 있다. Reserpine은 복용환자의 30-40%에서 성욕감퇴와 발기부전이 나타나며, 이는 정신적 우울증에 의한 것으로 추측되나 일부는 혈중 프로락틴수치 증가와도 관련이 있는 것으로 생각된다. Bethadine과 guanethidine을 복용하는 환자에서 사정장애는 40-60%, 발기부전은 60%에서 발생한다.

2) β-아드레날린성 차단제 (β-adrenergic blocking agents)

β-아드레날린성 차단제는 성기능장애를 일으키지 않는 것으로 알려졌으나, Prisant 등은propranolol을 복용하는 환자의 5-40%에서 발기부전이 일어날 수 있으며 발생률은 용량에 비례한다고 하였다 β-blocker 인 atenolol과 carvedilol을 복용한 환자에서도 각각 17%, 13.5% 정도로 발기부전이 보고되었다. 하지만 최근 3세대 b1-blocker인 nebivolol은 심근선택성이 아주 높고 내피세포성 NO 생성을 높여주기 때문에 발기부전에 영향을 주지 않는다는 보고도 있다.

3) 이뇨제(Diuretics)

Segrave 등은 spironolactone을 제외한 다른 이뇨제는 성기능장애를 일으키지 않는다고 하였으나, Chang 등은 thiazide로 치료받는 환자에서 성욕감퇴, 발기부전과 같은 성기능장애가 4-32%로 나타났다고 보고하였다. Spironolactone은 용량에 비례하여 여성형 유방, 성욕감퇴와 함께 발기부전을 일으키는 것으로 알려져 있다.

4) 혈관확장제(Vasodilators)

직접적으로 혈관을 확장시키는 hydralazine이나 minoxidil은 남성 성기능장애를 일으킨다는 보고는 없으나 함께 복용하는 다른 약물들과의 작용으로 인해 성기능에 영향을 미칠 수도 있다.

5) 기타 항고혈압제

칼슘통로차단제인 verapamil 과 angiotensin converting enzyme 억제제인 captopril, lisinopril 및 valsaltan 등과 같은 약물들은 극히 일부에서 발기부전을 유발하는 것으로 보고 되었으나 현재까지 알려진 다른 항고혈압제에 비해 비교적 성기능장애를 일으키지 않는 약제로 인정되고 있다.

2. 하부요로장애/전립선비대증 치료제

LUTS/BPH treatment agents

1) α-아드레날린성 차단제 (α-adrenergic blocking agents)

비경쟁적 α아드레날린성 차단제인 phenoxybenzamine과 phentolamine은 정관과 정낭의 수축을 억제하여 흔히 사정장애를 일으킨다. α-아드레날린성 수용체를 선택적으로 차단하는 prazosin은 간혹 발기장애를 일으키는 것으로 알려져 왔다. 하지만 최근 전립선비대증에 대한 대규모 코호트 연구에서는 알파차단제를 복용한 환자 군에서 오히려 성기능장애의 위험성이 감소 된다고 하였으며, 그 기전으로 알파차단제가 음경해면체에 직접 작용하거나 하부요로 증상의 개선에 의해 이차적으로 성기능이 개선되는 것으로 추정하였다. 현재 전립선비대증 치료제로 α-blocker는 terazosin, doxazosin, alfuzosin과 α_{1A} selective blocker인 tamsulosin, silodosin 및 α_{1D} selective blocker인 naftopidil 등과 같은 약물들이 사용되고 있다. 이러한 약제들은 발기부전과의 유의한 연관성은 없으나, 사정장애를 어느 정도 일으키는 것으로 알려졌다. alfuzosin과 α_{1D}blocker인 naftopidil 경우 사정장애의 빈도가 낮은 것으로 보고되고 있고, α_{1A} selective blocker인 tamsulosin은 고용량에서 역행성 사정이 다른 약제보다 높게 나타났으나(6-18%), 한국에서 허용되는 용량으로는 약물 간의 통계적인 차이는 없는 것으로 보고되고 있다. 강력한 α_{1A}selective blocker로 알려진 silodosin은 사정장애가 28.1%로 상대적으로 높게 보고되고 있다.

2) 5α 환원효소억제제 (5α reductase inhibitors, 5ARIs)

LUTS/BPH의 치료에 5ARIs가 많이 사용되고 있으며, 그 치료 효과는 많은 연구에 의해 인정되고 있다. 5ARIs는 투여 1년 후 혈중 dehydrotestosterone (DHT) 치를 70-90%로 낮추고 전립선의 크기를 16-19%까지 줄여 줌으로서 하부요로/전립선 증상을 개선시킨다. 이러한 5ARIs는 DHT를 낮추어 음경해면체 내에서 nitric oxide (NO), NO synthase (NOS)를 감소시키고, 해면체세포의 자멸 (apoptosis)를 유도하여 발기부전을 일으키는 것으로 알려져 있다. 그 발생빈도는 finasteride 0.8-15.8%, dutasteride는 7-11%로 연구자에 따라 다양하게 보고되고 있다. 하지만 장기간 복용했을 때는 발기부전을 호소하는 환자가 적은 것으로 보고되고 있다. 최근에 alopecia 환자에서 장기간 저용량 5ARIs 복용한 환자에서 발기부전이 발생하며 약 복용을 중단하여도 성기능이 회복되지 않는다는 보고가 있어 젊은 alopecia 환자에서 5ARIs 장기 복용은 주의할 필요가 있다.

3. 향정신성 약제

Psychotropic agents

대부분의 향정신성 약제들은 고혈압 약제와 마찬가지로 일부 환자에서 성기능장애를 일으키는 것으로 알려져 있다. 이들 정신과 약제는 항정신병제 (antipsychotics), 항우울제(antidepressants) 및 항불안제 (antianxiety agents)로 대별할 수 있다.

1) 항정신병제(Antipsychotics)

도파민억제작용을 하는 항정신병 약물인 chlorpromazine, thioridazine, haloperidol, thiothixene 등은 프로락틴을 증가시킴으로써 30-60%의 환자에서 성기능장애를 일으킨다. 성욕감퇴가 가장 흔한 증상이며 성흥분장애와 발기부전 및 사정장애 등이 있다 그러나 도파민 억제 효과가 적은 clozapine과 queoapme 같은 약제들은 기존의 약제들 보다 성기능장애가 적은 것으로 알려져 있다.

2) 항우울제(Antidepressants)

항우울제는 삼환계 항우울제(tricyclic antidepressants) 와 monoamine oxidase (MAO) 억제제로 나눌 수 있다 삼환계약제는 진정작용과 항콜린성 및 항히스타민성 특성이 있으며 norepinephrine과 serotonin의 재흡수를 억제한다.

MAO 억제제는 교감신경흥분성 아민대사를 억제하며 중추신경계의 진정작용을 한다. 항우울제로 인한 성기능장애의 빈도는 평균 20-40%로 주로 사정장애와 극치감장애가 발생하지만 간혹 발기부전도 보고되고 있다. Monteiro 등은 clomipramine을 복용한 환자의 40% 에서 사정장애, 70%에서 극치감장애가 나타났으며 약물복용을 중단한 지 3일 후에는 성기능장애가 회복되었다고 하였다.

Imipramine과 amoxapine은 성욕감퇴와 발기부전을 일으키며 통증이 동반된 사정이나 사정장애가 나타나는 것으로 보고되고 있다. 선택적 세로토닌재흡수억제제(selective serotonin reuptake inhibitor, SSRI)인 fluoxetine, sertraline, paroxetine, fluvoxamine, venlafaxine 등의 성기능장애 발생률은 다양하지만 용량에 비례하여 환자의 30-60% 정도에서 사정장애와 흥분장애가 나타나는 것으로 알려져 있다. 그러나 항우울제 중 bupropion과 mefazodone 및 nitrazapine은 성기능장애의 위험성이 아주 적은 약제로 알려져 있다.

3) 항불안제(Antianxiety agents)

항불안제에는 benzodiazepam과 meprobamate계 약물 및 tybamate 제제가 있다. 이 약제들이 성기능장애를 유발한다는 명확한 증거는 없으나, Ghadirian 등은 lithium만 복용한 환자에서는 성기능장애가 거의 나타나지 않았지만 benzodiazepam을 lithium과 함께 복용 한 환자의 60%에서 성기능이 감소되어 benzodiazepam이 성기능장애를 일으킬 수 있다고 하였다.

4. 습관성 약물

Recreational agents

습관성 약물은 흔히 성적 쾌감을 고조시키며 최음효과가 있는 것으로 알려져 있으나 과다하게 복용하거나 장기간 복용하면 성기능의 감퇴를 유발한다 장기간의 음주는 성기능장애를 일으킬 수 있으며, 알코올에 의한 발기부전의 발생률은 약 8-54%에 달한다. 알코올로인 한 성기능장애의 증상으로는 성적 흥분감소, 사정지연 및 발기부전 등이 있으며, 발기부전은 현저한 성욕감퇴가 없이도 발생할 수 있다. 원인 인자로는 우울, 알코올성 뇌손상, 말초신경증과 간손상 등이 있다. 흡연에 의한 발기부전의 기전은 명확하게 밝혀지지 않았지만, 다른 내피세포 질환과 유사하게 니코틴, 유리기(free radical) 및 방향족화합물(aromatic compouncls)들이 음경의 내피세포 이완기전에 지속적인 영향을 주어 발기부전을 일으키는 것으로 알려져 있다. 발기부전의 빈도는 비흡연자에 비해 흡연자에서 약 2배 정도 높게 나타나고, 흡연량과 기간에 따라 그 정도가 심해지는 것으로 알려져 있으나 금연을 하면 발기부전의 위험성이 감소되는 것으로 보고되고 있다. 단기간의 마약복용이 성기능에 미치는 영향에 대해서는 논란이 있으나, 장기복용으로 인해 신체적 의존 현상이 발생할 경우 성기능의 현저한 감소를 일으킬 수 있다.

마리화나(marijuana)는 혈중 테스토스테론치에 영향을 미쳐 성기능 감소를 유발하고, 코카인(cocaine)은 catecholamine 재흡수를 감소시켜 발기부전을 일으킨다. Narcotics 중독자와 methadone 장기 복용자는 혈중 테스토스테론 치가 낮아지고 성선자극호르몬분비가 저하되는 것으로 볼 때 시상하부뇌하수체축이 영향을 받는 것으로 추측된다. 마약성 진통제와 oplate와 같은 작용을하는 펩타드인 enkephalins와 β-enclorphin은 성선자극호르몬치를 저하시키고 프로락틴 분비를 촉진시켜 성기능장애를 일으킨다. "Ecstasy" 로 알려진 amphetamine도 장기간 복용군이 대조군에 비해 발기부전의 유병률이 높은 것으로 보고되었다.

5. 기타 약제

Miscellaneous agents

1) 항콜린성 약물(Anticholinergic agents)

과거에는 항콜린성계 약제인 methantheline bromide가 발기부전의 흔한 원인으로 알려졌으나, 근래에는 이 계열의 약제에 의한 발기부전은 그렇게 흔하지 않은 것으로 보고되고 있다. 항파킨슨제제인 benzhexol, benztropine과 항부정맥제인 disopyramicle와 phen othiazines, butyrophenone 등에서 성기능장애가 간혹 보고되고 있다. 그러나 치료중인 기저질환의 상태와 이 약물들이 중추신경계에 미치는 영향 등을 고려해 볼 때 성기능장애는 이들 약제로만 원인 인자로 인정하기는 어렵다.

2) Cimetidine

히스타민수용체 길항제 (H2-receptor antagonist)는 항안드로겐 작용과 프로락틴을 증가시켜 성욕감퇴와 발기장애를 일으키는 것으로 알려져 있다. 비슷한 약제인 raniticline은cimeticline보다는 발생빈도가 낮지만 성욕감소와 발기부전을 일으키는 것으로 알려져 있으나, famotidine은 항안드로겐과 고프로락틴혈증과 같은 부작용은 없는 것으로 보고되었다.

3) 호르몬제(Hormonal agents)

에스트로겐과 cyproterone acetate와 같은 항남성호르몬은 성욕감퇴와 성적 능력을 감소시킨다. 또한 LHRH억제제와 스테로이드제제 등은 혈중 테스토스테론치의 감소와 clihyclrotestosterone의 작용을 억제시켜 성기능 장애를 일으킨다.

4) Clofibrate

안드로겐 대사에 장애를 일으켜 성욕감퇴와 발기장애를 일으키는 것으로 알려져 있다.

5) Digoxin

Digoxin을 복용하는 환자에서 혈중 에스트로겐 증가와 테스토스테론 감소가 관찰되고 간혹 여성형 유방이 나타나며, 성욕감소와 함께 발기부전의 빈도가 증가하는 것으로 보고되었다.

6) Metoclopramide

Metoclopramide는 도파민 길항제이기 때문에 혈중 프로락틴 치를 높여서 성욕감퇴와 성기능장애를 일으 킬수있다.

6. 요약

현재 사용되고 있는 약제들 중 성욕저하, 발기부전 및 사정장애 등과 같은 남성성기능장애를 일으킨다고 보고되는 약물은 상당히 많다. 그러나 다른 동반질환이나 함께 복용하는 다른 약물들 때문에 정확한 원인 약물을 찾아내는 것은 어렵다. 비록 성기능에 영향을 주는 약물과 기질성 질환의 구분이 어렵다고 할지라도 약을 처방하는 의사들은 성기능장애에 흔히 영향을 주는 약물들을 인지하여 사전에 환자들에게 그 정보를 제공할 수 있도록 노력하여야 할 것이다.

참고문헌

1. Al Khaja KA, Sequeira RP, Alkhaja AK, Damanhori AH. Antihypertensive Drugs and Male Sexual Dysfunction: A Review of Adult Hypertension Guideline Recommendations. J Cardiovasc Pharmacol Ther. 2015 Oct 7 [Epub ahead of print].
2. Chang SW, Fine R, Siegel D, Chesney M, Black D, Hulley SB. The impact of diuretic therapy on reported sexual lunction. Arch Intern Med 1991;151:2402-2408.
3. Clayton AH, Montejo AL Major depressive disorder, antidepressants, and sexual dyslunction. J Clin Psychiatry 2006;67:33-37.
4. Chou NH, Huang, MS YJ and Jiann BP. The Impact of Illicit Use of Amphetamine on Male Sexual Functions. J Sex Med 2015;12:1694-1702.
5. Della Chiesa A, Pliffner 0, Meier B. Sexual activity in hypertensive men. J Hum Hypertens 2003;17:515-521.
6. Fogari R, Zoppi A, Poletti L, Marasi G, Mugellini A, Corradi L Sexual acitivity in hypertensive men treated with valsartan or carvediol: a crossover study. Am J Hyperts 2001;14:27-31.
7. Ghadirian AM, Annable L, Belunger MC. Lithium, benzodiazepines, and sexual lunction in bipolar patients. Am J Psychiatry 1992; 149:670-676.
8. Giuliano F, Allard J. Dopamine and male sexual lunction. Eur Urol 2001;40:601-608.
9. Gutierrez MA, Stimmel GL. Management of counseling for psychotropic drug induced sexual dysfunction. Pharmacotherapy 1999;19:823-831.
10. Gur S, Kadowitz PJ, Hellstrom WJ. Effects of 5-alpha reductase inhibitors on erectile function, sexual desire and ejaculation. Expert Opin Drug Saf. 2013 Jan;12:81-90.
11. Hale TM, Hannan JL, Carrier S, Deblois 0, Adams MA. Targeting vascular structure lor the treatment 01 sexual dysfunction. J Sex Med 2009;6:210-220.
12. Higgins A, Barker P, Begley CM. Neuroleptic medication and sexuality: the forgotten aspect of education and care. J Psychiatr Ment Health Nurs 2005;12:439-446.
13. Irwig MS and Kolukula S. Persistent Sexual Side Effects of Finasteride for Male Pattern Hair Loss. J Sex Med 2011;8:1747-1753.
14. Irwig MS. Safety concerns regarding 5a reductase inhibitors for the treatment of androgenetic alopecia. Curr Opin Endocrinol Diabetes Obes. 2015;22:248-253.
15. Kumar R, Nehra A, Jacobson DJ, McGree ME, Gades NM, Lieber MM, et al. Alpha-blocker use is associated with decreased risk of sexual dysfunction. Urology 2009;82:179-182.
16. Khawaja MY. Sexual dysfunction in male patients taking antipsychotics. J Ayub Med Coll Abbottabad 2005;17:73-75.
17. Lemere F, Smith JW. Alcohol-induced sexual impotence. JAMA 1983;249:1736-1740.
18. Masumori N, Tsukamoto T, Iwasawa A et al. Ejaculatory disorders caused by alpha-1 blockers for patients with lowerurinary tract symptoms suggestive of benign prostatic hyperplasia: comparison of naftopidil and tamuslosin in arandomized multicenter study. Urol. Int. 2009;83.
19. Marks LS, Gittelman MC, Hill LA et al. Rapid efficacy of the highly selective a1A-adrenoceptor antagonist silodosin in men with signs and symptoms of benign prostatichyperplasia: pooled results of 2 phase 3 studies. J. Urol. 2009;181:2634-4.
20. McVary KT, Carrier S, Wessells H. Smoking and erectile dysfunction: evidence based analysis. J Urol 2001; 166:1624-1632.
21. Mirone V, Imbimbo C, Bortolotti A, Di Cintio E, Colli E, Landoni M, et al. Cigarette smoking as risk factor for erectile dysfunction results from an Italian epidemiological study . Eur Urol 2002;41:294-297.
22. Papatsoris AG, Korantzopoulos PG. Hypertension, antihypertensive therapy and erectile dysfunction. Angiology 2006;57:47-52.
23. Schauer I, Madersbacher S. Medical treatment of lower

urinary tract symptoms/benign prostatic hyperplasia: anything new in 2015. Curr Opin Urol. 2015 Jan;25:6-11.

24. Stadler T, Bader M, Uckert S, Staehler M, Becker A, Stiel CG Adverse effects of drug therapies on male and female sexual lunction. World J Urol 2006;24:623-629.

25. Vallancien G, Emberton M, Alcaraz A, Matzkin H, van Moorselaar RJ, Hartung R, et al. Alluzosin 10 mg once daily lor treating benign prostatic hyperplasia: a 3-year experience in real-lile practice. BJU Int 2008;101:847-852.

CHAPTER 26

의인성 및 기타원인에 의한 발기부전

Iatrogenic and Other Causes

■ 박민구

악성 종양이나 기타 여러 질환으로 골반 강 내 외과적 수술을 시행하는 경우가 갈수록 늘어나고 있는데 수술 과정에서 음경발기와 관련된 신경다발이나 혈관 구조물들이 손상을 받게 되면 의인성 발기부전이 발생할 수 있다. 다양한 의인성 발기부전의 원인들을 숙지하고 그 기전을 이해할 수 있다면, 치료 행위로 인해 발기부전이 발생할 수 있는 가능성을 예측하고 그 예방책도 모색할 수 있을 것이다. 여기서는 발기부전을 유발할 수 있는 여러 의인성 요인들과 기타 질환들에 대해 소개하고자 한다.

1. 수술

골반부위의 수술을 시행할 경우, 음경으로의 혈행 및 신경 손상이 발생할 가능성이 존재한다. 이러한 혈관 및 신경의 손상은 발기부전을 유발하게 되는데, 특히 광범위절제를 원칙으로 하는 직장암 수술의 경우 복회음절제술(abdominoperineal resection) 후, 발기부전 발생률은 53-100%까지 다양하게 보고되고 있으며 평균 76%정도로 알려져 있다. 1980년대 초 Walsh 등이 골반신경다발과 음경해면체 신경의 해부학적 위치를 기술한 이후, 근치적 전립선 적출술에서 신경보존술식이 처음 소개되었다. 이는 전립선 적출 시 전립선의 후 외측과 직장 사이에 양측으로 위치하고 있는 음경으로 향하는 신경혈관다발(neurovascular bundle)의 손상을 최소화하여 가급적 보존하는 술식이다. 이는 여러 연구를 통해 발기능 유지에 도움이 되는 것으로 알려져 있으며, 방광암 및 직장암 등과 같은 다른 골반 내 장기 수술에도 이러한 술식을 적용하기 위해 노력하여 긍정적인 성과들이 보고되고 있다.

1) 전립선수술

(1) 경요도전립선절제술(Transurethral resection of the prostate, TURP)

3885명을 대상으로 진행한 후향적 연구에서 경요도 전립선 절제술 시행 후 발기부전의 발생률은 4%로 나타났고, 그 원인으로는 전립선 첨부의 5시 및 7시 부위의 소작으로 인한 해면체 신경의 고온손상에 의한 생리적 신경차단, 전립선 신경혈관다발(neurovascular bundle) 주위의 피막 천공 등을 생각해 볼 수 있다. 이런 발기부전이 수술 직후 일시적으로 나타났다가 사라지는 가에 대한 연구들도 진행되었는데, 556명을 대상으로 대기요법과 경요도 전립선 절제술을 비교한 무작위 연구 결과에서는 경요도 전립선 절제술을 시행 받고 3년 후에도 발기부전의 호전이 나타나지 않았다. 반면에, 수술 전 발기력이 정상이었던 98명의 환자를 대상으로 경요도 전립선 절제술 후 4일째와 3개월째에 발기력을 비교한 연구결과에서는 4일째 35%에서 발기부전을 호소했으나 3개월째에는 그 비율이 8%로 감소하였다. 수술방법에 따른 발기부전 발생률의 차이를 확인하고자 메타 분석도 시행되었는데, 경요도 전립선 절개술(Transurethral incision of the prostate, TUIP)과 경요도 전립선 절제술을 비교한 결과 3.4%와 5.8%로 두 술식 간에 통계적으로 유의한 차이를 나타내지 않았다. 양극성(bipolar) 경요도 전립선 절제술을 단극성(monopolar) 전립선 절제술과 비교한 연구에서도 발기부전의 발생률에는 유의한 차이가 없는 것으로 나타났다. Holmium 레이저 전립선 적출술(Holmium laser enucleation of the prostate, HoLEP)과 경요도 전립선 절제술을 비교한 연구에서도 수술 12개월째에 양군 간 유의한 차이는 나타나지 않았다.

(2) 근치적 전립선 적출술 (Radical prostatectomy)

최근에는 근치적 전립선 적출술이 매우 증가하고 있는 추세인데, 이 시술의 가장 흔한 합병증 중 하나가 발기부전이다. 주로 전립선 측면의 음경해면체 신경이 손상되어 발생하는데, 이 경우 음경해면체 혈관 내피세포 및 평활근 세포의 고사, 음경 발기조직의 섬유화 등이 나타나게 된다. 근치적 전립선 적출술 시 발기부전 발생률을 줄이고자 광범위한 절제가 필요치 않은 국소 전립선암의 경우에는 신경보존술식을 이용하고 있으나, 여전히 수술 후 발기부전의 발생률은 25-75%로 다양하게 보고되고 있다. 보통 수술 후 2년까지는 발기능의 회복을 기대해볼 수 있다고 하였으나, 최근 신경보존 근치적 전립선 적출술 관련 전향적 연구 결과를 보면, 수술 6개월 후 발기능의 유지 비율이 35%, 12개월째에는 42%로 시간이 흐름에 따라 발기능 유지 비율이 증가하였으나 18개월 이후부터는 더 이상 증가되지 않는 것으로 나타났다. 대게 양측 신경보존 전립선적 출술을 시행한 경우, 나이가 젊고 술 전 발기력이 좋았던 환자에서 발기력의 회복이 더 잘 이루어지는 것으로 알려져 있다. 수술의 방식에 따른 발기력 보존의 차이를 알아보기 위하여 Moran 등은 문헌의 메타 분석을 통하여 개복수술, 복강경 수술, 로봇을 이용한 복강경 수술의 발기력 보존 정도를 통계적으로 비교 분석하였다. 각 연구자마다 기준 및 정의가 다르고 무작위 비교임상 연구가 시도되지 못했기 때문에 현재까지의 자료에 대한 통계학적 분석이 명확한 해답을 주기는 어렵겠지만, 저자들은 로봇을 이용한 복강경 수술이 12개월 이내 성기능 회복에 있어 다른 술기에 비해 장점을 가지고 있음을 주장하였다. 최근 스웨덴의 국소 전립선암 환자 2625명을 개복하 근치적 전립선 적출술을 시행 받은 군(778명)과 로봇을 이용한 복강경하 근치적 전립선 적출술을 시행 받은 군(1847명)으로 나누어 술 후 12개월째에 발기능을 비교한 전향적 연구 결과에서도 로봇을 이용한 복강경하 근치적 전립선 적출술이 개복하 수술에 비해 술 후 성기능 보존에 있어 좀 더 우월한 것으로 나타났다. 그러나, 기존에 시행된 연구 수가 너무 제한적이고, 여러 한계점들을 가지고 있기 때문에 향후 보다 대규모의 무작위 비교 임상 연구를 통해 술기에 따른 성기능 보존에 차이가 있는지 명확히 확인해볼 필요가 있다.

2) 근치적 방광 적출술 (Radical cystectomy)

침윤성 방광암의 표준 치료법인 근치적 방광적출술은 남성의 경우 방광, 전립선, 정낭을 함께 제거한다. 근치적 방광 적출술 후 발기부전은 수술 시 직접적인 신경, 혈관 등의 손상과 술 후 정신적, 유체적 장애가 그 원인이 된다. 그 외에도 요로 전환술의 형태, 신경보존술식 시행 여부, 요도절제 여부 등이 삶의 질과 발기능에 영향을 줄 수 있다. 대게 근치적 방광 적출술을 시행 한 후의 발기부전 발생률은 62-93%라고 알려져 있는데, 신경보존술식을 적용하게 되면, 71% 정도의 비교적 높은 발기력 보존율을 나타낸다는 연구결과도 있다. 근치적 방광 적출술과 함께 요도 절제술을 시행해야 하는 환자의 경우에는 요도적출 시 막양부 요도와 요도해면체의 구부를 박리하는 과정 중에 음경 해면체 신경에 손상을 주지 않도록 주의하여야 한다.

3) 근치적 고환 절제술 (Radical orchiectomy) 및 후복막 림프절 절제술 (Retroperitoneal lymph node dissection)

고환암 환자에서 고환절제술 시행 후 1-25%의 비율로 발기부전이 발생할 수 있는데, 고환의 상실에 따른 외형 변화로 인한 정신적, 심리적인 문제가 발생할 경우에는 인공고환삽입술을 시행하여 도움을 줄 수 있다. 고환암의 치료에서 후복막 림프절 절제술을 시행하는 경우가 있는데, 교감신경의 손상이 발생하면 역행성 사정과 같은 사정장애가 발생할 수 있다. 최근에는 신경보존술식을 적용하여 대부분 사정장애의 발생을 피하고 있다.

4) 대장 및 직장수술(Colorectal surgery)

대장 혹은 직장암의 치료를 위한 골반강 내 장기 절제술도 발기부전을 유발할 수 있다. 발기부전의 원인은 술 중 직장하부의 전측벽으로 주행하는 발기 관련 자율신경이 손상되는 것으로 생각 된다. 따라서 복회음절제술(abdominoperineal resection)을 할 때는 전립선 주위 신경혈관다발의 주변을 박리할 때 주의를 기울임으로써 발기능의 보존율을 높일 수 있으며 직장암의 병기가 낮을 경우는 전립선 주위 신경혈관다발에 대한 박리를 제한하는 것도 발기력을 보존하는 한 방법이다. 그러나 고병기인 경우에는 골반강 내 자율신경다발의 손상이 불가피하므로 발기력을 보존하기 어렵다

5) 음경의 문제

(1) 왜소음경

왜소음경은 요도 하열과 같이 요도의 발생학적 문제나 내분비계 문제를 같이 동반한 경우가 많다. 이러한 경우라도 발기조직이 정상적으로 기능하기도 하며 주로 발기부전 보다는 음경 길이 부족이나 삭대(chordee)로 인한 성기능 장애가 흔하다.

(2) 음경절제술(Penile amputation)

음경절제술은 주로 음경암이나 음경 해면체를 침범한 요도암의 치료 목적으로 시행한다. 성행위에 필요한 음경의 길이를 확보하지 못하는 음경부분절제술은 성기능 장애를 초래한다.

(3) 지속 발기증의 수술적 치료 (Surgical treatment of priapism)

지속 발기증의 치료 중 비 수술적인 방법으로 만족스러운 결과가 나지 않을 때 음경해면체에 충만된 혈액을 배출시키기 위해 여러 종류의 단락술(shunt operation)을 시행할 수 있다. 귀두음경해면체 누공(cavemoglanular fistula)을 만드는 것과 같은 간단한 방법은 시술 후, 누공이 자연적으로 막히는 경우가 대부분으로 발기력에 큰 영향을 주지 않지만, 누공이 지나치게 큰 경우 드물게 정맥성 발기부전이 유발될 수 있다. 음경-요도 해면체 단락술(cavernospongiosal shunt)이나 복재정맥-음경해면체 단락술(cavernosaphenous shunt)과 같은 방법은 비교적 발기부전 유발율이 높은 것으로 알려져 있다.

고혈류성 지속발기증은 치료법으로 음경 해면체 동맥과 음경 해면체 사이에 발생한 누공의 근위부 동맥에 동맥 색전술을 시행한다. 이 때 자가혈전을 이용하여 일시적인 동맥성 발기부전을 유도하는데 드물게 발기부전이 회복되지 않거나 동맥 색전술로 인한 음경 조직괴사 등으로 영구 발기부전이 초래되기도 한다.

(4) 페이로니병의 수술적 치료 (Surgical treatment of Peyronie's disease)

음경 만곡과 발기부전을 초래하는 페이로니병에 대한 수술 중, 음경 백막주름성형술은 거의 발기부전을 유발하지 않는다. 그러나 음경 백막의 판(plaque)을 제거하고 복재정맥편과 같은 조직편을 이용한 이식술은 12-100%의 정맥성 발기부전을 유발할 수 있다.

6) 요도 수술(Urethral surgery)

(1) 직시하 내요도절개술 (Visual internal urethrotomy)

직시하 내요도절개술에 의한 발기 부전의 원인으로는 12시 방향의 요도 절개로 인하여 요도 해면체와 음경해면체 사이에 누공이 형성되면서 정맥성 발기부전을 유발하는 것 이외에도 절개로 인한 해면체 신경의 손상 및 다발성 절개로 인해 다량으로 형성된 반흔 등 다양한 원인이 있다. 그러나, 절개부위가 막양부 요도보다는 구부요도 근위부와 경부요도에서 주로 시행되기 때문에 해면체 신경의 손상의 가능성은 높지 않다. 현재까지 알려진 직시하 내요도절개술 후 발기부전의 빈도는 1.3-10%으로 알려져 있다.

(2) 요도성형술(Urethroplasty)

골반의 골절이 발생하면 막양부 요도 부위에서 요도 단절이 동반될 수 있다. 이때 즉시 일차요도성형술(primary urethroplasty)을 시행할 것인가 혹은 상치골 방광루 설치술 시행 후 지연요도성형술(delayed urethroplasty)을 시행할 것인가에 대해 많은 논란이 있어 왔다. 수상 후 즉시 요도성형술을 실시한 환자에서는 발기부전율이 56%인 반면 지연 요도성형술을 시행한 환자의 경우는12-15%로 나타났는데, 이는 일차요도성형술이 해면체 신경이나 혈관에 추가적인 손상을 줄 수 있기 때문이다.

요도단절 손상 후 즉시 일차요도정렬(primary realignment)을 시행한 환자군과 지연요도 성형술을 시행한 환자군 간에 발기부전 발생률의 차이를 보고자 한 연구에서는 두가지 방법이 유의한 차이를 나타내지 않아 요도단절 손상 후 즉시 중재적 처치가 필요하다면 일차요도성형술보다 일차요도정렬을 시행하는 것이 발기력 보존 측면에서 적절한 방법으로 생각된다.

7) 기타 수술(Miscellaneous surgery)

(1) 혈관수술(Vascular surgery)

대동맥(aorta)-장골동맥(iliac artery) 재건술 후에 발기부전이 발생하는 빈도는 21-88%까지 다양하다. 물론 이러한 환자는 이미 술 전에 내음부동맥(internal pudendal artery) 폐색으로 인해 발기부전이 초래 되어 있는 경우가 25-60% 정도라고 보고하고 있다. 대동맥의 동맥류 제거술 후의 발기부전과 사정장애가 발생하는 빈도는 각각 21%와 63%이며 혈전으로 인한 대동맥이나 총장골동맥(common iliac artery) 폐색질환에서 혈관 재건술 후 발생히는 발기부전과 사정장애의 빈도는 34%와 49%이다. 대동맥 혈관수술에서 성기능 장애가 발생하는 원인은 혈관 주변의 교감신경의 손상으로 인해 유발되는 것으로 생각된다.

대동맥-외장골동맥 우회로 형성술(aorto-external iliac artery bypass surgery)후 발기부전이 발생하는 원인은 대동맥 혈류가 대부분 외장골 동맥으로 우회하여 내음부동맥으로의 혈류가 감소되어 발생한다. 혈관재건술이 필요한 환자들은 이미 내음부동맥 뿐 만 아니라 음경해면체 평활근에도 상당한 변화가 초래된 상태이므로 혈관재건술의 술기를 개선하더라도 긍정적인 결과를 기대하기 어렵다.

2. 방사선치료

Radiation therapy

골반강 내 방사선 치료는 방광암, 전립선암, 직장암 등의 골반암 쪽에서 폭넓게 적용되고 있다. 수술 전 후에 신보조적 혹은 보조적 방사선치료를 시행 받을 경우, 수술로 인한 발기부전을 더욱 악화시킬 수 있으며, 방사선치료 단독으로도 발기부전을 유발할 수 있다. 이는 미세혈관 손상 및 음경해면체 섬유화 현상으로 인해 유발되게 되는데, 진행성 전립선암 환자에서 방사선치료를 시행하는 경우 발기부전 발생률은 30-65%로 보고되고 있다. 방사선 치료에 의한 발기부전은 시간이 지날수록 그 빈도가 증가하는 것으로 알려져 있는데 방사선 치료 전/후로 음경 혈류량의 유의한 차이가 없는 것으로 나타나 혈관성 발기부전의 가능성 보다는 방사선 치료 후 음경해면체 평활근의 양이 위축되는 음경해면체 평활근 이상으로 인한 것일 가능성이 많다. 조직 내 brachytherapy는 체외 방사선 치료에 비하여 발기부전 발생률이 비교적 낮은 것으로 보고되고 있는데 치료 후3년째 추적 조사결과, 발기부전 발생률은 14% 정도로 보고 되었다.

골반강 외의 방사선 치료도 발기부전을 초래할 수 있는데 뇌하수체 종양을 치료하기 위하여 뇌하수체에 방사선 치료를 하면 뇌하수체 기능 부전이 발생되고 이로 인해 성선기능저하증이 유발되어 발기부전이 나타날 수 있다.

3. 그 밖의 원인들

1) 노화

건강한 노인에서도 성기능은 나이가 들어감에 따라 점진적으로 감퇴한다는 사실들을 잘 알고 있다. 발기까지의 시간이 연장되고, 발기 시 크기 변화가 줄어들고, 사정 시 사정속도가 감퇴되면서 그 양이 줄며, 사정 후 불응기가 길어지는 것은 노인들의 성기능과 관련된 변화들이다. 새벽 발기의 횟수나 지속시간이 짧아지는 것 또한 병적인 상황이라기 보다는 정기적으로 성생활을 영위하고 있는 노인들에서도 나타나는 정상적 생리적 변화라 할 수 있다. 이 밖에도 나이가 듦에 따라 음경의 촉감이 떨어져 발기능에 영향을 미치는 것으로 알려져 있고, 음경 해면체의 근육 긴장도가 상승하여 발기능의 저하를 야기하는 것으로 알려져 있다. 나이가 들어감에 따른 혈청 테스토스테론 치의 저하는 음경의 구조적, 기능적 변화를 초래하게 되는데, 이는 음경해면체 내의 평활근 세포의 고사(apoptosis)가 증가되어 음경해면체의 평활근의 양이 줄어들기 때문으로 추정된다. 노화 과정에서 발기능에 있어 중요한 역할을 수행하는 산화질소(nitric oxide)의 생성에도 변화가 나타난다는 것이 동물 실험에 의해서도 증명된 바 있다.

2) 만성콩팥병(Chronic kidney disease)

만성콩팥병 환자에서 콩팥 기능이 나빌수록 성기능 장애는 더 흔하게 나타난다. 혈액투석 환자의 경우에는 신기능이 상실된 상태로 혈관의 경화성 병변으로 인한 음경해면체 혈류 장애, 고환 간질세포 이상으로 인한 테스토스테론 생산 감소 및 성호르몬결합글로불린(SHBG)의 증가로 인한 유리 테스토스테론의 감소와 투석 환자의 약 50%에서 증가되는 고프로락틴(prolactin)으로 인한 성선자극호르몬분비 억제 작용과 같은 혈관 내 문제와 내분비적인 요인이 동시에 발생하여 대략 90% 이상에서 발기부전을 호소하는 것으로 알려져 있다. 신이식을 시행 받는 경우 발기능의 변화에 대해서는 연구 결과에 따라 다양한 보고가 존재하지만 만성콩팥병 상태보다는 신이식수술 후 신장기능 회복으로 발기능의 호전을 가져오는 경우가 더 많은 것으로 보고되고 있다.

3) 그 밖의 질환들

만성폐쇄성폐질환 같이 폐기능이 좋지 않는 경우에는 성행위 도중 호흡곤란 등이 발생할 것에 대한 두려움으로 성행위를 기피하는 경우가 많으며, 협심증, 심부전, 심근경색 환자의 경우 걱정과 우울증, 혈관의 문제가 복합적으로 작용하여 발기부전으로 이어질 수 있다. 또한, 간경화와 공피증(scleroderma), 만성허약 및 종말증(chronic debilitation, cachexia) 등의 상태도 발기부전을 유발하는 요인으로 알려져 있다.

4. 요약

의인성 발기부전은 정상적인 질병의 치료 과정에서 수술 등과 같은 침습적 행위에 의해 발기부전이 유발되는 경우를 이야기한다. 근치적 전립선 적출술이나 방광 전적출술, 직장, 대장암 수술과 같은 골반강 내 수술이나 방사선 치료 등을 시행 받은 환자에서 주로 나타나는 것으로 알려져 있다. 최근 골반강 내 종양 환자의 빈도가 증가하고 조기 발견이 증가함에 따라 발기부전이 유발될 수 있는 수술적 치료법의 빈도도 증가하는 추세이다. 해당 질병을 적극적으로 치료하는 것이 최우선시 되어야 하겠지만, 치료 과정에서 나타날 수 있는 발기부전을 예방하거나 최소화할 수 있는 방법들이 많이 연구되었기 때문에 삶의 질 또한 고려하여 이에 대해 환자에게 충분히 고지하고 치료법의 선택 기회가 주어져야 하며, 의인성 발기부전의 발생이 감소되도록 노력하고 이에 대해 관심을 가지는 것이 중요하다. 이 밖에도 나이가 들어감에 따라 노화에 의한 자연적인 생리적 변화로 발기력이 저하될 수 있음을 이해하고, 만성콩팥병이나 만성폐쇄성폐질환, 협심증이나 심근경색, 심부전과 같은 질환들과 관련되어 발기부전이 나타날 수 있기 때문에, 환자들의 삶의 질을 향상시키기 위해서 발기부전에 대한 충분한 정보를 제공하고 적절한 방법으로 도움을 줄 수 있어야 한다.

참고문헌

1. Austoni E, Guarneri A, Cazzaniga A. A new technique for augmentation phalloplasty: albugineal surgery with bilateral saphenous grafts--three years of experience. Eur Urol. 2002;42:245-253.
2. Carson CC. Impotence and chronic renal failure. In: Bennett AH, editor. Impotence: Diagnosis and management of erectile dysfunction, Philadelphia: WB Saunders; 1994;124-134.
3. Cowles RS 3rd, Kabalin JN, Childs S, Lepor H, Dixon C, Stein B, et al. A prospective randomized comparison of transurethral resection to visual laser ablation of the prostate for the treatment of benign prostatic hyperplasia, Urology 1995;46:155-160.
4. Dalal S, Gandhi VC, Yu AW, Bhate DV, Said RA, Rahman MA, et al. Penile calcification in maintenance hemodialysis patients, Urology 1992;40:422-424.
5. Dalkin BL, Carter MF. Venogenic impotence following dermal graft repair for Peyronie's disease. J Urol 1991;146:849-851.
6. Feldmann HA, Goldstein I, Hatzichristou DG, et al. Impotence and its medical and psychosocial correlates: results of the Massachusetts Male Aging Study. J Urol 1994;151:54-61.
7. Gareri P, Castagna A, Francomano D, Cerminara G, De Fazio P. Erectile dysfunction in the elderly: an old widespread issue with novel treatment perspectives. Int J Endocrinol. 2014;2014:878670.
8. Gossetti B, Gattuso R, Irace L, Intrieri F, Venosi S, Benedetti-Valentini F. Aorto-iliac/femoral reconstructions in patients with vasculogenic impotence. Eur J Vasc

Surg 1991;5:425-428.

9. Graversen PH, Rosenkilde P, Colstrup H. Erectile dysfunction following direct vision internal urethrotomy. Scand J Urol Nephrol 1991;25:175-178.

10. Haglind E, Carlsson S, Stranne J, Wallerstedt A, Wilderang U, Thorsteinsdottir T, et al. Urinary Incontinence and Erectile Dysfunction After Robotic Versus Open Radical Prostatectomy: A Prospective, Controlled, Nonrandomised Trial. Eur Urol. 2015;68:216-225.

11. Husmann DA, Wilson WT, Boone TB, Allen TD. Prostatomembranous urethral disruptions: management by suprapubic cystostomy and delayed urethroplasty. J Urol 1990;144:76-78.

12. Koraitim MM, The lessons of 145 posttraumatic posterior urethral strictures treated in 17 years. J Urol 1995;153:63-66.

13. Lewis RW, Fugl-Meyer KS, Bosch R, et al. Epidemiology/risk factors of sexual dysfunction. J Sex Med 2004;1:35-39.

14. Lue TF. Impotence after prostatectomy. Urol Clin North Am 1990;17:613-620.

15. Moran PS, O'Neill M, Teljeur C, Flattery M, Murphy LA, Smyth G, et al. Robot-assisted radical prostatectomy compared with open and laparoscopic approaches: a systematic review and meta-analysis. Int J Urol. 2013;20:312-321.

16. Quinlan DM, Epstein JI, Carter BS, Walsh PC. Sexual function following radical prostatectomy: influence of preservation of neurovascular bundles. J Urol1991 ;145:998-1002.

17. Saenz de Tejada I, Angulo J, et al. Physiology of erection and pathophysiology of erectile dysfunction. In: Lue TF, Basson R, Rosen R, et al, editors. Sexual medicine: sexual dysfunctions in men and women. Paris: Health Publications; 2004;287-344.

18. Sangkum P, Levy J, Yafi FA, Hellstrom WJ. Erectile dysfunction in urethral stricture and pelvic fracture urethral injury patients: diagnosis, treatment, and outcomes. Andrology 2015;3:443-449.

19. Wallner K, Roy J, Harrison L. Tumor control and morbidity following transperineal iodine 125 implantation for stage T1/T2 prostatic carcinoma. J Clin Oncol 1996;14:449-453.

20. Walsh PC, Donker PJ. Impotence following radical prostatectomy: insight into etiology and prevention. J Urol 1982;128:492-497.

SECTION 03

발기부전의 진단

Chapter 27. 병력, 신체검사 및 검사실 검사 ········· 양대열
Chapter 28. 설문지를 이용한 검사 ········· 박현준
Chapter 29. 정신사회적 평가 ········· 이상열
Chapter 30. 시청각 성자극 및 수면중 발기검사 ········· 이준호, 문기학
Chapter 31. 발기부전의 신경학적 검사 ········· 현재석
Chapter 32. 발기부전의 혈관계 검사 ········· 정우식

CHAPTER 27

병력, 신체검사 및 검사실 검사

History, Physical Examination and Laboratory Testing

■ 양대열

1. 병력 *history*

발기부전의 평가에서 가장 먼저 시행되어야 하고 동시에 가장 중요한 단계는, 자세한 병력 청취이다. 가능하다면, 배우자를 면담하는 것이 보다 구체적인 과거력을 알아내는 것은 물론, 효과적인 치료를 계획하는데 중요하다. 자세한 병력 청취는 발기부전과 연관되는 질병이나 건강 상태를 파악하는 데 많은 도움을 준다. 병력 청취는 안정된 환경에서 시행하는 것이 중요하며, 안정된 환경은 보다 많은 정보를 얻을 수 있는 조건이 된다. 발기부전의 위험인자나 동반 질환 등을 먼저 환자에게 이야기 하는 등 의료진과 환자 사이의 관계가 매우 중요하다. 최근에는 여러 종류의 자가기입식 설문지들이 개발되어 많은 도움이 되고 있지만, 이러한 자가기입식 설문지는 발기부전의 원인에 따른 분류나 객관적인 검사 결과를 반영하는데 한계가 있다. 따라서, 자세한 병력 청취는 여전히 가장 중요한 진단 도구이다(그림 27-1).

발기부전의 병력청취 시에는 위험인자에 대한 설명과 함께 심혈관계를 포함한 동반 질환 및 이와 관련하여 현재 복용중인 약물에 대한 파악이 포함되어야 한다. 발기부전의 기간, 정도, 최근의 심리 상태, 결혼생활 등에 대한 전반적인 병력의 청취가 필요하며 호소하는 증상이 발기능, 성교 만족도, 혹은 성적 흥미의 문제인지 질문을 통해 구별해야 한다.

가장 흔히 호소하는 증상은 발기의 지속시간 단축과 강직도의 감소이므로 이러한 증상들의 이환기간 그리고 강직도와 직경의 감소 등의 발현시기에 대한 질문이 포함되어야 한다(표 27-1). 또 야간이나 아침 발기는 유지되면서도 상황이나 상대방에 따라 선택적으로 발생 양상이 변하는 등의 심인성 발기부전과 기질성 발기부전의 구별을 위한 질문이 필요하다. 당뇨와 혈관 질환의 장기 병력이 있는 나이가 많은 환자일수록 혈관 및 신경질환에 의한 이차적인 발기부전이 오기 쉽고, 정신질환이 있는 젊은 환자일수록 심인성 발기부전이나 이와 관련된 약물에 의한 이차적인 발기부전의 가능성이 높다. 발기부전은 특히 다른 여러가지 질환이나 약물과 연관되어 있으므로 전립선이나 직장암 등의 근치적 골반수술, 방사선 치료, 골반외상 등과 같이 직접적인 연관이 있는 병력 외에도 말초혈관질환, 심혈관질환, 당뇨, 신부전, 술, 흡연, 신경질환, 정신질환, 만성 소모성 질환에 대한 주의깊은 질문을 통해 진단이나 치료에 도움이 되는 중요한 정보를 얻을 수 있다.

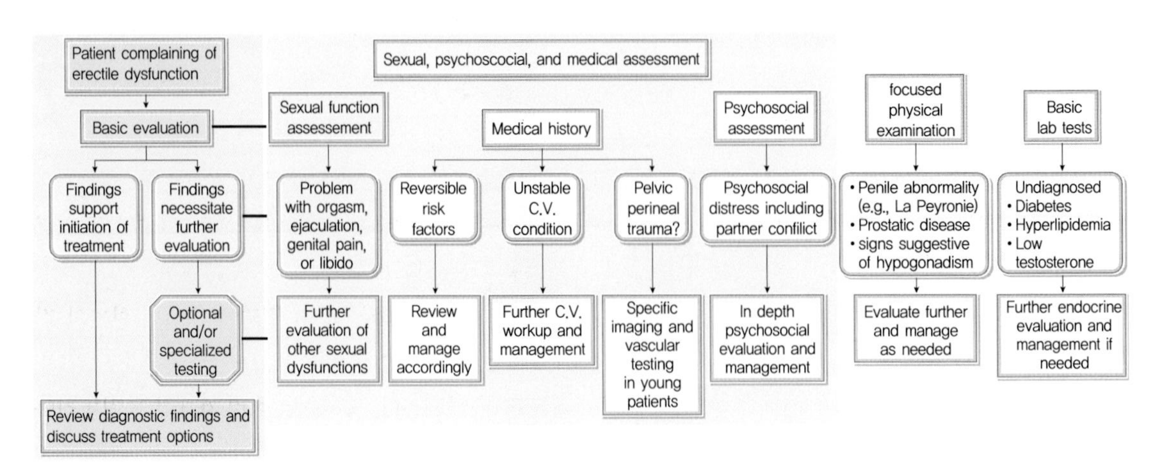

그림 27-1 International Consultation on Sexual Medicine에서 제안하는 발기부전의 진단 흐름도

표 27-1 병력을 이용한 발기부전의 구분

심인성	기질성
갑자기 시작	서서히 시작
발기능이 급격히 소실된다	서서히 악화된다
상황에 따라 다르다	항상 비슷한 정도의 증상
새벽발기 유지	새벽발기능도 함께 약해지거나 소실

2. 신체검사 *physical examination*

신체검사는 발기부전 진단의 중요한 과정으로 세심하고 철저하게 이루어져야 한다. 특히, 비뇨생식기 및 내분비계, 심혈관계, 신경계에 대한 신체검사는 반드시 시행하여야 한다.

혈압은 양측팔에서 모두 측정하여 고혈압 여부를 확인하여야 한다. 모든 말초맥박은 촉진하여야 하며 어떠한 심잡음이나 부정맥도 확인후, 배제하여야 한다. 이차성징 발달상태의 확인도 필요하다. 갑상선, 유두, 복부 등에 대한 육안검사가 포함되어야 하며 외성기의 형태와 발달에 대한 주의깊은 검사를 통해 발기부전의 원인이 될 수 있는 음경포피의 기형, 왜소음경, 요도상열, 색대, 페이로니 경결, 음경암 등의 유무를 확인하여야 한다. 또한 음경배부의 신경혈관속(neurovascular bundle)에 경화성 변화 여부와 음경해면체의 경도를 조사 하고, 음경을 당겨서 쉽게 늘어나지 않으면 음경해면체 조직의 섬유화를 의심할 수 있다. 고환은 기본적으로 크기, 경도, 대칭성의 확인이 필요하다. 고환용적이 작으면서 이차성징이 미약한 경우 성선기능부전을 의미하기도 하며 얼굴 면도 횟수를 물어보는 것도 남성호르몬 결핍을 알아보는데 의미가 있다. 특히 고환 크기가 아주 작고, 키가 크며, 여성형 유방, 무정자증을 호소하면 Klinefelter 증후군, 무후각증이 있으면 Kallmann 증후군, 고환결절이 촉지되면서 여성형유방이 있고 성욕감소 등을 호소하면 에스트로겐을 분비하는 종양을 의심해 볼 수 있다. 따라서 앞가슴을 확인하는 것은 유방비대증이나 유루증 여부를 알아보기 위해 반드시 필요하다. 전반적인 신경학적 검사도 반드시 필요하며 구해면체반사, 항문 괄약근 긴장도, 회음부 감각, 하지의 심부건반사의 확인이 포함되어야 한다. 방광이 비정상적으로 촉지되거나 과거력 상 배뇨 장애를 의심할만한 증상이 있었으면 이에 대한 신경생리학적검사도 필요하다. 모든 발기부전 환자는 전립선의 크기와 경도를 알아보기 위해 직장수지검사가 필요하다. 전립선비대증이 존재하면 요속의 측정 등을 시행하여야 하며 전립선내 경결이 만져지면 전립선특이항원 및 경직장초음파검사 등을 통해 전립선종양의 유무를 확인하여야 한다.

3. 검사실 검사 *laboratory test*

검사실 검사는 환자의 증상과 위험인자에 따라 결정되어야 한다. 기초혈액검사(complete blood count)나 생화학검사(serum chemistry), 공복 혈당(fasting glucose), 당화혈색소(glycosylated hemoglobin, Hb A1C), 혈청 지질(cholesterol, LDL, HDL, triglyceride), 테스토스테론(testosterone)은 최근에 검사를 시행하지 않았다면 시행하여야 한다. 테스토스테론 측정은 오전 7시에서 11시 사이에 시행하는 것이 좋으며, 그 결과가 불확실하다면 생체이용가능 테스토스테론(bioavailable testosterone)이나 유리테스토스테론(free testosterone)의 측정이 도움이 될 수 있다. 하지만, 발기부전을 유발할 가능성이 있는 테스토스테론의 역치는 매우 낮으며, 일반적으로 8nmol/L 이상에서는 발기부전과의 연관성이 매우 낮다.

추가적인 검사실 검사들은 환자의 상태에 따라 선택적으로 고려되어 진다. 중년 이상에서는 전립선특이항원(prostate-specific antigen) 측정이 필요하며, 테스토스테론이 낮거나 신체 검사상 저성선증이 의심된다면 프로락틴(prolactin)과 황체호르몬(luteinizing hormone), 난포자극호르몬(follicular stimulating hormone) 등을 측정하여야 한다.

4. 요약

발기부전의 진단은 자세한 병력청취로부터 시작한다. 위험인자에 대한 충분한 고려를 바탕으로 한 병력 청취는 발기부전의 진단 및 치료방침을 정하는데 필수적이다. 신체검사와 검사실 검사는 대부분의 발기부전 환자에서 임상적으로 의미있는 소견을 보이지는 않지만, 혹시 있을 수 있는 위험 인자나 동반 질환을 찾을 기회를 제공한다. 병력청취와 신체검사, 검사실 검사의 시행 및 그 결과에 대해서 환자와 정보를 공유하여 스스로 의사결정과정에 참여토록 하는 것이 필요하다. 그러므로 이런 자세한 병력청취나 이학적 검사가 가능토록 하기 위해서는 열린 마음으로 환자 및 보호자에게 보다 적극적으로 다가가는 진료습관이 가장 필수적인 것이라 할 수 있다.

참고문헌

1. 백재승, 박남철, 박현준, 이승욱. 발기부전. In: 대한남성과학회. 남성건강 15대 질환 길라잡이. 군자출판사; 2015:2-24.
2. Burnett AL. Evaluation and management of erectile dysfunction. In: Wein AJ, et al. Campbell-Walsh Urology. Elsevier; 2012:721-748.
3. Chun J, Carson CC 3rd. Physician-patient dialogue and clinical evaluation of erectile dyslunction. Urol Clin North Am 2001;28:249-258.
4. Davis-Joseph B, Tiefer L, Melman A. Accuracy of the initial history and physical examination to establish the etiology of erectile dysfunction. Urology 1995;45:498-502.
5. European Association of Urology. Guidelines on male sexual dysfunction: erectile dysfunction and premature ejaculation. http://uroweb.org/guideline/male-sexual-dysfunction.
6. Glina S, Cohen DJ, Vieira M. Diagnosis of erectile dysfunction. Curr Opin Psychiatry 2014;27:394-399.
7. Sakheim DK, Barlow DH, Abrahamson DJ, Beck JG. Distinguishing between organogenic and psychogenic erectile dysfunction. Behav Res Ther 1987;25:379-390.

CHAPTER 28

설문지를 이용한 검사

Diagnostic Questionnaire for Sexual Dysfunction

■ 박현준

성기능을 평가하는데 있어 설문지는 환자 스스로 작성할 수 있어 환자의 불편함을 줄여줄 수 있으며, 주관적인 증상을 개관적 지표로 정량화 할 수 있는 매우 유용한 진단 도구이다. 또한, 치료 효과를 평가하는데도 이용이 가능하다.

현재 성기능 평가를 위해 개발된 설문지 중 연구 및 진료 목적으로 사용되고 있는 것들로는 Brief Male Sexual Function Inventory (BMSFI), 국제발기능지수(International Index of Erectile Function; IIEF)와 이를 간략화한 IIEF-5 (International Index of Erectile Function-5), Erectile Dysfunction Inventory of Treatment Satisfaction (EDITS), Sexual Encounter Profile (SEP), Self-Esteem And Relationship (SEAR), Sexual Life Quality Questionnaire (SLQQ), Structured Interview on Erectile Dysfunction (SIEDY), Male Sexual Health Questionnair (MSHQ), Psychological and Interpersonal Relationship Scales (PAIRS), Treatment Satisfaction Scale (TSS), Quality of Erection Questionnaire (QEQ), Erection Hardness Score (EHS), Premature Ejaculation Diagnostic Tool (PEDT), Sexual Experience Questionnaire (SEX-Q), Sexual Quality of Life Instrument for Men등이 있다.

남성갱년기증후군의 진단을 위한 설문지로는 Androgen Deficiency in Aging Males (ADAM)과 Aging Males' Symptoms (AMS) rating scale이 있다.

현재까지 개발된 다양한 설문지중 한국어로 번역되어 활용이 가능한 것은 IIEF, IIEF-5, SEP, MSHQ, SEAR, PEDT, EHS, ADAM, AMS 등이며 학회지 발표를 통해 신뢰도와 타당도에 대해 검증을 거친 것은 IIEF, IIEF-5, MSHQ, ADAM, AMS 및 PEDT 등이다.

1) Brief Male Sexual Function Inventory (BMSFI)

성욕, 발기, 사정, 각 영역에서 문제에 대한 인식, 전반적 만족 등 총 11문항으로 구성되어 있으며 각 문항마다 0-4점으로 배점된다. BMSFI는 질문의 수가 많지 않고 비교적 간단하여 진료와 연구 목적 모두에서 많이 사용된다(표 28-1).

2) International Index of Erectile Function (IIEF)

가장 널리 사용되고 있는 성기능 평가 설문지이다(표 28-2). 발기능(erectile function, EF), 절정감(orgasmic function, OF), 성욕(sexual desire, SD), 성교

표 28-1 성기능 장애 진단을 위한 설문지

Questionnaire	Validation and report
Brief Male Sexual Function Inventory (BMSFI)	O' Leary et al, Urology 1995
국제발기능지수 (International Index of Erectile Function; IIEF)	Rosen et al, Urology 1997 *한글번역본: 정태규 등, 대한비뇨회지 1999
IIEF- 5 (International Index of Erectile Function-5)	Rosen et al, Int J Impot Res 1999 *한글번역본: 안태영 등, 대한비뇨회지 2001
Erectile Dysfunction Inventory of Treatment Satisfaction (EDITS)	Althof et al, Urology 1999
Sexual Encounter Profile (SEP)	Brock et al, J Urol 2002
Self-Esteem And Relationship (SEAR)	Cappelleri et al, Pharmacoepidemiol Drug Saf 2002
Sexual Life Quality Questionnaire(SLQQ)	Woodward et al, Qual Life Res 2002
Structured Interview on Erectile Dysfunction (SIEDY)	Petrone et al, Int J Impot Res 2003
Male Sexual Health Questionnair (MSHQ)	Rosen et al, Urology 2004 *한글번역본: 오철영 등, 대한비뇨회지 2005
Psychological and Interpersonal Relationship Scales (PAIRS)	Swindle et al, Arch Sex Behav 2004
Treatment Satisfaction Scale (TSS)	DiBenedetti et al, Eur Urol 2005
Quality of Erection Questionnaire (QEQ)	Porst et al, J Sex Med 2007
Erection Hardness Score (EHS)	Mulhall et al, J Sex Med 2007
Premature Ejaculation Diagnostic Tool (PEDT)	Symonds et al, Eur Urol 2007 *한글번역본: 이성원 등, 대한남성과학회지 2009
Sexual Experience Questionnaire (SEX-Q)	Mulhall et al, J Sex Med 2008
Sexual Quality of Life Instrument for Men	Abraham et al, J Sex Med 2008
Androgen Deficiency in Aging Males (ADAM)	Morley 등, 2000 *한글번역본: 김수웅 등, 대한비뇨회지 2004
Aging Males' Symptoms (AMS) rating scale	Heinemann 등, 1999 *한글번역본: Daig et al, Health Qual Life Outcomes 2003

만족도(sexual intercourse satisfaction, IS), 전반적인 성생활 만족도 (overall satisfaction, OS)의 5가지 영역에 총 15문항으로 구성되어져 있다.

1, 2, 3, 4, 5, 15번 문항은 발기능, 9, 10번 문항은 절정감, 11, 12번 문항은 성욕, 6, 7, 8번 문항은 성교만족도, 13, 14번 문항은 전반적 성생활 만독도를 반영한다. 각 문항은 답변에 따라 0점 또는 1점부터 5점으로 책정되어 있으며, 각 문항별 점수의 합계를 산출하여 정상 (no dysfunction), 경증 (mild dysfunction), 경중등도 (mild to moderate dysfunction), 중등도 (moderate dysfunction), 중증 (severe dysfunction)으로 구분한다.

발기능의 영역은 25-30점이면 정상, 19-24점이면 경도, 13-18점이면 경중등도, 7-12점이면 중등도, 1-6점이면 중증 장애로 분류한다. 성교만족도의 영역은 13-15점이면 정상, 10-12점이면 경도, 7-9점이면 경중

표 28-2 국제발기능지수 (International Index of Erectile Function; IIEF)

1. 지난 4주동안, 성행위 시 몇 번이나 발기가 가능했습니까?
0=성행위가 없었다, 1=거의 전혀, 혹은 전혀, 2=가끔식 (총 횟수의 50% 훨씬 미만), 3=때때로 (총 횟수의 50% 정도), 4=대부분 (총 횟수의 50% 훨씬 이상), 5=항상 혹은 거의 항상

2. 지난 4주 동안, 성적 자극으로 발기 되었을때 성교가 가능할 정도로 충분한 발기는 몇 번이나 있었습니까?
0=성행위가 없었다, 1=거의 전혀, 혹은 전혀, 2=가끔식 (총 횟수의 50% 훨씬 미만), 3=때때로 (총 횟수의 50% 정도), 4=대부분 (총 횟수의 50% 훨씬 이상), 5=항상 혹은 거의 항상

3. 지난 4주 동안 성교를 시도할 때, 몇 번이나 파트너의 질 내로 삽입할 수 있었습니까?
0=성교를 시도하지 않았다, 1=거의 전혀, 혹은 전혀, 2=가끔식 (총 횟수의 50% 훨씬 미만), 3=때때로 (총 횟수의 50% 정도), 4=대부분 (총 횟수의 50% 훨씬 이상), 5=항상 혹은 거의 항상

4. 지난 4주 동안, 성교하는 중에 발기 상태가 끝까지 유지된 적이 몇 번이나 있었습니까?
0=성교를 시도하지 않았다, 1=거의 전혀, 혹은 전혀, 2=가끔식 (총 횟수의 50% 훨씬 미만), 3=때때로 (총 횟수의 50% 정도), 4=대부분 (총 횟수의 50% 훨씬 이상), 5=항상 혹은 거의 항상

5. 지난 4주 동안, 성교 시에 성교를 끝마칠 때까지 발기 상태를 유지하는 것은 얼마나 어려웠습니까?
0=성교를 시도하지 않았다, 1=지극히 어려웠다, 2=매우 어려웠다, 3=어려웠다, 4=약간 어려웠다, 5=전혀 어렵지 않았다.

6. 지난 4주 동안 몇번이나 성교를 시도 했습니까?
0=시도하지 않았다, 1=1-2회, 2=3-4회, 3=5-6회, 4=7-10회, 5=11회 이상

7. 지난 4주 동안 성교를 시도 했을때 몇 번이나 만족감을 느꼈습니까?
0=성교를 시도하지 않았다, 1=거의 전혀, 혹은 전혀, 2=가끔식 (총 횟수의 50% 훨씬 미만), 3=때때로 (총 횟수의 50% 정도), 4=대부분 (총 횟수의 50% 훨씬 이상), 5=항상 혹은 거의 항상

8. 지난 4주동안 성교시 귀하의 즐거움은 어느 정도 였습니까?
0=성교를 하지 않았다, 1=전혀, 2=별로 즐겁지 않았다, 3=보통, 4=매우 즐거웠다, 5=지극히

9. 지난 4주 동안 성적 자극이 있거나 또는 성교를 했을때 몇 번이나 사정을 했습니까?
0=성자극이나 성교가 없었다, 1=거의 전혀, 혹은 전혀, 2=가끔식 (총 횟수의 50% 훨씬 미만), 3=때때로 (총 횟수의 50% 정도), 4=대부분 (총 횟수의 50% 훨씬 이상), 5=항상 혹은 거의 항상

10. 지난 4주 동안, 성적 자극이 있거나 또는 성교를 할 때, 사정을 했든지 또는 사정을 안 했든지 간에 몇 번이나 오르가즘 (절정감)을 느꼈습니까?
0=성자극이나 성교가 없었다, 1=거의 전혀, 혹은 전혀, 2=가끔식 (총 횟수의 50% 훨씬 미만), 3=때때로 (총 횟수의 50% 정도), 4=대부분 (총 횟수의 50% 훨씬 이상), 5=항상 혹은 거의 항상

11. 지난 4주 동안 얼마나 자주 성욕을 느꼈습니까?
1=거의 전혀 혹은 전혀 없었다, 2=가끔식 (총 횟수의 50% 훨씬 미만), 3=때때로 (총 횟수의 50% 정도), 4=대부분 (총 횟수의 50% 훨씬 이상), 5=항상 혹은 거의 항상

12. 지난 4주 동안 귀하의 성욕의 정도는 어느 정도이었다고 생각하십니까?
1=매우 낮거나 전혀 없었다, 2=낮았다, 3=그저 그랬다, 4=높았다, 5=매우 높았다.

13. 지난 4주 동안 대체로 귀하의 성생활에 대해서 얼마나 만족했습니까?
1=전혀 혹은 매우 만족하지 못했다, 2=대체로 만족하지 못했다, 3=그저 그렇다, 혹은 보통이다, 4=대체로 만족한다, 5=매우 만족했다.

14. 지난 4주 동안 귀하의 파트너와의 성 관계에 대해서 얼마나 만족했습니까?
1=전혀 혹은 매우 만족하지 못했다, 2=대체로 만족하지 못했다, 3=그저 그렇다, 혹은 보통이다, 4=대체로 만족한다, 5=매우 만족했다.

15. 지난 4주 동안 발기할 수 있고, 발기 상태를 유지할 수 있다는 것에 대한 귀하의 자신감은 어느 정도라고 생각하십니까?
1=매우 낮다, 2=낮다, 3=그저 그렇다, 4=높다, 5=매우 높다.

등도, 4-6점이면 중등도, 0-3점이면 중증 장애로 분류한다. 절정감, 성욕 및 전반적 성생활 만족도의 영역은 각각 9-10점이면 정상, 7-8점이면 경도, 5-6점이면 경중등도, 3-4점이면 중등도, 0-2점이면 중증 장애로 분류한다.

IIEF는 내용이 광범위하고 문항의 수가 많아 연구자에 따라 발기능 항목의 5개 문항을 이용하거나 3번과 4번문항만을 이용하기도 한다.

IIEF는 여러 국제 협력 연구를 통해 신뢰도와 타당도를 검증받았으며 발기부전의 치료효과를 평가하는데 있어 민감도와 특이도가 높은 것으로 평가되었으며 한국어로도 번역되어 검증되었다. 그러나 IIEF는 일상적인 진료 환경에서 사용하기에는 설문의 내용이 길어 연구 목적의 임상시험에 더 적합하다.

3) International Index of Erectile Function(IIEF-5)

진료환경에서 진단 목적으로 쉽게 활용하기 위해 IIEF의 15개 문항을 5개문항으로 줄인 IIEF-5 (5-item Version of the International Index of Erectile Function)가 개발되었다. 연구자에 따라서는 Sexual Health Inventory for Men (SHIM)이라고도 하는데, IIEF의 발기능 영역 4문항 (2, 4, 5 및 15번)과 성교만족도 영역의 1 문항 (7번)을 모아 요약한 것이다. IIEF는 지난 4주간의 상태에 대한 평가하지만, IIEF-5는 지난 6개월간의 상태를 평가하는 것이 다르다. 각 문항마다 0또는 1점부터 5점으로 평가하며 모든 항목의 점수를 더하여 정상 (22-25점), 경증 (17-21점), 경중등증 (12-16점), 중등증 (8-11점) 및 중증 (5-7점)으로 분류한다. 한국어로 번역되어 발기부전을 진단하고 증상의 정도를 평가하는데 높은 신뢰도와 타당도를 검증받았으며 현재, 발기부전 환자를 진료할 때 발기부전을 선별하기 위한 설문으로 가장 널리 사용되고 있다(표 28-3).

4) Erectile Dysfunction Inventory of Treatment Satisfaction (EDITS)

EDITS는 일반적인 진료환경에서 진단 목적보다는 약물의 효과를 판정하는 임상연구에 유용하다. 11개 문항으로 구성되었으며 각 질문마다 0-4의 등급으로 배점된다. 각 영역내의 질문에 대한 점수를 합하여 영역별 점수를 산출한다. 성욕과 사정기능에 대한 영역 점수는 각각 0-8점 범위이며, 발기능과 성적 문제에 대한 영역 점수는 각각 0-12점, 전반적인 성적 만족에 대해서는 0-4점 범위이다. EDITS 지수는 모든 항목의 평균점수에 25를 곱하여 산출되며 최대 점수는 100점이다. EDITS 지수는 0은 매우 불만, 25는 불만, 50은 만족도 불만도 아님, 75는 만족, 100은 매우 만족을 나타낸다.

5) Sexual Encounter Profile (SEP)

SEP는 간단한 설문으로 구성되어져 있어 임상연구나 진료 환경에서 치료의 효과를 판정할 때 유용하다. SEP1, SEP2, SEP3, SEP4 및 SEP5로 구분되며 각각 발기 (achieve some erection), 성공적인 질삽입 (successful penetration), 성공적인 성교 (successful intercourse), 발기강족도에 대한 만족 (satisfaction with hardness), 전반적인 만족 (overall satisfaction)에 대해 평가한다. SEP2 (귀하의 음경을 파트너의 질 내에 삽입할 수 있었습니까? Were you able to insert your penis into your partner' 's vagina?) 와 SEP3 (성공적인 성교가 가능할 정도로 발기가 충분히 지속되었습니까? Did your erection last long enough for you to have successful intercourse?)가 가장 널리 사용된다.

6) Self-Esteem And Relationship (SEAR)

자존심, 신뢰, 관계 만족 등에 대한 성기능 장애의 영향을 측정하는 14개 문항의 설문지다. SEAR는 8문항으로 된 성관계(sexual relationship) 영역과 6문항

표 28-3 International Index of Erectile Function (IIEF-5)

1. 지난 6개월 동안 삽입할 정도로 발기가 되고 발기상태가 유지되고 있다는 것에 대한 귀하의 자신감은 어느정도라고 생각 하십니까?
1=매우낮다, 2=낮다, 3=그저 그렇다, 4=높다, 5=매우 높다

2. 지난 6개월 동안 성적 자극으로 발기 되었을때 성교가 가능할 정도로 충분한 발기가 몇 번이나 있었습니까?
0=성행위가 없었다, 1=거의 전혀, 혹은 전혀, 2=가끔식 (총 횟수의 50% 훨씬 미만), 3=때때로 (총 횟수의 50% 정도), 4=대부분 (총 횟수의 50% 훨씬 이상), 5=항상 혹은 거의 항상

3. 지난 6개월 동안 성교하는 중에 발기 상태가 끝까지 유지된 적이 몇 번이나 있었습니까?
0=성교를 시도하지 않았다, 1=거의 전혀, 혹은 전혀, 2=가끔식 (총 횟수의 50% 훨씬 미만), 3=때때로 (총 횟수의 50% 정도), 4=대부분 (총 횟수의 50% 훨씬 이상), 5=항상 혹은 거의 항상

4. 지난 6개월 동안 성교시에 성교를 끝마칠 때까지 발기상태를 유지하는 것이 얼마나 어려웠습니까?
0=성교를 시도하지 않았다, 1=자극히 어려웠다, 2=매우 어려웠다, 3=어려웠다, 4=약간 어려웠다, 5=전혀 어렵지 않았다

5. 지난 6개월동안 성교를 시도했을때 몇 번이나 만족감을 느꼈습니까?
0=성교를 시도하지 않았다, 1=거의 전혀, 혹은 전혀, 2=가끔식 (총 횟수의 50% 훨씬 미만), 3=때때로 (총 횟수의 50% 정도), 4=대부분 (총 횟수의 50% 훨씬 이상), 5=항상 혹은 거의 항상

17-21 : 경증 발기부전

12-16 : 경증 내지 중등도 발기 부전

8-11 : 중등도 발기 부전

1-7 : 중증 발기부전

의 자신감 (confidence)영역으로 구성되어져 있는데 자신감 영역은 4문항의 자존심 (self-esteem) 및 2문항의 전반적관계 (overall relationship)의 소영역으로 나누어 진다. 2002년 Cappellieri 등이 개발하였으며 심리적 측면의 측정이 가능하며, 성기능장애를 치료한 후 성관계 만족도, 신뢰, 자존심 등을 측정할 수 있는 점이 특징이다.

7) Sexual Life Quality Questionnaire (SLQQ)

SLQQ는 성관계 만족도(sexual quality of life)와 치료에 대한 만족도(satisfaction with treatments)를 동시에 평가할 수 있는 설문지이다. 16개의 문항으로 구성되어져 있으며 10개 문항은 성관계 만족도, 그리고 6개 문항은 치료에 대한 만족도를 나타낸다.

8) Structured Interview on Erectile Dysfunction (SIEDY)

ED의 신체기질적 요인 (4, 13, 15번 문항), 파트너와의 관계 (7, 8, 9, 10번 문항), 심리적인 요인 (2, 3, 6, 11, 12, 14번 문항)등 3개 영역에 총 15개 문항 (13개 주문항 및 2개 부속문항)으로 구성되어져 있으며 각 문항마다 0-3점씩 점수가 정해진다. SIEDY는 환자가 스스로 기입하는 것이 아니라 설문자가 환자에게 질문을 하여 답을 기입한다.

9) Male Sexual Health Questionnaire (MSHQ)

IIEF가 사정이나 절정감에 대한 정보가 적어 사정 질환의 진단에 적합하지 않다는 점에 착안하여 Rosen 등이 성기능과 만족도, 특히 사정 능력에 초점

을 둔 Male Sexual Health Questionnaire (MSHQ)를 제시하였다. MSHQ는 총 25개의 자기기입식 문항으로 구성되어 있으며 발기능, 사정능 및 만족도 평가의 3가지 영역으로 되어있다. 문항 1-3은 발기능력, 문항 5-11은 사정능력, 그리고 문항 13-18은 만족도를 평가하기 위한 항목이다. 그리고 19-25번 문항은 성적활동 및 욕구에 대한 질문으로 부가항목으로 분류되어 있다. 점수는 문항 1-3, 6-11은 각각 0-5점이고, 문항 4, 5, 12-25는 각각1-5점으로 배점되어 발기 점수는 0-15점, 사정 점수는 1-35점, 그리고 만족 점수는 6-30점으로 평가될 수 있다.

10) Psychological and Interpersonal Relationship Scales (PAIRS)

성행위에 대한 자신감(sexual self-confidence), 자연스러운 발기(spontaneity), 그리고 시간에 대한 걱정(time concerns)의 세 영역에 총 23개 문항으로 되어있다. 이 중 자신감 영역은 1-5점, 나머지 두영역의 질문들은 1-4점으로 평가된다. PAIRS는 발기능에 대한 임상시험에서 치료에 대한 효과를 판정에 있어 심리적 요인까지 포함하여 평가가 가능한 장점이 있다.

11) Treatment Satisfaction Scale (TSS)

2004년 Kubin 등이 개발한 이후 2005년 DiBenedetti 등이 수정하여 신뢰도와 타당도를 유럽비뇨기과학회지에 발표하여 검증받았다. TSS는 발기부전 치료 후의 환자와 파트너의 만족도를 측정하는데 유용한 설문지이다.

12) Quality of Erection Questionnaire (QEQ)

발기의 질(강도, 시작, 지속시간)에 따른 만족과 발기기능 장애 치료의 효과를 평가하기 위한 설문지로 2007년 Porst 등이 개발하였다. 지난 4주간 환자의 발기능을 평가하며, 총 6개 문항으로 이루어져 있다. QEQ는 임상시험과 임상진료에서 발기부전에 치료 전 후의 발기능의 변화를 평가하는데 유용하다.

13) Erection Hardness Score (EHS)

1990년대 이후 PDE5억제제인 sildenafil이 개발되면서 위약군과의 비교 임상시험에서 발기능의 정도를 정량화하여 평가하기 위한 설문으로 이용되다가 2006년 미국 FDA의 기준에 따라 2007년 Mulhall 등이 신뢰도와 타당도를 검증하였다. EHS는 발기능 장애의 정도를 평가하고 치료에 대한 반응 평가할 때 발기능을 객관적으로 정의하고 평가할 수 있으며 설문이 간단하여 손쉽게 환자들이 작성할 수 있다는 장점이 있어 많은 임상 시험에서 활용되고 있다(표 28-4).

14) Premature Ejaculation Diagnostic Tool (PEDT)

조루증의 진단을 위한 설문도구로서 2007년 Symonds 등이 총 5개 문항으로 각각 0-4점의 점수를

표 28-4 Erection Hardness Score (EHS)

EHS*
0: Penis does not enlarge.
1: Penis is larger but not hard.
2: Penis is hard but not hard enough for penetration.
3: Penis is hard enough for penetration but not completely hard.
4: Penis is completely hard and fully rigid.

*"How would you rate the hardness of your erection?"

매길 수 있게 개발하였다. 각각의 항목은 사정조절능, 조루 증상의 빈도, 조루증상의 정도, 스트레스 및 파트너와의 관계에 대해 다루고 있으며 5문항의 합계가 8점 이하인 경우는 정상, 9-10점은 조루증 의심, 11점 이상은 조루증으로 판정할 수 있다. 2009년 한국어로 번역되어 신뢰도와 타당도가 검증되어 활용이 가능하다.

15) Sexual Experience Questionnaire (SEX-Q)

발기능, 환자만족도, 성파트너의 만족도의 3개 영역에 총 12문항으로 구성되었다. SEX-Q는 비교적 간단하며 발기능과 삶의 질을 동시에 반영할 수 있어 임상시험 등에 적합하다. IIEF, SEAR, QEQ 등과의 비교연구에서 신뢰도와 타당성을 검증받았다.

16) Sexual Quality of Life Instrument for Men (SQOL-M)

2005년 Symonds 등이 여성성기능 장애를 진단하기 위해 개발한 SQOL-F를 남성환자에 맞게 수정하여 Abraham 등이 2008년도에 발표하였다. 총 11개 문항으로 이루어져있으며 각 항목마다 1-6점이 매겨진다. 주로 성생활에 대한 전반적인 느낌과 만족도를 평가한다.

17) Androgen Deficiency in Aging Males (ADAM)설문지

Morley 등(2000)은 테스토스테론이 저하된 남성갱년기증후군 환자의 진단을 위한 목적으로 개발하였다. ADAM 설문지는 남성호르몬 저하와 관련된 주된 증상을 유무를 물어보는 10가지 문항에서 성욕감퇴와 발기력 저하를 나타내는 1번 혹은 7번 문항에 '예' 라고 답하거나 다른 문항들 중 3가지 이상에서 '예' 라고 응답한 경우 양성으로 판단한다. 2004년 김 등이 국문으로 번역하여 현재 남성갱년기증후군을 진단하기 위한 설문지로 가장 많이 사용되고 있다. ADAM 설문지는 설문이 간편하여 고령자도 쉽게 이해할 수 있으며 테스토스테론의 감소를 반영하는 민감도가 높으나, 특이도가 낮으며 증상의 정도를 정량화할 수 없는 것이 단점이다(표 28-5).

18) Aging Males' Symptoms (AMS) rating scale

Heinemann 등이 개발한 Aging Males' Symptoms (AMS) rating scale은 현재 많은 나라에서 번역하여 사용하고 있다. 이 점수표는 정신적 증상 5항목, 신체적

표 28-5 Androgen Deficiency in Aging Males (ADAM)설문지

1. 성욕감퇴가 있습니까?
2. 기력이 없습니까?
3. 체력이나 지구력에 감퇴가 있습니까?
4. 키가 줄었습니까?
5. 삶의 즐거움이 줄었다고 느낀 적이 있습니까?
6. 울적하거나 괜히 짜증이 나십니까?
7. 발기가 예전보다 덜 강합니까?
8. 운동능력이 최근에 떨어진 것을 느낀적이 있습니까?
9. 저녁식사 후 바로 잠에 빠져 드십니까?
10. 일의 수행능력이 최근에 떨어졌습니까?

* 문항 1 또는 문항 7에 '예' 라고 답하거나 다른 문항 3가지 이상에 '예' 라고 응답한 경우 양성

증상 7항목, 성적 증상 5항목의 총 17개 항목으로 구성되어 있으며 증상에 따라 4 등급으로 분류할 수 있다. 테스토스테론의 감소로 인한 증상의 선별검사라기보다는 남성갱년기 환자의 삶의 질을 평가하는 점수표로서의 의미가 더욱 강하다.

요 약

발기부전의 진단을 위해 다양한 설문지가 개발되어 있으며 이중 일부는 한국어로 번역되어 진료나 임상연구에서 널리 사용이 되고 있다. 각 설문지는 개발 목적에 따라 진단, 치료의 효과 판정, 임상시험 등 나름대로의 장점과 단점을 가지고 있다. 따라서 연구자들은 각 설문지의 특성을 충분히 파악하여 목적에 적합한 설문지를 선택하여 활용하는 것이 필요하다. 특히, 진료 목적으로 설문지를 활용할 경우 설문지로 얻은 정보뿐만 아니라 발기부전의 위험인자를 찾기 위한 신체검사, 병력청취 및 검사실 검사 등의 결과를 종합적으로 판단하는 것이 필요하다.

참고문헌

1. 감성철, 한덕현, 허정호, 이성원. Premature Ejaculation Diagnostic Tool (PEDT) 한국어판의 개발과 타당도에 대한 연구. 대한남성회지 2009;27:185-193.
2. 김수웅, 오승준, 백재승, 김세철. Androgen Deficiency in Aging Males (ADAM) 설문지의한국어 번역본 개. 대한비뇨회지 2004;45:674-679.
3. 안태영, 이동수, 강위창, 홍준혁, 김영식. IIEF-5 (5-item Version of the International Index of Erectile Function) 한국어판의 타당도에 대한 연구. 대한비뇨회지 2001 42:535-540.
4. 오철영, 이재석, 정병하. 남성 성관련 건강 설문지의 국문 번역에 대한 타당성 및 신뢰도에 대한 연구. 대한비뇨회지 2005;46:1308-1326.
5. 정태규, 이태경, 정상욱, 이무송, 김영식, 안태영. 한국어 발기능 측정 설문지 (the International Index of Erectile Function)의 신뢰도와 타당도에 대한 연구. 대한비뇨회지 1999;40:1334-1343.
6. Abraham L, Symonds T, Morris MF. Psychometric validation of a sexual quality of life questionnaire for use in men with premature ejaculation or erectile dysfunction. J Sex Med 2008;5:595-601.
7. Althof SE, Cappelleri JC, Shpilsky A, Stecher V, Diuguid C, Sweeney M, et al. Treatment responsiveness of the Self-Esteem And Relationship questionnaire in erectile dysfunction. Urology 2003;61:888-892.
8. Althof SE, Corty EW, Levine SB, Levine F, Burnett AL, McVary K, et al. EDITS: development of questionnaires for evaluating satisfaction with treatments for erectile dysfunction. Urology 1999;53:793-799.
9. Brock GB, McMahon CG, Chen KK, Costigan T, Shen W, Watkins V, et al. Efficacy and safety of tadalafil for the treatment of erectile dysfunction: results of integrated analyses. J Urol 2002;168:1332-1336.
10. Cappelleri JC, Althof SE, Siegel RL, Shpilsky A, Bell SS, Duttagupta S. Development and validation of the Self-Esteem And Relationship (SEAR) questionnaire in erectile dysfunction.Int J Impot Res 2004;16:30-38.
11. Cappelleri JC, Bell SS, Stecher V. Development and validation of self-esteem/overall relationship questionnaire (SEORQ) in erectile dysfunction (abstract). Pharmacoepidemiol Drug Saf 2002;11(suppl 1):S122.
12. Daig I, Heinemann LA, Kim S, Leungwattanakij S, Badia X, Myon E, et al. The Aging Males' Symptoms (AMS) scale: review of its methodological characteristics. Health Qual Life Outcomes 2003;1:77.
13. DiBenedetti DB, Gondek K, Sagnier PP, Kubin M, Marquis P, Keininger D, et al. The treatment satisfaction scale: a multidimensional instrument for the assessment of treatment satisfaction for erectile dysfunction patients and their partners. Eur Urol 2005;48:503-511.
14. Goldstein I, Mulhall JP, Bushmakin AG, Cappelleri JC, Hvidsten K, Symonds T. The erection hardness score and its relationship to successful sexual intercourse. J Sex Med 2008;5:2374-2380.

15. Heinemann LA, Zimmermann T, Vermeulen A, Thiel C. A new 'Aging Male's Symptoms' (AMS) scale. Aging Male 1999;2:105-114.

16. Kubin M, Trudeau E, Gondek K, Seignobos E, Fugl-Meyer AR. Early conceptual and linguistic development of a patient and partner treatment satisfaction scale (TSS) for erectile dysfunction. Eur Urol 2004;46:768-774.

17. Morley JE, Charlton E, Patrick P, Kaiser FE, Cadeau P, McCready D, et al. Validation of a screening questionnaire for androgen deficieny in aging males. Metabolism 2000;49:1239-1242.

18. Mulhall JP, Goldstein I, Bushmakin AG, Cappelleri JC, Hvidsten K. Validation of the erection hardness score. J Sex Med 2007;4:1626-1634.

19. Mulhall JP, King R, Kirby M, Hvidsten K, Symonds T, Bushmakin AG, et al. Evaluating the sexual experience in men: validation of the sexual experience questionnaire. J Sex Med 2008;5:365-376.

20. O'Leary MP, Fowler FJ, Lenderking WR, Barber B, Sagnier PP, Guess HA, et al. A brief male sexual function inventory for urology. Urology 1995;46:697-706.

21. Petrone L, Mannucci E, Corona G, Bartolini M, Forti G, Giommi R, et al. Structured interview on erectile dysfunction (SIEDY): a new, multidimensional instrument for quantification of pathogenetic issues on erectile dysfunction. Int J Impot Res 2003;15:210-220.

22. Porst H, Gilbert C, Collins S, Huang X, Symonds T, Stecher V, Hvidsten K. Development and validation of the quality of erection questionnaire. J Sex Med 2007;4:372-381.

23. Rosen RC, Cappelleri JC, Smith MD, Lipsky J, Pena BM. Development and evaluation of an abridged, 5-item version of the International Index of Erectile Function (IIEF-5) as a diagnostic tool for erectile dysfunction. Int J Impot Res 1999;11:319-326.

24. Rosen RC, Riley A, Wagner G, Osterloh IH, Kirkpatrick J, Mishra A. The international index of erectile function (IIEF): a multidimensional scale for assessment of erectile dysfunction. Urology 1997;49:822-830.

25. Rosen RC, Catania J, Pollack L, Althof S, O'Leary M, Seftel AD. Male Sexual Health Questionnaire (MSHQ): scale development and psychometric validation. Urology 2004;64:777-782.

26. Symonds T, Boolell M, Quirk F. Development of a questionnaire on sexual quality of life in women. J Sex Marital Ther 2005;31:385-397.

27. Swindle RW, Cameron AE, Lockhart DC, Rosen RC. The psychological and interpersonal relationship scales: assessing psychological and relationship outcomes associated with erectile dysfunction and its treatment. Arch Sex Behav 2004;33:19-30.

28. Woodward JM, Hass SL, Woodward PJ. Reliability and validity of the sexual life quality questionnaire (SLQQ). Qual Life Res 2002;11:365-377.

CHAPTER 29

정신사회적 평가

Psychosocial Assessment

■ 이상열

1. 서론

정상 성기능은 생리정신사회적 과정으로 심리적, 내분비적, 혈관 그리고 신경학적 요소들이 복합적으로 작용한다. 최근 상당수의 사례에서 심리적인 요인이 독립적 혹은 유기적으로 결합하여 발기부전에 영향을 주는 것으로 제안되었다. 심리적 발기부전은 심리적 혹은 대인관계적 요소에 의해 성행위를 위해 충분한 음경의 발기를 얻지 못하거나 혹은 유지하지 못하는 상태로 정의된다. 역학적인 연구에서는 우울한 기분, 낮은 자존감, 불안 그리고 기타 심리사회적 스트레스가 발기부전의 원인으로 제안되었다. 따라서 발기부전 환자에 대한 정확한 진단 및 치료적 접근을 위해 정신사회학적 평가의 중요성이 강조된다고 할 수 있다.

2. 성기능 장애와 정신사회적 요인들과의 관계

발기부전이 생명을 위협하는 질환은 아니지만 남성의 삶의 의미와 가치를 잃게 하며 심리적 좌절감과 무력감, 수치심 등으로 인해 가정불화 및 사회적인 문제를 야기시킨다. 또한 자신감을 저하시켜 부부 간의 친밀감과 원만한 성생활에 방해가 될 수 있다. 성기능 장애와 관련된 정신과적 질환으로 대표적인 것이 우울증이다. 연구에 따르면 치료를 받고 있는 우울증 환자 중 50%에서 성기능 장애를 경험하는 것으로 보고되었고 심한 우울증을 앓고 있는 노인 환자의 경우 90% 이상에서 성기능 장애를 경험한다. 우울증으로 인해 환자의 성적 욕망이나 성행위에 대한 욕구는 종종 감소하며, 이것은 남성에서 발기부전으로 나타난다. 발기부전은 중년 남성의 삶의 질을 저하시키는 주요한 건강 문제 중 하나이며 본인 뿐만 아니라 배우자의 우울 증상까지 함께 증가시키고 이로 인한 우울 증상은 또 다시 발기부전을 초래하는 악순환이 반복된다.

3. 정신사회적 평가

1) 면담 시 확인해야 할 사항들

발기부전의 치료에서 가장 중요한 것은 상세한 병력 청취를 통해 진단을 내리는 것이며, 그 이후에는 발기부전의 심각도 및 발기부전과 관련된 정신사회적 요인들을 파악해야 한다. 이를 위해 환자와 성적 파트너로부터 충분한 정보를 얻어야 하는데, 발기부전은 남성에게 심각한 수치심을 유발할 수 있기 때문에 면담 시 주의 깊은 접근이 요구된다. 임상의는 먼저 솔직하고 수용적인 태도를 지녀야 한다. 이를 통해 환자는 의사에 대한 신뢰를 쌓고 자신의 문제를 최대한 자세하게 드러낼 수 있다. 환자에 따라 성적 파트너와 함께 진료를 받으러 오는 것을 선호하거나 혹은 꺼려할 수 있는데, 이때는 환자의 결정을 존중해 주어야 한다. 또한 성적 파트너와 함께 내원하는 경우 훨씬 더 많은 도움을 받을 수 있다는 사실을 강조해야 한다.

2) 정서영역

(1) 우울

① 벡 우울 척도(Beck depression inventory; BDI)

벡 우울 척도는 전세계적으로 가장 많이 사용되는 자기 보고형 척도로 임상 현장에서 환자를 진단하거나 치료 효과를 평가할 뿐만 아니라 일반 인구에서 우울증의 가능성이 있는 사람을 선별하거나, 연구 목적으로 피험자를 선별하는 도구로서 흔히 이용된다. 벡 우울 척도는 우울증의 인지적, 정서적, 동기적, 신체적 증상 영역을 포함하는 21문항으로 이루어져 있으며, 각 문항마다 0-3점으로 평가하여 총점의 범위는 0-63점이다. 서구에서는 대체로 10점 이상을 우울증으로 분류하지만, 한국의 경우는 일반적으로 벡 우울 척도의 평균치가 외국에 비해 높기 때문에 연구에 따라 절단점을 16점에서 21점까지 제시하고 있다.

② 환자 건강 설문지(Patient Health Questionnaire-9; PHQ-9)

환자 건강 설문지는 일차진료기관에서 쉽게 볼 수 있는 정신질환의 진단을 위해 자기보고형식으로 개발된 도구이며, PHQ-9은 이 중 우울증을 평가한다. 한국어로 번역이 되었으며 만족할 만한 타당성과 신뢰성이 확보되었고, 다른 우울증 평가도구의 절반 정도의 분량이라는 장점이 있다. 지난 2주간의 무쾌감, 우울감, 수면의 변화, 피로감, 식욕의 변화, 죄책감, 무가치감, 집중력 저하, 좌불안석 또는 쳐진 느낌, 자살 사고의 9가지 요소로 구성되어 있다. 각각의 요소는 0-3점으로 평가되며 점수가 높을수록 우울증의 심각도가 높다는 것을 반영한다. 한국에서는 0-4점(우울증이 아님), 5-9점(가벼운 우울증), 10-19점(중간 정도 우울증), 20-27점(심한 우울증)으로 분류되었다.

③ 우울증 역학연구 척도(Center for Epidemiologic Studies Depression Scale; CES-D)

미국정신보건원(NIH)에서 일반 인구 집단을 대상으로 우울증의 역학적 연구를 위해 개발된 선별도구로서 경제적이고 적용이 용이하며, 측정자의 훈련이 불필요해서 측정 오차를 피할 수 있다. 일반 인구와 서로 다른 인구학적 그리고 질환 별 인구군에서의 우울증상을 선별하기 위해 널리 사용되는 도구로, 우울증상이 있는 사람과 없는 사람을 구별하는 데에 타당한 도구로 밝혀져 있다. 자기보고형 척도로 문항이 간결하고, 증상의 존재기간을 기준으로 심각도를 측정하는 것으로서 역학 연구에 용이하다. CES-D는 우울 정서요인, 긍정적 정서요인, 신체적 증상 및 둔마된 행동요인, 대인관계 요인으로 구성되어 있으며, 총 20문항으로 지난 일주일간 경험한 우울증상의 빈도에 따라 0-3점의 4단계 수준으로 측정한다. 점수가 높을수록 우울증이 심한 상태를 의미한다. 서구에서 절단점은 대체로 16점과 25점을 많이 사용하며, 16점은 유력한 우울증(probable depression), 25점은 확실한 우울증(definite depression)을 의미한다.

④ 우울증 자가평가 척도(Zung Self-Rating Depression Scale; ZSDS)

Zung의 자기보고식 우울척도는 일반적인 우울증상을 포괄하는 문항들로 구성되는데, 크게 심리적인 우울 성향의 정도를 측정하는 10개의 문항과 생리적인 우울 성향을 측정하는 8개의 문항 그리고 전반적인 정동을 측정할 수 있는 2개의 문항으로 모두 20개의 문항으로 구성되어 있다. 각 항목마다 1-4점으로 평가되며 점수를 합산하여 20-80점의 범주로 평가한다.

⑤ 노인 우울 척도(Geriatric depression scale; GDS-15)

노인을 대상으로 우울증을 평가하기 위해 만든 자기보고형 척도이다. 총 30문항으로 이루어져 있으며 피검자는 예/아니오로 응답하는 형식이다. 이후 15문항으로 단축된 GDS-15가 개발되었으며, 여러 연구들에서 노인 우울증을 평가하는데 높은 신뢰도와 타당도를 보였다. 국내에서는 한국 노인들의 정서에 맞고, 이해하기 쉬운 표현으로 수 차례 수정, 보완하여 번역이 이루어졌고, 높은 민감도, 특이도를 보였으며, 절단점은 18점으로 제안되었다. 쉬운 문항과 예/아니오의 간단한 응답으로 이루어진 자기보고형태이나 노인의 경우 주의력, 이해력 등의 인지기능의 감소와

표 29-1 환자 건강 설문지(PHQ-9)]

지난 2주일 동안 당신은 다음의 문제들로 인해서 얼마나 자주 방해를 받았습니까?		전혀 방해 받지 않았다 0	며칠 동안 방해 받았다 1	7 일 이상 방해 받았다 2	거의 매일 방해 받았다 3
1	일 또는 여가 활동을 하는 데 흥미나 즐거움을 느끼지 못함				
2	기분이 가라앉거나, 우울하거나, 희망이 없음				
3	잠이 들거나 계속 잠을 자는 것이 어려움, 또는 잠을 너무 많이 잠				
4	피곤하다고 느끼거나 기운이 거의 없음				
5	입맛이 없거나 과식을 함				
6	자신을 부정적으로 봄 - 혹은 자신이 실패자라고 느끼거나 자신 또는 가족을 실망시킴				
7	신문을 읽거나 텔레비전 보는 것과 같은 일에 집중하는 것이 어려움				
8	다른 사람들이 주목할 정도로 너무 느리게 움직이거나 말을 함. 또는 반대로 평상시보다 많이 움직여서, 너무 안절부절 못하거나 들떠 있음				
9	자신이 죽는 것이 더 낫다고 생각하거나 어떤 식으로든 자신을 해칠 것이라고 생각함				

만일 당신이 위의 문제 중 하나 이상 "예" 라고 응답하셨으면, 이러한 문제들로 인해서 당신은 일을 하거나 가정 일을 돌보거나 다른 사람과 어울리는 것이 얼마나 어려웠습니까?

전혀 어렵지 않았다. 약간 어려웠다. 많이 어려웠다. 매우 많이 어려웠다.

시력저하 등의 문제로 검사자를 통한 문답형식의 검사가 추천된다.

(2) 불안

① 벡 불안 척도(Beck Anxiety Inventory; BAI)

불안의 정도를 측정하기 위한 도구로 불안의 인지적, 정서적, 신체적 영역을 포함하는 21문항으로 구성되어 있다. 총 21문항으로 구성되었으며 지난 1주일간 불안과 관련된 증상을 어느 정도나 느꼈는지를 0-3점 척도로 평가한다. 점수 범위는 0-63점으로 0-9점(정상수준), 10-18점(경한 수준의 불안), 19-30점(심한 수준의 불안), 31-63점(매우 심한 수준의 불안)으로 구분하고 있다.

② 상태-특성 불안 척도(State-Trait Anxiety Inventory; STAI)

상태 불안과 특성 불안을 측정하기 위한 도구로 상태 불안 척도(STAI-X1형) 20문항, 특성 불안 척도(STAI-X2형) 20문항으로 구성되어 있다. 원래 정상인의 불안 증상을 측정하는 도구로 개발되었으나, 임상집단의 불안 측정에도 유용한 것으로 밝혀졌다. 자기보고식으로 각 문항을 경험하는 정도를 4점 척도로 평가한다.

③ 불안 자가평가 척도(Zung Self-Rating Anxiety Scale; ZSAS)

일반적인 여러 불안 증상 등을 망라하는 20개의 문항들로 구성된 자기보고식 척도로 정동적 불안과 신체적 불안으로 나눌 수 있다. 각 항목마다 '거의 그렇지 않다, 때때로 그렇다, 자주 그렇다, 거의 항상 그렇다' 중 한 가지로 응답할 수 있으며 응답에 따라서 1-4점으로 평가되며 점수는 각 항목의 점수를 합산하여 20-80점의 범주로 평가한다.

(3) 우울과 불안을 동시에 평가

① 병원 불안-우울 척도(Hospital Anxiety and Depression Scale; HADS)

일반병원을 방문한 환자의 불안과 우울의 심각도를 의사의 진료를 받기 위해 기다리는 짧은 시간동안 측정하기 위하여 개발한 척도이다. 이 척도는 종합병원에서 내원한 환자를 대상으로 하여, 불안과 우울 정도를 평가할 수 있을 뿐만 아니라 환자의 감정 상태의 변화도 평가할 수 있는 도구로서 유용하다. 병원 불안 우울 척도는 모두 14개의 문항으로 홀수 번호 7개는 불안에 관한 문항으로 불안 하부 척도(HAD-A)이며, 짝수번호 7개는 우울에 관한 문항으로 우울 하부척도(HAD-D)로 구성되어 있다. 각각의 문항은 4점척도(0-3점)로 평가된다.

3) 스트레스 영역

(1) 스트레스 자각 척도(Perceived Stress Scale; PSS)

스트레스 자각 척도는 지난 1개월 동안 피험자가 지각한 스트레스 경험을 평가하는 14개 문항 설문지로 개발되었으며 그 후 10개 문항으로 개정되었다. 문항 1, 2, 3, 6, 9, 10은 긍정 문항으로 채점이 되고, 문항 4, 5, 7, 8은 부정 문항으로 역 채점된다. 총점의 범위는 0-40점이며 총점이 높을수록 지각된 스트레스의 정도가 심한 것을 의미한다. 진단적인 목적으로 개발된 도구가 아니기 때문에 절단점은 별도로 제시하고 있지 않다.

(2) 한국간이 내담자 정신사회적평가 척도(Brief Encounter Psychosocial Instrument; BEPSI-K)

BEPSI-K의 한국어판으로 외래에서 간단히 사용할 수 있도록 개발된 스트레스 평가 척도로 총 5가지 문항으로 구성되어 있으며 각 항목(0-4점)의 점수를 합하여 평균을 구한 값이 2.4점 이상인 경우에 스트레스

표 29-2 병원 불안-우울 척도(HADS)]

문항	질문
1	나는 긴장감 또는 "정신적 고통"을 느낀다.
	0. 전혀 아니다
	1. 가끔 그렇다
	2. 자주 그렇다
	3. 거의 그렇다.
2	나는 즐겨오던 것들을 현재도 즐기고 있다.
	0. 똑같이 즐긴다.
	1. 많이 즐기지는 못한다.
	2. 단지 조금만 즐긴다.
	3. 거의 즐기지 못한다.
3	나는 무언가 무서운 일이 일어날 것 같은 느낌이 든다.
	0. 전혀 아니다.
	1. 조금 있지만 걱정하지 않는다.
	2. 있지만 그렇게 나쁘지는 않다.
	3. 매우 분명하고 기분이 나쁘다.
4	나는 사물을 긍정적으로 보고 잘 웃는다.
	0. 나는 항상 그렇다
	1. 현재는 그다지 그렇지 않다
	2. 거의 그렇지 않다
	3. 전혀 아니다.
5	마음속에 걱정스러운 생각이 든다.
	0. 거의 그렇지 않다.
	1. 가끔 그렇다.
	2. 자주 그렇다.
	3. 항상 그렇다.
6	나는 기분이 좋다.
	0. 항상 그렇다.
	1. 자주 그렇다.
	2. 가끔 그렇다.
	3. 전혀 그렇지 않다.
7	나는 편하게 긴장을 풀 수 있다.
	0. 항상 그렇다.
	1. 대부분 그렇다.
	2. 대부분 그렇지 않다.
	3. 전혀 그렇지 않다.

문항	질문
8	나는 기력이 떨어진 것 같다.
	0. 전혀 아니다
	1. 가끔 그렇다
	2. 자주 그렇다
	3. 거의 항상 그렇다.
9	나는 초조하고 두렵다.
	0. 전혀 아니다
	1. 가끔 그렇다
	2. 자주 그렇다
	3. 매우 자주 그렇다.
10	나는 나의 외모에 관심을 잃었다.
	0. 여전히 관심이 있다.
	1. 전과 같지는 않다.
	2. 이전보다 확실히 관심이 적다.
	3. 확실히 잃었다.
11.	나는 가만히 있지 못하고 안절부절한다.
	0. 전혀 그렇지 않다.
	1. 가끔 그렇다.
	2. 자주 그렇다.
	3. 매우 그렇다.
12	나는 일들을 즐거운 마음으로 기대한다.
	0. 내가 전에 그랬던 것처럼 그렇다.
	1. 전보다 조금 덜 그렇다.
	2. 전보다 확실히 덜 그렇다.
	3. 전혀 그렇지 않다.
13	나는 갑자기 당황스럽고 두려움을 느낀다.
	0. 전혀 그렇지 않다.
	1. 가끔 그렇다.
	2. 꽤 자주 그렇다.
	3. 거의 항상 그렇다.
14	나는 좋은 책 또는 라디오, 텔레비전을 즐길 수 있다.
	0. 자주 즐긴다.
	1. 가끔 즐긴다.
	2. 거의 못 즐긴다.
	3. 전혀 못 즐긴다.

가 있는 것으로 볼 수 있다. 간단하기 때문에 일차진료 영역에서 특히 외래에서 사용이 편리하다는 장점이 있지만 연구 목적으로 사용하기에는 적합하지 않다고 평가된다.

(3) 인지적 스트레스 반응 척도(Cognitive Stress Response Scale; CSRS)

스트레스 반응 중 인지적 반응을 측정하고자 개발된 도구로서 특히 스트레스 후에 일어나는 인지를 측정하였다. 인지란 개개의 사건에 대한 반응으로서 행동의 중개자로 행동을 일으키는 복잡한 구조를 의미한다. 모두 21개 문항으로 구성되어 있으며 3개의 하위 척도로 구분되는데, 극단-부정적 사고 9개 문항, 공격-적대적 사고 4개 문항, 자기비하적 사고 8개 문항이다. 문항이 비교적 간단하고 사용하기가 쉽다.

(4) 사회 재적응 평가 척도(Social Readjustment of Rating Scales; SRRS)

일상적으로 겪을 수 있는 중요한 생활사건으로 스트레스 양을 평가하는 척도로 생활사건이 스트레스성 질병과 관련 있다는 가정에서 개발되었다. 43개의 항목(생활사건)들 중 지난 1년 동안 본인이 경험한 생활사건들의 총합으로 계산되며 각 항목별로 점수를 배우자의 사망은 100점, 이혼은 73점, 결혼은 50점 등과 같이 다르게 부여하였다. 총 점수가 199점 이하면 위험도가 낮고 200-299점이면 중간, 300점 이상이면 높다고 평가하였다. 설문 자체가 비교적 간단하고 이해하고 쉽기 때문에 실용적이다.

(5) 한국형 직무스트레스 평가도구(Korean Occupational Stress Scale, KOSS)

한국인의 직무스트레스 요인으로 간주될 수 있는 요인들을 기존 연구와 외국의 연구 결과를 검토, 분석하여 물리적 환경, 직무 교육, 직무 자율성 결여, 관계갈등, 직무 불안정, 조직체계, 보상 부적절, 조직문화 등 총 8개의 영역을 확인하였고 이들 영역을 대표하는 문항 43개를 추출하여 KOSS를 개발하였다. 현장에서 편리하게 사용할 수 있도록 24개 문항으로 구성된 단축형 측정도구도 함께 개발되어 현재 사용 중이다.

4) 신체화 영역

(1) 대처 방식 척도(The way of coping style; WCS)

문제 중심적 대처, 정서 완화적 대처, 소망적 사고, 사회적지지 추구의 4가지 요인으로 구성되었으며 이를 크게 적극적 대처와 소극적 대처로 구분하였다. 적극적 대처에는 개인의 노력이 외부로 향하는 문제 중심적 대처와 사회적 지지 추구 요인이 포함되며, 소극적 대처에는 노력이 자신의 사고나 감정으로 투여되는 정서완화적 대처와 소망적 사고 요인이 포함된다. 각각의 문항들은 "전혀 그렇지 않다"의 1점에서 "매우 그렇다"의 5점까지 모두 5점 척도로 구성되어 있다. 따라서 총 24개 문항에 대해서 최고 120점, 최저 24점의 점수 범위를 가지고 있고, 점수가 높을수록 대처 수준이 높다는 것을 의미한다.

(2) 코너-데이비슨 회복탄력성 척도(Conner-Davidson Resilience Scale; CD-RISC)

성공적인 스트레스 대처 능력으로의 회복탄력성을 측정하기 위한 도구로, 총 25문항으로 구성되어 있고 5점 척도(0-4)이며, 점수가 높을수록 회복탄력성이 높음을 의미한다. 요인 분석을 통해 5개의 하위요인 즉, 개인적 성취, 엄격한 기준 및 강인함, 자신의 능력에 대한 신뢰, 부정적인 정서에 대한 인내 및 스트레스에 대한 강인, 변화에 대한 긍정적 수용과 안정된 인간 관계, 통제력, 영성의 영향이 제안되었다.

(3) 성격 설문지(Eysenck Personality Questionnaire, EPQ)

표 29-3 지각된 스트레스 척도(PSS)]

다음의 문항들은 최근 1개월 동안 당신이 느끼고 생각한 것에 대한 것입니다. 각 문항에 해당하는 내용을 얼마나 자주 느꼈는지 표기해 주십시오.

1. 최근 1개월 동안, 예상치 못했던 일 때문에 당황했던 적이 얼마나 있었습니까?
0. 전혀 없었다. 1. 거의 없었다. 2. 때때로 있었다. 3. 자주 있었다. 4. 매우 자주 있었다.

2. 최근 1개월 동안, 인생에서 중요한 일들을 조절할 수 없다는 느낌을 얼마나 경험하였습니까?
0. 전혀 없었다. 1. 거의 없었다. 2. 때때로 있었다. 3. 자주 있었다. 4. 매우 자주 있었다.

3. 최근 1개월 동안, 신경이 예민해지고 스트레스를 받고 있다는 느낌을 얼마나 경험하였습니까?
0. 전혀 없었다. 1. 거의 없었다. 2. 때때로 있었다. 3. 자주 있었다. 4. 매우 자주 있었다.

4. 최근 1개월 동안, 당신의 개인적 문제들을 다루는 데 있어서 얼마나 자주 자신감을 느꼈습니까?
0. 전혀 없었다. 1. 거의 없었다. 2. 때때로 있었다. 3. 자주 있었다. 4. 매우 자주 있었다.

5. 최근 1개월 동안, 일상의 일들이 당신의 생각대로 진행되고 있다는 느낌을 얼마나 경험하였습니까?
0. 전혀 없었다. 1. 거의 없었다. 2. 때때로 있었다. 3. 자주 있었다. 4. 매우 자주 있었다.

6. 최근 1개월 동안, 당신이 꼭 해야 하는 일을 처리할 수 없다고 생각한 적이 얼마나 있었습니까?
0. 전혀 없었다. 1. 거의 없었다. 2. 때때로 있었다. 3. 자주 있었다. 4. 매우 자주 있었다.

7. 최근 1개월 동안, 일상생활의 짜증을 얼마나 자주 잘 다스릴 수 있었습니까?
0. 전혀 없었다. 1. 거의 없었다. 2. 때때로 있었다. 3. 자주 있었다. 4. 매우 자주 있었다.

8. 최근 1개월 동안, 최상의 컨디션이라고 얼마나 자주 느끼셨습니까?
0. 전혀 없었다. 1. 거의 없었다. 2. 때때로 있었다. 3. 자주 있었다. 4. 매우 자주 있었다.

9. 최근 1개월 동안, 당신이 통제할 수 없는 일 때문에 화가 난 경험이 얼마나 있었습니까?
0. 전혀 없었다. 1. 거의 없었다. 2. 때때로 있었다. 3. 자주 있었다. 4. 매우 자주 있었다.

10. 최근 1개월 동안, 어려운 일들이 너무 많이 쌓여서 극복하지 못할 것 같은 느낌을 얼마나 자주 경험하셨습니까?
0. 전혀 없었다. 1. 거의 없었다. 2. 때때로 있었다. 3. 자주 있었다. 4. 매우 자주 있었다.

경향성 외향성-내향성, 신경증적 경향성, 허위성의 네 개의 성격 특성 외에 중독성과 범죄성 등 모두 여섯 개의 성격 특성을 측정한다. 6개의 척도와 81개의 문항으로 구성되어 있다.

(4) D형 인격 척도(Type D personality scale 14; DS-14)

시간과 상황에 따라 부정적 정서를 경험하는 경향을 나타내는 부정적 정서 영역(negative affectivity) 7개 문항과 다른 사람들로부터 비난을 피하기 위해 사회적 상호작용에서 감정이나 행동 등의 표출을 억제하려는 경향을 나타내는 사회적 제한 영역(social inhibition) 7개 문항으로 구성되어 있다. 각 문항은 0-4점으로 점수화하며 부정적 정서 영역의 점수가 10점 이상인 동시에, 사회적 제한 영역의 점수도 10점 이상인 경우를 D형 성격이라고 판정한다.

5) 전반적 심리상태

(1) 개정간이 정신건강 검사(Symptom Checklist-90-Revised, SCL-90-R)

심리적 증상을 평가하기 위하여 개발되었으며 9개의 증상 척도와 3개의 타당성 척도로 구성된 90문항의 자기보고식 다차원 증상목록 검사이다. 피검사자의 심리적 증상을 신체화, 강박증, 대인 예민성 우울, 불안, 적대감, 공포불안, 편집증, 정신증 등 9개의 차원으로 평가할 수 있게 되어 있으며 피검사자의 전반적 정신건강 수준을 전체심도지수(Global severity)로 알 수가 있다. 전체 심도지수와 9개의 증상 척도는 T점수로 환산된다. T점수로 70이상은 비정상적임을 시사하고 60이상은 경향성을 가짐을 의미한다.

참고문헌

1. Shamloul R, Ghanem H. Erectile dysfunction. The Lancet 2013;381(9861):153-165.
2. Makinen JI, Perheentupa A, Raitakari OT, Koskenvuo M, Pollanen P, Makinen J et al. Sexual symptoms in aging men indicate poor life satisfaction and increased health service consumption. Urology 2007;70:1194-1199.
3. Baldwin DS. Depression and sexual dysfunction. Br Med Bull 2001;57:81-99 [PMID: 11719925 DOI: 10.1093/bmb/57.1.81]
4. McCabe MP, Connaughton C. Psychosocial factors associated with male sexual difficulties. J Sex Res 2014;51:31-42 [PMID: 23859806 DOI: 10.1080/00224499.2013.789820].
5. Kantor J, Bilker WB, Glasser DB, Margolis DJ. Prevalence of erectile dysfunction and active depression: an analytic cross- sectional study of general medical patients. Am J Epidemiol 2002; 156:1035-1042 [PMID: 12446260 DOI: 10.1093/aje/kwf142].
6. Beck AT, Ward GH, Mendelson M, Erbaugh MJ. An inventory for measuring depression. Arch Gen Psychiatry 1961;4:561-571.
7. Kroenke K, Spitzer RL, Williams JB. The PHQ-9: validity of a brief depression severity measure. J Gen Intern Med 2001;16:606-613.
8. Zung WW. A self-rating depression scale. Arch Gen Psychiatry 1965;12:63-70.
9. Mitchell AJ, Bird V, Rizzo M, Meader N. Diagnostic validity and added value of the geriatric depression scale for depression in primary care: a meta-analysis of GDS30 and GDS15. J Affect Disord 2010;125:10-17.
10. Beck AT, Epstein N, Brown G, Steer RA. An inventory for measuring clinical anxiety: Psychometric properties. Journal of consulting and clinical psychology. 1988;6:893-897.
11. Spielberger CD. Manual for the State-Trait Anxiety Inventory. Palo Alto, CA, Consulting Psychologist Press. 1970.
12. Zung WW. A rating instrument for anxiety disorders. Psychosomatics 1971;12:371-379.
13. Zigmond AS, Snaith RP. The hospital anxiety and depression scale. Acta Psychiatr Scand 1983;67:361-370.
14. Cohen S, Karmarck T, Mermelstein R. A global measures of perceived stress. J Health Soc Behav, 1983;24:385-396.
15. Yim JH, Bae JM, Choi SS, Kim SW, Hwang HS, Huh BY. The validity of modified Korean-translated BEPSI (Brief Encounter Psychosocial Instrument) as instrument of stress measurement in outpatient clinic. J Korean Acad Fam Med 1996;17:42-53
16. Koh KB, Park JK. Validity and reliability of the Korean version of the global assessment of recent stress scale. Korean J Psychosom Med 2000;8:201-211.
17. Koh KB, Park JK. Development of the cognitive stress response scale. J Korean Neuropsychiatr Assoc 2004;43:320-328.
18. Holmes TH, Rahe RH. The social readjustment rating scale. J Psychosom Res 1967;11:213-218.
19. Chang SJ, Koh SB, Kang D, Kim SA, Kang MG, Lee CG et al. Developing an occupational stress scale for Korean employees. Korean J Occup Environ Med 2005;17:297-317.
20. Forkman S, Lazarus RS. Manual for the ways of coping

questionnaire. Palo Alto, CA: Consulting Psychologist Press.

21. Connor KM, Davidson JR. Development of a new Resilience Scale: the Connor-Davidson Resilience Scale(CD-RISC). Depress Anxiety 2003;18:76-82.

22. Eysenck SBG, Eysenck HJ, Barrett P. A revised version of the psychosomaticism scale. Personality and individual difference 1985;6:21-29.

23. Denollet J, Sys SU, Brutsaert DL. Personality and mortality after myocardial infarction. Psychosom Med 1995;57:582-591.

24. Derogatis LR, Lipman RS, Covi L, SCL-90: an outpatient psychiatric rating scale-preliminary report. Psychopharmacol Bull 1973;9:13-28.

CHAPTER 30

시청각 성자극 및 수면중 발기검사

Audiovisual Sexual Stimulation and Nocturnal Penile Tumescence Test

■ 이준호, 문기학

1. 야간수면중 음경발기

Nocturnal penile erection

야간수면중 음경발기는 정상적으로 3에서 5회 나타나며 약 80%정도에서 급속안구운동(rapid eye movement, REM) 수면 시간에 발생한다. REM 수면동안 청반(locus coeruleus: 뇌줄기(brainstem)에 위치며 스트레스 상황에서 생리적인 반응을 담당한다.)의 아드레날린성 긴장도가 감소하면 이 동안 시상 하부의 자극으로 야간수면중 음경발기가 발생하는 것으로 알려져 있다.

수면중에는 성자극에 의한 음경발기를 억제시킬 수 있는 심리적 요인이 작용하지 못하기 때문에 심인성 발기부전 환자에서는 정상적으로 야간 음경발기가 나타나지만 신경인성 및 혈관성요인에 의해 발기기전자체에 이상이 있는 환자에서는 야간음경발기가 없거나 감소된 소견이 나타날 수 있다. 그러므로 수면중 발기검사는 심인성 발기부전과 기질성 발기부전을 감별 하는데 도움을 줄 수 있는 검사이다.

2. 야간수면중 발기검사

Nocturnal penile tumescence and rigidity testing, NPTR

야간수면중 발기검사법으로는 우표검사(postage stamp testing), Snap gauge band test 검사, Erectometer, 야간 음경팽창검사(nocturnal penile tumescence monitoring, NPTM), RigiScan을 이용한 NPTR 검사 등이 있다.

우표검사는 취침 전에 음경둘레에 우표를 붙여서 다음날 아침에 우표의 파열유무로 음경의 발기 유무를 관찰하는 검사방법이다. 이 검사는 비용이 적게 들고 간단한 방법이기는 하지만, 우표 파열이 있더라도 성관계에 충분한 발기가 일어났는지를 알 수 없고 우표가 미끄러져 생기는 위음성과 음경발기 없이 우표가 파열되는 위양성이 나타날 수 있어 정확한 평가방법은 될 수 없다.

Snap Gauge Band 검사는 파열장력이 각각 다른 3가지 색상의 플라스틱줄(plastic element)이 부착되어 있는 Snap Gauge Band를 취침 전에 음경에 감아두었다가 아침에 이 플라스틱줄 파열 유무를 관찰하는 방법이다. 이 세 개의 플라스틱줄은 음경 발기의 강직정도에 따라 각각 10, 15, 20 oz에서 파열 되는데,

첫번째 줄만 끊어지면 음경팽창은 있었으나 성관계에 충분한정도의 음경 강직이 일어나지 않았고 두개의 줄이 파열되어 있으면 해면체 내압이 15 oz 이상을 의미하므로 성관계에 충분한 발기가 일어났음을 알 수 있으며 세 줄이 모두 파열 되었으면 해면체 내압이 20 oz 이상이므로 최대의 강직도로 볼 수 있다. Snap gauge band 검사는 편리하고 실용적인 장점은 있으나 성관계에 충분한 완전 발기가 몇 회 발생했는지 얼마나 오래 지속되었는지를 알 수 없는 단점이 있다.

전형적인 NPTM 검사는 수면검사실에서 근전도, 심전도, 뇌파 등을 함께 측정하는 검사로써 음경근위부와 원위부에 각각 하나씩 장력측정고리(strain gauge)를 걸고 기계에 연결시킨 후 하룻밤 동안에 일어난 음경팽창 변화를 측정하는 방법이다(그림 30-1). Karacan 등은 야간 음경팽창검사시 수면환경과 심리적 부담감으로 인해 결과가 비정상적으로 나타날 수 있으므로 3일 밤을 계속해서 검사하여야 하며, 음경발기 시 측정된 음경둘레의 증가정도가 20 mm 이상이변 완전발기를 의미하고 16 mm 이상이면 질내 삽입에 충분한 것으로 평가하였다. NPTM은 수면중 음경발기의 횟수, 음경팽창 정도, 발기 시간 등을 객관적으로 평가할 수 있는 장점이 있다. 하지만 음경 둘레가 의미있게 팽창된 환자 중 23%에서 음경 강직도가 성관계에 충분하지 못하다는 것이 관찰되어, 음경발기시 개인마다 음경둘레의 증가정도의 차이가 있으며 음경팽창 자체가 음경강직도를 의미하는 것은 아니라는 보고도 있다. 그러므로 야간 수면중 발기검사는 음경팽창도 뿐만 아니라 음경강직도를 함께 측정하여야 보다 정확한 결과를 얻을 수 있다.

Bradley 등은 음경팽창의 횟수와 시간뿐만 아니라 음경강직도를 연속적으로 측정할 수 있는 이동용 기기인 RigiScan을 이용한 야간음경발기 검사 방법을 소개하였다(그림 30-2). Rigiscan은 본체와 두 개의 측정고리로 구성되어 있으며, 이 고리들을 음경의 기저

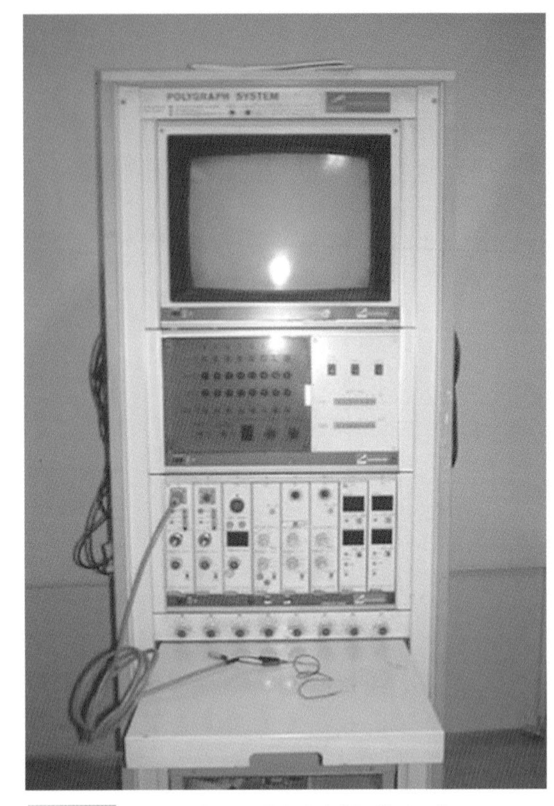

그림 30-1 야간수면중 음경발기검사를 할 수 있는 polygraph

부와 관성구가 끼운 부분에 각각 결면 음경 둘레에 맞게 자동으로 직경이 조절된다. 고리는 15초 간격으로 60 oz 장력으로 자동수축하여 음경팽창 정도를 측정하고 3분 간격으로 12 oz 장력으로 수축하여 강직도를 측정하게 되어 있는데 기저부 둘레가 10 mm 이상 증가하면 30초 간격으로 강직도를 측정한다. 검사는 1회 최장 10시간, 3일 연속적으로 측정하여 발기상태가 가장 좋은 것을 분석하며, 측정된 데이터는 이동용 본체로부터 컴퓨터로 내려받아 그래프와 수치로 출력하여 평가한다. 검사 결과의 분석은 연구자마다 다양하게 보고하고 있는데, 음경 둘레가 적어도 기저부에서 3 cm, 원위부에서 2 cm 이상 변화가 있고 강직도가 70% 이상이면 정상 발기이고 정상 발기의 횟수가 8시간에 3-6회, 1회 평균 발기 시간은 10-15분

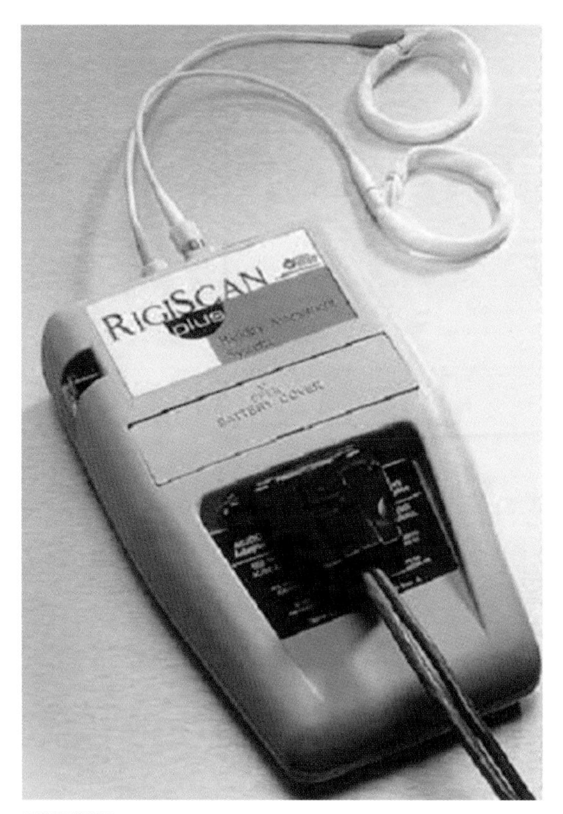

그림 30-2 Rigiscan 음경팽창과 강직도를 동시에 측절할 수 있다.

은 되어야한다(그림 30-3). 그리고 강직도가 40% 미만이면 성교가 불가능한 발기, 40-70%는 구부러지나 성교가 가능한 발기라고 판정한다. Kaneco 와 Bradley는 발기양상과 일치하지 않는 비정상적 Rigigram을 보고하였는데, (1) 음경 원위부와 근위부의 강직도가 일치하지 않는 형, (2) 음경팽창도와 강직도가 일치하지 않는 형, (3) 음경 강직의 시간이 짧은 형, (4) 강직도가 정상 이하로 낮게 나타나는 형, (5) 음경팽창과 강직도가 전혀나타나지 않는 형의 5가지로 분류하였다. Levine과Carroll은 보다 쉬운 Rigiscan 검사의 정상 범위를 얻기 위해 발기 부전이 없는 남자를 대상으로 음경 팽창활동단위(tumescence activity unit, TAU)와 강직활동단위(Rigidity activity unit, RAU)를 측정하여 정상 축적분포그래프를 작성하였다 TAU와 RAU는 각각 음경 원위부와 기저부에서 측정되는데, 검사 기간동안 어떤강도의 팽창도와 강직도를 유지한 시간을 모두 합산하여 점으로 표현하고 이 점들을 연결하여 그래프로 표현하였다. 환자에서 측정된 TAU와 RAU를 정상축적분포그래프에 대비해 보면 쉽게 정상과 비정상을 알 수 있다.

3. 야간수면중 발기검사의 제한점

Limitation of NPTR

NPTR 검사는 다음과 같은 가설이 필요하다. 첫째, 야간수면중 발기가 깨어 있을 동안의 발기능력을 나타낸다. 둘째, 야간수면중발기의 생리기전은 성적인 반응에 의한 발기와 유사하다. 셋째, 심인성발기부전은 야간수면발기에 영향을 미치지 않는다.

하지만 꿈은 NPT 결과에 영향을 줄 수 있는 불안(anxiety), 공격성(aggression) 등을 포함한다. 또한 우울증은 NPT 결과에 부정적인 영향을 준다.

또한 파트너의 질크기, 윤활액 등의 처한 사항이 다르기 때문에 질삽입에 필요한 강직도의 정확한 기준을 설정하기가 쉽지 않다. Kirkeby 등의 연구에 따르면 정상발기력을 가진 대상군에서 반 정도가 NPTR 검사에서 질삽입이 충분치 않은 것으로 나타났다. 또한 다른 연구에서도 정상발기력을 가진 대상군에서 23-48%가 NPTR 검사에서 질삽입이 충분치 않은 것으로 나타났다.

뿐만 아니라 야간음경발기는 수면장애, 수면중 무호흡등, 주기적 하지경련 등의 요인에 의해 영향을 받을 수 있다. 따라서 야간 수면 중 발기검사는 야간 음경발기의 객관적 자료를 얻을 수 있는 유용한 검사이지만 야간발기에 영향을 주는 요인과 결과해석의 방법이 다양하므로 숙련된 전문의에 의해 분석되어야 오진을 막을 수 있다.

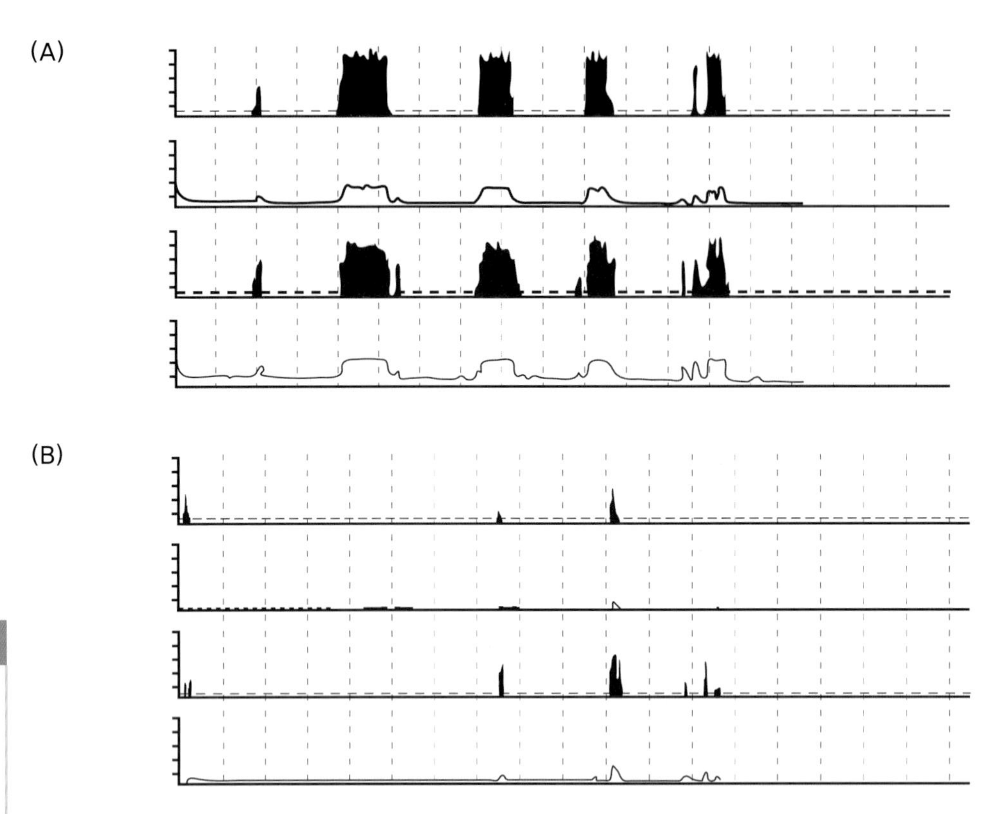

그림 30-3 정상인(A)과 기질성 발기부전 환자(B)에서 Rigiscan을 이용하여 야간 수면중 음경발기를 측정한 그래프

4. 시청각성자극발기검사

Audiovisual sexual stimulation test, AVSS

AVSS 검사는 시청각성자극을 가하면서 RigiScan 등을 이용하여 환자의 발기반응을 측정하는 검사 방법이다. 에로영화 등과 같은 시청각 성자극에 의한 심인성 발기기전을 검사한다는 점에서 발기여부를 객관적으로 관찰할 수 있으며 수면중 발기검사에 비해 생리적이면서 비침습적인 방법으로 발기부전환자의 초기 선별검사로유용하다. 발기부전 환자를 대상으로 시행한 AVSS 검사에서 심인성 발기부전 환자보다 기질성 발기부전 환자에서 발기반응이 감소된 소견이 보고되어 AVSS 는 발기부전 환자의 선별검사에 유용하다는 보고도 있다. 그러나 정신장애자나 전신상태 불량자 고령환자 시청각 자극에 과다하게 노출되었던 환자 및 초억압을 보이는 환자의 경우에는 반응도가 감소되는 위음성의 결과가 나타날 수 있다. 따라서 AVSS는 발기부전의 선별 검사로서 비교적 쉽고 간단하며 비용절감 면에서 매력적인 점은 있으나 앞에서 언급한 위음성요인에 대한 의문점이 해소되기 전에는 야간음경발기검사 대용으로 사용하기에는 미흡한 점이 있다.

5. 요약

시청각 성자극 및 수면 중 발기검사는 비교적 쉽고 비침습적이며 객관적으로 유용한 정보를 얻을 수 있어 심인성 발기부전과기질성 발기부전을 감별진단할 수 있는 유용한 진단법이다. 하지만 이 검사법은 주위환경, 정신심리 상태 및 해석방법에 따라 그 결과가 왜곡되거나 위음성이 나타난다는 단점이 있으므로 측정방법과 해석방법이 표준화되고 전문가에 의해 분석되어야 오진을 줄일 수 있을 것이다.

참고문헌

1. 김세철. 남성성기능장애의 진단과 치료. 서울: 일조각, 1995;104-106.
2. 오문옥, 김세철. Rigiscan을 이용한 시청각자극 음경발기와 수면중 음경발기의 비교관찰. 대한비뇨기과학회지 1990;31:436-441.
3. Basar MM, Atan A, Tekdogan UY. New concept parameters of Rigiscan in differentiation of vascular erectile dysfunction: is it a useful test? Int J Urol 2001;8: 686-691.
4. Bradley WE, Timm GW, Gallagher JM, Johnson BK: New method for continuous measurement of nocturnal penile tumescence and rigidity. Urology 1985;26:4-9.
5. Broderick GA. Evidence based assessment of erectile dysfunction. Int J Impot Res 1998;10:64-73.
6. Brunetti M, Babiloni C, Ferretti A, Del Gratta C, Merla A, Olivetti Belardinelli M, et al. Hypothalamus, sexual arousal and psychosexual identity in human males: a functional magnetic resonance imaging study. Eur J Neurosci 2008;27:2922-2927.
7. Erbagei A, Yagei F, Sarica K, Ozbek E, Topeu O. Evaluation and therapeutic regulation of erectile dysfunction with visual stimulation test. Urol Int 2002; 69:21-26.
8. Jeon SW, Yoo KH, Kim TH, Kim JI, Lee CH. Correlation of the erectile dysfunction with lesions of cerebrovascular accidents. J Sex Med 2009;6:251-256.
9. Kaneko S, Bradley WE. Evaluation of erectile dysfunction with continuous monitoring of penile rigidity. J Urol 1986;136:1026-1029.
10. Karacan I, Williams RL, Thronby JI, Salis PJ. Sleep related penile tumescence as a function of age. Am J Psychiatry 1975;132:932-937.
11. Levine LA, Carroll RA. Nocturnal penile tumescence and rigidity in men without complaints of erectile dysfunction using a new quantitative analysis software. J Urol 1994;152:1103-1107.
12. Levine LA, Lenting EL. Use of nocturnal penile tumescence and rigidity in the evaluation of male erectile dysfunction. Urol Clin North Am 1995;22:775-788.
13. Mizuno I, Fuse H, Fujiuchi Y, Nakagawa O, Akashi T. Comparative study between audiovisualsexual stimulation test and nocturnal penile tumescence test using RigiScan Plus in the evaluation of erectile dysfunction. Urol Int 2004;72:221-224.
14. Morales A, Condra M, Reid K. The role of nocturnal penile tumescence monitoring in the diagnosis of impotence: A review. J Urol 1990;143:441-446.
15. Pressman MR, Fry JM, Diphillipo MA, Durante RT. Avoiding false positive findings in measuring nocturnal penile tumescence. Urology 1989;34:297-300.
16. Redoute J, Stoleru S, Gregoire MC, Costes N, Cinotti L, Lavenne F, et al. Brain processing of visual sexual stimuli in human males. Hum Brain Mapp 2000;11:162-177.
17. Thase ME, Peynolds CF, Glanz LM, Jennings JR, Sewitch DE, Kupter DJ, et al. Nocturnal penile tumescence in depressed men. Am J Psychiatry 1987; 144:89-92.

CHAPTER 31

발기부전의 신경학적 검사

Neurologic Testing for Erectile Dysfunction

■ 현재석

신경인성 발기부전은 당뇨, 외인성 골반 손상, 골반 내 수술, 다발경화증, 신경독성 물질에 장시간 노출 및 전신성 신경질환 등에 의한 합병증으로 생기는 경우가 많기 때문에 다른 모든 질환에서와 마찬가지로 자세한 과거 병력청취와 신체검사가 신경학적 검사 전에 시행되어야 한다. 또한 골반 신경 병변은 발기부전뿐만 아니라 방광과 장운동에도 이상을 초래하기 때문에 동반된 배뇨장애나 배변 습관의 변화 여부도 자세히 관찰하여야 한다.

음경발기에 주된 역할을 하는 음경해면체 신경은 척추에서 음경으로 가는 자율신경이지만, 일반적으로 시행되는 발기부전에 대한 신경검사는 구해면체 반사, 음부 유발반응, 요도괄약근 근전도검사와 같은 체신경 검사를 한다. 자율신경에 대한 검사는 음경해면체 근전도 검사를 시행한다.

1. 체신경계 검사

Somatic nervous system

1) 음경배부신경 전도속도검사

(Dorsal nerve conduction velocity)

배부신경의 이상은 음경귀두부의 감각에 이상을 초래해 성교 시 음경이 지속적인 발기를 유지하는데 장애를 초래하고 음경으로부터 감각 전달이 감소되면 사정장애가 동반되기도 한다.

(1) 방법

음경배부 신경의 자극은 음극과 양극을 가진 소아용 Medelec 자극기를 이용하여 양극을 음경귀두배부에, 음극을 1 cm 근위부에 두고 자극빈도 30 Hz - 2 kHz, 자극 간 0.1 msec로 하여 전기 자극을 주며, 활성 기록전극은 음경 배측 기저부에, 기준전극은 치골결합부에서 상방 4 cm 부위의 복벽에 두고 접지전극은 자극부위와 활성 기록전극의 중간에 둔다(그림 31-1). 음경이 수축된 상태에서는 음경배부신경도 S자나 코일 모양으로 변형되어서 줄어들어 있기 때문에 자극전극과 기록전극 간에 거리가 너무 짧아 정확한 신경전도 속도를 측정할 수 없기 때문에 1 파운드의 힘으로 음경을 견인하거나 PGE_1을 이용해 음경발기를 유도한 후 측정한다.

(2) 결과

음경견인법을 시행한 경우 정상 성인 남성의 평균

음경배부신경 전도속도는 Lin 등은 31.0±4.2 m/sec, Bradley 등은 33.0±3.8 m/sec, Clawson 등은 36.2±3.2m/sec라고 보고하고 있다. Herbaut 등은 PGE1을 주사 한 경우는 47.4±8.2 m/sec였다고 보고하였다. 배부신경에 말초신경질환이 동반되는 경우는 전도속도가 평균치보다 증가되는 양상을 보인다.

2) 구해면체 반사시간검사 (Bulbocavernous reflex latency, BCRL)

구해면체 반사시간(BCRL)검사는 다신경접합부(polysynaptic)의 체-체 구해면체 반사(S2, 3, 4)의 신경생리를 나타낸다. 이 검사는 ① 말초 배부신경의 음경에서 천수까지의 구심성 신경로, ② 천수(S2-4), ③ 천수에서부터 구해면체근으로 가는 원심성 신경로의 3가지 신경로의 상태를 예측할 수 있다. 다발경화증, 요추 추간판탈출증, 천수 외상, 천수 종양, 당뇨, 알코올 중독 등에 의한 말초 신경이나 천수에 이상을 초래하는 발기부전 환자는 구해면체 반사시간 검사를 반드시 고려해야 한다.

(1) 방법

음경의 배부 신경을 자극한 후 구해면체근에서 침(needle)전극을 이용해 구해면체 반사시간을 측정하는 BCRL 검사는 1967년 Rushworth에 의해 처음 도입되었다. 환자를 쇄석위로 눕힌 다음 양 다리를 벌려 회음부를 노출시키고 음경표면에 전기 자극을 주기 위한 두 개의 고리 전극을 음경에 장치한다. 음경 원위부에는 양극이 그리고 근위부에는 음극이 되게 한다. 자극에 대한 운동신경의 반응을 측정하기 위한 활동성 전극은 한쪽 구해면체근의 중앙부위에 침전극을 삽입하여 측정한다. 이 침전극이 제자리에 삽입되어 있는지를 확인하기 위해서는 음경 귀두부를 꽉 잡아 구해면체근이 수축이 될 때 침전극이 같이 움직이는지를 확인한다. 접지 전극은 대퇴부 내측에 고정한다(그림 31-2).

전압은 환자가 자극을 느낄 수 있을 때까지 천천히 증가 시키면서 오실로스코프(oscilloscope)상 일정한 탈분극(depolarization)이 일어날 때까지 준다. 이때를 자극 역치 전압으로 기록하고, 환자가 자극에 의한 통증을 느끼기 직전까지 증가시키면서 주고 반사시간을 기록한다. 전기자극의 빈도, 지속시간 그리고 진폭이 반사 시간에 영향을 준다. 자극 펄스 지속시간은 0.1에서 1 msec, 빈도는 초당 0.5-1 자극을 준다. 검사결과는 20-30회 정도의 자극을 준 후 기록되는 결과를 평균 내어 판독한다.

음경피부에 자극을 주는 방법 외에도 Foley 카테터 끝에 전극을 걸고 방광 내에 삽입하여 방광 점막을 자극하거나 요도점막을 자극하여 측정하는 방법이

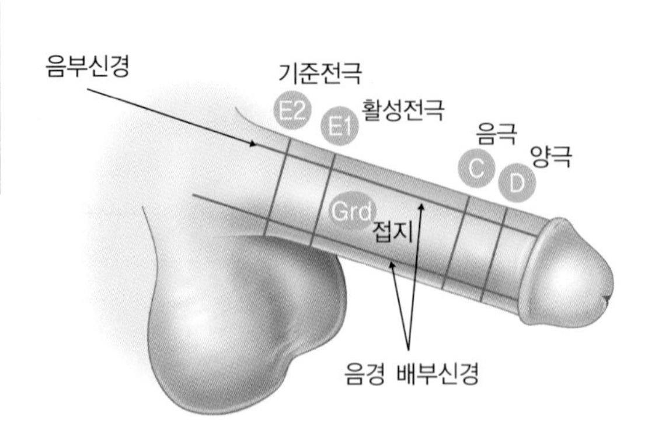

그림 31-1 음경배부신경 전도속도검사

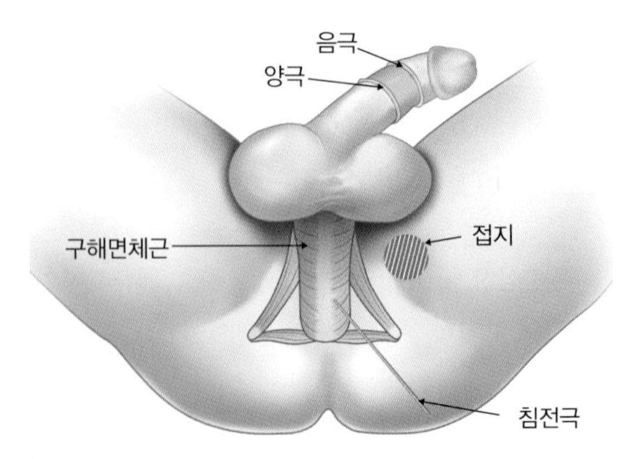

그림 31-2 구해면체 반사시간(BCRL) 검사

있으나 음경피부를 자극하는 방법에 비해 복잡하고 침습적이라는 단점이 있다.

(2) 결과

Rushworth는 정상인의 구해면체 반사시간은 35-40 msec로 보고하였고, Ertekin과 Reel은 정상인의 평균 반사시간이 36.1 msec라 보고하였으며 Siroky 등은 정상 남성 52명의 반사시간은 28-42 msec로 평균 35±2 msec, Dick 등은 정상 남성 10명의 반사시간은 24-40 msec로 평균 31 msec로 보고하였다. 이상 여러 검사자들의 검사 결과를 종합해 보면 구해면체 반사시간은 42 msec 이내에 있으면 정상 범위 내에 있다고 판독을 할 수 있고 45 msec 이상이면 반사시간이 연장되어 있다고 판독할 수 있다. 구해면체 반사시간이 지연되는 흔한 질환에는 당뇨병성 신경병증, 알코올성 신경병증, 추간판탈출증 등이 있다. 드물게 다발경화증의 초기 증상으로 나타내기도 한다.

방광 점막이나 요도 점막을 자극하는 방법은 구심성 신경이 무수 자율신경 섬유(unmyelinated autonomic nerve fiber)이기 때문에 반사시간이 훨씬 지연되어 있어, 정상 범위는 50-70 msec이다. 방광 점막을 자극하는 방법과 음경피부를 자극하는 방법은 구심성 신경은 서로 다르나 같은 원심성 신경인 음부신경을 통해 반응하기 때문에 서로 다른 반사로의 상태를 검사할 수 있다.

3) 음부신경 체감각유발전위검사 (Somato-sensory evoked potentials, SEP)

말초에서부터 대뇌피질까지의 감각 신경로 상태를 검사하는 방법이 체감각유발전위를 검사하는 것이다. 음부신경에 대한 검사는 주로 음경 배부신경을 자극하여 검사하기 때문에 음경 배부신경 체감각유발전위검사(dorsal nerve evoked potential test)라 하기도 한다. 음부신경 체감각유발전위 검사는 음경을 자극한 후 두부에서 기록하기 때문에 음부신경의 말초 구심성 신경뿐만 아니라 척추 및 중추 신경계의 상태(상천수 병변, suprasacral neuropathy)를 알아볼 수 있다는 점이 구해면체 유발전위검사나 음경배부신경 전도속도 검사와 다른 장점이다.

(1) 방법

고리전극을 이용하여 배부신경을 자극한다. 양극은 음경 관상구(coronary sulcus)에 위치시키고 음극은 그 보다 3 cm정도 근위부에 위치시킨다. 전기자극은 0.1 혹은 0.2 msec 동안 1-4.7 Hz로 자극을 준다. 기록 전극은 두부의 Cz 지점(국제뇌파기록법의 10-20 시스템에 따름)의 2 cm 후방에 뇌파침전극을 두피에 삽입하고 기준전극은 전두부의 Fpz에 삽입한다. 전도 시간(latency)은 첫 양성(positive) 최대치(P1)와 첫 음성(negative) 최대치(N1)을 측정하며 진폭(μV)은 P1에서 N1까지를 측정한다.

(2) 결과

P1 전도시간의 평균은 41.7±2.8 msec이고 47.3 msec이 정상 한계치이고, N1 전도시간의 평균은 53.1±3.0 msec이고 59.1 msec이 정상 한계치이다. 진폭은 평균 2.4±1.3μV이다.

4) 항문 혹은 요도괄약근 근전도(EMG)검사

천수의 Onuf 핵과 항문 혹은 요도괄약근 사이의 신경 병변이 있으면 괄약근에 탈신경 현상이 일어나 근전도 검사 상 세동전위(fibrillation potential)가 나타나고, 회복 후 신경재지배(re-innervation)가 일어나면 다단계화(polyphasic)되면서 진폭과 지속시간이 증가된다. 골반내 수술 후에 발기부전이 동반되는 경우 음부신경 손상 여부를 조사하기 위해 괄약근 근전도 검사가 시행되고 있다. 골반 수술을 시행 받은 환자의 64%에서 지속시간이나 진폭에 이상 소견을 보이는데 반해 정상 대조군에서는 8%에서 이상 소견을 보였다.

2. 자율 신경계 검사

Autonomic nervous system

임상적으로 자율 신경계의 상태는 신경 자체의 전도(transmission)을 측정하기보다는 부교감이나 교감신경을 자극한 후 혈액순환(혈압, 맥박수 등)이나 땀분비 등의 교감신경성 피부 반응과 같은 생리적인 변화를 관찰 하여 조사한다.

1989년에 Wagner 등이 집중 침 전극(concentric needle electrode)을 이용해 음경해면체내에서 전기활성을 기록할 수 있다는 사실을 보여주었으며 이런 생체 전기활성을 음경해면체 근전도라 명명하였다. 정상인에게 시청각 성자극을 하면 대부분에서 전기활성이 감소되는데, 이는 음경이 발기가 되고 해면체 평활근이 이완되기 위해 교감신경의 활성이 감소되기 때문이다. 1992년 Stief 등은 음경해면체위의 음경피부에 표면전극과 함께 해면체 근전도를 같이 기록하였는데, 8명중 7명에서 표면 전기활성과 해면체 근전도가 동일 속도로 일어나며, 진폭과 지속시간이 비슷한 양상을 보였다.

교감신경성 피부반응(sympathetic skin reponses, SSRs)은 교감신경성 발한반응을 나타내는 피부의 전기전도의 변화를 나타낸다. 이런 변화는 땀샘에서의 활성에 의해 조절되고 교감신경활성이 증가되는 자극에 의해 유발된다. 교감신경성 피부반응은 생식기 부위의 자율신경에 대한 직접적인 검사를 할 수 있게 하는 몇 안 되는 검사 방법 중의 하나이다.

Ertekin 등이 회음부에서 교감신경성 피부반응을 검사할 수 있다는 사실을 처음 보고하면서 정상 대조군에서는 모두 나타난다고 보고하였다. 당뇨병성 발기부전 환자군에서는 교감신경성 피부반응이 나타나지 않았다는 보고도 있으나 일부 발기부전증 환자에서는 반응이 나타난다는 보고도 있다.

그러나 현재까지 보고되고 있는 자율신경 검사를 위한 음경해면체 근전도 검사나 교감신경성 피부반응 검사는 과거에 비해서는 검사방법이나 분석에 많은 획기적인 발전이 있어 온 것도 사실이지만 아직까지도 정상과 비정상을 구분할 수 있는 검사 결과에 대한 명확한 정의나 재현성의 문제 등으로 인해 임상에서 실제 적용하는 데는 문제점들이 있어 널리 사용되지 못하고 있다.

3. 요약

음경발기에 주된 역할을 하는 음경해면체 신경은 척추에서 음경으로 가는 자율신경이지만, 현실적으로 이들 자율 신경의 이상 유무를 검증할만한 확립된 검사방법이 없는 실정이다. 따라서 일반적으로 시행되는 발기부전에 대한 신경검사는 구해면체 반사시간 검사, 음경배부신경전도속도 검사, 음부신경체감각유발전위 검사 및 요도괄약근 근전도검사와 같은 체신경 검사를 주로 시행한다.

참고문헌

1. Amarenco G, Ismael SS, Bayle B, Denys P, Kerdraon J. Electrophysiological analysis of pudendal neuropathy following traction. Muscle Nerve 2001;24:116-119.
2. Beck R, Fowler CJ. Neurophysiological testing in erectile dysfunction. In; Carson C, Kirby R, Goldstein I, editors. Text book of erectile dysfunction. Oxford: Isis Medical Media 1999;257-266.
3. Bird SJ, Hanno PM. Bulbocavernosus reflex studies and autonomic testing in the diagnosis of erectile dysfunction. J Neurol Sci 1998;21;154:8-13.
4. Chancellor MB, Mandel S, Manon-Espaillat. Advanced electromyographic techniques in neuro-urology. In; Chancellor MB, Blaivas JG, editors. Practical neuro-urology genitourinary complications in neurological disease. Boston: Butterworth-Heinemann 1995;85-96.
5. Dettmers C, van Ahlen H, Faust H, Fatepour D,

Tackmann W. Evaluation of erectile dysfunction with the sympathetic skin response in comparison to bulbocavernosus reflex and somatosensory evoked potentials of the pudendal nerve. Electromyogr Clin Neurophysiol 1994;34:437-444.

6. Ertekin C, Akyurekli O, Gurses AN, Turgut H. The value of somatosensory-evoked potentials and bulbocavernosus reflex in patients with impotence. Acta Neurol Scand 1985;71:48-53.
7. Ertekin C, Almis S, Ertekin N. Sympathetic skin potentials and bulbocavernosus reflex in patients with chronic alcoholism and impotence. Eur Neurol 1990;30:334-337.
8. Ertekin C, Ertekin N, Mutlu S, Almis S, Akcam A. Skin potentials (SP) recorded from the extremities and genital regions in normal and impotent subjects. Acta Neurol Scand 1987;76:28-36.
9. Feinsod M, Blau D, Findler G, Hadani M, Beller AJ. Somatosensory evoked potential to peroneal nerve stimulation in patients with herniated lumbar discs. Neurosurgery 1982;11:506-511.
10. Fowler CJ. The neurology of male sexual dysfunction and its investigation by clinical neurophysiological methods. Br J Urol 1998;81:785-795.
11. Gerstenberg TC, Nordling J, Metz P. Bulbocavernosus reflex latency in the investigation of diabetic impotence. Br J Urol 19.88;62:95-96.
12. Goldstein I. Evaluation of penile nerve. In; Tanagho EA, Lue TF, McClure RD,editors. Contemporary management of impotence and infertility. Baltimore: Williams & Wilkins; 1988;70-83.
13. Herman CW, Weinberg HJ, Brown J. Testing for neurogenic impotence: a challenge. Urology 1986;27: 318-321.
14. Kaiser T, Jost WH, Osterhage J, Derouet H, Schimrigk K. Penile and perianal pudendal nerve somatosensory evoked potentials in the diagnosis of erectile dysfunction. Int J Impot Res 2001;13:89-92.
15. Lavoisier P, Proulx J, Courtois F, De Carufel F. Bulbocavernosus reflex: its validity as a diagnostic test of neurogenic impotence. J Urol 1989;141:311-314.
16. Machtens SA, Stief CG, Gorek M, Becker AJ, Truss MC, Jonas U. Corpus cavernosum electromyography: technique and clinical implications. Tech Urol 1997;3:147-151.
17. Merckx L, Gerstenberg TC, Da Silva JP, Portner M, Stief CC. A consensus on the normal characteristics of corpus cavernosum EMG. Int J Impot Res 1996;8:75-79
18. Pickard RS, Powell PH, Schofield IS. The clinical application of dorsal penile nerve cerebral-evoked response recording in the investigation of impotence. Br J Urol 1994;74:231-235.
19. Podnar S. Nomenclature of the electrophysiologically tested sacral reflexes. Neurourol Urodyn 2006;25:95-97
20. Porst H, Tackmann W, van Ahlen H. Neurophysiological investigations in potent and impotent men. Assessment of bulbocavernosus reflex latencies and somatosensory evoked potentials. Br J Urol 1988;61:445-450.
21. Oh SJ. Somatosensory evoked potentials in peripheral nerve lesions. In: Oh SJ, editor. Clinical electromyography nerve conduction studies. 2nd edition. Baltimore; Williams & Wilkins;1993;447-574.
22. Sarica Y, Karacan I. Bulbocavernosus reflex to somatic and visceral nerve stimulation in normal subjects and in diabetics with erectile impotence. J Urol 1987;138:55-58.
23. Spudis EV, Stubbs AJ, Skowronski T. Cerebral-evoked response from stimulation of dorsal nerve in impotent men. Urology 1989;34:370-375.
24. Stief CG, Kellner B, Gorek M, Jonas U. Smooth muscle electromyography. Urol Clin North Am 2001;28:259-268.
25. Tackmann W, Porst H, van Ahlen H. Bulbocavernosus reflex latencies and somatosensory evoked potentials after pudendal nerve stimulation in the diagnosis of impotence. J Neurol 1988;235:219-225.
26. Takmann W, Vogel P, Porst H. Somatosensory evoked potentials after stimulation of the dorsal penile nerve: normative data and results from 145 patients with erectile dysfunction. Eur Neurol 1987;27:245-250.
27. Vardi Y, Gruenwald I, Sprecher E. The role of corpus cavernosum electromyography. Curr Opin Urol 2000;10:635-638.
28. Wagner G, Gerstenberg T, Levin RJ. Electrical activity of corpus cavernosum during flaccidity and erection of the human penis: a new diagnostic method? J Urol 1989;142:723-725.

CHAPTER 32

발기부전의 혈관계 검사

Hemodynamic Workup for Vasculogenic Erectile Dysfunction

■ 정우식

발기부전의 원인 중 혈관성 발기부전이 전체의 약 70%를 차지할 정도로 대부분의 발기부전의 병태생리는 혈류역동학적으로 설명이 가능하므로 발기부전 환자에서의 혈관계 검사는 진단에 있어 가장 전문적이며 동시에 가장 중요하다고 할 수 있다. 음경발기의 생리학적 기전이 음경내의 혈액충만이므로 음경을 혈액의 유입과 유출을 조절할 수 있는 하나의 혈액 용기로 생각할 수 있다. 즉, 용기 내를 채우고 있는 혈액량에 따라 음경의 팽창 및 강직도가 결정되고, 음경 내에 머무르는 혈액량은 유입과 유출의 차이에 의해 결정된다고 하겠다. 정상적인 발기는 성적 자극에 의해 해면체 내로의 혈액 유입량의 급격한 증가와 이에 따른 해면체내 소공의 팽창으로 인한 이차적인 정맥폐쇄에 의해, 해면체로부터 혈액의 유출이 막혀짐으로써 가능하게 된다. 따라서 이들 두 가지의 요소, 유입량과 유출량의 정확한 측정은 기질성 발기부전 환자의 진단에 있어 매우 중요하다.

음경해면체 내로의 혈액의 유입은 주로 음경해면체 동맥에서 공급되므로 발기유발 시 음경해면체 동맥에 대한 검사들을 통하여 해면체내로의 혈액 유입량에 대한 평가가 가능해진다. 반대로 혈액의 유출은 해면체 정맥 폐쇄기전에 의해 결정되는 바, 이는 특정 음경 정맥의 능동적 작용이 아닌, 해면체 평활근의 확장도를 결정하는 여러 가지 해면체 인자들에 의해 나타나는 수동적 현상이므로 이를 알아볼 수 있는 간접적인 평가 방법이 요구된다. 본 장에서는 여러 가지 검사 방법들 중 현재 널리 시행되고 있으며 임상적으로 많은 정보를 얻을 수 있는 몇 가지 대표적인 검사들에 대해 침습도가 적은 방법으로부터 구체적인 시행 방법과 결과에 대한 해석 및 그에 따른 문제점들을 알아보고자 한다.

1. 발기유발제 주사 후 수지자극검사

Combined intracavernous injection and stimulation test

발기부전증의 원인이 혈관성인가 아닌가를 감별할 수 있는 손쉬운 진단방법으로서 동시에 치료에 있어 음경 해면체내 자가약물주사 요법의 가능성도 함께 타진 할 수 있는 방법이다. 복용약물이 개발되기 전에는 해면체내 자가주사 요법이 치료의 주종을 이루었으므로 환자의 첫 면담 시에 외래에서 제일 먼저 간단히 시행해 왔던 검사이었으나, 최근에는 복용약물이 개발되어 널리 쓰이고 있으므로 복용 약물에 효과를 보이지 않아 다음 단계로 주사치료를 고려하거나, 발기부전에 기여하는 음경 혈관의 상태를 간단히 점검해보는 수단으로 이용되고 있다.

1) 시행 방법

가급적 안락하고 조용한 방에서 환자의 음경해면체 내로 혈관작용제를 주사한 후 발기반응을 관찰하게 된다. 널리 쓰이고 있는 약제로는 과거에는 파파베린(papaverine)을 많이 사용하였으나 최근에는 비교적 안전하고 미국 식품의약국의 공인을 획득한 프로스타글란딘 E1(prostaglandin E1; PGE1)을 널리 사용하고 있는 경향이다. 주사량은 일반적으로 10-20 μg을 주사하게 되나 의심되는 원인에 따라 조절해야 되는 경우도 있다. 즉, 문진 및 이학적 검사에서 신경인성이나 심인성이 의심되면 주사 후 지속발기증의 합병증 발생 위험이 높으므로 5 μg 정도의 소량을 먼저 주사하여 발기반응을 관찰할 수 있으며, 중증의 혈관성 발기부전이 의심되면 처음부터 20 μg 이상의 용량을 주사해 볼 수 있다. 증세가 심한 경우에는 30 mg의 파파베린과 1 mg의 펜톨아민(phentolamine)을 섞어(이중복합제, bimix) 주사하거나, 여기에 PGE1도 함께 섞인 삼중복합제(trimix)를 사용하기도 한다, 물론 처음부터 소량의 이중 혹은 삼중복합제를 주사해 볼 수 있다. 주사기는 28G 이상의 바늘을 이용하여 통증을 최소화하고 발기반응을 15분 이상 관찰한다. 이때 환자의 심리적 불안을 해소하기 위하여 시청각 자극이나 수지 자극을 함께 병행해 볼 수 있다.

2) 결과 판정

일정시간(보통 15분 이상, 30분 내지 1시간) 관찰하는 동안 약 10-30분 이상 지속되는 완전 발기 반응을 보이는 것을 양성으로 정의할 때 양성 반응을 보이면 적어도 혈관계에는 큰 이상이 없음을 의미하게 되며 소수에서는 경미한 동맥부전증은 존재할 수 있으나 정맥폐쇄기능 만큼은 정상적으로 유지하고 있다고 판정할 수 있다. 즉, 불완전 발기반응을 보일 때에는 임상적으로 진단적 가치가 없으나 양성반응을 보이는 경우에는 적어도 해면체 정맥폐쇄기능이 온전하다는 것을 시사하므로 해면체내로의 혈액공급이 정상적이지 않다 하더라도 발기유발에 필요한 최저공급량 이상으로 혈액이 공급된다는 가정아래 정맥폐쇄기능만 정상이면 충분한 강직도의 발기가 유발될 수 있다. 따라서 이 검사는 검사의 간편성을 고려할 때 해면체 정맥폐쇄기능의 평가에 있어 가장 용이한 검사이다.

반면, 음성 반응을 보인다고 해서 모두에서 혈관계에 이상이 있다고 볼 수는 없다. 즉, 혈관계에 이상이 없는 경우에도 약 30-60%에서는 심리적 불안 등으로 위 음성의 결과를 보이게 된다. 그러므로 병원 내의 검사실에서는 미약한 발기반응을 보이다가 같은 양의 발기유발제를 집에서 성 상대자와 함께 한 상태에서 주사하면, 만족할만한 발기반응을 보이는 예도 상당 수 경험할 수 있으므로 판정에 신중해야 한다.

3) 주의사항

발기유발제를 사용하는 모든 검사방법이 그렇듯이 지속발기증의 발생 여부를 관찰하여야 한다. 즉, 환자가 검사 후에 검사실을 떠나기 전에 발기가 해소됨을 확인 하는 것이 좋고, 그렇지 못한 경우에는 발기가 시작된 후 4시간 이상 지속이 되는 경우에는 발기조직 괴사로 인한 영구적인 발기부전증 등의 합병증 방지를 위해 반드시 발기해소를 위한 전문적인 치료가 필요함을 환자에게 주지시킨다. 또한 평소에 혈압이 낮은 환자에서는 발기유발제 주사로 인한 혈압강하효과가 나타나는지의 여부를 혈압을 측정해가면서 관찰해야 할 것이다.

2. 음경 복합 초음파 촬영술

Penile duplex doppler ultrasonography

1985년 Lue 등이 처음으로 음경에서 초음파의 영상과 함께 도플러 스펙트럼을 적용하여 개발한 이래 현재 발기부전 환자에서 음경의 동맥혈류상태를 비침습적으로 가장 손쉽게, 그리고 비교적 정확하게 파악할 수 있는 방법으로 알려져 있으며, 혈관성 발기부전이 의심되는 경우 행하게 되는 선별검사로 알려져 있다. 복합초음파란 우선적으로 초음파 영상을 통하여 음경 내부의 조직인 백막, 해면체 등을 조사하여 구조적인 이상 유무를 관찰한 후에 발기유발제를 통한 음경 발기를 유도하는 과정에서 음경해면체동맥을 중심으로 음경해면체를 공급하는 동맥의 도플러 스펙트럼을 얻어 유속을 측정하게 된다. 이를 통하여 발기에 필요한 혈액의 공급이 충분히 이루어지는지를 직접 평가하고 아울러 정맥폐쇄기능의 평가도 간접적으로 가능하다.

1) 시행 방법

약물발기검사와 마찬가지로 조용하고 안락한 검사실에서 환자를 앙와위로 눕히고 평상시 발기되지 않은 상태의 음경의 일반적인 초음파 영상을 관찰하여 해부학적인 이상 유무를 찾아보고 음경해면체 동맥의 내경을 측정한다. 이 후 약물발기검사에 쓰이는 혈관 작용제를 해면체내로 주사하여 발기 유발을 도모하는 상태에서 해면체 동맥의 유속을 초음파의 도플러 스펙트럼을 이용하여 측정하게 된다. 이 때 무엇보다 중요한 것은 가급적 환자의 심리적 부담을 줄여 최대의 발기를 유발시킨 상태에서 검사가 진행되어야 한다. 그러기 위해서는 안락한 환경을 조성하고 최소의 인원으로 검사를 진행하는 것이 좋으며, 시청각 자극을 통한 성적 자극이 도움이 될 수 있다.

(1) 측정 인자

이 검사방법은 주로 음경해면체 내로의 동맥혈의 유입이 정상적인 발기 유발에 충분한가를 직접적으로 관찰하는 데에 주목적이 있으므로 이를 반영하는 인자로서 주사 전후의 해면체 동맥의 내경의 변화와 주사 후 발기유발 시 나타나는 최고 수축기 유속(peak systolic velocity; PSV)의 측정이 중요하다. 이와 더불어 음경 혈액의 누출을 간접적으로 반영한다고 할 수 있는 확장 말기 유속(end-diastolic velocity; EDV) 및 음경의 발기 강직도를 반영하는 저항계수(resistance index; RI=(PSV-EDV)/PSV) 등의 측정이 가능하다. 이외에도 최고 유속 도달 시간, 단위 시간당 통과 혈류량 등으로도 판정하고자 하는 노력이 있어 왔으나 현재에는 PSV 및 EDV가 가장 널리 이용되고 있다(그림 32-1).

(2) 측정 위치 및 시기

유속의 측정위치는 초음파 탐색자를 음경의 발기 상태에 따라 음경의 복측 혹은 배측면을 따라 편안한 상태로 기저부위에서 측정하는 것이 도플러의 좋은 입사각과 함께 정확한 유속의 측정이 가능하다. 즉, 측정되는 유속은 입사각의 cosine값에 반비례하기 때문에 입사각이 작을수록 오차가 적으며 따라서 60도 이내를 유지하는 것이 중요하다(그림 32-2). 또한 측정 시기는 이론적으로 환자의 심리적 불안에 의한 발기 억제가 배제된 상황에서 최대 발기가 일어나기 전에, 즉 해면체 내압이 증가되어 동맥혈의 유입에 장애가 일어나기 전단계인 팽창기에 PSV값을 측정하는 것이 바람직하다. 반면, 동맥혈의 유출을 알아보는 EDV는 해면체 평활근이 최대로 이완된 상태에서 측정해야 정확한 평가가 가능하다. 따라서 PSV는 주사 후 발기반응이 일어나는 초기 즉, 혈관확장이 최대로 일어나 혈류유입량이 극대화 되었을 때, 그리고 EDV는 환자 자신의 최대 발기를 얻어 음경내압이 최고치에 도달한 후에 얻는 값이 정확하다. 그러나 실질적으로 검사 시 이러한 발기단계를 정확히 알아볼 수 있는 기준이 없기 때문에 발기유발제 주사 후에는 약 5분 간격으로 환자가 평소에 얻을 수 있는 최대 발기 상태 이상의 발기가 유발될 때까지 계속 측정하여 상

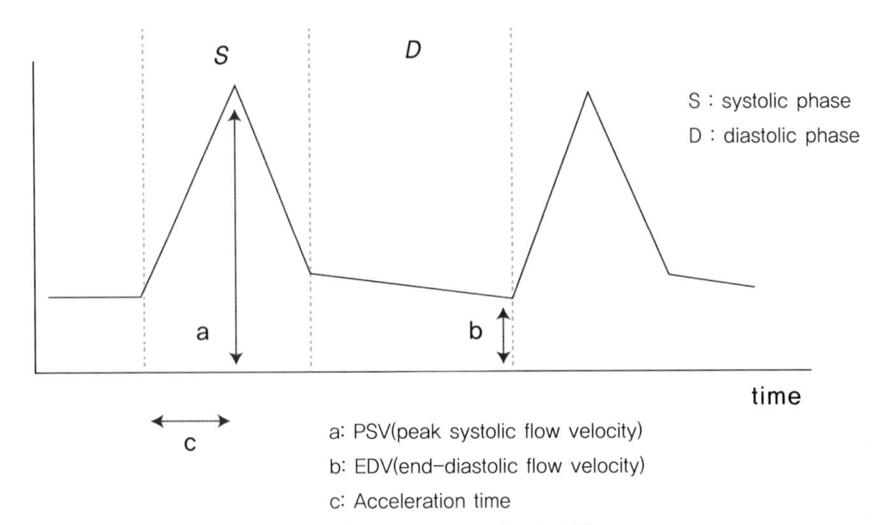

그림 32-1 음경복합초음파검사의 유속 측정 도구들의 정의 PSV: 최대수축기유속, EDV: 확장말기유속, RI: 저항계수

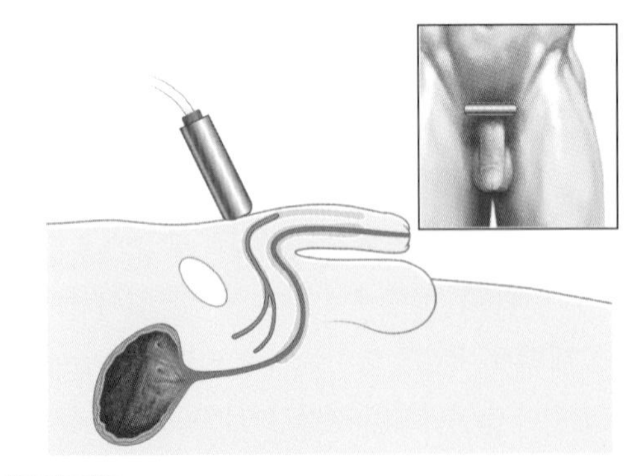

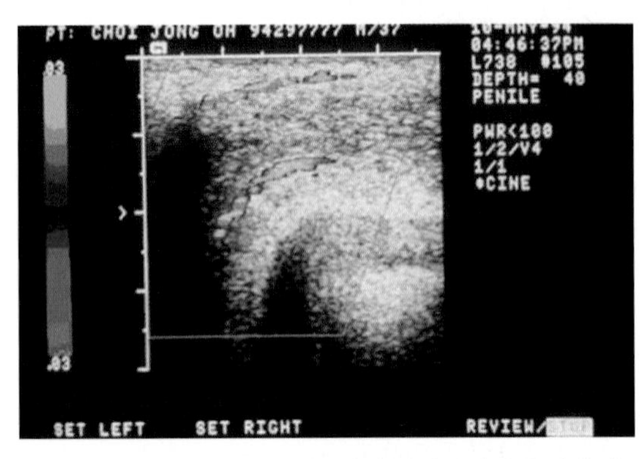

그림 32-2 음경복합초음파검사 시 도플러탐색자의 위치 음경의 배부나 복부 모두 가능하나 음경의 기저부위에서 시행하는 것이 해면체동맥의 상행부위로 도플러의 입사각(흰색 화살표)을 최소화할 수 있어 정확한 유속측정이 가능하다.

기한 상태의 값을 취하는 것이 바람직하다.

2) 결과 판정

해면체 동맥의 내경변화는 주사 전에 비해 60-70% 이상의 내경 증가가 있거나, 약물 주사 후 혈관이 내경이 0.7-0.8 mm이상이 정상이라고 보고되고 있으나, 실제로 내경이 1 mm이내인 혈관에서 이의 변화를 정확히 측정하는 데에는 측정할 때마다의 오차와 측정자간의 오차가 너무 심하므로 최근에는 크게 의미를 두고 있지는 않다. 가장 중요한 판정 인자는 PSV로서 정상치에 관한 기준에는 보고자마다 차이가 있고 연령이 증가할수록 감소하는 경향이 있으나 일반적으로 25-30 cm/sec이상은 정상, 25 cm/sec미만은 동맥부전을 의심할 수 있다고 한다. 정상의 경우 처

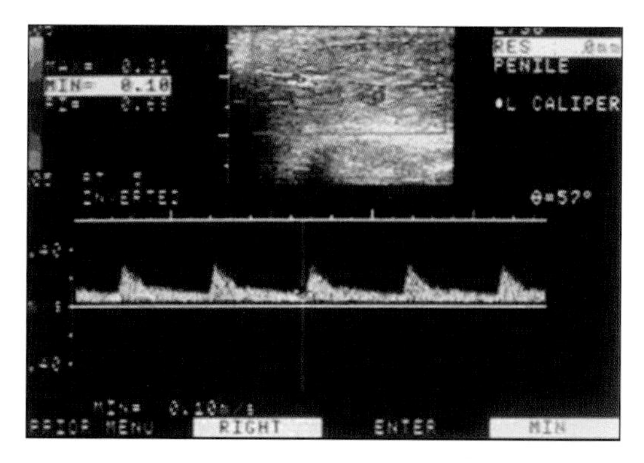

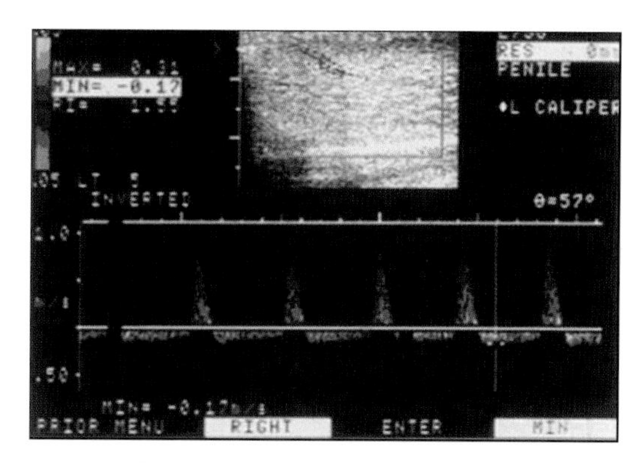

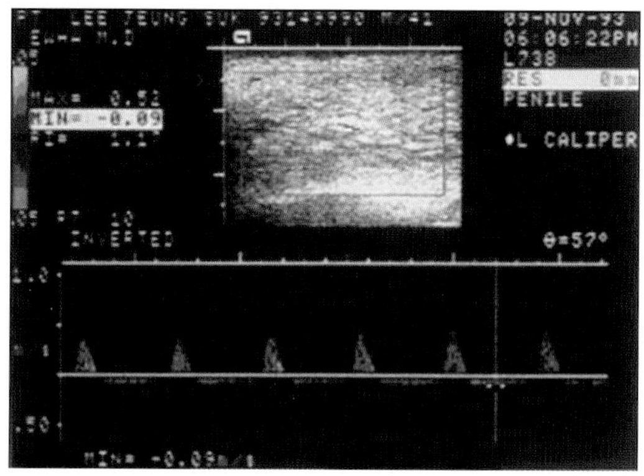

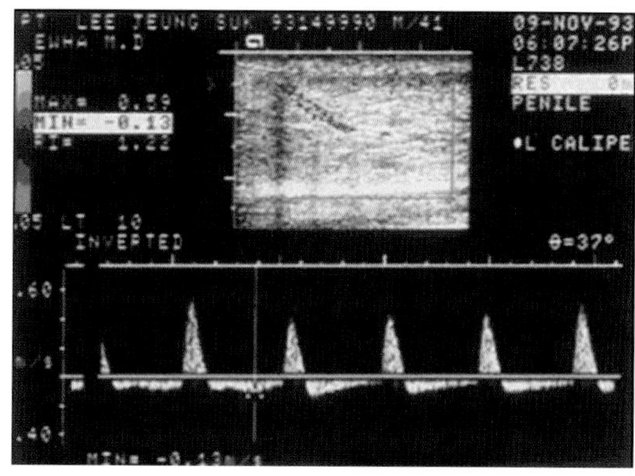

그림 32-3 정상 복합초음파검사 소견 주사 후 초기에는 낮은 음경혈류(PSV)와 함께 높은 EDV값을 보이나(좌측상부) 시간이 지날수록(좌측 상, 하, 우측 상, 하의 순서) 음경혈류가 증가하고 내압이 증가하여 높은 PSV값(30 cm/sec 이상)과 함께 음수로 반전된 낮은 EDV값(0 cm/sec 이하)을 보이게 된다(우측 상, 하).

음 주사 후에 초기에는 혈관이 확장되면서 혈류의 유입이 증가하지만 음경내압이 증가하기 전에는 PSV와 EDV가 함께 높은 수치를 보이나 시간이 가면서 음경내압이 증가하면 음경내압(평균 동맥압)이 전신 이완기혈압보다 높으므로 역행성 혈류(음성 값의 EDV), 즉 EDV가 0 cm/sec 혹은 그 이하로 반전되는 모습을 볼 수 있다(그림 32-3). 최근에는 기구 및 측정기술의 발달 및 경험이 축적되면서 정상에 대한 기준수치가 증가되는 경향이 있다.

정맥으로의 누출이 있을 때에는 혈액의 누출로 인하여 음경내압의 증가가 없으므로 높은 EDV값을 갖게 된다. 그러나 혈액이 충분히 공급된다는 전제가 필요하므로 정상 PSV치를 갖는 환자에서만 의미를 가지며, 이때에 EDV값이 3-5 cm/sec 이하는 정상, 그 이상의 경우에는 정맥폐쇄기전의 장애를 의심할 수 있다. 또 다른 인자인 RI는 PSV와 EDV의 두 변수에 의해 계산된 값으로서([PSV-EDV]/PSV) 혈류에 대한 저항도, 즉 해면체 내압에 비례하게 되고, 결국은 유입량과 유출량에 의해 결정된 음경의 강직도를 나타내는 지표로서 활용될 수 있겠다. 정상적인 발기가 일어난다면 EDV값은 0에 근접하므로 RI값이 0.9 이상 1은 정상, 0.75 이하는 95%에서 정맥혈의 누출을 발견할 수 있다.

3) 검사 시 유의사항

환자 자신이 평소에 느끼는 최대의 음경발기가 유발된 상태에서의 검사결과가 가장 정확하므로 성적 자극을 주는 보조 수단인 시청각 필름이나 수지 자극 등을 함께 이용할 수 있고, 환자 자신의 최대 음경발기에 도달하지 못한 경우에는 2차적인 발기유발제의 주사를 요할 수도 있다. 검사 후의 합병증으로는 발기유발제에 의한 음경 압통, 일시적인 혈압강하, 주사에 의한 피하 혈종 등이 발생할 수 있고 4시간 이상 발기가 지속되는 지속발기증이 올 수 있으므로 사전에 이에 대한 충분한 설명을 요한다.

3. 음경해면체내압측정술 및 음경해면체조영술

Cavernosography and cavernosometry

이 검사방법의 주목적은 발기유지에 필요한 정맥폐쇄기전의 기능을 평가하는 데에 있다. 그러나 검사 과정에서 도플러 측정을 함께 이용하게 되면 동맥혈의 공급도 간접적으로 평가가 가능하다. 비교적 침습적인 검사방법이므로 음경혈관재건술이나 정맥결찰술 등의 혈관수술을 시행하기 전, 혹은 후의 추적관찰 시, 또는 정맥혈의 누출을 확인할 필요가 있는 경우 등에서만 제한적으로 시행하는 것이 바람직하다. 검사의 원리는 인위적으로 해면체내에 혈액이나 수액의 공급을 충분히 해준 상태에서 음경의 내압을 측정하거나 일정한 해면체내압을 유지하는 데에 필요한 주입 액의 양으로 혈액이 유출되어 나가는 정도를 파악하고, 정맥 유출 당시의 조영제 사진을 얻어 유출 장소를 확인하는 것이다. 검사 시의 유의사항은 복합초음파검사와 동일하게 조용하고 안락한 환경이 필요하며, 역시 발기유발제와 관련된 부작용 발생 여부도 관찰하여야 한다. 시행 방법에 따라 주입펌프를 이용하여 용액을 계산된 수치로 주입량을 조절하면서 측정하는 역동학적 검사법과, 단순히 중력에 의해 주입하는 검사법이 있다.

1) 역동학적 주입방법

(Dynamic infusion cavernosometry and cavernoso-graphy, DICC)

환자를 방사선 투시 조영이 가능한 테이블에 앙와

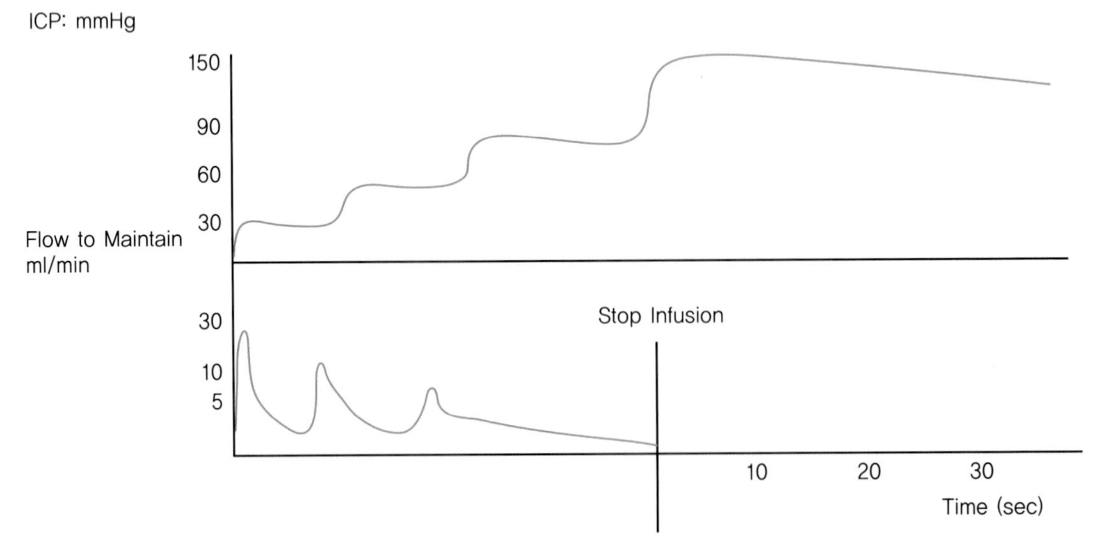

그림 32-4 음경해면체내압측정술의 제 2단계 일정한 음경해면체 내 압력(30, 60, 90, 120, 150 mmHg)을 유지시키는 데에 필요한 수액의 유입량(flow to maintain: FM, 단위 ml/min)을 구한다. 150mmHg의 압력에 도달한 후 수액의 유입을 멈추고 30초 동안 해면체 내압의 감소를 관찰한다.

위로 눕히고 양측의 음경해면체내로 2개의 19-21G 나비침 주사 바늘을 양쪽의 음경해면체에 각각 찔러 넣는다. 하나는 해면체내압을 측정할 수 있도록 압력측정기에 연결하고, 다른 하나는 주입펌프와 연결된 수액주입 선을 연결한다.

1 단계로 발기유발제를 해면체 내로 주사한 후 해면체 내압의 증가를 평형상태에 도달할 때까지 관찰한다(1단계 검사). 이때 정상적인 발기시의 해면체내압 (일반적으로 환자의 평균 동맥압)에 이르지 못하면 정맥 누출을 의심하여 다음단계로 넘어간다.

2 단계 검사는 해면체로부터 빠져나가는 유출량에 대한 검사로서 두 가지 측정인자가 이용된다. 즉, 일정한 해면체내압을 유지시킬 수 있는 유지유입량(flow to maintain; FM, 단위 ml/min)과 수축기 혈압 이상으로 해면체 내압을 상승시킨 후 수액주입을 멈춘 상태에서 일정시간 경과 시 압력감소(pressure decay: PD, 단위 mmHg/30sec)가 그것이다(그림 32-4). FM은 음경내압을 60, 90, 120, 150 mmHg로(또는 50, 100, 150 mmHg) 증가시켜가면서 각각의 FM을 구하여 압력과 유입량 사이에 정비례관계를 보이는 경우에 완전한 평활근의 이완이 일어난 것으로 간주하게 되며 이때에만 FM의 수치는 신뢰할 수 있다(그림 32-5). 현재까지 보고자에 따라 다양한 정상치의 기준이 제시되었으나 해면체 평활근의 이완이 완전히 이루어진 상태에서는 90-100 mmHg의 압력을 유지하는 FM이 3-5 ml/min 이하인 경우 정상으로 판정한다. 150 mmHg의 압력으로부터의 PD는 45 mmHg/30sec 이하를 정상치의 기준으로 삼고 있으며, 이들 이상의 수치를 보이면 정맥폐쇄기전의 이상을 진단할 수 있겠다. 일반적으로 판정에는 FM이 더욱 유용하게 쓰이지만 FM이 유출 판정의 경계선에 있다면(압력과 유입량 사이에 정비례관계를 보이면서 90mmHg 때의 FM이 5ml 전후라면) PD가 판정에 유용하게 쓰인다.

3 단계로는 동맥유입량이 충분한가를 보는 검사로서 도플러 탐색자를 이용하여 해면체 동맥의 혈류곡선을 얻는 상태에서 해면체내압을 도플러 혈류곡선이 소실될 때까지 올린 후 수액주입을 중단하여 해면

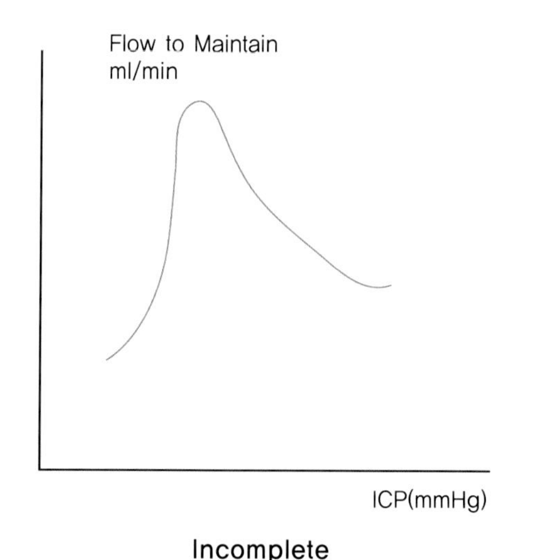

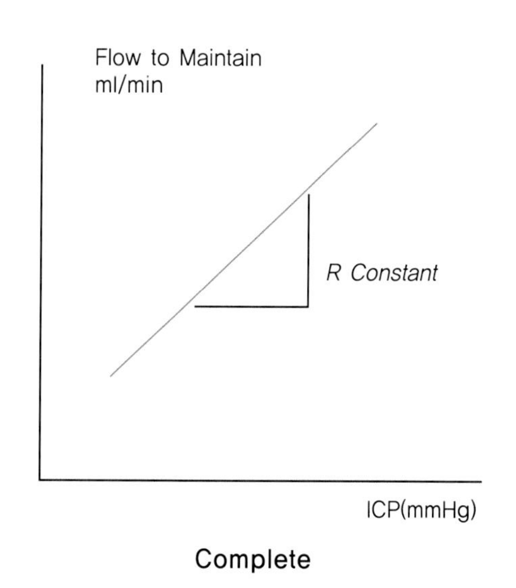

그림 32-5 해면체평활근의 완전 이완 해면체 내압이 증가할수록 유지유입량이 함께 증가하면(우측의 정비례관계) 해면체평활근의 완전한 이완을 의미한다. 왼편의 그림처럼 불규칙할 경우는 완전이완에 도달하지 못한 경우이다.

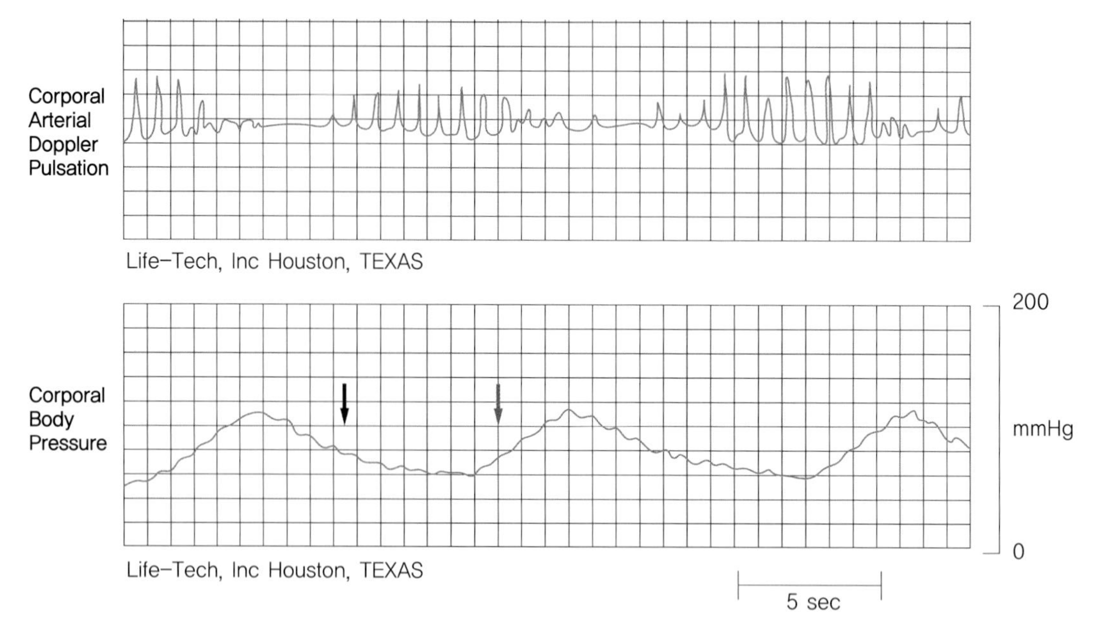

그림 32-6 음경해면체내압측정술의 제 3단계 음경해면체동맥의 수축기 개방압력 (cavernosal artery systolic opening pressure : CASOP). 도플러스펙트럼이 나타날 때(opening pressure, 검은 화살표) 혹은 사라질 때 (occlusion pressure, 붉은 화살표)의 해면체 내압을 구하여 전신 수축기혈압과의 차이를 구한다. 차이가 클수록 해면체 동맥의 폐색을 의미한다.

체내압이 감소되면서 다시 도플러 혈류곡선이 나타날 때의 압력을 구한다. 이를 음경해면체동맥 수축기 개방압(cavernosal artery systolic opening pressure; CASOP)혹은 폐쇄압(occlusion pressure)이라 하며 환자의 수축기혈압보다 35 mmHg이상의 차이를 보이면 동맥 폐쇄를 의심할 수 있다 (그림 32-6). CASOP이 갖는 또 다른 중요한 의미는 이 압력 이상에서는 혈류의 유입이 불가능하므로 이것이 환자가 생리적으로 얻을 수 있는 최고의 음경해면체 내압이라는 점이다.

마지막 4 단계로서 정맥누출의 장소를 확인하기 위하여 음경해면체조영술을 시행한다. 저삼투압 조영제를 해면체 내로 주입하면서 약 90 mmHg의 해면체 내압에서 음경해면체 조영사진을 얻어 여러 주위 정맥 및 심한 경우 요도해면체로의 누출을 확인할 수 있다(그림 32-7).

2) 중력을 이용한 주입방법 (Gravity infusion cavernosometry)

일정 압력을 맞출 수 있는 주입펌프가 없는 경우 간단히 시행해 볼 수 있는 방법으로 역시 발기유발제를 주사하여 평형압력을 구하고 수액을 환자의 위치보다 140 cm 높은 위치에서 주입하면서 해면체 내압을 구한다. 140 cmH2O(약 90 mmHg) 와 평형압력과의 차이가 정맥혈의 누출과 비례하므로 평형압력이 110 cmH2O 이하면 정맥폐쇄기전의 이상을 의심해 볼 수 있다.

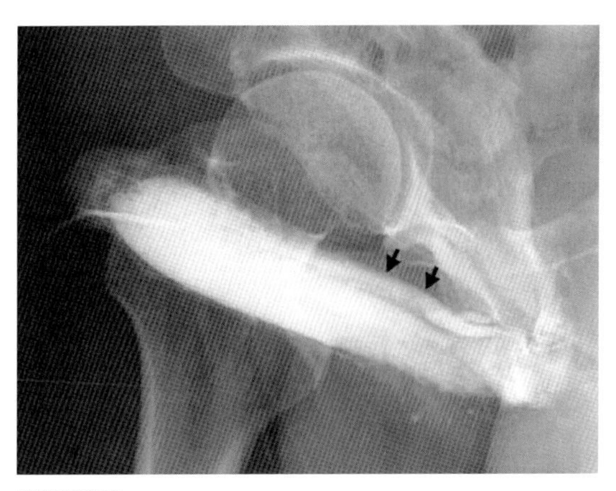

그림 32-7 정맥폐쇄기능부전증 환자에서의 음경해면체 조영상 음경해면체 조영상 심층배부정맥(화살표)을 통한 혈액의 누출이 관찰되고 있다.

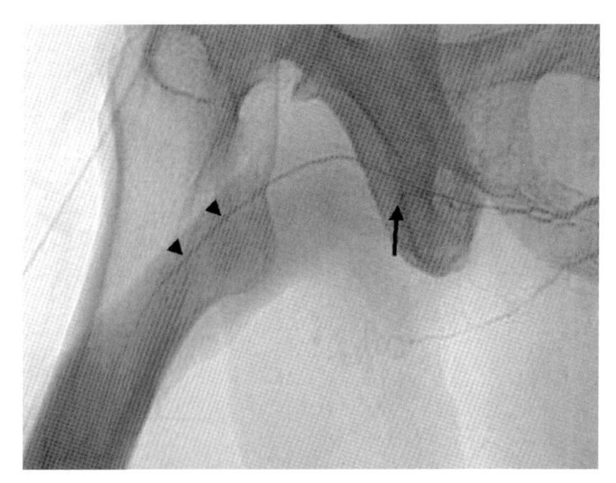

그림 32-8 내음부동맥조영상 내음부동맥에서 분지되는 음경해면 체동맥(화살표)의 기시부가 완전폐쇄되어 해면체동맥은 불현이며 음경배부동맥(화살촉)만 나타나고 있다.

4. 선택적 내음부동맥조영술

Selective internal pudendal arteriography)

상기 검사들을 통하여 동맥의 부전이 의심되고 환자와 치료방법에 대해 충분히 논의하여 동맥혈관의 재건술을 치료방법으로 고려하는 경우에 한해서만 제한적으로 시행되어야 한다. 이 검사의 목적은 동맥부전의 진단자체를 의심하여 시행하는 것이 아니고 수술을 전제로 하여 폐색의 장소를 확인하고 수술에 필요한 해부학적 정보를 얻는 데에 있다. 따라서 혈관이 건강한 50세 이하의 비교적 젊은 환자에서 골반강 내의 손상에 의해 특정부위의 동맥손상이 의심되는 경우가 가장 좋은 적응증이다. 시행 방법은 국소마취 하에 대퇴동맥을 통하여 5-6Fr. 카테타를 삽입하여 조영제를 주입, 대동맥을 포함한 큰 혈관들을 먼저 관찰한 후 이상이 없으면 내음부 동맥을 선택하여 파파베린 등의 혈관확장제를 주입하고 음경동맥의 영상을 얻는다(그림 32-8).

그러나 개개인에 따른 해부학적인 변이가 많고, 약제에 대한 반응도가 다르며 시행 당시 받는 심리적 부담 등도 약제에 대한 발기반응에 영향을 미치므로 판독 시 어려움이 많다.

5. 요약

음경의 발기정도는 음경내로 들어오는 혈액의 유입량과 음경으로부터 빠져나가는 유출량과의 차이가 결정하게 됨으로 이들에 대한 검사방법들이 발기부전증 혈관계검사의 주종을 이룬다. 음경해면체 내로의 혈액의 유입은 주로 음경해면체 동맥에서 공급되므로 발기유발 시 음경해면체 동맥에 대한 검사들을 통하여 해면체 내로의 혈액유입량에 대한 평가가 가능해진다. 반대로 혈액의 유출은 해면체 정맥폐쇄기전에 의해 결정되는 바, 이는 해면체 평활근의 확장도를 결정하는 여러 가지 해면체 인자들에 의해 나타나는 수동적 현상이므로 음경내압 측정 등의 간접적인 평가방법으로 알 수 있다. 이들 검사방법의 종류들은 간단하게는 발기유발제를 이용한 발기반응검사로부터 음경복합초음파검사, 해면체내압측정술 및 조영술, 내음부동맥조영술 등에 이르기까지 다양하다. 각각의 방법들은 결과의 효용성, 침습도, 경제성 등에 따른 장단점을 갖게 되며, 어느 방법을 선택하는가에 대한 결정은 환자의 선호도, 임상적으로 가능한 치료방법의 한계, 의심되는 혈류이상의 종류 및 경제성 등을 함께 고려하여 시행하여야 한다.

참고문헌

1. 문영태, 김갑병, 김세칠 발기부전증에 대한 음경동위원소촬영검사. 대한비뇨기과학회지 1987;28:385-394.
2. 박광성, 민경대, 류수방. 시정각 성적자극을 이용한 음핵 복합도플러 초음파촬영술의 초기 경험. 대한비뇨기과학회지 2001;42:744-748.
3. 정우식, 박영요 음경발기시 정맥폐쇄기전의 평가에 있어 복합초음파 검사의 진단적 가치. 대한비뇨회지1997;38:479-483.
4. Aversa A, Sarteschi LM. The role of penile colour-duplex ultrasound for the evaluation of erectile dyslunction. J Sex Med 2007;4:1437-1447.
5. Chung WS, Park YY, Kwon SW. The impact of aging on penile hemodynamics in normal responders to pharmacological injection: a Doppler sonographic study. J Urol 1997;127:2129-2131.
6. Feldman HA, Goldstein I, Hatzicgristou DG, Krane RJ, McKinlay JB. Impotence and its medical and psychosocial correlates results 01 the Massachusetls male aging study. J Urol 1994;151:54-61.
7. Fitzgerald SW, Erickson SJ, Foley WD, Lipchick EO, Lawson TL. Color doppler US in the evaluation of erectile dyslunction: Prediction of venous incompetence. Radiology 1990;177:129-130.
8. Hatzichristou DG, Saenz de Tejada 1, Kuplerman S, Namburi S, Pescatori ES, Udelson D, et al. In vivo assessment of trabecular smooth muscle tone, its application in pharmacocavernosometry and analysis of intracavernous pressure determinants. J Urol 1995;153:1126-1135.
9. Kim SH, Paick JS, Lee SE, Choi BI, Yeon KM, Han MC. Doppler sonography of deep cavernosal artery of the penis: variation of peak systolic velocity according to sampling location. J Ultrasound Med 1994;13:591-594.
10. Kropman RF, Schipper J, van Oostayen JA, Lycklama a Nijeholt AA, Memhardt W. The value of increased end diastolic velocity during penile duplex sonography in relation to pathological venous leakage in erectile dyslunction. J Urol 1992;148:314-317.
11. Lue TF, Hricak H, Marich KW, Tanagho EA. Vasculogenic impotence evaluated by high-resolution ultrasonography and pulsed doppler spectrum analysis. Radiology 1985;155:777-781.
12. Lue TF, Takamura T, Schmist RA, Palubishos AJ, Tanagho EA. Hemodynamics of erection in the monkey. J Urol 1983;128:1237-1241.
13. Lue TF. Impotence: A patient' s goal-directed approach to treatment. World J Urol 1989;8:67-69
14. Meuleman EJH, Wijkstra H, Doesburg WH, Debruyne FMJ. Comparison of the diagnostic value of pump and gravity cavernosometry in the evaluation of the cavernous venoocclusive mechanism. J Urol 1991;146:1266-1270.
15. Mueller SC, van Wallenberg-Pachaly H, Voges GE, Schild HH. Comparison of selective internal iliac pharrnacoangiography, penile brachial index and duplex sonography with pulsed doppler analysis for the evaluation of vasculogenic (arteriogenic) irnpotence. J Urol 1990;143:928-932.
16. Padma-Nathan H. Evaluation of the corporal veno-occlusive mechanism: dynamic inlusion cavernosometry and cavernosography. Sem Interv Rad 1989;6:71-84.
17. Pescatori ES, Hatzichristou DG, Namburi S, Goldstein I. A positive intracavernous injection test implies normal venoocclusive but not necessarily normal arterial function: a hemodynamic study. J Urol 1994;151:1209-16
18. Porst H. The rationale for prostaglandin E1 in erectile lailure: a survey of worldwide experience. J Urol 1996;155:802-815
19. Puech-Leao P, Chao S, Glina S, Reichelt AC Gravity cavernosometry-a simple diagnostic test for cavernosal incompetence. Br J Urol 1990;65:391-394.
20. Quarn JP, King BF, James EM, Lewis RW, Brakke DM, Ilstrup DM, et al. Duplex and color Doppler sonog raphic evaluation of vasculogenic irnpotence. AJR 1989;153:1141-1147.
21. Saenz de Tejada I, Moroukian P, Tessier J, Kim JJ, Goldstein I, Frohrib D. Trabecular smooth rnuscle modulates the capacitor lunction of the penis. Studies on a rabbit rnodel. Amer J Physiol 1991;260H1590-595.
22. Sakamoto H, Kurosawa K, Sudou N, Ishikawa K, Ogawa O, Yoshida H. Impact of aging on penile hemodynamics in men responding normally to prostaglandin injection: A power Doppler study. Int J

Urol 2005;12:745-750.

23. Sikka SC, Hellstrom WJ, Brock G, Morales AM. Standardization of vascular assessment of erectile dysfunction: standard operating procedure for duplex ultrasound. J Sex Med 2013;10:120-129.

24. Speel TG, van Langen H, Wijkstra H, Meuleman EJH. Penile Duplex pharmaco-ultrasonography revisited: Revalidation of the parameters of the cavernous arterial response. J Urol 2003;169:216-220.

SECTION 04

발기부전의 치료

Chapter 33. 발기부전 치료의 변천사 ··· 문두건
Chapter 34. 정신과적 치료 ··· 이상열
Chapter 35. 발기부전의 경구용 약물치료 ··· 김제종
Chapter 36. 발기부전의 호르몬치료 ··· 성현환
Chapter 37. 음경해면체내 주사요법 및 요도내 주입법 ··· 이동섭
Chapter 38. 진공 발기(압축)기 ··· 노 준
Chapter 39. 혈관계 수술적 치료 ··· 김세철
Chapter 40. 음경보형물삽입술 ··· 최형기
Chapter 41. 음경재활 ··· 양대열
Chapter 42. 보완대체요법 ··· 박종관
Chapter 43. 발기부전 치료의 미래 ··· 이성원

CHAPTER 33

발기부전 치료의 변천사

Development of Treatment for Erectile Dysfunction

■ 문두건

남성의 삶에 있어 발기 능력은 매우 중요하다. 하지만 생명과 직접적인 관련이 없어 과거에는 발기 부전이 있을 경우 이를 질병으로 보기보다는 나이가 들면 자연히 생기는 현상으로 생각하였다. 때문에 치료를 하기보다는 포기하고 지내거나 보약이나 정력식품에 의존하는 경우가 많았다. 하지만 1874년 미국 John King으로부터 진공압축기(vacuum constriction device)에 대한 임상보고를 시작으로 1960년대 Osbon이 등장하여 1970년대에 상용화되었고 현재는 ErecAid란 이름으로 판매되고 있다.

발기부전 치료는 1970년대 Masters와 Johnson에 의해 행동요법에 의한 성 치료법이 소개되면서 많은 사람들이 관심을 가지게 되었고 활발해졌다. 이들은 주로 심인성 발기부전 환자들을 상대로 하여 성취불안감을 해소하여 거의 모든 환자들의 치료가 가능하다고 보고했다. 그러나 기질성 발기부전 환자들에서는 효과가 없었고 보형물 삽입수술이 도입되면서 기질성 발기부전에 대한 연구가 활성화 되었다. 음경발기기전에 대한 연구를 통해 자연생리적인 치료법으로 혈관수술에 대한 연구 및 보고가 나오기 시작했다. Michal은 음경동맥을 미세수술로 하복동맥과 음경동맥을 이어주는 방법을 처음으로 소개하였고 이후 Virag는 음경동맥에 이어주는 것보다 손쉬운 음경정맥에 이어주는 여러 가지 방법의 음경정맥동맥화 방법을 고안하여 발표했다.

Virag는 혈관재건수술 시 혈관확장제인 papaverine을 사용한 후 음경발기가 2시간이상 지속되는 것을 발견하였고 이로 인하여 혈관확장제를 발기 부전의 진단 및 치료에 이용하고자 하는 음경 자가주사요법의 개념이 생기게 되었다.

1980년대에는 혈관확장제에 의한 자가주사요법이 시도되면서 발기기전에 대한 연구는 더욱 활발히 진행되었고 이를 바탕으로 발기부전 치료에 획기적인 전기를 마련한 1990년대의 Viagra 시대로 계승하게 되었다. 2000년대 이후는 여러 PDE5 억제제 제품들 및 여러 치료법들의 경쟁 시대로 볼 수 있겠다.

1. 1970년대 음경 보형물 삽입수술 시대

발기부전 치료에 대한 인공 보형물 삽입수술 활성화는 1966년 Beheri가 폴리에틸렌 rod 삽입술 700례를 보고하면서 시작되었다. 이 시기에는 확실한 기질적 장애 환자들에 대한 치료방법이 없어 고민하던 일부 의사들이 경구약물로 요힘빈(Yohimbin)을 처방하기도 하였으며 항우울제인 트라조돈(Trazodone)을 처방하거나 주사용 남성 호르몬제제인 데포 테스토스테론을 사용하기도 하였다.

이러한 방법으로 치료가 힘든 환자들에 대하여 인공 보형물 삽입수술을 시행하게 되면서 수술적 치료가 활발해지기 시작하였고 1973년 Scott 등이 세조각 팽창형 보형물을 개발하며 더욱 활성화되었다. 그러나 초기에는 수술 경험의 부족과 보형물의 고장 등 많은 시행 착오가 있었으며 1976년 Small/Carrion이 간편하고 고장이 적은 rod를 개발하여 굴곡형 보형물과 팽창형 보형물이 나와 서로 경쟁적으로 보완하며 발전을 하였다. 굴곡형 보형물은 값이 싸고 수술이 쉬운 장점이 있으나 영구발기 및 일상생활에 불편한 점이 있고 팽창형 보형물은 자연스럽고 길이 및 두께가 증가하는 장점이 있으나 기계적 고장 시에는 재수술을 해야 하는 단점이 있다. 이러한 문제점들을 해결하는 과정에서 Subrini, Finney, Jonas, Mentol 등의 여러 제품들이 개발되었다.

2. 1980년대 혈관수술 및 자가주사시대

발기부전의 수술적 치료가 시작과 더불어 성기능 분야의 연구가 활성화되었다. 발기기전에 대한 기초 연구결과를 바탕으로 보형물 삽입수술보다 더 자연스럽고 생리적인 발기를 가능하게 하는 혈관수술 분야로 많은 관심이 집중되었다. 혈관수술은 1977년 Michal에 의해 하복부동맥과 음경 동맥의 문합술이 처음 시도되었고 80년대 Virag가 하복부동맥을 음경 정맥에 이어주는 여러 방법을 고안하면서 활성화 되었다. 또한 혈관수술 시 혈관확장제인 papaverine을 사용하면서 수술 후 부작용으로 음경 발기가 발생하는 것을 알게 되었고 이후 여러 연구를 바탕으로 papaverine의 혈관 장애 진단에 대한 유용성이 입증되었고 일부 환자들에 있어서는 치료 목적으로도 사용할 수 있음을 알게 되었다. 그 후 혈관확장제 치료에 대한 연구들이 활성화 되면서 papaverine보다 지속발기증(priapism)의 위험이 적은 PGE1과 phentolamine, papaverine의 세가지 약을 혼합하는 삼중복합제(trimix) 등이 개발되어 자가주사요법으로 사용되기 시작하였다.

3. 1990년대 비아그라(Viagra) 시대

이 시기에는 한조각 팽창형 음경보형물인 Dynaflex, 두조각형, 동양인의 사이즈에 맞는 세조각형인 700CXM이 등장하며 세조각 팽창형 보형물의 단점을 보완한 제품들이 개발되었다. 혈관수술은 음경배부정맥 동맥화 수술 등이 소개되었고, 정맥기능부전에 대한 여러 수술적 치료법들이 발표되었다. 또한 혈관확장제에 의한 진단 및 치료법이 활성화되며, PGE_1 단일제품인 carverject가 자가주사 치료제로 소개되었다.

여러 치료법들이 공존하는 가운데 1998년 경구용 발기부전 치료제인 비아그라(Sildenafil)가 등장하면서 전세계적으로 폭발적인 인기를 얻었다. 음경 발기는 신경 말단이나 혈관 내피세포에서 산화질소가 분비되어 세포 내 cGMP를 통해 음경해면체 평활근을 이완시켜 이루어 지는데 세포 내 cGMP는 phosphodiesterase (PDE)에 의해 조절이 된다. 음경에서는 2형, 3형, 5형이 존재하며 주로 5형이 음경 발기에 관여한다. 비아그라(Sildenafil)는 이 PED5를 선택적으로 억제하여 발기능을 증폭시킨다. 이전까지는 발기부전에 처방할 수 있는 경구용 치료약은 항우울제로 쓰이는 트라조돈이나 요힘빈 정도 외에는 없었으며 비아그라의 등장으로 발기부전의 진단 및 치료에 일대 혁신을 가져오게 되었다.

자연스럽고 생리적인 기전에 의해 발기효과를 나

타내는 비아그라의 등장은 발기부전 치료에 있어 전 세계적인 파장을 일으켰으며 국내에서의 임상실험에서도 일부 환자에서 두통, 홍조, 시력이상 등의 부작용을 제외하고는 80% 정도에서 발기 개선 효과를 보여 효능이 입증 되었다. 비아그라의 등장으로 일차 치료제로 비아그라 복용을 시작한 후 반응을 보는 방식의 진단법이 등장하게 되어 진단에 있어서도 과거 시행했던 여러 검사법들의 필요성이 줄어 들게 되었다. 거의 대부분의 환자에서 비아그라의 사용과 반응 여부가 중요한 정보가 되었으며 일차 치료약으로 사용 후 효과에 따라 다음 단계 치료 여부를 결정하게 되었다.

4. 2000년대 비아그라 등장 이후 시대

2000년대는 말초에 작용하여 효과를 발휘하는 비아그라와 달리 중추신경계에 작용하는 기전의 약인 apomorphine(Uprima)가 개발되었다. Apomorphine은 중추신경계의 도파민 수용체에 작용하며 발기를 유발하는 신경전달물질의 전달에 시동을 걸어 발기를 촉진시킨다. 미국 및 유럽의 임상시험에서 약 50%의 성교 성공률을 보고하여 국내에서도 시판되었으나 큰 인기를 얻지는 못 하였다. 요도 내에 alprostadil을 주입하는 MUSE 치료법 또한 초기에 우수한 치료 효과가 보고되었으나 이후 연구들에서는 좋은 결과를 보이지 않았다.

약물 국소 전달 시스템을 개량한 새로운 제품들이 연구 되었으며 국내에서도 Standro라는 자가주사 치료제가 개발되었다. 남성갱년기 환자에서 발기 부전의 치료를 위한 남성호르몬제의 사용은 그 효용성에 있어 아직 논란이 있긴 하나 성선기능저하증 환자에서는 근력증가, 성기능 호전, 자신감 회복 등의 효과가 있다고 밝혀졌다.

PED5 억제제 시장에서는 비아그라의 뒤를 이어 tadalafil, vardenafil 등이 등장하였으며 국내에서도 udenafil, mirodenafil, avanafil 등의 새로운 PDE5 억제제들이 개발되었다. 이러한 여러 PDE5 억제제들의 등장으로 약의 부작용은 줄이고 효과는 개선하기 위해 더 선택성이 높은 약제 개발을 놓고 경쟁하였다. 또한 이러한 경쟁을 통해 새로운 용법이나 다른 질환에 대한 효과 등에 대한 연구도 이 시기부터 시작되었다.

5. 2010년대 복제약 및 복합 용법의 약동

2012년 대표적인 PDE5 억제제인 비아그라의 특허가 종료되었고 2015년에는 tadalafil의 특허도 종료되었다. 이에 따라 sildenafil 및 tadalafil의 복제약들이 대거 등장하였다. 복제약들의 등장으로 인해 가격 경쟁이 심해져 가격이 내렸을 뿐만 아니라 경쟁에서 살아남기 위해 약의 효율성과 안전성이 더욱 강조되게 되었다. 또한 휴대의 간편성과 복용의 편리성을 위해 단순 정제형으로만 생산되었던 과거와 달리 구강 내에서 용해되는 정제형 제품이 등장하였고 그 뒤를 이어 휴대가 간편하며 흡수가 빠른 필름형, 과립형, 츄정 제품 등이 연이어 출시되었다. 용법에서도 단순 필요시 복용 용법에서 벗어나 반감기나 작용시간 등에 차이를 보이는 약들이 출시되었으며 매일 소량 복용하는 용법에 관하여서도 용량 별로 연구가 이루어졌다.

현재는 PDE5 억제제의 발기부전에 대한 치료 효과뿐만 아니라 이외 BPH/LUTS 치료 같은 다른 효능에 대한 연구, 항고혈압제, 알파 차단제, 항우울제, 항고지혈증제 등과 복합용법 혹은 복합제제에 대한 여러 연구가 이루어지고 있다.

이후의 발기부전 치료는 여러 PDE5 억제제 제품들의 치열한 경쟁이 예상되며, 자가주사요법이 필요한 환자 또한 여전히 존재할 것이다. 보형물 삽입술 분야 또한 아직도 발전 중에 있으며 보형물의 고장을 줄이기 위한 연구도 활발히 이루어지고 있다. 진공압축기는 경제적으로 어려운 환자나 수술을 극도로 꺼리는 환자, 일차 보형물 수술 실패로 제거하고 재수술을 기다리는 환자 등에서는 지속적인 성기 팽창을 통한 음경 위축 방지에 효과가 있으며 PDE5 억제제에 반응이 없는 환자들에서 진공압축기와 같이 사용하면 효과가 있다는 보고도 있어 이러한 일부 환자들에서 쓰이고 있다. 또한 cGMP의 분해를 막는 sildenafil, cGMP의 생성을 많게 해주는 sGC activator에 의한 약물처럼 여러 기전의 치료제들이 발기부전 치료를 위해 지속적으로 연구 개발 중이다.

참고문헌

1. Beheri GE. Surgical treatment of impotence. Plast Reconstr Surg 1966;3892-7.
2. Canguven O, Bailen J, Fredriksson W, Bock 0, Burnett AL Combination vacuum erection device and PDE5 inhibitors as salvage therapy in PDE5 inhibitor nonresponders with erectile dyslunction , J Sex Med 2009;6:2561-7.
3. Brock, G.B., et al., Direct effects of tadalafil on lower urinary tract symptoms versus indirect effects mediated through erectile dysfunction symptom improvement: integrated data analyses from 4 placebo controlled clinical studies. J Urol, 2014. 191(2): p. 405-11.
4. Gingell C, Buvat J, Jardin A, Olsson AM, Dinsmore WW, Maytom MC et al, Sildenalil citrate (VIAGRA), an oral treatment for erectile lunction: 1-year, open-Iabel, extension studies, Multicentre Study Group, Int J Clin Pract Supp11999;1 02:30-1.
5. Furlow WL, Fisher J, Deep dorsal vein arterialization: clinical experience with a new technique for penile revascularization , J UroI1988;139:289 abstract.
6. Goldstein I, Lue TF, Padma-Nathan H, Rosen RC, Steers WD, Wicker PA , Oral sildenalil in the treatment of erectile dysfunction Sildenalil Study Group ' N Eng J Med 1998;338:1397-404.
7. Gee WF, A history of surgical treatment impotence, Urology 1975;5:401-5.
8. Hauri 0, A new operative technique in vasculogenic erectile impotence, World J UroI 1986;4:237-49.
9. Heaton JP, Morales A, Adams MA, Johnston B, el-Rashidy R, Recovery of erectile lunction by the oraladministration of apomorphine, Urology 1995;45:200-6.
10. Roehrborn, C., et al., Erectile dysfunction (ED) and lower urinary tract symptoms associated with benign prostatic hyperplasia (LUTS/BPH) combined responders to tadalafil after 12-weeks of treatment. BJU Int, 2016.
11. Juenemann KP, Lue TF, Fournier GR, Tanagho EA Hemodynamics of Papaverine and phentolamine induced penile erection , J UroI1986;136:158-61.
12. Reid K, Surridge DH, Morales A, Condra M, Harris C, Owen J, et al. Double-blind trial of Yohimbine in the treatment of psychogenic impotence. Lancet 1987;2: 421-2.
13. King J. Household department. In: King J. The American family physician; or domestic guide to health. 2nd ed. Indianapolis Streight & Douglass; 1873;338-84.
14. Kim ED, el-Rashidy R, McWary KT. Papaverine topical gel for treatment of erectile dysfunction. J Urol 1995; 153:361-5.
15. Lewis R, Agre K, Fromm S, Ruff D. Efficacy of apomorphine SL vs placebo for erectile dysfunction in patients with hypertension J UroI1999;161(SuupI4):214.
16. Lue TF, Sildenafil study group. A study of sildenafil (VIAGRA) a new oral agent for the treatment of male erectile dysfunction. J UroI1997;157(suppl):181.
17. Lakin MM, Montague DK, Medendorp SV, Tesar L, Schover LR Intracavernous injection therapy: analysis of results and complications. J UroI1990;143 :1 138-41.
18. Morales A, Condra M, Owen J, Surridge D, Fenemord J, Harris C Is Yohimbine effective in the treatment of Organic Impotence? Results of a controled Trial. J UroI1987;137:1168-.
19. Morales A, Gingell C, Collins M, Wicker PA, Osterloh IH. Clinical safety of oral sildenafil citrate (VIAGRA) in

the treatment of erectile dysfunction. Int J Impot Res 1998;10:69-73:discussion-4.

20. Michal V, Kramar R, Pospichal J, Hejhal L. Arterial epigastricocavernous anastomosis for the treatrnent of sexual Impotence ' World J Surg 1977;1 :515-9.
21. Masters WH , Johnson VE . Human Sexual Inadequacy London:Churchill; 1970;0-3.
22. Nadig PW, Ware JC, Blumoff R. Noninvasive device to produce and maintain an erection-like state. Urology1986;27:126-31.
23. Padma-Nathan H, Hellstrom WJ, Kaiser FE, Labasky RF, Lue TF, Nolten WE, et al. Treatment of men with erectile dysfunction with transurethral alprostadil. Medicated Urethral Systern for Erection (MUSE) Study Group. N Engl J Med 1997;336:1-7.
24. Padma-Nathan H, Auerbach S, Lewis R, Lewand M. Efficacy and safety of apomorphine SL vs. placebo for male erection. J. Urol 1999;161214S.
25. Reid K, Morales A, Harris C, Surridge D, Condra M, Owen J, et al Double-bind Trial of Yohimbine in treatment of Psychogenic impotence. Lancet 1987;2:421-3.
26. Rosen RC, Riley A, Wagner G, Osterloh IH, Kirkpatrick J, Mishra A. The international index of erectile function (IIEF) : a multidimensional scale for assessment of erectile dysfunction. Urology 1997;49:822-30.
27. Salem EA, Wilson SK, Neeb A, Delk JR, Cleves MA. Mechanical reliability of AMS 700 CX irnproved by parylene coating . J Sex Med 2009;6:2615-20..
28. Sarramon JP, Bertrand N, Malavaud B, Rischmann P Microrevascularization of the penis in vascular impotence. Int J Impot Res 1997;9:127-33
29. Susset J, Ressier C, Wincze J, Bansal S, Malhotra C, Schwacha M. Effects of Yohirnbine hydrochloride on erectile impotence: a double-blind study. J Urol 1989; 141:1360-3.
30. Sarramon JP, Jansen TH, Ridchmann P, Bennis S, Malavaud B, Deep dorsal vein arterialization in vascular impotence. Eur Urol 1994;25:29-33.
31. Virag R, Shoukry K, Floresco J, Nollet F, Greco E. Intracavernous self-injection of vasoactive drugs in the treatment of impotence: 8year experience with 615 cases. J Urol 1991;145:28792: discussion 92-3.
32. Witherington R, Ga A. The Osbon Erecaid System in the management of erectile impotence. J Uro11985: 133:190 abstract Virag R, Zwang G, Derrnange H, Legrnan M. Vasculogenic impotence: a review of 92 cases with 54 surgical operations Vascular and Endovascular Surgery 1981;15:9.
33. Wespes E, Schulman CC. Venous irnpotence: pathophysiology, diagnosis and treatment. J Urol 1993;149:1238-45
34. Wespes E, Corbusier A, Delcour C, Vandenbosch G, Struyven J, Schulrnan CC. Deep dorsal vein arterialisation in vascular impotence. Br J UroI1989;64:535-40.
35. Hakky, T.S. and L. Jain, Current use of phosphodiesterase inhibitors in urology. Turk J Urol, 2015. 41(2): p. 88-92.
36. Balhara, Y.P., S. Sarkar, and R. Gupta, Phosphodiesterase-5 inhibitors for erectile dysfunction in patients with diabetes mellitus: A systematic review and meta-analysis of randomized controlled trials. Indian J Endocrinol Metab, 2015. 19(4): p. 451-61.

CHAPTER 34

정신과적 치료

Psychosexual Therapy

■ 이상열

발기부전은 만족스러운 성생활을 누리는데 필요한 발기가 충분하지 못하거나, 발기가 되더라도 유지하지 못하는 상태를 의미한다. 발기부전은 생명을 위협하는 질환은 아니지만 심하면 남성의 삶의 의미와 가치를 잃게 하며 심리적 좌절감과 무력감, 수치심 등으로 가정불화 및 사회적인 문제를 야기시키고 자신감을 저하시켜 부부간의 친밀감과 원만한 성생활에 악영향을 미친다. 하지만 발기부전을 호소하는 남성의 46%가 발기부전을 치료하기 위해 진료의 필요성을 가지고 있음에도 불구하고 병원을 방문하는 것을 수치스럽게 여겨 실제로 병원을 방문하는 경우는 9% 밖에 되지 않는 것으로 보고되고 있다.

남성 발기부전은 기질적 혹은 심리적 혹은 이 둘의 병합으로 발생할 수 있으나 젊은 성인 혹은 중년 남성의 경우 심리적인 원인이 동반된 경우가 많다. 만일 해당 남성이 성교를 계획하지 않는 상황에서 자발적인 발기가 일어나고, 아침에 발기되며, 자위를 통한 충분한 발기, 새로운 파트너와 발기가 가능할 경우에는 기질적 원인의 가능성은 낮다. 따라서 초기에 발기부전에 관한 자세한 문진을 통해 발기부전의 원인을 찾고 적절하게 개입하는 것이 매우 중요하다.

성의 발달에 대한 건강한 영향에 대한 연구들은 비교적 최근에 와서 활발해졌으며, 이에 따라 자연히 발기부전도 치료되어야 할 하나의 인간 현상으로 이해되기 시작하였다. 정신과 영역에서는 선택적 세로토닌 재흡수억제제(selective serotonin reuptake inhibitor, SSRI)로 인한 부작용으로 그리고 우울 증상의 하나로 발기부전이 인지되기 시작하고 sildenafil이 이의 치료에 효과적일 수 있음이 밝혀지면서 성기능 장애에 대해 다시 관심이 높아지게 되었다.

우울증과 발기부전은 흔히 공존하며 서로 부정적 영향을 미칠 수 있다. 반면, 발기부전 치료는 우울 증상을 개선하며, 우울증상 치료는 사정과 오르가즘의 빈도를 증가시킨다. 때문에, 우울증상 치료를 위해 항우울제를 사용할 경우 충분한 용량으로 충분히 치료하는 것이 중요하며 이를 위해 치료자는 환자의 약물 순응도를 높이는데 신경을 써야 한다.

본 장에서는 남성 발기부전 환자에 대한 정신과적인 고전적 치료 방법 및 현재의 대표적인 치료적 접근에 대해 설명하고자 한다.

1. 고전적 치료 방법

표 34-1 Masters와 Johnson의 Dual-sex therapy와 Kaplan의 정신 역동적 성 치료 기법 비교

	Masters와 Johnson 기법(Dual-Sex Therapy)	Kaplan의 정신 역동적 성 치료 기법
치료 대상	• 개인이 아닌 부부관계에 초점	• 필요에 따라 부부 중 한 명이나 부부 모두
치료진 구성	• 남녀 치료자가 공동이 팀으로 구성 (예: 남자 의사와 여자 심리학자 등)	• 한 명의 치료자
평가 방법	• 신체적 검사와 정신사회적 평가 시행하여 기질적 원인을 탐색 • 환자에게 성 반응에 대한 해부학적, 생리학적 설명을 제공	• 신체적 검사는 필요한 부부에게만 요구 • 모든 환자에게 연속적인 성적 과제를 요구하지 않고 필요한 환자에게 필요한 과제만 처방
치료 기간	• 보통 2주간 주야로 매일 부부와 치료적 면담 실시 • 5년간 추적치료	• 일주일에 1~2회 • 치료기간 제한 없이 경우에 따라 변경가능
장점	• 성문제가 노출되어 나타나는 불안감소 • 치료 상의 실수나 오판을 즉각적으로 극복가능 • 처방된 성적과제에 대한 반응을 즉시 논의 가능	• 치료비 및 치료기간 경감 가능 • 환자의 특성 및 상황에 따라 유연하게 적용가능
주요 치료기법	• 지지정신치료(supportive psychotherapy) • 성교육,행동수정(behavioral modification)을 통합 • 무의식적 역동보다 행동주의 이론에 기초한 치료, 특정연습처방, 이를 시행하도록 지도 • 수행공포와 무지를 극복하는데 초점	• 정신치료, 행동요법, 숙제, 항불안제 사용으로 구성 • 행동 수준에서 시작해서 점차 정서적 갈등으로 이행 • 성 지식 부족에서 문제기인 시, 적절한 정보제공 • 최근 상황에서 문제기인 시, 성적 반응 형태를 점차 변화시킴 • 고객과 치료자 각자의 기호와 능력에 맞춰 융통성을 발휘
치료 순서	① 성교육 ② 감각초점 찾기 ③ 남편이 아내의 감각초점 자극 ④ 아내가 남편의 감각초점 자극 ⑤ 발기된 음경을 질에 삽입 후 모든 동작 중지, 발기된 음경상태를 유지하도록 시간 지연 ⑥성교	① 부부관계에서 나타나는 심리적 문제해결에 초점을 둔 정신치료 ② 감각초점을 Ⅰ(master & johnson의 감각초점), Ⅱ(애무에 반응하는 성기)로 구분하고 감각초점 Ⅰ, Ⅱ를 자극 ③ 오르가즘 없이 발기만을 지속시키는데 주력 ④ 질외 사정만 실시 ⑤ 여성상위체위에서 음경을 질 속에 삽입하고 오르가즘까지 가지 않도록 발기유지시간 지연 ⑥ 성교

1) Masters와 Johnson의 기법

성기능 장애의 치료적 접근법으로서 성 치료 체계는, Masters와 Johnson이 인간의 성 반응에 대한 생리적 이해를 바탕으로 행동치료의 근간을 만들면서부터 확립되었다. 해당 치료 기법은 남녀 공동 치료팀이 성기능 문제가 있는 부부를 대상으로 함께 치료한다. 실제 치료기법인 성감 초점 훈련(Sensate Focus Exercise)은 성 반응의 안정과 증상의 개선에 상당한 효율성을 보였다. 치료를 시작하기 전에 신체적, 정신적 검사를 병행하고 2주 정도 단기간에 집중적인

접근을 하며 원인보다 증상의 제거를 목표로 하였다.

2) Kaplan의 새로운 성치료

인지행동치료 중심의 Masters와 Johnson의 기법에 정신분석적 개념을 접목하여 Kaplan은 새로운 성 치료 기법을 제시하였다. 이전의 치료와 다른 점은 1인의 치료자가 부부를 대상으로 치료하며, 주 1~2회의 빈도 및 치료기간, 치료장소, 신체적 검사의 여부에 대해 좀 더 유연성을 갖춘 장점을 보였다.

2. 현재의 성 치료

1) 정신과적 접근의 변화

1970년대 이전에는 가장 흔한 성기능 장애 치료가 개인 정신치료였다. 고전적인 정신분석이론은 성기능의 문제가 발달과정의 갈등에 그 뿌리를 두고 있다고 생각했고 따라서 전반적인 기분 부전의 일부로서 치료되었다. 하지만 Kaplan이 새로운 성 치료를 소개한 후 각 클리닉과 치료자의 성향에 따라 조금씩 변형되기 시작했다. 특히 1990년대 후반 PDE5i의 출현으로 성기능 장애에 대한 일반인과 학계의 관심, 연구, 각 원인에 대한 치료법이 급격히 발전하면서 현재의 성 의학 수준과 치료 현실에 맞는 통합적 치료 방식으로서 성 치료의 필요성이 주목 받고 있다.

2) 정신치료

성기능을 저하시키는 불안이나 성적 억제 등 기본적인 심리적 측면을 우선 다루면서 보다 구체적인 정신역동학적 문제를 찾아간다. 또 배우자와의 관계갈등 요소, 기타 사회적 스트레스 요인들을 정리하여 부정적 요소들을 제거토록 한다. 이러한 초기 과정은 치료자와 부부 쌍방 간의 치료동맹을 강화시키는 데도 도움이 된다. 심리적인 접근은 그 진단이 단일 또는 복합적 진단 여부에 따라 달리하여야 한다. 즉, 심인성 양상이 주원인이라면 현재의 문제가 심리적인 원인에 따른 일시적 기능장애로 치료 가능성이 있음을 설명하여 치료에 대한 자신감을 부여한다. 이에 반해 기질적 원인이 주가 된다면 성기능 장애에 수반되는 2차적 불안이나 자신감 결여 등이 성기능에 추가적인 악화요인으로 작용함을 인지시키고, 성기능 장애에 따른 회피 반응이 부부의 관계갈등으로 증폭되는 것을 방지해야 한다. 이러한 접근은 환자에게 성기능 장애에 대한 이해를 너욱 증진시키고 부부 상호간의 정서적 존중과 연결을 강화할 수 있다.

환자의 정신역동이 다소 심층적인 문제라면, 환자와 개인 정신치료의 기회를 갖는 것이 효과적이다. 심층치료는 성기능 장애의 증상이 다소 호전되더라도 질환의 중등도나 환자의 치료 요구에 따라 뿌리 깊은 무의식적 갈등이 해결될 때까지 별도의 치료를 연장할 수 있다. 또한, 성기능 문제가 경계성(borderline), 자기애성(narcissistic), 연극성(hysteric) 등 심각한 성격 장애로부터 개인의 심리적 요소 또는 대상과의 관계갈등에 의해 유발되거나 조현병, 정동장애 등 주요 정신질환에 영향을 받는다면 해당 기저 질환의 정신과적 치료를 병행해야 한다.

3) 행동치료

성적 불안을 유발시키는 상황에 점진적으로 노출시킴으로서 수행불안을 경감시키고 이를 통해 안정된 성 반응을 유도하는 데 그 목적이 있다. 행동학적 지침인 성적 과제(sexual task)는 가장 중요한 성 치료적 요소이다. 그 기술적 근간은 성감 초점 훈련(Sensate focus exercise)에 바탕을 두는데, 성감 초점 훈련은 각 성기능장애의 특성에 맞춰 적절한 변형을 통해 치료과정의 근본 틀로 활용할 수 있다.

(1) 사회적 격리(Social isolation)

일상생활의 다양한 요구와 부담으로부터 의도적인 사회적 격리를 유도하여 배우자간 관계형성과 성적 관심의 기회를 제공한다. 해당 측면에서만 보자면 가장 유리한 방법은 Masters와 Johnson의 고전적 치료 모델로서 일시적이며 완전한 격리다. 하지만, 현대인의 직장 및 일상 생활의 부담에 따라 완전한 격리는 현실적으로 불가능하므로 실제로는 부부가 치료자와 함께 적절한 훈련 빈도와 시간을 정하도록 한다.

(2) 교육(Education)

행동치료적 접근방법은 기본적으로 교육적 효과가 있다. 환자와 배우자는 성적 기교, 대화 기술 그리고 성기능에 관한 해부학 및 생리학적 지식을 얻고 오류를 수정할 수 있다. 또한, 이를 통해 배우자와의 갈등과 오해가 일부 자연스럽게 개선될 기회가 되기도 한다.

(3) 삽입 성교의 금지(Coital abstinence)

성 치료의 모든 단계에서 진행하는 것이 아니라 성감 초점 훈련의 초기 단계에서 적절한 성적인 흥분이 주관적으로 확립될 때까지 시행한다. 구체적으로는 환자가 특정 성기능에 대한 집착이 사라지는 시점까지이다. 즉, 발기 부전의 경우, 환자가 발기 반응에 집착하는 경향이 줄고 성감 자극 자체를 통해 성 흥분의 즐거움을 찾고 두려움이 충분히 사라지는 시점까지 삽입 행위를 금지하며, 삽입 성행위의 시도는 환자 부부와 치료자가 모두 긍정적인 변화를 예측 가능한 시점 이후로 한다.

(4) 성감 초점 훈련(Sensate focus exercise)

성감 초점 훈련의 기본 원리는 부부가 함께 안정된 상황에서 성기능의 수행 자체 보다 성 감각에 초점을 두어 협동적인 단계별 훈련을 하는데 있다. 성감 초점 훈련은 부부간의 긴밀한 협조가 필수적이다. 비교적 안정된 성격과 만족스러운 인간 관계를 유지하면서 성행위에 수행불안을 보이는 환자 군이 치료에 잘 반응할 수 있다. 근본적인 부부갈등이나 분노감, 성 문제로 인한 2차적 부부갈등이 심하면 훈련의 시작 전에 갈등의 완화를 우선하는 것이 옳다. 간혹 심리적으로 건강한 부부라 할지라도 성감 초점 훈련에 저항을 보일 수 있는데 이는 해당 훈련이 무의식적 불안을 야기하기 때문이다. 훈련 사례에 흔한 초기 오류는 배우자의 자극에 자신의 신체적 성 반응의 여부와 정도에 집착하는 것이다. 배우자가 최선의 노력을 다하는데 자극을 받는 만큼 성 반응이 즉각적이면서도 지속적으로 나타나야 한다는 부담과 이를 확인하려 들거나 자신의 신체 흥분 반응을 배우자에게 보여주려는 것은 성급한 태도이다. 이런 양상은 실제 성행위에서도 성 흥분을 억제시키며, 성감 초점 훈련 시 삽입 성교를 금하는 것도 이런 위험성을 차단하기 위해서이다.

4) 인지치료

인지치료는 대상자의 사고유형에 영향을 미쳐 행동과 감정을 변화시키는 것으로 의식적 사고가 인간의 행동에 긍정적 영향을 미칠 것이라는 가정에서 환자의 사고를 변화시키려는 시도라고 할 수 있다. 개인의 정서와 행동은 주로 그가 세계를 구조화하는 방식에 의하여 결정된다고 하는 '인지모형' 이라는 이론적 근거에 기초하고 있다. 인지모형은 모든 심리적인 장애에는 왜곡되고 역기능적인 사고가 공통적으로 존재하며 이러한 역기능적인 사고는 환자의 기분과 행동에 영향을 미친다고 가정한다. 인지치료에서는 왜곡된 사고를 재평가하고 수정함으로써 극복할 수 없다고 생각한 문제나 상황에 대처하는 것을 학습함으로써, 현실적으로 적응하여 행동하게 되고 증상이 경감되는 것을 목표로 한다.

인지치료적 기법을 발기부전에 적용하면 다음과 같다. 즉, 불만족스러운 성교를 경험한 경우 남성은 '나는 언제나 완벽한 발기 상태에서 완벽한 성행위를 해야만 한다' 는 완벽주의적인 잘못된 신념을 가지게 되며, 이러한 생각은 자신의 믿음 체계에 부정적인 영향을 미쳐 발기부전을 초래할 수 있다. 이에 치료자는 환자의 왜곡되고 비논리적인 믿음 체계를 이해하고 이를 논박함으로써 새로운 신념으로 자신의 문제를 돌아보고 새로운 정서를 느끼도록 함으로써 성기능 향상을 도모하도록 도와주는 것이다.

5) 최면치료

최면치료는 불안을 유발하는 성적인 상황에 집중하며 환자의 낮아진 자존감과 심리적 안정의 상실에 대해 대처할 수 있도록 한다. 최면치료에 들어가기 전에 환자의 정신과적 병력을 알아보고 정신 상태 검사를 실시한다. 치료의 초점은 증상을 제거하고 태도를 변화시키는 것이다. 환자는 불안을 유발하는 상황에 대처하는 방법과 파트너와의 관계에 대해 교육받는다. 환자와의 논의를 통해 안정적인 환자-의사 관계, 신체적 그리고 심리적인 안정감, 각자가 추구하는 치료적 목표의 성취에 관해 파악할 수 있다. 또한 환자는 성행위 전에 스스로 사용할 수 있는 이완 기술에 대해 교육받는다. 이를 통해 불안이 완화되고 성적인 자극에 의한 생리적인 반응은 즐거움과 안정으로 변화된다. 발기와 오르가즘에 방해가 되는 심리적인 요인들은 제거되고 정상적인 성기능이 나타나게 된다. 최면치료는 정신치료의 효과를 증대시키기 위해 개인 정신치료에 더해서 시행할 수 있다.

6) 마음 챙김 요법

마음 챙김 요법은 성기능 장애의 치료를 돕는데 사용되는 인지적 접근 중 하나이다. 환자는 현재에 집중하여 경험하는 감각에 대한 각성을 유지하도록 교육된다. 이 치료의 목적은 환자가 스스로를 바라보며 각성 혹은 오르가즘을 유도하는 감각에 집중하도록 하는 것이다. 이를 통해 환자는 현재 경험하고 있는 즐거움에 몰두하며 스스로에 대한 평가나 성행위 수행 과정의 불안으로부터 벗어날 수 있다.

7) 집단 치료

집단치료는 성기능 장애 환자에서 내적인 문제나 대인관계에서의 어려움을 치료하는데 사용된다. 집단 치료 모임은 특정한 성적 문제에 따른 수줍음, 불안, 그리고 죄책감을 느끼는 환자들에게 강력한 지지체계를 제공할 수 있다. 집단치료를 통해 환자는 잘못된 성적 믿음을 바로잡고 오류를 수정하며 해부학적, 생리적, 그리고 다양한 행동들에 관한 정확한 정보를 제공받을 수 있다. 성기능 장애를 치료하기 위한 모임은 다양한 형태로 조직될 수 있다. 집단 치료는 다른 치료들에 부가적인 방법으로 사용하거나 초기 치료로 고려될 수도 있으며 보통 행동치료적 접근을 취하는 경우가 많다.

8) 통합치료와 의학적 치료들의 병합

발기부전은 우울과 불안을 초래하며, 또한 동시에 우울과 불안은 많은 수에서 발기부전을 유발한다. 따라서 발기부전 치료에 있어 정신증상에 대한 약물학적 치료는 중요하다. 인지행동치료에 약물치료가 혼합된 경우 인지 행동 치료 단독에 비해 치료 효과가 우세하였다. 정신과적 약물치료는 치료 초기에 사용하다가 인지행동치료를 통해 자신감이 회복되면 약물을 감량하거나 중단하는 것이 바람직하다. 진공압축기와 같은 비약물적 발기부전치료법은 인지 행동 치료에 통합되었을 때 인지행동치료만 단독으로 시행되었을 경우에 비해 향상된 치료결과를 가져왔다. 하지만, 발기부전의 경우 sildenafil과 같은 발기부전 약물치료가 인지행동치료에 포함되는 경우, 인지행동치료 자체가 발기부전 치료에 주요인으로 작용하였던 반면 발기부전 약물치료는 통합치료에 상승효과를 가져다 주지 못하였다. 즉, sildenafil 단독치료, 인지행동 단독 치료, sildenafil-인지행동 병합치료의 효과를 비교한 결과 기저 선에 비해 세 군 모두 유의하게 호전되었으나 세 집단 간 비교에서는 인지행동 단독치료와 병합 치료 군이 sildenafil 단독 치료 군에 비해 유의하게 높은 개선효과를 나타냈었다. 따라서 발기부전 치료에 있어 인지행동치료를 중요한 치료 자원으로 포함시키는 것이 바람직하다.

참고문헌

1. Lyngdorf, P., Hemmingsen, L. Epidemiology of erectile dysfunction and its risk factor: A practice-based study in Denmark. International Journal of Impotence Research 2014;16:105-111.
2. Caird W, Wincze JP. Sex Therapy: a Behavioral Approach Hagerstown:J. B. Lippincott Company;1977.
3. Tiefer L, Schuetz-Mueller D. Psychological issues in diagnosis and treatment of erectile disorders. Urol clin North Am 1995;22:767-773.
4. Rosen RC. Psychogenic erectile dysfunction. Classification and management. Urol Clin North Am 2001;28:269-278.
5. Masters WH, Johnson VE, Kolodny RC. Heterosexuality. New York;Harper Collins;1994. P.101-168.
6. Wincze JP, Carey MP. Sexual dysfunction: Guide for assessment and treatment. New Yor:Guilford;1991.
7. Kaplan HS. Intimacy disorders and sexual panic states. J Sex Marital Ther 1988;14:3-12.
8. Gitlin MJ. Psychotropic medication and their effects on sexual dysfunction: Diagnosis, biology and treatment approaches. J Clin Psychiatry 1994;55:406-413.
9. Freud S. Three essays on the theory of sexuality. In: Standard Edition of the complete Psychological Works of Sigmund Freud. Vol. 7. London: Hogarth Press; 1953:125.
10. Sadock BJ, Kaplan HI, Freedman AM, eds. The sexual Experience. Baltimore: Williams & Wilkins;1976.
11. Kang DW. Modified concept of integrated sex therapy. J Korean Neuropsychiatr Assoc 2010;49 Suppl 1:S77-S86.

CHAPTER 35

발기부전의 경구용 약물치료

Oral Medications for Erectile Dysfunction

■ 김제종

1. 경구용 발기부전 치료제의 분류

발기부전 치료제는 작용기전과 작용부위에 따라 중추 유발제(central initiators), 중추 조건제(central conditioner), 말초 유발제(peripheral initiator), 말초 조건제(peripheral conditioner)로 분류할 수 있다. 중추유발제란 중추신경계에 작용하여 신경학적 변화를 통해 발기를 유도하는 약물을 말하며, 말초유발제란 음경에 직접 작용하여 생화학적 과정을 통해 발기를 유도하는 약물이다. 조건제는 약물단독으로는 발기를 유발시킬 수 없지만 생체에서 효과적인 발기가 일어날 수 있게 적절한 조건을 만드는 물질이다. 하지만 실제로 사용되고 있는 많은 발기부전 치료제가 위와 같은 분류에 따라 정확히 분류되지는 않는다.

경험적으로 효과가 입증되어 발기부전 치료제로 사용되는 많은 약물 중에는 정확한 약리기전이 밝혀지지 않은 것도 있으며 비교적 잘 알려진 약물이라 하더라도 주 작용부위 이외에도 중추 신경과 말초의 다양한 부위에 여러 가지 효과를 나타낸다.

2. Phosphodiesterase 5 억제제

1) 작용기전

음경의 발기에는 신경말단이나 혈관내피세포에서 분비되는 강력한 혈관확장 물질인 산화질소(NO)가 중요한 역할을 하며 이러한 산화질소는 세포 내에서 2차 전달자인 환식-일인산구아노신(cGMP)를 통해 음경해면체 평활근의 이완 및 발기를 유도한다. 세포 내 cGMP 농도는 phosphodiesterase(PDE)라는 효소에 의해 조절되는데 이 효소의 작용을 억제하면 음경의 발기능을 보다 증폭할 수가 있다. PDE는 현재까지 11가지 이상의 아형이 있음이 밝혀졌고 생체 내의 다양한 세포에서 발견된다. 음경에서는 2형, 3형, 5형이 발견되는데 음경발기에는 주로 5형이 관여한다. 따라서 PDE5을 선택적으로 억제함으로써 전신부작용을 최소화하면서 효과적으로 발기능을 증폭시킬 수 있다. 하지만 PDE5 역시 음경해면체뿐 아니라 혈관 평활근에도 일부 존재하기 때문에 어느 정도의 심혈관계 영향을 감수하여야 한다. 이러한 PDE5 선택성 발기부전치료제의 효소아형에 대한 선택성은 약제간 차이를 보이는데 sildenafil을 비롯한 vardenafil, udenafil, mirodenafil은 망막세포의 광감작에 관여하는 PDE6에 대해서 다른 형에 비해 비교적 낮은 선택성을 보이며, tadalafil의 경우 PDE11에 대해서 낮은 선택성을 보인다(표 35-1).

2) 임상효과

(1) Sildenafil

Sildenafil은 발기부전치료제로 최초로 개발된 PDE5 선택형 억제제이다. 미국에서 시행된 sildenafil의 3상 임상시험은 21개 기관에서 이중맹검법으로 6개월에 걸쳐 시행되었는데, 그 결과에 의하면 발기개선 효과가 위약이 25%인데 반해 25, 50, 100 mg 투여 환자군에서 각각 56%, 77%, 84%로 보고되었다. 역시 미국에서 시행된 6개월간의 약 용량결정 임상시험에서는 75%의 환자에서 100 mg, 25%에서 50 mg 그리고 2%에서 25 mg이 적정용량으로 나타났다.

약 용량에 상관없이 설문지를 통한 환자의 전반적인 만족도 평가에서는 대조군이 25%의 만족도를 보인데 비해 sildenafil 투여군에서는 75%의 만족도를 나타냈다. 따라서 임상시험에 근거한 sildenafil의 적정 용량은 25-100 mg으로 여겨지며 그 이상일 경우 부작용으로 인해 득보다 실이 많은 것으로 나타났다. Sildenafil은 심인성 발기부전 뿐 아니라 기질성 발기부전에서도 효과가 있는 것으로 나타났는데 고혈압 환자의 70%, 당뇨병환 자의 56%, 근치적 전립선 적출술 환자의 42.5%, 척추 손상환자의 80%에서 발기능의 개선을 보였다.

Zippe 등의 연구에서도 신경보존 근치적 전립선 적출술 환자에서 71.1%, 경요도 전립선 절제술을 시행 받은 환자의 60%에서 발기능 개선 효과를 보였다. Sildenafil 의 경우 발기부전 이외에 폐동맥 고혈압의 치료제로 미국 FDA의 허가를 받아 임상에 적용 중이다. 2012년 sildenafil의 특허가 종료되어 여러 복제약들이 출시되었으며 필름형, 과립형, 츄정 등의 여러 제형의 약들이 개발되어 경쟁하게 되었다.

(2) Vardenafil

Vardenafil 역시 sildenafil에 이어 개발된 PDE5 억제제로, 약동학에 있어 유사한 특성을 보이지만 작용시간에 있어 sildenafil보다는 조금 짧은 장점이 있다(표 35-2). 효소 아형의 선택성에 있어서는 sildenafil과 유사한 특성을 보인다(표 35-1). 임상성적에 있어서도 기존의 약제와 유사한 효과를 보이고 있어, 20 mg의 vardenafil을 투여했을 때 85%의 환자에서 성기능개선 효과가 있다고 발표하였다. 또한 당뇨병 환자의 72%에서 발기 개선이 있고 54%의 성교성공률을 보이며, 전립선암환자에 대한 전립선 전적출술 후에도 68%의 발기능 개선이 있으며 신경보존술을 시행한 경우에는 71%에서 개선 되었다고 보고되고 있다. 부작용에 있어서도 기존의 약제와 큰 차이는 없었다.

(3) Tadalafil

Tadalafil의 경우 약동학이나 약역학에 있어 다른 PDE5 억제제와는 약간의 차이를 보인다(표 35-1, 2). 반 감기에 있어서도 17시간 이상으로 길어 기존약제보다 긴 작용시간을 나타낸다. 이러한 tadalafil의 긴 작용 시간은 환자에게 환영 받을 수는 있지만 약제 사용에 있어서 보다 주의를 요하게 한다. 임상성적에 있어서는 Porst에 의하면 2 mg에서 25 mg까지 적정 용량을 투여 하였을 때 성기능 개선효과가 88%, 성교성공률이 73% 정도로 나타났으며 당뇨병환자에서도 tadalafil 10 mg, 20 mg을 각각 투여해 보면 위약군이 25%인데 비해 각각 56%, 64%의 성기능 개선 효과가 있는 것으로 발표 되었다.

최근 PDE5 억제제를 저용량으로 매일 투여하는 방법이 시도되고 있다. Tadalafil의 경우 긴 작용시간으로 인해 매일 투여에 유리한 부분이 있다. Porst등의 무작위 이중 맹검 연구에 따르면 tadalafil 5 mg을 매일 복용 하였을 때 위약군에 비해 통계적으로 유의하게 발기능이 향상되었다. 이러한 시도를 통해 환자의 편의성이나 비용 대비 효과에 대한 논의도 이루어지

표 35-1 PDE5 억제제의 효소 아형에 대한 선택성

IC50 (nM) (선택성vsPDE5)	Sildenafil	Vardenafil	Tadalafil	Udenafil	Mirodenafil	Avanafil
PDE1	281 (80)	70 (500)	〉30,000 (〉4,450)	870 (149)	16,400 (48,500)	53,000 (10,192)
PDE3	16,200 (4,630)	〉1000 (7140)	〉100,000 (〉14,800)	52,000 (8m904)	86,500 (256,000)	〉100,000 (〉19,231)
PDE5	3.50 (1)	0.14 (1)	6.74 (1)	5.84 (1)	0.34 (1)	5.2 (1)
PDE6	37 (11)	3.5 (25)	1,260 (187)	53.3 (9)	10.2 (30)	630 (121)
PDE11	2,730 (780)	162 (1,150)	37 (5)	17,520 (3,000)	3,750 (1,442)	〉100,000 (〉19,231)

표 35-2 PDE5 억제제의 약동학

	Sildenafil	Vardenafil	Tadalafil	Udenafil	Mirodenafil	Avanafil
Tmax (hr)	1.0	0.8	2	1.4	1.3	0.5
작용시간	4~5	4~5	36	12	4~6	7~10
반감기	4	4~5	17.5	10	2.5	1.5

겠지만, 매일 투 여를 통해 발기부전 이외의 하부요로증상 개선과 같은 새로운 적응증에 대한 연구도 활발히 진행되었다. 이미 하부요로증상 개선에 대해서는 유의한 효과가 입증되었으며 현재 항고혈압제, 알파 차단제, 항우울제, 항고지혈증제와의 복합용법 연구로까지 진행 중이다.

(4) Udenafil

국내에서 개발된 PDE5 억제제인 udenafil은 기존의 sildenafil이나 vardenafil과 유사한 약역학적 선택성과 약동학적 특성을 가진다(표 35-1, 2). 271명을 대상으로 실시된 국내 다기관 임상연구에서 위약군이 국제 발기능 점수의 증가가 위약군에 비해 udenafil 100 mg, 200 mg 군이 각각 평균 7.52, 9.93점 통계적으로 유의하게 증가되었으며 성교 성공률에서도 위약군이 15.4%인데 비해 100 mg, 200 mg군이 각각 70.1%, 75.7%로 의미 있게 증가하였으며, 환자 만족도도 위약군이 25.9%인데 비해 100 mg, 200 mg군이 각각 81. 5%, 88.5%로 만족도면에서도 우수한 것으로 나타났다. 부작용은 안면홍조, 두통, 코막힘 등 기존 약제와 큰 차이는 없고 발생 빈도면에서도 기존의 약제와 유사한 것으로 나타났다.

(5) Mirodenafil

역시 국내에서 개발되어 2007년 발매된 mirodenafil 역시 기존의 PDE5 억제제와 유사한 약동학적 선택성을 가진다(표 35-1, 2). 223명을 대상으로 실시된 국내 다기관 임상연구에서 위약군이 국제 발기능 점수의 증가가 3.37인데 비해 mirodenafil 50 mg, 100 mg군이 각각 7.62, 11.58로 통계적으로 유의하게 증가되었으며 실제 성교가 가능했는지를 물어보는 문항에서도 위약군이 0.8점이 증가한 것에 비해 50 mg, 100 mg군이 각각 1.84, 2.62점으로 의미 있게 증가하였으며, 환자 만족도도 우수한 것으로 나타났다. 부작용 면에서

는 기존의 약제와의 차이는 없는 것으로 나타났다.

(6) Avanafil

2011년 국내에서 개발되어 국내 FDA 승인을 받은 약으로 avanafil 역시 다른 PED5 억제제처럼 PDE5 효소를 억제하는 기능을 한다. Avanafil의 장점은 다른 PDE5 억제제와 비교하여 매우 빠른 작용 개시를 갖고 있다는 점이다. Avanafil은 30-45분에 최대 농도에 도달하여 빠르게 흡수되어 성관계 전 복용 시간을 요하는 시간이 15-30분 정도로 타 약제에 비해 짧아 환자의 편리성을 높였다.

3) 부작용 및 주의사항

부작용에서 약제간의 큰 차이는 없다. Sildenafil의 경우 부작용으로 두통(15.8%), 얼굴 화끈거림(10.5%), 소화불량 (6.5%), 코막힘 (4.2%), 시각장애 (2.7%), 설사 (2.6%), 현기증 (2.2%), 관절통 (2.0%)이 있다. Sildenafil을 포함한 대부분의 PDE5 억제제는 간에서 cytochrome p-450 isoenzyme에 의하여 대사되는데, 65세 이상의 고령으로 이 효소의 기능이 저하되어 있거나, 이 효소를 이용하여 대사되는 cimetidine, ketoconazole, elythromycin과 같은 약제와 병용 투여하게 될 경우 작용시간이 길어질 수 있다. 또한 질산화물 복용 환자에 있어서는 심각한 저혈압이 발생될 수 있으므로 투여가 절대 금기로 되어 있다. 심혈관계 부작용에 대해서는 여전히 이견이 있지만 저혈압, 부정맥, 협심증이 증가한다는 보고가 있으므로 보다 더 주의를 기울여야 한다. 또한 심혈관계 이상을 가진 환자에서는 발기부전 치료에 앞서서 환자의 심장기능이 성행위를 수행하는데 무리가 없는지 재평가를 하여야 할 것이다. 그 외 α-차단제와의 병용투여나 조절이 되지 않는 고혈압 환자에서도 사용에 주의해야 한다.

빈도는 낮지만 돌발성 난청에 대한 보고가 있어, 2007년 미국식약청에 의해 sildenafil을 포함한 PDE5 억제제의 사용에 있어 돌발성 난청의 위험에 대해 경고 하도록 하였다. Tadalafil의 경우 PDE 아형의 선택성에 있어서 PDE6에 대해서는 우수한 선택성을 보여 다른 약제에 비해 시각장애의 부작용은 기존약제에 비해 덜하다. 부작용에 있어서 tadalafil의 경우 근육의 통증을 호소하는 빈도가 다른 약제에 비해 높게 나타나는데, PDE11에 대한 tadalafil의 낮은 선택성과 연관이 있을 것으로 여겨진다.

3. 중추신경에 작용하는 발기부전치료제

1) Apomorphine

동물실험에서 도파민 수용체 작용제인 apomorphine을 뇌실 주위에 주입하면 발기를 얻어낼 수있다. 이는 도파민 수용체 길항제나 옥시토신수용체 길항제로 작용을 억제할 수 있다. 옥시토신을 직접 주사한 경우에도 발기를 유도해 내지만 이는 도파민 수용체 길항제로는 억제되지 않으며 옥시토신 수용체 길항제로는 억제되는 것으로 보아 도파민은 시상하부의 뇌실 근접 핵(paraventricular area)에서 옥시토신 분비 신경을 자극하여 발기를 얻어내는 것으로 여겨진다. 사람의 경우 파킨슨병의 치료제로 사용한 L-dopa 와같은 약제의 부작용으로 의도하지 않던 발기가 일어남을 관찰하였고 도파민 길항제를 투여한 환자의 경우 성적 욕구가 감소한다는 보고도 있다.

Apomorphine은 도파민 D1, D2 수용체에 작용하는 약물로 자원자에게 피하로 주사한apomorphine이 발기를 유도해 낼 수 있었다. 이후 설하정의 형태로 개발되어 심인성 발기부전 환자에게 보다 효과적으로 발기를 유도해 낼 수 있었다. 하지만 apomorphine의 경우 성적 욕구를 증가시키지는 못하였으며 발기 유도에 있어서도 성적흥분이 필요하였다.

1996년 미국에서 다기관 임상 3상시험의 결과를 보면 발기부전을 호소하는 457명을 대상으로 하였을

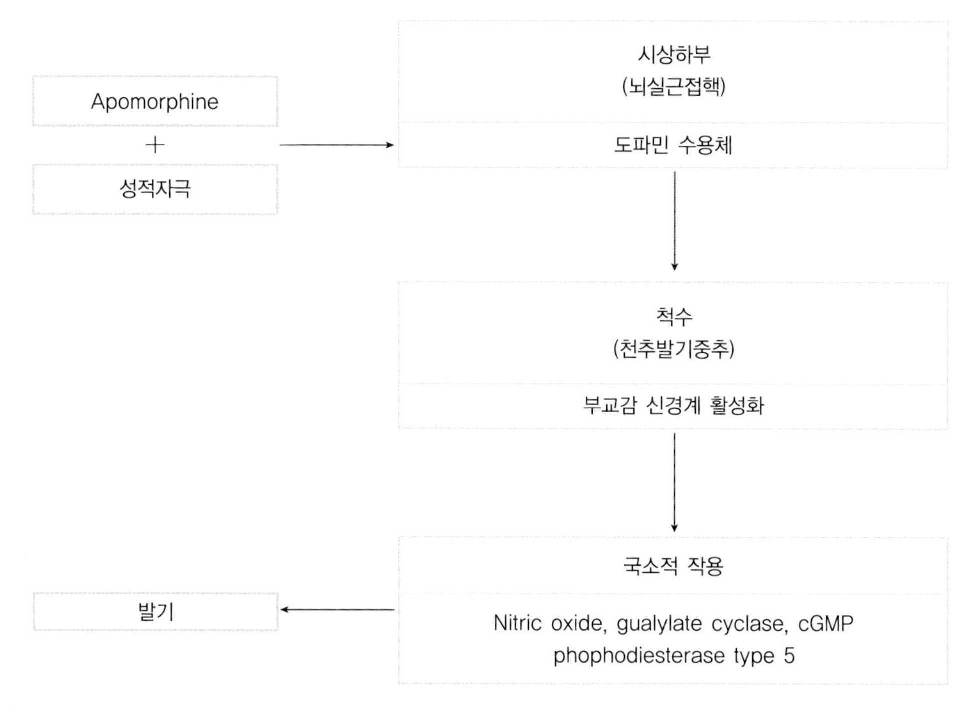

그림 35-1 Apomorphine의 작용기전

때 위약군이 32-35%정도의 효과를 보인 반면 2mg 투여군 에서는45.8%, 4 mg, 6 mg 투여군에서 각각 52%, 59.7% 의 효과를 보이는 것으로 나타났다. 대상군을 확대하여 고혈압, 당뇨병, 동맥경화증과 같은 위험인자를 가지고 있는 발기부전 환자를 대상으로 한 실험에서는 성행위 가 가능할 정도의 충분한 발기가 된 경우가 2 mg, 4 mg 투여군에서 각각 45%, 55%였으며 위약군에서 각각 35%, 36%로 보고하였다. 실제로 성교가 가능했던 경우는 위약군이 30%인데 비해 2 mg, 4 mg 투여군에서 각각 40%, 49%였고 자가 성공률 평가에서는 2 mg, 4 mg 투여군에서 각각 47%, 59.9%로 보고하였다. 하지만 최근 sildenafil과의 무작위 전향적 연구에서 sildenafil에 비해 발기능 점수의 상승이나 성교 성공률(75% vs 35%) 이나 만족도(82.5 vs 46.8)가 유의하게 낮은 것으로 나타났다.

가장 흔한 부작용은 오심 (16.9%)으로 용량에 따라 증가하는 양상을 보였으며 그 외 어지러움(8.3%), 발한(5%), 졸림(5.8%), 하품(7.9%), 구토(3.7%)가 보고되었다. 최고 용량에서 0.6%의 빈도로 실신이 보고되는데 환자는 보통 오심, 구토, 발한, 가벼운 두통과 같은 전구증상이 있었다. 이러한 부작용이 심혈관계 이상으로 이어진 경우는 없었다. 오심의 경우에도 초기보다 일정 기간 사용 후에 감소하는 경향을 보였으며 기타 질산화물을 포함한 약물이나 음식과의 상호작용에 대해서도 문제가 없는 것으로 보고되었다.

2) Trazodone

Trazodone은 흔히 처방되는 항우울제의 하나로 수면 중 발기를 증가시키며 부작용으로 발기지속증이 유발될 수 있음이 보고되었다. 이러한 trazodone의 발기능 향상에 대한 효과는 중추신경에서는 세로토닌 재흡수를 억제하여 5-HT$_1$C의 작용을 항진시키고 음경에서는 α-아드레날린 수용체의 작용을 억제하는 것으로 알려져 있다. 따라서 trazodone은 작용 기전상 중추 유발제와 말초 조건제의 역할을 한다고 할 수 있다.

용량은 25 mg 부터 200 mg까지로 주로 야간에 복용 하는 형태로 처방이 되며 Montorsi 등에 의하면 yohimbin과 병용투여 시 일부 환자에서 발기능 개선 효과가 있었다고 보고하였으며 그 외 Bondil 등에 의해서도 moxisylate와 trazodone의 병용투여로 28%에서 만족할만한 성기능을 회복할 수 있었으며 42%에서 발기능이 개선되었다고 하였다. 하지만 trazodone의 강력한 진정효과가 성행위를 어렵게 하는 요인이 되고 있으며 일부에서는 이러한 진정 효과를 극복하기 위해 충분한 수면을 취하고 새벽에 성행위를 하는 방법도 소개되고 있다. 부작용으로는 졸림, 오심, 요저류, 저혈압 혹은 고혈압과 같은 혈압의 변화가 나타날 수 있으며 그 외 발기지속증이 생길 수 있다는 보고가 있다.

3) Yohimbin

음경에서는 교감신경이 발기의 소실에 관여하지만 중추신경에서는 noradrenalin의 경우 성기능을 항진시키는 효과가 있는 것으로 여겨진다. 사람과 쥐 모두에서 시냅스에서 α_2 작용제를 이용하여 noradrenalin의 분비를 저하시키면 성행위가 감소하는 것으로 나타났으며 반면에 α_2 억제제인 yohombin의 경우 성행위를 증가시킬 수 있다고 하였다. Yohimbin은 이러한 α_2 억제효과 이 외에도 serotonin과 도파민 수용체에도 어느 정도 작용하는 것으로 여겨진다. 비록 yohimbin이 일부 동물실험에서 좋은 효과를 보였다 하지만 사람의 경우에 있어서는 상이한 결과를 보인다. Morales 등이 1987년 시행한 연구에 의하면 6 mg의 yohimbin을 하루에 3번 10주간 투여하였을 때 위약에 비해 통계학적으로 유의한 효과를 보이지 않았다고 하였다.

또한 Reid 등의 연구는 심인성 발기부전환자의 위약에서 16%의 효과가 있었던 것에 비해 yohimbin 투여군 에서 62%의 효과를 보였다고 한다. 이렇게 yohimbin의 발기부전 치료효과에 대해서는 명확한 결론을 얻기는 어려우나 1996년 미국 비뇨기과학회에서 제시한 발기부전 치료지침에서는 yohimbin이 위약에 비해 통계적으로 의미 있게 발기능을 개선시키지는 못한다고 하였다. 하지만 이러한 상이한 결과에도 불구하고 yohimbin은 심인성 발기부전 치료제로 비교적 흔하게 단독 혹은 trazodone과 함께 처방되는 약물이다.

또한 작용기전상 항우울제인 선택적 세로토닌 수용체 억제제(selective serotonin receptor inhibitor, SSRI)에 의한 부작용으로 발생한 발기부전의 경우 yohimbin이 효과를 보일 수 있을 것으로 여겨진다. Yohimbin의 부작용으로는 장운동저하, 두통, 불안 등이 있으며 약간의 혈압 상승도 있을 수 있어 심혈관계 이상이 있는 환자의 경우 주의를 요한다.

4) Melanotan II

Melanotan II는 α-MSH 합성유도체로 흑색종과 같은 피부암의 예방을 위한 약제로 개발된 물질이다. 멜라닌세포자극호르몬 수용체는 피부암뿐만 아니라 발기능과 성적인 행동, 그리고 음식섭취와 에너지 소비에도 이론적으로 관여하는 것으로 알려져 있다. Wessells 등의 연구에 의하면 melanotan II를 피하로 주었을 때 성적 자극 없이도 20명 중 17명에서 발기가 되었고 68%에서 성적욕구의 증가를 보였다. 하지만 2009년 현 시점에서 melanotan II에 대한 어떠한 임상 적응증을 허가해준 국가는 없으며 오히려 유럽의 많은 국가에서 피부암 예방 목적으로의 무분별한 사용에 대해 경고를 하고 있다. Bremelanotide는 melanotan II의 대사산물의 일종으로 발기부전치료제로 개발되었으나 혈압상승의 부작용으로 인해 미국 식약청으로부터 발기부전 치료제로는 부적합하다는 판정을 받았으며 오히려 출혈로 인한 저혈압에 대한 혈압상승제로 적응증이 바뀌었다.

4. 경구용 발기부전치료제의 향후 전망

많은 약들이 발기부전 치료제로 개발되어 임상적용이 이루어졌지만 부작용이나 효과 면에서 PDE5 억제제가 현시점에서는 가장 효과적인 약물이라 할 수 있다. 하지만 PDE 억제제는 성적 자극을 통한 신경말단이나 혈관 내피세포의 산화질소의 유리가 없으면 발기를 유도해낼 수가 없다. Melanotan II와 같은 멜라닌세포자극호르몬 합성 유도체를 통해서 성적자극 없이도 발기를 유도해 낼 수 있었지만 임상적용을 하기에는 아직 근거가 많이 부족한 실정이다. 향후 중추신경에서 발기유도에 관여하는 신경전달물질에 대한 심도 있는 연구를 통해 새로운 발기부전 치료제가 개발될 것을 기대해본다.

PDE5 억제제 또한 사용량이 늘어남에 따라 발기부전 이외의 효능에 대해 밝혀지고 있으며 하부요로증상 개선의 경우 PDE5 억제제의 직접적인 효과 및 타 증상 개선으로 인한 간접적인 효과가 합쳐져서 이루어진다. 5 mg씩 하루 1회 12주 복용 시 IPSS 점수는 발기부전이 있는 환자의 경우 평균 5.9점, 발기부전이 없는 군에서는 평균 5.4점의 호전되었고 위약군과 비교시 유의한 차이를 보였다. 또한 매일 복용 용법의 등장으로 단순 PDE5 단독 요법에서 더 나아가 항고혈압제, 알파 차단제, 항우울제, 항고지혈증제 등과 복합용법에 대한 연구도 국내외에서 활발히 진행 중이다. 여러 기전의 치료제와 함께 쓰임으로써 발기부전 치료뿐만 아니라 여러 질병의 치료에도 활발히 사용될 가능성이 높아 보인다.

5. 요약

경구용 발기부전치료제는 비교적 자연발기와 유사하고 사용이 간편하여 환자 및 의사에게 거부감이 적어 모두에게 환영 받고 있다. 이로 인해 일반인의 발기부전 치료에 대한 관심도 높아졌으며 의료산업에서 발기부전치료시장의 규모도 증가하였다. 나날이 새로운 약제들이 제약업계에서 개발되고 있으며 이에 따른 새로운 임상 적응증이 만들어지고 있다. 이제 경구용 치료제는 발기부전의 일차 치료로 큰 역할을 하게 되었다. 하지만 발기부전의 경우 단일인자에 의해 생성되는 질환이라기보다는 다양한 기질적 요인과 심인성 요인이 복합적으로 작용해서 나타나는 질환군으로 약제의 효과에 있어서도 시험 대상군에 따라 매우 상이한 결과를 보인다. 따라서 약제에 대한 임상성적의 결과에 있어서도 어떤 대상군에서 어떤 효과를 보였느냐가 약제의 특성이나 효과를 판단하는 가장 중요한 요소가 된다. 이러한 자료를 바탕으로 의사는 환자에게 맞는 가장 적절한 약을 선택해야 하며 또한 과거에 비해 발기부전 원인 규명의 중요성이 감소되었다 하더라도 환자에 따라 치료 가능한 가역적인 부분을 찾아내어 교정하고 발기부전을 악화시킬 수 있는 성인병 치료의 중요성을 간과해서는 안될 것이다.

참고문헌

1. Anderson KM, Odell PM, Wilson PW, Kannel WB. Cardiovascular disease risk proliles. Am Hea. J 1991 ;121:293-298.
2. Bondil P. The combination 01 oral trazodone-moxisylyte: diagnosis and therapeutic value in impotence. Report of 110 cases. Prog Urol 1992;2:671-74.
3. Boolell M, Allen MJ, Ballard SA, Gepi-Attee S, Muirhead GJ, Naylor AM, et al. Sildenafil: An orally active type 5

cycle GMP-specilic phosphodiesterase inhibitor for the treatment of penile erectile dyslunction. Int J Impot Res 1996;8:47-52.

4. Brock, G. B. Direct effects of tadalafil on lower urinary tract symptoms versus indirect effects mediated through erectile dysfunction symptom improvement: integrated data analyses from 4 placebo controlled clinical studies. J Urol 191:405-411.

5. Cheitlin MD, Hutter AM, Brindis RG, Ganz P, Kaul S, Russell RO Jr, et al. ACC/AHA expert consensus document: Use of sildenalil (Viagra) in patients with cardiovascular disease. American College of Cardiology/ American Heart Association. J Am Coll Cardiol 1999;33: 273-282.

6. Chen J, Wollman Y, Chernichovsky T, laina A, Soler M, Matzkin H. Effect of oral administration of high-dose nitric oxide donor Larginine in men with organic erectile dysfunction: Results of a double-blind, randomized, placebo-controlled study. BJU Int 1999;83: 269-273.

7. Chiang PH, Tsai EM, Chiang CP. The role of trazodone in the treatment of erectile dysfunction. Gaoxiong Yi Xue Ke Xua Za Zhi 1994;10:287-294.

8. Clark JT, Smith ER, Davidson JM. Evidence for modulation of sexual behavior by α-adrenoceptors in male rats. Neuroendocrinology 1985;41:36-43

9. Diamond LE, Earle DC, Rosen RC, Willett MS, Molinoff PB Double-blind, placebo-controlled evaluation of the salety, pharmacokinetic properties and pharmaco-dynamic ellects of intranasal PT-141, a melanocortin receptor agonist, in healthy males and patients with mild-to-moderate erectile dysfunction. Int J Impot Res. 2004;16:51-59.

10. Ernst E, Pittler MH. Yohimbine for erectile dysfunction:A systematic review and meta-analysis of randomized clinical trials. J Urol 1998;159:433-436.

11. Fava M, Rankin MA, Alpert JE, Nierenberg AA, Worthington JJ. An open trial of oral sildenalil in antidepressant-induced sexual dysfunction. Psychother Psychosom 1998;67:328-331.

12. Fawcett L, Baxendale R, Stacey P, McGrouther C, Harrow I, Soderling S, et al. Molecular cloning and characterization of a distinct human phosphodiesterase gene family: PDE11A. Proc Natl Acad Sci U S A. 2000; 97:3702-3707.

13. Goldstein I, Lue TF, Padma-Nathan H, Rosen RC, Steers WD, Wicker PA. Oral sildenafil in the treatment of erectile dysfunction Sildenafil Study Group. N Engl J Med 1998;338:1397-1404.

14. Gwinup G. Oral phentolamine in non-specilic erectile insufficiency Ann Intern Med 1988;109:162-163.

15. Heaton JP, Adams MA, Morales A. A therapeutic taxonomy of treatments for erectile dysfunction: An evolutionary imperative. Int J Impot Res 1997;9:115-121.

16. Heaton JP, Morales A, Adams MA, Johnston B, el-Rashidy R Recovery of erectile function by the oral administration of apomorphine. Urol 1995;45:200-206.

17. Hellstrom WJ, Gittelrnan M, Karlin G, Segerson T, Thimbonnier M, Taylor T, et al. Vardenafil for treatment of men with erectile dysfunction: efficacy and safety in a randomized, double-blind, placebo-controlled trial. J Androl 2002;23:763-771.

18. Jeanty P, Van den Kerchove M, Lowenthal A, De Bruyne H Pergolide therapy in Parkinson' s disease. J Neurol 1984;231:148-152.

19. Kloner RA, Zusman RM, Cardiovascular effects of sildenafil citrate and recommendations for its use. Am J Cardiol 1999;84:11-17.

20. Lin CS, Lau A, Tu R, Lue TF. Expression of three isoforms of cGMP-binding cGMP-specific phosphodiesterase (PDE5) in human penile cavernosom. Biochem Biophys Res Commun 2000;268:628-635.

21. Melis MR, Argiolas A, Gessa GL. Evidence that apomorphine induces penile erection and yawning by releasing oxytocin in the central nervous system. Eur J Pharmacol 1989;164:565-570.

22. Montorsi F, Strambi LF, Gu렁zoni G, Stringham JD, Tolman KG, Sanders SW et al. Effect of yohimbine-trazodone in psychogenic impotence: a randomized, double-blind, placebo-controlled study. Urology 1994;44:732-736.

23. Padma-Nathan H, Giuliano F. Oral drug therapy for erectile dysfunction. Urol Clin North Am 2001;28:321-334.

24. Porst H, Behre HM, Jungwirth A, Burkart M. Comparative trial of treatment satisfaction, efficacy and tolerability of sildenafil versus apomorphine in erectile

dysfunction-an open, randomized crossover study with flexible dosing. Eur J Med Res 2007;12:61-67.

25. Porst H, Giulianoo F, Glina S, Ralph D, Casabe AR, Elion-Mboussa A, et al. Evaluation of the efficacy and salety of once-a-day dosing of tadalalil 5 mg and 10 mg in the treatment of erectile dysfunction: results of a multicenter randomized double-blind placebo-controlled trial. Eur Urol 2006;50:351-359.

26. Porst H. The potential of sildenafil for salvage therapy in severe male impotence. Int J Impot Res 1998;10:S67.

27. Pryor J. Vardenafil: update on clinical experience. Int J Impot Res 2002;14:S65-69.

28. Rosen RC, Lane RM, Menace M. Ellects of SSRls on sexual function: A critical review. J Clin Psychopharmacol 1999;19:67-85.

29. Saenz de Tejada 1, Ware JC, Blanco R, Pittard JT, Nadig PW, Azadzoi KM, et al. Pathophysiology of prolonged penile erection associated with trazodone use. J Urol 1991;145:60-64.

30. Vardi Y, Klein L, Nassar S, Sprecher E, Gruenwald l. Effects of sildenafil citrate (viagra) on blood pressure in normotensive and hypertensive men. Urol 2002:59:747-752.

31. Wessells H, Gralnek D, Dorr R, Hruby VJ, Hadley ME, Levine N. Effect of an α-melanocyte stimulating hormone analog on penile erection and sexual desire in men with organic erectile dysfunction. Urol 2000; 56:641-646.

32. Zippe CD, Jhaveri FM, Klein EA, Kedia S, Pasqualotto FF, Kedia A, et al. Role of Viagra alter radical prostatectomy. Urology 2000;55:241-245.

33. Zorgniotti AW, Lizza AF. Ellect of large doses of nitric oxide precursor L-arginine, on erectile dysfunction. Int J Impot Res 1994;6:33-35.

34. Zorgniottti AW. Experience with buccal phentolamine mesylate for impotence. Int J Impot Res 1994;6:37-41.

CHAPTER 36

발기부전의 호르몬치료

Hormonal Treatment for Erectile Dysfunction

■ 성현환

1. 발기부전에서 테스토스테론의 역할

The role of Testosterone in erectile dysfunction

테스토스테론은 황체형성 호르몬(Luteinizing hormone, LH)에 반응하여 고환의 Leydig 세포에서 만들어져서 분비된다. 테스토스테론과 대사물질인 DHT(dihydrotestosterone)은 태생기, 사춘기, 성인기에 각각 다른 작용을 한다. 태생기에는 남성의 내외생식기의 발달을 유도하고, 사춘기에는 2차성징(secondary sexual characteristics)의 시작과 유지에 작용을 한다. 성인기에는 성욕과 성교능력을 유지하는데 필요하며, 근육양과 지방양의 분포, 근력, 뼈의 밀도, 전립선의 성장, 머리카락의 성장 및 정자의 생성에 작용한다.

테스토스테론은 음경 조직에 작용하여 발기를 조절하고, 상부신경계에 작용하여 성욕과 성각성 등에도 중요한 역할을 할 것으로 생각하고 있다. 정상적인 음경발기는 신경과 혈관의 복합적인 과정을 통해 이루어진다. 음경동맥과 해면체에 작용하는 내인성 혈관수축인자와 혈관이완인자의 균형에 의해 이루어진다. 즉, 발기 시에는 동맥과 해면체가 이완을 하고, 발기 소실 시에는 수축상태를 유지하는 균형을 이루고 있다. 이러한 과정 중 하나라도 이상이 있으면 발기부전이 발생하게 된다.

남성호르몬 수용체들은 이런 혈관의 내피세포와 해면체 평활근 세포에 존재하고 있다. 테스토스테론은 이러한 수용체에 작용하여 혈관벽의 긴장에 관여한다. 또한 동물실험에서 남성호르몬 결핍은 ① 해면체 평활근 세포를 퇴화시키고, 음경 해면체의 섬유화에 관계하는 지방조직의 축적을 야기하여 veno-occlusion 기능부전을 일으키며, ② NOS (nitric oxide synthase)의 발현을 감소시키고, ③ 음경해면체의 동맥혈 유입의 감소와 정맥혈 방출의 증가를 유도하며, ④ α_1 수용체에 대한 반응 증가 및 비아드레날린-비콜린성(nonadrenergic-noncholinergic, NANC) 자극에 대한 반응 감소로, 혈관과 해면체 평활근 세포의 수축을 증가시키며, ⑤ 성적 자극시 NO (nitric oxide)에 의해 유도되는 해면체 평활근 이완 반응을 감소시킨다. 그리고 ⑥ PDE5 (phosphodiesterase type 5) 유전자와 단백질의 발현을 감소시킨다.

1939년 Edwards 등은 거세된 남성에서 테스토스테론이 피부혈관에서 정맥혈의 동맥화를 증가시킨다고 처음으로 테스토스테론이 사람의 혈관에 미치는 영향을 발표하였다. 그 후 연구들에서 테스토스테론은 관상동맥과 상완동맥을 이완시키는 것으로 보고되었다. 이후 거세된 남성을 대상으로 한 연구에서 테스토스테론이 발기부전에서 중요한 역할을 한다는 증거들이 나타났다. 거세된 남성의 발기부전 유병률은 약 58%-100%로 높게 나타났다. 성선기능저하증을 야기하는 GnRH (gonadotropin releasing hormone) 길항제를 건강한 젊은 남성에게 주었을 때, 발기의 빈도가 감소하고 성교 시 발기를 유지하는 능력이 소실되었다. 또한 GnRH 길항제 투여를 중지하여, 테스토스테론 수치가 정상화되면 발기능도 같이 회복되었다. 전립선암 환자에서 호르몬 치료를 하면 혈중 테스토스테론이 감소하고, 이로 인해 성욕과 성교 횟수, 야간 발기의 횟수와 질이 감소하였다. 다른 연구에서, 성선기능저하증 남성은 구조적, 대사적 불균형으로 인해 음경해면체에서 정맥혈의 유출이 빈번하게 발생하여 PDE5 억제제의 효과가 감소된다는 것이 밝혀졌다. 이는 음경해면체 평활근 세포의 이완 장애와 낮은 테스토스테론 수치가 연관관계가 있다는 것을 확인해 준다. Morelli 등의 연구에 의하면 남성호르몬 결핍은 PDE5 전달자 RNA (PDE5 messenger RNA)를 감소시키고, cGMP (cyclic guanosine monophosphate)를 가수분해하는 단백질의 발현을 감소시켰다. 이러한 연구는 성선기능저하증 남성에서 PDE5 억제제의 효과가 감소되며, 테스토스테론을 보충해 주었을 때 회복된다는 연구와 같은 결과를 보여주고 있다. 이러한 연구들은 테스토스테론 농도가 발기와 성욕에 밀접한 관계가 있으며, 발기부전 치료에 테스토스테론 보충요법이 중요한 역할을 할 것이라는 근거가 된다.

하지만, 실제 임상 시험에서는 테스토스테론이 직접적으로 음경해면체를 이완시킨다는 증거는 아직 부족하다. 다만 몇몇 소규모 연구에서 간접적인 증거를 제시하고 있는 상태이다. 일부의 연구를 제외하고 대부분의 사람을 대상으로 한 임상 연구에서 발기능과 테스토스테론의 연관성을 발견하지 못하였다. Massachusetts Male Aging Study에 따르면 테스토스테론이 아니라 혈중 DHEA (dehydroepiandrosterone)와 DHEA-S (DHEA sulfate)가 발기능과 상관관계가 있다고 보고하였다. 최근 European Male Aging Study에서 대규모로 이루어진 전향적 연구에 따르면 테스토스테론이 전반적인 성기능과 관련이 있고, 유리 테스토스테론의 수치에 따라 발기부전 및 자위를 포함한 성관계 빈도와 관련이 있다고 보고하였다. 테스토스테론이 상부 신경계의 성기능에 미치는 영향에 대한 연구도 미비한 상태이다. 일부 연구에서 성기능에 관계된 변연계의 일부 영역이, 성적 흥분시의 혈중 테스토스테론 수치 증가 시 활성화 되는 것이 확인되었다. 테스토스테론이 남성의 발기와 관계되는 음경 구조에 미치는 영향과 상부신경계에 미치는 영향에 대한 더 많은 연구가 필요하다.

2. 발기부전에서 테스토스테론 보충요법

Testosterone monotherapy in erectile dysfunction

각각의 연구가 많은 제한점들이 있고 연구의 증거에 함정이 있을 수도 있지만, 발기부전에서 테스토스테론 보충요법은 임상 연구에서 일반적으로 긍정적인 결과를 나타내고 있다. 성선기능저하증이 있는 발기부전 환자를 대상으로 한 연구에서 테스토스테론 수치가 야간발기의 강직도와 밀접한 관계가 있으며, 테스토스테론 보충요법을 시행했을 경우 야간발기 횟수와 강직도의 증가, 성교횟수의 증가, 발기능의 향상, 성욕의 증가가 있다고 보고하였다. 또한 성선기능저하증 남성에서 테스토스테론 보충요법은 성기능과 성욕의 향상뿐만 아니라 골밀도와 근육량, 근력 등을 증가시켰다. 성선기능저하증이 있는 노인을 대상으로 한 단기 연구에서도 테스토스테론 보충요법은 발기와 성욕을 포함한 성기능을 향상시켰다. 하지만 성선기능이 정상인 남성에서 테스토스테론 보충요법을 시행하여 테스토스테론 수치를 정상 이상으로 증가시키면, 발기의 빈도, 성교의 빈도, 자위의 빈도 및 성욕은 변화가 없어 테스토스테론 보충요법을 통한 성기능 개선의 효과는 일반적으로 없다고 알려져 있다. 이런 연구의 결과를 종합해보면, 테스토스테론 보충요법은 성선기능저하증을 가진 발기부전 환자에 효과적이라고 할 수 있다. 특히 성욕이 감소하거나 다른 성적 증상이 있는 성선기능저하증을 가진 발기부전 환자에서는 테스토스테론 보충요법은 좋은 치료방법이다.

최근 세계성의학회의 권고안에서는 발기부전 또는 성욕이 감소된 모든 남성에서 첫 평가로 테스토스테론 수치 측정을 권고하고 있다. 또한 유럽비뇨기과학회에서는 성선기능저하증 환자의 발기부전치료에 PDE5 억제제를 사용 하기 전에 테스토스테론 치료를 권고하고 있다.

혈중 테스토스테론 수치의 증가를 위해 직접 테스토스테론을 보충하는 것과 hCG (human chorionic gonadotropin) 등을 이용하여 Leydig 세포 자극을 통한 요법은 직접적으로 비교한 연구는 없지만 성기능 향상 측면에서, 효과의 차이는 없을 것으로 기대하고 있다. 일부 연구에서 성선기능저하증이 동반된 발기부전 환자에서 hCG 투여군과 위약군을 비교하였을 때 hCG 투여군이 유의하게 성기능을 향상시켰다고 보고 하였다. 성선기능저하증 남성에서 테스토스테론 보충요법 이후에 성기능의 회복 시기와 회복의 정도는 다양하고 예측하기 어렵다. 하지만 젊은 층에서 효과가 더 큰 것으로 보고되고 있고, 성욕, 사정 및 성생활의 빈도는 대개 2-3주내에 향상되기 시작하며, 발기능의 회복은 늦게 나타나 최대 6-12개월째에 나타나는 것으로 알려졌다.

다른 한편으로는, 성선기능저하증 상태에서도 발기가 가능하다. 이는 NO 생산의 장애로 인해 cGMP가 감소하지만, 길항적으로 cGMP 가수분해도 감소하기 때문이다. 역학 연구에서도 성선기능저하증 환자의 60%는 발기가 가능하다고 보고하였다. 또한 발기를 유지하기 위한 최소한의 혈중 테스토스테론의 수치도 밝혀지지 않았다.

발기부전의 병태생리는 다양한 인자들이 작용하기 때문에 모든 발기부전 환자에게 테스토스테론 보충요법의 효과를 기대하기는 힘들다. 또한 성선기증저하증이 없는 노인에서 테스토스테론 보충요법의 효과를 입증하는 증거는 부족하며, 특히 장기치료시의 안전성과 효과가 입증되지 않아 더 많은 연구가 필요하다.

3. 발기부전에서 병합요법

Combination therapy in erectile dysfunction

1998년 PDE5 억제제가 개발된 이후 PDE5 억제제가 발기부전 치료에 안전하고 효과적인 약으로 평가받으면서, 발기부전 환자의 일차 치료제로 PDE5 억제제가 사용되고 있다. 하지만 발기부전 치료로 PDE5 억제제를 복용한 30%-40% 정도의 환자가 PDE5 억제제 치료에 반응이 없어 약제를 중단하고 있고, 성선기능저하증을 동반한 발기부전의 경우에는 높은 치료 실패율을 나타내었다. 이로 인해 테스토스테론 보충요법이 발기부전 치료에 새롭게 조명되기 시작하였다. 최근 연구에서 성선기능저하증이 동반된 발기부전 남성에서 PDE5 억제제 치료에 실패하였을 경우, "구제요법"으로 테스토스테론 보충요법의 추가는 발기능의 개선에 이점이 있다고 보고하고 있다. 실제 PDE5 억제제 단독치료에 실패한 남성에서 테스토스테론 병합요법을 시행하면, 32%-100% (약 2/3)의 환자에서 발기능의 개선을 기대할 수 있다. Yassin 등은 테스토스테론 단독치료에 반응하지 않던 발기부전 환자들에게 병합요법을 시행하였을 때, 발기능의 향상과 성욕의 증가가 있다고 보고하였다. 이는 테스토스테론이 성욕을 증가시키고, 성적 자극시 음경 조직으로 동맥혈의 유입을 증진시킴으로 인해 PDE5 억제제의 단독요법에 실패한 환자에서 성기능을 향상시킨다고 생각하고 있다. 그리고 동물연구를 통해 테스토스테론과 PDE5 억제제가 음경조직에서 같은 경로로(예를 들어 NO-cGMP 통로) 작용하고 있다는 것을 추측할 수 있다.

다른 연구에서는 PDE5 억제제와 테스토스테론 치료의 병합요법이 투석과 신이식을 받은 발기부전 환자에서 효과적이며, 제2형 당뇨를 가진 발기부전 환자에서도 병합요법이 발기능을 회복시켰다고 하였다. 따라서 발기부전을 동반하는 성선기능저하증 환자에서 테스토스테론 보충요법에 반응하지 않는 경우, PDE5 차단제와 테스토스테론 병합요법은 도움이 된다. 마찬가지로 PDE5 억제제에 반응하지 않는 발기부전환자는 성선기능저하증을 동반할 수 있으므로, 이 경우 병합요법이 도움이 된다.

4. 요약

테스토스테론은 사람의 발기에 중요한 작용을 할 것으로 생각된다. 임상적으로 발기부전 환자의 치료 반응을 평가하기 힘들지만, 성선기능저하증을 가진 발기부전 환자에서 테스토스테론 보충요법은 임상적으로 만족할 만한 결과를 가져다 줄 것이다. 만약 테스토스테론 보충요법이나 PDE5 차단제 단독치료에 반응하지 않으면, PDE5 차단제와 테스토스테론 병합요법이 PDE5 차단제의 치료 효과를 증가시키고 발기능력을 향상시킬 것이다. 하지만, 발기부전 환자에서 테스토스테론 보충요법의 사용은 아직 여러 가지 해결해야 할 문제점들이 있다. 이러한 문제점의 해결을 위해서는 대단위 규모의 장기간 연구가 필요하다.

참고문헌

1. Armagan A, Kim NN, Goldstein I, Traish AM. Dose-response relationship between testosterone and erectile function: evidence for the existence of a critical threshold. J Androl 2006;27:517-526.
2. Aversa A, Isidori AM, De Martino MU, Caprio M, Fabbrini E, Rocchietti-March M, et al. Androgens and penile erection: evidence for a direct relationship between free testosterone and cavernous vasodilation in men with erectile dysfunction. Clin Endocrinol (Oxf) 2000:53:517-522.
3. Aversa A, Isidori AM, Spera G, Lenzi A, Fabbri A. Androgens improve cavernous vasodilation and response to sildenafil in patients with erectile dysfunction. Clin Endocrinol (Oxf) 2003;58:632-638.
4. Aversa A, Pili M, Fabbri A, Spera E, Spera G. Erectile dysfunction: expectations beyond phosphodiesterase type 5 inhibition. J Endocrinol Invest 2004;27:192-206.
5. Buvat J, Montorsi F, Maggi M, et al. Hypogonadal men nonresponders to the PDE5 inhibitor tadalafil benefit from normalization of testosterone levels with a 1% hydroalcoholic testosterone gel in the treatment of erectile dysfunction (TADTEST study). J Sex Med 2011;8:284-293.
6. Carani C, Bancroft J, Granata A, Del Rio G, Marrama P. Testosterone and erectile function, nocturnal penile tumescence and rigidity, and erectile response to visual erotic stimuli in hypogonadal and eugonadal men. Psychoneuroendocrinology 1992;17:647-654.
7. Chamness SL, Ricker DD, Crone JK, Dembeck CL, Maguire MP, Burnett AL, et al. The effect of androgen on nitric oxide synthase in the male reproductive tract of the rat. Fertil Steril 1995:63:1101-1107.
8. Chatterjee R, Kottaridis PD, McGarrigle HH, Linch DC. Management of erectile dysfunction by combination therapy with testosterone and sildenafil in recipients of high-dose therapy for haematological malignancies. Bone Marrow Transplant 2002;29:607-610.
9. Chatterjee R, Wood S, McGarrigle HH, Lees WR, Ralph DJ, Neild GH. A novel therapy with testosterone and sildenafil for erectile dysfunction in patients on renal dialysis or after renal transplantation. J Fam Plann

Reprod Health Care 2004;30:88-90.

10. Christ-Crain M, Mueller B, Gasser TC, Kraenzlin M, Trummler M, Huber P, et al. Is there a clinical relevance of partial androgen deficiency of the aging male? J Urol 2004:172:624-627.

11. Corona G, Isidori AM, Buvat J, Aversa A, Rastrelli G, Hackett G, Rochira V, Sforza A, Lenzi A, Mannucci E, Maggi M. Testosterone Supplementation and Sexual Function: A Meta-Analysis Study. J Sex Med 2014;11: 1577-1592.

12. Foresta C, Caretta N, Rossato M, Garolla A, Ferlin A. Role of androgens in erectile function. J Urol 2004;171: 2358-2362.

13. Greco EA, Spera G, Aversa A. Combining testosterone and PDE5 inhibitors in erectile dysfunction: basic rationale and clinical evidences. Eur Urol 2006;50:940-947.

1. Glode LM. The biology of gonadotropin-releasing hormone and its analogs. Urology 1986;27:16-20.

15. Greenstein A, Mabjeesh NJ, Sofer M, Kaver I, Matzkin H, Chen J.Does sildenafil combined with testosterone gel improve erectile dysfunction in hypogonadal men in whom testosterone supplement therapy alone failed? J Urol 2005;173:530-532.

16. Greenstein A, Plymate SR, Katz PG. Visually stimulated erection in castrated men. J Urol 1995;153:650-652.

17. Hirshkowitz M, Moore CA, O' Connor S, Bellamy M, Cunningham GR. Androgen and sleep related erections. J Psychosom Res 1997;42:541-546.

18. Hwang TI, Chen HE, Tsai TF, Lin YC. Combined use of androgen and sildenafil for hypogonadal patients unresponsive to sildenafil alone. Int J Impot Res 2006;18:400-404.

19. Ignarro LJ, Bush PA, Buga GM, Wood KS, Fukuto JM, Rajfer J. Nitric oxide and cyclic GMP formation upon electrical field stimulation cause relaxation of corpus cavernosum smooth muscle. Biochem Biophys Res Commun 1990;170:843-850.

20. Isidori AM, Giannetta E, Gianfrilli D, Greco EA, Bonifacio V, Aversa A, et al. Effects of testosterone on sexual function in men: results of a meta-analysis. Clin Endocrinol (Oxf) 2005:63:381-394.

21. Jockenhovel F. Testosterone therapy-what, when and to whom? Aging Male 2004;7:319-324.

22. Kang SM, Jang Y, Kim JY, Chung N, Cho SY, Chae JS, et al. Effect of oral administration of testosterone on brachial arterial vasoreactivity in men with coronary artery disease. Am J Cardiol 2002:89:862-864.

23. Kalinchenko SY, Kozlov GI, Gontcharov NP, Katsiya GV. Oral testosterone undecanoate reverses erectile dysfunction associated with diabetes mellitus in patients failing on sildenafil citrate therapy alone. Aging Male 2003;6:94-99.

24. Korenman SG, Morley JE, Mooradian AD, Davis SS, Kaiser FE, Silver AJ, et al. Secondary hypogonadism in older men: its relation to impotence. J Clin Endocrinol Metab 1990:71:963-969.

25. Lugg JA, Rajfer J, Gonzalez-Cadavid NF. Dihydrotestosterone is the active androgen in the maintenance of nitric oxide-mediated penile erection in the rat. Endocrinology 1995;136:1495-1501.

26. Lunenfeld B. Report on the 4th World Congress on the Aging Male. Aging Male 2004;7:258-264.

27. Marumo K, Baba S, Murai M. Erectile function and nocturnal penile tumescence in patients with prostate cancer undergoing luteinizing hormone-releasing hormone agonist therapy. Int J Urol 1999;6:19-23.

28. Mills TM, Lewis RW, Stopper VS. Androgenic maintenance of inflow and veno-occlusion during erection in the rat. Biol Reprod 1998;59:1413-1418.

29. Mulhall JP, Valenzuela R, Aviv N, Parker M. Effect of testosterone supplementation on sexual function in hypogonadal men with erectile dysfunction. Urology 2004;63:348-352; discussion 52-3.

30. Morales A, Johnston B, Heaton JW, Clark A. Oral androgens in the treatment of hypogonadal impotent men. J Urol 1994;152:1115-1118.

31. Morales A, Johnston B, Heaton JP, Lundie M. Testosterone supplementation for hypogonadal impotence: assessment of biochemical measures and therapeutic outcomes. J Urol 1997;157:849-854.

32. Morelli A, Filippi S, Mancina R, Luconi M, Vignozzi L, Marini M, et al. Androgens regulate phosphodiesterase type 5 expression and functional activity in corpora cavernosa. Endocrinology 2004: 145:2253-2263.

33. O' Connor DB, Lee DM, Corona G, et al. The relationships

between sex hormones and sexual function in middle-aged and older European men. J Clin Endocrinol Metab 2011;96:E1577-1587.

34. Rosenthal BD, May NR, Metro MJ, Harkaway RC, Ginsberg PC. Adjunctive use of AndroGel (testosterone gel) with sildenafil to treat erectile dysfunction in men with acquired androgen deficiency syndrome after failure using sildenafil alone. Urology 2006;67:571-574.

35. Rhoden EL, Teloken C, Sogari PR, Souto CA. The relationship of serum testosterone to erectile function in normal aging men. J Urol 2002;167:1745-1748.

36. Rousseau L, Dupont A, Labrie F, Couture M. Sexuality changes in prostate cancer patients receiving antihormonal therapy combining the antiandrogen flutamide with medical (LHRH agonist) or surgical castration. Arch Sex Behav 1988;17:87-98.

37. Saad F, Aversa A, Isidori AM, Zafalon L, Zitzmann M, Gooren L. Onset of effects of testosterone treatment and time span until maximum effects are achieved. Eur J Endocrinol 2011;165:675-685.

38. Shabsigh R. Hypogonadism and erectile dysfunction: the role for testosterone therapy. Int J Impot Res 2003;15(suppl 4):S9-13.

39. Shabsigh R, Kaufman JM, Steidle C, Padma-Nathan H. Randomized study of testosterone gel as adjunctive therapy to sildenafil in hypogonadal men with erectile dysfunction who do not respond to sildenafil alone. J Urol 2004;172:658-663.

40. Snyder PJ, Peachey H, Berlin JA, Hannoush P, Haddad G, Dlewati A, et al. Effects of testosterone replacement in hypogonadal men. J Clin Endocrinol Metab 2000:85:2670-2677.

41. Spark RF, White RA, Connolly PB. Impotence is not always psychogenic. Newer insights into hypothalamic-pituitary-gonadal dysfunction. JAMA 1980;243:750-755.

42. Steidle C, Schwartz S, Jacoby K, Sebree T, Smith T, Bachand R. AA2500 testosterone gel normalizes androgen levels in aging males with improvements in body composition and sexual function. J Clin Endocrinol Metab 2003;88:2673-2681.

43. Stoleru S, Gregoire MC, Gerard D, Decety J, Lafarge E, Cinotti L, et al. Neuroanatomical correlates of visually evoked sexual arousal in human males. Arch Sex Behav 1999:28:1-21.

44. Tas A, Ersoy A, Ersoy C, Gullulu M, Yurtkuran M. Efficacy of sildenafil in male dialysis patients with erectile dysfunction unresponsive to erythropoietin and/or testosterone treatments. Int J Impot Res 2006;18:61-68.

45. Traish AM, Guay AT. Are androgens critical for penile erections in humans? Examining the clinical and preclinical evidence. J Sex Med 2006;3:382-404.

46. Traish AM, Munarriz R, O' Connell L, Choi S, Kim SW, Kim NN, et al. Effects of medical or surgical castration on erectile function in an animal model. J Androl 2003:24:381-387.

47. Traish AM, Toselli P, Jeong SJ, Kim NN. Adipocyte accumulation in penile corpus cavernosum of the orchiectomized rabbit: a potential mechanism for veno-occlusive dysfunction in androgen deficiency. J Androl 2005;26:242-248.

48. Traish AM, Park K, Dhir V, Kim NN, Moreland RB, Goldstein I. Effects of castration and androgen replacement on erectile function in a rabbit model. Endocrinology 1999;140:1861-1868.

49. Wang C, Nieschlag E, Swerdloff R, Behre HM, Hellstrom WJ, Gooren LJ, et al. Investigation, treatment, and monitoring of lateonset hypogonadism in males: ISA, ISSAM, EAU, EAA, and ASA recommendations. Eur Urol 2009:55:121-130.

50. Yassin AA, Saad F. Testosterone and erectile dysfunction. J Androl 2008;29:593-604.

51. Zhang XH, Filippi S, Morelli A, Vignozzi L, Luconi M, Donati S, et al. Testosterone restores diabetes-induced erectile dysfunction and sildenafil responsiveness in two distinct animal models of chemical diabetes. J Sex Med 2006: 3:253-264; discussion 64-5, author reply 65-6.

52. Zhang XH, Morelli A, Luconi M, Vignozzi L, Filippi S, Marini M, et al. Testosterone regulates PDE5 expression and in vivo responsiveness to tadalafil in rat corpus cavernosum. Eur Urol 2005:47:409-416; discussion 16.

CHAPTER 37

음경해면체내 주사요법 및 요도내 주입법

Intracavernosal and intraurethral lnjection Therapy

■ 이동섭

1. 음경해면체내 주사요법

1) 음경해면체내 주사요법의 역사

발기부전의 일차치료약제로서 경구용 Phosphodiesterase type 5 inhibitor (PDE5I)는 최초에 고혈압과 허혈성심질환의 치료제로 연구되었지만 허혈성심질환에 효과가 없고 오히려 발기력을 향상시킴이 알려지기 시작하면서 Viagra 라는 상품명으로 미국에서 1998년 발매되기 시작했다. 현재 음경해면체내 주사요법은 발기부전환자에서 경구용 PDE5I에 효과가 미진하거나 없을 때 2차 치료로 사용되고 있지만 실제로 그 역사는 경구용 발기개선제보다 오래되었다.

Virag와 Brindley는 1980년대 초에 각각 papaverine과 phenoxybenzamine을 해면체내에 주입하는 방법을 발표하였고, 곧이어 papaverine과 phentolamine을 혼합한 요법이 소개되어 1980년대 후반에는 가장 흔히 사용되는 발기부전의 치료 중 하나로 자리잡았다. Alprostadil (prostaglandin E_1; PGE_1)이 해면체내 주입제제로서는 처음으로 1995년도에 FDA 승인을 받은 이후, PGE_1 제제 단독 또는 papaverine/ phentolamine/ PGE_1 삼중복합제제가 흔히 사용되고 있다.

2) 음경해면체 주사요법에 사용되는 혈관작용제

Phentolamine은 reversible non-selective alpha-adrenergic antagonist 로서 반감기는 30분 내외로 짧고 혈관확장작용을 나타내며 반사성빈맥(reflex tachycardia)를 유발할 수 있다. 보통 갈색세포종으로 인한 고혈압성위기(hypertensive emergency)에서 사용된다. Phentolamine은 단독으로는 유의하게 발기를 유발하지 못하여 papaverine과 혼합(Bimix)하거나 papaverine 및 PGE_1과 혼합(Trimix)하여 이용되고 있다.

Papaverine은 양귀비과 아편(papaver somniferum)에서 추출한 알칼로이드로서, phosphodiesterase를 억제하여 음경해변체조직 내 cAMP 와 cGMP를 증가시킴으로써 해변체 평활근의 이완을 통해 음경발기를 유발한다. Papaverine은 가격이 싸고 실온에서 안정성이 높으며 효과가 좋다는 장점이 있으나 해면체 섬유화(1~33%) 및 지속발기증(0~35%)의 빈도가 높고, 간기능 장애가 보고된 바 있어 단독으로 사용되는 경우가 없다. 그러므로 papaverine 역시 그 용량을 줄여 phentolamine 또는 PGE_1과 혼합하여 사용한다. Adrian Walton Zorgniotti (1925-1994)는 papaverine

30 mg과 phentolamine 0.5 mg을 혼합하여 발기부전 환자를 치료한 선구자로 이 분야에서 독보적인 연구 성과를 올렸다. 이들 혼합제제는 현재까지도 Bimix 제제로 사용되고 있다.

Alprostadil은음경해면체 내에서 adenyl cyclase에 작용하여 세포내 cAMP를 증가시켜 발기를 유발시킨다. 체내에서 만들어지는 것을 PGE_1이라고 하고 합성에 의해서 만들어진 것을 alprostadil이라고 구분한다. 해면 체내 주사 후 alprostadil의 96%는 60분 내에 해면체 내에서 대사되므로 전신혈액에는 거의 영향을 미치지 않는다. 그러나 PGE_1 제제 주사로 인한 음경통증의 발생이 80%까지 보고된 바가 있어 이로 인한 해면체내 치료요법의 실패가 우려되기도 한다. 반면 지속발기증은 5% 이내에서 보고되었고, 심부정맥이 6% 내외에서 발생되었다. Alprostadil로 인한 해면체섬유화는 6개월에 2~4%, 18개월에 6~8% 정도로 관찰되었다는 보고가 있다.

Papaverine, phentolamine, PGE_1을 혼합할 경우 효과가 높고 통증발생이 적으며 가격이 저렴해진다는 장점이 있다. 이론적으로 세 가지 약물은작용기전이 다르기 때문에 이들을 혼합하여 사용하면 상승작용 효과를 기대할 수 있고 각각의 약물을 적은 농도로 사용할 수 있어 부작용을 줄일 수 있다. Bennett 등은 이 세 가지 약물을 처음으로 혼합 사용하여 116명의 환자에서 92%의 성공률을 보고하였다.

3) 환자의 선택 및 주사법

(1) 적절한 환자의 선택 및 교육

경구용 발기개선제 치료에 실패한 환자에게 2차적으로 사용하거나 nitrate 제제를 투여받고 있는 환자에게 1차적으로 사용할 수 있다. 그러나 심한 정맥폐쇄기능부전(예: 페이로니씨 병)의 경우에는 효과가 떨어질 수 있다. 심인성 또는 신경인성 발기부전의 경우에도 효과가 좋은 것으로 되어 있다.

인위적 발기제 투여에 대한 거부감, 주사에 대한 공포감, 통증 등은 치료 순응도에 영향을 미칠 수 있으므로 사전에 교육이 필요하다. 통증으로 인해 치료가 중단되는 경우는 3% 내외로 알려져 있으나, 통증은 약물을 30초 동안 천천히 주입하면 감소시킬 수 있다는 보고도 있다.

(2) 해면체내 주사요법의 금기 및 주의사항

Alprostadil이 포함된 약제는 monoamine oxidase inhibitors를 투여받고 있거나, 겸상적혈구빈혈, 다발성골수종, 백혈병 환자에서는 피해야한다. 또한 해면체내 주사요법은 출혈성경향이 있거나 페이로니씨병 환자, 일차성 발기지속증, 정신질환으로 오남용의 우려가 있는 환자에서는 원칙적으로 적용되어선 안된다. 그러므로 충분한 문진, 신체검사, 기본적 혈액검사가 투여 전 이루어져야 한다.

투여횟수는 주 3회를 초과하지 않는 범위 내에서 허용하고 3개월마다 추적관찰하여 합병증 유무를 관찰하여야 한다. Papaverine이 포함된 약물을 사용할 때에는 간기능 평가를 시행하는 것이 좋다.

(3) 해면체내 주사약제의 용량조절

용량조절은 발기가 30~60분 동안 지속되는 수준으로 맞추되, 집에서 성파트너와 있을 때의 경우는 병원에서 시험으로 사용되었을 때보다 발기반응이 좋은 경우가 많으므로 병원에서 시험용량으로 사용된 용량보다 다소 감량하여 투여하는 것이 추천된다. 이후 충분한 발기가 일어나지 않는다면 서서히 증량하도록 한다. Trimix를 사용할 경우에는 혈관인성 또는 복합성 발기부전환자에서 0.2~0.25 cc (판매용량의 1/4~1/5)를 최초용량으로 투여해 볼 수 있다. 신경인성 발기부전의 경우 혈관인성인 경우보다 반응이 좋으므로 0.05~0.15 cc로 시작해 볼 수 있다. PGE_1의 경우에는 혈관성 또는 복합성 발기부전환자에서 10 mcg, 신경인성 발기부전환자에서는 2.5 mcg으로 시작하는 것이 안전하다. Papaverine (30 mg/ml) + phentolamine (1 mg/ml) 혼합액(Bimix)의 경우에는 0.1 cc부터 시작하여 1cc까지 서서히 용량을 늘리는 것이 추천된다.

(4) 해면체내 주사방법

그림 37-1처럼 Trimix를 개봉하면 1cc용 주사기 2개와, 분말, 주사용수 및 알코올솜이 보인다. 일반적으로 상온에서 3~4일, 냉장보관시 3개월 내외로 안정하게 유지된다. 주사용수와 분말을 섞어 용액을 만들면 냉장보관함을 추천한다. 주사방법은 그림 37-2처럼 음경을 한 손으로 단단히 잡고 다른 손으로는 알코올솜으로 주사할 부위를 닦은 후, 배부정맥/신경이 있는 12시와 요도가 있는 6시 방향을 피하여, 대략 2시 또는 10시 부분에서 음경과 수직으로 깊이 찔러 넣는다. 혈액이 주사기 내로 흘러나오면 주사바늘이 제대로 들어간 것이므로 천천히 주사한 다음, 주사부위를 1~2분 정도 압박한다. 아스피린 등의 항응고제를 복용하고 있는 경우 부득이하게 사용한다면 5~10분 가량 주사부위를 압박하도록 한다.

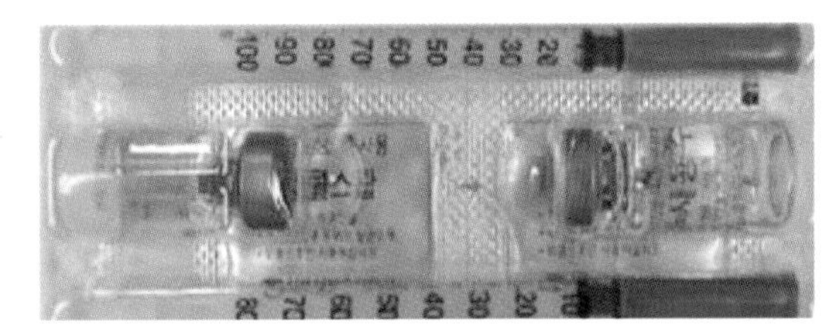

그림 37-1 Trimix 개봉사진

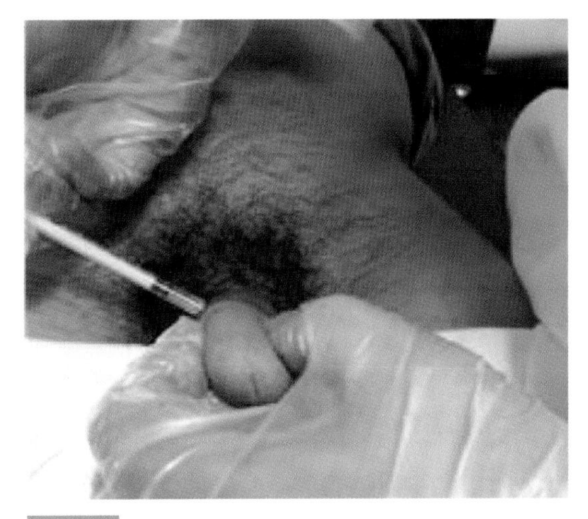

그림 37-2 Trimix 주입 실제사진

(5) 해면체내 주사요법의 활용

해면체내 혈관작용제의 주사법은 발기부전 환자에서 경구용 약제가 실패한 경우 혈관성 발기부전 여부를 알기 위해 또는 음경의 혈관상태를 알기 위해 이용되기도 한다. 즉, 음경도플러초음파를 시행하여 약물주입 전후에 혈관의 직경변화나 동맥혈류속도의 변화 등을 측정하여 약물반응을 보는 것이다. 그림 37-3은 약물 주입 5분후 초음파 영상이며, 그림 37-4는 약물 주입 15분 후 해면체 동맥혈류를 나타내고 있다.

4) 환자의 효과 및 부작용

문헌에 따르면 환자 및 성배우자의 만족도는 각각 87%, 86%로 매우 고무적인 반응을 보였다. 심인성 발기부전의 경우 자연 발기력의 회복이 되는 경우가 더러 있으며, 신경보존전립선적출술(radical prostatectomy with nerve sparing)을 받은 경우에도 자연 발기력이 회복되는 보고가 있었다. 추적관찰에서 탈락하는 경우는 전술한 바와 같이 인위적 발기제 투여에 대한 거부감, 성관계 전의 전희감 상실, 주사에 대한 공포감, 통증 등이 있으며 그 외에 비용, 약물 반응의 저하 등 다양한 이유로 30~60%에서 약물의 투여 중단이 관찰된다고 하였다.

단기 부작용 중 음경지속발기증이 가장 흔하며 장기 부작용은 음경해면체의 섬유화 및 경결형성이 문제가 되는데, 지속발기증의 경우 초기용량 결정에 따라 그 부작용을 줄일 수 있다. papaverine 단독으로 사용했을 때 지속발기증 발생율이 가장 높은 것(9.5%)으로 보고되었고 Trimix를 사용하였을 때는

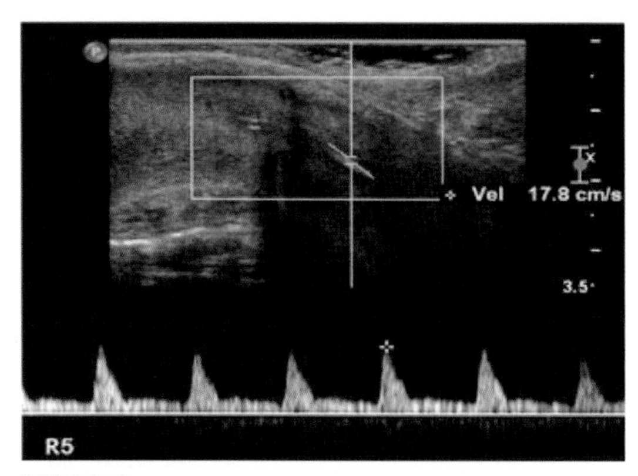

그림 37-3 해면체내 Trimix 주입후 5분째 보이는 해면체 동맥 혈류속도

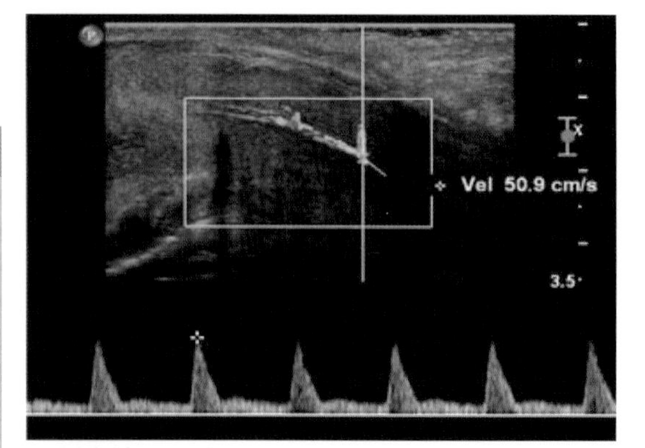

그림 37-4 해면체내 Trimix 주입후 15분째 보이는 해면체 동맥 혈류속도

0.9~2.7%의 지속발기증이 관찰되었다. 음경해면체 주입요법으로 인한 지속발기증은 정맥폐쇄성의 원인이므로 허혈성 기전으로 설명될 수 있다. 해면체 내의 혈액은 산성이고 저산소성이므로 지속발기증이 6시간 이상 지속되는 경우 굵은 바늘을 이용하여 저산소혈(hypoxic blood)를 뽑아내고 alpha adrenergic agent (ephedrine 10~50 mg/ml, epinephrine 10~20 μg/ml 또는 phenylephrine 100~250 μg/ml)을 주입하면서 세척하는 것이 좋다. 때로는 단락수술(shunt operation)이 필요하거나 그 후 발기부전이 발생할 수 있으므로 해면체내 약물주입요법을 시작하기 전에 주의사항을 설명해야 한다. 장기적으로 음경해면체의 섬유화 및 경결형성이 있는지에 대해서 문진과 신체검사를 적절히 시행하고 주의사항을 알려야 하지만, 이로 인해 투약 순응도가 감소할 수 있으므로 투약의 장단점을 융통성 있게 설명할 수 있도록 한다.

2. 요도내 주입법

1) 요도내 주입법에 사용되는 혈관작용제

Prostaglandin E1 성분으로서 MUSE® (alprostadil)는 과거 요도내 주입할 수 있는 제품으로 사용되었으나 현재 국내에서 찾아볼 수 없다. MUSE의 요도내 주입은 해면체동맥의 직경을 증가시키고 해면체동맥의 최고 수축기 혈류속도를 5~10배 증가시키는데, 이는 alprostadil이 요도로 흡수된 후 corpus spongiosum과 corpora cavernosa 사이의 교통혈관을 통해 해면체 내의 발기조직들로 이동되어 나타나는 현상으로 생각된다. 보통 주입 10분 이내 80%가 흡수되며 곧 폐에 의해 급속히 대사된다.

2) 요도내 주입법의 효과 및 부작용

요도내 prostaglandin E1의 주입법은 1996년 미국 FDA에 승인된 약물로 1511명을 대상으로 한 연구에 의하면 발기부전환자를 대상으로 위약군 19%에 대비해 투약군의 66%에서 삽입에 충분한 발기가 유발되었다. 사용 중 가장 큰 문제는 음경의 동통, 요도작열감으로 30% 이상의 환자에서 관찰되었다. 어지러움증이나 저혈압이 아주 드물게 보고되었으며 음경지속발기증이나 해면체섬유화는 거의 보고된 사례가 없는 장점이 있다.

3) 요도내 주입법의 금기증

Alprostadil에 과민반응을 경험했거나, 요도의 해부학적 이상(협착, 요도하열, 요도염 등)이 있거나 겸상적혈구성빈혈, 혈소판증가증, 적혈구증가증, 다발성

골수종, 성배우자 여성이 임신 중일 경우 사용해서는 안된다.

참고문헌

1. Boolell M, Allen MJ, Ballard SA, Gepi-Attee S, Muirhead GJ, Naylor AM, Osterloh IH, Gingell C. Sildenafil: an orally active type 5 cyclic GMP-specific phosphodiesterase inhibitor for the treatment of penile erectile dysfunction. Int J Impot Res 1996;8:47-52.
2. Irwin G, TF Lue, H Padma-Nathan, RC. Rosen, WD. Steers, and PA. Wicker. for the Sildenafil Study Group. Oral Sildenafil in the Treatment of Erectile Dysfunction. N Engl J Med 1998;338:1397-1404.
3. Virag R. Intracavernous injection of papaverine for erectile failure [letter]. Lancet 1982;2:938.
4. Brindley GS. Cavernosal alpha-blockade: a new technique for investigating and treating erectile impotence. Br J Psychiatry. 1983;143:332.
5. Zorgniotti AW, Lefleur RS. Autoinjection of the corpus cavernosum with vasoactive drug combination for vasculogenic impotence. J Urol 1985;133:39.
6. Witjes WPJ, Meuleman EJ, Nijeholt GL, et al. The efficacy and acceptance of intracavernous autoinjection therapy with the combination of papaverine/phentolamine. Int J Impot Res 1992;4:65.
7. Bennet AH, Carpenter AJ, Barada JH. An improved vasoactive drug combination for a pharmacological erection program. J Urol 1991;146:1564.
8. Zorgniotti AW. Intracavernous injection of vasoac-tive substances for the treatment of impotence.Nippon Hinyokika Gakkai Zasshi 1985;76:1620.
9. Zorgniotti AW. Pharmacologic injection therapy.Semin Urol 1986;4:233-235.
10. Padma-Nathan H. Corporal pharmacotherapy for erectile dysfunction and priapism. Monogr Urol. 1996;17:51-64.
11. Linet OI, Ogrinc FG. Efficacy and safety of intracavernosal alprostadil in men with erectile dysfunction. N Engl J Med. 1996;334:873-877.
12. Gheorghu D, Godschalk M, Gherghiu S, Mulligan T. Slow injection of prostaglandin E1 decreases associated penile pain. Urology. 1996;47:903-904.
13. Linet OI, Ogrinc FG. Efficacy and safety of intracavernosal alprostadil in men with erectile dysfunction. N Engl J Med. 1996;334:873-877.
14. Padma-Nathan H. Corporal pharmacotherapy for erectile dysfunction and priapism. Monogr Urol. 1996;17:51-64.
15. Padma-Nathan H, Hellstrom W, Kaiser FE, Labasky RF, Lue TF, Nolten WE, Norwood PC, Peterson CA, Shabsigh R, Tam PY, Place VA, Gesundheit N. Treatment of men with erectile dysfunction with transurethral alprostadil. Medicated Urethral System for Erection (MUSE) Study Group. N Engl J Med. 1997;336: 1-7.

CHAPTER 38

진공 발기(압축)기

Vacuum Erection (Constriction) Device

■노 준

진공압축기는 17세기경 이미 개발되어 역사적으로 가장 오래된 발기부전의 치료법이지만 현재 이용되고 있는 치료법 중 비교적 덜 알려져 있는 방법이다. 진공압축기에 관한 연구는 1986년 Nadig 등이 처음으로 임상논문을 발표함으로써 과학적으로 검토가 시작된 이래 진공압축기에 의한 발기유발기전에 관한 많은 기초연구와 임상경험이 발표되었다. 1990년 Lue는 금기사항이 아니면 모든 발기부전환자의 1차 치료법으로 진공압축기를 추천하기도 하였다. 1996년에는 미국비뇨기과학회 임상지침서에 기질성발기부전의 치료방법 중 하나로 추천되었다. 1990년대에 들어서는 매년 새로운 디자인과 발전된 장치를 가진 진공압축기가 개발되고 있다.

1. 진공압축기구의 구조 및 사용방법

진공압축기는 진공실(Vaccum chamber or cylinder), 진공펌프(vacuum pump)및 압박링(constriction ring)으로 구성되어있다(그림 38-1). 실린더는 원통형의 투명한 플라스틱과 실리콘 재질로 되어 있고, 실린더의 개방부 크기가 음경의 크기에 비해 과도하게 큰 경우에는 보조플라스틱 250 mmHg 이상 초과되지 않도록 하는 안전장치가 부착되어있다. 특히 pose-T-Vac system은 안전 압력대가 색깔로 표시되어 있으며, 이러한 장치는 음경감각이 감소 혹은 소실되어있고 때로는 성 파트너에 의해 기구가 조작되어야 하는 척추손상환자에서 안전하게 이용될 수 있다. 압박링의 초기재질은 대부분 고무로 된 것이었지만 그 후 보다 부드러운 소재인 실리콘으로 제작되었으며, 모

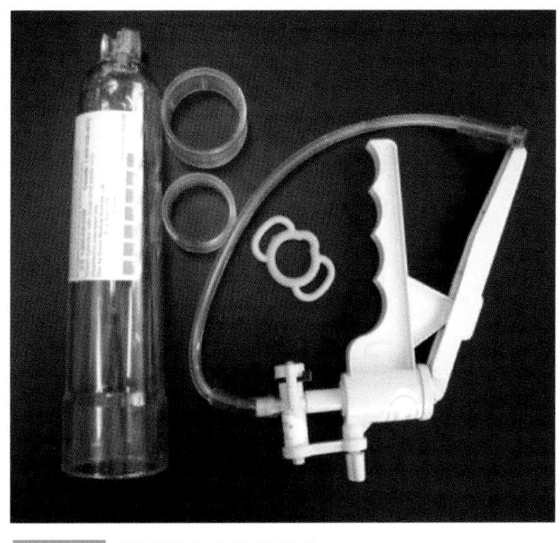

그림 38-1 진공압축기와 압박링

양은 원형이 일반적이지만 음경압박 시 동통 감소 및 성관계시 이물감을 개선하기 위한 디스크형도 개발되어 있다. 이들의 크기도 동양인의 음경크기에 맞게 고안된 소형부터 3-5종으로 구성된다. 압박링의 제거고리는 링식 혹은 굵은 손잡이 식이 있으며 발기종료 후 압박링 제거는 링식이 보다 용이하다. 링 착용 시 음경혈류는 약 70-75% 감소되지만 지속적인 음경동맥혈류가 감지되며 링을 제거하면 1분 이내에 정상혈류로 회복된다. 다만 압박링의 근위부음경해면체의 불충분한 강직도에 의해 음경음낭접부가 구부러지는 pivot현상이 생길 수 있으며, 이때는 압박링을 음경의 초기저부에 위치함으로써 pivot현상을 극소화 시킬 수 있다. 성 관계 시 링을 30분 이상 유치해 놓으면 안 된다. 허가된 기기를 사용해야 하고 금속이나 비탄성 재질로 만들어진 링은 사용하지 않아야 한다. 발기를 유발시키기 위해서 경구용 약물치료나 음경해면체내 주사요법, 요도 내 약물주입등과 같이 병행해야 더 성공적이다.

2. 발기유발기전

진공압축기의 생리학적 효과와 효율성은 1986년 Nadig등이 35명의 기질성발기부전증 환자를 대상으로 처음으로 보고 하였으며 그 후 여러 연구자들의 보고가 있었다. 진공압축기에 의해 유발되는 음경강직도는 성교 때의 정상발기와 비슷하나 진공압축기에 의해 유발되는 생리적 변화는 정상발기 때 일어나는 생리적 변화와는 판이하게 다르다. 압축링이 유치되어있는 동안음경혈류는 감소되고 동맥혈유입의 감소로 음경피부온도가 약 1℃ 감소된다. 또한 음경해면체와 음경조직에서의 울혈이 발생하여 음경표재정맥의 확장과 청색증이 관찰되고 음경둘레는 정상발기시보다 커진다. 그리고 압축링의 원위부에서만 음경강직도가 생기므로 음경기저부가 물리적 고정이 안 되므로 기저부를 pivot역할로 회전한다.

3. 장단점

장점으로는 부작용이 경미하고 사용방법이 간단하며, 음경의 표재 및 심배부 정맥의 폐색으로 인해 요도해면체 및 외부조직에도 혈액이 저류되어 자연발기 시 보다 음경의 팽창도가 높다. 음경발기상태의 가역적변화가 용이하고 타 치료법에 비하여 경제적이며, 타 치료법으로 쉽게 전환할 수 있다. 단점으로는 성관계를 갖기에 충분한 발기가 유발되지 않을 수 있으며, 발기된 음경이 성관계 5-10분 내에 이완될 수 있다. 음경의 pivot현상으로 성관계에 장애가 될 수 있고, 압박링에 의해 사정장애가 발생할 수 있으며 사정 시 구부 요도가 확장되거나 동통이 동반될 수 있다.

4. 임상적 적용

진공압축기구는 비침습적이며 가역적인 치료법으로서 불충분한 발기력을 증대시켜주므로 발기력증강을 요하는 어떤 환자에게도 적응될 수 있다. 특히 발기력증강이 필요한 부분발기부전환자에게 효과적이다. 정맥성발기부전의 거의 모든 환자에게도 효과적이다. 또 정맥성발기부전으로 정맥결찰술을 받은 환자에서 반응이 충분치 못할 때도 이용할 수 있다. 최근의 심근경색증, 간염 또는 다른 내과적 이유로 수술이 연기되었을 때에 근본적 치료를 하기 전까지 기구를 사용하여 성생활을 가능하게 해줄 수도 있다. 음경보형물을 제거한 환자까지도 음경이 반흔조직으로 기형이 되지 않는 한 성공적으로 진공압축기를 사용할 수가 있다. 감염으로 인한 해면체섬유화가 발생되어도 진공압축기로 만족스런 성관계를 할 수 있다.

음경보형물삽입술 후 음경크기에 대해 불만족스러워하는 환자에게 기구를 사용함으로써 발기력 증강을 얻을 수도 있다. 기구사용에 대한 절대 금기증은 없으며 상대적금기증도 거의 없다. 혈액질환이나 항응고제치료를 받고 있는 환자에서도 안전하게 사용할 수 있는데, 이때에는 음압 및 음경 압박을 너무 과하게 주지 말아야 한다. 손을 자유롭게 사용하지 못하는 환자는 성 파트너의 도움 없이는 사용하기 어려운 경우도 있다. 근위부정맥혈류의 유출이나 동맥혈류의 감소, 발기 지속증에 따른 2차적 섬유화, 인공보형물의 감염으로 인한 음경조직의 반흔이나 기형이 있는 환자에서는 충분한 발기를 얻을 수 없을 가능성이 많다. 심각한 혈관인성발기부전환자에서 음경해면체내주사를 병용하면 발기를 더욱 강화시킬 수 있다.

5. 합병증

진공압축기는 다양한 합병증을 야기할 수 있는데 가벼운 자극증상부터 생명을 위협하는 범위까지 다양하다. 압박링을 설치할 때 음경에 혈액의 공급이 감소하여 피부의 온도가 거의 1℃이상 감소하여 피부청색증이 동반되고 발기 시 음경에 냉기를 호소하기도 하고, 과도하게 조여진 압박링에 의해 음경통이 동반될 수 있다. 이러한 경우에는 보다 큰 링을 사용하거나 고무보다는 실리콘 같은 부드러운 재질로 제작된 링을 사용함으로써 동통을 감소시킬 수 있다. 사정시통증과 사정장애 및 성교 중 무감각 및 pivot이 생길 수 있다. 또한 생식기에 점상출혈과 반상출혈이 발생할 수 있으므로 aspirin이나 warfarin를 복용하는 환자에서는 주의가 필요하다. 드물지만 생식기 피부의 괴사, 페이로니병, 괴사성 근막염, 회음부괴저(Fournier's gangrene), 요도출혈이 보고되었다.

6. 환자의 만족도와 선택성

진공압축기로 치료하는 여러 원인의 발기 장애에서 효율성은 환자의 67-90%정도이나, 사용했던 사람들의 만족도는 34-68%로 낮다는 보고도 있다. 또한 진공압축기를 사용하는 환자들은 성기의 강직도, 길이, 두께의 증가에 만족을 느낌, 만족도는 68-83%이며, 장기간사용자에서는 약 98%, 성 파트너는 약85%로 보고 되어있다. 적응이 되는 모든 환자에게 진공압축기를 보여주고 시범을 보인 후 선택하도록 한다.

진공압축기가 남성발기부전의 1차적 치료법으로 선택되기 위해서는 환자나 성 파트너에게 진공압축기의 장단점을 잘 이해 시켜야 한다. 또한 기구를 사용하기 전에 실제로 진공압축기를 이용한 발기를 시도하여 만족할 만한 음경발기가 유발되는지를 확인하는 등 사전에 환자에 대한 충분한 상담이 이루어져야 한다. 그 외에도 진공압축기를 치료법으로 선택하기에 앞서 반드시 성 파트너의 동의나 만족을 얻는 것이 중요하며 성 파트너의 동의는 궁극적으로 치료효과를 극대화시킬 수 있다. 장기간 사용할 수 있는 비율은 19-42%정도이지만, 마모(Attrition)가 되면 심한 형태의 발기 장애를 일으키거나 효율성이 떨어질 수 있다.

발기보조기가 고장 났을 때(malfunctioning penile prosthesis)는 효능을 더 증강시킨다.

음경지속발기증 혹은 발기보조기 외식(explantation) 혹은 Peyronie질환의 외과적 교정 후 그리고 전립선암 환자 치료 후 발기 회복을 용이하게 한다고 생각된다.

6. 요약

진공압축기는 진공실, 진공펌프 및 압박링으로 구성되어있다. 진공압축기는 정상발기 때보다 더 넓은 음경직경을 유발하고, 비침습적이며, 가역적인 치료법으로서 불충분한 발기력을 증대시켜주므로 발기력증강을 요하는 어떤 환자에게도 적용될 수 있다. 다만 항응고요법과 출혈경향이 있는 사람은 주의해야 한다. 음경통사정시 통증, 점상출혈, 성교도중 무감각과 pivot등의 다양한 합병증이 있을 수 있다. 진공압축기가 남성발기부전의 치료법으로 선택되기 위해서는 환자나 성 파트너에게 진공압축기의 장단점을 잘 이해시켜야 한다.

참고문헌

1. 민권식, 박남철, 차영일, 윤종병, 발기부전에 대한 Vacuum Tumescence Enhancement Therapy의 경험. 대한비뇨기과학회지 1989;30:769-795.
2. Baltaci S, Aydos K, Amafearta K. Treating erectile dysfuction with a vacuum tumescence device: a retrospective analysis of acceptance and satisfaction. Br J Urol 1995;76:757-760.
3. Bosshardt RJ, Farwerk R, Sikora R, Shon M, Jakse G. Objective measurement of the effectiveness, therapeutic success and dynamic mechanisms of the vacuum device. Br J Urol 1995;51:627-631.
4. Kim JH, Carson CC 3rd. Development of Peyronie's disease with the use of a vacuum constriction device. J urol 1993;149:1314-1315.
5. Korenman SG, Viosca SP. Use of a vaccum tumescence device in the management of importance in men with a history of penile implant or severe pelvic disease. J Am Geriatr Soc 1992;40:61-64.
6. Levine LA, Dimitriou RJ. Vaccum constriction and external erection devices in erectile dysfuntion. Urol Clin North Am 2001;28:325-341.
7. Limoge JP, Olins E, Henderson D, Donatucci CF. Minimally invasive therapies in the treatment of erectile dysfuntion in anticoagulated cases: A study of satisfaction and safety. J Urol 1996;155:1276-1279.
8. Lloyd EE, Toth LL, Perkash I. Vacuum tumescence: an option for spinal cord injured males with erectile dysfuntion. SCI Nurs 1989;6:25-28.
9. Marmar JL, De Benedictis TJ, Praiss DE. The use of a vacuum constrictor device to argment a partial erection following intracavemous injection. J Urol 1988;144:983.
10. Montague DK, Barada JH, Belker AM, Livine LA, Nadig PW, Roehrborn CG, et al. Clinical guidelines panel on erectile dysfuntion: Summary report on the treatment of organic erectile dysfuction. The American Urological Association. J Urol 1996;156:2007-2011.
11. Nadig PW, Ware JC. Blumoff R noninvsive device to produce and maintain an erection-like state. Urology 1986;27:126-131.
12. Park NC, Min KS, Cha YI. Yoon JB. Clinical experience of vacuum tumescence enhancement therapy for importence. Int J impot Res 1990;2:181-186.
13. Sidi AA, Becher EF, Zhang G, Lewis JH. patient acceptance of and satisfaction with an external negative pressure device for impotence. J Urol 1990:144:1154-1156.
14. Theiss M, Hofmockel G, Frohmuller HG. Fournier's gangrene in a patient with erectile dysfuntion following use of a mechanical erection aid device. J Urol 1995;153:1921-1922.
15. Turner LA, Althof SE, Levine SB, Tovias TR, Kursh ED, Bodner D. Treating erectile dysfuntion with external vacuum devices: impact upon sexual, psychological, and martial funtioning. J Urol 1990;144:79-82.
16. Witherington R. Vacuum constriction device for management of erectile dysfuntion. J Urol 1989;141:320-322.
17. Marmar JL, DeBenedictis TJ, Praiss DE. Penile plethysmography on impotent men using vacuum constrictor devices. Urology. 1988 Sep;32:198-203.
18. Chen J, Godschalk MF, Katz PG, Mulligan T. Combining intracavernous injection and external vacuum as treatment for erectile dysfunction. J Urol. 1995 May;153:1476-1477.
19. John H, Lehmann K, Hauri D. Intraurethral prostaglandin improves quality of vacuum erection therapy. Eur Urol 1996;29:224-226.
20. Canguven O, Bailen J, Fredriksson W, Bock D, Burnett AL. Combination of vacuum erection device and PDE5 inhibitors as salvage therapy in PDE5 inhibitor

nonresponders with erectile dysfunction. J Sex Med. 2009 Sep;6(9):2561-2567. doi: 10.1111/j.1743-6109. 2009.01364.x. Epub 2009 Jul 16.

21. Pinsky MR, Chawla A, Hellstrom WJ. Intracavernosal therapy and vacuum devices to treat erectile dysfunction. Arch Esp Urol. 2010 Oct;63:717-725.
22. Moul JW, McLeod DG. Negative pressure devices in the explanted penile prosthesis population. J Urol. 1989 Sep;142:729-731.
23. Soderdahl DW, Petroski RA, Mode D, Schwartz BF, Thrasher JB. The use of an external vacuum device to augment a penile prosthesis. Tech Urol. 1997 Summer; 3:100-102.
24. Yurkanin JP, Dean R, Wessells H. Effect of incision and saphenous vein grafting for Peyronie's disease on penile length and sexual satisfaction. J Urol. 2001 Nov;166:1769-1772; discussion 1772-3.
25. Raina R, Agarwal A, Ausmundson S, Lakin M, Nandipati KC, Montague DK, Mansour D, Zippe CD. Early use of vacuum constriction device following radical prostatectomy facilitates early sexual activity and potentially earlier return of erectile function. Int J Impot Res. 2006 Jan-Feb;18:77-81.
26. Kohler TS, Pedro R, Hendlin K, Utz W, Ugarte R, Reddy P, Makhlouf A, Ryndin I, Canales BK, Weiland D, Nakib N, Ramani A, Anderson JK, Monga M.A pilot study on the early use of the vacuum erection device after radical retropubic prostatectomy. BJU Int. 2007 Oct;100:858-862.

CHAPTER 39

혈관계 수술적 치료

Vascular Surgery

■ 김세철

1923년 Leliche가 대동맥 분지부의 혈전성 폐쇄증후군으로 동맥성 발기부전을 처음 기술한 후 발기부전 치료를 위한 내장골동맥재건술이 여러 술식으로 개발되었다. 동맥성 발기부전 치료를 위한 음경혈관수술은 1973년 체코의 Michal이 하복벽동맥을 음경해면체에 직접 문합(Michal I 수술)한 것이 처음이나 이 술식은 곧 사라지고 하복벽동맥을 음경배부동맥에 문합하는 수술이 1970년대와 1980년대에 개발되었다. 그러나 이 후 20년 이상 경과하면서 더 이상의 새로운 수술수기의 발전은 없었으며 음경혈관재건술의 효과에 대해서도 아직 합의가 이루어지지 않은 상태이다.

발기부전치료를 위한 정맥수술도 똑같은 문제점을 갖고 있다. 정맥수술은 동맥수술보다 훨씬 더 일찍 시도되어 1953년 Lowsley가 1,000예 이상의 음경해면체각부 주름잡기(plication) 술기를 보고하였다. 그 후 약물발기에 의한 혈관성 발기부전의 연구가 가능하게 됨에 따라 1980년대에 정맥수술은 발기부전의 치료방법으로 다시 부각하게 되었으며, 단순히 심배부정맥의 결찰술에서부터 절제술, 음경해면체 각부주름잡기, 귀두부와 음경해면체 사이의 박리술(spongiolysis) 또는 이들 술기를 병행하는 수술에 이르기까지 다양한 수술법이 소개되었고 심배부정맥의 동맥화도 이용되었다. 같은 시기에 미세 코일, 경화제 또는 cyanocrylate를 이용한 색전술도 소개되었으며 단독으로 또는 관혈적 수술과 병행하여 시술되었다. 그러나 이 모든 술기가 시도된 후 15년 이상이 경과하여 수술결과를 평가할 수 있는 충분한 기간을 갖고 있지만 상반된 보고가 나오고 있으며, 대체적으로 실망스러운 결과를 보고하고 있다.

1. 음경 재혈관화 수술

Penile revascularization procedure

1) 환자선택

적절한 환자 선택은 수술 결과를 최대화하는데 열쇠가 된다. 젊은 남성으로 둔상에 의한 국소 내피세포기능장애를 일으킬 병력이 있고 혈관위험인자인 당뇨병, 고혈압, 고지혈증, 심한 흡연 및 미만성 해면체평활근질환이 있는 경우에는 적응에서 제외된다. 수술 전에 심리검사에서 이상이 없어야 하고, 남성호르몬결핍증, 갑상선질환, 고 또는 저 에스트로겐혈증, 고프로락틴혈증이 없어야 한다. 또 골반부 또는 회음부 둔상으로 손상 받을 위험이 있는 음부신경의 감각 배부신경지의 기능을 검사하기 위하여 시행하는 진동, 뜨겁고 찬 감각에 대한 감각검사에서 이상이 없어야 한다. 약물발기를 유도하여 색도플러초음파검사에서 정맥폐쇄성장애가 없어야 한다.

2) 수술방법

대동맥이나 내장골동맥 등 음경동맥의 근위부 폐쇄가 있는 경우에는 풍선확장술, 동맥내막절제술, 우회수술 등을 시행할 수 있다. 음경동맥의 폐쇄가 있을 경우 음경 재혈관화수술은 공여 동맥을 음경해면체에 직접 문합하는 것이 가장 간단한 방법이나 대부분의 환자에서 수술 후 조기에 고혈류성 지속발기증이 발생하며 장기적으로 음경해면체 내압이 생리적 수준 이상으로 올라가기 때문에 음경해면체조직의 섬유화가 발생한다. 공여동맥으로는 하복벽동맥이 가장 많이 이용되고 있으며, 최근에는 복부에 긴 피부절개를 피하기 위하여 복강경을 이용해 덜 침습적으로 하복벽동맥을 박리하고 있다.

하복벽동맥-음경해면체동맥 단측문합술도 보고되었으며 이론적으로는 가장 이상적인 수술법이나 음경해면체동맥이 너무 가늘어 문합부위에 혈전증이 발생하기 쉬우므로 장기적 관찰결과는 만족스럽지 못하다. 게다가 음경해면체동맥을 노출시키기 위해서 음경해면체를 박리해야 하므로 수술 후 음경해면체에 광범위한 섬유화가 발생하는 것도 문제점이다.

음경 재혈관화수술을 위해 현재 이용되고 있는 주된 수술적 접근법에는 ① 하복벽동맥-음경배부동맥 단단 또는 단측 문합술(Michal II 수술)(그림 39-1), ② 동정맥루설치술로 하복벽동맥-배부동맥 및 심배부정맥 문합술(Hauri 수술)(그림 39-2) 또는 하복벽동맥 및 배부동맥 - 심배부정맥 문합술(Lobelenz 수술)(그림 39-3), ③ 하복벽동맥-심배부정맥 문합술과 근위부 및/또는 원위부 정맥결찰술(Virag/Furlow-Knoll 수술)(그림 39-4)이 있다.

하복벽동맥-배부동맥 문합술은 발기동맥인 음경해면체동맥이 배부동맥의 분지이기 때문에 합리적인 수술법이라고 할 수 있다. Hauri 수술은 하복벽동맥-배부동맥 문합 혈관을 다시 심배부정맥에 문합함으로써 동정맥루를 만들어 동맥혈류 유입속도를 증가시켜 혈전증 발생을 최소화하도록 하였다. Lobelenz 수술은 Hauri 수술을 수정하여 하복벽동맥과 배부동

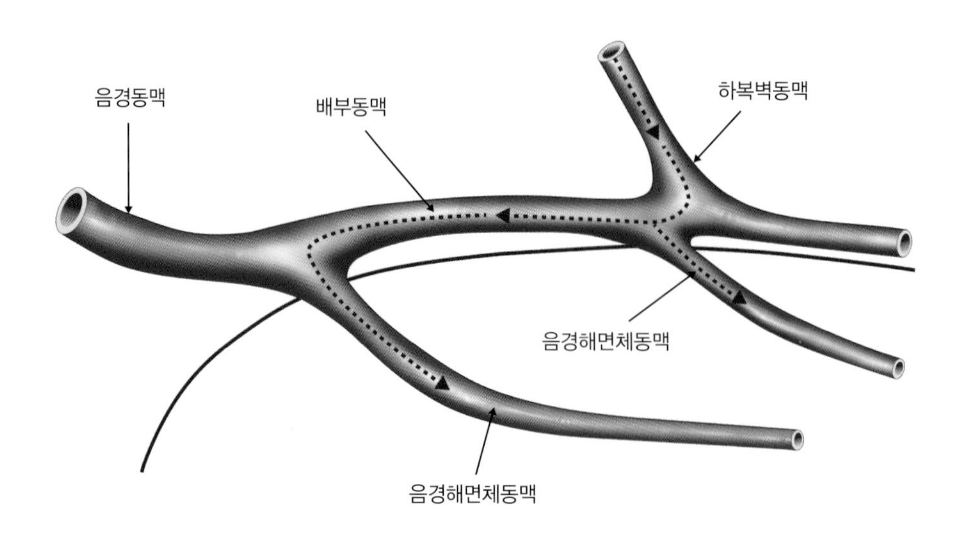

그림 39-1 Michal II 수술

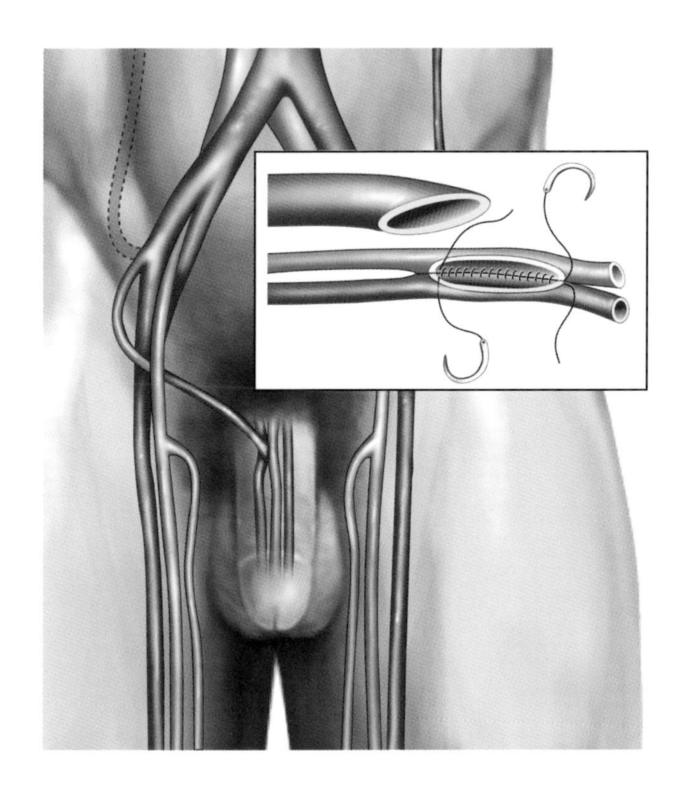

그림 39-2 Hauri 수술

맥의 원위단과 근위단을 각각 심배부정맥에 단측 문합하였다. 추적관찰에 의하면 문합부위의 개통률은 75% 이상이다.

심배부정맥의 동맥화는 1980년 Virag에 의해 처음 소개되었다. Virag는 이 후 여러 가지 수정된 술기(Virag I-VI수술)를 보고하였으며, 동맥화한 정맥의 원위부와 근위부를 결찰하거나(Virag V 수술) 정맥과 음경해면체 사이를 연결하는 창을 만들었다(Virag VI 수술). Virag 수술은 그 후 다른 연구자들에 의해 수정되어 정맥혈누출을 감소시키기 위해 회선 및 도출정맥을 결찰하거나 심배부정맥과 도출정맥을 통해 동맥혈이 음경해면체 내로 잘 역류해 들어가도록 정맥의 밸브를 파괴시켰다. 그러므로 이론적으로는 이 수술은 동맥성, 정맥성, 동정맥 혼합성 발기부전환자에게 적용할 수 있다. 그러나 아직까지 이 수술법으로 음경해면체 내로 동맥혈 유입이 증가하였다는 객관적 증거가 없다. 동물모델에서만 동맥화한 배부정맥을 음경해면체에 창을 만들어 연결시켰을 때 음경해면체 내압의 증가가 관찰되었다는 보고가 있다.

3) 수술 결과

수술결과에 영향하는 인자에는 하복벽동맥의 건강상태와 내강직경과 길이, 배부동맥의 건강상태와 내강직경, 하복벽동맥-배부동맥 문합부위의 상태와 내강직경, 환자의 연령(50세 미만)이 있다. Goldstein의 1,500례 수술경험에 의하면, 수술환자의 약 2/3는 수술 후 충분한 발기능 개선효과를 얻는다. 국제발기능지수 총점수가 평균 35.5에서 56.2로 증가했으며, 발기능점수는 14.8에서 23.8로 증가하였고, 환자의 73%는 발기능 점수가 21점 이상이었다. 또 환자의 87%는 다른 이에게 수술을 권유할 것이라고 했으며 89%는 수술 후 성기능이 개선되었다고 했다.

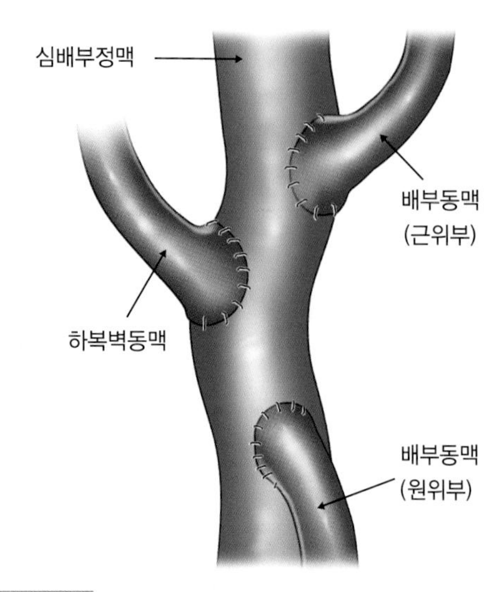

그림 39-3 Lobelenz 수술

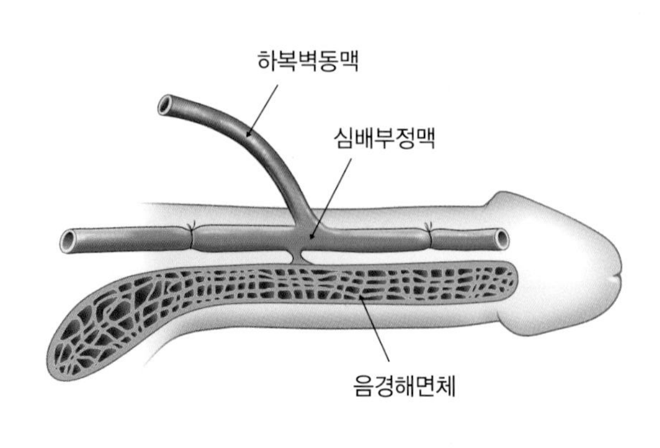

그림 39-4 Furlow-Fisher 수술

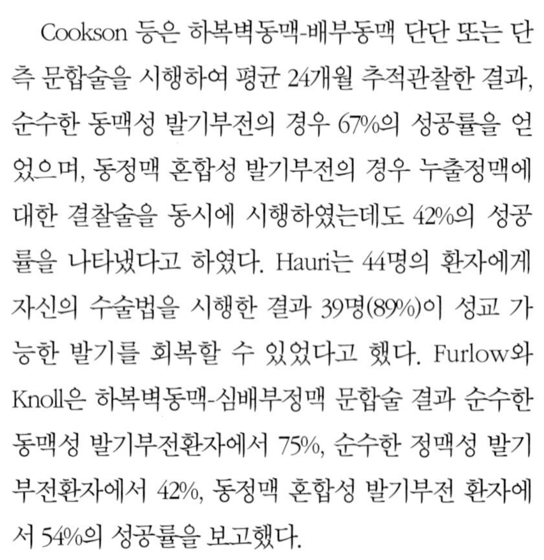

Cookson 등은 하복벽동맥-배부동맥 단단 또는 단측 문합술을 시행하여 평균 24개월 추적관찰한 결과, 순수한 동맥성 발기부전의 경우 67%의 성공률을 얻었으며, 동정맥 혼합성 발기부전의 경우 누출정맥에 대한 결찰술을 동시에 시행하였는데도 42%의 성공률을 나타냈다고 하였다. Hauri는 44명의 환자에게 자신의 수술법을 시행한 결과 39명(89%)이 성교 가능한 발기를 회복할 수 있었다고 했다. Furlow와 Knoll은 하복벽동맥-심배부정맥 문합술 결과 순수한 동맥성 발기부전환자에서 75%, 순수한 정맥성 발기부전환자에서 42%, 동정맥 혼합성 발기부전 환자에서 54%의 성공률을 보고했다.

Mulhall 등은 동맥우회수술을 시행한 환자 22명을 수술 후 6개월에 동맥조영술로 추적관찰하였다. 환자들은 하복벽동맥-심배부정맥 단측문합군(1군 6명), 하복벽동맥-배부동맥 문합하였으나 배부동맥과 음경해면체를 연결하는 교통동맥이 없는 군(2군 7명), 하복벽동맥-배부동맥 문합하였으며 배부동맥과 음경해면체를 연결하는 교통동맥이 있는 군(3군 9명)으로 분류되었다. 제1군은 66%에서 하복벽동맥-심배부정맥 문합부위에 확실한 소통이 관찰되었으나 조영제의 음경해면체내 유입은 한명에서도 관찰되지 않았다. 2군은 모두에서 문합부위가 잘 보이지 않거나 전혀 보이지 않았으며, 해면체로의 교통분지도 보이지 않았다. 3군은 문합부위의 확실한 소통과 음경해면체내 혈액유입도 관찰되었다. Mulhall 등은 이 연구결과에 근거하여 수술 전의 동맥조영상에서 동맥 폐쇄부위의 원위부에 배부동맥과 음경해면체를 교통하는 배부동맥 분지의 존재가 수술성공률에 중요한 열쇠가 되며, 적절한 수술환자를 선택하는 필요조건이 될 수 있고, 동맥 우회수술시 수용혈관으로 심배부정맥의 부적절함과 배부동맥과 해면체 사이에 교통분지가 없는 경우 우회수술의 부적절함을 보고하였다.

또 다른 보고에 의하면 34개 연구로부터 1,700명 이상의 증례를 재검토하였을 때 성공률은 33-100%(중앙값 72%)이었으며, 이들 중 7개 연구만이 객관적 추적 평가를 하였는데 결론은 엄격히 선택된 환자에서만 수술이 도움된다는 것이었다. 1990년부터 2003년까지 검색 가능한 음경재혈관화수술 관련 문헌 중 11개의 연구와 2004년에 보고된 1개의 문헌을 재검토한 결과 성공률은 27-94%까지 다양하게 나타났다(표 39-1). 그러나 수술 성공을 평가하기 위해서는 국제발기능지수 설문지가 가장 좋은데 1개의 연구에서만 이용되었고 다른 1개의 연구는 수술 후 발기능 평가에만 이용되었다.

이상과 같은 연구의 허점을 고려하면 음경 재혈관화수술의 적응증에 대한 명확한 결론을 내리기는 불가능하다. 만약 음경으로 가는 동맥혈류가 전신적 동맥경화성 질환으로 장애를 받는다면 음경해면체내 구조에도 유의한 이상이 있을 것이므로 음경 재혈관화수술은 적절치 못하다. 연령이 50세 이상이면서 흡연자이고 심한 음경해면체 정맥폐쇄부전이 있는 환자는 수술결과가 나쁜 것으로 보고되었다. 음경 재혈관화수술의 이상적인 대상자는 골반 또는 말안장손상 후 음경동맥의 국소적 폐쇄가 있지만 신경손상은 동반되지 않은 경우이다. 그러나 이 같이 엄격한 적응증에도 불구하고 다기관연구에 의하면 성공률은 22%로 매우 실망적이다.

4) 합병증

음경 재혈관화수술 후 합병증 발생률은 25%까지 보고되었다. 수술 후 첫 수주 동안에 성교, 자위행위, 기타 사고에 의한 문합부위의 손상파열로 제어할 수 없는 동맥출혈이 발생할 수 있다. 그러므로 수술 후 6주 동안은 자위행위를 포함하여 일체의 성행위를 삼가토록 한다. 그러나 정상적으로 일어나는 수면 중 발기를 소멸시키거나 일어나지 않도록 하는 노력은 필요 없다. 박리과정에서 배부신경손상으로 음경통증, 음경감각저하, 현수인대 또는 윤상인대의 손상으로 음경단축이 올 수 있다. 하복벽동맥을 음경 배부로 끌어내기 위해 서혜관을 지나치게 확장하면 탈장이 발생할 수도 있으며 25%까지 보고되었다. 심배부정맥 동맥화수술 시에는 귀두충혈이 8%로 가장 흔한 합병증이며 음경부종과 심한 음경통증이 동반될 수 있고 지속발기증도 보고되었으나 하복벽동맥-배부동맥문합술로 귀두충혈은 일어나지 않는다.

2. 정맥누출에 대한수술

Surgery for venous leak

음경해면체 정맥폐쇄부전은 음경해면체 평활근, 육주 또는 백막의 구조적 변화에서 비롯되며, 정맥혈 누출의 부위와 정도는 다양하고 음경해면체 백막을 따라 어느 부위에서도 발생할 수 있다. 정맥누출에 대한 수술에 앞서 색도플러 초음파검사법, 역동학적 음경해면체내압측정술 및 음경해면체조영술 등으로 정맥누출에 대한 진단과 누출부위의 확인이 필요하다. 음경정맥의 결찰이나 절제는 증상치료이며 원인 질환을 치료하는 것은 아니다. 정맥수술의 주된 실패 원인은 음경의 광범위한 곁정맥 배출경로 때문일 것이다.

1) 적응증

현재 정맥수술의 명확히 입증된 적응증은 없다. 정맥수술의 대상으로 고려해 볼 수 있는 적응증으로는 ① 색도플러 초음파검사법에서 동맥반응이 좋으며, ② 자가 주사와 진공물리기구가 비효과적이고, ③ 흡연자인 경우 금연을 약속하며, ④ 65세 이하이고, ⑤ 당뇨병, 동맥경화증 또는 다른 중요한 전신질환이 없는 환자이다. 그러나 ① 금연을 거부하는 담배골초, ② 심인성 또는 불안이 극심한 환자, ③ 심한 동맥부전과 전신성 동맥경화증이 있는 환자, ④ 섬유화, 경피증(scleroderma) 등의 음경발기조직에 질병이 있는 환자는 정맥수술의 금기증이 된다.

2) 수술방법

정맥누출에 대한 수술수기는 다양하다. 심배부정맥의 단순결찰술, 광범위한 심층배부정맥, 회선정맥 및 도출정맥의 결찰술 및/또는 해면체정맥의 결찰술, 음경해면체 각부결찰술, 심배부정맥의 동맥화, 귀두부-음경해면체 박리술, 색전술과 경화제를 이용한 정맥절제술 또는 폐쇄법 등이 있다. 그러나 여러 가지

표 39-1 음경 재혈관화수술의 성적

연구자	발표연도	환자수	수술방법	연령 (범위)	추적기간,개월 (범위)	%성공률(1)	% 성공률(2)	% 총 성공률
Kim	1990	11	F-F	27.8(18-33)	18(4-39)	45	n/a	n/a
Jarrow	1996	11	DA	DDVA (9)	n/a	50 (12-84)	64	28 92
Depalma	1997	12	DA	n/a	33 (12-48)	27	n/a	n/a
Depalma	1997	12	DDVA (F-F)	n/a	35 (12-84)	33	47	90
Lukkarinen	1997	24	V5 (6) Hauri (4) F-F (14)	n/a	n/a	46	33	79
Sarramon	1997	114 DDVA (70)	DA (44)	47.5(20-74)	17 (1-20)	48	15	63
Manning	1998	62	V (7) Hauri (55)	48(19-70)	41 (18-72)	34	20	54
Manning	1998	42	DDVA (Mannheim)	n/a	n/a	31	26	57
Kawanishi	2000	18	DA (1) Hauri (5) F-F 13	33 (18명>50세)	32 (4-80)	94	0	94
Sarramon	2001	38	DDVA (F-F)	52	61	25 (IIEF EF>26)	n/a	n/a
Vardi	2002	61	n/a	20-50	60 (24-120)	48	n/a	n/a
Kawanishi	2004	51	Hauri (26)	21-49 V5 (23)	36-60	n/a	/a	85.9 (3년) 65.5 (5년)

FF; Furlow-Fisher, DA; anastomosis of inferior epigastric artery to dorsal penile artery, DDVA; deep dorsal vein arterialization, V5; Virag 5, V; Virag, n/a; not available, IIEF EF; erectile function scores of International Index of Erectile Function

성공률(1); 보조치료 없는 성공률, 성공률(2); 보조치료 추가에 의한 성공률, 총 성공률; 성공률 (1) + 성공률 (2)

수술요법 중 만족스러운 결과를 보이는 방법은 아직까지 없는 상태이다. 게다가 많은 환자에서 동맥성 또는 심인성 요소가 함께 복합되어있다.

정맥색전술은 최소 침습적이라는 장점이 있으나 이 수술법의 적응증과 술기에 대한 합의는 이루어지지 않았다. 최근에는 복막외 복강경수술로 전립선 전면에 있는 심배부정맥 복합체에 접근하여 음경 배부 구조에 손상 없이 쉽게 봉합 결찰할 수 있다.

3) 수술결과

1994년 NIH가 문헌검색에서 12개월 이하 단기 추적 관찰한 30편의 연구에 근거하여 재검토한 바에 의하면 성공률은10-95%(중앙값 62.3%)로 매우 다양하다. 12개월 이상 장기 추적한 22편의 연구에서 성공률은 13-74%(중앙값41.4%)였다. 12편의 연구만이 장단기 결과를 비교하였는데 단기 성공률의 중앙값이 70%에서 장기 추적관찰결과 37.3%로 떨어졌다. 1997년과 1999년 사이에 1년 이상 추적한 6편의 연구에

표 39-2 정맥누출에 대한 결찰수술의 성적

연구자	발표연도	환자수	연령	수술방법	추적기간	평가방법	성공률
Schultheiss	1997	147	n/a	DDV 결찰	n/a	환자 보고, 설문지	11.2% 자연 발기
Al Assal	1988	325	18-62세	DDV, 비정상 정맥 및 CV, 음경해면체-요도해면체 shunt 결찰	1-13년	n/a	40세 미만; 76%, 40세 이상; 58% 치유
Lukkarinen	1988	21	n/a	DDV +/- CV 결찰	1년 이상	환자 보고	29% 양호, 52% ICI 반응
Basar	1998	26	n/a	정맥 결찰	25개월	n/a	6개월 15% 완전 발기, 23% 부분 발기
Sasso	1999	23	20-50세	SDDV, 회선, 도출 정맥 결찰	12개월, 장기	n/a	74%(12개월), 55%(장기) 자연 발기
Popken	1999	122	19-78세	SDDV, 회선정맥 결찰	70개월	설문지	14% 자연발기, 19% ICI 반응
Da Ros	2000	32	23-66세	광범위 결찰 (간혹 음경각 결찰)	36개월 이상	환자 보고	22% 자연발기
Cakan	2004	134	21-72세	광범위 결찰 (음경각 결찰 없음)	54개월	환자 보고	25.7% 자연 또는 PDE5I 보조 발기
Rahman	2005	11	22-39세	음경각 결찰	34개월	IIEF 점수	80% 주관적 성공 점수 (8.9-17.5점)

DDV; deep dorsal vein, SDDV; superficial and deep dorsal vein, CV; cavernous vein, ICI; intracavernous injection, IIEF; International Index of Erectile Function, PDE5I; phosphodiesterase type 5 inhibitor, n/a; not available

의하면 성공률은 11.2-74%였다(표 39-2). 정맥수술의 적응증으로 경도 내지 중등도의 정맥폐쇄부전을 가진 젊고 담배를 피우지 않는 환자만을 대상으로 하였을 때 1년 이상 추적관찰 한 성공률은 50% 미만이었다. 심지어 광범위한 결찰과 절제술을 시행한 경우에도 장기 추적결과 성공률은 똑같이 떨어졌다. 이상과 같이 정맥수술에 대한 부정적 증거가 너무나 강하기 때문에 탁월한 장기 결과를 보고한 연구에 대해서도 조심스럽게 해석하여야 한다.

2003년 제 2차 International Consultation on Erectile Dysfunction에서는 진단적 기준과 적응증, 수술방법, 추적기간, 결과분석방법의 다양성 때문에 일련의 연구결과를 비교하는 것은 불가능하다고 결론지었으며, 2005년 미국비뇨기과학회는 음경의 정맥혈 배출을 제한하기 위한 목적의 수술은 추천되지 않는다고 하였다. 이상과 같이 정맥수술은 장기적 결과가 실망스럽기 때문에 더 이상 권장되지 않고 있지만 선천성 또는 외상성 음경해면체 각부 누출이 있는 젊은 환자에서는 보다 양호한 장기 결과를 기대할 수 있다.

정맥색전술은 단기 추적관찰 결과에 의하면 성공률이 26-73%로 관혈적 수술과 같다. 복강경을 이용한 심배부정맥 복합체의 봉합 결찰술의 장기 추적결과는 아직 알 수 없으나 국제발기능지수를 이용한 조기 추적관찰 결과에 의하면 소수 환자군에서 희망적이었다.

배부동맥을 이용한 정맥의 동맥화수술 후 추적 관찰한 2개의 연구(Sarramon, Kayigil)에서 성공률은 각각 55%, 75%였는데 전자의 경우 수술 후에만 55%의 환자에서 국제발기능지수를 이용하여 평가하였으며 수술 전에는 이용하지 않아 비교평가가 불가능 하며,

후자의 경우 18%의 환자에서만 술 후 평가가 있었으므로 결과의 해석에 주의하여야 한다.

1987년 Gilbert와 Stief는 음경해면체-귀두박리술(spongiosolysis)를 시행한 5명 중 4명이 혈관작용제 주사로 발기가 가능하였다고 보고했으며, 1989년 Treiber와 Gilbert는 11명중 4명만이 자연발기 가능했고 5명은 자가주사치료로 발기가 가능하였다고 보고하였다.

4) 합병증

최근 보고에 의하면 합병증 발생률은 23.9%이며, 음경부종, 음경과 음낭의 자반증, 음경 만곡 또는 단축, 피부괴사, 통증을 동반하는 발기, 귀두소실, 음경의 감각감퇴 또는 감각과민 등 매우 심각한 합병증도 보고되었다. 음경의 감각감퇴는 특히 귀두부에 흔한데 대개 수술 후 3개월 내에 자연 회복된다. 술 후 약 20%에서 음경 기저부의 반흔으로 음경길이의 단축이 올 수 있다.

3. 요약

음경 재혈관화수술의 이상적인 대상자는 손상으로 인한 음경동맥의 국소적 폐쇄가 있지만 신경손상은 동반되지 않은 젊은 환자이다. 음경 재혈관화수술은 엄격히 선택된 환자를 대상으로 숙련된 외과의가 시술하더라도 결과가 다양하고 예측 불가능하다.

정맥누출에 대한 수술은 명확히 입증된 적응증이 없으며 장기적 결과가 실망스럽기 때문에 더 이상 권장되지 않고 있지만 젊고 건강한 외상성 또는 선천성 정맥폐쇄부전과 같은 특수한 경우에 도움이 될지 모른다.

참고문헌

1. 백재승, 이규성, 김시황. 회음부 정맥누출로 인한 정맥성 발기부전에서의 음경해면체 각부결찰술. 대한비뇨기과학회지 1990;31:561-566.
2. 오승환, 김세철, 혈관장애성 발기부전증에 대한 혈관재건술의 경험. 대한비뇨기과학회지 1987;28:294-302.
3. Barada JH. The changing role of impotence surgery. J Urol 1993;149 (Suppl 1):99A.
4. Floth A, Paick JS, Suh JK, Lue TF. Hemodynamics of revascularization of the corpora cavernosa in animal model, Urol Res 1991;19:281-284.
5. Dicks B, Bastuda M, Goldstein I. Penile revascularization-contemporary update. Asian J Androl 2013;15:5-9.
6. Hauri D. A new operative technique in vasculogenic erectile impotence. World J Urol 1986;4:237-249.
7. Furlow WL, Knoll LD. Arteriogenic impotence: diagnosis and management (deep dorsal vein arterialization). Problems in Urol 1991;5:577-593.
8. Goldstein 1. Arterial revascularization procedures. Semin Urol 1986;4:252-258.
9. Goldstein 1, Hatzichristou DG, Pescatori ES. Pelvic, perineal, and penile trauma associated arteriogenic impotence: pathophysiologic mechanisms and the role of microvascular arterial bypass surgery In: Bennett AH, editor, Impotence: Diagnosis and Management of Erectile Dysfunction, 1st ed, Philadelphia: W.B. Saunders; 1994;213-228.
10. Kawanishi Y, Kimura K, Nakanishi R, Kojima K, Numata A. Penile revascularization surgery for arteriogenic erectile dysfunction, The long-term efficacy rate calculated by survival analysis. BJU Int 2004;94:361-368.
11. Kayigil 0, Ahmed SJ, Metin A. Deep dorsal vein arterialization in pure cavernoocclusive dysfunction. Eur Urol 2000;37:345-349.
12. Lewis RW. Venous surgery for impotence. Urol Clin North Am 1998;15:115-121.
13. Lobelenz M, Juenemann KP, Kohrmann LU, Seemann 0, Rassweiler J, Tschada R, et al. Revascularization in nonresponders to intracavernous injections using a modified surgical technique. Eur Urol 1992;21:120-125.

14. Lowsley OS, Rudea EA. Further experience of an operation for the cure of certain types of impotence. J Int Coll Surg 1953;19:69-77.
15. Lue TF. Surgery for crural venous leakage. Urology 1999;54:739-741.
16. Michal V, Kramar R, Popischal J, Hejhal L. Direct arterial anastomosis on corporal cavernosa penis in the therapy of erective impotence. Rozhl Chir 1973;52:587-590.
17. Montague DK, Barada JH, Belker AM, Levine LA, Nadig PW, Roehrborn CG, et al. Clinical guidelines panel on erectile dysfunction: summary report on the treatment of organic erectile dysfunction. J Urol 1996;156:2007-2011.
18. Montague DG, Jarrow JP, Broderick GA, Dmocowski RR, Heaton PW, Lue TF, et al. The management of erectile dysfunction: An AUA update. J Urol 2005;174:230-239.
19. Mulcahy JJ. Implants, mechanical devices and vascular surgery for erectile dysfunction, In: Lue TF, Basson R, Rosen R, Giuliano F, Khoury S, Montorsi F, ed itors, Sexual Medicine: Sexual Dysfunction in Men and Women, Paris: 2nd International Consultation on Sexual Dysfunctions; 2004;469-498.
20. Mulhall J, LaSalle MD, Goldstein 1, Microvascular arterial bypass surgery for arteriogenic erectile dysfunction. In: Carson C, Kirby R, Goldstein 1, editors. Textbook of Erectile Dysfunction. 1st ed Oxford: ISIS Medical Media; 1999;393-412.
21. Oh CH, Moon YT, Kim SC. Experience with deep dorsal vein arterialization: Furlow-Fisher modification in 11 patients. Int J Impot Res 1990;2(suppl 1):229-234.
22. Sarramon JP, Malavaud B, Braud F, Bertrand N, Vaessen C, Rischmann P. Evaluation of male sexual function by the International Index of Erectile Ffunction after deep dorsal vein arterialization of the penis. J Urol 2001;66:576-580.
23. Scheplev P, Kadirow Z, Aliev A. Extraperitoneal laparoscopic ligation of veins of periprostatic venous plexus for veno-occlusive erectile dysfunction. J Sex Med 2006;P-07-347(suppl 1):112(abstract).
24. Schultheiss 0, Truss MC, Becker AJ, Stiel CG, Jonas U. Long term results following dorsal penile vein ligation in 126 patients with veno-occlusive dysfunction. Int J Impot Res 1997;9:205-209.
25. Sohn M. Current status of penile revascularization for the treatment of male erectile dysfunction. J Androl 1994;15:183-186.
26. Sohn M. Surgical Treatment of Erectile Dysfunction. In: Porst H, Buvat J, Standard Committee of the International Society for Sexual Medicine, editors. Standard Practice in Sexual Medicine. Oxford: Blackwell; 2006;126-135.
27. Stiel CG, Djamilian M, Truss MC, Tan H, Thon WP, Jonas U. Prognostic factors for the postoperative outcome of penile venous surgery for venogenic erectile dysfunction. J Urol 1994;151:880-883.
28. Virag R, Zwang G, Dermange H, Legman M. Vasculogenic impotence: a review of 92 cases with 54 surgical operations. Vasc Surg 1981;15:9-17.
29. Wespes E, Wildschutz T, Roumeguere T, Schulman CC. The place of surgery for vascular impotence in the third Millennium. J Urol 2003;170:1284-1286.

CHAPTER 40

음경보형물삽입술

Penile Prosthesis Implantation

■ 최형기

음경보형물삽입술의 기본 아이디어는 포유류인 고래, 개, 곰 등의 음경 안에 뼈가 있다는 것에서 시작되었다. 1936년 Bogoras는 발기부전 환자의 음경에 늑골을 삽입하였으나 곧 녹아버렸으며, 첫 인공보형물 삽입은 1952년 Scardino에 의해 시도되었고, 1966년 Beheri에 의해서 700례의 폴리에틸렌 보형물을 음경해면체 내에 삽입한 내용이 보고되었다.

1973년 Scott 등이 실린더와, 펌프, 저장고가 있는 세 조각의 실리콘 팽창형 보형물을 개발하여 자연스러운 모양을 만들어 내면서부터 보형물삽입술이 활발해지기 시작하였다. 그러나 초기에 개발된 세조각 팽창형은 수술 술기가 어렵고 많은 합병증으로 재수술을 해야하는 경우가 많았고, 이후 이를 개선한 여러 종류의 보형물이 개발되었다. 1998년 경구용 type 5 phosphodiesterase (PDE5) 억제제인 sildenafil의 등장 이전에 음경보형물의 연간 판매량은 전 세계적으로 30,000 여개에 달했지만, sildenafil 등장 후 2년 이내에 약 절반으로 감소하였다. 음경보형물삽입술의 역사가 길어지면서 점차 기계 고장 등으로 교정수술을 하는 경우가 늘어나고 있는 추세이다. 그러나 경구용 PDE5 억제제의 개발에도 불구하고 점차 이들 경구용 약물에 반응을 보이지 않는 환자들이 점점 늘어나고 있으며, 최근 음경보형물 판매량은 sildenafil 개발 전보다 더 많다. 경구용 PDE5 억제제에 반응을 보이지 않는 환자들에게는 진공흡인기, 음경해 면체 내 약물주사요법, 요도 내 약물주입요법 등의 2차 치료법을 시도해 볼 수 있다. 하지만 모든 치료법에 반응을 보이지 않거나 환자가 이들 2차 치료법을 거부하는 경우에는 음경보형물삽입술을 시행할 수 있다.

1. 음경보형물의 종류

팽창형과 비팽창형의 두 종류로 크게 대별되며, 세 조각 팽창형은 생리적인 발기와 같이 발기와 이완을 마음대로 조절할 수 있어 질적인 면에서는 가장 좋으나 기계적 고장 시에는 재수술이 필요하다. 비팽창형은 기계적 고장은 거의 없고 경제적 부담이 적으나 영구 발기상태로 길이와 둘레가 더 늘어나지 않는 고정된 상태라는 단점이 있다. 최근 여러 종류의 보형물들이 개발되어 시판 되고 있다(표 40-1).

1) 반경식(semirigid) 비팽창형 보형물

Small과 Carrion이 반경식 보형물을 보고한 이래,

표 40-1 각종 음경 보형물 (제조회사명)

1. 비팽창형	
반경식:	Small-Carrion (Mentor)
	Flexi-Rod II (Surgitek)
굴곡형:	Mentor Malleable (Mentor)
	Acu-Form (Mentor)
	AMS Malleable 600/650 (AMS)
	Jonas (Bard)
	Genesis Malleable (Coloplast)
관절형:	Omniphase (Dacomed)
	Duraphase (Dacomed)
	AMS Dura II (AMS)
2. 팽창형	
한 조각:	Dynaflex (AMS)
	Flexi-Flate II (Surgitek)
두 조각:	GFS Mark II (Mentor)
	Uni-Flate 1000 (Surgitek)
	AMS Ambicor (AMS)
세 조각:	AMS 700CX* (AMS)
	AMS 700CXR* (AMS)
	AMS 700LGX** (AMS)
	Alpha I (Mentor)
	Titan*** (Coloplast)
	Titan narrow base*** (Coloplast)

*과거 CXM 실린더
**과거 Ultrex 실린더
***이전에는 Mentor 사에서 생산

고 장은 없으나 은폐문제의 단점을 보완하기 위해 Finny는 Flexy-Rod를 고안하여 관절(hinge) 같은 작용으로 구부러질 수 있게 보완하였다. Jonas도 실리콘 보형물 내에 은코일을 넣어서 마음대로 구부렸다 펼 수 있도록 편리하게 고안된 굴곡형 보형물을 만들어냈다. 미국의 AMS 사에서는 실리콘 내에 스테인레스 강철선을 넣어 마음대로 구부릴 수 있는 굴곡형 AMS 600을 만들어냈으며, 이후 강직도를 개선한 AMS 650을 개발하였다. Mentor 사에서는 개선된 기능의 굴곡형으로 Acu-form을 만들어냈고(그림 40-1), Coloplast 사에서도 최근 굴곡형인 Genesis를 개발하였다. Dacomed 사에서는 구부렸다 폈다 할 수 있는 관절형 보형물인 Omniphase와 Duraphase를 개발하였고, AMS 사에서도 관절형 보형물인 AMS Dura II를 소개하였다. Omniphase의 체부에는 볼과 소켓 모양으로 서로 연결된 부위가 있고, 스프링 케이블이 있어 구부리면 이완되고 음경을 90도 이상 꺾으면 스위치가 작동이 되어 강직도를 얻게 된다(그림 40-2). 하지만 이들 비팽창형 보형물은 팽창형 보형물과 비교해서 길이와 두께가 늘어나지 않고, 실린더가 너무 딱딱한 느낌이 들며, 수술 시 음경백막의 절개가 상대적으로 길다는 단점이 있는 반면, 기계적 고장은 적다는 장점이 있다.

2) 팽창형 보형물

Scott의 팽창형에서 시작된 세조각형이 복잡한 구

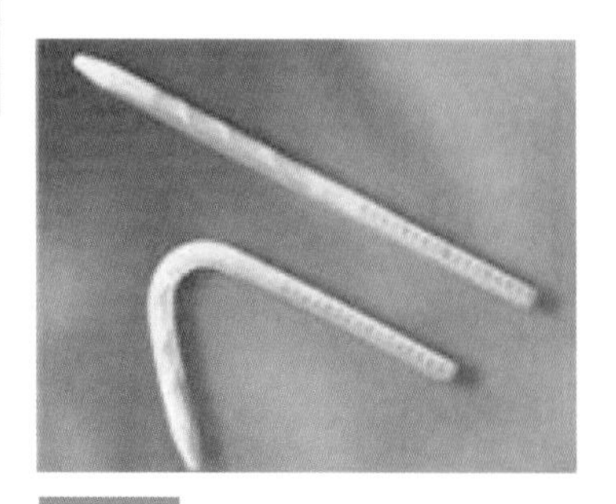

그림 40-1

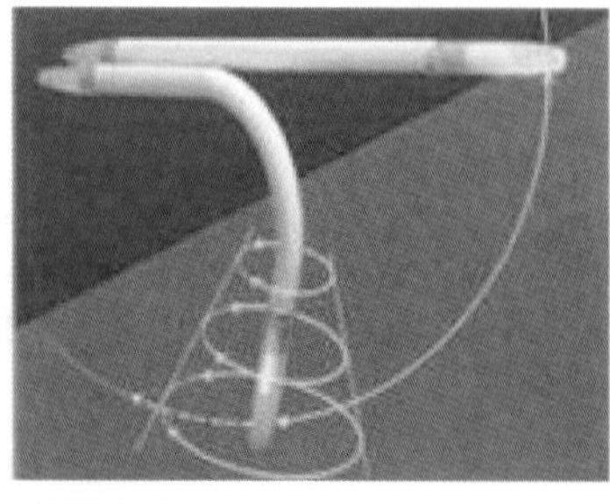

그림 40-2

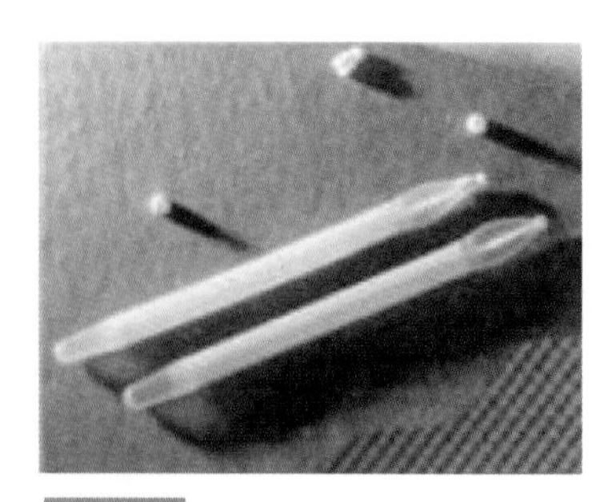

그림 40-3

조를 가지고 연결을 요하며 수술이 어렵고 고장이 많아 이러한 단점을 보완하려는 노력으로 자가 팽창형(한조각 팽창형) 및 두조각 팽창형 보형물이 개발되었다.

(1) 한조각 팽창형 보형물

세조각 팽창형 보형물의 단점인 복잡함과 수술 기법의 어려움 등으로 한 조각의 간편한 Rod 내에 팽창형의 기능을 가진 보형물을 고안해서 1985 년 Hydroflex가 처음 소개됐으나 곧 Dynaflex로 개량되었다. Dynaflex 는 귀두부 위쪽에 펌프가 있어 몇 번 누르면 발기가 유발되고 중간 부위를 꺾고 얼마 동안 있으면 이완된다(그림 40-3). 자가 팽창형은 실린더 내에 적은 양의 액체를 통해 작동되므로 발기강직도 및 이완시 모양에 있어서 세 조각 팽창형보다는 만족도가 떨어질 수 있다. 그러나 수술이 간편하고 이완시 모양이 굴곡형보다는 양호하다. 자연스러운 이완을 위해서는 최대 해면체 길이보다 조금 적은 실린더를 선택하는 것이 바람직하다.

(2) 두조각 팽창형 보형물

간편한 팽창형으로 펌프와 저장고가 같이 있는 두조 각의 보형물로서 Surgitek 사의 Uniflate 1000와 Mentor 사의 GFS Mark II가 있으며 AMS 사의 Ambicor도 시술 되고있다(그림 40-4). 세조각 팽창형 만큼 발기와 이완이 자연스럽지는 못하나 저장고를 따로 넣지 않아도 된다는 점이 세조각 팽창형보다 편리하다. 특히, 골반 내 방사선 치료, 손상, 수술 등으로 저장고를 넣기가 어려울 것으로 예상될 때는 두조각 팽창형이 적합하다. 이들은 액체가 채워진 상태이므로 추가적인 튜브연결이 필요하지 않기 때문에 수술 시간이 단축되고 술기가 간편 한 장점이 있다. Ambicor는 보형물 직경이 11, 13, 15mm의 종류가 있어서 음경의 크기가 큰 경우에 적합하다.

(3) 세조각 팽창형 보형물

미국 AMS 사의 Scott 세조각 팽창형 음경보형물이 가장 오랜 역사를 갖고 있으며 Mentor 사의 세조각 팽창형도 경쟁적으로 개발되고 있다. AMS 사와 Mentor 사의 제품은 세조각 팽창형인 점에서는 거의 비슷한 기능을 가지며, AMS 제품은 실리콘 재질이고 Mentor 제품은 polyurethane 재질인 것이 가상 큰 차이점이다. AMS 700CX는 내측은 실리콘, 중간층은 팽창되는 woven fabric이고, 외측은 다시 실리콘으로 구성되어있다. 중간의 woven fabric 지지로 수액 누출 및 맥류성 확장(aneurysmal dilatation)이 적도록 고안되었다. Mentor 제품은 bioflex polyurethane 재질로서 팽창력이 좋고 질기며, 맥류성 확장이 없으므로 실린더 마모에 의한 수액 누출이 적다고 보고되었다. 하지만 실리콘보다는 부드럽지 못하여 음경에서 보형물이 쉽게 만져질 수 있다는 단점이 있다. 이후에는 새로 개량된 제품으로 내성이 좋고 lock-out valve

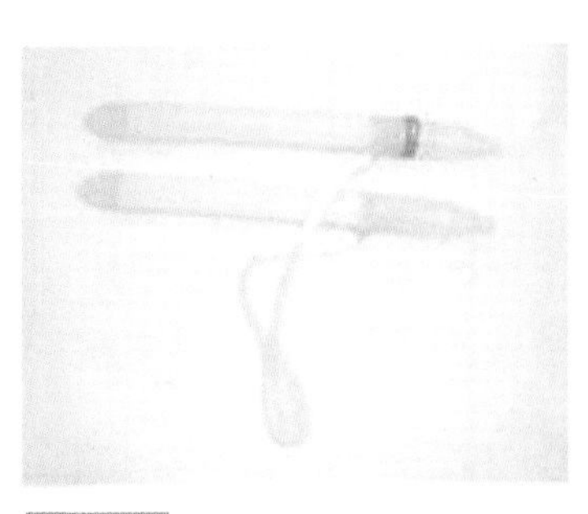
그림 40-4

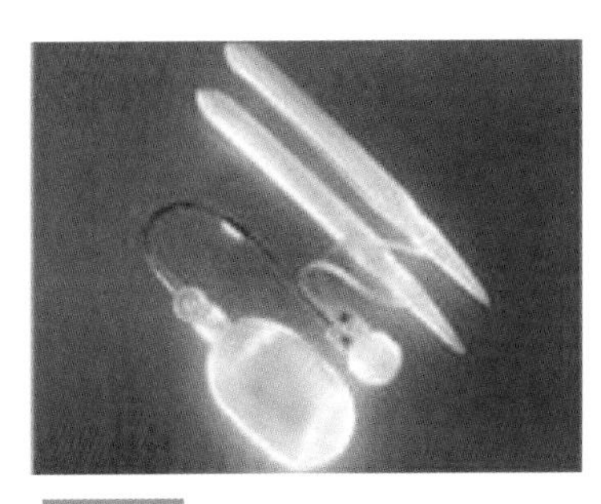
그림 40-5

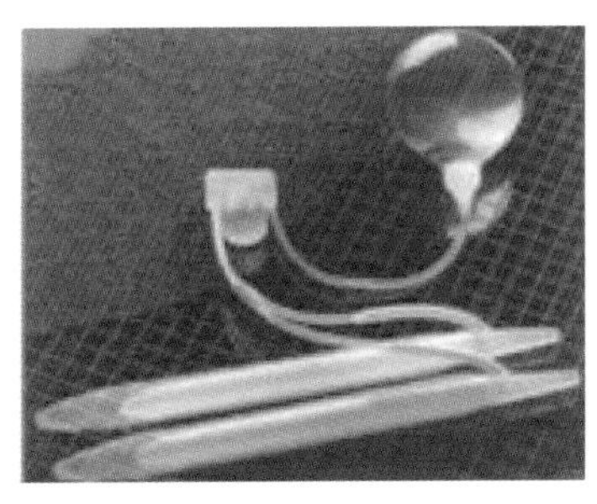
그림 40-6

가 있어 자가팽창(auto-inflation)을 방지한 Titan이 등장하였다(그림 40-5). AMS 700LGX (Ultrex)는 팽창 시 음경 굵기 및 길이가 모두 늘어나는 제품으로 이론적으로 가장 이상적인 보형물로서(그림 40-6), 저장고의 용적이 100 ml 이다. 실린더는 12, 15, 18, 21 cm 등이 있으며, 길이를 더 늘일 수 있어 12-27 cm 까지의 시술이 가능하며 팽창 시에 실린더의 길이가 1- 4 cm 까지 늘어난다. 그러나 AMS 700LGX (Ultrex)는 한 국인에게는 너무 커서 삽입이 어려울 수가 있고, 팽창의 효과가 그리 크지 않아 음경의 크기가 매우 큰 경우 이 외에는 적용범위가 넓지 않다. AMS 700CXR (700CXM)은 동양인의 음경 크기에 맞게 고안된 것으로서, 비교적 탄력과 확장성이 좋아 우리나라에서 많이 사용되고 있다. AMS 700CXR (700CXM)은 실린더 직경이 9.5 mm 이지만 14 mm 까지도 팽창이 가능하고, 저장고는 50 ml이고 펌프가 작아 은폐가 용이한 장점이 있다. AMS 700CXR (700CXM) 실린더 길이는 12, 14, 16, 18 cm의 종류가 있고, 1 cm 및 2 cm의 연결 tip 들이 있어 길이를 더 늘일 수 있다.

각각의 보형물들은 서로 장단점들이 있으므로 각 환자에게 적합한 것, 환자의 희망사항, 경제적 문제, 음경의 해부학적 구조 및 일차 또는 이차 수술 여부, 펌프를 작동할 수 있는 손 사용의 문제 등을 고려하여 결정하여야 한다. 수술 전에 환자 및 배우자와 충분한 상의 후 선택하여야 수술에 대한 만족감을 높일 수 있다. 일반적으로 경제적으로 어려운 경우, 손을 움직이기 어려운 뇌졸중 환자, 해면체 섬유화가 심해서 확장이 어려운 경우, 관리를 잘하기 어려운 환자 등에서는 굴곡형 보형물을 적용하는 것이 바람직하다고 할 수 있다. 경제적 부담 없이 자연스럽고 질적으로 가장 좋은 것을 원할 때는 세 조각 팽창형을 사용한다.

2. 음경보형물삽입술의 적응증

음경보형물삽입술은 다양한 원인으로 인한 기질성 발기부전의 치료에 적용될 수 있다. 음경보형물삽입술은 덜 침습적인 치료법들, 즉 경구용 PDE5 억제제, 진공 흡인기, 요도 내 약물주입요법, 음경해면체 내 주사요법 등에 반응을 하지 않거나 이들 치료법을 사용할 수 없는 경우에 있어서 마지막 치료법으로 선택되어져야 한다. 발기부전이 상황-의존적(situational)이거나 성 상대와의 갈등, 또는 그 원인이 가역적인 경우에는 시도되어서는 안 된다. 이러한 환자 및 그 배우자에는 정신과적 상담이나 성치료가 더 적합하다.

3. 음경보형물삽입술 수술 승낙서

보형물 삽입 수술을 받으려는 환자들과는 사전에 충분한 설명을 통한 이해가 필요하다. 특히 다른 치료방법들에 대한 충분한 설명할 하여야 한다. 수술에 대한 잘못된 과잉기대로 나중에 불평을 하거나 분쟁을 피하기 위해 다음과 같은 점에 대해 설명을 해주어야 한다.

1) 수술을 받은 후에는 평생 이러한 보형물에 의존해 야만 성생활이 가능하며, 음경보형물을 제거하면 음경 발기는 일어나지 않는다.
2) 사정이나 쾌감은 현재의 능력 그대로 유지될 수 있다. 하지만 음경감각의 저하가 있을 수 있고, 극치감(orgasm)에 도달하기까지의 시간이 수술 전보다 좀 더 오래 걸릴 수도 있다.
3) 음경해면체는 제거하는 것이 아니며 그대로 둔 상태에서 보형물만 삽입된다.
4) 음경해면체 내에 보형물을 삽입하며 요도해면체는 그대로이므로 귀두부위는 단단해지지 않는다.
5) 수술 후 음경길이가 약 1cm 정도 약간 짧아질 수 있고, 음경직경도 감소되는 경우가 있다.

6) 음경의 만곡(curvature), 함몰 등, 음경의 모양이 변 할수 있다.
7) 기계고장의 경우 재수술이 필요하다.
8) 감염의 경우 재수술이 필요하다.
9) 미란(erosion) 및 실린더 돌출(extrusion)의 경우 재수술이 필요하다.
10) 수술 후 통증이 다양한 강도로 나타날 수 있다.
11) 출혈이나 혈종이 생길 수 있다.
12) 펌프 작동의 어려움이 있을 수도 있고, 펌프 위치를 조정하는 수술이 필요한 경우도 있다.
13) 현재 자력으로 삽입이 가능한 사람은 적응 대상 되지 않는다.
14) 성상대자의 동의서가 필요하다.

표 40-2 흔한 감염균들

- Staphylococcus epidermis
- Proteus mirabilis
- Pseudomonas aeruginosa
- Group D Streptococcus
- Corynebacterium parvulum
- Escherichia coli
- Serrtia marcescens
- Morganella
- Staphylococcus aureus
- Providentia
- Klebsiella
- Pseudomonas nonaeruginosa
- Enterobacter
- Propriobacter

4. 수술 전 처치

음경보형물 감염이 가장 심각한 합병증이기 때문에 감염예방은 무엇보다도 중요하다. 최근 항균기능을 갖춘 여러 보형물이 개발되었지만, 각별한 술 전 처치가 필요하다. 요로감염이나 수술부위의 피부감염이 있는 환자의 경우는 수술을 연기하여야 한다. 특히 신경인성 방광 환자의 경우는 요로감염 여부를 철저하게 조사하여야 하며, 요로감염이 있는 경우에는 수술 전 미리 항생제를 복용해서 반드시 요로감염이 없어진 후에 수술을 진행한다. 당뇨 환자의 경우 혈중 hemoglobin A1C 치가 높을수록 음경보형물 감염의 위험성이 증가하기 때문에 술 전 철저한 혈당 조절이 필요하다.

감염 예방을 위하여 수술 전날 깨끗이 목욕시키고, 베타딘으로 수술 부위를 소독해둔다. 수술 전날에 수술 부위의 면도를 하는 경우 작은 피부상처를 통해서 세균증식이 일어날 수 있기 때문에 면도는 반드시 수술 당일 수술실에서 하도록 한다. 절개부위 조직 내에 적절한 항균 제 농도를 유지하기 위해서 수술 1시간 전에 광범위 예 방적 항생제를 투여한다. 주로 가장 흔한 감염균이 그람 양성 Staphylococcus epidermidis 이므로 vancomycin을 주로 사용하고 그 외 gentamycin 등의 aminoglycosides 를 사용한다(표 40-2).

감염예방을 위해서 술 장에서 지켜야 할 사항은 다음과 같다.

1) 안면 마스크와 일회용 가운을 착용한다.
2) 수술 장 안과 밖으로의 이동을 최소화한다.
3) 장갑을 두겹으로 착용하고, 바깥 쪽 장갑은 자주 교환한다.
4) 환기시스템이 양압(positive pressure)과 laminar flow가 되게 한다.
5) 환자는 따뜻하게 해주되 수술실 내부의 대기 공기 온도는 낮게 유지한다.

5. 수술 방법

수술 방법에 여러 종류가 있으며 각 술자에 따라

자기의 취향과 경험에 따라 익숙한 방법으로 접근 한다. 모든 보형물 수술은 전신 마취 또는 척수 마취로 하는 게 좋으나 굴곡형 또는 한조각 팽창형은 음부신경 차단과 국소 마취 하에서도 가능하다. 음경 음낭 접합 부위(penoscrotal)로 접근 하는 수술 방법이 보편적으로 많이 사용되나 술자에 선택에 따라 치골 밑 부위(infrapubic)로 접근하는 수도 있다. 각각의 접근 방법에 따른 편리성은 아래와 같다.

- Infrapubic: 세조각 팽창형 수술시 유리함
- Penoscrotal: 세조각 팽창형에 가능함
- Mid penile shaft: 해면체섬유화 또는 재수술 시
- Subcoronal: 굴곡형 보형물 수술시
- Perineal: 재수술 및 음경각(crura) 확인이 필요할 때 Small과 Carrion은 처음에는 회음부 절개로 접근했는 데, 향후 이 방법은 소독 및 상처치료에 불편함이 있어서 점차 이용되지 않고 있다. 음경보형물 수술에서 가장 중요한 점은 귀두 아래의 음경해면체까지 정확하게 확장을 하고 보형물을 삽입하는 것이다. 따라서 회음부 절개는 음경해면체 확장 시 음경각(crura)이 천공되었을 경우를 제외하고는 하지 않는 것이 좋다. Jonas는 subcoronal 절개로 귀두 아래 부위까지 정확하게 보형물 사이즈를 맞추어서 삽입하는 방법을 사용하였다. 하지만 이 방법은 절개가 너무 귀두 부위에 가까워 신경손상 가능성이 있고, 상처치유가 상대적으로 어렵고, 재수술 시에 접근이 어렵다는 단점이 있다. 일반적으로 midshaft 및 subcoronal 절개로 굴곡형을 삽입하고, 세 조각형 보형물은 penoscrotal 절개로 실린더, 펌프, 저장 고를 한 절개선으로 삽입 가능하다. 하지만 penoscrotal 접근법은 경험이 많지 않은 경우, 저장고를 외서혜륜을 통해서 방광주위로 삽입하는데 상당한 어려움을 경험할 수 있어서 infrapubic 절개를 선호하는 술자들도 많다. 그러나 조금 익숙해지면 쉽게 외서혜륜을 통해 손가락으로 안전하게 방광 앞 골반강 내로 들어갈 수 있게되고, 여기에 저장고를 넣는다. 해면체 확장은 보통 9- 10의 헤가 확장기 정도만으로도 직경 9.5 mm의 AMS 700CXR(700CXM)을 충분히 삽입할 수 있다. 술 중 보통 항생제액(생리식염수에 bacitracin 50,000 unit와 kanamycin 1 gm)을 상처에 관류시킨다. 해면체 확장 도중에 생길 수 있는 문제들로서는 음경해면체 중간벽을 통과해서 반대측 해면체로 들어가는 경우, 백막 천공, 요도손상 등이 있다. 요도천공 시에는 요로 전환을 시키고 3개월 후로 수술을 미루는 게 좋다. 경구용 PDE5 억제 제가 개발된 이후에도 자가주사요법이 꾸준히 시행되고 있으므로, 오랜 기간 동안 주사요법을 시행받았던 환자들은 해면체섬유화로 확장이 어려울 수가 있으므로 미리 조심스럽게 대비하여야 한다. 특히, 음경지속발기 증이 발생했던 환자들은 더욱 더 이러한 문제들이 생길 수 있으므로 주의를 요한다. 따라서 수술 전 이러한 병력들이 있는지 여부를 잘 물어보아야 한다.

1) 굴곡형 보형물

해면체 길이를 정확히 측정해서 너무 길어서 통증을 유발하거나 미란이 생기지 않도록 해야 한다. 또한 너무 길이가 짧아서 콩코드 모양의 SST 기형이 생기지 않도록 한다. 최대 발기상태보다는 약 1 cm 정도 적은 크기가 구부리기도 쉽고 통증 및 미란도 적다.

2) 한조각 팽창형 보형물

굴곡형과 마찬가지로 보형물 크기가 최대 발기상태 보다 약 1 cm 정도 적은 것이 좋다. 끝 쪽에 0.5 cm씩 rear tip extender를 끼움으로써 길이를 잘 맞출 수 있다.

3) 세조각 팽창형 보형물

음경보형물삽입술에서 중요한 점은 요도의 손상 없이 음경해면체를 잘 박리하여 실린더를 삽입하는 기술이다. 먼저 요도에 Foley 카테터를 삽입 후 음경 음낭 접합 부위로 접근하여 요도해면체까지 접근한

다(그림 40-7). 그 후 양측의 음경 해면체를 박리하여 요도손상이 없도록 안전하게 절개부위를 정한다. 보통 한쪽 절개할 부위에 좌우 견인사(stay suture)를 미리 넣어놓은 후, 다른 쪽의 절개할 부위에도 견인사를 넣고 절개하면 안전하게 접근할 수 있다(그림 40-8). 음경 해면체 절개 후, 헤가 확장기로 처음에 7-8 사이즈로 시작하여 9-10 및 11-12까지 확장하나 AMS 700CXR (700CXM)을 삽입할 경우에는 9-10 사이즈만 확장해도 충분하다(그림 40-9). 너무 많은 확장으로 해면체 조직에 손상을 주는 것은 좋지 않으므로 가능한 조직손상을 적게 한다. 절개된 음경 백막의 양측을 Vicryl 2-0로 미리 떠 놓으면 실린더 손상 없이 절개부를 안전하게 결찰할 수 있다(그림 40-10). 이 후 식염수로 실린더를 채우면서 이상여부를 확인하고 저장고 및 펌프도 준비하며, 공기가 보형물 내로 들어가지 않게 준비한다(그림 40-11). 실린더는 전체 길이에 맞게 rear tip 으로 조절한 후 삽입한다(그림 40-12). Furlow dilator로 길이를 측정하고 실린더는 자기 최대 발기의 길이보다 약 0.5 cm-1cm 정도 작은 것이 좋다. 실린더 삽입 후에 저장고 삽입은 외서혜륜을 통해서 근 막을 손가락으로 뚫으며 골반강 내로 들어간다. 항문경 을 삽입하고 이를 통해 저장고를 넣고

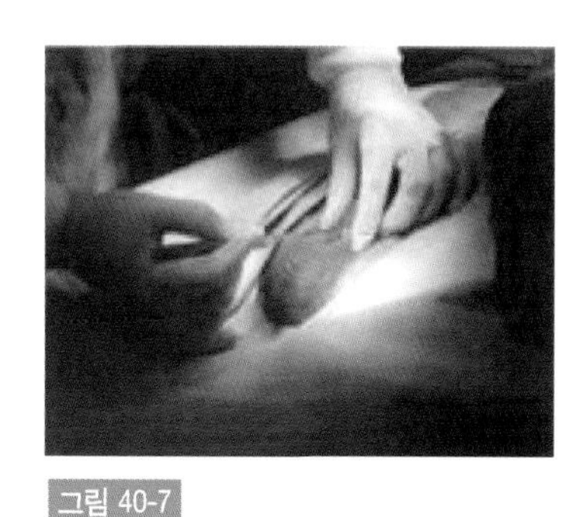

그림 40-7

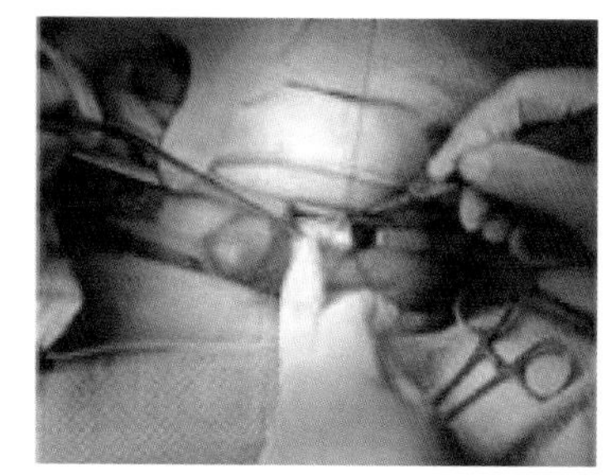

그림 40-8

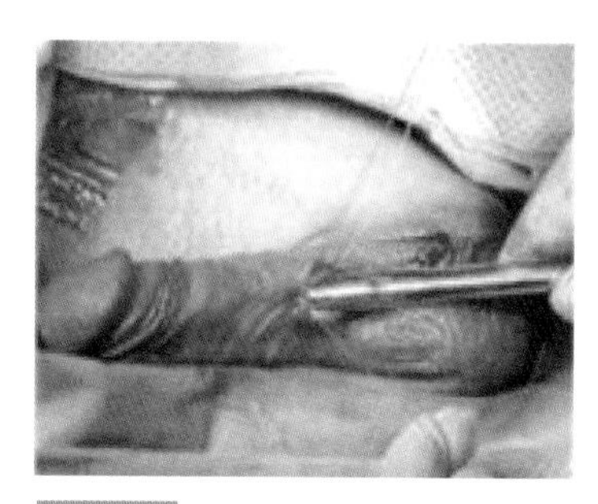

그림 40-9

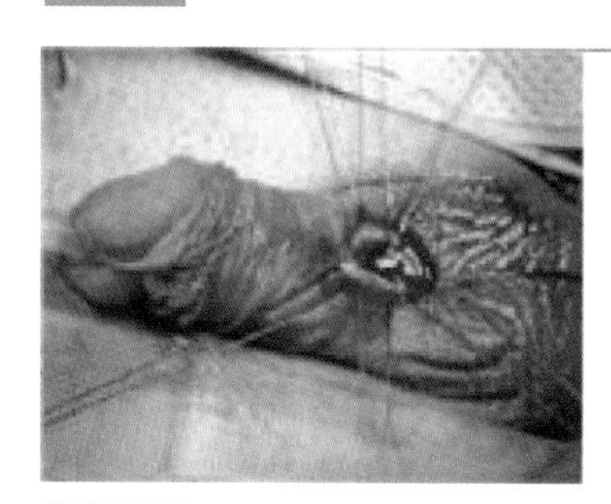

그림 40-10

그림 40-11

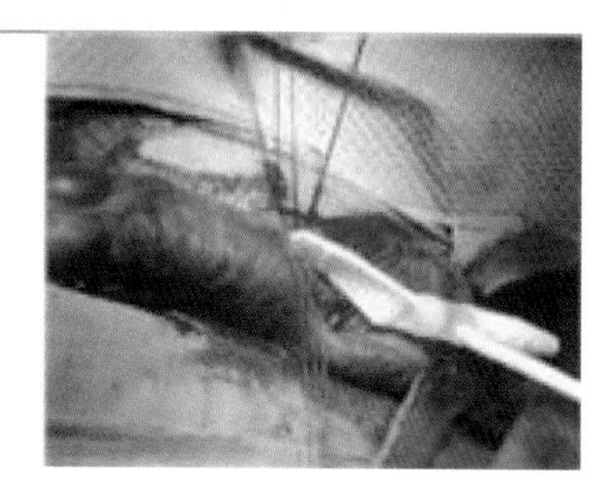

그림 40-12

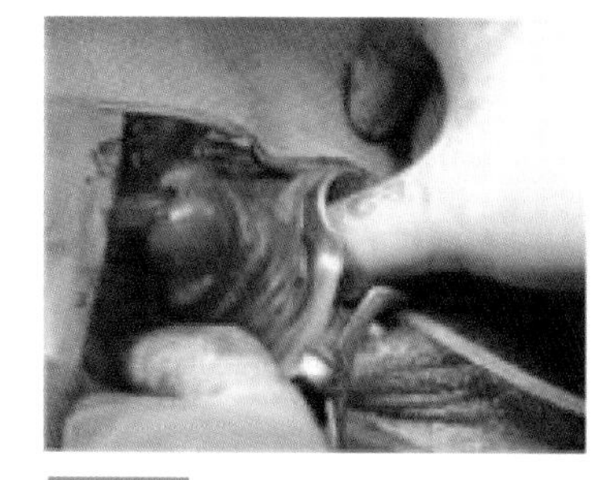

그림 40-13

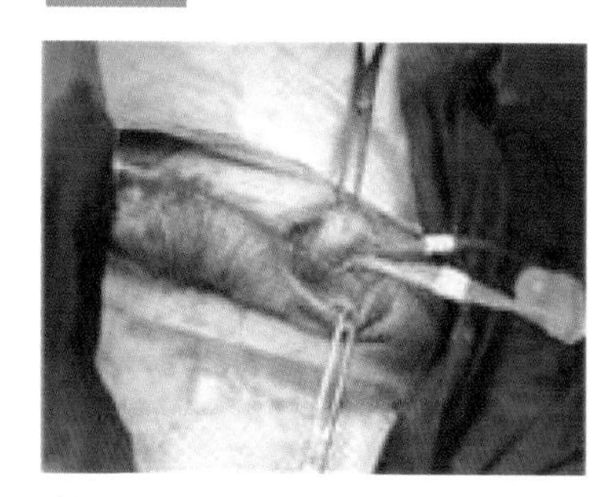

그림 40-14

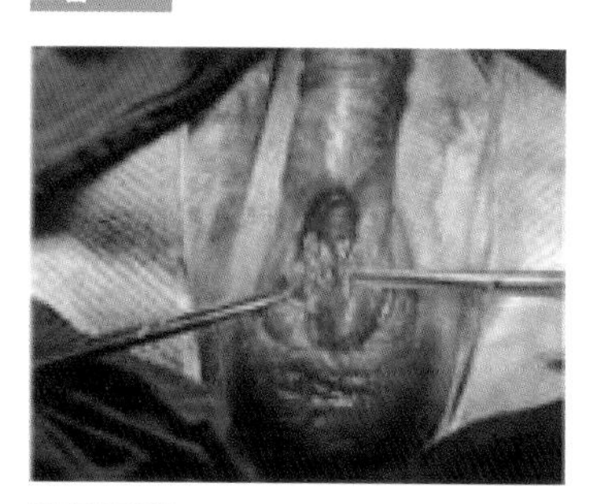

그림 40-15

50cc 식염수를 채운다(그림 40-13). 외서혜륜을 통한 박리가 어려운 경우에는 서혜부에 따로 절개를 해서 저장고를 넣을 수도 있다. 펌프는 음낭의 피하조직 내에 따로 공간을 만들어 두고 음낭 밖에서 세 부분을 연결시킨 후 삽입한다(그림 40-14). 음낭에 펌프설치는 길이가 짧으면 나중에 자꾸 위로 올라가므로 음낭 내에 다른 공간을 만들어 밖에서 만지기 쉽게 한다. 세 부분의 삽입과 연결로 처음에는 복잡하고 어려우나 실린더 삽입, 저장고 삽입 및 펌프연 결 등의 각 단계별로 익숙해지면, 실린더 삽입이 오히려 굴곡형보다 더 쉽다. 술 후 혈종이 고이기 쉬우므로 꼭 hemovac 배액관을 서혜부로부터 음낭 펌프 부위까지 넣는 게 좋다(그림 40-15).

6. 음경보형물삽입술의 합병증

1) 수술 중 합병증

(1) 해면체격막 횡단(septal crossover)

해면체를 확장하는 도중, 확장기가 반대측 해면체 내로 잘못 밀려들어가는 경우가 있다. 음경을 똑바로 편 상태에서 요도를 중심으로 좌우에서 정확하게 절개부위로 확장을 시도해야 이를 방지할 수 있다. 양측의 길이가 다르거나 실린더 삽입이 잘 되지 않을 때에는 해면체격막 횡단을 의심해야 한다. 이 경우 확실하게 확장되었다고 생각되는 곳에 헤가 확장기를 넣고 반대쪽을 다시 확장해보면 이상 여부를 알 수 있다. 다시 정확한 확장로를 찾은 경우에는 실린더를 그대로 삽입해도 된다. 해면체격막 횡단의 경우 술 중 발견된 경우에는 쉽게 교정할 수 있으나, 이를 모르고 무리하게 확장하려거나 삽입하려다가 큰 낭패를 볼 수 있기 때문에 주의가 필요하다.

(2) 해면체 천공 및 요도손상

무리하게 확장하려다 해면체를 뚫게 되는 경우가 있다. 이는 선천적으로 약한 백막, 무리한 확장, 해면체섬유화 등에 기인해서 발생할 수 있다. 요도손상까지 동반된 경우에는 수술을 중단하고 요도카테터를 약 7-10일 정도 유치하며, 음경보형물삽입술은 추후에 하는 것이 좋다. 요도손상을 방지하기 위해서는 해면체 확장 시 헤가 확장기의 끝을 음경해면체의 후외측 방향으로 향하게 하는 것이 좋다. 대부분 잘못된 것을 모르고 그냥 지나칠 때 더 큰 문제가 생긴다. 음경백막의 손상은 일차 봉합으로도 가능하고 Gortex를 사용할 수도 있다.

(3) 부정확한 길이선택

해면체 확장 후 길이를 측정해서 정확한 길이의 보형물을 선택하는 것이 가장 중요하다. 최대 길이보다 약 0.5-1 cm 정도 적은 게 좋으며 너무 짧으면 콩코드 모양의 SST 모양이 되고, 너무 길면 통증이 오고 활같이 휘며 미란이 발생하기 쉽다.

2) 혈종

수술 후 음낭에 피가 고이면 상처 치유가 늦어지고 감염의 위험요소가 된다. 혈종은 음낭 절개부분에서보다 해면체 절개부위로부터의 출혈이 대부분이다. 수술 후 출혈을 모두 지혈하기 어려울 때가 많으므로 음압의 hemovac을 음낭 내에 유치해두면 모든 수술부위의 적은 출혈이 음낭에 모여 배출되므로 혈종을 예방할 수 있다. 이러한 배액관이 잘못되어 혈종이 생기는 것은 감염의 위험 요소가 될 수 있다. 진찰소견에서 이상이 없고 혈종이 없으면 48시간 이내에 배액관을 제거하는 것이 좋다.

3) 기계고장

초기 합병증이 없이 잘 치유된 환자들은 수년 후에 발생할 수 있는 기계고장이 가장 문제가 된다. 굴곡형은 기계고장은 거의 없으나 드물게는 rod 안의 철사가 부러지는 경우도 보고된다. 한조각 팽창형도 기계고장으로 인해 교체가 필요한 경우도 있다. 가장 많은 합병증은 세조각 팽창형에서 나타나며 실린더, 펌프, 저장고 등에서 모두 고장이 날 수 있다. 펌프 부위의 튜브에서 식염수가 새는 경우가 가장 흔하고, 그 외에 실린더에서 식염수가 새는 경우도 있다. 팽창형 보형물을 삽입한 환자에서 작동이 되지 않는 경우 거의 기계고장이 확실하며, 그 부위만 잘 모르는 것이다. 우선 세밀한 병력청취를 통해서 다치거나, 찔리거나 또는 과도한 성교도중에 이상이 발생했는지의 여부를 잘 물어보아야 한다. 환자 자신이 어느 부위가 이상이 생긴 것 같다고 호소할 때 중요한 정보를 얻는 수도 있다. 기계적인 고장은 재수술 을 통한 고장 부위확인과 교체가 유일한 치료법이다.

기계적 고장은 초기에는 50% 이상의 높은 빈도를 보 였으나, 최근에는 술기가 좋아지고 제품도 개선되어 점차 감소되고 있다. 다양한 보형물 생존율이 보고되고 있지만, 일반적으로 세조각 팽창형 보형물의 경우 기계고장은 5-10년간의 추적관찰기간 동안 약 5-15% 정도로 알려져 있다(표 40-3). 국내 연구결과로는 2001년 최 등이 AMS 700CXM 기종을 이용한 273례의 임상보고에서, 보형물 생존율이 2년에 98.2%, 3년에 95.7%, 6년에 92.7%로 나타났고, 시간이 경과할수록 보형물 생존율의 감소를 보였다.

(1) 재수술 방법

한번 보형물 삽입수술을 받은 후 미란이나 감염 등에 의해 보형물을 제거한 경우, 최소 3-6개월 후에 재수술을 할 수 있다. 감염이 재수술의 원인인 경우 심한 섬유화로 해면체 조직이 굳어 있어 정상적인 방법으로는 해면체 확장이 안 되며 해면체를 절개해도 피

표 40-3 팽창형 음경보형물삽입술: 보형물 생존율(survival free of mechanical failure)

기종 및 저자	환자 수	평균 추적기간 (개월) 범위 (평균)	보형물 생존율 (%)
AMS 700 CX/CXM (not modified)			
Choi 등	273	6–100 (49)	90.4
Carson 등	372	38–134 (57)	86.2
Montorsi 등	90	(60)	93.1
Daitch 등	111	1–112 (47.2)	90.8
Dubocq 등	103	(66)	83.9
AMS 700 Ultrex (modified 1993)			
Montorsi 등	110	(58)	79.4
Dubocq 등	103	(66)	84.2
Milbank 등*	85	1–136 (75)	64.7
Milbank 등**	52	1–92 (46)	93.7
Mentor α-1 (modified 1992)			
Goldstein 등	434	1–44 (22)	85
Dubocq 등	117	(66)	95.7
Wilson 등*	410	Not specified	75.3
Wilson 등**	971	Not specified	92.6

* before modification, ** after modification

가 나오지 않는다. 섬유화된 해면체를 칼로 절개하기도 하고, 특수 드릴기구로 뚫어서 터널을 만들기도 한다. 조직의 탄력성이 떨어져 음경의 길이가 현저히 줄어들 수 있음을 유의하고 술 전에 미리 설명을 해 주어야 한다. 해면체 탄력성이 적어서 보형물을 힘들게 삽입하여도 덮어지지가 않을 때는 Goretex 같은 인공혈관으로 덮어서 고정을 시켜야만 한다. 음경의 탄력성이 적기 때문에 팽창형 보다는 굴곡형을 삽입하는 것이 안전하다.

팽창형이 기계적 고장을 일으킨 경우, 재수술은 아래와 같은 절차에 따라 고장 부위를 확인한 후 고장 부분만을 교정할 수도 있고, 일차 수술 후 8-10년 이상이 경과한 경우에는 실린더가 약해져 있으므로 양쪽 실린더를 모두 교체하는 것이 안전하다.

① 먼저 음낭을 열고 펌프부위로 접근해서 노출 시킨 후 연결부위의 이상 여부를 확인한다.
② 외형적으로 이상이 없고 펌프가 작동이 안 되면, 저장고와의 연결부위를 절단하여 저장고의 이상 유무를 확인한다.
③ AMS 700CXR (700CXM)의 경우 50cc 식염수를 주입하고 다시 빼보아서 주입량이 다 나오는지를 확인하면 저장고의 이상 여부를 알 수 있다.
④ 확실치 않으면 조영제를 주입한 후 방사선촬영으로 새는 부위를 확인하는 것이 좋다.
⑤ 실린더를 최대한의 강직도를 유지하도록 식염수를 채워 넣은 후 약 10분 간 유지시키며 강직도의 변화를 관찰한다. 계속 좋은 강직도가 유지되면 실린더는 이상 없는 것이다. 한쪽의 굵기가 더 커진다든지 곧 강직도가 떨어지면 실린더의 이상을 의미한다.
⑥ 실린더가 마모되어 아주 적은 양이 샐 경우에는 이를 놓치기 쉬우므로 방사선촬영으로 실린더의 새는 부위를 확인하고 교체할 수 있다(그림 40-16, 17).
⑦ 저장고가 새는 경우도 있으므로 꼭 확인이 필요하며(그림 40-18, 19), 저장고의 교체는 때로는 음낭부위 절개만으로는 제거하기 어려운 경우가 있어 서혜부 절개를 하기도 한다.
⑧ 실린더 한쪽부위가 deflation이 잘 안될 때는 실린더의 동맥류성 확장(aneurysmal dilatation)에 의한 경우이므로 교체가 필요하다(그림 40-20).

펌프는 비교적 쉽게 교체될 수 있다. 부분만 교체할 때는 이차 감염이 되지 않도록 항생제의 철저한 예방 치료가 필요하다.

4) 감염

가장 심각한 합병증이 감염이며 이에 세심한 주의가 필요하다. 수술 후 바로 나타날 수도 있고 몇 년 후에 나타날 수도 있다. 수술 후 몇 주 이내에 나타나는 초기 감염은 Escherichia coli 등의 그람음성균이 흔하

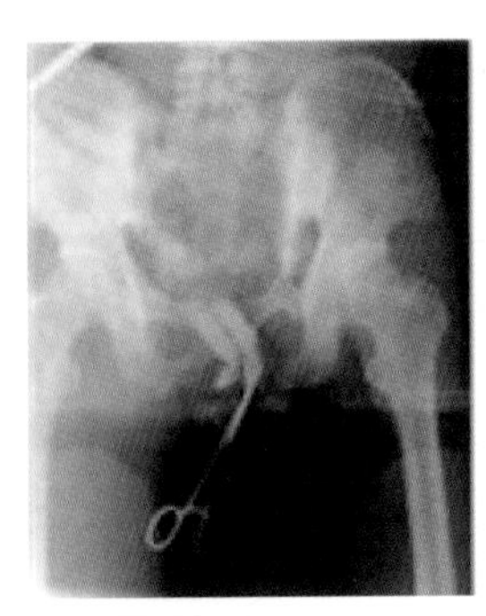
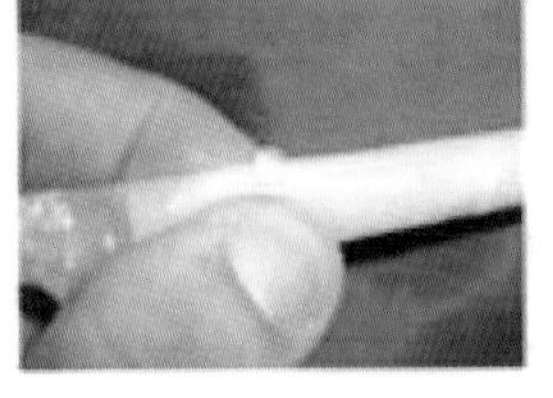

그림 40-16, 17

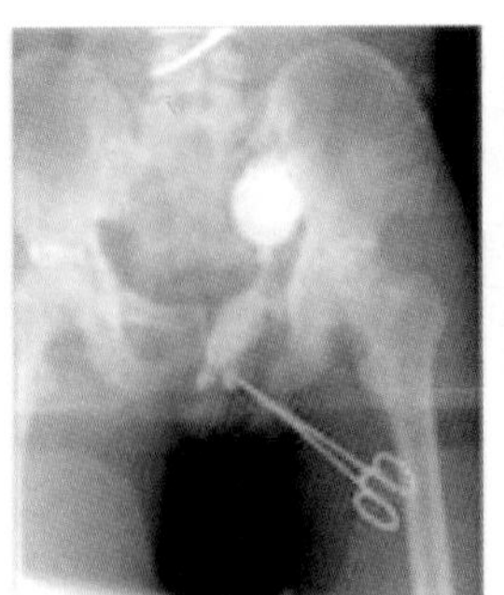

그림 40-18, 19

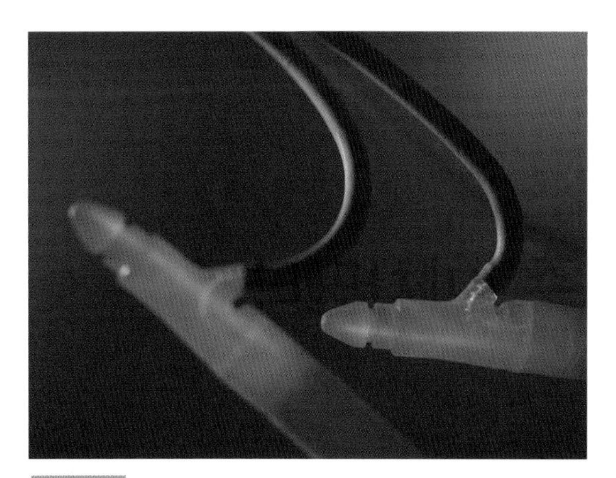

그림 40-20

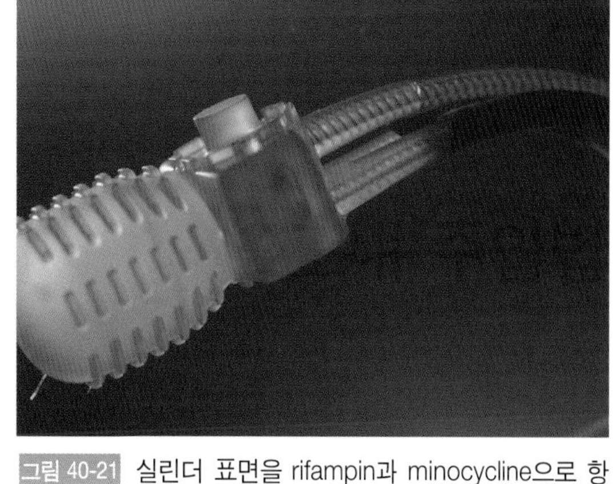

그림 40-21 실린더 표면을 rifampin과 minocycline으로 항균처리 (Inhibizone™) 한 AMS 사의 세조각 팽창형 보형물

고, 수술 후 6개월-2년 후에 나타나는 후기 감염은 Staphylococcus epidermidis와 같은 그람양성균이 흔하다. 당뇨환자에서 는 혈당 조절만 잘 하면 감염의 위험은 정상인과 큰 차이가 없는 것으로 알려져 있다. 가장 위험한 군은 척수 손상으로 인한 신경인성 방광 환자에서 요로감염이 있는 경우이다. 이들 환자에서는 술 전 항생제치료가 필요하며 요검사로 소변이 깨끗한 지 반드시 확인한 후 수술에 임하는 것이 바람직하다.

음경보형물의 감염률은 다양하게 보고되고 있으며, 첫 수술에서의 감염률은 2-16%, 이차 수술 시에는 8- 18%까지도 보고된다. 최근 연구에서는 감염률이 현저 하게 낮은 것으로 보고되었는데, 일반적으로 첫 수술에서는 2-3%, 이차 수술 시에는 이보다 약간 높은 정도로 알려져 있다. 감염이 생기면 통증이 계속되고 상처가 붓고 붉어지며 심하게 진행되면 농이 나오게 된다. 감염 시에는 모든 보형물을 제거하고 항생제로 철저히 씻고 치료한 후 6개월 이후에 재삽입을 하는 것이 원칙이다. 이 경우 해면체섬유화가 심해지므로 이차 수술이 매우 어려운 경우가 많다. Mulcay는 salvage 방법을 소개하 였는데, 이는 감염된 보형물을 완전하게 제거하고 상처 부위를 항생제로 세척한 후 다시 새로운 보형물을 삽입 하는 방법이다. 약 80-90% 정도의 성공률을 보고하였 고, 쉽게 실린더를 넣을 수 있다는 장점이 있으나 감염이 되면 낭패를 맞게 된다. 조절되지 않은 당뇨환자의 보형물 감염에서는 salvage 방법은 좋지 않다.

감염을 줄이기 위해서 보형물의 개선도 시도되었다. 2001년 AMS 사에서는 보형물 표면에 rifampin과 minocycline으로 처리한 세조각 팽창형보형물 (Inhibizone™)을 개발하였는데(그림 40-21), 6개월간의 추적관찰에서 감염률이 0.68%로 대조군의 1.61%에 비해서 낮았다. 2002년 Mentor 사에서는 보형물 표면에 polyvinylpyrrolidone(PVP)으로 친수성처리(hydrophilic coating)를 한 세조각 팽창형보형물을 개발하였는데(그림 40-22), 1년간의 추적관찰에서 감염률이 1.06%로 대조 군의 2.07%에 비해서 낮았다.

7. 술 후 관리

수술 후 요도카테터는 24시간 후에, 배액관은 보통 48시간 후에 제거한다. 일정 기간 동안 항생제를 복용하고, 통증이 있는 경우에는 진통제를 복용하며, 조

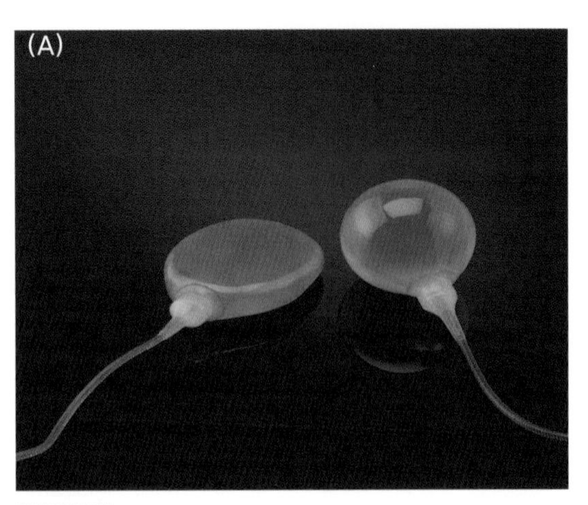

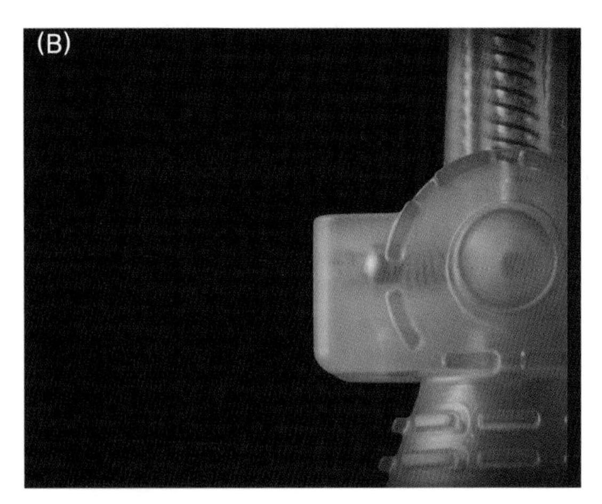

그림 40-22 보형물 표면을 polyvinylpyrrolidone(PVP)으로 친수성처리(hydrophilic coating)한 Mentor 사의 세조각 팽창형 보형물, 푸른색 용액에 담그면 표면의 친수성처리로 인해서 색이 변함

직부종을 감소시키고 상처치유를 촉진하기 위해서 신체활동을 제한하는 것이 좋다. 술 후 최소 1-4주간은 목욕 시에 상처부위가 물에 잠기는 일이 없도록 하여야 한다. 술 후 4-6주째에는 약 한 달 정도 하루 두 차례 실린더를 완전히 팽창시켰다가 이완시키는 작업을 반복한다. 이는 보형물 주변의 조직을 부드럽게 해서 잘 팽창되도록 하는 역할을 한다. 세조각 팽창형 보형물의 경우, 음낭 펌프를 작동시킬 때 비틀지 말고 펌프가 있는 위치에서 그대로 작동시키는 것이 중요하다. 만약 반복해서 펌프를 비트는 경우에는 가장 흔한 기계고장의 원인인 펌프와 튜브사이 연결부위의 손상이 발생하게 된다. 보형물은 성관계 시 너무 과도하게 마찰을 일으키면 미란을 일으킬 수 있다는 것을 항상 명심하고 주의해야 한다. 성관계시는 남성 상위 체위로 주도적인 성 행위를 하는 게 좋다. 여성 상위에서는 과도한 체위변화가 보형물에 충격을 줄 수도 있다.

8. 요약

초기의 발기부전 치료를 담당하던 보형물 삽입수술은 단단한 rod형의 보형물로부터 시작되어 구부렸다 폈다가 가능한 굴곡형을 거쳐, 자연스러운 생리적 발기와 비슷한 세조각 팽창형으로 발전하였다. 새로운 보형물의 개발과 더불어 수십 년간의 임상 경험으로 수술 술기도 많은 발전을 하여 합병증도 현저하게 줄어들고 있다. 5-10년 이상 장기 사용 시 5-15% 정도의 기계고장이 팽창형 보형물의 제한점이나, 향후 점진적인 개선이 있을 것으로 기대된다. 음경보형물삽입술은 발기부전의 치료에 있어 가장 침습적인 방법이긴 하지만, 수십 년간의 연구결과로 미루어 볼 때 그 치료결과가 지속적이고, 신뢰성 있으며 예측가능하다는 장점이 있다. 음경보형물의 지속적인 개선으로 향후 수술이 쉽고, 수명이 훨씬 더 길며, 환자의 만족도도 더 높일 수 있을 것으로 기대된다.

참고문헌

1. 김세철, 문장호, 이규백 등: 발기부전증에 대한 Jonas Silicone-Silver 음경보철술의 경험 1 예. 대한비뇨회지, 1984;25:247.
2. 김세철, 이규백, 문영태: Scott씨 팽장성 음경보형술의 경험. 대한의협 회지. 1986;29:855.
3. 김종현, 김영찬, 최형기 등: 새로운 자가팽창형 음경보형물 Dynaflex의 임상경험. 대한비뇨회지, 1992;33: 733-736.
4. 장수기, 최형기 : 음경보형물삽입술의 장기추적관찰. 대한의협회지 1987;30:12.
5. 조성완, 최영득, 최형기. 발기부전 치료에서 AMS 700CXM 팽창형 보형물의 기계적 신뢰성. 대한비뇨회지 2000;41:124-128.
6. 조인래, 최형기, 신종성. 음경보형물 삽입술 후 환자 및 배우자의 만족도. 대한남성과학회지 1993;11:79-91.
7. 최형기, 조인래, 신종성: 여러가지 음경보형물의 수술적 경험. 대한비뇨회지 1994,35:293-301.
8. 한성석, 최형기, 오길현, 이진무 : 발기부전환자에 음경보형수술의 경험 1례. 대한의협지 1984;27:571.
9. Anafarta K, Yamaan O, Aydos K. Clinical experience with Dynaflex penile prosthesis in 120 patients. Urology 1998;52:1098-1100.
10. Behairi GE: The problem of impotence solved by a new surgical operation. Kasr el ANJ Surg, 1960;1:50.
11. Beheri GE. Surgical treatment of impotence. Plast Reconstr Surg 1966;38:92.
12. Benson RC, Patterson DE, Barrett DM: Long-term results with Jonas malleable penile prosthesis. J Urol 1985;134:899.
13. Brabt MD, Ludlow JK, Mulcahy JJ. The prosthesis salvage operation: immediate replacement of the infected penile prosthesis. J Urol 1996;155:155-157.
14. Carson CC 3rd. Management of prosthesis infections in urologic surgery. Urol Clin North Am 1999;26:829-839.
15. Carson CC 3rd. Efficacy of antibiotic impregnation of inflatable penile prostheses in decreasing infection in original implants. J Urol 2004;171:1611-1614.
16. Choi HK, Cho lR, Xin ZC. The Years of Experience with Various Penile Prosthesis in Korean. Yonsei Medical J 1994;35:209-217.
17. Choi YD, Choi YJ, Kim JH, Choi HK. Mechanical relaiability of the AMS 700CXM inflatable penile prosthesis for the male erectile dysfunction. J Urol 2001;165:822-824.
18. Daitch JA, Angermeier KW, Lakin MM, Ingleright BJ, Montague DK. Long-term mechanical reliability of AMS 700 series inflatable penile prostheses: comparison of CX/CXM and Ultrex cylinders. J Urol 1998;158:1400-1402.
19. Darouiche RO, Mansouri MD, Raad II. Efficacy of antimicrobial- impregnated silicone sections from penile implants in preventing device colonization in an animal model. Urology 2002;59:303-307.
20. Furlow WL, Knoll LD, Benson RC JR: Introduction of a new self- contained inflatable penile prothesis: The DynaflesTM prosthesis. Int J Imprtence Res 1990;2:459.
21. Goldstein I, Bertero EB, Kaufman JM, et al: Early experience with first pro-connected 3-piece inflatable penile prosthesis: Mentor Alpha I. J Urol 1993;150: 1814.
22. Henry GD, Wilson SK. Updates in inflatable penile prosthesis. Urol Clin N Am 2007;34:535-547.
23. Kaufman JJ. Penile prosthetic surgery under local anesthesia. J Urol 1982;128:1190.
24. Leach GE. Transscrotal approach for insertion of inflatable penile prosthesis. Urology 1986;27:465.
25. Malloy TR, Wein AJ, Carpeniello VL. Improved mechanical survival with revised inflatable penile prosthesis using rear-tip extenders. J Urol 1982;128:489
26. Merrill DC. Mentor inflatable penile prostheses. Urol Clin North Am 1989;16:51.
27. Merrill DC. Mentor inflatable penile prosthesis. Urology 1983;22:504.
28. Montague DK, Angermeier KW, Lakin MM, Ingleright BJ. AMS 3- Ultrex cylinders. J Urol 1996;156:1633-1635.
29. Montague DK, Lakin MM. early experience with controlled girth gand length expanding cylinder of American Medical Systems Ultrex Penile Prostehsis. J Urol 1992;148:1444.
30. Montague DK. Periprosthetic infections. J Urol 1987;138:68-69.

31. Mulcahy JJ. Long-term experience with salvage of infected penile implants. J Urol 2000;163:481-482.

32. Mulcahy JJ, Wilson SK. Current use of penile implants in erectile dysfunction. Curr Urol Rep 2006;7:485-489.

33. Nahrstadt BC. Informed concent for penile prosthesis. Int J Impot Res 2009;21:37-50.

34. Pearman RO. Insertion of a silastic penile prosthesis for the treatment of organic sexual impotence. J Urol 1972;107:802.

35. Sadeghi-Nejad H. Penile prosthesis surgery: a review of prosthetic device and associated complications. J Sex Med 2007;4:296-309.

36. Simmons M, Montague DK. Penile prosthesis implantation: past, present and future. Int J Impot Res 2008;20:437-444.

37. Small MP, Carrion HA, Gordon JA. Small-Carrion penile prosthesis. Urology 1975;5:479.

38. Subrini L. Subrini penile implants. Surgical, sexual and psychological results. Eur Urol 1982;8:222.

39. Wilson SK, Delk JR. Inflatable penile implant infection rate: predisposing factors and treatment suggestions. J Urol 1995;153:659-661.

40. Wolter CE, Hellstrom WJ. The hydrophilic-coated inflatable penile prosthesis: 1-year experience. J Sex Med 2004;1:221-224.

CHAPTER 41

음경재활

Penile Rehabilitation

■ 양대열

전립선암은 최근 우리나라에서 가장 급격히 증가하는 암으로 남성에게는 중요한 의학적 문제 중 하나로 대두되고 있으며 전립선암 검진과 전립선특이항원검사의 광범위한 활용으로 조기진단율이 높아짐에 따라 젊고 성적으로 활동적인 환자가 수술을 받는 경우가 늘고 있다. 전립선암 수술 후 2년이 지난의 시점에서 삶의 질에 영향을 미치는 가장 중요한 요소는 성기능이며 술 후 성기능장애가 환자의 삶의 질에 미치는 부정적인 영향은 시간이 지남에 따라 더 커졌다는 보고에서 보듯이 낮은 병기의 젊은 환자 일수록 술 후 성기능의 보존은 더 큰 의미를 갖는다. 1982년 Walsh와 Donker가 신경 보존적 근치적 전립선 절제술에 대해 기술한 이후 이 술기는 발기능 보존을 위하여 광범위하게 시술되고 있으며 술 후 성기능 회복에 도움이 되는 방법으로 인정되고 있다. 하지만 완전한 회복까지는 2년가량의 긴 시간이 소요될 뿐만 아니라 양측 신경보존술을 시행한 환자에서도 성기능 회복률이 16-86%로 다양하다. 최근 들어 년간 근치적 전립선절제술의 수술기법은 눈부시게 발전했으며 그 중 특히 복강경이용한 수술기법의 도입에 이은 로봇을 이용한 수술의 확산이 가장 발전적인 변화이다. 고식적 신경 보존적 근치적 전립선 절제술신경보존적 수술 술기 역시 끊임없이 발전하고 있다. 그러나 이와 같은 새로운 기술의 발전에도 불구하고 많은 남성들은 여전히 근치적 전립선절제술 후 발기부전과 음경 길이 단축에 시달리고 있으며 이는 성기능의 보존을 위해서는 신경보존술 만으로는 충분치 않음을 의미한다.

신경과 동맥손상, 음경조직의 섬유화, 정맥폐쇄부전 등이 전립선암 치료 후 발기능 손상의 중요한 원인으로 알려져 있다. 이에 대응하여 수술 후 발기능 회복을 높이기 위한 재활치료의 목적으로 1997년 Montorsi(1997) 등이 알프로스타딜(prostaglandin E1)을 해면체 주사제로 사용한 이래 음경진공압축기, 요도내 약물투여, Phosphodiesterase type 5(PDE-5) 억제제, 유전자 치료 등과 같은 임상적 시도가 꾸준히 진행되어왔다. 최근 많은 연구를 통해 근치적 전립선절제술 후 발생하는 발기부전의 병태생리에 대한 이해가 증가하고 경구용 약물의 사용이 가능해지면서 성기능 재활치료 혹은 성기능보존프로그램에 대한 관심이 크게 늘어나고 있다. Mulhall(2008) 등은 음경재활치료에 대해 근치적 전립선절제술 후 음경의 발기능을 최대한 회복시키기 위해 수술과정이나 그 이후에 어떤 약물이나 장치를 사용하는 것으로 정의하고 그 목적은 음경해면체 평활근의 구조적 변형을 예방함으로써 기능적 발기회복의 가능성을 최대화시킬 뿐 아니라 수술 전 발기능으로 복구시키는 것으로 규정하였다.

그러나 지금까지 알려진 음경재활치료법이 병태생리에 근거해서 타당하며, 성기능을 의미있게 개선시키는지 그리고 이런 치료법들이 환자에게 다른 의학적 위험을 증가시키지는 않는지 등에 대한 학술적으로 일치된 결론을 기대하기는 아직 이르다. 본 장에서는 근치적 전립선절제술 후 발생하는 발기부전의 회복율을 높이기 위해 시도되는 음경재활치료법의 근거와 의의에 대해 알아보고자 한다.

1. 전립선절제술 후 발생하는 발기부전의 병태생리

신경보존적 수술을 받은 환자의 발기력 회복에 대한 예측인자는 환자, 질환, 술기와 술전 발기력 상태 등에 따른 인자로 크게 분류해 볼 수 있다. 일부 조사 연구에 따르면 환자 인자로는 상대적으로 젊고(≤〈65세), 동반질환이 없으며, 재활치료를 조기부터 받은 경우, 질환 인자로는 병기가 낮고(≤T2), 분화도가 좋으며, 국소암인 경우, 술기로는 양측신경보존술을 시행했으며, 술 후 12개월 이상 경과한 환자, 그리고 술 전 발기력이 좋았던 환자에서 발기력 회복이 더 좋았다. 전립선암 치료 후 발생하는 발기부전의 자세한 병인에 대해 아직 정확히 밝혀지진 않았지만 신경과 동맥손상으로 초래되는 발기부전, 음경조직의 섬유화로 인해 초래되는 길이와 부피의 손실, 정맥폐쇄부전에 기인한 발기부전 등이 주요 원인이다.

1) 신경손상

신경보존적 전립선절제술을 시행한 환자도 초기에는 가역적 신경손상인 생리적 신경차단(neuropraxia)에 의해 발기력 손상을 겪게 된다. 생리적 신경차단은 수술시 전립선을 당길 때 신경이 지나치게 견인되거나, 전기소작에 의한 열손상, 혈류차단에 의한 허혈성 손상, 염증반응에 의해 발생하며 이런 현상은 로봇의 도입과 같은 수술술기의 발전으로 줄어들 것이 예상되지만 경험이 많은 외과의라 할지라도 피할 수는 없다. 해면체신경의 손상은 부분적으로 wallerian 변성에 의해 인해 발생하는데 이는 음경해면체로 연결되는 정상 신경조직의 연결이 차단됨으로 결과적으로 음경해면체 평활근과 백막의 변성과 위축을 초래한다. 동물실험 결과에 의하면 해면체 신경의 직접적인 조작이 없는 노출만으로도 발기력의 저하를 초래하였다. 이는 아무리 사소한 신경 손상이라 할지라도 발기력에 영향을 미칠 수 있음을 의미하며 생리적 신경차단의 결과는 이차적으로 축삭돌기의 손상, 해면체평활근 세포고사 증가와 이들 세포에서 분비되는 산화질소의 생성감소, 평활근과 콜라겐의 비율 변화, 내피세포의 수축 등을 일으켜 발기력 회복에 부정적인 영향을 미친다.

2) 음경 해면체 산소화의 장애

산화질소(NO)에 대한 혈관의 이완반응은 낮은 산소압에서 억제되고 산소분압이 정상 상태로 회복되면 내피세포 및 평활근 이완도 회복된다. 더욱이, 산소분압이 낮으면 cGMP의 양도 줄고, 신경 자극에 의해 일어나는 cGMP의 축적도 방해받으며 세포질내 산화질소합성효소(nitric oxide synthase)의 활성도 억제된다. 결국 음경의 산소 농도는 음경 해면체에서 산화질소의 합성의 조절하여 발기에 영향을 미치게 된다. 이완기 때 음경의 산소압은 35-40 mmHg으로 정맥혈에 가깝고, 발기시에는 75-100 mmHg으로 동맥혈에 가깝다. 그러므로 야간수면중발기 동안 이루어지는 해면체 조직의 산소 공급은 해면체 내피세포와 해면신경 말단에 있는 산화질소 합성효소에 의한 산화질소 생성에 필수적이다. 영구적 신경손상이나 생리적 신경차단 상태인 동물의 음경 해면체에서는 산화질소합성효소가 감소되어 있고, 사람에서도 수면중 발기가 소실된다. 이런 이유로 음경이완상태가 장기간 지속되면 허혈손상에 의해 음경 해면체의 다양한 구조적, 기능적 변화가 초래될 수 있다.

3) 혈관손상

신경보존적 전립선절제술을 시행한 환자 96명을 대상으로 술 후 12개월째에 시행한 혈역동학적 검사상 59%에서 동맥혈류부전이 관찰되었다는 연구 결과에서 보듯이 동맥 혈류의 감소도 고려해야될 중요한 요인이다. 근치적 전립선절제술로 인한 혈관손상은 주로 부속내음부동맥(accessory internal pudenal artery)의 주위에서 발생하는데 이 동맥은 대퇴, 폐쇄, 방광, 장골 동맥 등에서 기시하여 음경을 공급한다. 이 동맥은 존재하는 경우 대부분 음경에 동맥혈을 공급하는 주혈관이라는 연구 결과도 있으며 수술, 혈관조영, 사체해부 등 연구 대상 및 방법에 따라 그 발생률이 매우 다양하다. 이 동맥들은 술전 경직장 자기공명상이나 컴퓨터단층촬영을 통해 확인할 수 있으며 수술과정에서 보존된 경우 발기기능의 회복의 향상은 물론 회복시간도 단축되므로 존재가 확인될 경우 술 전부터 보존을 계획하여야 한다.

4) 음경조직의 섬유화

근치적 전립선 절제술을 시행 받은 많은 환자들은 주관적으로 음경길이가 단축됐다고 호소한다. 조사방법에 따라 차이가 있지만 수술 받은 환자의 9~71%에서 음경길이가 단축되었다는 보고가 있다. 음경 섬유화에 의해 음경 해면체의 탄력과 용적이 감소되어 이러한 형태학적 변화가 일어나는 것으로 여겨진다. 초기에는 가역적인 감소로 손상된 말초신경에서 분비되는 neurotrophin이 교감신경세포의 분화를 유발하여 교감신경의 과신경지배 및 평활근의 수축과 음경의 과긴장에 의해, 후기에는 영구적인 구조적 변화로 탈신경 세포고사와 허혈성 교원질화에 의해 이루어진다는 가설도 있다.

골반신경절이나 해면체신경에서부터 나오는 여러가지 신경활성 인자들이 음경내의 Sonic hedgehog homolog(SHH)단백질과 평활근의 양을 조절하는데 필수적인 기능을 한다. 동물실험결과에 의하면 양측 해면신경을 절단했을 때 해면체 조직의 세포고사가 의미 있게 유발되며 백막하 해면체 조직에서 더 뚜렷하였다. 또한 이런 세포고사는 내피세포보다는 평활근 세포에서 더 두드러지게 일어나며 이는 해면체 평활근 세포가 더 신경지배에 의존적이라는 의미이기도 한다. 또한 해면신경의 손상은 해면체의 허혈증과 섬유화를 유발한다. 허혈증은 조직내 TGF-β_1의 증가를 일으키고 이어 음경해면체내에 아교질을 비롯한 교원조직(collagen I, III)의 증가를 통한 섬유화를 촉진한다. 그러므로 근치적 전립선 절제술 후 신경 손상은 세포고사에 의한 평활근 양의 감소와 섬유화를 일으키고 이를 통해 정맥폐쇄부전을 통한 발기부전과 음경의 길이단축을 일으킬 것으로 추정된다.

5) 정맥누출

음경의 발기시 평활근이 충분히 이완되지 않거나 조직섬유화 등 구조적인 원인으로 백막과 해면체평활근 사이에 있는 모든 백막하세정맥이 폐쇄될 정도의 압박을 받지 않으면 정맥누출이 일어나게 된다. 앞에서 언급한대로 근치적 전립선 절제술을 시행 받은 많은 환자의 음경은 해면체 평활근의 확장성 감소와 조직의 섬유화로 정맥누출의 위험이 높다. 해면체 조직생검을 통한 연구 결과에 의하면 음경의 평활근 비중이 40% 이하로 떨어지면 정맥누출이 발생한다. 정상 발기능이던 환자에서 신경보존적 전립선절제술을 시행한 후 혈역동학적 분석 결과 정맥누출 현상이 술 후 4개월째에는 14%, 8개월에서 12개월 사이에서는 35%, 1년째에는 50%에서 발견되어 수술후 발기부전 상태가 길어질수록 정맥성 발기부전의 위험이 증가함을 알 수 있다. 또한 정맥성 발기부전이 있는 환자에서 동맥손상에 의한 경우에 비해 회복율도 더 낮으면 약물치료에 대한 반응도 더 낮다.

2. 음경재활치료

음경재활을 목적으로 이루어지는 치료는 병태생리에서 언급한대로 해면체조직의 산소화증가, 내피세포기능 보존, 신경손상 후 발생하는 음경의 구조적 변화의 예방 등에 초점을 맞추어야 한다. 최근 많은 연구 결과가 술 후 조기 발기유발이 발기기능의 회복에 이득이 있음을 지지하고 있지만 이에 대한 반론도 있으며 아직 재활치료에 대한 명확한 치료기준이 마련되어 있지 않다. 음경재활치료가 필요한 환자군의 선택과 맞는 치료법의 제안을 위해 나이, 발기능, 동반질환 등의 인자를 조합하여 위험군별로 분류하는 시도가 다양하게 진행되고 있지만 치료 결과 및 예후에서 구분되는 분류법이 아직 존재하진 않는다.

1997년 Montorsi 등이 전립선절제술을 받은 환자들의 성기능 재활을 목적으로 해면체 주사제를 사용하기 시작하여 현재는 1차 치료법으로는 PDE-5 억제제, 2차 치료법으로는 해면체 주사제, 진공흡입기구, 요도내 주입법 및 이들의 조합을 통합 복합요법, 3차 치료법으로는 음경보형물삽입술과 같은 수술적 치료법 등으로 구분되는 치료가 다양하게 시도되고 있다. 임상의들은 사용의 편리성, 치료의 순응도, 환자의 동기, 상태, 비용, 성기능과 성기의 길이에 대한 환자의 기대를 포함하는 중요한 요인들에 대해 고려해야 한다(표 41-1).

1) PDE 차단제

동물에서 해면체 신경절단 후 실데나필, 바데나필, 타달라필, 유데나필과 같은 PDE5 차단제를 장기지속 투여한 다양한 연구결과 정맥누출이 개선되거나 음경해면체 조직 및 발기능이 대조군에 비해 유의하게 보존되었으며 이런 결과는 임상연구로 이어졌다. 바데나필을 장기간 지속적으로 경구 투여하였을 때 생리적 신경차단으로 유도된 음경의 정맥 폐쇄 기능 장애가 예방되는 것이 동물실험을 통해 확인되었는데 이는 PDE5 차단제가 항섬유화 효과를 보이고, 평활근 세포의 분열을 상향 조절(upregulation)하여 해면체 평활근의 양을 보존함으로서 나타나는 결과라고 해석되어진다. 그리고 이와 같은 결과는 실데나필, 타달라필, 유데나필을 사용한 경우에서도 같았다. 또한 실험동물에서 양측성 해면체신경을 절단하면 음경 허혈이 일어나며 지속적인 타달라필 치료를 통해 음경해면체 산소화가 복구되고 조직학적으로 평활근/섬유조직의 비율도 복구되었으며 실데나필 투여 역시 음경의 허혈을 막고 섬유화전구물질인 endothelin-I type B(ETB) 수용체의 발현을 감소시키며, 이러한 효과는 빨리 투여할수록 유리하였다. 그러나 사람에서 근치적 전립선 절제술 후 조기 단계에서는 어떤 PDE5 차단제에 의해서도 대부분의 환자에서 발기반응이 미약하다. 따라서 해면체내 산소화가 PDE5 차단제가 발기조직을 보호하는데 일부 기여하지만 주된 기전은 아니라고 여겨진다.

2005년 Mulhall 등에 의해 처음 실데나필을 이용한 재활치료 결과가 보고된 이래 PDE5 차단제의 평활근 및 내피세포에 대한 보호효과, 신경조절작용, 해면체 산소화 유도 효과가 있다는 몇가지 임상연구가 발표되었다. 하지만 대부분의 임상연구가 단일 기관에서 제한적인 숫자를 대상으로 이루어졌으며 위약대조가 아닌 연구도 다수 포함되어 있는 등의 한계가 있다. 정상 발기 기능을 가진 76명의 환자에서 양측신경보존적 근치적 전립선 절제술 후에 실데나필을 매일 밤에 투여한 결과, 48주 후 50 mg 복용군은 24%, 100 mg 복용군은 33%, 위약군은 5%에서 발기력이 회복되었으며, 양측신경보존적 근치적 전립선 절제술을 시행받은 40명의 남성을 대상으로 수술 후 실데나필

표 41-1 음경재활치료법에 따른 장단점 비교

방법	장점	단점
PDE5 차단제	- 사용이 간편하며 순응도가 좋음 - 수면중 발기 개선효과 - 해면체 신경 손상 후 내피세포와 해면체 평활근 보호효과 - 해면체 산소화 유도 - 해면체 주사치료에 대한 보강효과 - 심근경색 유병율을 낮춤 - 폐동맥 산소화 개선	- 질산염제제와 같은 절대적인 병용금기 약물의 존재 금기 약물의 존재 - 두통 안면홍조, 어지럼증, 코막힘증과 같은 부작용 - 비싼 비용(비용대비 효용성) - 기능신경이 보존되어 있어야 함
해면체 주사요법	- PDE5 차단제에 비해 낮은 비용 - 신경보존이 필수적이진 않음 - PDE5 차단제의 효과를 보강시킴	- 통증과 주사바늘 등에 대한 공포로 낮은 순응도와 중도포기가 많음 - 주사제에 의한 섬유화 - 발기시 통증
요도내 주입법	- 경구용제제의 효과를 개선시킴 - 신경보존이 필수적이진 않음	- 요도 통증 및 자극 증상 - 비싼 비용 - 반응율이 낮음 - 결과가 일정치 않음
진공압축기	- 처음 장비구입비 이외 추가비용이 없음 - 사용이 간편 - 하루에도 여러번 사용 및 발기 유도가능	- 순응도가 낮음 - 단독으로 자발적 발기력 회복에 대한 효과가 아직 입증되지 않음
복합요법	- 상승효과 - 각각 다른 경로를 통한 발기 유도 - 강직도 개선	- 순응도가 낮음 - 심혈관계 및 위장계에 대한 부작용이 증가할 수 있음

을 투여하여 술전, 술후 6개월에 시행한 생검을 통해 비교한 결과 50 mg 투여군에서는 평활근의 소실이 없었고 100 mg 투여군에서는 실제로 평활근 조직이 증가하였다. 이런 결과들은 근거로 수술후 조기에 재활치료를 시작해야한다는 주장의 제기되었다.

바데나필을 필요시 10 mg, 매일 10 mg와 함께 필요시 10 mg, 매일 10 mg과 함께 필요시 위약을 복용한 2가지 임상연구 결과 3군 간에 차이가 없거나 필요시 복용군에서 오히려 발기능 개선율이 높았다. 이 결과에 대해서 약물의 반감기에 따른 차이가 있을 수 있다는 반론이 있다. 이와 같이 반감기가 상대적으로 짧은 약제의 경우 지속적인 복용과 필요시 복용 중 어느 쪽아 더 유리한가에 대해 결론을 내리기는 아직 이르다. 최근 신경보존적 전립선 절제술을 시행받은 68세이하 423명의 환자를 대상으로 위약, 타달라필 5mg 매일복용, 20mg 필요시 복용 요법을 각각 9개월간 시행한 결과 매일 복용한 군에서 위약군에 비해 발기능이 향상되는 것으로 조사되었다. 이와같이 상대적으로 반감기가 긴 약제의 경우 매일요법의 최근 긍적적인 결과를 시사하는 자료가 많이 보고되고 있다. 그럼에도 불구하고 위약대조군을 포함하는 장기간의 연구 결과가 아직은 부족하며 생리적 신경차단의 정도를 고려한 분류가 어렵고, 회복과정을 측정할 수 있는 생물학적 지표 등이 없는 점 등이 아직 이런 연구들에 대한 신뢰성의 한계라 할 수 있다. 또한 질산염제제와 같은 절대적인 병용금기 약물의 존재, 두통 안면홍조, 어지럼증, 코막힘증과 같은 부작용 그리고 비용대비 효용성 등 고려해야하는 추가적인 문제점도 있다.

2) 진공흡입기구

진공흡입장치를 이용한 치료는 한 세기 이상 계속되어 왔고 지금도 계속 발기기능부전의 치료에 역할을 담당하고 있다. 음경재활 뿐 아니라 음경 길이의 보존에 대한 효과에 대한 기대로 전립선 절제술 후 치료에 꾸준히 시도되어왔다. 이 장치 사용 시 음경해면체의 산소포화도는 79.2%로 그중 58%는 동맥혈, 42%는 정맥혈인 것으로 조사되었다. 그러므로 만약 해면체내 산소화가 음경재활의 핵심적인 역할을 한다면 진공압축기 치료는 한계가 있을 것이다. 또한 압박링을 사용할 경우 30분이 지나면 산소포화도가 떨어지므로 재활치료 시에는 압박링을 사용하지 않는 게 더 유리하다는 의견도 있다. 수술 후 9개월 동안 진공흡입장치를 사용한 임상연구 결과에 의하면 사용한 환자 80%에서 기구를 이용해 성교가 가능했지만 대조군에서는 29%만 가능하였다. 그리고 수술 전 정상적 발기기능을 가졌던 39명의 신경보존 근치적 전립선 절제술 시행자들을 대상으로 90일 동안 흡입장치 사용한 결과 음경의 길이 감소에 도움이 되었다. 또한, 흡입장치 사용을 술 후 6개월에 시작한 경우 1개월째에 시작한 경우에 비해 발기력도 현저히 떨어졌으며 음경의 길이도 2 cm 감소한다는 임상연구 결과도 있다. 이와 같이 음경의 위축을 예방하는 효과에 대한 부분적인 연구 결과에도 불구하고 사용이 번거로우며, 음경의 통증, 불편감, 피하출혈과 같은 제약이 있다. 아직 대규모 무작위 대조 연구 결과가 없는 상태이므로 음경재활에서 진공압축기 단독 치료 효과에 대한 증거는 불충분하다.

3) 해면체내 주사요법

프로스타글란딘 E1, 파파베린, 펜톨아민과 같은 혈관활성물질은 해면체 평활근에서 직접 cAMP의 생성을 촉진함으로 발기를 중계하는 신경계 자극이 없이도 발기를 유도한다. 그러므로 동맥성 발기부전 이 있는 환자나 근치적 전립선 절제술후 발기부전 환자를 대상으로 혈관활성물질을 이용한 해면체내 직접 주사요법이 오래전부터 산발적으로 시도되었다. 1997년에 Montorsi 등이 근치적 전립선 절제술후 해면체내 주입술을 주 3회 총 12주 동안 시행한 결과 치료군은 67%, 치료하지 않은 군 20%만이 자연발기력을 회복했다는 보고 이후 많은 임상연구가 이루어졌다. 수술 후 알프로스타딜 주사요법을 4년간 시행 한 102명에 대한 분석 결과 68%에서 성교가능한 발기가 가능했고 치료법에 대한 환자의 순응도도 70.6%에 달했으며 신경보존 정도에 따라 결과가 크게 영향을 받지 않아 비신경보존환자에게는 일차적 치료법, 신경보존 환자에서는 경구요법에 실패한 환자에 대한 2차적 치료법으로 추천되고 있다. 알프로스타딜 주사요법을 시작하는 시점에 대한 연구에서 술 후 3개월 이전에 시작한 경우에 70%, 3개월 이후에 시작한 경우 40%에서 성교에 충분한 발기가 가능해 다른 치료법과 마찬가지로 조직의 섬유화 등 비가역적인 변화가 일어나기 전에 조기치료시작이 유리할 것으로 시사된다. 주사횟수는 주3회 요법이 가장 보편적인 방법이며 알프로스타딜 단독요법보다 파파베린, 펜톨아민을 함께 사용하는 삼중혼합요법이 더 우수하다는 보고도 있다. 사용상 불편, 통증, 공포를 포함하는 주사요법이 갖는 기본적인 한계 외에도 결절형성 및 음경섬유화 등의 부작용도 고려해야한다.

4) 요도내 주입법

프로스타그란딘의 요도내주입법(MUSE)은 국소적

인 신경손상이 있는 환자에서도 음경혈류를 증가시켜 손상된 신경의 재생시키는 효과가 기대됨으로 최근 근치적 전립선 절제술후 발기부전 환자를 대상 음경재활 치료의 중요한 도구로 재조명되고 있다. MUSE는 발기부전 환자에서 음경해면체 산소포화도를 37-57% 상승시키는 것으로 알려져 있다. 근치적 전립선 절제술 후 3개월 이내부터 MUSE를 사용한 환자 384명을 대상으로 분석한 결과 신경상태에 관계없이 57%에서 성관계에 성공하였다. 하지만 약 20%는 요도통증과 작열감이 있었다. 전립선 절제술 후 MUSE사용의 한계는 PGE1 과민에 의한 음경통증으로서 500 ug 혹은 1000 ug의 MUSE 용량은 50%의 환자에게서 음경통증을 유발하며 특히 수술 후 1년 내에 심하다. 125 ug 내지 250 ug 용량으로도 음경의 발기력에 관계없이 해면체 산소포화도를 유의하게 증가시킨다는 연구를 근거로, 수술 후 3 주 후부터 6 개월 동안 1주에 3회 MUSE를 125 ug 혹은 250ug 용량으로 치료한 91명의 환자들을 대상으로 한 연구 결과 치료환자의 50%가 어떤 보조제 없이 성관계를 할 수 있었던 반면 대조군에서는 37%만이 가능하였으며 32%가 음경통증으로 치료를 중지하였다. 그러므로 MUSE는 수술 후 초기 재활치료에 의의가 있을 것으로 여겨지지만 순응도를 높이기 위해서는 음경통증의 해결이 필요하다.

5) 복합요법

복합요법은 두 가지 이상의 발기경로의 추가 혹은 상승작용을 통하여 발기력 회복을 추구할 수 있다는 이론적 장점에서 출발하였다. 요도내주입이나 해면체주사제로 사용하는 알프로스타딜은 주로 cAMP를 증가 시키고, PDE5 차단제는 cGMP를 증가 시키므로 이 두가지 병합요법은 각각 다른 경로를 통해 발기력 회복에 도움이 될 수 있다는 가정이다. 실데나필 25 mg 혹은 50 mg매일 복용과 알프로스타딜 해면체 주사요법을 병용한 소규모 연구결과 해면체 주사제의 용량을 줄일 수 있어 주사제의 부작용을 줄일 수 있었다. 해면체 주사제로는 알프로스타딜 단독요법 뿐만 아니라 파파베린, 펜톨아민을 함께 사용하는 삼중혼합제제를 사용할 수도 있다. 진공흡입기구와 PDE5 차단제병합요법을 3개월간 사용한 결과 신경보존적 전립선절제술을 받은 환자의 56%에서 성교에 충분한 발기가 가능하였다는 연구 결과도 있다.

병합요법의 이론적 가능성에도 불구하고 아직 소규모의 단기 임상연구만이 존재하여 그 효용성에 대한 평가는 이르며 또한 심혈관계와 위장계의 부담 등 부작용도 더 증가할 수 있다는 점도 고려의 대상이다.

6) 기타 실험적인 치료법

고압산소 치료, 산화질소의 공여자를 이용한 치료, 면역억제 및 비면역억제 배위자(immunophilin ligand/ nonimmunophilin ligand), 신경영양물질(neurotrophins), 성장인자(growth factor) 등과 같은 신경조절자를 이용한 치료법, 줄기세포 치료 등의 새로운 치료전략이 동물실험을 통해 연구 중에 있다.

7) 음경보형물(Penile prosthesis) 임플란트

수술 전에 이미 고위험군이었거나, 근치적 전립선 절제술 과정에서 신경 및 혈관 손상이 불가피했던 환자들의 경우 앞에서 언급한 1, 2차 치료법에 만족할 만한 결과를 얻지 못할 수 있다. 이런 경우, 3차 치료법으로 음경보형물 임플란트를 고려할 수 있다. 이 치료법은 발기부전에 대한 신뢰성있는 수술적 치료법이긴 하지만 고비용의 침습적 시술이라는 한계가 있다. 이 치료법은 본 교과서의 다른장에서 자세히 다루고 있으므로 여기에서는 자세한 기술을 생략하고자 한다.

3. 음경재활의 영역

음경재활이 지금까지는 근치적전립선 수술 후 발생하는 발기력 저하에 국한해서 연구되어왔다. 하지만 단지 발기력 저하 뿐만 아니라 사정 및 오르가즘 장애, 음경크기의 감소를 포함한, 음경만곡 등 구조적인 변화의 문제, 심리적 위축, 남성호르몬의 변화, 성욕장애까지 그 범위가 확장되어야 한다. 뿐만 아니라 대장암, 직장암 수술을 포함한 치료과정에서 성기능에 영향을 미칠 수 있는 각종 치료법으로 인해 고통을 받고 있는 환자들에 대한 체계적인 재활 및 치료를 연구하는 분야로 그 영역이 확대되어야한다.

4. 요약

전립선암의 조기진단율이 높아짐에 따라 젊고 성적으로 활동적인 환자가 수술을 받는 경우가 늘고 있으며 성기능의 보존 여부는 수술 후 시간이 지날수록 삶의 질에 영향을 미치는 가장 중요한 요소이다. 전립선암 수술 후 발생하는 발기부전의 자세한 병인에 대해 아직 정확히 밝혀지진 않았지만 신경과 동맥손상으로 초래되는 발기부전, 음경조직의 섬유화로 인해 초래되는 길이와 부피의 손실, 정맥폐쇄부전에 기인한 발기부전 등이 주요 원인이다. PDE 차단제, 진공흡입기구, 해면체내 주사요법, 요도내 주입법 그리고 이들의 병합요법 등이 현재 임상에 응용되고 있다. 그 외에도 많은 실험적 치료법들이 개발 중에 있다. 아직 표준화된 가이드라인이 존재하진 않지만 신경보존적 치료를 한 경우 일차적으로 PDE5 차단제를, 비신경 보존적 치료를 한 경우에는 알프로스타딜과 같이 국소에 직접 작용하는 약물의 선택을 우선 고려할 수 있다.

참고문헌

1. Bechara A, Casabe A, Cheliz G, Romano S, Fredotovich N.Prostaglandin E1 versus mixture of prostaglandin E1, papaverine and phentolamine in nonresponders to high papaverine plus phentolamine doses. J Urol 1996;155:913-914.
2. Briganti A, Di Trapani E, Abdollah F, Gallina A, Suardi N, Capitanio U, et al. Choosing the best candidates for penile rehabilitation after bilateral nerve-sparing radical prostatectomy. J Sex Med 2012;9:608-617.
3. Costabile RA, Spevak M, Fishman IJ, Govier FE, Hellstrom WJ, Shabsigh R, et al. Efficacy and safety of transurethral alprostadil in patients with erectile dysfunction following radical prostatectomy.J Urol. 1998;160:1325-1328.
4. Dalkin BL, Christopher BA. Preservation of penile length after radical prostatectomy: early intervention with a vacuum erection device. Int J Impot Res 2007; 19:501-504.
5. Ferrini MG, Davila HH, Kovanecz I, Sanchez SP, Gonzalez-Cadavid NF, Rajfer J. Vardenafil prevents fibrosis and loss of corporal smooth muscle that occurs after bilateral cavernosal nerve resection in the rat. Urology. 2006;68:429-435.
6. Gontero P, Galzerano M, Bartoletti R, Magnani C, Tizzani A, Frea B, Mondaini N. New insights into the pathogenesis of penile shortening after radical prostatectomy and the role of postoperative sexual function. J Urol 2007;178:602-607.
7. Gratzke C, Strong TD, Gebska MA, Champion HC, Stief CG,Burnett AL, et al. Activated RhoA/Rho kinase impairs erectile function after cavernous nerve injury in rats. J Urol 2010;184:2197-204.
8. Iacono F, Giannella R, Somma P, Manno G, Fusco F, Mirone V. Histological alterations in cavernous tissue after radical prostatectomy. J Urol 2005; 173:1673-1676.
9. Klein LT, Miller MI, Buttyan R, Raffo AJ, Burchard M, Devris G, et al. Apoptosis in the rat penis after penile denervation. J Urol 1997; 158:626-630.
10. Kohler TS, Pedro R, Hendlin K, Utz W, Ugarte R, Reddy P, Makhlouf A, Ryndin I,Canales BK, Weiland D, Nakib

N, Ramani A, Anderson JK, Monga M. pilot study on the early use of the vacuum erection device after radical retropubic prostatectomy. BJU Int. 2007 ;100: 858-862.

11. Kovanecz I, Rambhatla A, Ferrini MG, et al. Chronic daily tadalafil prevents the corporal fibrosis and veno-occlusive dysfunction that occurs after cavernosal nerve resection. BJU Int 2008; 101:203-210.
12. Leungwattanakij S, Bivalacqua TJ, Usta MF, Yang DY, Hyun JS, Champion HC, et al. Cavernous neurotomy causes hypoxia and fibrosis in rat corpus cavernosum. J Androl 2003; 24:239-245.
13. McCullough AR, Levine LA, Padma-Nathan H.Return of nocturnal erections and erectile function after bilateral nerve-sparing radical prostatectomy in men treated nightly with sildenafil citrate: subanalysis of a longitudinal randomized double-blind placebo-controlled trial. J Sex Med. 2008 ;5:476-484.
14. Montorsi F, Brock G, Stolzenburg JU, Mulhall J, Moncada I, Patel HR, et al. Effects of tadalafil treatment on erectile function recovery following bilateral nerve-sparing radical prostatectomy: a randomised placebo-controlled study(REACTT). Eur Urol 2014;65:587-596.
15. Montorsi F, Guazzoni G, Strambi LF, Da Pozzo LF, Nava L, Barbieri L, et al. Recovery of spontaneous erectile function after nerve-sparing radical retropubic prostatectomy with and without early intracavernous injections of alprostadil: results of a prospective, randomized trial. J Urol 1997; 158:1408-410.
16. Mulhall JP, Morgentaler A. Penile rehabilitation should become the norm for radical prostatectomy patients. J Sex Med 2007; 4:538-554.
17. Mullerad M, Donohue JF, Li PS, Scardino PT, Mulhall JP. Functional sequelae of cavernous nerve injury in the rat: is there model dependency. J Sex Med 2006; 3:77-83.
18. Muller A, Tal R, Donohue JF, Akin-Olugbade Y, Kobylarz K, Paduch D, et al. The effect of hyperbaric oxygen therapy on erectile function recovery in a rat cavernous nerve injury model. J Sex Med 2008; 5:562-570.
19. Mulhall JP, Slovick R, Hotaling J, Aviv N, Valenzuela R, Waters WB, et al. Erectile dysfunction after radical prostatectomy: hemodynamic profiles and their correlation with the recovery of erectile function. J Urol 2002; 167:1371-1375.
20. Nandipati K, Raina R, Agarwal A, Zippe CD. Early combination therapy: intracavernosal injections and sildenafil followillowillowillowillowillowillcreases sexuwilactivity and the return of natural erections. Int J Impot Res 2006;18:446-451.
21. Nehra A, Goldstein I, Pabby A, Nugent M, Huang YH, de las Morenas A, et al. Mechanisms of venous leakage: a prospective clinicopathological correlation of corporeal function and structure. J Urol 1996; 156:1320-1329.
22. Padma-Nathan H, McCullough A, Giuliano F, et al. Nightly postoperative sildenafil dramatically improves the return of spontaneous erections following a bilateral nerve-sparing radical prostatectomy. J Urol 2003; 169:375-376.
23. Penson DF, Litwin MS, Quality of life after treatment for prostate cancer, Curr Urol Rep. 2003;4:185-195.
24. Raina R, Agarwal A, Ausmundson S, Lakin M, Nandipati KC, Montague DK, et al. Early use of vacuum constriction device following radical prostatectomy facilitates early sexual activity and potentially earlier return of erectile function. Int J Impot Res. 2006;18:77-81.
25. Raina R, Lakin MM, Thukral M, Agarwal A, Ausmundson S, Montague DK, Klein E, Zippe CD. Long-term efficacy and compliance of intracorporeal (IC) injection for erectile dysfunction following radical prostatectomy: SHIM (IIEF-5) analysis. Int J Impot Res. 2003;15:318-322.
26. Rogers CG, Trock BP, Walsh PC. Preservation of accessory pudendal arteries during radical retropubic prostatectomy: surgical technique and results. Urology 2004; 64:148-151.
27. Walsh PC, Donker PJ. Impotence following radical prostatectomy: insight into etiology and prevention. J Urol 1982;128:492-497.
28. Zumbe J, Porst H, Sommer F, Grohmann W, Beneke M, Ulbrich E. Comparable efficacy of once-daily versus on-demand vardenafil in men with mild-to-moderate erectile dysfunction: findings of the RESTORE study. Eur Urol. 2008;54:204-210.

CHAPTER 42

보완대체요법

Complementary and Alternative Medicine (CAM) in Erectile Dysfunction

■ 박종관

보완대체요법은 의료의 한 분야에서 사용되고 있지만, 현재까지는 행위나 생산물질이 현대의학의 분야로 포함되지 않는다. 또한 과학적으로 이용하는 근거와 치료결과에 대한 증거들이 완벽히 증명되어 있지 않아, 근거중심의 연구가 활발히 진행되고 있는 영역이다. 미국국립 보완대체요법센터는 보완대체요법의 정의는 전통적인 의학의 일부가 아닌, 다양한 의료와 건강관리씨스템, 행위, 생산물 등을 통합적으로 포함한다. 그러나 보완대체요법은 비교적 효과적이고 안전하여 정통의학이 효과가 없거나 부작용이 있을 경우 건강을 유지하는데 있어 또 다른 대안으로서 역할을 하고 있다.

미국의 National Center for Complementary and Alternative Medicine(NCCAM)은 보완대체요법을 5개의 영역, 심신의학(mind-body medicine), 생물학적 기반치료(biologically based practices), 수기치료 및 신체 기반치료(manipulative and body-based practices), 기의학(energy medicine), whole medical system (또는 alternative medical system)으로 분류한다.

발기부전은 심혈관계 질환과 밀접한 관련이 있으며, 40세 이상의 남성 중 32.4%에서 경험하고 있다. 이중 4.9%만이 의사를 찾아 치료를 하고 있어, 나머지는 치료를 받지 않거나, 보완대체요법과 같은 다른 치료를 받고 있음을 의미한다. 이장에서는 보완대체요법을 소개하고 현재 성기능장애의 치료에 사용이 되고 있는 보완대체요법에 대하여 효과 및 안전성을 살펴본다

1. 보완대체요법의 실태

Situation of CAM

미국의 경우 1990년 33.8%에서 1997년 47.1%로 보완대체요법 사용이 증가하였다. 성인의 36%가 보완대체요법을 사용하며, mega vitamin 또는 기도요법을 포함하면 62%가 보완대체요법을 사용하고 있다(2004년 NIH). 호주에서도 78%에서 적어도 한 가지 이상의 보완대체요법을 사용하고 있으며, 66%는 보완대체요법 개업자를 방문했다. 가장 많은 방법이 비타민/미네랄을 사용한 것이고, 다음이 한약제로 만든 것이었다. 특이한 것은 대부분의 정보를 의사와 약사로부터 얻었으며(53%), 28%는 가족과 친지의 권유로 알게 되었다고 한다.

우리나라의 경우 29-53%에서 사용을 하고 있으며,

가입자본인건강관리를 위해 본인이 지출하는 액수의 29%가 보완대체요법에 사용되고 있으며, 질환에 따라 사용빈도가 다르다. 빈도상 일본의 76%와 유사하며, 스웨덴 31%, 미국 36%에 비하면 비교적 많은 사람들이 이용하고 있는 셈이다. 보완대체요법을 사용하는 이유로는 55%에서 의학적 치료와 더불어 건강을 증진시키기 위한 것이며, 일반인의 50%와 의료인의 26%에서는 시도해 볼 수 있다고 했다. 한편 28%에서는 전통의학이 도움이 되지 않으며, 13%에서는 너무 비싸다고 하였다. 미국의 경우 보완대체요법을 이용하기 위하여 1997년에 360-470억 달러를 소비하였으며, 120-200억 달러를 자신이 지불하였다. 보완대체요법 중 기능성식품에 사용한 비용은 1994년 90억 달러에서 2000년에는 160억 달러로 급격히 증가하였으며 2007년도에는 339억 달러를 사용하였다.

2. 보완대체요법의 분류및 종류

Classification and kinds ofCAM

보완대체요법은 다섯 가지로 구분을 하고 있으며, 세부 영역은 다음과 같다.

1) 심신의학을 이용한 치료 (Mind-body medicine)

심신의학에는 명상(meditation)요법, 요가(yoga), 영성(spirituality)과 관련된 행위, 생체되먹임(biofeedback)요법, 심상유도 요법 또는 도인상상요법(guided imagery therapy), 이완요법(relaxation techniques), 최면요법 (hypnosis), 자기기도(self-prayer)를 포함한 기도요법, 심령치료(psychic therapy), 정신치유(mental healing or healing ritual), 기공, 레이키, 신경언어요법, 자발요법(autogenic therapy), 꿈치료법(dream therapy), 라이히안 요법(reichian therapy), 오락치료, 무도요법(dance therapy), 음향요법(sound therapy), 음악치료(music therapy), 예술치료(art therapy), 화초치료(flower therapy), 원예요법(horticulture therapy), 미술요법(magic therapy) 등이 포함이 된다.

2) 생물학적 기반치료 (Biologically based practices)

한약 또는 식물에서 만들어진 물질을 사용하며, 비타 민, 미네랄, 건강한 치료효과를 주는세균인 장내미생물 (probiotics)을 이용한다.

생약요법(herbal medicine), 향기요법(aromatherapy), 봉독치료(apitherapy), 중금속제거요법(chelation therapy), 영양보충요법(nutritional supplement), 식이요법(diet therapy), 단방요법(folk medicine), 비타민도 미네랄도 아닌 천연산물(nonvitamin-nonmineral natural product), 음식에 기초를 둔 대량의 비타민투여 등을 이용하는 방법들이 해당된다.

3) 수기치료 및 신체|기반치료 (Manipulative and body based practices)

카이로프래틱(chiropractic medicine), 정골의학(osteopathic manipulation), 족부의학(podiatric medicine), 마사지, 바디웍(bodywork)요법, 반사요법, 근자극요법, 롤핑요법(rolfing therapy), 재건요법, 두개 천골자극요법(craniosacra1 therapy) 등이 포함된다.

4) 에너지 의학(Energy medicine)

자기장, 소리와 같이 검증이 가능한 에너지, 시술자로부터 환자에게 치료에너지를 전달하는 치료법이 이에 해당한다. 생체장을 이용하는 기공치료(qigong therapy), 레이키 치료(reiki therapy), 접촉요법(touch therapy)과 생전자기를 기반으로 하는 자장요법(magnetic field therapy), 동양의학의 경락체계를 자극하는 치료법 등이 해당한다.

5) 대체의료체계(Whole medical system or alternative medical systems)

별도의 이론체계와 치료방법을 갖춘 영역이다. 인도의 아유르베다 의학(ayurvedic medicine), 침, 뜸과 같은 한의학 또는 동양의학(oriental medicine or chinese medicine), 동종요법 (homeopathy), 자연요법 (naturopathy), 양자의학(quantum medicine)이 해당한다. 이 영역은 보완대체요법에 넣기도 하지만 독자적인 의료영역으로 인정하기도 한다.

3. 한국에서 사용하는 보완대체 요법

CAM in Korea

우리나라에서 2006년 30-69세의 3000명을 대상으로 한 연구에서 최근 12개월 내 보완대체요법을 사용한 비율이 74.8%였다. 보완대체요법을 사용한 이유는 질병예방 및 건강증진이었으며, 비용으로 약 203달러를 사용 하였다. 대부분은 친구나 가족으로부터 사용을 권고 받았다. 사용하는 보완대체요법은 생물학적 기반치료가 65.4%를 차지하였으며, 대체의료체계를 이용한 치료가 31.7%, 심신의학을 이용한 치료가 5.1%, 수기치료 및 신체기반치료가 1.8%, 기치료가 0.5%를 차지하였다(표 42-1). 대체의료체계를 이용한 치료 중 동양의학이 31.6%로 가장 많았으며, 생물학적 기반치료 중 60.2%가 기능성식품을 복용하였다.

표 42-1 2006년 한국에서 1년 동안 사용한 보완대체요법

CAM categories	Percent
Biologically based therapy	65.4
Whole medical system	31.7
Mind-body medicine	5.1
Manipulative and body based therapy	1.8
Energy medicine	0.5
Unclassified therapy	2.1

4. 발기부전환자에 사용되는 보완대체요법

CAM in the patient with erectile dysfunction

보완대체요법은 발기부전을 치료하기 보다는 발기력의 유지에 더 좋은 효과와 건강을 향상시키기 위하여 사용한다고 하였다. 우리나라에서 2006년, 2012년에 시행한 연구에 의하면 발기부전환자의 11.1%-38.2%에서 보완대체요법을 시행 받았으며, 55.5%에서 만족한다고 하였다. 2012년 연구에 의하면 기능성식품이 33.7%로 가장 많이 사용되었다. 식품 외에 한약, 침, 뜸, 마사지, 동종요법 등을 사용하였다. 보완대체요법을 이용한 발기 부전의 치료는 치료의 개념보다는 전신적인 건강상태의 향상을 통한 성기능의 개선을 추구하는 면이 강하다. 현재까지 성기능의 개

표 42-2 성기능개선을위해사용된 대체요법들과효과

Alternative/supplement	Overall evidence
Acupuncture	정신적 원인의 발기부전
Dehydroepiandrosterone (DHEA)	비기질적원인의 발기부전, 저성선증
Ginkgo biloba	항우울제투여로 발생한 발기부전
Korean red ginseng	발기부전
Yohimbine	정신적 원인의 발기부전
Zinc	아연결핍

선을 위해 사용된 방법들은 다음과 같다(표 42-2).

성기능장애

1) 침(Acupuncture)

침은 여러 질환의 치료에 사용하고 있다. 일반적으로 수술 후 통증이나 약물요법에 의한 메스꺼움에 도움이 된다고 한다. 정신적 원인의 발기부전에 도움이 되나 아직 이견이 있는 상태이다. 고 등의 보고에 의하면 16명의 발기부전환자에서 전기자극기가 부착된 침으로 주 2회 4주간 사용했을 때 15%의 환자에서 발기의 질이 좋아졌으며, 31%에서는 성행위가 증가했다. 39%에서 치료가 끝난 2개월 후에도 성생활이 향상되었으며, 발기력의 질적 향상도 초래했다.

2) 기능성 식품(Dietary supplements)

(1) L-arginine

발기에 중요한 역할을 하는 아미노산으로 일산화질소의 전구 물질이다. 현재 사용이 가능하며, 효과에 대해서는 이견이 있다. 1일 2800 mg을 2주 복용했을 때 40%에서 발기력향상을 보였다. 매일 5g을 6주간 복용했을 때 대조군이 12%에서 향상된 반면, arginine을 투여 한 군에서는 31%에서 향상되었다.

(2) Dehydroepiandrosterone (DHEA)

야생의 yam에서 나온 물질로 실험실에서 DHEA와 같은 구조로 변화시켜야 효과가 있으나, 대부분은 변화 시키지 않아 약간의 DHEA 활성만 가진다. 40명을 대상으로 한 연구에서 DHEA 50 mg을 매일 6개월 복용하였을 때 투여 전 국제발기능지수가 높을수록 좋은 반응을 보였다. 초기의 발기부전과 고혈압에 의한 발기부전에 도움이 되며 당뇨에 의한 발기부전에는 효과가 없다고 하였다.

(3) 은행(Ginkgo)

Gikgo biloba는 일찍이 독일에서 혈액순환제로 개발이 되었다. 항우울제 복용으로 인한 발기부전환자에서 209 mg을 매일 1개월간 투여했을 때 76%의 남성에서 도움이 되었다. 그러나 강등은 효과가 없다고 하여 이견이 있음을 보인다.

(4) 홍삼(Korean red ginseng)

실험실연구에서 홍삼은 혈관내피세포의 기능을 향상 시키며, 일산화 질소의 생산을 증가시킨다. 8주간 매일 900 mg을 3회 8주간 투여하였을 때 대조군에 비해 발기력을 비롯한 국제발기능지수가 향상되었다.

(5) 마카 (Maca)

마카(lepidium meyenii)는 페루의 안데스산맥에서 나는 식물의 뿌리이다. 아미노산, 요드, 철, 마그네슘이 풍부하다. 페루지역에서 수년 전부터 최음제와 생산을 증가시키는 목적으로 사용되었다 1.5-3 g을 12주 투여하여 대조군과 비교했을 때 효과가 있었다. 최근 대한민국에서도 불임관련 기능성식품으로 식약처에서 인정을 받았다.

(6) 인진쑥, 오미자, 복분자

인진쑥, 오미자, 복분자는 토끼를 이용한 실험에서 cyclicAMP 와 cyclicGMP의 양을 증가시켜 해면체 평활근을 이완시킨다. 그러나 인진쑥을 제외하고는 정확한 활성물질이 밝혀지지 않은 상태이다.

(7) 마늘

H_2S는 L-cysteine에서 합성된다. H_2S의 1차 donor인 diallyl sulfide는 마늘의 중요한 구성성분이다. 이는 발기부전의 치료에 도움이 되는 기능성식품으로 수년전부터 사용되어 왔다. 최근 연구에 의하면 신경인성 원인의 발기부전의 치료에 도움이 될 것이라는 보고도 있다. H_2S 전구물질인 L-cysteine유사체와 H_2S의

대사를 억제하는 rhodanese 와 thiol S-methyl-transferase는 L-arginine 유사체나 phosphodisesterase inhibitor와 유사한 기능을 가진다.

(8) 아연

미국에서 판매하는 기능성식품의 15%가 아연을 함유한다. 일일권장량은 11 mg 으로 전립선이 다른 조직보다 함유량이 높다. 그러나 고용량의 투여는 전립선비대증과 전립선암의 진행을 촉진할 수도 있다는 보고도 있다.

5. 요약

보완대체요법은 근거중심의 현대의학처럼 사용기전이나 효과가 나타나는 기전 등이 명확히 밝혀져 있지 않은 단점을 지니고 있지만 현실적으로 많은 사람들이 사용하고 있다. 정확한 기전들이 밝혀지면 이를 사용하는 인구는 증가할 것으로 보인다. 근거중심의 현대의학으로도 적절한 진단과 치료방법이 정립되어 있지 않은 기능성질환이나 만성질환의 경우, 적절한 보완대체요법은 적은 비용으로 효과적인 치료와 예방을 할 수도 있을 것으로 기대된다. 따라서 의료인은 보완대체요법에 대한 근거중심의 연구로 작용원리, 결과 등을 면밀히 분석하여 이를 이용하는 환자들을 오용 또는 남용으로부터 보호해야 한다.

참고문헌

1. 김옥현. 보완대체요법의 실태 http://cafe.daum.net/wizgosi.com.
2. Briefel RR, Bialostosky K, Kennedy-Stephenson J, McDowel1 MA, Ervin RB, Wright JD. Zinc intake of the U.S. population: findings from the third National Health and Nutrition Examination Survey, 1988-1994. J Nutr 2000;130(Suppl 5S):1367S-1373S.
3. Chen J, Wollman Y, Chemichovsky T, Laina A, Sofer M, Matzkin H. Effect of oral administration of high-dose nitric oxide donor L-arginine in men with organic erectile dysfunction: results of a double-blind, randomized, placebo-controlled study. BJU Int 1999;83:269-273.
4. Choi WS, Song SH, Son H. Epidemiological study of complementary and alternative medicine (CAM) use for the improvement of sexual function inb young Korean men: The Korean internet sexuality servey (KISS), Part II. J of Sex Med 2012;9:2238-2247.
5. Cohen AJ, Batlik B. Ginkgo biloba for antidepressant-induced sexual dysfunction. J Sex Marital Ther 1998;24:139-143.
6. Gur S, Kadowitz PJ, Sikka SC, Peak TC, Hellstrom WJ. Overview of potential molecular targets for hydrogen sulfide: A new strategy for treating erectile dysfunction. Nitric Oxide 2015;14;50:65-78.
7. Hong B, Ji YH, Hong JH, Nam KY, Ahn TY. A double-blind crossover study evaluating the efficacy of Korean red ginseng in patients with erectile dysfunction: a preliminary report. J Urol 2002;168:2070-2073.
8. Kang BJ, Lee SJ, Kim MD, Cho MJ. A placebo-controlled, double-blind trial of Ginkgo biloba for antidepressant-induced sexual dysfunction. Hum Psychopharmacol 2002;17:279-284.
9. Kho HG, Sweep CG, Chen X, Rabsztyn PR, Meuleman EJ. The use of acupuncture in the treatment of erectile dysfunction. Int J Impot Res 1999;11:41-46.
10. Lagiou P, Wuu J, Trichopoulou A, Hsieh CC, Adami HO, Trichopoulos D. Diet and benign prostatic hyperplasia: a study in Greece. Urology 1999;54:284-290.
11. Lee SI, Khang YH, Lee MS, Kang W. Knowledge of attitudes toward and experience of complementary and alternative medicine in Western medicine-and oriental medicine-trained physicians in Korea. Am J Public Health 2002;92:1994-2000.
12. Mackay DJ. Nutrients and botanicals lor erectile dysfunction examining the evidence. Altern Med Rev 2004;9:4-16.
13. National center lor complementary and alternative

medicine. http://nccam.nih.gov.

14. Nemoto K, Kondo Y, Himeno S, Suzuki Y, Hara S, Akimoto M, et al. Modulation of telomerase activity by zinc in human prostatic and renal cancer cells. Biochem Pharmacol 2000 15;59:401-405.

15. Ock SM, Choi JY, Cha YS, Lee J, Chun MS, Huh CH, et al. The use of complementary and alternative medicine in a general population in South Korea: results from a national survey in 2006. J Korean Med Sci 2009;24:1-6.

16. Reiter WJ, Pycha A, Schatzl G, Pokorny A, Gruber DM, Huber JC, et al. Dehydroepiandrosterone in the treatment of erectile dysfunction: a prospective, double-blind, randomized, placebo - controlled study. Urology 1999;53:590-594.

17. Zorgniotti AW, Lizza EF. Effect of large doses of the nitric oxide precursor, L-arginine, on erectile dysfunction. Int J Impot Res 1994;6:33-35.

CHAPTER 43

발기부전 치료의 미래

Future Treatment for Erectile Dysfunction

■ 이성원

음경 발기의 생리 기전이 밝혀짐에 따라 발기부전에 대한 새로운 치료 방법들이 개발되었고 현재 개발중인 다양한 치료 방법들이 있다. 1998년에 sildenafil이 사용되면서 발기부전의 치료에 있어 혁명적인 변화를 겪었고 치료를 받지 않던 발기부전 환자들이 치료를 받아 많은 수에서 성생활이 가능하게 되었다. 그러나 현재 사용하는 치료 방법은 발기부전의 원인별 치료가 이루어지지 않으며 사용상의 불편함과 부작용으로 적용하는데 있어 한계가 있다. 따라서 발기부전에 대한 근본적이고 효과적이며 병인에 따른 차별화된 치료 방법의 개발이 필요한 상태이다.

1. 치료 효과가 낮은 군에 대한 치료

전립선암에 대한 신경보존 전립선적출술 이후 sildenafil의 반응률은 약 43%로 다른 원인에 의한 발기 부전에 비하여 매우 떨어지며 당뇨병이 있는 환자 역시 다른 원인에 비해 상대적으로 낮은 반응률을 보인다. 이와 같은 낮은 반응률을 보이는 환자군에 대하여는 복합 처방법이 시도되고 있다. Mydlo 등은 sildenafil에 반응하지 않는 환자군에서 두 약제를 복합 처방하여 65명의 환자 중 60명에서 만족스러운 결과를 보고하였다. 복합 처방법은 반응률을 높이고 부작용을 줄이기 위해 향후 활발하게 시도될 것으로 예상되며 개발중인 다양한 약제가 사용 가능해지면 고혈압 치료에서 복합 처방이 일반화된 것과 같이 발기부전의 치료에서도 발기부전의 정도에 따라 다양한 복합 처방이 일반화 될 것으로 판단된다.

치료하기 어려운 군으로는 성욕저하증을 보이는 환자로 Rosen에 의하면 발기부전 환자의 약 30% 이상에서 성욕저하증을 보이는 것으로 보고하였다. 성욕저하증의 일부 환자에서 낮은 남성호르몬이 원인이 되어 남성호르몬의 보충으로 반응을 보이지만 대부분의 경우 치료 가능하지 않다. Reiter 등은 성욕저하증 환자에게 dehydroepiandrosterone (DHEA)을 투여한 결과 의미있는 호전을 보였다고 보고하였으나 성욕저하증에 대한 일반화된 치료 방법이 개발되지 않아 향후 이에 대한 치료제 개발이 필요한 상태이다.

2. 발기부전의 유전자치료

음경평활근의 이완은 음경발기 현상의 가장 중요

한 단계로 많은 세포 내외의 신경전달 물질 및 기관이 음경평활근의 이완에 관여하며 모든 물질이 원인 질환에 따라 유전자치료의 표적이 될 수 있다. 유전자치료의 전략으로 크게 두 가지 방법으로 구분할 수 있는데 음경평활근을 이완시키는 전달물질을 생성을 촉진시켜 세포에 작용하는 전달 물질의 양을 증가시켜 세포를 쉽게 이완시키는 방법과 이완전달 물질에 대하여 세포의 민감도를 증가시켜 세포가 쉽게 이완하게 하는 방법으로 나누어진다. 전자의 대표적 방법으로는 nitric oxide synthase (NOS) 조절하는 유전자 치료법이며 후자의 경우 K^+통로(potassium channel)를 조절하는 유전자 치료 대표적이며 동물 단계의 연구가 진행 중이다.

유전성 질환과 악성종양 질환에 대한 유전자치료에 비해 발기부전에 대한 유전자 치료는 몇 가지 면에서 임상에 적용하기에 유리한 점이 있다. 첫째로 음경은 신체 내 어느 기관보다 접근하기가 용이하며 간단한 방법으로 전신의 혈액 순환과 격리 할 수 있다. 이는 유전자가 작용이 비선택적 작용할 경우에도 전신적 부작용 없이 사용 가능하며 목표 조직에서의 작용시간을 길게 할 수 있다. 또한 유전자 치료 효과가 장기간 지속되지 않아도 쉽게 반복 할 수 있는 장점으로 작용한다. 둘째로 음경해면체 평활근에 gap junction이라는 통로가 존재하는데 이를 통하여 세포 내의 각종 2차 전령 물질이 자유롭게 이동 할 수 있어 세포 사이의 교신이 이루어진다. 따라서 일부 세포에서 유전자전달이 이루어지고 발현 되어 유전자 치료 효과가 일부 세포에서만 이루어져도 전체 세포에서 그 효과를 발생할 수 있는 가능성이 높아 유전자 전달율이 비교적 낮아도 그 치료효과를 기대할 수 있다. 따라서 유전자전달을 높이기 위하여 사용하는 바이러스 vector 등을 사용하지 않고 그 효과를 기대할 수 있어 vector를 사용에 따른 세포의 돌연변이 유발이나 불필요한 면역반응 피할 수 있다.

1) NOS 조절하는 유전자 치료

NOS는 3가지의 다른 형태가 존재하며 이 각각은 다른 유전자에 의하여 형성된다. Neuronal NOS (nNOS)와 endothelial NOS (eNOS)는 세포 내에 항상 존재하는데 nNOS 신경조직에서 발견되며 음경에 존재하는 주된 NOS이다. eNOS는 혈관과 육주조직의 내피세포에 존재하며 보조적인 산화질소의 공급원이다. Inducible NOS (iNOS)는 역할에 대하여는 알려진 것은 적지만 최근에 백서에서 동맥 및 평활근의 내피세포에서 iNOS가 발견되어 3 종류의 NOS가 음경발기에 관여하는 것으로 알려졌다.

산화질소는 발기현상에서 가장 중요한 신경전달 물질로 고령, 당뇨병을 포함한 많은 발기부전 원인의 질환에서 NOS의 발현이 줄어드는 것이 확인되어 NOS를 음경조직 내에 많이 발현되도록 하는 유전자 치료 방법은 발기부전 치료의 전략이 될 수 있다. Garban 등은 인체 및 백서의 음경에서 iNOS 표적으로 백서에서 유전자 치료 동물실험을 보고하였다. 이들에 의하면 iNOS의 naked DNA를 음경해면체 주사 10일 후 연령이 20개월 인 노령 백서에서 대조군에 비해 최대 음경해면체 내압(maximal intracavernosal pressure)이 의미 있게 증가 (46%)하였고 치료를 받지 않은 5개월 된 젊은 백서에서 얻은 최대 음경해면체 내압보다 높았다고 보고하였다. 또한 iNOS로 치료 받은 백서의 음경해면체 조직에서 iNOS가 과발현 되는 것을 확인하였다. 그러나 이러한 치료 효과가 3주 후의 실험에서는 유지되지 않아서 이를 임상적용까지는 더 많은 연구가 필요하다. Bivalac qua 등은 adenovirus를 vector로 사용하여 eNOS의 유전자치료법을 발표하였다. 저자들은 AdRSVeNOS로 핵 산전달시킨 백서의 음경에서 eNOS의 과발현이 관찰되었으며 주입 후 5일째에 eNOS의 단백질과 mRNA 그리고 cGMP가 증가하는 것을 관찰하였다. 또한 AdRSVeNOS로 핵산전달 시킨 노령백서에서 AdRSVgal

을 핵산전달시킨 백서에 비해 전기자극 후 음경해면체 내압의 증가가 의미 있게 증가하여 젊은 백서의 수치와 유사하였다고 보고하여 향후 NOS 유전자에 대한 유전자 치료의 임상적용 가능성을 제시하였다.

2) K^+통로를 조절하는 유전자 치료

혈관성 평활근을 포함한 많은 인체의 평활근에서 비아드레날린성 비콜린성 물질들은 세포 내 2차 전달물질 통하여 K^+통로와 Ca^{2+} 통로의 개폐를 조절하여 세포 내 칼슘 이온 농도를 변화시켜 세포의 긴장도를 조절하는 것으로 알려졌다. K^+통로의 세포 생리학적 기능으로는 통로가 활성화 되면 세포막 안정 전압을 유지하게 하여 Ca^{2+}칼슘 통로가 닫히게 되어 세포 내 칼슘 이온 농도를 낮춤으로써 세포의 이완현상을 초래한다. 이와 같이 K^+ 통로와 Ca^{2+}통로는 서로 길항 작용을 통해 평활근의 긴 장도를 유지한다. K^+ 통로의 이상은 정상적 세포막 안정 전압을 유지할 수 없어 세포가 쉽게 역치 전압에 도달하여 평활근의 수축을 초래하고, 수축된 세포에서 이완을 위한 재분극 현상이 늦어져 수축이 오래 지속됨으로써 평활근 조직의 긴장도가 증가되게 된다. 음경 해면체 평 활근에 존재하는 K^+통로의 이상은 상술한 기전에 의해 음경 발기장애의 직접적인 원인이 된다. 인체 음경해면체의 평활근세포에는 4종류 이상의 다른 종류의 K^+ 통로 가 발견되었고 이중에서 칼슘이온 의존성 K^+통로(K_{Ca} 통로, maxi-K^+통로)와 ATP 의존성 K^+통로(K_{ATP} 통로)가 세포의 긴장도 조절에 생리학적으로 중요한 것으로 알려졌다. 따라서 K^+통로는 발기장애에 대한 유전자 치료의 좋은 표적이다. K^+통로의 유전자를 음경해면체에 전달시켜 유전자의 과발현을 통하여 평활근 세포에서 활성화 되는 K^+통로의 수를 증가시킴으로써 세포의 긴 장도를 낮추는 효과를 기대할 수 있다.

Christ 등은 K^+통로의 아형 중에 생리학적으로 중요한 K_{Ca} 통로를 대상으로 이 통로의 hSlo cDNA를 이용한 유전자 치료를 보고하였다. 20개월 이상의 노령 백서에 서 hSlo cDNA를 음경해면체에 주사하면 대조군에 비해 음경해면체 내압이 의미 있게 증가하며 이 효과가 최소 한 2 개월 이상 지속되며 일부 백서에서는 그 효과가 4 개월까지 지속되어 K_{Ca} 통로에 대한 hSlo cDNA 유전자 치료법은 나이에 따른 발기력 감퇴 치료에 효과적이었다고 보고하였다. 또한 당뇨성 발기부전에 대한 치료 효과에 대한 실험에서 streptozotocin에 의해 유발된 당뇨 백서에서 hSlo cDNA를 음경해면체에 주사한 후 1~2 개 월 이후 얻은 음경해면체 내압이 대조군에 비해 30-80%의 증가가 관찰되어 K_{Ca} 통로에 대한 hSlo cDNA 유전자 치료법이 당뇨성 발기부전을 회복 시킬 수 있는 것을 보고하였다. K_{ATP} 통로를 대상으로 하는 유전자치료도 보고되었는데 K_{ATP} 통로를 이루는 Kir 6.1, Kir6.2 및 SUR2B 유전자를 노령 백서에 주사하면 대조군에 비해 음경해면체 내압이 의미 있게 증가하며 정상 젊은 백서 수준의 내압으로 회복되는 것을 보고하였다.

3) 그 밖의 유전자 치료

발기부전의 가장 흔한 원인이 혈관성 장애에서 온다는 사실을 기초로 혈관 형성 물질로 발기부전을 치료하려는 시도로 vascular endothelial growth factor (VEGF)를 이용한 유전자 치료에 대한 연구가 있다. VEGF는 매우 강력한 혈관 형성 물질로 Burchardt 등은 백서와 인체의 해면체 조직에서 4종류의 VEGF mRNA (VEGF 120, 144, 164, 188)를 확인하였고 이중 VEGF 164가 가장 많이 존재하는 것을 밝혔다. 백서 해면체 조직에서 수 종류의 VEGF cDNA를 복제하여 이를 이용한 발기부전의 유전자 치료 가능성을 제시하였다. Sung 등은 TRPC4 이온 통로가 당뇨성 발기부전 백서 모델의 음경해면체에서 발현이 증가되는 것을 확인하였고 TRPC4 이온 통로의 dominant negative form을 발현시 당뇨성 발기부전이 회복되는 것을 확인하였다.

내피세포는 산화질소를 포함한 다양한 혈관 조절 물질을 분비하는 곳으로 이 기능의 이상은 발기부전의 원인으로 직결된다. 따라서 유전적으로 변화시킨 내피세포를 음경해면체에 이식하여 발기부전을 치료하려는 연구가 있다. 이는 이식된 세포의 생존 기간이 짧고 기능적 평가가 어려운 점 등 해결할 문제가 많지만 유전자 치료의 한 방법이 될 가능성이 있다.

4) 유전자치료의 임상적용

발기부전에 대한 유전자치료가 효과적인 것이 다양한 유전자를 대상으로 여러 방법으로 동물실험을 통하여 검증되었으나 실제로 임상적용은 단 한 경우에서만 보고 되었다. 이러한 상황은 발기부전 유전자 치료에 대한 연구에 대한 보고가 10년 전부터 있었다는 점을 고려하면 향후에도 임상적용에 어려움이 있고 미래의 발기부전 치료법으로 정립되기가 쉽지 않을 것으로 예상된다. 발기부전에 유전자치료를 적용하기 유리한 점이 있으나 발기부전이라는 질환이 생명을 위협하지는 않는 질병군에 속하기 때문에 유전자치료가 지니고 있는 위험성이 상대적으로 높아져 환자가 얻을 수 있는 이득과 치료에 따른 위험성을 고려하는 단계에서 임상시험 허가를 받기가 어려운 현실이다. Melman 등이 DNA plasmid를 이용하여 maxi-K^+ 통로 유전자를 전달시키는 제 1상 임상시험이 진행되었으나 대상 환자의 수가 너무 적고 대조군 설정이 없이 진행된 연구이었다. 따라서 이 임상시험의 성공 여부는 아직 판단하기 어렵다.

3. 발기부전의 재생의학적 치료

조직에 대한 재생에 대한 개념을 발기부전에 적용한 연구들이 발표되었으며 이 분야의 발전 속도를 고려하면 미래의 치료 방법으로 정립될 가능성이 높다. 음경에 대한 재생의학은 조직공학적 방법에서 줄기세포 치료방법까지 포함하며 음경신경 재생에서 음경해면체 재생까지 다양하게 적용되고 있다.

Burnett 등은 전립선암 근치적 수술후 음경신경의 재 생에 대한 연구를 발표한 후 임상에 적용한 연구를 포함하여 이에 대한 많은 연구가 발표되었으나 일반적으로 환자에게 적용하기까지는 해결해야 할 문제들이 있다. 음경해면체 조직이 손상된 경우 해면체 조직의 재생에 대한 연구도 활발하다. 특히 동종 세포를 이용하여 정상 발기조직체를 재구성하는 것은 발기부전 환자의 치료의 한가지 방법으로 발전될 수 있는 가능성은 높다. 음경해면체를 조직 공학적으로 구성하기 위해서는 평활근 세포와 상피세포를 대량 배양하여 두 세포를 조직 공학적으로 조절하는 것이 필요하다. Atala 등은 음경해면체의 평활근세포와 상피세포를 조직 공학적으로 처리하면 in vivo 실험에서 모세 혈관을 있는 음경해면체 평활근 조직이 형성되는 것을 관찰하여 상피세포가 원래의 혈관계와 상호작용 하는 것을 확인하였다. 이상의 결과를 기초로 음경해면체의 평활근세포와 상피세포를 이용하여 조직 공학적으로 동종의 음경해면체의 형성이 가능하고 이를 발기부전 환자의 치료에 사용할 수 있는 가능성을 제시하였다.

줄기세포를 이용한 치료는 발기부전에서는 성체 줄기세포 위주로 연구되고 있다. Bivalacqua 등은 골수 줄기세포를 이용하여 발기부전 치료를 보고하였으며 골격근 줄기세포와 신경능선 줄기세포를 이용한 연구도 있었다. 지방조직 줄기세포는 다른 조직에 비해 쉽고 안전하게 많은 양을 얻을 수 있는 장점이 있고 분화와 치료적 가능성이 골수 줄기세포와 동일한 것으로 알려져 발기부전에 적용하는 많은 연구가 발표되었다. 따라서 발기부전에 대한 줄기세포 치료는 지방조직 줄기세포가 주류를 이룰 것으로 예상되며 연구 결과에 따라 음경해면체를 재생시킬 수 있는 미래의 치료 방법으로 발전 가능하다고 판단된다.

참고문헌

1. Andersson KE, Wagner G. Physiology of penile erection. Physiol Rev 1995;75:191-236.
2. Bivalacqua TJ, Champion HC, Mehta YS, Abdel-Mageed AB, Sikka SC, Ignarro LJ, et al. Adenoviral gene transfer of endothelial nitric oxide synthase (eNOS) to the penis improves age-related erectile dysfunction in the rat. Int J Impot Res 2000; 12 Suppl 3:S8-17.
3. Bivalacqua TJ, Deng W, Kendirci M, Usta MF, Robinson C, Taylor BK, et al. Mesenchymal stem cells alone or ex vivo gene modified with endothelial nitric oxide synthase reverse ageassociated erectile dysfunction. Am J Physiol Heart Circ Physiol 2007;292:H1278-290.
4. Burchardt M, Burchardt T, Chen M-W, Shabsigh A, de la Taille A, Buttyan R et al. Expression of messenger ribonucleic acid splice variants for vascular endothelial growth factor in the penis of adult rats and humans. Biol Reprod 1999;60:398-404.
5. Burnett AL. Nitric oxide in the penis: physiology and pathology. J Urol 1997;157:320-324.
6. Burnett AL, Lue TF. Neuromodulatory therapy to improve erectile function recovery outcomes after pelvic surgery. J Urol. 2006;176:882-887.
7. Christ GJ, Rehman J, Day N, Salkoff, L, Valcic M, Melman A et al. Intracorporal injection of hSlo cDNA in rats produces physiologically relevant alterations in penile function. Am J Physiol 1998;275:H600-608.
8. Fan SF, Brink PR, Melman A, Christ GJ. An analysis of the Maxi- K+(KCa) channel in cultured human corporal smooth muscle cells. J Urol 1995;153:818-825.
9. Forstermann, U., Boissel, J., Kleinert, H. Expressional control of the 'constitutive' isoforms of nitric oxide synthase (NOS I and NOS III). FASEB J 1998;12:773-790.
10. Garban H, Marquez D, Magee T, Moody J. Rajavashisth T. Rodriguez JA et al. Cloning of rat and human inducible penile nitric oxide synthase. Application for gene therapy of erectile dysfunction. Biol Reprod 1997; 56:954-963.
11. Griffith OW, Stuehr DJ. Nitric oxide synthases: Properties and catalytic mechanism. Annu Rev Physiol 1995;57:707-736.
12. Lin G, Banie L, Ning H, Bella AJ, Lin CS, Lue TF. Potential of adipose-derived stem cells for treatment of erectile dysfunction. J Sex Med. 2009;6 (suppl 3):320-327.
13. Melman A, Bar-Chama N, McCullough A, Davies K, Christ G. hMaxi-K gene transfer in males with erectile dysfunction: results of the first human trial. Hum Gene Ther 2006;17:1165-1176.
14. Lue TF, Dahiya R. Molecular biology of erectile function and dysfunction. Mol Urol 1997;1:55-64.
15. Mydlo JH, Volpe MA, MacChia RJ. Results from different patient populations using combined therapy with alprostadil and sildenafil: predictors of satisfaction. BJU Int 2000;86:469-473.
16. Nolazco G, Kovanecz I, Vernet D, Gelfand RA, Tsao J, Ferrini MG, et al. Effect of muscle-derived stem cells on the restoration of corpora cavernosa smooth muscle and erectile function in the aged rat. BJU Int 2008;101:1156-1164.
17. Park HJ, Yoo JJ, Kershen RT, Moreland R, Atala A. Reconstruction of human corporal smooth muscle and endothelial cells in vivo. J Urol 1999;162:1106-1109.
18. Reiter WJ, Pycha A. Schatzl G. Klingler HC. Mark I. Auterith A et al. Serum dehydroepiandrosterone sulfate concentrations in men with erectile dysfunction. Urology 2000;55:755-758.
19. Rosen RG. Psychogenic erectile dysfunction: classification and management. Urol Clin North Am 2001;28:269-278.
20. Song YS, Lee HJ, Park IH, Lim IS, Ku JH, Kim SU. Human neural crest stem cells transplanted in rat penile corpus cavernosum to repair erectile dysfunction. BJU Int 2008;102:220-224.
21. Sung HH, CHoo SH Ko M Kang SJ Chae MR Kam SC Han DH So I, Lee SW. Increased expression of TRPC4 channels associated with erectile dysfunction in diabetes. Andrology 2014;2:550-558.
22. Yoo J, Park H, Lee I, Atala A. Autologous engineered cartilage rods for penile reconstruction. J Urol 1999; 162:1119-1121.
23. Wessels H, Williams SK. Transplantation of microvessel endothelial cells into the corpus cavernosum: Applications for gene therapy. Int J Impot Res 1998;10:

SECTION

사정장애 05

Chapter 44. 누정 및 사정의 생리 ······ 류지간

Chapter 45. 조루증의 역학 및 진단 ······ 김세웅

Chapter 46. 조루증의 치료 ······ 김수웅

Chapter 47. 기타 사정장애 ······ 우승효

CHAPTER 44

누정 및 사정의 생리

Physiology of Emission and Ejaculation

■ 류지간

현재까지 사정과정을 규명하기 위한 해부생리적, 약물학적, 행동학적 접근방법에 의한 많은 연구가 이루어졌다. 이를 토대로 사정과정과 관련된 척수 및 척수상부경로가 밝혀졌으며, 여러 신경전달물질의 역할도 밝혀지고 있다. 본 장에서는 사정반응과 관련된 중추 조절기전 및 관련된 각각의 신경전달물질의 역할에 대해서 알아보고자 한다.

1. 사정과정

사정과정은 자율신경계(autonomic nervous system) 및 체신경(somatic nerve)에 의해 이루어지며, 누정(emission) 및 방출(expulsion)의 두 단계로 이루어진다. 각각의 단계에서 두 군의 해부학적 구조가 특이하게 작용을 한다. 누정기(emission phase)에는 부고환, 정관, 정낭, 전립선, 전립선요도, 방광경부가 작용을 하고, 방출기(expulsion phase)에는 방광경부, 외요도괄약근, 요도와 함께 구부요도해면체근육(bulbospongiosus muscle), 좌골해면체근육(ischiocavernosus muscle)을 포함한 골반횡문근(pelvic striated muscle)이 관여를 한다(그림 44-1). 사정과정에 관여하는 신경 및 해부구조를 표 44-1에 요약하였다.

1) 누정기

누정기(emission phase)에는 정자 및 부속성선(accessory sex gland)에서 생성된 산물, 즉 정액(seminal fluid)이 연속적인 상피세포분비운동(epithelial secretion)과 정관, 정낭, 전립선 평활근세포의 수축에 의해 후부요도로 분출된다. 이때 방광경부는 폐쇄되어 역행성 사정을 막는다. 이 과정에는 골반신경총(pelvic plexus)에서 주로 유래된 치밀한 교감신경 및 부교감신경 분포가 작용을 한다. 이 신경은 후복막에 위치하며 직장의 양측면, 그리고 정낭의 후외측에 위치한다. 교감신경자극과 관련된 주된 신경전달물질은 norepinephrine이며, 이는 부교감신경전달물질인 acetylcholine과 균형을 이룬다. 누정기에는 교감신경계(T10-L2)가 활성화 되어 정로의 신경절이전신경세포(preganglionic neuron)로부터 norepinephrine 분비를 야기시켜 α-아드레날린수용체를 활성화시킨다. 이는 세포 내 칼슘농도를 증가시켜 정관평활근의 수축을 유발한다. 이에 따라 정자가 팽대부(ampulla)로 이동되고, 팽대부(ampulla)가 다

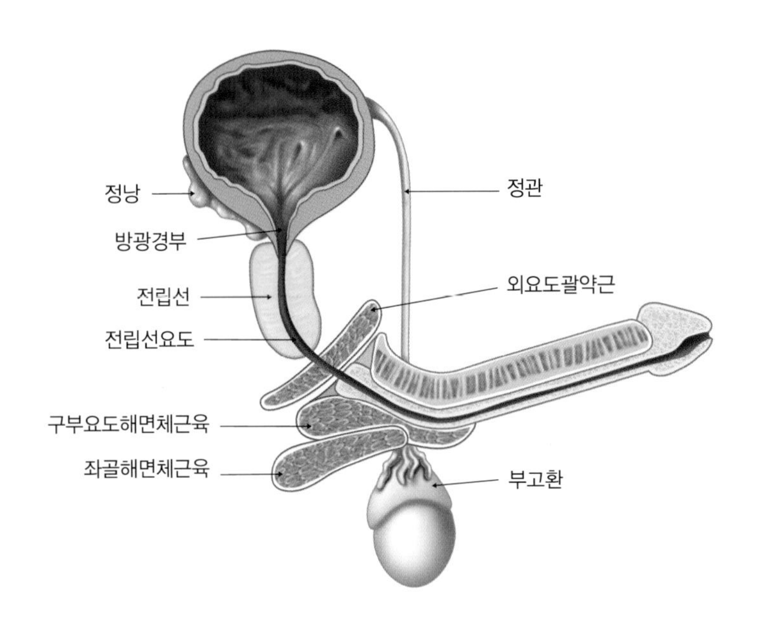

그림 44-1 사정과정(누정 및 방출)과 관련된 해부구조

표 44-1 사정과정

누정(Emission)
정의: 정자 및 부속성선(정낭, 전립선, 구부요도선, 등)에서 생성된 산물, 즉 정액이 전립선 요도로 분출되는 현상
관련 신경 및 해부구조
부교감신경: 부속성선의 상피세포에서 정액(seminal fluid)을 분비(secretion)
교감신경: 정로(seminal tract)와 방광경부의 평활근 수축
방출(Expulsion)
정의: 정액이 요도에서 요도구로 분출되는 현상
관련 신경 및 해부구조
체신경: 외요도괄약근의 이완, 구부요도해면체근육 및 좌골해면체근육의 박동성 수축
교감신경: 방광경부의 평활근 수축

교감신경, hypogastric nerve; 부교감신경, pelvic splanchnic nerve; 체신경, pudendal nerve.

시 수축하면 정액을 후부요도로 밀어내게 된다. 한편 부교감신경은 부속성선, 즉 정낭, 전립선, 구부요도선(bulbourethral gland)의 상피세포에서 정액의 분비를 담당한다.

2) 방출기

누정의 결과로 후부요도 압력이 올라가게 되면 더 이상 참을 수 없는 느낌을 가지게 되며, 이때 정액이 요도에서 요도구로 분출이 되는 방출이 일어난다. 방출기는 사정과정이 돌아올 수 없는 지점에 도달할때 생기는 일종의 척수반사이다. S2-S4분절에서 기시하는 체신경인 음부신경(pudendal nerve)이 구부요도해면체근육, 좌골해면체근육을 포함한 골반횡문근을 지배한다. 외요도괄약근의 이완과 동반해서 구부요도해면체근육, 좌골해면체근육과 함께 골반저근육(pelvic floor muscle)의 박동성 수축이 일어남으로써 정액이 구부 및 음경부 요도를 통과해서 전진한다. 이 때 방광경부는 폐쇄되어 역행성 사정을 막는다. 평활근섬유가 풍부한 방광경부 및 근위부 요도는 교감신경과 부교감신경의 이중지배(dual innervation)를 받는다. 외요도괄약근 및 골반횡문근은 오직 체신경계에 의해서 조절되지만, 인간에서 방출기의 수의적인조절(voluntary control)이 존재하는지에 대한 명백한 증거는 없다.

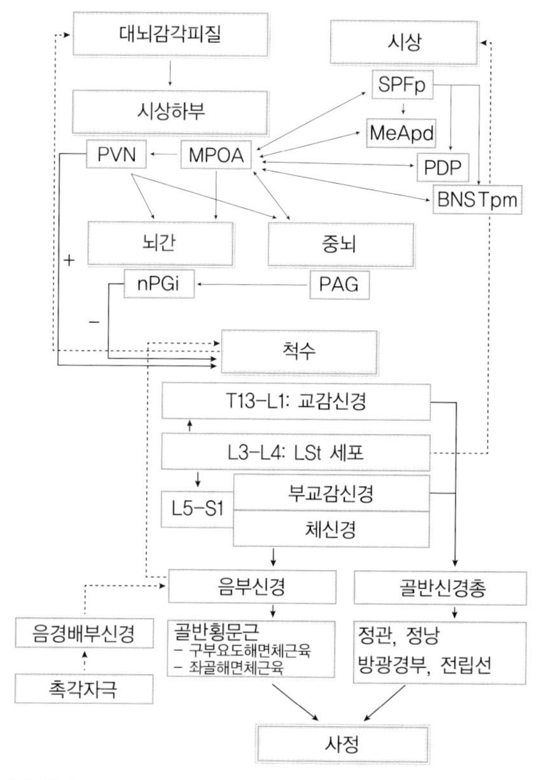

그림 44-2 수컷 쥐에서 사정조절과 관련된 신경부위 및 신경회로.
+, 흥분자극; –, 억제자극; 점선, 구심성 경로; 실선, 원심성 경로; PVN, paraventricular nucleus; MPOA, medial preoptic area; nPGi, nucleus paragigantocellularis; SPFp, parvocellular part of the subparafascicular thalamus; MeApd, posterodorsal medial amygdaloid nucleus; PDP, posterodorsal preoptic nucleus; BNSTpm, posteromedial bed nucleus of stria terminalis; PAG, periaqueductal gray; LSt 세포, lumbar spinothalamic cells.

2. 사정반응의 중추조절

정상적인 선행성 사정이 일어나기 위해서는 교감신경, 부교감신경, 체신경의 긴밀한 조화가 필요하다. 사정반응에는 감각수용체 구심신경경로, 대뇌감각 및 운동영역, 척수운동중추(spinal motor centers), 그리고 복합적인 원심신경경로가 관여한다(그림 44-2). 척수에서 사정반사의 조절은 중추신경계통의 각기 다른 수준에서의 신경화학적 통합조절작용을 필요로 한다. 여기에는 여러 신경전달시스템이 관여하는데 특히 중추 세로토닌 및 dopamine 신경세포가 주된 역할을 하고, 최근에는 옥시토신 신경세포의 중요성도 부각되고 있다. 그 외 acetylcholine, adrenaline, neuropeptide, gammaamino-butyric acid (GABA), 산화질소(nitric oxide, NO) 등이 이차적으로 관여한다. 많은 동물실험을 통해서 사정과정에 관련된 신경전달망(neurotransmitter network)으로서의 척수 및 척수상부경로는 신경해부학적으로 비교적 명확하게 규명되었지만, 이들 경로가 어떤 상호작용을 통하는지 또는 어떤 기전으로 사정과정을 조절하는지에 대한 역학(dynamics)은 아직 정확한 이해가 부족한 실정이다.

1) 척수경로

교감신경계와 부교감신경계가 골반신경총으로 서로 밀접하게 연결되는데, 이는 통합적 말초교차부위로서 사정 시에 나타나는 생리적 과정을 명령하는데 있어서 상승작용을 할 수 있게 한다. 교감신경 및 부교감신경의 긴장도는 생식기 및 대뇌의 성적자극, 즉 감각자극의 영향을 받는데, 척수 단계에서 통합되고 처리된다. 흉요수 교감신경 및 천수 부교감 척수사정핵(spinal ejaculatory nuclei)은 말초 및 대뇌 신호에 반응해서 사정과 관련된 골반회음부 구조에 통합된 신호를 보냄으로써 정상적인 사정과정을 유발한다. 척수절단을 유발한 동물 또는 완전 척수손상이 있는 인간에서 구심경로의 말초자극이 사정반사를 유발할 수 있는 점으로 미루어, 이들 척수구조가 사정유발에 충분하다는 것을 알 수 있다.

생식기의 감각정보를 분비 또는 운동자극으로 전환하는 데에는 최근 쥐에서 규명된 척수의 신경간세포(interneuron)가 관여한다. Lumbar spinothalamic (LSt) 세포로 불리는 이 세포의 존재는 3, 4번 요수분절의

laminae X, VII에서 증명이 되었다. 비록 척수에서 귀두와 회음부를 지배하는 음부신경의 감각신경섬유와의 직접적인 연결은 아직 규명되지 않았지만, LSt 세포 근처에서 끝남을 알 수 있었다. 또한, LSt 세포는 정로(seminal tract)를 지배하는 척수 교감 및 부교감 신경절이전신경세포 및 구부요도해면체근육을 지배하는 배내측 신경핵(dorsomedial nucleus)의 운동신경세포와도 연결되어 있다. LSt 세포는 사정 시 활성화되는 대뇌 구조인 시상(thalamus)의 parvocellular subparafascicular nucleus(parvocellular part of the subparafascicular thalamus, SPFp)에 직접적인 투사(projection)를 보낸다. 신경활성표지자인 Fos를 이용한 동물실험에서 이러한 척수시상경로(spinothalamic pathway)가 사정 시에 특이하게 활성화됨을 밝혔다. 이로 미루어 LSt 세포가 사정과정의 조절에 있어서 핵심적인 역할을 하는 것으로 생각된다.

2) 척수상부경로

중추에서 통합되며 아주 높은 수준의 조절과정을 필요로 하는 사정반응은 서로 밀접하게 연결되어 있는 대뇌 감각영역 및 운동영역이 관여한다. 신경활성표지자인 Fos를 이용한 동물실험에서 사정 시에 특정 뇌 부위가 특이적으로 활성화됨을 밝혀졌는데, 이는 사정과 관련된 대뇌 연결망이 존재함을 의미한다. 이들 뇌 구조에는 posteromedial bed nucleus of stria terminalis (BNSTpm), posterodorsal medial amygdaloid nucleus (MeApd), posterodorsal preoptic nucleus (PDP), SPFp 등이 있다. 이들 구조들과 성행위조절에 있어서 핵심적인 뇌영역인 시상하부(hypothalamus)의 내시각 교차전 구역(medial preoptic area, MPOA)과의 상호연결이 해부학적, 기능적 연구에서 보고되었다. 이들 구조의 정확한 기능은 아직 모르지만, 생식기로부터의 감각신호를 MPOA에 중계하는 역할을 하는 것으로 여겨진다.

상기에 언급한 사정 시에 활성화되는 대뇌 부위는 남성 성행동과 사정을 조절하는 서로 밀접하게 연결되어 있는 중추 연결망의 일부이다. 이 연결망에는 시상하부의 MPOA 및 뇌실곁핵(paraventricular nucleus, PVN), 그리고 뇌간(brainstem)의 paragigantocellularis nucleus (nPGi)가 있다. MPOA 및 PVN은 사정 촉진에 관여하는 반면, nPGi는 사정 억제에 관여한다. 사정에 있어서 MPOA의 중추적 역할은 여러 연구에서 증명이 되었는데, 이 부위에 화학적 또는 전기적 자극을 가했을 때 사정이 유발되었고, MPOA에 병변이 있을 때에는 사정반응이 소실되었다. 신경해부학적 연구에서 MPOA와 척수사정핵(spinal ejaculatory nuclei) 사이의 직접적 연결여부는 규명하지 못했지만, 쥐에서 MPOA가 PVN, periaqueductal gray(PAG), nPGi 등, 사정의 척수상부조절과 밀접하게 관련된 뇌영역에 투사(projection)를 보냄이 밝혀졌다. PVN은 주로 신경내분비 및 자율신경통합에 관련된 부위로 알려져 있다. 쥐에서 PVN의 parvocellular neuron은 요천수의 자율신경절이전신경세포 및 L5-L6 척수분절에 위치한 음부운동신경세포(pudendal motor neuron)를 직접적으로 지배한다. 이들 척수부위는 전립선 요도에서 요도구로 정액의 방출을 유발하는 구부요도해면체근육을 포함한 회음부횡문근을 지배한다. PVN은 뇌간의 nPGi에도 직접적인 투사를 보낸다. 쥐에서 N-methyl-D-aspartate(NMDA)로 양측 PVN에 화학적 손상을 주면 사정된 정액무게가 약 3분의 1 정도로 감소한다. 신경경로추적 연구에서 SPFp는 BNST, MeA, MPOA에 투사(projection)를 보내는 한편, 척수 LSt 세포로부터는 신경자극을 받는 것으로 밝혀졌다. 비록 기능적인 연구는 아직 진행되지는 않았지만, 이 결과로 미루어 SPFp도 사정조절에 중요한 역할을 하는 것으로 생각된다. 한편, 뇌간의 nPGi 및 중뇌의 PAG의 역할에 대한 연구도 이루어졌는데, 쥐에서 nPGi는 요천수 골반원심신경세포 및 신경간세포(interneuron)에 투사(projection)를 보내며, 강력한 사정억제 작용이 있음이 밝혀졌다. 쥐에서의 신경해부학적 연구에서 PAG는 MPOA와 nPGi 사이를 중계하는 역할이 있는 것으로 밝혀졌다. 이로 미루어 중뇌구조, 즉 PAG가 사정 촉진 및 억제를 조절하는 역할을 하는 것으로 보인다. 하지만 이 구조의 명확한 기능을 규명하기 위해서는 추가 연구가 필요하다.

3) 신경화학적 조절

척수상부 및 척수에 걸쳐서 분포되어 있는 다양한 신경전달물질은 성행동에 있어서 필수적이다. 일반적으로 세로토닌(5-hydroxytryptamine, 5-HT), GABA, NO는 사정억제를, dopamine 및 옥시토신은 사정촉진을 유발하는 것으로 알려져 있다. 여러 동물실험을 통해서 밝혀진 여러 신경전달물질 중 세로토닌, dopamine, 옥시토신이 사정과정의 조절과 관련된 필수적인 중추 신경화학 인자라는 것이 증명되고 있는바, 본 장에서는 이에 초점을 맞추고자 한다.

(1) 세로토닌 신경전달

여러 동물실험 및 임상연구 결과에 따르면 사정에 대한 세로토닌의 전체적인 효과는 억제작용이다. 세로토닌수용체는 여러 종류의 아형(subtype)이 있는데, 이들 수용체 아형에 따라서 사정반응과 관련된 중추명령에 대해서 서로 상반된 작용이 나타날 수 있다. 세로토닌수용체 아형 중 5-HT_{1A}, 5-HT_{1B}, 5-HT_{2C}가 주로 사정반응의 조절에 관련이 있고, 5-HT_7 아형도 관련이 있을 것으로 추정되고 있다. 동물실험에서 5-HT_{1A} 효현제(agonist)는 사정을 촉진하는 효과를 보인 반면, 연접전 5-HT_{1B} 자가수용체(presynaptic 5-HT_{1B} autoreceptor) 및 연접후 5-HT_{2C} 수용체(postsynaptic 5-HT_{2C} receptor)의 자극은 사정억제를 유발하였다.

선택적세로토닌재흡수억제제(selective serotonin reuptake inhibitor, SSRI)는 연접틈새(synaptic cleft)에서 세로토닌 농도를 조절함으로써 사정을 지연하는 효과가 있다. 여러 임상연구들이 SSRI의 장기 또는 필요시(on demand) 투여가 조루증 남성에서 효과가 있음을 보고하고 있다. 이 약물은 5-HT_{2C} 수용체를 활성화시켜서 5-HT_{1A} 수용체의 기능을 감소시키거나, 또는 5-HT_{2C} 및 5-HT_{1A} 수용체 기능의 균형을 회복함으로써 사정역치를 조절하고 사정을 지연하는 것으로 여겨진다. 하지만 이러한 임상연구결과에도 불구하고 인간에서의 작용기전은 아직 명백하게 규명되지 않았으며, 더 많은 연구가 필요하다.

(2) Dopamine 신경전달

남성성행동의 조절에 있어서 dopamine의 작용은 1970년대에 처음 보고되었다. 수컷 쥐에서 비특이적 dopamine 효현제인 apomorphine 또는 L-DOPA가 사정잠복기를 감소시켰다. 이 작용은 강력한 dopamine 수용체 길항제에 의해서 억제되었기 때문에 dopamine 수용체에 의해 매개되는 것으로 보이며, dopamine 과활동성이 조루증과 관련이 있는 것으로 추정하였다.

현재까지 포유동물에서 다섯 종류의 dopamine 수용체가 발견되었는데, D1-유사수용체(D1-like receptor)에는 D1, D5 수용체가 포함되며, D2-유사수용체(D2-like receptor)에는 D2, D3, D4 수용체가 있다. 수컷 쥐에서 선택적 D1-유사수용체 길항제(SCH 23390)의 전신투여는 사정횟수 및 사정 전 삽입횟수를 감소시켰다. 하지만 D5 수용체 유전자결손 마우스(knockout mice)에서 사정잠복기 및 사정시간을 조사한 결과 wild type 마우스와 차이를 발견할 수 없었다. D2-유사수용체 작용제(SND 919, quinelorane)의 전신투여는 정액방출 촉진, 사정잠복기 감소, 그리고 사정역치의 감소를 유발하였다. 마취된 쥐에서 D2-유사수용체 작용제(quinelorane)의 뇌실 내 투여는 사정의 방출기의 생리적 표지인 구부요도해면체 근육의 주기적인 수축을 유발하였다. 또한, 중추 D2-유사수용체 길항제인 haloperidol, sulpiride, eticlopride는 D2-유사수용체 작용제에 의해 유도된 효과를 억제하여, D2-유사수용체의 사정촉진효과를 확증할 수 있었다. 척수상부에서의 D2-유사수용체 활성은 정관수축 및 정액의 분출과 관련 있는 정관을 지배하는 교감신경의 급격한 반응을 유발하였다. D3 수용체 작용제인 7-hydroxy-2-(di-n-propylamino) tetralin (7-OH-DPAT, a preferential D3 receptor agonist)의 전신투여가 수컷 쥐의 사정잠복기를 감소시킴으로써 사정행동을 촉진한다고 보고하였다. 선택적 D2 수용체 작용제도 7-OH-DPAT와 비슷한 효과를 보여, 사정역치의 감소에 있어서 도파민수용체의 작용은 주로 D2 및 D3 수용체를 통해 매개되는 것으로 보인다. 최근, 7-OH-DPAT의 사정촉진효과 매개하는 데 있어서 D3 수용체가 더 중요한 역할을 함이 증명되었다. 마취된 쥐에서 7-OH-DPAT의 사정촉진효과는 D2/D3 비특이적 길항제인 raclopride와 D3 길항제인 nafadotride(a preferential D3 antagonist)에 의해서는 억제되었지만, D2 길항제인 L741, 626(a preferential D2 antagonist)에 의해서는 억제되지 않았다. 따라서 D3 수용체가 인간의 사정장애, 특히 조루증의 치료제 개발에 있어서 중요한 표적이 될 것으로 생각된다.

(3) 옥시토신 신경전달

중추신경계에서는 두 종류의 옥시토신신경계(oxytocinergic neural systems)가 존재하는데, 시상하부의 PVN과 supraoptic nucleus (SON)에 위치하는 magnocellular neuron, parvocellular neuron이 이에 해당한다. 옥시토신은 PVN, SON에서 합성되고 후부뇌하수체에서 보관되고 분비되는데, 사정촉진작용이 있는 것으로 알려져 있다. 최근 여러 연구에서 옥시토신이 남성 생식관 활성을 조절하는데 있어서 중요한 역할을 한다는 증거들이 제시되고 있다. PVN의 parvocelluialr part의 옥시토신 신경세포는 척수에 신경분포를 보이며, 사정과 관련 있는 구부요도해면체근육, 좌골해면체근육, 부고환, 그리고 전립선에도 투사되는 것으로 알려져 있다. 교미 시에 SON에서 Fos-양성 옥시토신 신경세포의 수가 증가되었고, 이러한 증가는 정상 사정시간을 보이는 수컷 쥐에 비해 조기사정을 보이는 쥐에서 훨씬 더 강하게 나타났다. 또한 생식기관으로부터 척수로 감각정보를 전달하는 음경배부신경(dorsal nerve)의 전기자극 또는 귀두의 촉각자극은 PVN과 SON에서 옥시토신 신경세포의 흥분을 유발하였다. PVN의 magnocellular neuron과 parvocellular neuron에 동시에 병변을 가한 경우 사정잠복기가 증가되었고, 옥시토신 길항제를 뇌실 내 투여하면 사정이 소실되었다.

옥시토신은 혈액-뇌장벽을 통과하지 못하기 때문에 말초에서의 작용이 중요할 것으로 생각된다. 동물실험에서 사정 후 혈장 및 뇌척수액에서 옥시토신 농도의 증가를 보였다. 옥시토신 수용체가 인간 및 여러 동물의 부고환, 정관, 전립선의 평활근세포 또는 상피세포에서 발견이 되었다. 옥시토신은 정액 방출까지의 시간을 감소시켰고, 이러한 효과는 옥시토신 수용체를 통해서 생식관의 평활근세포 수축력을 증가시킴으로써 일어난다. 한편, 비록 적은 양이긴 하지만 옥시토신을 피하주사하면 일부는 혈액-뇌장벽을 통과한다는 보고도 있다. 이는 구부요도해면체근육을 지배하는 척수운동신경에 의해 나타나는 사정운동양상(ejaculatory motor pattern)이 옥시토신의 전신 투여 후에도 나타났다는 점에 의해서 뒷받침 된다.

(4) 세로토닌과 옥시토신 신경전달의 상호작용

사정반응에 있어서 서로 다른 작용을 보이는 세로토닌과 옥시토신 신경전달 사이의 상호조절이 존재하며, 이는 사정반사의 조절에 있어서 중요한 역할을 하는 것으로 여겨진다. 세로토닌은 옥시토신 신경세포에서의 옥시토신 분비를 조절하는 여러 신경전달물질 중의 하나다. 모든 옥시토신 신경세포는 뇌간의 배부 및 정중 솔기(dorsal and median raphe)에서 주로 기원하는 몇몇 세로토닌 신경의 지배를 받는다. 수컷 쥐에서 세로토닌을 뇌실 내 투여하면 옥시토신 분비가 촉진되었다. 또한 세로토닌의 분비를 유도하는 fenfluramine과 p-chloro-amphetamine의 전신 투여는 혈장 옥시토신 농도 및 옥시토신 신경세포에서의 Fos 발현을 현저하게 증가시켰다.

몇몇 세로토닌 수용체 아형이 혈액 내로의 세로토닌-유발 옥시토신 분비를 매개하는 것으로 밝혀졌는데, 이 중 옥시토신 신경세포에 위치하고 있는 연접전 5-HT_{1A} 수용체에 대한 연구가 가장 많이 이루어졌다. 8-hydroxy-2-(di-n-propylamino)tetralin(8-OH-DPAT)와 같은 5-HT_{1A} 수용체에 대한 선택적 작용제의 전신 투여는 혈장 옥시토신 농도를 현저하게 상승시켰고, 이 반응은 5-HT_{1A} 수용체 길항제를 전신 투여하거나 국소적으로 PVN에 주사하였을 때에는 억제되었다. 또한 8-OH-DPAT는 PVN의 옥시토신 신경세포에서 Fos 발현을 강력하게 촉진하였다. 따라서 5-HT_{1A} 수용체에 의한 사정촉진 작용은 적어도 부분적으로는 옥시토신 분비의 증가를 통해서 일어나는 것으로 생각된다.

흥미롭게도 SSRI인 paroxetine 및 fluoxetine의 투여 초기에는 옥시토신의 보상적 증가가 일어나지만, 장기적으로 투여하면 옥시토신 신경세포에 있는 5-HT_{1A} 수용체의 민감소실(densensitization)이 일어나 결국 사정지연효과가 나타나게 된다. 또한 5-HT_{1A} 수용체 작용제에 대한 옥시토신 분비반응도 약화되는데, 이러한 효과는 치료 3일 후부터 나타나서 치료 종결 후 적어도 60일째까지 지속된다. 수컷 쥐에서 paroxetine의 만성적 투여는 5-HT_{1A} 수용체 선택적 작용제인 8-OH-DPAT의 사정촉진효과를 감소시켰을 뿐만 아니라, PVN의 옥시토신 신경세포에서 8-OH-DPAT-매개 Fos 발현 촉진도 감소시켰다. 한편, 옥시토신의 전신투여는 fluoxetine의 사정억제효과를 역전시켰다.

3. 요약

사정의 신경생리/약리에 초점을 맞춘 많은 연구들은 사정 시에 일어나는 생리적인 현상에 대한 새로운 시각을 가지게 하였다. 사정과정에 있어서 중요한 역할을 하는 것으로 이미 알려진 교감신경, 부교감신경, 체신경의 역할 외에, 최근 여러 연구에서 세로토닌, dopamine, 옥시토신 신경전달의 중요성이 부각되고 있다. 현재 short-acting SSRI 제제인 dapoxetin이 조루증의 치료제로 사용되고 있다. 이들 경로를 겨냥한 지속적인 연구를 통해서 사정의 생리 및 사정장애, 즉 조루증 및 사정지연의 병태생리에 대한 이해의 폭이 넓어질 것이며, 이를 토대로 새로운 치료제 개발도 가능할 것으로 기대된다.

참고문헌

1. Ackerman AE, Lange GM, Clemens LG. Effects of paraventricular lesions on sex behavior and seminal emission in male rats. Physiol Behav 1997;63:49-53.
2. Andersson KE, Wagner G. Physiology of penile erection. Physiol Rev 1995;75:191-236.
3. Arendash GW, Gorski RA. Effects of discrete lesions of the sexually dimorphic nucleus of the preoptic area or other medial preoptic regions on the sexual behavior of male rats. Brain Res Bull 1983;10:147-154.
4. Bagdy G. Role of the hypothalamic paraventricular nucleus in 5-HT1A, 5-HT2A and 5-HT2C receptor-mediated oxytocin, prolactin and ACTH/corticosterone responses. Behav Brain Res 1996;73:277-280.
5. Bitran D, Thompson JT, Hull EM, Sachs BD. Quinelorane (LY163502), a D2 dopamine receptor agonist, facilitates seminal emission, but inhibits penile erection in the rat. Pharmacol Biochem Behav 1989;34:453-458.
6. Carro-Juarez M, Cruz SL, Rodriguez-Manzo G. Evidence for the involvement of a spinal pattern generator in the control of the genital motor pattern of

ejaculation. Brain Res 2003;975:222-8.

7. Clement P, Bernabe J, Kia HK, Alexandre L, Giuliano F. D2-like receptors mediate the expulsion phase of ejaculation elicited by 8-hydroxy-2-(di-N-propylamino) tetralin in rats. J Pharmacol Exp Ther 2006;316:830-834.

8. Clement P, Bernabe J, Denys P, Alexandre L, Giuliano F. Ejaculation induced by i.c.v. injection of the preferential dopamine D(3) receptor agonist 7-hydroxy-2-(di-N-propylamino)tetralin in anesthetized rats. Neuroscience 2007;145:605-610.

9. Coolen LM, Peters HJ, Veening JG. Anatomical interrelationships of the medial preoptic area and other brain regions activated following male sexual behavior: a combined Fos and tract-tracing study. J Comp Neurol 1998;397:421-435.

10. Coolen LM, Veening JG, Wells AB, Shipley MT. Afferent connections of the parvocellular subparafascicular thalamic nucleus in the rat: evidence for functional subdivisions. J Comp Neurol 2003;463:132-156.

11. Coolen LM, Allard J, TruittWA, McKenna KE. Central regulation of ejaculation. Physiol Behav 2004;83:203-215.

12. Ferrari F, Giuliani D. The selective D2 dopamine receptor antagonist eticlopride counteracts the ejaculatio praecox induced by the selective D2 dopamine agonist SND 919 in the rat. Life Sci 1994;55:1155-1162.

13. Filippi S, Vignozzi L, Vannelli GB, Ledda F, Forti G, Maggi M. Role of oxytocin in the ejaculatory process. J Endocrinol Invest 2003;26:82-86.

14. Frayne J, Nicholson HD. Localization of oxytocin receptors in the human and macaque monkey male reproductive tracts: Evidence for a physiological role of oxytocin in the male. Mol Hum Reprod 1998;4:527-532.

15. Gerendai I, Toth IE, Kocsis K, Boldogkoi Z, Rusvai M, Halasz B. Identification of CNS neurons involved in the innervation of the epididymis: A viral transneuronal tracing study. Auton Neurosci 2001;92:1-10.

16. Giuliani D, Ferrari F. Differential behavioral response to dopamine D2 agonists by sexually naive, sexually active, and sexually inactive male rats. Behav Neurosci 1996;110:802-808.

17. Giuliano F, Clement P. Physiology of ejaculation: emphasis on serotonergic control. Eur Urol 2005;48: 408-417

18. Giuliano F. 5-hydroxytryptamine in premature ejaculation:opportunities for therapeutic intervention. Trends Neurosci 2007;30:79-84.

19. Giuliano F. Neurophysiology of erection and ejaculation. J Sex Med 2011;8(suppl 4):310-315.

20. Honda K, Yanagimoto M, Negoro H, Narita K, Murata T, Higuchi T. Excitation of oxytocin cells in the hypothalamic supraoptic nucleus by electrical stimulation of the dorsal penile nerve and tactile stimulation of the penis in the rat. Brain Res Bull 1999; 48:309-313.

21. Hull EM, Muschamp JW, Sato S. Dopamine and serotonin: influences on male sexual behavior. Physiol Behav 2004;83:291-307.

22. Jänig W, McLachlan EM. Organization of lumbar spinal outflow to distal colon and pelvic organs. Physiol Rev 1987;67:1332-1404.

23. de Jong TR, Veening JG, Olivier B, and Waldinger MD. Oxytocin involvement in SSRI-induced delayed ejaculation: A review of animal studies. J Sex Med 2007;4:14-28.

24. Jorgensen H, Riis M, Knigge U, Kjaer A, Warberg J. Serotonin receptors involved in vasopressin and oxytocin secretion. J Neuroendocrinol 2003;15:242-249.

25. Kudwa AE, Dominguez-Salazar E, Cabrera DM, Sibley DR, Rissman EF. Dopamine D5 receptor modulates male and female sexual behavior in mice. Psychopharmacology 2005;180:206-214.

26. Li Q, Muma NA, Battaglia G, Van de Kar LD. A desensitization of hypothalamic 5-HT1A receptors by repeated injections of paroxetine: Reduction in the levels of G (i) and G (o) proteins and neuroendocrine responses, but not in the density of 5-HT1A receptors. J Pharmacol Exp Ther 1997;282:1581-1590.

27. Luiten PG, Ter Horst GJ, Karst H, Steffens AB. The course of paraventricular hypothalamic efferents to autonomic structures in medulla and spinal cord. Brain Res 1985;329:374-378.

28. Marson L, McKenna KE. CNS cell groups involved in the control of the ischiocavernosus and bulbospongiosus muscles: a transneuronal tracing study using pseudorabies virus. J Comp Neurol 1996; 374:161-79.

29. McHenry JA, Bell GA, Parrish BP, Hull EM. Dopamine D1 receptors and phosphorylation of dopamine- and cyclic AMP-regulated phosphoprotein-32 in themedial preoptic area are involved in experience-induced enhancement of male sexual behavior in rats. Behav Neurosci 2012;126:523-529.

30. McKenna KE, Nadelhaft I. The organization of the pudendal nerve in the male and female rat. J Comp Neurol 1986;248:532-549.

31. Normandin JJ, Murphy AZ. Somatic genital reflexes in rats with a nod to humans: anatomy, physiology, and the role of the social neuropeptides. Horm Behav 2011;59:656-665.

32. Osei-Owusu P, James A, Crane J, Scrogin KE. 5-Hydroxytryptamine 1A receptors in the paraventricular nucleus of the hypothalamus mediate oxytocin and adrenocorticotropin hormone release and some behavioral components of the serotonin syndrome. J Pharmacol Exp Ther 2005;313:1324-1330.

33. Paglietti E, Pellegrini Quarantotti B, Mereu G, Gessa GL. Apomorphine and L-DOPA lower ejaculation threshold in the male rat. Physiol Behav 1978;20:559-562.

34. Perelman M, McMahon C, Barada J. Evaluation and treatment of the ejaculatory disorders. In: Lue T, ed. Atlas of male sexual dysfunction. Philadelphia, PA: Current Medicine, Inc;2004:127-157.

35. Pfaus JG, Phillips AG. Role of dopamine in anticipatory and consummatory aspects of sexual behavior in the male rat. Behav Neurosci 1991;105:727-743.

36. Saydoff JA, Rittenhouse PA, van de Kar LD, Brownfield MS. Enhanced serotonergic transmission stimulates oxytocin secretion in conscious male rats. J Pharmacol Exp Ther 1991;257:95-99.

37. Simerly RB, Swanson LW. Projections of the medial preoptic nucleus: a Phaseolus vulgaris leucoagglutinin anterograde tract-tracing study in the rat. J Comp Neurol 1988;270:209-242

38. Stafford SA, Coote JH. Activation of D2-like receptors induces sympathetic climactic-like responses in male and female anaesthetized rats. Br J Pharmacol 2006;148:510-516.

39. Staudt MD, Truitt WA, McKenna KE, de Oliveira CV, Lehman MN, Coolen LM. A pivotal role of lumbar spinothalamic cells in the regulation of ejaculation via intraspinal connections. J Sex Med 2012;9:2256-2265.

40. Stoléru S, Fonteille V, Cornelis C, Joyal C, Moulier V. Functional neuroimaging studies of sexual arousal and orgasm in healthy men and women: a review and meta-analysis. Neurosci Biobehav Rev 2012;36:1481-1509.

41. Stoneham MD, Everitt BJ, Hansen S, Lightman SL, Todd K. Oxytocin and sexual behaviour in the male rat and rabbit. J Endocrinol 1985;107:97-106.

42. Truitt WA, Shipley MT, Veening JG, Coolen LM. Activation of a subset of lumbar spinothalamic neurons after copulatory behavior in male but not female rats. J Neurosci 2003;23:325-331.

43. Veening JG, Coolen LM. Neural mechanisms of sexual behavior in the male rat: emphasis on ejaculation-related circuits. Pharmacol Biochem Behav 2014;121:170-183.

44. Vignozzi L, Filippi S, Morelli A, Luconi M, Jannini E, Forti G, and Maggi M. Regulation of epididymal contractility during semen emission, the first part of the ejaculatory process: A role for estrogen. J Sex Med 2008;5:2010-2016.

45. Xu C, Giuliano F, Yaici ED, Conrath M, Trassard O, Benoit G, et al. Identification of lumbar spinal neurons controlling simultaneously the prostate and the bulbospongiosus muscles in the rat. Neuroscience 2006;138:561-573.

46. Yanagimoto M, Honda K, Goto Y, Negoro H. Afferents originating from the dorsal penile nerve excite oxytocin cells in the hypothalamic paraventricular nucleus of the rat. Brain Res 1996;733:292-296.

CHAPTER 45

조루증의 역학 및 진단

■ 김세웅

조루증은 사정장애 중 가장 흔한 질환으로 일반 성인 남성의 20-30%가 조루증을 호소할 만큼 흔한 남성 성기능 장애이다. 조루증의 원인은 크게 심인성 요인과 신경생물학적 요인의 두 가지로 생각해 볼 수 있으며 심인성 요인으로는 불안, 초기 성경험 등이 조루증의 발생에 영향을 미치는 것으로 알려져 있다. 신경생물학적으로 사정은 중추신경계의 신경전달 물질인 도파민, GABA, noradrenalin, 세로토닌에 의해 영향을 받는다. 그 중 특히 세로토닌이 사정 기능에 영향을 주는 가장 중요한 신경전달 물질로 알려져 있으며 중추신경계에서 세로토닌의 농도의 감소가 조루증을 유발하는 것으로 되어 있다. 그러나 현재 조루증의 진단 기준이 명확하게 정립되어 있지 않아 정확한 조루증의 유병률 조사 및 조루증의 진단과 치료 후 결과 판정에 많은 어려움이 있다. 따라서 그 동안 조루증의 진단 기준의 마련 및 유병률을 알아보기 위해 시행된 여러 연구 결과들에 대한 고찰해보려 한다.

1. 조루증의 유병률

현재까지 조루증의 유병률에 대한 다양한 연구 결과들이 보고되었으나 조루증에 대한 공인된 정의가 없기 때문에 실제 조루증의 유병률에 대한 정보를 얻기는 어렵다. 일반적으로 모든 연령대의 남성에서 조루증의 유병률은 25-40%로 보고되었고 일부 연구에서 적게는 4%에서 많게는 66%까지 조루증의 유병률을 보고하였다. 미국 National Health and Social Life Survey (NHSLS)에서 조사한 유병률은 29%였고 인종에 따라 각각 코카시안은 19%, 흑인은 34%, 라틴아메리카계는 27%의 유병률을 보고하였다. Basil 등은 DSM-IV의 조루증 정의를 적용하였을 때 12,558명의 이탈리아 남성 중 2,658(21.2%)명이 조루증을 호소함을 보고하였다.

29개국에서 흔한 성기능 장애에 대한 유병률을 조사한 Global Study of Sexual Attitudes and Behaviors (GSSAB)에 의하면 조루증의 유병률이 12.4%로 나타난 중동 지역을 제외하면 다른 지역에서는 27.4-30.5%로 NHSLS와 비슷한 결과가 관찰되었다. 조루증의 유병률에 영향을 미치는 인자로는 지역적 차이, 교육수준, 결혼상태 등과 같은 것이 있다. GSSAB의 연구결과 의하면 지역적으로 조루증의 유병률이 차이가 나지만 이러한 현상이 발생하는 것에 대한 근거가 부족하여 앞으로 이에 대한 연구가 더 필요할 것으로 생각된다. 교육수준이 낮을수록 조루증의 유병률이 높고 미혼, 기혼 등과 같은 결혼 상태에 따라서는 유병률에 차이가 없다고 하였다.

아직 국제성의학회(ISSM)와 DSM-V의 정의를 이용하여 조루증의 유병률을 조사한 대규모 연구는 없는 상태이다. 두개의 5개국 일반 남성을 대상으로 한 질내사정지연시간에 대한 연구에서 평균 질내사정지연시간은 각각 5.4분 (0.55-44.1분)과 6.0분 (0.1-52.7분)이었다. 이 연구들에서 사정지연시간이 1분 이하인 경우는 2.5%이고 2분 이하는 6%였다. 하지만 이런 연구들에서는 스트레스나 만성적인지에 대한 평가가 이루어져 있지 않기 때문에 유병률이 원발성 조루증의 유병률과 일치하는 것은 아니다. 이런 연구를 바탕으로 국제성의학회와 DSM-V의 조루증 정의는 1분이라는 질내사정지연시간을 기준으로 하면, 원발성 조루증의 유병률이 일반인구를 대상으로 하였을 때 4%를 넘지는 않을 것으로 보인다.

국내의 경우 Ahn 등의 보고에 의하면 전국 40-79세의 성인 남성 1,570명에 대한 조사 결과 658 (41.9%)명이 질 내 삽입 후 5-15분 이내에 사정을 하고 391 (24.9%)명이 마음대로 사정시간을 조절할 수 있다고 하였다. 질 내 삽입 후 348 (22.2%)명이 2-5분 이내에 108 (6.9%)명이 2분 이내에 사정을 하고 64 (4.1%)명은 질 내 삽입 전 사정을 하는 것으로 나타났다. 최근 국내에서 시행된 연구로는 2008년 대한남성과학회에서 19세 이상 성인 남성 2,037명을 대상으로 조루증의 유병률 조사하였는데 31.4%에서 질 내 삽입 후 사정까지의 시간이 5분 이하였다. 질 내 삽입 후 사정까지의 시간이 5분 이내였던 사람들 중 23.6%는 2-5분, 5.4%는 1-2분, 2.5%는 1분 미만이었다. 27.5%의 남성은 스스로 조루증이라고 생각하고 있으며 연령별로는 50대 이상에서는 36.8%, 40대는 30.7%, 30대는 24.6%, 20대는 23.4%가 본인 스스로 조루증이 있다고 생각하고 있었다. 또한 성욕, 만족도, 발기력과 성관계 횟수는 조루증과 반비례 관계에 있음을 알 수 있었다. Lee 등은 설문조사와 질내사정지연시간까지의 시간을 통해서 진단된 조루증의 유병률을 비교하기 위하여 20-64세 성인 남성 2081명을 대상으로 설문조사를 시행하였고 이중 1035명은 질내사정지연 시간을 측정하였다. 조사 결과 조루증의 유병률은 설문조사에서는 11.3%, 스톱와치를 통한 질내사정지연 시간이 1분 미만인 경우는 3%, 2분 미만인 경우는 16.6%였다. 설문조사와 자가보고에 의한 질내사정지연시간에 의한 조루증의 유병률은 연령이 증가함에 따라 증가하지만 스톱와치를 통한 질내사정지연시간에 의한 조루증의 유병률은 연령과 관련이 없었다. 조루증이 있는 경우 성욕, 발기력, 파트너와의 성관계 횟수 및 만족도가 감소하는 것으로 보고하였다.

2. 조루증의 진단

과거 조루증에 대한 객관적 정의에 대한 합의가 만들어지기 전 정신분석 전문의들과 정신분석학자들은 조루증을 질 내 삽입 후 30-60초 이내에 사정을 하는 것으로 간주하였다. Masters와 Johnson은 이러한 사정의 지연 시간을 바탕으로 한 정의에 동의하지 않고 질 내 삽입 후 성생활의 50%이상에서 배우자를 만족시키지 못할 정도로 사정을 지연시킬 수 없는 경우로 정의하였다. 그러나 배우자의 만족도에 바탕을 둔 Masters와 Johnson의 정의는 배우자가 성관계시 다른 원인에 의해 만족감을 느끼는데 어려움이 있는 경우도 모두 포함되어 실제 문제가 없는 사람도 조루증 환자로 진단되는 문제가 발생할 수 있어 조루증의 정의로 받아들여지기 어렵다. 조루증을 진단하는데 중요한 고려 인자로는 질 내 삽입 후 사정까지의 시간, 사정조절능력, 성관계시 만족도와 조루증에 의해 본인 또는 배우자가 괴로움을 느끼는 지에 대한 것이 있다.

1) 질내사정지연시간에 따른 조루증의 정의

질내사정지연시간(intravaginal ejaculation latency time, IELT)은 질 내 삽입에서 사정까지의 시간을 의미하는 것으로 조루증 치료방법의 효과를 비교하는데 사용되는 가장 유용한 도구이다. 정상 성인과 조루증 환자에서는 IELT를 알아보기 위한 많은 연구가 시행되었고 각각의 연구자들은 자가기입설문을 바탕으로 IELT를 질내 삽입 후 1분, 2분, 3분, 4분, 5분, 7분으로 다양하게 보고하였다. 그러나 조루증을 호소하는 남성에서 IELT를 객관적으로 측정할 수 있는 도구가 없기 때문에 현재까지 문헌에 보고된 결과들은 근거를 바탕으로 한 연구가 아니라는 한계가 있다. 최근 성관계 시 stopwatch를 사용하여 정상 성인 남성의 IELT를 조사한 연구 결과에 의하면 평균 IELT는 5.4분이었고 연령이 증가함에 따라 평균IELT의 감소를 보였다고 한다. 평생 동안 조루증 증상을 보이는 원발성조루증 환자들을 대상으로 한 연구에 의하면 질 내 삽입 후 40%는 15초 이내, 70%는 30초 이내, 90%는 1분 이내에 사정을 하고 단지 10%정도의 환자만이 질 내 삽입 1-2분 후에 사정을 하는 것으로 관찰되었다.

Waldinger 등에 의한 연구 결과에서도 질 내 삽입 후 30%는 15초 이내, 67%는 30초 이내, 92%는 1분 이내에 그리고 8%는 1-2분 이내에 사정을 하여 비슷한 결과가 관찰되었다. 서구의 환자들을 대상으로 IELT를 조사하여 0.5와 2.5 백분위수(percentile)에 속한 환자들의 IELT를 살펴본 결과 각각 0.9분과 1.3분이었다. 이러한 결과는 정상 성인과 비교하여 조루증 환자의 IELT를 1분 이내로 정의 내리는 것이 적절함을 통계적으로 보여주는 것으로 질 내 삽입 후 1분 이내에 사정을 하게 되는 경우 조루증으로 진단이 가능할 것으로 생각된다. 뿐만 아니라 조루증 때문에 적극적으로 치료 방법을 찾는 환자의 90%에서도 1분이내의 IELT를 보여 이러한 의견을 뒷받침 해주고 있다. 그러나 이러한 기준을 절대적인 것으로 여기고 진단 기준으로 적용하는 데에는 문제가 있다. 조루증으로 치료를 원하는 환자의 10%는 질 내 삽입 후 1-2분 내에 사정을 하기 때문이다. 또한 IELT는 성관계의 횟수, 성관계 시 음경삽입의 깊이와 빈도, 배우자의 골반근육의 긴장도의 여러 요인에 의해 영향을 받을 수 있기 때문이다. 그러나 이와 같은 요인은 보통 성관계시 만족을 느끼는 1분 이상의 IELT를 보이는 사람에서만 의미가 있는 것으로 알려져 있다. 따라서 질 내 삽입 후 1분 이내에 사정을 하는 경우 조루증이라 진단이 가능하나 IELT를 이용한 조루증의 진단은 개인별 상황에 따라 유동적으로 적용되어야 한다.

2) 조루증의 DSM III/IV 정의

조루증의 공인된 정의는 1980년 미국정신과학회(American Psychiatric Association)에 의해 DSM-III에서 처음 제시되었다. DSM-III의 정의에 의하면 지속적인 적절한 수의적 조절의 부재 때문에 원하기 전에 사정이 일어나는 것이라고 하였다. 이후 개정된 DSM-III-R에서는 DSM-III의 진단 기준이었던 '적절한 수의적 조절의 부재' 대신에 '짧은 사정시간' 이 기준으로 포함되었고 이 사항은 DSM-IV-TR 개정판까지 유지되고 있다. 또한 조루증으로 인해 심한 고통이나 대인관계에서의 어려움을 일으켜야 한다는 문항이 DSM-IV와 DSM-IV-TR판에 포함되었다. 즉 DSM-IV와 DSM-IV-TR에 의하면 조루증은 약간의 성적 자극에 의해 질 내 삽입 전, 삽입 당시, 삽입 직후 또는 개인이 원하기 전에 절정감과 사정이 지속적으로 또는 반복적으로 일어나는 것으로 정의하였다. 그리고 진단 시 흥분기의 기간에 영향을 줄 수 있는 요인으로 나이, 성적 대상이나 상황의 신기성, 최근 성행위의 빈도 등을 고려해야 한다고 하였다. 또한 이 장애가 심한 고통이나 대인관계에서의 어려움을 일으켜야 한다.

3) 조루증의 ICD-10 정의

세계보건기구에 의한 ICD-10 정의에 의하면 조루

증은 성교를 즐길 수 있을 만큼 사정을 충분히 연기할 수 없는 경우로, 성교 전 또는 성교시작 직후에 발생하는 사정이나(성교시작 전 또는 성교시작 15초 이내), 성교가 가능할 정도의 충분한 발기가 되기 전에 발생하는 사정으로 정의되었다. ICD-10에서의 매우 짧은 사정 시간인 15초라는 기준을 뒷받침할 수 있는 객관적인 근거가 부족하여 받아들여지기 어렵다는 한계가 있다.

4) 새로운 조루증의 정의

(1) DSM-IV-TR과 ICD-10 정의의 한계를 극복하기 위한 새로운 정의

DSM-IV-TR에 의한 정의는 IELT에 대한 양적인 기준이 없기 때문에 정상적이거나 충분히 긴 IELT를 보이는 남성도 조루증으로 진단될 수 있기 때문에 낮은 양성예측도를 나타낸다는 문제가 있다. ICD-10의 정의에서는 15초라는 IELT가 과학적인 근거를 바탕으로 한 기준이 아니기 때문에 받아들여지기 어렵다. 또한 DSM-IV-TR과 ICD-10에 의한 조루증의 정의는 각 개인이 호소하는 불편함으로서의 조루증의 개념을 강조한 것으로 근거 중심의 연구에 바탕을 둔 것이 아니라는 한계가 있다. 따라서 잘 설계된 임상적, 역학적 연구들의 결과를 통합하여 조루증을 증후군으로서 인식하고 원발성조루증, 후천성조루증, natural variable premature ejaculation, premature-like ejaculatory dysfunction의 4가지로 분류한 새로운 정의가 제시되었다(표 45-1). 또한 국제 성의학회의 조루증에 관련된 데이터를 바탕으로 2013년도에 객관적인 사정지연 시간이 포함된 조루증의 DSM-V 정의가 제시되었다. 조루증 진단을 위한 4개의 기준은 다음과 같다. 첫 번째는 질내사정지연시간이 1분이내에 이루어지는 것이며 두 번째는 조루증 증상이 최소 6개월 이상 지속이 되며 대부분(75-100%)의 성관계에서 나타나야 한다는 것이고 세 번째는 짧은 질내 사정지연시간에 의해서 임상적으로 심한 괴로움이 있어야 하며 네 번째는 이런 장애가 정신적인 문제, 심한 관계 문제, 스트레스 등과 관련이 없어야 하며 다른 질병이나 투약 등에 의해서도 영향을 받지 않아야 한다는 것이다. DSM-V의 조루증 정의는 임상의사가 원발성 조루증과 후천적 조루증을 구별해야 하고 일반적으로 나타나는지 어떤 상황에서 나타나는지에 대한 구분이 필요하다. 추가적으로 DSM-V에서는 조루증을 경한 조루증(질 내 삽입 후 30초-1분에 사정), 중간 조루증(질 내 삽입 후 15-30초에 사정), 심한 조루증 (질 내 삽입 후 15초 이내의 사정, 성관계 이전의 사정)으로 구분하였다.

(2) 국제성의학회(International society for sexual medicine, ISSM)의 정의

DSM-IV-TR등과 같은 조루증의 진단 기준은 근거 중심의 연구에 바탕을 둔 것이 아니라 대부분 성의학 전문가의 의견에 의한 것이라는 문제점이 있다. 그리고 정의에 사용된 용어 자체가 너무 추상적이고 모호하여 주로 각각의 임상의사의 주관적인 해석에 의해 진단이 이루어진다는 한계가 있다. 따라서 2008년 국제성의학회에서 근거에 바탕을 둔 연구를 통하여 새로운 조루증의 진단 기준을 제시하였다. 질 내 삽입 후 1분 이내에 항상 또는 거의 항상 사정이 일어나고, 질 내 삽입 시 대부분의 경우 사정을 지연시킬 수 없으며, 이러한 증상으로 인해 고민하고, 괴롭고, 좌절하여, 결국 성적 관계를 기피하는 것과 같은 부정적인 자존심을 가지게 되는 것이다. 이러한 정의는 원발성조루증에 한정되고, 후천적조루증의 정의에도 적용하기에는 객관적인 근거가 부족하다고 하였다. 2014년 국제성의학회 update에서는 2008년도에는 정의하지 않았던 후천척조루증을 임상적으로 사정지연시간이 심하게 감소되고 대부분 지연시간이 3분이하인 경우라고 정의하였다. 하지만 이러한 정의는 질을 통한 성관계에 국한되어 있으며 성교, 구강성교, 자위

표 45-1 증후군으로서의 조루증의 4가지 분류

	Lifelong PE	Acquired PE	Natural variable PE	Premature-like ED
IELT	매우 짧다. (<1-1.5분)	매우 짧다. (<3분)	정상 (3-8분)	정상 또는 그 이상 (3-30분)
지속성	일관적	일관적 또는 불규칙적	불규칙적	일관적 또는 불규칙적
원인	신경생물학적 또는 유전적	내과적 또는 심리적	정상 사정의 한 유형	심리적
발생빈도	낮음	낮음	높음	높음

PE : premature ejaculation
ED : ejaculatory dysfunction

와는 상관관계가 높지 않았다. 또한 남성간의 성관계는 조루증에 포함되지 않는다. 삽입전 사정(Anteoprtal ejaculation)은 질삽입 이전에 사정을 하는 것으로 가장 심한 형태의 조루증이며 임신에 어려움이 있는 부부에서 전형적으로 나타나며 원발성조루증 환자의 5-20%가 삽입전 사정이 발생한다 하였다. 일시적 조루증(variable PE)와 주관적 조루증(subjective PE)에 관하여도 정의하였는데 일시적 조루증은 감소된 사정 조절의 주관적인 감각과 불규칙적으로 사정 시간이 짧아지는 것으로 성기능 장애보다는 정상 성행위의 변동범위 내의 형태라 하였다. 주관적 조루증은 다음 5가지중 한가지 이상 있는 경우 주관적 조루증을 의심해 볼 수 있겠다. 첫 번째는 짧은 질내사정지연시간의 주관적인 인지이며 두 번째는 짧은 사정시간이나 사정시점 조절의 어려움에 따른 강박이며 세 번째는 실제 질내사정지연시간은 정상인 경우이고 네 번째는 사정 조절 능력의 감소이고 다섯 번째는 다른 정신장애로는 설명되지 않는 강박이 있는 것이다.

3. 요약

조루증은 성인 남성의 20-30%가 호소할 만큼 흔한 남성 성기능장애이나 아직 공인된 객관적인 진단 기준이 없어 표준화된 환자의 진단 및 치료에 어려움이 있다. 그동안 주로 ICD-10 또는 DSM-IV 와 같은 정신과적인 관점에서 조루증의 진단 기준이 제시 되어 이를 주로 임상에서 이용하였으나 근거 중심의 연구에 바탕하여 만들어진 진단 기준이 아니라는 한계가 있다. 최근 국제성의학회에서 근거에 바탕을 둔 연구를 통하여 다음과 같은 새로운 조루증의 진단 기준을 제시하였고 국제성의학회의 정의에는 삽입부터 사정까지의 시간, 사정지연의 불가능성, 그리고 그로 인한 부정적 자존심이 포함되어야 한다고 하였고 질내 삽입 후 1분 이내에 항상 또는 거의 항상 사정이 일어나고, 질 내 삽입시 대부분의 경우 사정을 지연시킬 수 없으며, 이러한 증상으로 인해 고민하고, 괴롭고, 좌절하여, 결국 성적 관계를 기피하는 것과 같은 부정적인 자존심을 가지게 되는 것이라고 정의하였다. 또한 DSM-V도 이런 국제성의학회의 정의를 바탕으로 비슷한 조루증에 대한 정의를 하였다.

참고문헌

1. 함원식, 김원태, 최형기, 최영득. 조루증의 최신 개념. 대한비뇨기과학회지 2008;49:765-774.
2. Ahn TY, Park JK, Lee SW, Honh JH, Park NC, Kim JJ et al. Prevalence and risk factors for erectile dysfunction in Korean men: results of an epidemiological study. J Sex Med 2007;4:1269-1276.
3. Althof SE, McMahon CG, Waldinger MD, Serefoglu EC, Shindel AW, Adaikan PG et al. An update of the International Society of Sexual Medicine's guidelines for the diagnosis and treatment of premature ejaculation (PE). J Sex Med. 2014 Jun;11:1392-1422.
4. American Psychiatric Association. Diagnostic and Statistical Manual of Mental Disorders DSM-III 3rd ed. Washington, DC: American Psychiatric Association; 1980.
5. American Psychiatric Association. Diagnostic and Statistical Manual of Mental Disorders DSM-III 3rd ed. Washington, DC: American Psychiatric Association; 1987.
6. American Psychiatric Association. Diagnostic and Statistical Manual of Mental Disorders DSM-IV 4th ed. Washington, DC: American Psychiatric Association; 1994.
7. American Psychiatric Association. Diagnostic and Statistical Manual of Mental Disorders DSM-IV-TR 4th ed. Washington, DC: American Psychiatric Association; 2000.
8. American Psychiatric Association. Diagnostic and statistical manual of mental disorders. 5th edition (DSM-V). Washington, DC: American Psychiatric Association; 2013.
9. Aschka C, Himmel W, Ittner E, Kochen MM. Sexual problems of male patients in family practice. J Fam Pract 2001;50:773-778.
10. Basile Fasolo C, Mirone V, Gentile V, Parazzini F, Ricci E; Andrology Prevention Week centers; Italian Society of Andrology (SIA). Premature ejaculation: prevalence and associated conditions in a sample of 12,558 men attending the andrology prevention week 2001-a study of the Italian Society of Andrology (SIA). J Sex Med 2005;2:376-382.
11. Cooper AJ, Magnus RV. A clinical trial of the beta blocker propranolol in premature ejaculation. J Psychosom Res 1984;28:331-336.
12. Dunn Km, Croft PR, Hackett GI. Sexual problems: a study of the prevalence and need for health care in the general population. Fam Pract 1998;15:519-524.
13. Ernst C, Foldenyi M, Angst J. The Zurich Study: XXI. Sexual dysfunctions and disturbances in young adults. Data of a longitudinal epidemiological study. Eur Arch Psychiatry Clin Neurosci 1993;243:179-188.
14 Frank E, Anderson C, Rubinstein D. Frequency of sexual dysfunction in “normal” couples. N Engl J Med 1978;299:111-115.
15. Fugl-Meyer AR, Sjogren K, Fugl-Meyer KS. Sexual disabilities, problems, and satisfaction in 18-74 year old Swedes. Scand J Sexol 1999;3:79-105.
16. Gurkan L, Oommen M, Hellstrom WJ. Premature ejaculation: currrent and future treatments. Asian J Androl 2008;10:102-109.
17. Laumann E, Gagnon J, Michael R, Michaels S. The social organization of sexuality: Sexual practices in the United States: University of Chicago Press; 2000.
18. Laumann EO, Nicolosi A, Glasser DB, Paik A, Gingell C, Moreira E et al. Sexual problems among women and men aged 40-80y: prevalence and correlates identified in the global study of sextual attitudes and behaviors. Int J Impot Res 2005;17:39-57.
19. Lee SW, Lee JH, Sung HH, Park HJ, Park JK, Choi SK et al. The prevalence of premature ejaculation and its clinical characteristics in Korean men according to different definitions. Int J Impot Res 2013;25:12-17.
20. Mcmahon CG. Long term results of treatment of premature ejaculation with selective serotonin re-uptake inhibitors. Int J Impot Res 2002;14:S19.
21. Mcmahon CG, Althof S, Waldinger MD, Porst H, Dean J, Sharlip I et al. An evidence-based definition of lifelong premature ejaculation: report of the International Society for Sexual Medicine Ad Hoc Committee for the Definition Of Premature Ejaculation. BJU Int 2008;102:338-350.
22. Mcmahon CG, Althof S, Waldinger MD, Porst H, Dean J, Sharlip I et al. An evidence-based definition of

lifelong premature ejaculation: report of the International Society for Sexual Medicine (ISSM) Ad Hoc Committee for the Definition Of Premature Ejaculation. J Sex Med 2008;5:1590-1606.

23. Nathan SG. The epidemiology of the DSM-III psychosexual dysfunction. J Sex Marital Ther 1986; 12:267-281.
24. Nicolosi A, Laumann EO, Glasser DB, Brock G, King R, Gingell C. Sexual activity, sexual disorders and associated help-seeking behavior among mature adults in five Anglophone countries from the Global Survey of Sexual Attitudes and Behaviors (GSSAB). J Sex Marital Ther 2006;32:331-342.
25. Rowland D, Perelman M, Althof S, Barada J, McCullough A, Bull S et al. Self-reported premature ejaculation and aspects of sexual functioning and satisfaction. J Sex Med 2004;1:225-232.
26. Schover LR, Friedman JM, Weiler SJ, Heiman JR, Lopiccolo J. Multiaxial problem-oriented system for sexual dysfunctions: and aternative to DSM-III. Arch Gen Psychiatry 1982;39:614-619.
27. Spiess Wf, Geer JH, O'Donohue WT. Premature ejaculation: investigation of factors in ejaculatory latency. J Abnorm Psychol 1984;93:242-245.
28. St Lawrence JS, Madakasira S. Evaluation and treatment of premature ejaculation: a critical review. Int J Psychiatry Med 1992;22:77-97.
29. Strassberg Ds, Kelly MP, Carroll C, Kircher JC. The psychophysiological nature of premature ejaculation. Arch Sex Behav 1987;16:327-336.
30. Strassberg Ds, Mahoney JM, Schaugaard M, Hale VE. The role of anxiety in premature ejaculation: a psychophysiological model, Arch Sex Behav 1990;19:251-257.
31. Waldinger M, Hengeveld M, Zwinderman A, Oliver B. An empirical operationalization of DSM-IV diagnostic criteria for premature ejaculation, Int J Psychiatry Clin Prac 1998;2:287-293.
32. Waldinger MD, Quinn P, Dilleen M, Mundayat R, Schweitzer DH, Boolell M. A multinational population survey of intravaginal ejaculation latency time. J Sex Med 2005;2:292-297.
33. Waldinger MD, Schweitzer DH. Changing paradigms from a historical DSM-III and DSM-IV view toward anevidence-based definition of premature ejaculation. Part I--validity of DSM-IV-TR. J Sex Med 2006;3:682-692.
34. Waldinger MD, Schweitzer DH. Changing paradigms from a historical DSM-III and DSM-IV view toward anevidence-based definition of premature ejaculation. Part II--proposals for DSM-V and ICD-11. J Sex Med 2006;3:693-705.
35. Waldinger MD. The need for a revival of psychoanalytic investigations into premature ejaculation, J Mens Health Gend 2006;3:390-396.
36. Waldinger MD, Zwinderman Ah, Olivier B, Schweitzer DH. The majority of men with lifelong premature ejaculation prefer daily drug treatment: an observation study in a consecutive group of Dutch men. J Sex Med 2007;4:1028-1037.
37. Waldinger MD. Premature ejaculation: state of the art. Urol Clin North Am 2007;34:591-599.
38. Waldinger M, McIntosh J, Schweitzer DH. A five-nation survey to assess the distribution of the intravaginal ejaculatory latency time among the general male population. J Sex Med 2009;6:2888-2895.
39. World Health Organization. International Classification of Diseases and Related Problems, 10th ed. Geneva: WHO;1994.
40. Zeiss Ra, Christensesn A, Levine AG. Treatment for premature ejaculation through male-only groups. Sex Marital Ther 1978;4:139-143.

CHAPTER 46

조루증의 치료

■ 김수웅

조루증이 남성 성기능이상의 가장 흔한 유형이라는 것은 잘 알려진 사실이지만 그 동안 발기부전 분야에 비하여 조루증을 하나의 독립된 질환으로 인식하고 과학적으로 접근하여 해결하려는 노력들은 상대적으로 부족하였다. 특히 조루증의 정의에 대한 공통된 의견의 부재는 조루증의 유병률 조사와 치료법의 효과 판정 등에 있어서 커다란 장애요인으로 작용하였다. 최근까지도 조루증의 정의는 조금씩 바뀌고 있으며, 원인에 있어서도 정설은 없다. 치료 분야에 있어서는 선택세로토닌재흡수억제제들(selective serotonin reuptake inhibitors, SSRIs)을 중심으로 한 경구약물요법과 국소마취제 도포가 사용되어져 왔다. 최근에는 반감기가 짧은 SSRI 계통인 dapoxetine과 아편유사진통제 계통인 tramadol에 대한 임상시험이 활발히 진행되고 있다. 저자는 본 장에서 약물요법을 중심으로 조루증의 치료에 있어 최신 지견을 요약하고자 한다.

1. 행동치료 *Behavioral Therapy*

1950년대 중반부터 소개된 오래 된 치료법으로 Johnson과 Masters에 소개된 'Squeeze technique'이나 'Stop-start method' 등이 있으며, 감각집중 훈련을 통하여 좀 더 강한 성적 자극을 수용하는데 그 목적이 있다. 파트너의 도움이 필요하며 치료효과도 떨어져 우리나라의 문화 환경에서는 시행이 제한될 수밖에 없다. 하지만 Rowland 등은 조루증 환자들을 치료할 때 약물요법에 행동치료를 병행하면 약물요법 단독보다 치료 성공률을 높일 수 있다고 보고하였다. 특히 파트너의 사려 깊은 도움이 있다면 행동치료는 쉽게 시행할 수 있고, 이러한 치료 과정을 통하여 남성 혼자 겪는 심리적 불안감을 제거할 수 있다는 장점이 있으므로 조루증 환자들을 치료하는 비뇨기과 의사는 행동치료의 방법을 숙지하고 환자들에게 제대로 된 교육을 시행할 수 있어야 한다.

2. 약물요법 *Pharmacotherapy*

1) 국소약제(Topical Agents)

국소약제는 가장 오래된 조루증의 약물요법이라 할 수 있다. 일반적으로 국소마취제 작용을 지닌 약제를 음경귀두에 도포한다. 성자극을 상위 중추로 전달해 주는 primary erogenous area에 해당되는 음경귀두의 감각이 지나치게 예민하여 조루증이 유발된다는 가설에 그 이론적 근거를 두고 있다. 배부신경 또는 음부신경에 대한 체성감각유발전위(somatosensory evoked potential) 검사나 진동각측정기(vibrometer, biothesiometry)를 이용한 음경과 귀두의 진동각 측정 결과 조루증 환자들의 음경 특히, 귀두의 감각 과민이나 과흥분을 입증한 보고들이 이 가설에 대한 객관적인 증거라 할 수 있다. 그러나 이에 반하는 연구결과들도 있어 아직까지는 정설로 입증되어 있지는 않다. 주로 lidocaine이나 prilocaine을 기반으로 한 약제들이 크림, 겔, 분무(spray) 등의 형태로 제조되어 있다. 오래 전부터 사용하였으나 약제의 치료 효과를 객관적으로 입증할 수 있는 무작위위약대조시험들의 결과가 다소 부족하다. 그렇지만 경구약물요법에 비해 전신 부작용이 거의 없다는 장점이 있다.

(1) EMLA™ 크림

EMLA는 eutectic mixture of local anesthetic의 약어로 2.5 g의 크림에 lidocaine과 prilocaine이 각각 2.5%씩 함유되어 있다. 이전부터 소규모 관찰연구를 통하여 그 임상효능이 알려져 있었으나 효과를 객관적으로 입증한 연구는 부족하다. 두 개의 무작위위약대조시험의 결과를 종합해보면, EMLA 크림은 질내사정잠복시간(intravaginal ejaculation latency time, IELT)을 평균 6.4분 연장시켰다. 크림의 이상적인 도포 시기는 성관계 10-20분 전으로 알려져 있다. 성교 전 귀두와 음경 체부에 EMLA 크림을 도포 후 콘돔을 착용한 이후 약제가 흡수되면 콘돔을 제거하고 크림을 씻어내면 된다. 크림을 도포한 채 45분이 지나면 음경감각이 일시적으로 마비되는 부작용이 발생하므로 주의해야 한다.

(2) TEMPE™ 분무

TEMPE는 topical eutectic mixture for premature ejaculation의 약어로 7.5 mg의 lidocaine과 2.5 mg의 prilocaine이 함유된 aerosol이다. 콘돔 착용이 필요하며 음경감각이 마비되는 크림의 불편함을 개선하기 위하여 고안되었다. 귀두에 국한하여 분무하며 작용이 빨리 나타나는 장점이 있다. 조루증 환자 530명에 대한 제3상 임상시험 결과 TEMPE 사용군에서 평균 IELT가 2.6분 연장되었다. 이는 기준치에 비해 5.6배, 위약군에 비해 3.3배 증가된 결과이다. 국소약제 중 유일하게 미국 FDA의 승인을 얻을 것으로 예상되며, 조루증의 효과적이고 안전한 일차 치료법의 하나로 자리 잡을 전망이다.

(3) SS-cream™

SS-cream은 Severance secret-cream의 약어로 국내에서 개발된 국소마취와 혈관확장 효과가 있는 아홉 종의 생약 유효성분 추출 복합물이다. 국내 연구진이 주도한 여러 임상시험을 통하여 그 효과가 객관적으로 입증되었다. 약효는 용량 의존적이며 106명의 환자를 대상으로 한 이중맹검 위약대조시험을 통하여 IELT의 증가는 평균 10.92분으로 위약군의 2.45분에 비하여 사정 지연 효과가 유의하게 뛰어나며 성적 만족도 증가에서 있어서도 효과적이었다. 성관계 1시간 전 귀두에 도포하여 씻어내야 하는데 드물게 음경감각의 마비로 인하여 발기 유지에 어려움을 초래하는 경우가 보고되었으며 국소 작열감이나 경한 통증 등이 발생 가능한 부작용으로 알려져 있다. 또한 그 색깔과 냄새가 환자들에게 불쾌감을 유발할 수 있다. 국내 외 다른 나라에서는 의학적 사용이 인정되지 않고 있다.

2) 경구약물요법(Oral Pharmacotherapy)

(1) SSRI 약제들과 삼환계항우울제(tricyclic antidepressant, TCA)

2004년 Waldinger 등은 1943년부터 2003년까지 조

루증의 약물치료와 관련되어 발표된 모든 문헌보고를 대상으로 분석하였는데, 79개의 논문 중 43개(1514명)가 clomipramine이나 SSRI 관련 논문이었다. 그 중 8개의 논문만이 무작위의 형태를 취하면서 약물치료의 효과도 IELT를 이용하여 객관적이고 정량적으로 판정하였기에, 이에 대한 메타분석을 시행하였다. 그 결과 매일 복용법을 시행한 경우 paroxetine, clomipramine, sertraline, fluoxetine이 모두 유의한 치료 효과를 보였고, 그 중 paroxetine이 투약 후 IELT를 기저치에 비해 평균 8배 증가시켜 가장 효과 있는 약제로 보고되었다(표 46-1). 이들 약제 중 clomipramine은 약리 기전으로 볼 때 SSRIs 약제가 아니라 TCA의 일종으로 serotonin 뿐 아니라 교감신경 차단을 매개로 효과를 나타내는 것으로 추정된다. Fluvoxamine은 SSRI 약제에 속하지만 그 화학적 구조가 다른 SSRI 약제들과 달리 clomipramine과 연관되어 있지 않으며 이 때문인지 사정 지연 효과가 거의 없는 것으로 알려져 있다. 이러한 정보는 정상 성기능을 보이는 우울증 환자에서 약제를 선택할 때 도움을 줄 수 있다. 다만, Waldinger의 메타분석은 객관적 평가 척도로서 IELT의 역할이 지나치게 강조되어 환자의 주관적 만족도와 같은 환자 스스로 표시하는 평가 척도가 무시되었다는 것이 문제점으로 지적되었다. 그러나 2003년도 이후 발표된 연구의 결과들이 2004년도에 발표된 이 메타분석의 결론에 영향을 미치지는 않아 현 시점에서도 유효한 결론으로 인정된다.

일반적으로 SSRI 약제들의 약물 효과는 매일 복용 시 5-10일 후에 나타나며, 2-3주가 되면 안정화 되는 것으로 알려져 있다. 부작용은 두통, 오심, 불면증, 피로감 등으로 주로 투약 직후 나타나며, 대부분 경미하여 2-3주 후 점차 소실되는 것으로 알려져 있다. 그 외의 주의할 점으로 SSRI 약제들은 정자의 운동성을 감소시키기 때문에 임신을 계획하고 있는 환자에게는 다른 약제의 사용을 먼저 고려해야 하며, 기분조절장애로 진단된 18세 이하의 남성에게 SSRI 약제를 투여할 경우 자살시도가 증가한다는 연구결과가 있어 사용에 신중해야 한다.

조루증 치료에 있어 SSRI 약제의 필요시(as-needed, on-demand) 복용법은 아직까지 정설이 없으나 성행위 3-6시간 전 복용하는 것이 일반적이다. Kim과 Paick은 성행위 3-6시간 전에 복용하는 것이 환자들에게 매우 불편하다는 점을 감안하여 성행위가 예견되는 날 오후 5시로 약물 복용 시각을 고정시키고 가능한 밤에 성행위를 가지도록 하였다. 필요시 복용법에 관한 연구들은 대상군의 수가 적고 연구 디자인에 있어서도 문제들이 있어 결론을 내리기가 어렵다. 매일 복용법에 비해 효과는 다소 떨어지는 것으로 보고되나 약물의 부작용과 비용을 감소시킬 수 있다는 장점은 있다. Waldinger 등은 clomipramine과 paroxetine으로 필요시 복용법의 효과를 알아보았다. Clomipramine은 필요시 복용법으로도 약 4배의 IELT 지연 효과를 보였으나 매일 복용법에서 가장 강력한

표 46-1 SSRI 약제들과 clomipramine 매일 복용법의 사정 지연 효과(95% 신뢰구간의 퍼센트 증가) I: 35개 연구의 메타분석 결과, II: 전향적, 이중맹검, stopwatch를 이용한 8개 연구의 메타분석 결과

	Mean (I)	95% CI (I)	Mean (II)	95% CI (II)
Placebo	45%	27–87	47%	29–76
Clomipramine	512%	234–1122	360%	201–644
Fluoxetine	295%	172–506	295%	200–435
Paroxetine	1492%	918–2425	783%	499–1228
Sertraline	790%	532–1173	313%	161–608

효과를 보였던 paroxetine은 필요시 복용법에서는 위약군에 비해 유의한 차이를 보이지 않았다. 필요시 복용법의 효과가 현저히 낮은 경우에는 저용량의 매일 복용법을 지속하면서 고용량의 필요시 복용법을 혼용하는 치료전략도 고려할 수 있다.

(2) Dapoxetine

Dapoxetine은 구조적으로는 fluoxetine과 관련되어 있는 SSRI 약제로서 조루증 환자들의 필요시 복용법(성관계 1-3시간 전 복용)을 염두에 두고 개발된 반감기가 짧은 SSRI 계통의 약제이다. 경구 섭취 1.5시간 후 최고 혈장농도에 도달하고 24시간 내에 체외로 배출된다(표 46-2). Dapoxetine은 대규모의 제3상 임상시험을 통하여 치료 효과가 입증된 후 조루증 치료 약제 중 유일하게 약 50개국에서 조루증 치료제로 승인되어 사용되고 있다. 2015년 발표된 Cooper 등의 메타분석 결과에 따르면, 치료 12-24주 후에 dapoxetine 30 mg 복용군과 60 mg 복용군 모두 위약군에 비해 평균 IELT 및 주관적 만족도(성적 만족도, 치료 후 전반적인 조루증의 변화 등) 지표가 유의하게 향상되었으며, 60 mg 복용군과 30 mg 복용군을 비교했을 시, 60 mg 복용군에서 추가적인 IELT 증가 및 주관적 만족도 상승이 통계적으로 의미있게 나타났다(표 46-3).

Dapoxetine의 부작용은 약물 복용 시작 초기에 나타나고 용량-의존적이며, 약물을 중단할 정도의 심한 부작용은 드문 것으로 알려져 있다. 오심이 가장 흔한 부작용으로 dapoxetine 30 mg, 60 mg 복용 시 각각 8.7-16.5%, 20.1-30.6%의 발생빈도를 보였다. Dapoxetine은 유형 V phosphodiesterase(PDE5) 억제제와 약물 상호작용이 거의 없어 같이 사용할 수 있다고 보고되었다. Lee 등은 조루증 환자들을 대상으로 dapoxetine 30 mg 단독 복용군과 dapoxetine 30 mg 과 PDE5 억제제인 mirodenafil 병용 복용군의 치료 효과를 비교를 위한 무작위위약대조시험을 시행하였다. 연구결과 평균 IELT에서는 양 군간 통계적으

표 46-2 Dapoxetine의 약물학적 특성: paroxetine과 sertraline과의 비교. Tmax: 혈장 최고 농도에 도달하는 시간, C24(% peak): 약물 복용 후 최고 혈장 농도와 비교한 24시간 후 혈장 농도의 퍼센트

Parameters	Dapoxetine	Paroxetine	Sertraline
Dose(mg)	60	40	100
Tmax(h)	1.5	6.83	6.4
C24(% of peak)	3.67	45.1	47.8

표 46-3 조루증 환자에서 dapoxetine을 이용한 무작위대조시험들의 메타분석 결과

Study subgroups	Number of RCTs	Mean increase of IELT(min)	p-value	Number of RCTs	Relative of sexual satisfaction	p-value
Dapoxetine 30 mg vs. placebo	3	1.16	〈0.01	3	2.2	〈0.01
Dapoxetine 60 mg vs. placebo	5	1.66	〈0.01	4	2.3	〈0.01
Dapoxetine 60 mg vs. 30mg	3	0.46	〈0.01	3	1.2	〈0.01

RCTs: randomized controlled trials, IELT: intravaginal ejaculation latency time

로 의미있는 차이가 없었고, 치료 만족도에 관련한 설문에서는 PDE5 억제제 병용 투여군에서 다소 높았으며, 병용투여에 따른 추가적인 약물 부작용은 관찰되지 않았다.

Dapoxetine은 약리학적 특성이 필요시 복용법에 적합하며, 지금까지의 대단위 무작위위약대조시험 결과 위약군에 비하여 IELT, 주관적인 사정 조절, 성적 만족도를 유의하게 향상시킨다는 것이 입증되어 있다. 또한 부작용도 그리 심하지 않아 조루증의 치료에 새로운 장을 열어줄 전망이다. 그러나 SSRIs 약제들의 자살 충동 위험성으로 이 약제들이 조루증 치료제로 사용되는 것을 금하고 있는 미국 FDA는 조루증 치료제로서 dapoxetine의 허가를 반려하였다. 아직까지 조루증에 대한 dapoxetine 치료의 장기 추적 결과는 보고되지 않았으며, 앞으로 이와 관련된 더 많은 임상경험들이 필요한 상황이다.

(3) Tramadol

중추신경계에 작용하는 합성 아편유사진통제로서 세로토닌의 재흡수 차단으로 효과를 나타내는 것으로 추정된다. 최초의 임상보고는 64명의 환자들을 대상으로 한 이중맹검 위약대조시험으로 tramadol 50 mg을 성관계 2시간 전에 복용하는 방법으로 8주간 치료한 결과 IELT는 19초에서 243초로 크게 증가하였고(위약군은 21초에서 34초로) 주관적인 만족도와 사정조절능력 또한 유의하게 향상되었다. 2012년 Bar-Or 등은 12주간의 tramadol 제3상 임상시험에 포함된 604명 조루증 환자들의 결과를 분석하였다. 성관계 2-3시간 전 약물을 복용하게 하였는데 IELT가 기저치에 비하여 위약군에서는 0.6분(1.6배), 62 mg tramadol 복용군에서는 1.2분(2.4배), 89 mg tramadol 복용군에서는 1.5분(2.5배) 증가하였다. 연구결과 비록 통계적으로는 의미는 있었지만 tramadol의 효과가 예상보다 크지 않음을 알 수 있다. 최근 시행된 체계고찰(systematic review)에서 신뢰도가 높은 8개의 연구를 분석한 결과 성관계 전 복용한 tramadol은 IELT와 주관적 만족도를 의미있게 향상시켰다. 효과-부작용 측면을 고려할 때 성관계 2-4시간 전 50 mg의 tramadol 복용이 권장된다.

Tramadol의 투약 부작용은 전체의 약 13%에서 발생하였는데 소화불량, 경한 기면(somnolence) 등이 었다. 지금까지 보고들에 의하면 전망 있는 약제로 기대된다. 그러나 아편유사 약물이므로 약물 의존성이 문제가 될 수 있으며, SSRI 약제들과 같이 복용할 경우 serotonin syndrome의 위험성을 증가시킬 수 있어 사용에 주의 하여야 한다.

(4) PDE5 억제제

이전부터 발기부전의 일차치료제인 PDE5 억제제를 발기부전이 없는 조루증 환자의 치료에도 적용하려는 연구가 많이 진행되었는데, 가능한 기전으로 PDE5 억제제에 의한 중추신경계의 교감신경 활성도 감소와 사정과 연관된 말초신경계의 평활근 이완 등이 제시되고 있다. 대표적인 무작위위약대조시험의 결과들을 살펴보면, vardenafil을 사용한 연구(42명)에서는 평균 IELT가 치료 후 3.8분 증가하였고, tadalafil을 사용한 연구(30명)에서는 평균 IELT가 2.6분 증가되어 PDE5 억제제가 조루증에 치료효과가 있다고 보고하였으나, McMahon 등이 보고한 sildenafil을 사용한 연구(157명)에서는 평균 IELT 증가 효과가 위약군과 차이가 없었다. 하지만, 2015년 시행된 메타분석의 결과에 따르면 PDE5 억제제를 SSRI 약제들과 병합투여 할 경우, SSRI 단독요법에 비해 평균 IELT가 추가적으로 1.7분 증가되는 것으로 나타났다. 현재까지 보고된 결과들을 종합해보면 일차조루증에서 있어서 PDE5 억제제는 단독요법보다는 SSRI 약제들과의 병합투여가 좀 더 합리적인 접근법이라 생각한다. 물론 발기부전에 따른 이차조루증에서는 단독요법으로 이용될 수 있다. PDE5 억제제는 사정 후에도 발기를 어느 정도 지속될 수 있고, 사정 후 다음 발기를 용이하게 하며, 조루증에 의한 성행위의 수행불안을 감소시킬 수 있어 일차조루증 환자에서도 어느 정도의 이차적인 이득을 예상할 수 있다.

3. 요약

조루증의 완치는 현 시점에서는 요원하지만 SSRI 약제로 대변되는 약물요법은 조루증 치료에 있어서 새로운 시도를 가능하게 해 주었다. 그 중에서도 작용시작이 빠르고 필요시 복용법으로 치료 효과를 나타내며 부작용도 적은 dapoxetine이 효과적이며 안전한 표준 약물로의 가능성을 보여주고 있으며, 우리나라를 포함하여 여러 나라에서 조루증에 대한 치료제로 승인되어 사용되고 있다. 현재에도 많은 제약회사들이 이 분야의 발전 가능성을 높게 보고 연구개발에 투자를 하고 있으며 새로운 약제의 개발 시도가 이루어지고 있다. 물론 조루증 치료에 있어서 새로운 지평을 열어줄 수 있는 효과적인 약물의 개발을 위해서는 조루증의 병인(주로 생물학적 원인)을 규명하기 위한 기초 연구들이 병행되어야 할 것이다. TEMPE spray와 같은 aerosol 형태의 간편한 국소약제들도 주목되는 치료법이다. 아직까지 이 약제를 사용하여 효과가 기대되는 환자군을 예측할 수 있는 인자들이 부족하지만 부담 없이 시도해 볼 수 있다는 장점이 있다. 이상적인 경구용 약물이 개발되기 전까지는 SSRIs, tramadol, PDE5 억제제 등과 같이 유효성이 입증된 경구용 약제들과 국소약제 그리고 심리학적 혹은 행동치료 사이의 병합요법이 지속적으로 시도될 전망이다.

참고문헌

1. Abdel-Hamid IA, El Naggar EA, El Gilany AH. Assessment of as needed use of pharmacotherapy and the pause-squeeze technique in premature ejaculation. Int J Impot Res 2001;13:41-45.
2. Atikeler MK, Gecit I, Senol FA. Optimum usage of prilocaine-lidocaine cream in premature ejaculation. Andrologia 2002;34:356-359.
3. Bar-Or D, Salottolo KM, Orlando A, Winkler JV; Tramadol ODT Study Group. A randomized double-blind, placebo-controlled multicenter study to evaluate the efficacy and safety of two doses of the tramadol orally disintegrating tablet for the treatment of premature ejaculation within less than 2 minutes. Eur Urol 2012;61:736-743.
4. Busato W, Galindo CC. Topical anaesthetic use for treating premature ejaculation: a double-blind, randomized, placebo-controlled study. BJU Int 2004;93:1018-1021.
5. Buvat J, Tesfaye F, Rothman M, Rivas DA, Giuliano F. Dapoxetine for the treatment of premature ejaculation: results from a randomized, double-blind, placebo-controlled phase 3 trial in 22 countries. Eur Urol 2009;55:957-968.
6. Chen J, Keren-Paz G, Bar-Yosef Y, Matzkin H. The role of phosphodiesterase type 5 inhibitors in the management of premature ejaculation: A critical analysis of basic science and clinical data. Eur Urol 2007;52:1331-1339.
7. Choi HK, Xin ZC, Choi YD, Lee WH, Mah SY, Kim DK. Safety and efficacy study with various doses of SS-cream in patients with premature ejaculation in a double-blind, randomized, placebo controlled clinical study. Int J Impot Res 1999;11:261-264.
8. Cooper K, Martyn-St James M, Kaltenthaler E, Dickinson K, Cantrell A. Interventions to treat premature ejaculation: a systematic review short report. Health Technol Assess 2015;19:1-180.
9. Dinsmore WW, Hackett G, Goldmeier D, Waldinger M, Dean J, Wright P, Callander M, Wylie K, Novak C, Keywood C, Heath P, Wyllie M. Topical eutectic mixture for premature ejaculation(TEMPE): a novel

aerosol-delivery form of lidocaine-prilocaine for treating premature ejaculation. BJU Int 2007;99:369-375.

10. Gur S, Sikka SC. The characterization, current medications, and promising therapeutic targets for premature ejaculation. Andrology 2015;3:424-442.
11. Haensel SM, Rowland DL, Kallan KT. Clomipramine and sexual function in men with premature ejaculation and controls. J Urol 1996;156:1310-1315.
12. Kendirci M, Salmen E, Hellstrom WJG. Dapoxetine, a novel selective serotonin transport inhibitor for the treatment of premature ejaculation. The Clin Risk Manag 2007;3:277-289.
13. Kim SW, Paick JS. Short-term analysis of the effects of as needed use of sertraline at 5 PM for the treatment of premature ejaculation. Urology 1999;54:544-547.
14. Kirby EW, Carson CC, Coward RM. Tramadol for the management of premature ejaculation: a timely systematic review. Int J Impot Res 2015;27:121-127.
15. Lee WK, Lee SH, Cho ST, Lee YS, Oh CY, Yoo C, Cho JS, Lee SK, Yang DY. Comparison between on-demand dosing of dapoxetine alone and dapoxetine plus mirodenafil in patients with lifelong premature ejaculation: prospective, randomized, double-blind, placebo-controlled, multicenter study. J Sex Med 2013;10:2832-2841.
16. McMahon CG, Touma K. Treatment of premature ejaculation with paroxetine hydrochloride as needed: 2 single-blind placebo controlled crossover studies. J Urol 1999;161:1826-1830.
17. Paick JS, Jeong H, Park MS. Penile sensitivity in men with premature ejaculation. Int J Impot Res 1998;10:247-250.
18. Pryor JL, Althof SE, Steidle C, Rosen RC, Hellstrom WJ, Shabsigh R, Miloslavsky M, Kell S; Dapoxetine Study Group. Efficacy and tolerability of dapoxetine in treatment of premature ejaculation: An integrated analysis of two double-blind, randomised controlled trials. Lancet 2006;368:929-937.
19. Salem EA, Wilson SK, Bissada NK, Delk JR, Hellstrom WJ, Cleves MA. Tramadol HCL has promise in on-demand use to treat premature ejaculation. J Sex Med 2008;5:188-193.
20. Waldinger MD, Zwinderman AH, Olivier B. On-demand treatment of premature ejaculation with clomipramine and paroxetine: a randomized, double-blind fixed-dose study with stopwatch assessment. Eur Urol 2004;46:510-515.
21. Waldinger MD, Zwinderman AH, Schweitzer DH, Olivier B. Relevance of methodological design for the interpretation of efficacy of drug treatment of premature ejaculation: a systematic review and meta-analysis. Int J Impot Res 2004;16:369-381.
22. Waldinger MD. Pharmacotherapy for premature ejaculation. Curr Opin Psychiatry 2014;27:400-405.

CHAPTER 47

기타 사정장애

Ejaculation-related Disorder

■ 우승효

1. 혈정액증 *Hematospermia*

혈정액증은 정액에 육안적 혈액이 섞이는 현상으로, 대체로 혈액만 보이는 단일 증상으로 표현된다. 일반적으로 악성보다는 양성적인 원인이며 자연적으로 치료된다. 하지만, 혈뇨, 빈뇨, 배뇨통, 그리고 음낭통을 동반하기도 하여 환자를 불안하게 하거나 매우 걱정스러운 증상으로 느끼게 한다.

혈정액증은 자연 치유되는 과정을 보이지만 장기간 지속되거나 소실되었다가 반복되는 양상을 보이기도 한다. 증상 유병기간은 평균 6개월로 1개월에서 2년까지 지속된다. 또한 질 내 사정 후 정액을 자세히 관찰하지 않으면 발견을 할 수 없기 때문에 혈정액증의 정확한 유병률은 알려져 있지 않다. 호발 연령은 30~40대이며, 미국에서는 해마다 약 5,000명의 새로운 환자가 발생하는 것으로 보고되었다.

혈정액증은 대부분 특별한 치료 없이 증상이 소실되는 자연경과로 과거에는 비뇨기과 전문의들이 보존적요법에 치중하였고, 현재에도 어느 수준까지 검사를 진행해야 하는지는 논란이 있다. 그러나, 최근에는 경직장 초음파검사, MRI 등의 우수한 영상장비로 원인을 모르는 특발성 혈정액증은 감소하고 특정한 원인들의 발견이 증가하고 있다. 전립선암 및 적절한 치료가 반드시 필요한 질환과의 밀접한 관련과 환자의 삶의 질에 부정적 영향으로, 진료 현장에서는 혈정액증의 철저한 감별진단과 적절한 치료 및 환자를 안심시키려는 보다 적극적인 대처가 요구되고 있다.

1) 혈정액증의 원인

(1) 특발성 원인

혈정액증의 원인은 과거에는 70%까지 특발성으로 간주되었지만, 최근의 진단 장비의 발달과 원인을 찾으려는 적극적인 노력으로 특발성으로 간주되는 것이 15%까지 낮아졌다는 보고도 있다.

(2) 특정한 원인

염증 및 감염은 전통적으로 가장 흔한 원인으로 지목되어 왔다. 가장 호발하는 연령인 30대 전후의 젊은 환자에서 원인의 대부분을 차지하고 전체 환자에서는 40%가까이 차지한다. 염증반응이 점막을 자극하여 세관이나 샘의 부종을 만들고 결국출혈을 야기한다. 이 염증은 손상이나, 화학물질 혹은 세균에 기인하며, 손상은 가끔 전립선이나 정낭의 결석에 의해 발생한다. 원인균은 바이러스, 박테리아, 기생충이며 최근의 연구에 의하면 혈정액증의 75%에서 원인균을 동정할 수 있다고 하였다.

사정관/정낭/전립선 등의 폐색 및 낭종, 게실 등은 팽창에 따른 충혈된 점막 혈관의 파열로 출혈로 야기한다.

종양은 대부분 이소성 전립선 조직이나 전립선 또는 요도의 폴립과 같은 양성이지만, 드물지 않게 전립선/요도/정낭의 악성종양이 원인이 되기도 한다. 종양은 혈정액증의 약 3.5%를 차지한다는 대규모 연구결과가 있으며, 이중 전립선암이 가장 많은 것으로 나타났다.

혈관 기형을 포함한 혈관질환, 전신질환, 그리고 손상에 의해 혈정액증이 드물지 않게 발생하며, 각각의 대표적 질환은 표 47-1과 같다.

2) 진단

진단의 목적은 치료가 가능한 원인을 찾는 것이다. 따라서, 매우 자세한 병력청취, 신체검사, 검사실 검사 및 영상 검사가 시행되며, 이후 침습적 검사가 필요하기도 한다.

(1) 병력 청취

우선적으로 혈정액증이 맞는지를 확인하는 것이 중요한 첫 단계이다. 혈뇨를 잘못 표현하는 경우도 있고, 생리중이거나 질염 등이 있는 파트너의 혈액이 묻은 것은 아닌지 확인할 필요도 있다. 이를 위해서는 콘돔을 사용하여 알아보는 것이 정확하다. 40세 전 후로 나누어 원인이 크게 다를 수 있으므로 40세 전이라면 염증성 질환 과거력을, 이후라면 종양관련 질문에 초점을 맞추어 본다. 다른 동반된 증세가 있는지도 중요하다. 체중감소, 골통, 하부요로증상, 고열 등이 없는지 물어본다. 매우 드물지만 전립선이나 정낭의 악성 흑색종에서 발생하는 흑색정액증(melanospermia)과 감별이 필요할 때도 있다. 당연히 요도 내 시술을 받은 적이 있는지, 전립선 조직검사 여부, 항응고제 복용 등에 대해서도 물어보아야 한다. 특히 우리나라에서는 결핵감염여부에 대한 문진도 필요하다.

(2) 신체검사

혈압과 체온을 측정하고, 간 및 비장의 종대 여부를 촉지로서 확인한다. 서혜부와 회음부를 포함한 생식기를 관찰하고, 특히 정관을 따라 결절이 만져지는지, 직장수지검사에서 전립선에 결절 등의 이상소견이 있는지 확인하며 이후 요도구에서 혈액성 분비물이 있는지도 관찰한다.

(3) 진단 검사

진단 검사로는 어느 정도까지 자세하게 검사를 할 것인가는 환자의 연령, 증세가 지속되는 기간, 혈뇨 등의 동반여부 등을 고려해서 시행한다. 젊은 환자가

표 47-1 혈정액증의 특정 원인

성매개질환	Herpes simplex, E. coli, Ureaplasma urealyticum, Chlamydia trachomatis
전립선 질환	급성 및 만성 세균성 전립선염, 전립선비대증, 전립선 결석, 전립선요도의 비정상적 혈관
정낭/사정관 질환	낭종, 결석, Mullerian duct cyst
손상	전립선 생검, 회음부 둔상, 치질 주사요법, brachy therpy
전신 질환	조절되지 않는 고혈압, 응고장애, amyloidosis
만성 감염	결핵, schistosomiasis
악성 종양	전립선암, 고환 및 부고환 종양, 정낭암, 요도암

한 두 번의 단독 증세로 찾아왔다면, 자세한 문진과 신체검사만으로도 충분할 수 있다. 그러나 노령에서 지속적으로 반복되는 증세를 보인다면 보다 자세한 검사들이 체계적으로 시행되어야 한다. 우선적으로 성전파성질환에 대한 혈액검사, 3배분 요검사, 요배양검사, 말초혈액검사 등을 시행하여 감염여부를 확인하다. 40세 이상에서는 혈중 PSA를 반드시 측정해야하고, 만성질환이나 혈액응고장애가 의심되면, 간기능 검사 및 혈액응고검사도 시행해야 한다.

(4) 영상 검사

위의 진단검사로도 특정 원인이 파악되지 않을 때 영상검사가 필요하다. 일반적으로 경직장초음파는 초기 선별검사로서 가치가 있는데, 74~95%의 진단정확도를 나타내어 정낭, 전립선, 사정관 등의 결석이나 낭종 등을 발견 할 수 있다. CT는 비침습적인 장점으로 과거에는 많이 사용되었지만 방사선 노출이나 전립선을 자세히 관찰하는데 어려움이 있어 현재는 MRI가 영상진단에 절대적 표준기법이다. T2-강조영상에서 정낭과 주위조직을 가장 잘 볼 수 있으며, 전립선초음파에 비해 정낭이나 전립선 내부의 혈종을 감별하는데 더 정확하다. 또한 차세대 자기공명을 이용한 혈관조영술로 출혈부위를 알아내기도 한다.

(5) 침습적 검사

앞서 열거한 비침습적 검사로도 원인을 찾지 못하거나 정확한 감별이 어려울 때 침습적검사로 내시경을 시행한다. 요도 및 방광경은 요도부위의 특정질환을 발견하는데 매우 유용하며, 연성 또는 경성 요관경은 사정관이나 정낭의 특정 원인을 확인하는데 필요하다. 종양이 의심되는 경우에는 경직장초음파 하 조직검사가 시행되기도 한다.

3) 치료

진단 흐름도와 같이 원인을 규명하는 노력이 치료의 첫 번째 단계이다. 혈정액증이 최초 발병이며 40세 미만이라면, 대부분의 경우 기다리면 수주 이내에 혹은 10번 사정하기 전에 자연적으로 소실되는 경우

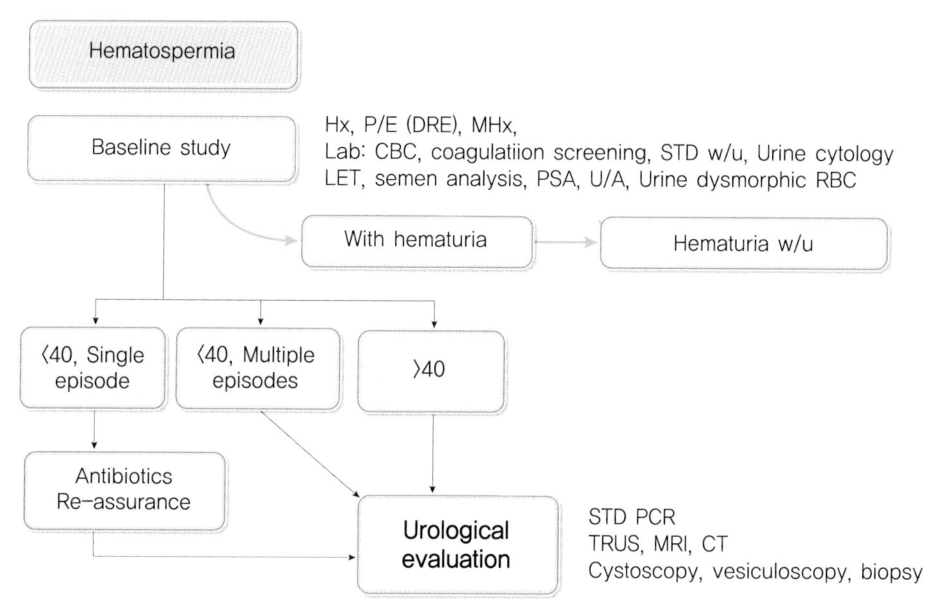

그림 47-1 혈정액증의 진단 흐름도

가 많으므로 환자를 안심시키면서 대기 관찰하거나, 경험적인 약물치료를 해볼 수 있다.

혈정액증의 원인이 밝혀진 경우에는 각 원인에 맞게 치료하는 것이 원칙이다. 정낭, 전립선, 사정관 등의 낭종이 있어 혈정액증이 유발되는 경우는 초음파 유도 하에 천자술이나 폐색이 있는 경우 경요도절개술로 치료가 가능하다. 정낭 내 결석의 경우에도 요관경을 이용하여 사정관구를 확장한 후 정낭으로 삽입해서 결석을 제거할 수 있다. 전립선의 정맥염주, 이소성 전립선조직, 폴립 등도 경요도절제술이나 방전요법(fulguration)으로 치료가 가능하다.

하지만 특정한 원인을 찾을 수 없지만 지속되거나 반복되는 경우가 가장 치료하기가 어렵다. 이와 같이 특발성이면서 지속/반복성 혈정액증의 근거있는 치료는 현재까지 없는 실정으로 보통 경험적 치료를 시행하고 있다. 5알파-환원효소억제제(finasteride, dutesteride)의 항섬유소용해(antifibrinolytic) 작용에 따른 치료효과를 기대하고 투여해보고 있지만 아직 근거중심의 정확한 치료효과는 입증되지 않고 있는 실정이다. 전립선염이나 정낭염 등의 감염질환이 의심되면 적절한 항바이러스제, 항생제, 항진균제 등을 배양결과에 따라 사용해야 한다. 전립선을 투과하는 항생제가 좋으며, 배양에서 자라는 균이 없더라도 감염증이 의심되면 클라미디아균주 등에 대한 경험적인 항생제치료가 요구된다. 항생제 복용은 최소 2주 이상 투여하는 것이 도움이 된다.

2. 사정 실패 *Ejaculation failure*

사정 실패는 역행성사정과 사정불능으로 대표된다. 두 질환 모두에서 극치감 장애나 불임을 초래할 수 있다. 사정불능은 사정의 첫 단계인 누정부터 일어나지 않는 상태이며, 역행성사정은 사정관에서 정액이 나와 극치감이나 사정감을 느끼기는 하지만 요도를 통한 사출이 일어나지 않는 것을 일컫는다. 두 질환의 감별은 사정 후 소변을 채취하여 정자의 검출 여부로 가능하다.

1) 사정불능증(Anejaculation)

사정불능은 남성호르몬 결핍, 교감신경 탈신경, 약물 및 후복막강 수술에 기인한다.

원인의 대부분은 신경인성으로 누정작용에 관여하는 교감신경의 손상(탈신경)에 기인한다. 대부분의 척수손상환자는 발기부전이나 사정장애를 겪게 되는데, 척수손상이 신경인성 사정불능의 가장 흔한 원인이다. 특히 상위운동신경원(upper motor neuron) 질환이나 후복막강 임파선절제술의 경우 교감신경의 손상을 유발하여 전립선과 정낭의 자율신경계 지배를 간섭하게 되며, 결국 정낭과 전립선 평활근의 수축이 일어나지 않고 정액의 분출이 소실된다. 따라서 교감신경의 손상이 있는 경우에 발기는 약물이나 수술적 치료로 가능하지만 사정은 일어나지 않아 결과적으로 불임에 이르게 된다.

알파차단제는 사정불능의 대표적 원인 약물이다. 알파차단제는 전립선비대증의 치료에 일차치료로 사용되고 있는데, 사정중추를 억제함으로써 사정의 첫 단계를 차단하는 것으로 추정하고 있다. 또한, 당뇨환자의 경우 발기부전과 더불어 사정장애도 야기하게 되는데, 초기에는 사정액의 감소로시작하여 심해지면 역행성사정으로 되었다가, 결국 사정불능증의 단계에도 이르게 된다.

임신이 필요한 경우에 주로 치료가 이루어진다. 정관, 전립선, 방광경부의 수축을 증가시키는 알파-아드레날린 작용제를 사용해 볼 수 있는데 이는 당뇨환자에서의 사정장애와 같이 서서히 진행되는 경우에 효과를 보인다. 신경손상이 심해 약물에 효과가 없는 경우 경직장 전기자극요법이나 체외에서 전류를 전달하는 전극을 삽입하여 사정을 유도하는 방법이 시도되고 있다. 전기자극요법의 성공률은 약 75%로 알려져 있다. 하지만, 자율신경 반사장애가 가능하므로 치료 전 예방 약물의 전처치가 필요하며, 역행성사정에 대비해 알파-아드레날린 작용제나 항콜린성약물의 전처치도 필요할 수 있다. 척수손상환자의 경우 귀두부 위의 진동자극을 통한 사정유도법도 널리 이용하고 있는데, 이것은 사정에 관여하는 모든 반사신경들이 정상적으로 작동이 되어야 가능하므로 10번 흉수이상의 손상 환자인 경우에 적응이 된다. 이 환자들에서는 치료 중 자율신경 반사장애증(autonomic dysreflexia)으로 갑작스런 혈압의 상승이 발생할 수 있어 철저한 모니터링이 필요하다.

2) 역행성사정(Retrograde ejaculation)

역행성사정은 정상적인 사정에서 일어나는 단계가 모두 진행되지만, 방광경부가 닫히지 못해 정액이 요도를 통해 외부로 사출되지 못하고, 역으로 저항이 낮은 방광내로 역류하는 현상을 일컫는다. 일반적으로 사정관에서 정액이 분출될 때 내괄약근의 수축으로 높은 압력으로 방광경부가 닫히는데 이 기능이 상실될 때 발생하게 된다. 따라서 사정 후 소변이 정액과 섞여 뿌옇게 나타날 수 있다.

정낭에서의 누정이나 방광경부의 닫힘 현상은 모두 알파-아드레날린 교감신경계의 조절을 받게 되므로, 위에서 언급한 사정불능증의 원인이 되는 신경이상에서도 손상의 정도에 따라 경한 경우에 역행성사정이 발생할 수 있다.

가장 흔한 원인은 경요도전립선절제술로 수술 후 4명 중 3명에서 발생하며, 역행성사정과 함께 극치감도 일정 부분 감소하므로 수술 전에 충분한 설명이 요구된다. 또한 전립선비대증의 약물치료로주로 이용되는 알파차단제의 부작용으로 5~30%에서 발생하는 것으로 보고되고 있다. 알파차단제도 배뇨를 위한 방광경부와 전립선 및 정낭의 평활근 이완으로 역행성사정이 일어나게 된다. 그 외 당뇨나 다발성 섬유화증에서 발생한다.

진단은 사정 후 원심분리된 소변에서 고배율 시야당 10-15개의 정자가 검출되는 것으로 확진한다.

치료는 약물과 같은 교정 가능한 원인을 제거하는 것이다. 교정이 가능하지 않은 원인에서는 알파-아드레날린 작용제가 이용될 수 있으나 큰 효과를 보기 어렵다. 또한 이미프라민과 같은 TCA약물도 효과가 있어 시도할 수 있는 방법이다(표 47-2). 이런 약물 요법에 반응이 없는 경우 임신을 위해서는 사정 후 방광 내 소변에서 정자를 채취하여 생식보조술을 시행하게 된다. 소변에서 정자를 채취할 때에는 방광 내 소변의 산성도와 삼투질 농도 차이로 정자에 부정적 영향을 줄 수 있어, 사정 전에 도뇨관을 삽입하여 소변을 배액하고 정자의 보존을 위한 배양액을 주입한 후 정자를 채취하는 것이 좋다. 소변의 산성도를 완화시키기 위해 중탄산염나트륨(sodium bicarbonate) 제제를 미리 복용시키는 방법도 있다.

3. 사정통 *Painful ejaculation*

사정통이란 사정 시 통증이나 극치감 이후 통증을 일컫는데, 사정 도중 또는 후 통증이 발생하는 것이다. 최근에는 "극치감 후 통증(Post-orgasmic pain)"이란 용어가 더 합당한 것으로 받아들여지고 있다. 사정통은 성기능 장애의 하나로 정확한 원인은 알 수 없지만 사정통을 경험한 88~91%의 환자에서 삶의 질

표 47-2 역행성사정의 약물 요법

약물	용량
Phenylpropanolamine	75 mg 하루 2회
Ephedrine	25-50 mg 하루 4회
Pseudoephedrine	60 mg 하루 4회 또는 120 mg 하루 2회
Imipramine	25 mg 하루 2회

에 부정적 영향을 주는 것으로 알려져 있고, 파트너와의 관계가 나빠지거나 성관계 자체를 회피하는 등 성생활에 심각한 폐해를 주게 된다.

1) 유병률과 증상

사정통의 유병률은 정확하게 알기는 어렵지만 1~9.7%로 알려져 있으며, 50대에서 가장 흔한 것으로 알려져 있다. 만성골반통증후군 환자의 24%와 세균성 전립선염 환자의 57%에서 동반한다, 전립선비대증환자의 17%에서도 사정통을 동반하는데, 국제전립선증상점수에서 경증에서는 15.4%, 중등증에서는 25.8%, 중증에서는 34.2%로 증상이 심할수록 더 흔히 발생한다. 전립선비대증의 수술 후에는 23%가 발생되었고, 전립선암에 대한 근치적전립선수술이후 11~14%가 발생되었다.

사정통의 위치는 보고에 따라 다소 다르지만, 대부분 음경 및 회음부(72%)이며 이외 고환(12%), 직장(8%), 복부(4%) 등이다. 사정통의 강도는 개인마다 다양하게 나타나며 사정통과 관련된 기간은 대부분 1~5분정도이지만 24시간까지도 통증이 지속되는 경우도 있다. 1분 미만이 32%로 가장 많고, 5분이상이 12%, 15분 이상이 4%, 1시간 이상이 2.5%로 보고되었다. 사정통과 관련된 요소로는 젊고 정신이나 육체적인 삶의 질이 떨어지거나 독신자, 경제적으로 낮은 경우에 발생되는 경우가 많다. 구강성교나 자위행위와 관련이 되지만 처음 성교를 한 나이와 성파트너의 수와는 관련이 없다.

2) 원인

사정통의 원인에 여러 가능성이 제기되고 있지만 완전히 이해되고 있지 않다. 알려진 가능한 원인으로, 1) 전립선암에 대한 근치적전립선적출술로, 만성골반통증후군에서와 같이 방광요도접합부위의 경련이나 골반저근육의 경련으로 발생될 수 있어 Tamsulosin과 같은 알파아드레날차단제 투여가 증상을 완화시키기도 한다. 2) 사정관에 발생된 결석으로 완치할 수 있는 원인이다. 3) 항우울제와 관련된 것으로 imipramine, desipramine, fluoxetine, venlafaxine, riboxetine과 같은 SSRI나 TCA 등의 부작용으로 드물게 발생한다. 발생기전은 정확하지 않으나 노아드레날린 역량으로 인한 강직성통증을 유발할 수 있다. 4) 회음부의 압력 증가에 따른 음부신경증으로 음부신경 죄임(pudendal nerve entrapment)이나 음부신경관증후군(pudendal canal syndrome)이 관련되어 있다.

3) 진단과 치료

사정통은 환자가 느끼는 증상으로 특별한 진단방법은 없으며 사정과 관련된 통증을 호소하는 것으로 진단을 하게 된다. 사정통의 치료로는 아직 정확한 원인을 알 수 없지만 교정 가능한 원인을 제거하기 위한 치료가 주된 것이다.

(1) 약물요법

약물요법으로는 알파차단제가 가장 많이 시도되었는데, Demyttenaere와 Huygens는 revoxetine으로 사정통이 발생한 2명에게 tamsulosin 0.4 mg을 1주간 투여 후 사정통이 완전하게 소실되었다고 보고되었다. 98명을 대상으로 한 선행적연구에서 tamsulosin 0.4 mg 을 4주 이상 투여 시 시각적 아날로그 통증 스케일 (VAS)가 5.8에서 3.1점(-2.7)으로 감소하였고 77%에서 증상의 개선과 13%에서의 증상 소실이 있었다. 또한 Nickel 등은 만성골반통증후군 환자 58명에게 45일간 tamsulosin 0.4mg을 투여하여 VAS의 3.6점 감소를 보고하기도 하였다. Perez 등은 일반 진통제에 반응을 하지 않는 사정통 환자에서 topiramate 75 mg/day을 한 달간 투여하여 통증점수가 8에서 1로 감소되었다고 하였다.

(2) 침습적 치료

사정관의 폐색으로 인한 사정통은 경요도적 절제

술을 통하여 통증을 완화시킬 수 있다. Johnson과 Lawler는 경요도적 사정관 절개술 및 풍선확장술을 통해 4명 중 2명에서 증상이 개선되었다고 하였다.

(3) Three-step treatment programme

3단계의 체계적인 방법이 제시되고 있다.

1단계는, 자가 치료로 5일간 매 6시간 간격으로 ketorolac 을 투여하고 수면전 amitriptyline을 10일 간격으로 10 mg부터 50 mg으로 증량시키고, 오래 앉거나 사이클링을 피하고, 헬스 기구 (벤치프레스 등)를 이용하여 앉았다 일어나거나 다리를 올리는 운동을 회피하는 것이 좋다. 더불어 주기적으로 일어나 허리를 굽혔다 펴는 동작이나 주위를 걸어다녀 복압을 낮추고 회음부의 긴장도를 풀어준다. 또한 앉아 있는 동안에는 회음부에 가해지는 압력을 줄이는 패드도 적극 활용한다.

2단계는, CT 안내 하에 회음부를 통해 음부신경에 bupivacaine 1ml 와 triamcinolone 3ml을 혼합하여 주입하는 것으로 증상에 따라 한쪽 혹은 양측에 실시할 수 있다. 2주간격으로 3번정도 실시하고 이후 6주간격으로 장기간 효과가 있는 스테로이드를 주사하기도 한다.

3단계는, 수술적인 방법으로 음경신경융해술이나 천골결절인대 혹은 전골극돌기인대를 제거하기도 한다.

4. 요약

이 장에서 다루어진 혈정액증, 사정 실패, 사정통은 외래에서 진단과 치료가 이루어지는 드물지 않은 질환이다. 모두 성생활 및 일상 생활에 부정적 영향을 주는 질환이지만 정확한 발생기전은 명확치 않다. 하지만 교정가능한 또는 납득할 수 있는 다양한 원인들이 밝혀지고 있다. 진단에 가장 중요한 것은 세밀한 문진이며, 추가로 비뇨기과적 검사 및 영상검사가 필요하기도 한다. 치료를 필요로 하는 염증성 질환은 항생제요법이 요구되고, 정낭이나 사정관 등에 특정 질환이 있는 경우에는 약물요법 또는 수술적 치료가 필요하다. 사정실패는 불임의 중요한 문제로 사정 후 방광 내 소변 채취법이나 경직장 전기자극요법을 통해 생식보조술을 시도할 수 있다. 사정통은 기저질환, 전립선염이나 만성골반통증후군에서 호발하므로 이에 따른 치료가 우선된다. 통증이 심할 경우에는 필요시 진통제 복용법이 도움이 된다. 본문에서도 언급한 것과 같이 3단계 치료 프로그램도 매우 가치있는 시도일 것이다.

참고문헌

1. Ahmad I, Krishna NS. Hemospermia. J Urol 2007:1613-1618.
2. Aizenberg D, Zemishlany Z, Hermesh H, Karp L, Weizman A. Painful ejaculation associated with antidepressants in four patients. J Clin Psychiatry 1991; 52:461-463.
3. Akhter W, Khan F, Chinegwundoh F. Should every patient with hematospermia be investigated? A critical review. Cent European J Urol. 2013;66:79-82.
4. Amarenco G, Ismael SS, Bayle B, Denys P, Kerdraon J. Electrophysiological analysis of pudendal neuropathy following traction. Muscle Nerve 2001;24:116-119.
5. Antolak SJ, Hough DM, Maus TP, King BF, Vrtiska TJ, Farrell MA, et al. Chronic pelvic pain syndrome (pudendal neuralgia or category IIIB chronic prostatitis). Mayo Clinic, Rochester, Minnesota 2002.
6. Aslam MI, Cheetham P, Miller MA. A management algorithm for hematospermia. Nat Rev Urol 2009:398-402.
7. Badawy AA, Abdelhafez AA, Abuzeid AM. Finasteride for treatment of refractory hemospermia: prospective placebo-controlled study. Int Urol Nephrol. 2011 Sep29. [Epub ahead of print]

8. Balogh S, Hendricks S E, Kang J. Treatment of fluoxetine-induced anorgasmia with amantadine. J Clin Psychiatry 1992;53:212-213.

9. Balon R. Intermittent amantadine for fluoxetine-induced anorgasmia. J Sex Marital Ther 1996;22:290-292.

10. Barnas J, Parker M, Guhring P, Mulhall JP. The utility of tamsulosin in themanagement of orgasm-associated pain: a pilot analysis. Eur Urol 2005;47:361-365.

11. Barnas JL, Pierpaoli S, Ladd P, Valenzuela R, Aviv N, Parker M, et al. The prevalence and nature of orgasmic dysfunction after radical prostatectomy. BJU Int 2004;94:603-605.

12. Blanker MH, Bosch JL, Groeneveld FP, Bohnen AM, Prins A, Thomas S, et al. Erectile and ejaculatory dysfunction in a community-based sample of men 50-78 years old: prevalence, concern, and relation to sexual activity. Urology 2001;57:763-768.

13. Demyttenaere K, Huygens R. Painful ejaculation and urinary hesitancy in association with antidepressant therapy: relief with tamsulosin. Eur Neuropsychopharmacol 2002;12:337-341.

14. Etherington RJ, Clements R, Griffiths GJ, Peeling WB. Transrectal ultrasound in the investigation of haemospermia. Clin Radiol 1990;41:175-177.

15. Fitzpatrick JM, Rosen RC. All components of ejaculation are impaired in men with lower urinary tract symptoms suggestive of benign hyperplasia. Eur Urol Suppl 2006;5:157.

16. Furuya S, Furuya R, Masumori N, Tsukamoto T, Nagaoka M. Magnetic resonance imaging is accurate to detect bleeding in the seminal vesicles in patients with hemospermia. Urology 2008:838-842.

17. Fuse H, Nishio R, Murakami K, Okumura A. Transurethral incision for hematospermia caused by ejaculatory duct obstruction. Arch Androl 2003:433-438.

18. Gitlin M J. Treatment of sexual side effects with dopaminergic agents. J Clin Psychiatry 1995;56:124.

19. Goriunov VG, Davidov MI. Sexual readaptation after the surgical treatment of benign prostatic hyperplasia. UrolNefrol (Mosk) 1997;5:20-24.

20. Gustafsson O, Norming U, Nyman CR, Ohstrom M. Complications following combined transrectal aspiration and core biopsy of the prostate. Scand J Urol Nephrol 1990;24:249-251.

21. Han M, Brannigan RE, Antenor JA, Roehl KA, Catalona WJ. Association of hemospermia with prostate cancer. J Urol 2004:2189-2192.

22. Han WK, Lee SR, Rha KH, Kim JH, Yang SC. Transutricular seminal vesiculoscopy in hematospermia: technical considerations and outcomes. Urology 2009: 1377-1382.

23. Harada M, Tokuda N, Tsubaki H, Kase T, Tajima M, Sawamura Y, Matsushima Munkelwitz R, Krasnokutsky S, Lie J, Shah SM, Bayshtok J, Khan SA. Current perspectives on hematospermia: a review. J Androl 1997;18:6-14 Fletcher.

24. Helgason A, Adolfsson J, Dickman P, Fredrikson M, Steineck G. Distress due to unwanted side-effects of prostate cancer treatment is related to impaired wellbeing (quality of life). Prostate Cancer Prostatic Dis 1998;1:128-333.

25. Hetrick DC, Ciol MA, Rothman I, Turner JA, Frest M, Berger RE. Musculoskeletal dysfunction in men with chronic pelvic pain syndrome type III: a case-control study. J Urol 2003;170:828-831.

26. Kang DI, Chung JI. Current status of 5αreductase inhibitors in prostate disease management. Korean J Urol. 2013;54:213-219.

27. Keller Ashton A, Hamer R, Rosen R C Serotonin reuptake inhibitor-induced sexual dysfunction and its treatment: a large-scale retrospective study of 596 psychiatric outpatients. J Sex Marital Ther 1997;23:165-175.

28. Koeman M, van Driel MF, Schultz WC, Mensink HJ. Orgasm after radical prostatectomy. Br J Urol 1996;77: 861-864.

29. Kumar P, Kapoor S, Nargund V. Haematospermia - a systematic review. Ann R Coll Surg Engl 2006;88:339-342.

30. Laumann E O, Paik A, Rosen R C. Sexual dysfunction in the United States: prevalence and predictors. JAMA 1999;281:537-544.

31. Lawler LP, Cosin O, Jarow JP, Kim HS. Transrectal US-guided seminal vesiculography and ejaculatory duct recanalization and balloon dilation for treatment of chronic pelvic pain. J Vasc Interv Radiol 2006;17:169-173.

32. Lewis R W, Fugl-Meyer K S, Corona G, Hayes R D, Laumann E O, Moreira E D, et al. Definitions/epidemiology/risk factors for sexual dysfunction. J Sex Med 2010;7(4 Pt 2):1598-1607.

33. Litwin MS, McNaughton-Collins M, Fowler FJ Jr, Nickel JC, Calhoun EA, Pontari MA, et al. The National Institutes of Health chronic prostatitis symptom index: development and validation of a new outcome measure. Chronic Prostatitis Collaborative Research Network. J Urol 1999;162:369-375.

34. Loeb S, Vellekoop A, Ahmed HU, Catto J, Emberton M, Nam R, Rosario DJ, Scattoni V, Lotan Y. Systematic review of complications of prostate biopsy. Eur Urol. 2013;64:876-892.

35. Lutz MC, Roberts RO, Jacobson DJ, McGree ME, Lieber MM, Jacobsen SJ. Cross-sectional associations of urogenital pain and sexual function in a community based cohort of older men: Olmsted county, Minnesota. J Urol 2005;174:624-628.

36. Manohar T, Ganpule A, Desai M. Transrectal ultrasound- and fluoroscopicassisted transurethral incision of ejaculatory ducts: a problem-solving approach to nonmalignant hematospermia due to ejaculatory duct obstruction. J Endourol 2008;22:1531-1535.

37. Manoharan M, Ayyathurai R, Nieder AM, Soloway MS. Hemospermia following transrectal ultrasound-guided prostate biopsy: a prospective study. Prostate Cancer Prostatic Dis 2007:283-287.

38. McMahon C G, Jannini E, Waldinger M, Rowland D. Standard operating procedures in the disorders of orgasm and ejaculation. J Sex Med 2013;10:204-229.

39. Nadler RB, Rubenstein JN. Laparoscopic excision of a seminal vesicle for the chronic pelvic pain syndrome. J Urol 2001;166:2293-2294.

40. Najafi L, Noohi AH. Recurrent hematospermia due to aspirin. Indian J Med Sci 2009:259-260.

41. NIH Consensus Development Panel on Impotence. NIH Consensus Conference. Impotence. JAMA 1993;270:83-90.

42. Papp GK, Kopa Z, Szabo F, Erdei E. Aetiology of haemospermia. Andrologia 2003:317-320.

43. Prando A. Endorectal magnetic resonance imaging in persistent hemospermia. Int Braz J Urol 2008:171-177.

44. Ralph D J, Wylie K R. Ejaculatory disorders and sexual function. BJU Int 2005;95:1181-1186.

45. Rosen R, Altwein J, Boyle P, Kirby RS, Lukacs B, Meuleman E, et al. Lower urinary tract symptoms and male sexual dysfunction: the multinational survey of the aging male (MSAM-7). Eur Urol 2003;44:637-649.

46. Schwartz JM, Bosniak MA, Hulnick DH, Megibow AJ, Raghavendra BN.

47. Sheikh M, Hussein AY, Kehinde EO, Al-Saeed O, Rad AB, Ali YM, et al.

48. Shoskes DA, Landis JR, Wang Y, Nickel JC, Zeitilin SI, Nadler R. Impact of postejaculatory pain in men with category III chronic prostatitis/chronic pelvic pain syndrome. J Urol 2004;172:542-547.

49. Shrivastava R K, Shrivastava S, Overweg N, Schmitt M. Amantadine in the treatment of sexual dysfunction associated with selective serotonin reuptake inhibitors. J Clin Psychopharmacol 1995;15:83-84.

50. Simpson GM, Blair JH, Amuso D. Effects of antidepressants on genito-urinary function. Dis Nerv Syst 1965;26:787-789.

51. Torigian DA, Ramchandani P. Hematospermia: imaging findings. Abdom Imaging 2007;32:29-49.

52. Valevski A, Modai I, Zbarski E, Zemishlany Z, Weizman A. Effect of amantadine on sexual dysfunction in neuroleptic-treated male schizophrenic patients. Clin Neuropharmacol 1998;21:355-357.

53. Vallancien G, Emberton M, Harving N, van Moorselaar RJ. Alf-One Study Group. Sexual dysfunction in 1274 European men suffering from lower urinary tract symptoms. J Urol 2003;169:2257-2261.

54. Vilandt J, Sonksen J, Mikines K, Torp-Pedersen S, Colstrup H. Seminoma in the testes associated with haemospermia BJU Int 2002:633.

55. Waldinger M D, Quinn P, Dilleen M, Mundayat R, Schweitzer D H, Boolell, M. A multinational population survey of intravaginal ejaculation latency time. J Sex Med 2005;2:492-497.

56. Yagci C, Kupeli S, Tok C, Fitoz S, Baltaci S, Gogus O. Efficacy of transrectal ultrasonography in the evaluation of hematospermia. Clin Imaging 2004:286-290.

SECTION 06 기타

Chapter 48. 음경지속발기증 ········· 신홍석
Chapter 49. 페이로니병 ········· 서준규
Chapter 50. 음경성형술 ········· 박남철
Chapter 51. 조직공학의 응용 ········· 박흥재

CHAPTER

48

음경지속발기증

Priapism

■ 신홍석

음경지속발기증(Priapism)의 어원은 거대한 음경으로 다산과 남성의 상징으로 알려져 있는 고대 그리스의 신인 Priapus의 이름에서 유래되었고, 1845년 Tripe에 의해 처음으로 정의되었다. 성적 욕구나 자극이 없는데도 음경의 발기상태가 지속되거나, 자극이 사라진 후에도 4시간 이상 발기가 지속되는 경우를 의미한다. 지속발기증은 비교적 드문 질환으로 연간 10만 명당 0.5~1명 꼴로 발생하는데 신생아에서부터 노인에 이르기까지 다양한 연령에서 발생할 수 있다. 최근 미국에서 이루어진 연구에서는 발생률이 10만 명당 0.73명으로 보고되었다. 호발 연령대는 5-10세의 소아와 20-50세의 두 호발 연령대가 있으며, 겸상적혈구성 빈혈, 항응고제의 사용, 정신과적 약물치료, 고혈압약제, 악성종양, 음주 및 물리적 손상 등이 모두 원인이 될 수 있다. 우리나라는 발기부전의 진단이나 치료에 사용되는 발기유발제에 의한 것이 가장 많다. 지속발기증은 비뇨기과적 응급질환으로 초기에 적절한 치료를 하지 않을 경우 음경해면체의 섬유화와 발기부전을 초래하므로 발생원인과 기전에 따른 정확한 진단과 치료가 필요하다.

1. 분류 *classification*

음경발기의 생리와 혈류역동학적인 이해가 발전함에 따라 임상증상과 혈액가스검사, 음경혈류검사를 통해 지속발기증의 치료와 예후에 영향을 미치는 혈류역동학적 분류가 임상적으로 널리 사용되고 있는데 과거 허혈성과 비허혈성의 두 가지 분류에서 최근에는 병태생리가 불분명하고 치료가 어려운 재발성을 허혈성분류에서 따로 세분하고 있다(표 48-1). 지속발기증의 원인은 혈액질환, 항응고제 치료, 혈액투석, 총경정맥영양공급, 종양, 신경계 질환, 손상, 약물, 비뇨생식기 감염 등으로 광범위하고 다양하다. 서구의 경우 인종의 특성 상 겸상 적혈구성 빈혈로 인한 지속발기증이 흔하지만 우리나라에서는 발기부전의 진단이나 치료에 사용되는 papaverine이나 prostaglandin 등 발기유발제에 의한 원인이 가장 흔하다. 발기유발 주사제를 사용하는 환자의 8-10%에서 발생하며, 특히 음경혈류가 정상적인 환자나 신경인성 또는 심인성 발기부전증 환자에서는 첫 주사 후에 발생할 가능성이 높다.

표 48-1 음경 지속발기증의 혈역동학적 분류

분류	허혈성	비허혈성	재발성
혈류역동학적 특징	저혈류성 허혈성 정맥폐쇄성	고혈류성 비허혈성 동맥성	저혈류성 허혈성, 재발성 정맥폐쇄성
발생기전	정맥폐쇄로 인한 혈액정체에 따른 저산소 손상	손상에 의한 음경해면체와 동맥간의 누공	정맥폐쇄로 인한 혈액정체에 따른 저산소 손상
혈액가스검사소견	검은색의 정맥혈 $PO_2 < 30$ mmHg $PCO_2 > 60$ mmHg pH $<$ 7.25	선홍색의 동맥혈 $PO_2 > 90$ mmHg $PCO_2 < 40$ mmHg pH : 7.4	검은색의 정맥혈 $PO_2 < 30$ mmHg $PCO_2 > 60$ mmHg pH $<$ 7.25

2. 병태생리 *Pathophysiology*

1) 허혈성/저혈류성 (Ischemic, veno-occlusive or low-flow priapism)

저혈류성은 지속발기증의 약 95%에 해당하는 형태로, 정맥의 폐쇄로 인해 음경해면체의 압력이 증가하여 음경이 딱딱해지고, 그 결과 동맥혈의 유입이 억제되어 발생한다. 정맥혈의 유출이 차단되면 음경 내부는 산성화되고 저산소증 상태가 되어 결과적으로 세포가 파괴된다. 해면체내 평활근 세포 역시 저산소증 상태에 노출되면 당연히 수축 능력이 감소하고 세포고사가 일어난다.

분자 수준에서 발기 조직을 연구한 결과, 지속발기증 시 조직 손상은 시간과 관련이 있는 것으로 확인되었다. 발생 초기(12시간 이내)에 사이질의 부종이 저명해졌고, 24시간 이상이 지나면 해면체 근육의 괴사와 섬유모세포의 증식이 관찰되었다. 내피세포의 파괴와 음경해면체의 섬유화가 발기부전의 원인이 된다.

발기에 크게 관여하며, 평활근의 긴장도를 조절하는 NO를 분비하는 해면체 평활근과 혈관 내피세포 역시 영향을 받는다. 해면체 신경의 자극에 의해 NO 생성효소가 과도하게 생성되면 결과적으로 발기가 지속되게 된다. 겸상적혈구성 빈혈과 같은 혈액질환에서 볼 수 있는 용혈(hemolysis)은 음경의 비정상적인 산화질소의 활성화나 NO의 생체이용률을 저하시켜 NO/cGMP 경로의 활성이 저하되고 이는 되먹이기 기전에 의해 RhoA/Rho-kinase 경로의 활성도를 감소시켜 평활근 긴장도를 조절하는 시스템이 낮은 역치로 유지되기 때문에 정상적인 발기자극에도 쉽게 지속발기증이 유발된다.

2) 비허혈성/고혈류성 (Nonischemic, arterial or high-flow priapism)

고혈류성 지속발기증은 음경동맥 내로 유입되는 혈류량 조절에 문제가 생겼을 경우 발생하는 유형으로, 가장 흔한 원인은 음경이나 회음부의 손상이다. 허혈성 지속발기증에 비해 다소 드문 편으로, 해면체 동맥의 나선양 동맥(helicine artery)의 손상에 의해 발생한다. 정맥 유출이 정상적으로 이루어지기 때문에 통증은 저명하지 않다. 손상 후 발기 과정이 일어나면 동맥 내로 유입되는 혈류가 조절되지 않아 장시간의 발기가 유지된다.

3) 재발성/간헐성(Stuttering, intermittent priapism)

재발성 또는 간헐성 지속발기증은 허혈성 지속발기증의 특수한 형태로 동통성 지속발기증이 재발하는 것으로 발생 후 4시간 안에 발기해제가 되었다가 다시 반복적으로 발생한다. 반복된 사건으로 인해 발기부전의 발생률이 30%로 높아 예방을 위한 치료 계획이 매우 중요하다. PDE5 조절 체계의 이상이 지속발기증의 원인이 될 수 있다. 음경발기를 조절하는 대표적인 분자생물학적 기전인 NO 경로에서 PDE5는 cGMP를 분해시키는데, 재발성 지속발기증에서는 허혈상태의 음경해면체에서는 PDE5가 하향 조절되어 있기 때문에 낮은 자극에도 지속발기증이 잘 발생한다. 음경내의 eNOS가 부족하여 PDE-5, RhoA/Rho-kinase가 감소하고 평활근의 긴장도는 낮은 역치로 유지되므로 작은 자극에도 지속 발기증이 발생하고 적절한 치료로 소실되지만 평활근의 긴장도는 낮은 상태로 유지되어 반복적으로 지속발기증이 발생할 수 있다.

아데노신도 저산소증 상태에서 평활근 자극과 축적으로 인해 지속발기증을 유발할 수 있다. 아데노신의 증가는 cAMP와 protein kinase A를 증가 시켜 세포내 칼슘 이온를 감소시켜 평활근 이완을 유발한다. 부가적으로 아데노신은 내피세포를 통해 NO의 분비를 증가시켜 허혈성 지속발기증을 더욱 상승시킨다.

3. 진단 *Diagnosis*

지속발기증을 효과적으로 치료하기 위해서는 발생원인, 혈류역동학적 형태, 지속시간 등을 파악하여 적절한 치료계획을 설정하여야 한다. 이 때 가장 중요한 것은, 응급 치료를 필요로 하는 허혈성과 응급이 아닌 비허혈성을 감별하는 것이다. 허혈성과 비허혈성으로 구분하기 위해서는 약물치료 및 복용약물, 발기유발제 사용여부, 겸상적혈구빈혈 등의 혈액학적 병력, 과거 수술 및 손상병력, 최근의 성행동 등에 관한 조사가 필요하다. 신체검사에서 허혈성은 음경체부는 딱딱하고, 수 시간이 경과하면 음경조직의 허혈로 인해 동통이 발생한다. 비허혈성에서는 허혈성에 비해 음경이 딱딱하지 않고 동통이나 압통이 없지만 회음부나 음경의 직접적인 손상에 의해 주로 발생하므로 주의 깊게 관찰해야한다. 악성종양에 의한 임파절 비대나 복부종물 및 직장수지검사도 꼭 시행하여야한다. 초기 검사실검사로 일반혈액검사와 일반소변검사를 시행하여 겸상적혈구빈혈이나 백혈병과 요로감염은 반드시 배제해야 한다. 일반혈액검사에서 이상이 없는 경우에는 해면체내 혈액을 흡인하여 색깔이 검고 가스검사상 pH〈7.25, pO_2〈30 mmHg, pCO_2〉60 mmHg으로 정맥혈에 가까우면 저혈류성으로 진단하고, 혈액의 색깔이 선홍색에 pH=7.40, pO_2〉90 mmHg, pCO_2〈40 mmHg으로 동맥혈에 가까우면 고혈류성으로 진단한다. 그러나 모든 지속발기증은 고혈류로 시작되므로 초기에 혈액가스검사를 실시할 경우 잘못된 진단을 내릴 수도 있다.

칼라복합초음파는 지속발기증의 초기에 권장되는 비침습적인 검사로 혈관손상의 정도와 위치, 대측 동맥에 대한 정보도 알 수 있다는 장점이 있다. 동맥손상에 의한 비허혈성에서는 동맥손상과 손상부위에 혈액정체나 고혈류의 와류가 관찰되며 혈관손상이 없는 고혈류성에서는 양측동맥의 혈류가 모두 증가되어 있으며, 해면체-동맥 누공(cavernous arterial fistula)이나 위동맥류(pseudoaneurysm)를 진단할 수 있다. 또한, 허혈성에서도 동맥혈류는 있으나 감소되어 있고 음경해면체는 팽창되어 있으므로 혈류가 관찰된다고 해서 모두 고혈류성은 아니다. 이런 이유로 칼라복합초음파가 동맥혈류검사를 대체하는 것은 불가능하다. 복합초음파검사상 동맥혈류량이 높고 혈액가스검사상 동맥혈 소견과 유사하며 음경 또는 골반부 손상병력이 있으면 내음부동맥조영술을 시행해야 한다. 내음부동맥조영술에서 고혈류성 지속발기증에 일치되는 이상소견이 발견되면 선택적 동맥색전술을 시행한다. 혈관조영술은 고혈류성 지속발기증에서 동정맥루가 의심될 때 그 위치를 확인할 수 있으며, 혈관손상을 발견하기 쉽고 손상혈관에 대한 색전술을 동시에 시행할 수 있다는 장점 때문에 주로 이용된다. MRI는 해면체 평활근에 대한 정확한 정보를 얻을 수 있어 진단에 도움이 된다는 연구 결과가 있으나, 현재까지 첫 진단 시에 쓰이는 경우는 드문 상태이다.

4. 치료 *Treatment*

지속발기증의 치료는 지속발기증의 형태와 일차치료법에 대한 반응유무에 따라 단계적으로 시행하여야 한다(그림 48-1). 비허혈성의 일차치료법은 보존적 치료이며 일차 보존적 치료에 반응이 없거나 손상이 심한 경우에는 선택적 동맥색전술이나 수술적 치료를 고려한다. 허혈성에서는 즉각적인 해면체혈액 천자흡입, 세척 및 알파수용체 작용제 주사요법을 시행해야 하며 지속발기증이 지속되는 경우에는 단락수술을 시행하여 발기를 소실시키고 음경해면체의 조직손상을 방지해야 한다. 한편, 재발성은 발기력을 보존하면서 재발을 방지하기 위하여 일차적으로 보존적 치료와 약물치료를 시도하고 지속적으로 재발하는 경우에는 수술적 치료법을 시행하게 되는데 아직까지 정립된 방법은 없다.

1) 허혈성/저혈류성 지속발기증의 치료

(1) 보존적 치료

지속발기증의 보존적 치료는 일반적인 대증요법과 일차치료 후 보조요법 및 재발성 지속발기증에서 재발을 방지하기 위해 시행되는 약물요법이 있다. 지속발기증은 심한 표재성 음경부종과 골반, 회음부 및 음경 동통이 자주 동반되므로 먼저 진통제로 통증과 불안을 해소해 주어야 한다. 과거에는 온수 혹은 냉수 관장, 전립선 마사지, 척추마취, 음경부 압박, 여성호르몬 투여 등과 같은 보존요법을 시행하기도 하였으나, 치료효과보다는 자연 소실되었을 가능성이 높기 때문에 적절한 치료를 지연시킬 뿐이다. 다음의 3가지 질환에 의한 지속발기증은 원인질환에 따른 적절한 치료를 시행해야 한다. 악성종양의 음경전이에 의한 경우에는 생존율이 낮기 때문에 보존적 기대요법을 실시해야 하고, 백혈병에 의한 경우는 항암화학요법이나 방사선치료를 시행해야 하며 겸상적혈구빈혈에 의한 경우에는 즉각적인 보존적 치료가 필요하다. 먼저, 수액요법, 산소 공급, 알칼리화요법을 실시하여 더 이상 혈구응집이 일어나지 않게 해야 한다. 다음으로 과수혈과 혈구교환수혈을 시행하여 hemoglobin 수치는 10 mg/dL이상, hemoglobin-S 수치는 30%이하로 유지해야 한다.

지속발기증의 재발을 방지하기 위해 다양한 종류의 약물이 시도되어 왔는데 발기반응을 억제하는 호르몬제가 대표적인 약물이다. 뇌하수체의 하향조절(down-regulation)을 통해 성욕과 성기능을 보전할 목적으로 GnRH를 투여하기도 하고 되먹이기 기전을 통해 혈중 testosterone치를 감소시키기 위해 diethyl-stilbesterol, 남성호르몬 수용체를 차단하기 위해 항남성호르몬, 부신과 고환의 남성호르몬 생산을 차단하기 위해 ketoconazole을 투여하기도 한다. 이외에도 시험적이고 산발적인 보고에 의하면 baclofen, digoxin, gabapentin, terbualin, hydroxyurea, PDE5 억제제 등을 시험적으로 투여하기도 하는데 이는 재발성 지속발기증을 예방하기가 쉽지 않고 아직까지 정립된 치료방법이 없기 때문이다.

(2) 1차 치료 : 음경해면체 혈액 천자흡인술

음경해면체 혈액 천자흡인술은 혈액가스검사를 위

Management algorithm for priapism

Prolonged penile erection (〉4 hours)

↓

Clinical evaluation

- History taking
- Physical examination
- Cavernosal blood gas analysis
- Corporal Doppler ultrasound or MRI (not routine)

Ischemic Priapism

- Urological emergency
- 60% Idiopathic
- Painful, rigid penis
- pH 〈 7.25, 〈 30 mmHg, PCO_2 〉 60 mmHg
- Minimal or no arterial flow

Nonischemic Priapism

- Commonly posttraumatic
- Nontender, semirigid penis
- Blood gas similar to arterial blood
- High flow, arteriolar-sinusoidal fistula or pseudoaneurysm

↓

Ischemic priapism (low flow)

〉 24 hours → Surgical shunt / Early insertion of penile prosthesis

〈 24 hours

↓

Corporal aspiration:

1. Penile dorsal nerve block±ring block
2. Single side puncture
3. slow aspiration until fresh red blood aspirated
4. If detumescence not achieved, intracavernosal irrigation can be performed with normal saline± intracavernosal sympathomimetics injection
5. Can be performed if above steps unsuccessful
6. Requires cardiac monitoring
7. Phenylephrine is recommended
8. Dilute with normal saline to 0.1–0.5 mg/mL
9. Inject 1 mL every 3–5 min for 1 h

↓ Failure

Surgical shunt

- Cavernoglanular shunt (distal shunt) should be attempted first.
- Cavernospongiosal and cavernosaphenous shunts

↓ Failure

Early insertion of penile prosthesis

Non-ischemic priapism (low flow)

↓

Clinical surveillance
Conservative management

- Bed rest, ice pack, external compression

↓ Failure

Angiography & embolization

↓ Failure

Surgical ligation of arteriovenous malformation

그림 48-1 Management algorithm for priapism

한 채혈과 함께 허혈성 지속발기증의 응급치료인 동시에 일차 보존적 치료에 반응이 없는 지속발기증 환자에서 해면체내압을 감소시켜 동맥혈류와 정맥혈 배출을 정상적으로 회복시키기 위해서 시행한다. 약 30% 정도에서 발기지속 증세의 종료를 기대해 볼 수 있다. 음경-음낭 접합부에 16~18 gauge angiocatheter (또는 19~21 gauge needle)를 3시 및 9시 방향으로 삽입 후 선홍색의 피가 나올 때까지 흡인한다. 발기유발제 주사에 의한 지속발기증에서는 대부분 발기유발제가 해면체내에 남아 있으므로 30-50cc 정도의 혈액흡인만으로도 음경발기는 소실된다.

(3) 2차 치료 : 약물 주입

혈액을 계속 흡인하더라도 음경이완이 일어나지 않거나 부분적으로 이완되었다가 다시 음경발기가 생기면 심전도와 전신 수축기 동맥혈압을 관찰하면서 흡인과 함께 생리식염수와 희석된 알파수용체 작용제를 해면체 내에 주입하여야 한다. 알파수용체 작용제로는 phenylephrine, epinephrine, norepinephrine, ephedrine, metaraminol 등이 있으나 phenylephrine은 순수한 알파1수용체 작용제로 베타수용체에 대한 작용은 경미하여 심혈관계의 부작용은 매우 드물어 비교적 안전하게 사용할 수 있다. Phenylephrine 10 mg/mL을 19 mL의 생리식염수와 혼합하여 250-500 μg씩 발기가 소실될 때까지 5분 간격으로 주사할 수 있다. 저혈류성 지속발기증에는 알파1수용체 작용제가 가장 효과적인 치료법으로 발병 후 12시간 이내에는 거의 100% 치료된다. 그러나 어떤 약제를 사용하더라도 심혈관계에 대한 주의를 요하며 특히 심혈관계 질환이 있는 환자에서는 더욱 조심해야 한다. 주사 시에는 혈압과 맥박에 대한 관찰이 반드시 필요하다. 지속발기증이 소실된 음경이라도 부종으로 인해 정상 음경보다는 커져 있으므로 천자흡인과 세척 후 강직된 발기가 소실되면 압박붕대를 해주고 이차감염을 방지하기 위하여 항생제를 투여하고 음경발기가 재발하는지 주의 깊게 관찰해야 한다. 효과적인 압박을 하기 위해서는 소아용 혈압기로 동맥혈류유입에 영향을 받지 않을 정도로 수축기 및 이완기 혈압사이의 압력으로 맞추어 압박시켜줄 수도 있다.

(4) 3차 치료 : 음경해면체 단락설치술

음경 해면체 혈액 천자흡인술 및 약물 주입 후 1시간 이상이 경과하였음에도 증상이 호전되지 않는다면, 다음 단계로 수술적 치료를 고려한다. 수술적 치료법은 정맥혈이 음경해면체에서 요도해면체로 배출되도록 단락을 만들어 주는 것인데 cavernoso-glandular, cavernoso-spongiosal, cavernoso-saphenous, cavernoso-penile dorsal vein의 네 가지 방법이 있다. Cavernoso-glandular shunt는 가장 쉽고 빠르게 해 줄 수 있는 방법이다. Winter에 의한 방법으로 Tru-Cut 생검침으로 귀두와 음경해면체 원위부 사이의 백막을 절제하여 누공을 만들어 주는 것으로 효과적인 단락이 되기 위해서는 최소한 4개의 누공이 필요하다(그림 48-2). Ebbehoj에 의한 방법은 작은 수술용 칼로 귀두와 음경해면체의 접합부에 좀더 큰 누공을 만들어 주는 것이고, Al-Ghorab에 의한 방법은 귀두를 절개하여 음경해면체와 요도해면체 사이에 단락을 만들어 준다. Quackles에 의한 술식은 음경의 근위부에서 절개를 하여 음경해면체와 요도해면체 사이에 단락을 만드는 것이다(그림 48-3). 이 방법은 일측 또는 양측에 시행할 수도 있으며, 요도손상을 줄이기 위해서는 요도해면체가 가장 두꺼운 회음부의 근위부에 시행하는 것이 안전하다. 복재정맥이나 음경배부정맥을 이용하여 음경해면체와 단락을 만드는 것은 술기가 어렵고 폐색전증이 발생할 수도 있어 거의 시행되지 않고 있다. 거의 대부분의 지속발기증은 음경-요도해면체 단락으로 충분하다.

(5) 음경보형물삽입술

24시간 이상 경과된 지속발기증 환자의 약 90%는

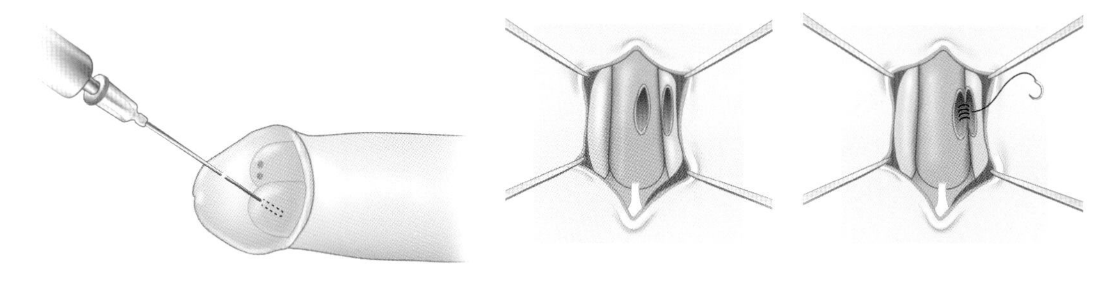

그림 48-2 Cavernoso-glandular shunt by winter

그림 48-3 Cavernoso-spongiosal shunt by quackles

발기부전이 발생한다. 이 때, 초기에 음경보형물을 삽입하는 것은 조직의 섬유화를 예방하여 음경 길이가 줄어드는 것을 방지하는 효과가 있다. 또한 이 방법은 요도 누공이나 감염, 폐색전 등의 단락설치술의 합병증을 피할 수도 있다. 그러나 현재까지 이 방법의 시행에 대한 명확한 적응증이 없는 상태이다.

2) 비허혈성/고혈류성 지속발기증의 치료

저혈류성과 달리 고혈류성의 지속발기증의 치료는 응급을 요하지는 않는다. 따라서 고혈류성 지속발기증의 일차적 치료법은 주의 관찰이며, 2/3에서 자발적 호전이 가능하다. 고혈류성 지속발기증은 저혈류성과는 달리 음경의 관류가 잘 보존되고 있기 때문에 수개월 후 치료해도 발기력이 보존되는 경우가 많다. 치료방법으로는 회음부를 얼음주머니로 압박하거나, 알파수용체 작용제를 음경해면체 내 주입할 수 있으나 근본적인 효과를 기대하기는 힘들다. 근본적인 치료 방법으로는 음경해면체동맥 색전술과 결찰술로 혈액유입을 차단하는 방법이다. 동맥색전술이나 결찰술 후 발생되는 발기부전을 예방하기 위해서는 동맥손상이 치유될 수 있는 시간 동안만 일시적으로 손상동맥과 누공을 차단하여야 발기력을 보존할 수 있다. 자가혈전을 이용한 음경해면체동맥의 선택적 색전술은 고혈류성 지속발기증의 표준치료이다. 자가혈전은 혈전의 자연적 용해가 이루어진 후에는 정상적인 음경해면체의 동맥혈류가 회복되고 합병증이 적으며 정상적인 성기능이 회복된다는 장점이 있다. 자가혈전 이외에도 흡수성 겔 스폰지가 이용되고 있으며 금속코일은 비가역적이므로 바람직하지 않다. 비허혈성 지속발기증의 치료 후 3개월 이내에 발기가 되지 않거나, 추적관찰에서 발기부전이 발생하고 회복 불가능하다고 판단될 때에는 허혈성 지속발기증의 경우와 마찬가지로 음경보형물삽입술을 고려하여야 한다.

3) 재발성/간헐성 지속발기증의 치료

재발성 지속발기증은 허혈성에서와 마찬가지로 허혈로 인한 영구적 발기부전의 위험성이 있기 때문에 적절한 치료가 매우 필요하다. 이에 다양한 치료법이 연구되어 왔는데, 그 방법들을 크게 2가지로 나누면, 재발했을 경우에 빠른 관해를 유도하는 방법과 재발을 예방하는 방법이다. 전자에는 교감신경 흥분제를 필요 시 자가주사하는 방법이 있으며, 후자는 호르몬제제, digoxin, baclofen, PDE-5 길항제 등의 약물치료가 있다.

상기 치료들 중 가장 널리 사용되는 방법은 호르몬제제 투여이다. 남성호르몬 수용체 길항제, 성선분비호르몬 길항제, 5-알파 환원효소 길항제 등이 사용되고 있는데, 성기능 감퇴의 부작용이 있을 수 있으며, 성적으로 성숙되지 않은 환자에서는 사용이 제한된다는 한계가 있다. 또한 아직까지 해당 치료에 대한 연구는 대부분이 증례 보고를 통해 이루어진 것이라, 근거 기반(evidence-based) 연구가 더 필요한 상태이다.

음경 해면체 내 교감신경 흥분제 주사는 허혈성 지속발기증의 주요 치료 중 하나로, 재발성 지속발기증에서도 급성 증상을 해결하기 위해 사용이 가능하다. 그러나 단독 사용으로는 재발 자체를 방지하는 것은 어렵기 때문에 추천되지 않는다.

위와 같은 보존적 치료를 시행하였음에도 증상이 해결되지 않는다면 음경 보형물 삽입 등의 수술적 치료를 시행할 수 있다.

5. 합병증 *Complication*

지속발기증의 합병증은 초기와 후기합병증으로 분류할 수 있다. 초기합병증은 알파수용체 작용제에 의한 고혈압, 두통, 빈맥, 부정맥과 출혈, 혈종, 감염, 주사바늘에 의한 요도손상 등이 있다. 후기합병증으로는 섬유화와 발기부전이 있는데, 발기부전의 발생빈도는 발병 전 음경의 상태, 지속발기증의 원인, 지속시간 및 치료방법의 침습도와 관련이 있다. 일반적으로 손상에 의한 경우 예후가 가장 좋으며 젊은 환자일수록 발기력이 회복될 가능성이 높다. 고혈류성 지속발기증은 비교적 예후가 좋아 발기부전의 유병율은 20% 정도인데, 지속발기증 자체는 발기조직에 손상을 주지 않으나 발기조직이나 신경에 대한 직접적인 손상으로 인해 회복이 지연되거나 발기부전이 발생한다. 저혈류성에서 발기부전의 발생율은 50% 정도로 높게 보고되고 있으나 12-24시간이내에 약물치료로 발기를 소실시켜주면 대부분 발기력은 보존된다. 24시간 이하인 경우에는 대개 알파수용체 작용제로 치료가능하고 섬유화도 발생하지 않지만 36시간 이상인 경우에는 약물치료에 반응하지 않고 어느 정도의 섬유화는 나타난다. 지속발기증에 대한 수술적 치료 후 54-57%에서 발기력이 보존되지만 후유증으로 발기부전이 발생하는 경우가 많다. 누공 수술은 요도손상, 요도누공, 조직괴사는 물론 음경괴저가 발생할 수도 있다.

6. 요약

지속발기증은 초기에 적절히 치료하지 않을 경우 음경해면체의 섬유화 및 발기부전을 초래할 수 있는 비뇨기과적 응급질환으로 즉각적인 약물 및 수술적 치료로 발기력을 보전할 수 있도록 해야 한다. 치료 방법에는 음경해면체의 천자흡인술 및 세척, 알파수용체 작용제를 해면체 내 주입, 수술적 단락설치술, 음경보형물 삽입술 등이 있다. 간헐성 혹은 재발성 지속발기증의 일차 치료 목표는 예방이지만 급성기에는 허혈성 지속발기증의 진료 지침과 같이 치료한다. 드물지만 엄청난 영향을 미칠 수 있는 이 지속발기증을 예방할 수 있는 방법을 찾는 더 많은 연구가 필요하다고 생각한다.

참고문헌

1. Tripe J. Case of continued priapism. Lancet. 1845;2:8.
2. Keoghane SR, Sullivan ME, Miller MA. The aetiology, pathogenesis and management of priapism. BJU Int 2002;90:149-154.
3. Chow K, Payne S. The pharmacological management of intermittent priapismic states. BJU Int 2008;102:1515-1521.
4. Montague DK, Jarow J, Broderick GA, Dmochowski RR, Heaton JP, et al. American Urological Association guideline on the management of priapism. J Urol. 2003;170:1318-1324.
5. Burnett AL. Molecular pharmacotherapeutic targeting of PDE5 for preservation of penile health. J Androl. 2008;29:3-14.
6. Lin CS. Phosphodiesterase type 5 regulation in the penile corpora cavernosa. J Sex Med. 2009;6 Suppl

3:203-209.

7. Dai Y, Zhang Y, Phatarpekar P, Mi T, Zhang H, et al. Adenosine signaling, priapism and novel therapies. J Sex Med. 2009;6 Suppl 3:292-301.

8. Wang H, Eto M, Steers WD, Somlyo AP, Somlyo AV. RhoA-mediated Ca2+ sensitization in erectile function. J Biol Chem. 2002;277:30614-30621.

9. Ciampalini S, Savoca G, Buttazzi L, Gattuccio I, Mucelli FP, Bertolotto M, et al. High-flow priapism: treatment and long-term follow-up. Urology 2002;59:110-113.

10. Ralph DJ, Borley NC, Allen C, Kirkham A, Freeman A, Minhas S, et al. The use of high-resolution magnetic resonance imaging in the management of patients presenting with priapism. BJU Int 2010;106:1714-1718.

11. Lowe FC, Jarow JP. Placebo-controlled study of oral terbutaline and pseudoephedrine in management of prostaglandin E1-induced prolonged erections. Urology 1993;42:51-53.

12. Burnett AL. Surgical management of ischemic priapism. J Sex Med 2012;9:114-120.

13. Kulmala RV, Tamella TL. Effects of priapism lasting 24 hours or longer caused by intracavernosal injection of vasoactive drugs. Int J Impot Res 1995;7:131-136.

14. Munarriz R, Wen CC, McAuley I, Goldstein I, Traish A, Kim N. Management of ischemic priapism with high-dose intracavernosal phenylephrine: from bench to bedside. J Sex Med 2006;3:918-922.

15. Ebbehoj J. A new operation for priapism. Scand J Plast Reconstr Surg 1974;8:241-242.

16. Brant WO, Garcia MM, Bella AJ, Chi T, Lue TF. T-shaped shunt and intracavernous tunneling for prolonged ischemic priapism. J Urol 2009;181:1699-1705.

17. Quackels R. Treatment of a case of priapism by cavernospongious anastomosis. Acta Urol Belg 1964;32:5-13.

18. Burnett AL. Against: no surgery for stuttering priapism. J Urol 2009;181:450-451.

19. Ralph DJ, Pescatori ES, Brindley GS, Pryor JP. Intracavernosal phenylephrine for recurrent priapism: self-administration by drug delivery implant. J Urol 2001;165:1632.

20. Bertolotto M, Zappetti R, Pizzolato R, Liguori G. Color Doppler appearance of penile cavernosal-spongiosal communications in patients with high-flow priapism. Acta Radiol 2008;49:710-714.

21. Cakan M, Altu Gcaron U, Aldemir M. Is the combination of superselective transcatheter autologous clot embolization and duplex sonography-guided compression therapy useful treatment option for the patients with high-flow priapism-. Int J Impot Res 2006;18:141-145.

22. Numan F, Cantasdemir M, Ozbayrak M, Sanli O, Kadioglu A, Hasanefendioglu A, et al. Posttraumatic nonischemic priapism treated with autologous blood clot embolization. J Sex Med 2008;5:173-179.

CHAPTER 49

페이로니병

Peyronie's Disease

■ 서준규

페이로니병은 1561년 Fallopius에 의하여 처음 보고되었으며, Francois Gigot de la Peyronie에 의하여 정식으로 명명되었다. 이 질환은 음경백막(tunica albuginea) 내에 경결(fibrous plaque)이 생김으로써, 발기 시에 음경백막의 팽창을 방해하여 특징적으로 음경굽이(penile curvature)를 초래한다. 임상적으로는 이 음경굽이가 흔히 성생활의 곤란을 초래하는 것이 가장 문제가 된다. 또한 심한 경우에는 발기시 음경이 고리(collar), 혹은 모래시계(hour-glass)와 같은 음경 변형(deformity)을 초래하여 환자의 정신적 고통을 가중시키기도 한다.

이 질환은 중년의 남성에서 주로 발생하며, 과거에 비해 증가하는 추세에 있고, 유병률이 성인 남성의 3-9% 에 해당된다. 무증상의 환자를 포함한다면 유병율은 이보다 훨씬 더 높은데, 페이로니병의 병력이 없었던 100명의 남성을 부검한 결과 22명에서 음경백막에 섬유 병변이 발견되었다. 또한 이 질환은 신체 다른 부위의 구축(contracture), 고실 경화증(tympanosclerosis), 요도의 기계적 조작, 당뇨, 통풍, 죽상경화증, 파제트병, 베타차단제의 복용 등에 의해 동반되기도 한다.

1. 병인 *Pathogenesis*

이 질환의 정확한 병인은 불분명하나, 음경에 발생한 만성 외상이 잘못된 상처의 자연 치유로 귀결되어 나타나는 현상으로 설명될 수 있다. 성생활과 같은 지속적인 행위에 의해 미세한 손상이 발생하면, 해면체 조직의 미세혈관으로부터 혈액이 누출되어 백막하부(subtunical layer)에 고이게 된다. 여기에 섬유소(fibrin)가 침착하고, 대식세포, 호중구 등이 모여 염증반응을 일으킨다. 이러한 세포들은 시토카인(cytokine)과 혈관활성인자(vasoactive factors) 등을 분비하여 섬유화 현상을 가속시키는데, 특히 transforming growth factor-β1(TGF-β1)이 콜라겐의 합성을 증가시킨다. 시간이 경과함에 따라, 조직 재조합의 결함, 즉, 콜라겐 합성의 조절과 결절의 용해가 부적절한 상태로 진행하게 된다. 또한, 외상과 더불어 유전적 소인이나 자가면역이상도 페이로니병의 병인에 관여한다.

2. 증상 및 임상적 경과

Symptom and clinical manefestation

임상 경과는 활동기와 안정기로 구분할 수 있으며, 이에 따라 치료가 다르다.

1) 활동기(active disease)

이 기간에는 증상이 변화가 빠르게 진행되는 것이 특징이며, 발기시나 비발기시에 음경이나 귀두부의 동통이 흔히 나타난다. 이러한 증상의 시작은 성행위 시 음경의 손상에 의한 경우가 흔하다. 이 시기에는 음경의 경결이나 변형은 뚜렷하지 않다. 동통이나 음경 변형으로 진행되면서 정신적 고통도 발생할 수 있다. 음경 발기력은 정상이거나, 혹은 동통이나 음경 변형에 따라 감소한다.

2) 안정기(stable disease)

이 시기는 임상 증상이 더 이상 변하지않고 일정한 상태를 나타내며 첫 증상이 있고 12-18개월 이 후가 여기에 해당한다. 특징적으로 음경 동통은 거의 소실되어 있다. 음경굽이가 흔히 있는데, 경결의 크기나 범위와는 무관하다. 음경의 변형은 배부, 외배부(dorso-lateral), 복부에서 흔히 발생한다.

페이로니병의 운명은 3가지로 귀결될 수 있는데, 극히 일부(3-12%)에서는 자연 치유되며, 대부분에서는 병이 그 상태를 유지하거나(40-67%), 혹은, 지속적으로 진행한다(30-48%). 발기부전은 페이로니병의 8%-52%에서 동반되며, 페이로니병이 직접 원인이 되는 경우는 약 5% 정도로 추정된다. 이는 주로 심한 음경 변형, 음경혈류 장애, 이차적인 심리변화에 기인한다.

3. 진단 *Diagnosis*

페이로니병의 진단은 흔히 병력과 신체검사만으로 파악이 가능하다. 중요한 것은 병이 진행 중에 있는지, 혹은 안정된 상태인지를 파악하는 것인데, 이는 치료의 시기와 방법을 결정함에 있어 필수적이다. 또한 이 병의 원인이 될 수 있는 음경수술, 요도의 기계적 조작, 음경 손상, 약물 복용, 뒤피트렌 구축/발바닥 근막구축 등의 병력, 섬유 질환의 가족력을 조사하고, 발기부전의 고위험인자로서 연령, 흡연, 이상지질혈증, 고혈압, 당뇨, 심혈관질환 의 병력 여부를 파악한다. 그리고 발기 시 음경의 비정상적 양상, 즉 동통, 경결, 모래시계 기형, 음경단축, 음경굽이의 방향과 정도, 등이 평가되어야 하며, 발기력의 정도를 반드시 파악하여야 한다. 음경을 관찰할 때에 경결의 크기, 위치, 강도 등을 알아야 하는데, 이는 병기를 파악하는 데에도 도움이 된다. 이 때 발기 시의 사진을 찍어서 왜곡된 발기의 양상을 기록으로 남기는 것이 좋다. 음경의 단순촬영(plain radiography)은 경결내 이상 석회화(dystrophic calcification)를 확인하기 위하여 필요하다. 간혹 인위적 발기유발검사, 혹은 음경복합초음파촬영술(penile duplex ultrasonography)이 필요한 경우가 있다. 이는 발기 시 음경기형을 수술적 교정 전에 입증하고자 할 때, 비수술적 치료 도중 경결의 크기와 위치를 정확히 알고자 할 때, 발기부전을 호소할 때, 등에 해당된다.

4. 치료 *Treatment*

페이로니병은 성기능에 악영향을 끼치며 삶의 질을 떨어뜨리는 증후군이지만, 수명에는 전혀 영향을 미치지 않는다. 그러므로, 어떤 환자에서는 페이로니병의 특성과 임상 경과에 대한 설명과 카운슬링만으로도 충분하며, 더 이상의 치료를 요하지 않는 경우도 있다. 그러나, 많은 환자들에서는 보다 특화된 치료가 필요하다.

질환의 초기, 즉 활동기에서는 음경의 동통이, 특히

발기시에 흔하며, 이 경우에는 비스테이로드성 소염진통제로 치료함이 추천된다. 이러한 활동기에서는 동통, 음경 경결의 발생, 음경 변형의 빠른 진행으로 인하여 심리적 고통이 흔히 동반되므로, 이를 경감시키기 위하여 심리상담이나 치료도 추천된다.

시간이 경과하여 안정기에 접어들어, 동통이 사라지고 경결이나 음경변형도 더 이상 변화가 없으면 증상의 정도와 환자의 바람에 따라, 다양한 치료방법이 가능하다. 안정기에서 페이로니병의 치료 알고리듬을 그림 49-1에 정리하였다.

그러나 시간이 경과함에 따라 여러 음경 기형이나 부작용이 초래되는 경우가 흔하다. 일반적으로, 음경의 통증이 나타나거나 음경의 기형 등이 문제를 일으킬 때에 치료를 시작하는 것이 보통이다. 구체적인 치료방법을 살펴보면, 전신 또는 국소에 작용하는 경구 약물이나 병변에 직접 주입하는 약물 주입 요법, 그리고 수술적 요법이 대표적이다. 한때 에너지전달 치료법들, 소위 방사선 조사, 체외충격파 치료, 열치료(diathermy), 레이저 치료, 등이 시행된 적이 있었다. 그러나 이러한 치료에 의한 결과들은 제한된 환자 수, 짧은 추적기간, 낮은 치료성적, 등으로 인해 널리 인정을 받지 못하였으며 현재는 거의 사용되지 않는 추세이다.

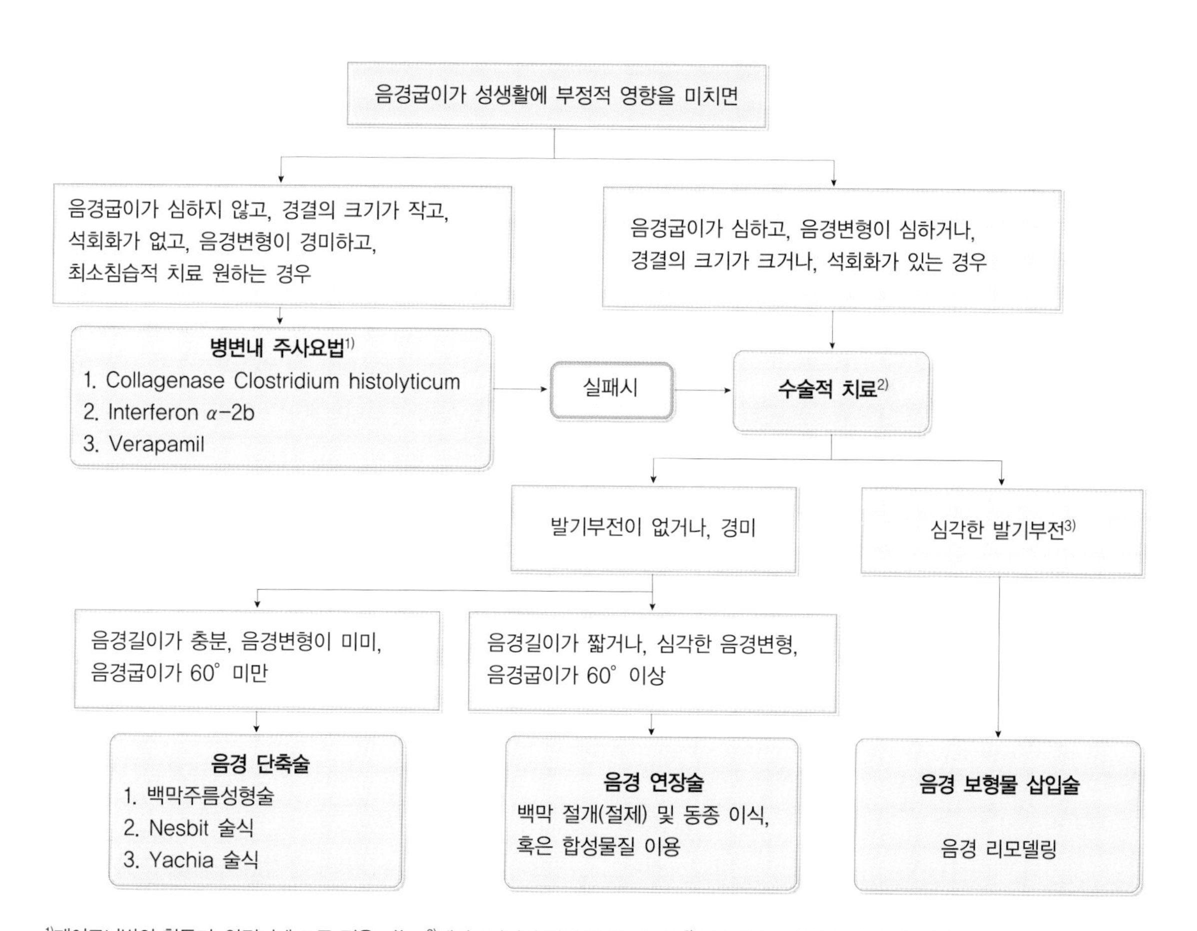

그림 49-1 페이로니병의 치료 알고리듬

1) 비수술적 치료

(1) 병변내 약물주입요법 (Intralesional therapy)

이 방법은 병변의 수축부(constriction area)에 국소적으로 약물농도를 증가시키고 전신 부작용을 피할 수 있다는 점에서 매력적인 치료 대안이라 할 수 있다. 이 방법의 주 적응증으로는 음경굽이가 심하지 않고(30-90도), 음경 경결의 크기가 작고, 음경의 변형이 작은 경우에 해당하며, 특히 환자가 수술적 치료를 회피하는 경우가 좋다. 그리고 이 방법은 병변 부위가 음경의 배부나 측부에 있을 때 유용하며, 복부에 있으면 적용하지 않는다.

과거, 여러 가지 비특이적인 치료약물이 사용되어 왔으나, 이 들의 치료효과는 뚜렷하지 않다. 최근 페이로니병에 특이적인 치료제로서 Collagenase clostridium histolyticum (Xiaflex®, Auxilium Pharmaceuticals, Inc.)이 개발되어 이 질환에 빠른 속도로 적용되고 있으며, 이에 대한 임상 데이터들도 축적되고 있다.

① Collagenase clostridium histolyticum

Collagenase clostridium histolyticum(Xiaflex®) 는 class I과 class II collagenase 의 2가지 효소가 혼합된 주사용 약물로서, 콜라젠을 각각 다른 부위에서 자름으로써, 섬유화 경결을 보다 용이하게 분해할 수 있는 특성을 가지고 있다.

최근 뒤피트렌구축에서 이 약물의 병변내 치료효과가 입증됨에 따라, 페이로니병에서도 이의 효과를 밝힘으로써, 현재 미국 FDA에서 승인된, 유일한 페이로니병 전문치료제로 각광받고 있다. 이의 주된 효과는 안정기의 페이로니병에서 음경굽이를 경감시킴에 있다. 대단위 임상연구에서 Collagenase 10,000 U를 24주 동안 8회(1cycle 당 2회, 총 4 cycle) 병변내 주사한 결과를 분석한 바 있다. 그리고 환자는 각 cycle 사이에 매일 1회 집에서 음경모델링(발기시 음경을 반대편으로 누름으로써 굽이를 펴주는 행위)을 추가로 수행한 결과, 전체 환자의 34%에서 음경굽이가 경감되었으며, 그 정도는 평균 17도 이었다. 또한 증상 불편 점수(symptom bother score)도 현저히 감소함이 관찰되었다. 부작용으로는 특별한 처치를 요하지 않을 정도의 음경 혈반(ecchymosis), 음경 부종, 음경 동통이 비교적 흔하였고, 드물지만 성행위시 음경 해면체 손상이 있었다. 현재 이 collagenase 치료가 고가인 점이 해결되면 추후에 더욱 유용될 것으로 여겨진다.

② Interferon α-2b

Interferon α-2b는 섬유모세포의 증식 및 콜라겐 생성을 억제하며, 콜라겐분해효소(collagenase)의 생성을 증가시킨다. 이 interferon 5 MU을 2주마다 1회씩 12주간 투여한 연구에서 음경굽이의 경감(평균: 13.5도), 경결 크기의 감소, 68%의 환자에서 음경 통증의 완화, 등을 보여주었다. 반면에 열, 오한, 근육통과 같은 감기증상이 부작용으로 흔히 나타남으로, 소염제의 투여와 더불어 충분한 수분 섭취가 요구된다. 또한 높은 가격도 단점으로 여겨진다. 이 interferon 치료는 안정기 페이로니병에서 하나의 치료 방법으로 자리잡아가고 있다.

③ Verapamil

이는 대표적인 칼슘통로봉쇄제로서, 섬유모세포의 기능과 섬유조직의 생성을 통제하고, 염증성 반응을 억제하는 작용이 있어, 과거에는 페이로니병의 대표적인 병변내 치료요법으로 이용되었다. 그러나 최근에는, 초기의 임상 성적과는 달리, 음경굽이의 개선 효과는 뚜렷하지 않은 것으로 보고되고 있다. 현재는 verapamil 10 mg 을 2-4주 간격으로 음경내 결절에 주입함으로써 음경 경결의 크기와 강도를 경감시키는 목적으로 이용되고 있다. 또한, 이는 특별한 부작용이 없는 편이고 치료 비용이 저렴하므로, 여전히 이

질환 치료의 일익을 담당할 수 있다.

(2) 기타 치료법

① 경구용 약물

안정기의 페이로니병에서 분명한 치료효과를 보이는 경구용 약물들은 없다. 과거 Vitamin E, tamoxifen, carnitine, colchicine, L-arginine, pentoxiphylline, 등이 항산화효과, 항염증효과, 항섬유화, 등을 기대하고 단독으로 사용되어 왔으나, 음경굽이를 해결한 것은 하나도 없었다. 그러므로 안정기에 이러한 경구용 약물로 단독 치료하는 것은 의미가 없으며, 보다 나은 치료를 받을 수 있는 기회나 시간의 손실만 가져올 뿐이다. 따라서 이러한 치료는 병의 안정기에 근본적 치료를 보조하거나, 혹은 활동기에 염증이나 통증 완화에 국한하는 것이 바람직하다.

② 음경 견인치료(Penile traction device)

음경을 물리적으로 신장시키는 기구를 하루에 일정 시간 동안 장착함으로써, 음경을 펴서 길이를 좀 더 늘려주거나, 굽이를 경감시키거나, 길이가 단축 되는 효과를 기대할 수 있는 방법이다. 이는 병의 활동기나 안정기 모두 적용될 수 있는데, 특히, 병변내 약물주입요법과 같이 병용하거나, 음경 근본적 수술 전후에 부가적으로 시행할 때에 보다 효과적이다. 다만, 장기간 동안 음경을 견인하는 방법이 환자에게는 불편할 수 있으므로, 선별적으로 시행함이 요구된다.

③ 특수 치료

과거 페이로니병 병변부위에 체외충격파쇄석술이나 방사선 치료가 간혹 시도된 적이 있으나, 모두 음경굽이의 경감에는 특별한 효과가 없어 최근에는 거의 추천되지 않는다. 다만, 전자의 경우 통증을 경감시키는 효과는 볼 수 있다.

2) 수술적 요법(Surgical treatment)

페이로니병 환자에서 수술의 목적은 성행위에 지장이 없을 정도로 음경굽이를 교정해 주고, 발기력을 수술 전 수준으로 유지하는데 있다. 일반적으로 환자가 젊을수록, 선천성 음경기형일수록, 음경굽이는 신체적 장애와 더불어 정신적 고통을 주기 쉽다. 또한 복측(ventral) 굽이가 있는 경우에는 질내 삽입이 더욱 어렵다. 따라서 페이로니병 중에서 다음과 같은 경우, 즉, ① 음경굽이가 심하거나, ②협착이나 함몰과 같은 변형이 있거나, 이로 인하여 성생활이 곤란한 경우, ③ 심한 음경 단축, ④ 상기 요소들이 복합된 경우들은 수술의 적응이 된다. 반면에 수술결과에 대하여 비현실적으로 높은 기대를 가지고 있는 환자들이나, 페이로니병의 초기 환자들은 수술요법의 좋은 대상이 아니다. 수술 시기를 결정함도 중요한데, 궁극적으로는 이 질환이 충분히 성숙하였을 때, 즉, 통상적으로는 첫 증상으로부터 6-18개월 후가 적기이다. 그리고 수술직전에 음경 혈관장애 또는 성기능장애에 대한 자세한 검사가 필요하며, 이를 평가한 후 적절한 외과적 시술 방법이 선택되어야 할 것이다. 페이로니병의 교정 수술은 3가지 유형의 방법, 즉, 음경단축술, 음경연장술, 그리고 음경보형물삽입술로 대별된다. 음경단축술과 음경연장술은 정상 발기력을 보이거나, 혹은 약물 치료가 효과적인 발기부전 환자에서 시행하는 것이 좋다. 음경보형물삽입술은 약물 치료에 실패한, 심각한 발기부전이 동반될 때가 좋은 적응이 된다.

(1) 음경단축술(Tunical shortening procedures)

이 시술은 비교적 간단하며 높은 치료성적으로 인하여 페이로니병의 수술적 치료에서는 가장 많이 활용되고 있다. 이의 적응증으로는, 환자가 정상 발기능력을 가지고 있으면서 적당한 음경 길이가 확보되어 있고, 모래시계 기형과 같은 심한 변형이나 경결이 광범위하지 않아야하며, 석회화 현상이 없어야 한다.

과거에는 시술 방법으로서 Nesbit 술식이 많이 이용되었는데, 병변이 없는 반대편의 음경백막을 타원형으로 절제, 혹은 절개한 뒤, 백막을 봉합하여 주는 방법이다(그림 49-2). 이의 변형된 방법으로서, Yachia 술식은 음경백막의 일부를 제거하는 대신, 음경백막에 세로방향의 절개를 가하고 Heineke-Mikulicz 방법을 사용하여 가로방향으로 봉합하는 방법이다.

현재에는 가장 비침습적 수술로서, 주름성형술(penile plication procedure)이 각광받고 있다. 이는 신경혈관다발(neurovascular bundle)을 박리하지 않고, 볼록한 쪽의 음경 백막을 절개 또는 절제하는 대신에, 적절한 범위의 백막에 비흡수성 봉합사를 통과시켜 매듭을 만듦으로써(16-dot 법, 24dot법, 등) 길이를 줄이는 방법이다(그림 49-2). 이러한 음경단축술들에 의한 음경굽이의 개선이 90% 이상이며, 환자의 만족도도 57-95%로서 상당히 높다. 단점으로는 술 후 시간이 경과함에 따라 환자들의 만족도가 감소되는 경우가 많은데, 이는 주로 음경 길이의 감소에 기인한다.

(2) 음경연장술(Tunical lengthening procedure)

음경연장술은 병변부위의 경결절개(plaque incision), 혹은 경결절제(plaque excision) 후, 다른 조직을 결손부위에 이식함으로써, 음경굽이를 교정함과 더불어 음경의 짧아진 길이를 길게 회복시켜주는 재건술이다. 따라서 이 방법은 적어도 약물치료에 의하여 좋은 발기력을 보이는 환자 중에서, 심한 음경굽이로 인하여 음경길이가 짧은 경우, 음경 함몰이나 모래시계 기형이 있는 환자가 좋은 적응증이 된다. 또한 다른 수술적 요법에서 음경굽이가 재발된 환자도 적응증이 된다. 그러나 시술의 난이도가 다소 높으므로 시술 전 숙련을 필요로 한다. 음경연장술의 수술과정을 보면, 경결이 음경 배측(dorsum)에 있는 경우에는 환상절개후 신경혈관다발(neurovascular bundle)을 Buck 근막과 함께 박리하여 들어올리며, 복측(ventral)에 있는 경우에는 정중절개를 하여, 요도를 음경 백막으로부터 분리킨다. 그리고 경결 부위를 확인하고 인위적 발기를 유발시켜, 음경굽이의 부위와 정도를 확인한다. 이 후 술식에 따라, 경결을 절개, 혹은 절제한다. 이의 결손의 정도는 발기된 경우를 대비하여 음경을 신장시켜봄으로써 대략 측정할 수 있다. 그리고 이식편을 결손 부위 보다 20-30% 정도 좀 더 크게 만들어 결손부위에 이식한다(그림 49-3).

이식편의 재료는 음경연장의 치료에 있어 매우 중요한 관심사이다. 이상적인 이식편의 특징으로는, 준비 및 봉합이 쉽고, 유연하고 저렴해야 하며, 감염의 위험, 항원성 및 조직반응, 그리고 합병증이 적어야

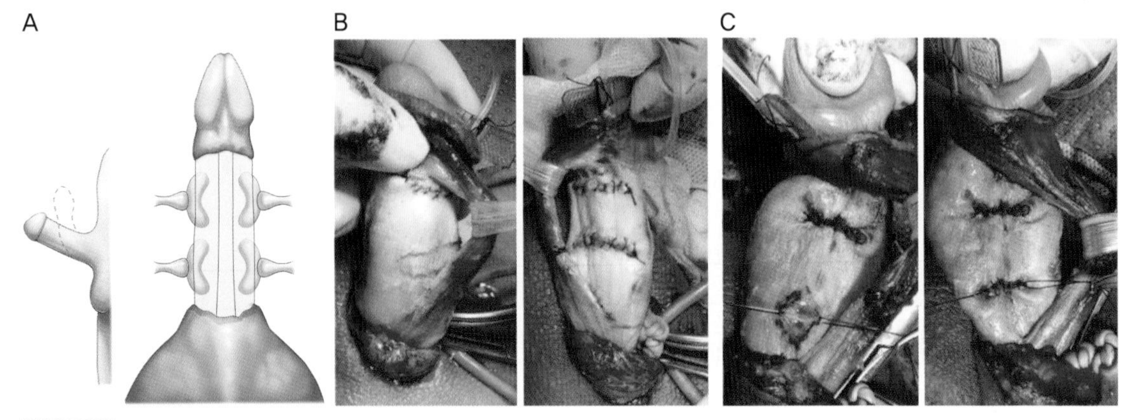

그림 49-2 음경 단축술. (A) 음경주름성형술 (B) Nesbit 술식, (C) Yachia 술식. 류지간의 승락에 의해 사용

한다. 하지만, 이들 장점을 모두 갖춘 이식편은 아직 없다. 자가 이식편(autologous graft)으로는 복재 정맥(그림 49-3)이 많이 이용되는데, 정맥혈관의 내피세포가 해면체조직의 그 것과 같이 대면함으로써, 이물반응이 없으며, 탄력성도 좋기 때문이다. 최근에는 구강내 점막도 이식편으로 잘 이용되고 있다. 이러한 자가 이식편을 이용한 시술 결과로서, 음경굽이 교정 성공률이 높으며, 환자의 주관적인 만족도도 높다. 단점으로서, 추가 절개와 이식편 준비에 따른 수술시간의 연장과 더불어, 발기부전이나 음경길이의 단축도 발생할 수 있다는 점이다. 장기성적은 만족도가 좀 더 저하되며, 발기부전이 40% 까지 보고되고 있다. 최근에는 동종 이식편(allograft tissue) 혹은 이종 이식편(xenograft tissue)을 이용한 이식술도 많이 이용되고 있다. 동종 이식편을 사용한 많은 연구에서도 만족스러운 효과들이 보고되고 있는데, 그 중에서도 사체나 소의 심근막 (cadaveric or bovine pericardium), 돼지의 소장점막하층(porcine small intestinal submucosa)이 가장 많이 쓰이고 있다. 심근막 이식편의 장점은, 무세포기질(acellular matrix)로서 염증반응이 적고, 다양한 크기로 포장되어 있으며, 동종 이식편을을 얻기 위한 추가적인 절개가 필요 없고, 수술시간이 짧다는 점이다. 이러한 동종 혹은 이종 이식편의 단점은 면역학적 문제로부터 완전히 자유로울 수 없음에 있다.

(3) 음경보형물삽입술(Implantation of penile prosthesis)

이 방법은 약물요법에 반응하지 않는 심한 발기부전이 페이로니병과 동반된 경우에 적용될 수 있는 시술이다. 굴곡형(malleable) 보다는 팽창형(inflatable) 보형물을 사용함이 권장된다. 이는 팽창형 보형물이 수술중 음경 수기 리모델링(manual remodeling)을 수행함에 있어 유리하며, 수술후 음경굽이의 가능성을 보다 감소킬 수 있기 때문이다. 실제 경도 및 중등도의 음경굽이가 있는 경우에는 팽창형 보형물을 삽입하는 것만으로도 굽이가 교정될 수 있다. 만약 이것 만으로 굽이가 교정되지 않으면, 음경 리모델링

A

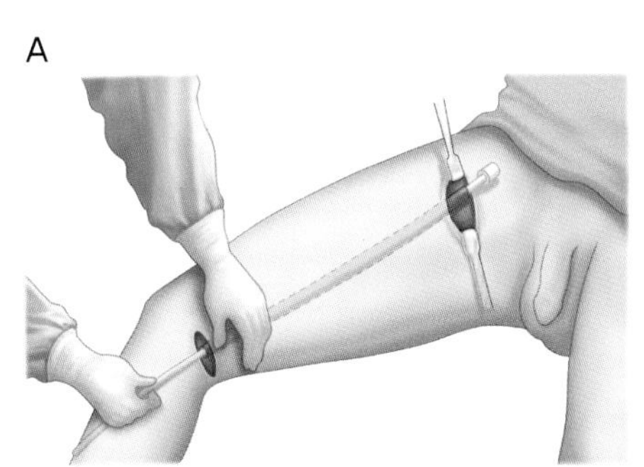

B

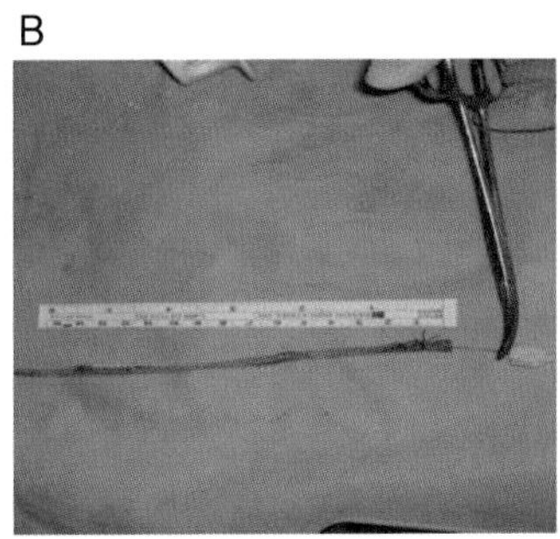

C

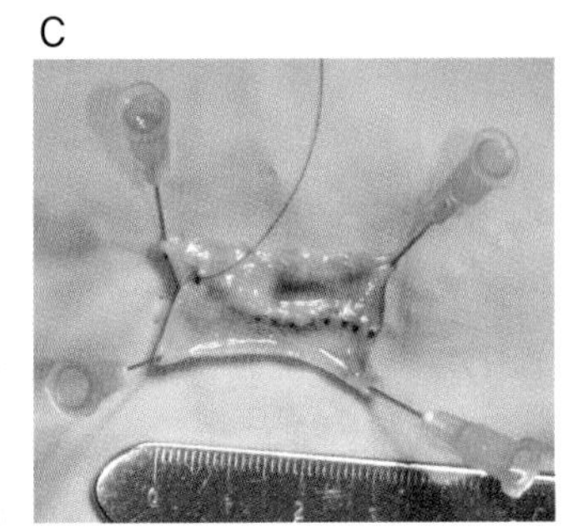

D

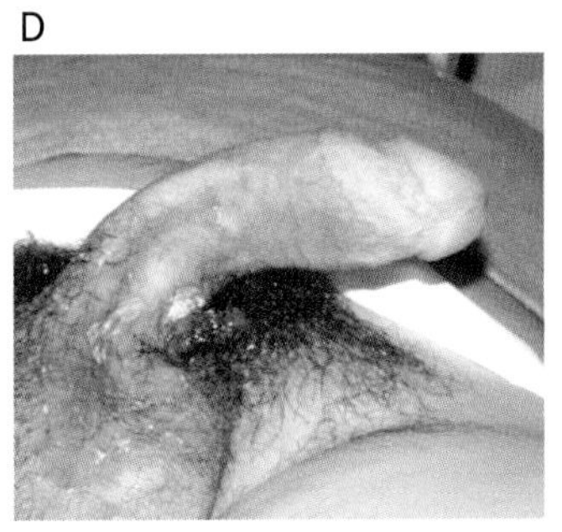

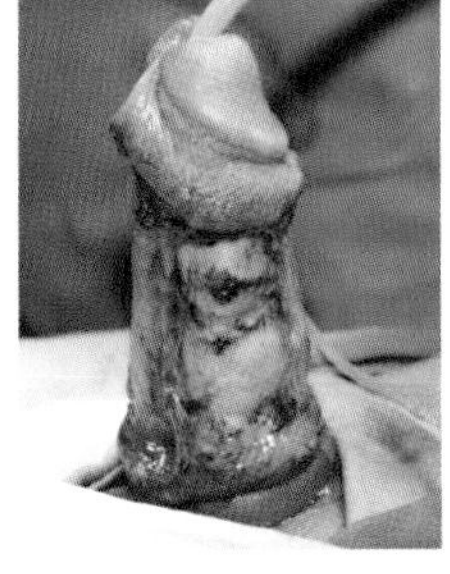

그림 49-3 음경 연장술. (A-B) 자가 복재정맥 확보, (C)이식편 재단, (D) 백막 결손부위에 이식. 서준규의 승락에 의해 사용

(manual modeling)을 시행한다. 이 방법을 사용하기 위해서는 실린더가 큰 압력에 견딜 수 있어야 하므로, AMS 700CX series 또는 Colpoplast(Titan) 이 보다 적합하며, AMS Ultrex는 적합하지 않다. 수기 리모델링의 방법으로서 음경보형물을 삽입하고 팽창시킨 상태에서 음경굽이의 반대 방향으로 90초 이상 음경을 강하게 누름으로써, 경결이 파열되도록 유도한다. 만약, 이렇게 해도 해결되지 않는 심한 굽이의 경우에는 경결을 절개하고, 필요하면 Gore-Tex 나 Dacron과 같은 합성물질로 결손부위를 메꾼다. 전반적으로, 음경보형물삽입술을 이용하는 치료는 환자만족도는 높다. 그러나 경구용 약물과 같은 발기부전의 치료법이 발전함에 따라 이의 적응이 점차 제한적이며, 마지막 치료법으로 여겨지고 있다.

5. 요약

페이로니병은 남성학 분야에서 진료가 용이하지 않은 질환 중 하나이다. 환자마다 증상의 양상과 정도가 다르며, 정신적 고통을 느끼는 정도와 치료에 대한 욕구와 기대치도 다양하다. 그러므로 이 질환에 대한 치료는 이러한 다양성을 고려해서 결정해야한다. 일반적으로 병의 급성기에는 소염제와 같은 경구용 약물요법과 더불어 심리상담이 필요하다. 병의 안정기에서는 환자의 성생활의 불편을 해소하기 위하여 다양한 치료 방법들 중에서 환자의 여러 상황에 가장 적합한 방법을 선택해 나가야한다. 과거에는 음경굽이를 확실히 해결하는 수단으로서 수술적 치료 방법들이 다양하게 개발되어왔고, 현재까지 치료의 주류로 자리잡아왔다. 그러나 이러한 수술적 치료들은 각 술기마다 단점들도 부각됨으로써, 이 병의 일부 환자들에서만 선별적으로만 적용되고 있다. 한편, 최근에 병변내주입법으로서 Collagenase clostridium histolyticum 이 개발됨으로써, 상당 수의 환자들에서도 비수술적 치료에 의해 음경굽이 경감의 효과를 볼 수 있는 새로운 치료의 장을 열었다. 현재 이러한 병변내주입법이 페이로니병의 효과적인 치료로서 널리 적용되어 나가고 있다. 이러한 최소침습적 치료는 추후 개발될 약물과 더불어, 향후 이 병의 주된 치료법으로 자리매김해나갈 뿐 아니라, 이 병에 대한 환자와 의사들의 적극적인 진료에도 기여하리라 여겨진다.

참고문헌

1. 류지간, 서준규. 페이로니병의 최신치료. 대한남성과학회지 2003;21:55-67.
2. 대한남성과학회. 남성과학. 제2판. 서울: 군자출판사, 2010;435-443.
3. 대한남성과학회. 남성과학 15대질환의 길라잡이. 군자출판사, 2015;247-250.
4. Jordan GH. Peyronie;s disease. In: Walsh PC, Retik AB, Vanghan ED Jr, WeinA. Jc, editors. Campbell's Urology 10th ed, Philadelphia : Saunders, 2012;792-809.
5. Carrier MP, Serrainod, Palmiotto F, et al. A case-control study on risk factors for Peyronie' s disease. Br J Urol 1982 54:748-750,
6. Dalkin BL, Carter MF. Venogenic impotence following dermal graft repair for Peyronie' s disease. J Urol 1991 146:849-851.
7. Dhillon S. Drugs. Collagenase Clostridium Histolyticum: A Review in Peyronie' s Disease. 2015 ;75:1405-1412.
8. Diegelmann R, Peterkofsky B. Inhibition of collagen secretion form bone and cultured fibroblasts by microtubular disruptive drugs. Proc Natl Acad Sci USA 1972;69:892-896.
9. El-Sakka AI,Hassan MU, Nunes L, et al. Histological and ultrastuctural alterations in an animal model of Peyronie' s disease. Br J Urol 1998;81:445-452.
10. El-Sakka AI, Lue TF. Peyronie' s disease. Curr Opin Urol 1998;8:203-209.
11. El-Sakka AI, Rashwan HM, Lue TF. Venous patch graft for Peyronie' s disease. Part II: outcome analysis. J Urol

1998;160(6 Pt 1):2050-2053.
12. Garaffa G, Trost LW, Serefoglu EC. Understanding the course of Peyronie' s disease.Int J Clin Pract. 2013; 67:781-788.
13. Gelbard MK, James N, Riach P, et al. Collagenase versus placebo in the treatment of Peyronie' s disease: A double-blind study. J Urol 1993;149:56-58.
14. Hartzell R. Psychosexual Symptoms and Treatment of Peyronie' s Disease Within a Collaborative Care Model. J Sex Med. 2014;2:168-177.
15. Jarow JP, Lowe Fc. Penile trauma: an etiologic factor in Peyronies' s disease and erectile dysfunction. J Urol 1997;157:1388-1390
16. Jordan GH. The use of intralesional clostridial collagenase injection therapy for Peyronie' s disease: a prospective, single-center, non-placebo-controlled study. J Sex Med. 2008 Jan;5:180-187.
17. Judge IS, Wisniewski ZS. Intralesional interferon in the treatment of Peyronie' s disease: a pilot study. Br J Urol 1997;79:40-42.
18. Lemberger RJ, Bishop MC, Bates CP. Nesbit's operation for Peyronie' s disease. Br J Urol 1984;56:721-723.
19. Levine LA. Treatment of Peyronie' s disease with intralesional verapamil injection. J Urol 1997;158:1395-1399.
20. Lyons MD, Carson CC 3rd, Coward RM. Special considerations for placement of an inflatable penile prosthesis for the patient with Peyronie' s disease: techniques and patient preference. Med Devices (Auckl). 2015 Jul 27;8:331-340.
21. Nehra A, Alterowitz R, Culkin DJ, Faraday MM. Peyronie' s Disease: AUA Guideline. J Urol. 2015; 194:745-753.
22. Papagiannopoulos D, Yura E, Levine L. Examining postoperative outcomes after employing a surgical algorithm for management of peyronie' s disease: A single-institution retrospective review. J Sex Med. 2015;12:1474-1480.
23. Ralph DJ, The surgical treatment of Peyronie' s disease. Eur Urol 2006;50:196-198.
24. Russel S, Steers W and McVary M. Systemic evidence-based analysis of plaque injection therapy for Peyronie' s disease. Eur Urol 2007;51:640-647.
25. Ryu JK, Piao S, Shin HY, Zhang L. IN-1130, A novel transforming growth factory type 1 receptor kinase (ALK 5) inhibitor regresses fibrotic plaque and corrects penile curvature in a rat model of Peyronie' s disease. J Sex Med. 2009;6:1284-1296.
26. Safarinejad MR, Hosseini SY, Kolahi AA. Comparison of vitamin E and propionyl-L-carnitine, separately or in combination, in patients with early chronic Peyronie' s disease: A double-blind, placebo controlled, randomized study. J Urol 2007;178:1398-1403.
27. Schroeder-Printzen I, Hauck EW, Weidner W. New aspects in Peyronie' s disease-a mini-review. Andrologia 1999;31 Suppl 1:31-35.
28. Segal RL, Cabrini MR, Bivalacqua TJ, Burnett AL. Penile straightening maneuvers employed during penile prosthesis surgery: technical options and outcomes. Int J Impot Res. 2014;26:182-185.
29. Tan RB, Sangkum P, Mitchell GC, Hellstrom WJ. Update on medical management of Peyronie' s disease. Curr Urol Rep. 2014;15:415.
30. Tunuguntla HS. Management of Peyronie' s disease- a review. World J Urol 2001;19:244-250.
31. Wyllie MG. Pharmaceutical Review: Just around the corner: effective therapy for Peyronie;s disease. BJU International .2008;98:687-688.
32. Wilson SK, Delk JR 2nd. A new treatment for Peyronie' s disease: modeling the penis over an inflatable penile prosthesis. J Urol 1994;152:1121-1123.
33. Yachia D. Modified corporoplasty for the treatment of penile curvature. J Urol 1990;143:80-82.
34. Yafi FA, Pinsky MR, Stewart C, The effect of duration of penile traction therapy in patients undergoing intralesional injection therapy for peyronie' s disease. J Urol 2015;194:754-758.
35. Zaid UB, Alwaal A, Zhang X, Surgical management of Peyronie' s disease. Curr Urol Rep. 2014;15:446.
36. Zucchi A, Silvani M, Pastore AL. Corporoplasty using buccal mucosa graft in Peyronie disease: is it a first choice? Urol 2015;85:679-683.

CHAPTER 50

음경수술

Penile Surgery

■ 박남철

1. 포경수술 *Circumcision*

포경수술은 할례라는 종교적 의식의 하나로 고대로 부터 시행되어 왔으며, 비뇨기과 외래 수술 중 가장 흔히 시술되는 수술이다. 시기적으로는 신생아로부터 성인까지 다양한 연령에서 시행되지만, 대부분이 사춘기 이전에 시행된다. 정상인을 대상으로 한 포경수술의 의학적 필요성에 대해서는 많은 논란이 있지만, 포경수술이 음경의 청결이나 암의 예방적 측면에서는 긍정적인 역할을 하는 것으로 알려져 있다.

1) 수술의 적용

포경은 귀두가 포피로부터 노출되지 않은 상태로 정의되며, 음경의 선천성 질환 중 가장 빈도가 높다. 유아기에는 생리적 포경상태에 있지만 성장과 함께 포피가 뒤로 반전되어 청년기가 되면 귀두가 노출된다. 그러나 포경인 경우에는 청년기가 되어도 귀두가 포피에 싸여 있는데, 경우에 따라 포피구가 귀두보다 적어 포피가 뒤로 반전되지 않거나, 포피구가 귀두보다 크더라도 포피가 귀두 전체를 길게 덮고 있을 수 있는데, 전자를 포경(phimosis), 후자를 과장포피(redundant prepuce)라고 정의된다. 포경 중에서도 귀두부 뿐만 아니라 요도구도 잘보이지 않을 정도로 포피구가 심하게 적은 경우를 포피륜 협착(preputial ring stenosis)이라고 한다. 포경 환자에서 무리하게 포피를 반전시키거나 과장포피가 음경 기저부 쪽으로 반전된 상태에서 생긴 좁은 포피륜(constriction)이나 링 같은 이물질에 의해 음경 귀두부가 장기간 조이는 경우 부종과 동통이 생기고 심한 경우 귀두부 괴사까지 동반되는데 이 상태를 감돈포경(paraphimosis)라고 정의된다. 포경수술의 적응은 포경으로부터 과장포피까지 다양하지만 외요도구의 노출 유무, 포피의 반전 가능성 및 반전 후 포피륜 유무에 따라 판단된다. 그 외에도 포피낭내 요정체, 포피유착, 포피 내 치후(smegma)나 결석, 반복되는 귀두포피염, 배뇨장애 및 첨규 콘딜로마가 동반된 경우 포경수술의 절대적 적응이 된다.

2) 수술방법

술전 준비는 포경수술이 당일 외래에서 시행되는 경우 지혈장애, 알레르기 및 대사질환 유무에 대한 병력이 조사되어야 한다. 사전 예약 시에는 시술 당일 외음부를 청결히 한 뒤 내원하도록 지시한다. 귀두포피염이나 요도염이 동반된 경우에는 수술에 앞서 염증 치료가 반드 시 필요하다. 감돈포경인 경우에는 수지정복(manual reduction)으로 부종이 소실된 뒤 시술하는 쪽이 좋다. 마취는 소아를 제외하고는 대부분의 경우 음경근부나 포피의 광범위한 국소마취로 충분하다. 수술에 앞서 음경과 주위를 충분히 소독한 뒤 포피반전이 가능한지를 확인한다. 반전이 가능하면 귀두부와 포피내벽을 다시 한 번 충분히 소독한다. 반전이 불가능하면 12시 방향 배면 중앙에 1.0-1.5 cm의 종절개를 가하여 포피 반전을 다시 시도한다. 귀두부가 충분히 노출 되면 귀두 끝을 잡아 당겨 포피륜이 소실되는 를 확인하고 횡으로 봉합한다. 소아에서는 포피의 반전이 가능하게 되는 배면절개가 포경수술법으로 선택되는 경우가 많다. 감돈포경인 경우에도 수지정복이 되지 않으면 배면절개로써 귀두쪽으로 반전을 시도할 수 있다. 포피륜이 소실되지 않으면 배측과 복측의 포피에 적절한 넓이의 환상절개를 가한다. 술후 부종을 최소화하기 위해 절개부위의 피하에 생리식염수나 국소마취제를 주사하여 피하조직을 최대한 많이 남겨두는 것이 좋다. 또한 피하조직이나 피부 변연부의 출혈을 철저히 지혈하여 혈종의 발생을 예방하는 것이 좋다. 이때 소혈관의 지혈을 위해 전기소작기를 사용하는 것이 편리하다. 수술창에 결절이나 이물이 남지 않도록 하기 위해 흡수사를 사용하는 것이 좋다. 창상 봉합후 포피륜의 소실을 확인한 다음 거즈로써 압박드레싱을 한다.

3) 술후 경과

술후 3-4일간 창상 감염방지를 위한 항생제 투여가 필요하다. 수술 다음날 압박된 거즈를 제거하고 출혈 유무를 관찰한다. 혈종이 크면 혈종 제거와 출혈부위를 결찰한 후 새로운 봉합이 필요하다. 청년기에는 음경발기로 인해 출혈이나 창상파열이 생길 수 있으므로 주의하여야 한다.

2. 음경확대술

Enhancement phalloplasty, augmentation penoplasty, penile lengthening and girth enhancement

음경확대술의 역사적 배경은 그리 길지 않으며, 주요 수술방법들이 이전의 잘 알려진 음경수술, 성형수술, 미세수술 등의 방법에 약간의 수정을 가하거나 응용한 술식이 대부분이다. 음경확대술은 음경의 둘레를 크게 하거나 길이를 길게 하는 방법으로 나누어진다. 두 방법 모두 발기능이나 발기시 음경 크기와는 관계없이 음경 이완시 외형적인 확대만 추구하는 술식으로 처음에는 왜소음경, 요도하열 및 매복음경과 같이 소아에 동반된 선천성 음경기형의 교정을 위해 고안되었다. 따라서 이들 수술의 일차적 목적은 기능적 개선을 추구하는 음경보형물삽입술과는 달리 형태학적 혹은 미학적 측면 즉 시각적 개선을 통한 환자의 심리적 만족감 획득에 있다.

현재 음경확대술의 적응증과 술식 등 수술 전반에 관한 학술적, 윤리적 검토가 완전히 이루어지지 않은 상태에 있으며 국내외 문헌상의 보고도 극소수인 실정이다. 최근에는 제한적 시술을 권유함에도 불구하고 성인에서의 음경확대술 자체는 인정하는 추세에 있다. 국내에서도 1995년 대한 남성과학회가 주관한 제2차 개원의를 위한 남성과학 심포지움에서 처음으로 음경확대술이 공론화된 이래 다양한 시술방법(표 50-1)이 고안되어 이용되고 있다.

1) 수술의 적응

현재까지 수술의 적응증이나 대상 환자를 선택하는 적절한 기준은 없지만 대상 환자는 엄격한 윤리적 의학적 기준 하에 선택되어야 한다. 수술방법과 술후 합병증을 포함한 수술의 결과를 환자가 술전에 충분히 이해한 뒤 환자 자신의 판단에 의해 수술을 결정하도록 하여야 한다. 음경확대술의 적응증과 금기증은 다음과 같다. 먼저 성인에서 성선기능저하증과 같

표 50-1 음경확대술의 종류

I. Non-functional
Girth enhancement
implantation of natural or artificial materials
cell injection
tissue graft
allograft
xenograft
Penile lengthening
ligament release, suspensory or fundiform
VY, Z, multiple Z dermatoplasty
corporal advancement
corporal and crural separation
penile disassembly and glans detachment
penile traction therapy
Glans Augmentation
filler injection
Pediatric perspectives
Correction of webbed penis, concealed penis, penoscrotal transposition
II. Functional
Tissue engineering
Penile reconstruction in Peyronie's disease
Penile reconstruction in amputated penis

은 왜소음경의 선행질환이 있는 경우 절대적 적응이 될 수 있다. 요도하열과 같은 선천성 기형의 교정수술, 파라핀종 절제술 또는 음경외상 후 음경의 크기가 감소되어 환자에 상당한 심리적 장애를 수반한 경우 상대적 적응이 될 수 있다. 금기증으로는 명백한 정신증, 심한 강박성격 및 성적 허영심이 동반된 경우, 성생활이 문란한자, 음경기형이나 발기부전이 동반된 자 그리고 미성년자 등이 있다.

2) 술식의 발달

(1) 음경 둘레 확대

음경의 둘레를 크게 하기 위해 금속, 상아, 동물 뼈, 음경 둘레 확대를 위해 플라스틱, 고무 및 고형 실리콘과 같은 고형물질, 파라핀, 바셀린, 연고기제, 액상 실리콘, 콜라겐 및 hyaluronic acid gel과 같은 연성물질 그리고 연골, 골, 지방, 진피지방 및 진피지방근막과 같은 인체조직 등의 다양한 filler가 이 용되어 왔다 (표 50-2, 3, 4, 5, 6).

조직결손을 성형하기 위한 자가이식은 약 100년전 Neuber 및 Lexer 등에 의해 지방이식으로 처음 시도되었지만, 감염, 생착 실패 및 지방위축을 일으키는 단점을 가지고 있다. 지방이식의 이러한 문제점으로 인해 1980년대 중반이후 음경의 dartos 근막내 지방주사 법은 널리 시행되지 못하고 중단된 바 있다.

그 후 자가진피지방이식술(autologous dermal fat graft)이 진피와 지방의 채취량이 인체 내에 풍부하고 채취방법이 용이할 뿐만 아니라 비교적 높은 조직 생착률과 낮은 지방 흡수율 등의 장점으로 인해 현재 인체조직을 이용한 가장 보편적인 음경확대를 위한 술식으로 이용되고 있다. 이 방법은 1937년 Peer에 의해 연조직의 결손이나 기형을 교정하기 위한 성형수술의 한 방법으로 처음 고안되었으며, Berson과 Bames는 진피지방근막이식, 나아가 1950년 Maliniac은 유경(pedicle) 진피지방이식으로 발전시켰으며, 최근에는 이식편에 대한 충분한 혈류공급을 위해 미세수술의 술기까지 적용되고 있다. 진피지방 이식술은 1992년 Horton이 측복부에서 채취된 이식편을 이용하여 왜소음경 환자에서 음경확대를 시도한 것이 처음이다.

(2) 음경 길이 신장

음경의 길이를 신장시키기 위해서는 치골상부의 지방 제거, 비정상적으로 발달된 근막 혹은 인대의 절단이나 음경과 치골 경계부의 피부성형술 등이 시도되어 왔다. 술식으로는 VY-plasty, Z-plasty, multiple Z-plasty, 음경해면체 및 음경각(crura) 분리전진술, 음경 고리인대인 윤상인대(fundiform ligament)와 음경현수인대(suspensory ligament) 절단술, 치골상부지

표 50-2 음경확대술에 이용되는 재료

자연물 stone, wood, ivory, animal bone
경성인공물질 metal, plastic, rubber, solid silicon
연성인공물질 oil analogue, collagen, fluid silicon
합성 filler (표 50-3, 4, 5, 6)
자가조직 fat, dermis, fascia or combined
이동조직 pericardium

방흡인술, 음경음낭 web성형술, 음경분리술 및 음경재조합술(penile disassembly technique) 등이 있다. VY-plasty는 1990년 중국의 Long에 의해 처음 보고된 뒤, 1994년 Roos와 Lissoos에 의해 측부 음경피부판에 음경을 고정하여 현수인대를 성형하는 방법으로 개선되었다. 현수인대절단술은 1974년 Johnston이 음경배부색대나 요도상열에 동반된 선천성 단축음경을 가진 소아 환자에서 음경길이를 연장하기 위하여 음경해면체와 음경각을 치골로부터 분리한 술기에서 고안되었으며, 성인에서는 1993 년 Furrow에 의해 음경보형물삽입술 환자에서 음경길이를 신장시키기 위하여 처음 시도되었다. 가장 최근에 고안된 음경 길이 신장을 위한 술기로는 Perovic 등에 의한 음경재조합술이 있다. 이 술기는 귀두, 음경신경혈 관총 및 요도를 원위부 음경해면체로부터 완전히 분리 한 뒤 귀두(glans cap)와 해면체(corporal tips) 사이에 연골, 근육과 같은 인체 조직이나 인공물질을 삽입하는 방법이다. 이 술식은 높은 침습성으로 인해 널리 시행되고 있지는 않다.

(3) 음경귀두 확대

음경의 귀두는 지금까지 이상적인 이식물질의 부재와 함께 해부학적인 구조상 성형을 할 수 없다고 여겨져 왔다. 그러나 최근 주사용 히알루론산 겔을 귀두점막하에 주사할 수 있다는 보고이후 다양한 형태의 filler삽입술로 시도되고 있다.

주사용 히알루론산 겔을 이용한 귀두확대가 조루증의 치료에 효과가 있을 것이라는 근거는 다음과 같다. 주사용 히알루론산 겔은 파라핀, 실리콘, 콜라겐, 하이드로겔 등 현재까지 사용되어 왔던 물질에 비해 가장 이상적인 연부조직강화제로 평가되고 있다. 피부의 표피, 진피, 피하지방의 3층 중 가운데 층인 진피에 히알루론산 겔을 넣어주는 것이 피부주름에 대한 히알루론산 겔을 이용한 미용성형술의 원리와 동일하다. 이차적으로 귀두의 크기가 확대됨으로써 환자의 자신감도 증가되고 filler에 의해 귀두에 가해진 자극이 수용체에 도달하는 것을 차단하는 장벽으로 작용함으로써 사정지연 효과 즉 조루증 치료 목적으로도 이용될 수 있다. 그러나 귀두의 피부는 진피층의 하부가 해면체의 육주와 융합되어 있으므로 주사용 히알루론산겔을 음경귀두확대에 이용하기 위해서는 귀두피하의 진피층에 히알루론산의 주입이 가능한 지와 주입 후 장기생존율이 선결조건이 된다. 국내 연구자들에 의해 10% xylocaine으로 국소마취 후 27G 주사침을 통해 주사용 히알루론산 겔(Perlane®, Q-med, Upssala, Sweden)을 주입한 환자 180여명을 상대로 평가한 결과 술후 1년째 귀두의 둘레는 평균 14.8 mm가 증가하였으며, 환자 자신이 5등급의 육안적 평가를 할 때 95%의 환자가 5등급인 수술직후 용적의 75%이상이 유지된다고 하였으며 70%이상의 환자가 만족하였다고 보고된 바 있다.

현 상태에서 소수의 초기 연구자들에 의해 주사용 히알루론산 겔을 이용한 귀두확대는 안전하고 효과적인 방법으로 보고되고 있지만 다음과 문제점으로 인해 현재까지는 제한적으로 시술되고 있다. 첫째, 주사용 히알루론산 겔을 귀두점막하에 주입하는 술기는 투베르쿨린 반응검사를 위한 피하주사나 연부조직의 박리를 용이하게 하기 위하여 식염수를 주사

표 50-3 연성 filler의 특성

Aspects	Characteristics
Material	Biocompatible Non-antigenic Non-toxic Non-carcinogenic Non-teratogenic
Performance	Reproducible outcome Consistent outcome Adequate duration of augmented volume Pliability High safety Minimal foreign body reaction Minimal migration from the implanted location
Technique	Ease of administration Suitable formulation to facilitate adequate placement Stable formulation to facilitate handling
Subjective satisfaction	Predictable outcome Minimal adverse experiences Minimal downtime
Others	Approval by the professional societies or governments Versatile across applications Affordable and/or inexpensive Reversible

표 50-4 연성 filler의 특성에 따른 분류

Classification	Sub Classification	Filler materials
Duration of result	Non-permanent	Collagen, Hyaluronic acid
	Semi-permanent	Poly-L-lactic acid, Calcium hydroxylapatite, Hyaluronic acid
	Permanent	Polymethylmethacrylate, Polyacrylamide, Silicone
Source of filler materials	Autologous	Fat
	Biological	Collagen, Hyaluronic acid
	Synthetic	Poly-L-lactic acid, Calcium hydroxylapatite, Polymethylmethacrylate, Polyacrylamide, Silicone
Difficulty of the procedure	Low	Saline
	Medium	Collagen, Hyaluronic acid
	High	Fat, Poly-L-lactic acid, Calcium hydroxylapatite, Polymethylmethacrylate, Polyacrylamide, Silicone

* Classifications are somewhat relative, and can be affected by a specific product.

표 50-5 연성 filler의 종류와 특성

Filler	Duration	Pros	Cons
Autologous fat	A few month, up to 10 years	Unnecessary allergy test Immediate effect Abundant substance Easy availability Inexpensive property Safety	Unpredictable outcome Donor-site morbidity
Collagen	2-6 months, up to 12 months	Immediate effect Easy administration Safety	Short-lasting effect Necessary allergy test (bovine-based)
Hyaluronic acid	4-6 months, up to 18 months	Unnecessary allergy test Immediate effect Reversal with hyaluronidase Safety	No biostimulatory property Possible bluish discoloration
Silicone	Permanent	Long-lasting effect Long clinical experience Unnecessary allergy test	Concern about safety Technically difficult removal
Poly-L-lactic acid	1-2 years, up to 3 years	Unnecessary allergy test Biostimulatory property	No immediate effect Requisite several sessions Non-reversibility Radio-opaque property
Polymethylmethacrylate	May be permanent	Long-lasting effect	Necessary allergy test (for bovine collagen component)
Calcium hydroxylapatite	10-18 months, up to 3 years	Unnecessary allergy test Immediate effect Biostimulatory property	Non-reversibility Radio-opaque property
Polyacrylamide	May be permanent	Long-lasting effect Unnecessary allergy test	Concern about granuloma formation Concern about infection

해본 경험이 있는 의사라면 누구나 쉽게 주사할 수 있다. 그러나 귀두확대는 한 부위만을 하는 것이 아니라 귀두전체를 균일하게 보강시켜야하므로 그리 쉽지는 않다. 피부의 부적절한 층에 주입을 할 경우 점막열상으로 시술을 중단하여야 한다. 특히 주사바늘 자국이 많을수록 출혈과 바늘자국을 통한 이식물질이 배출되므로 가능한 바늘자국을 최소화하면서 균일하게 주입하여야 한다. 이러한 술기를 익히는 데에는 많은 시간과 비용이 소요되므로 대부분의 의사가 시행하기에는 무리가 있으므로 술식의 보편화가 어렵다. 둘째, 시술초기에 과다한 용적을 주입하면 감각저하가 발생할 수 있으므로 초회 주사량은 2ml

표 50-6 시판중인 연성 filler의 종류, 상품명 및 제조사

주요성분	상품명	제조사
Hyaluronic acid	Restylane	Q-Med/Medicis/Galderma
	Captique	Genzyme/Inamed
	Juvederm	Inamed/Allergan
	Hylaform	Biomatrix
	Belotero	Merz Pharmaceuticals
	Varioderm	Adoderm GmbH/Medical Aesthetics group
	Emervel	Galderrma
	Teosyal	Lifestyle Aesthetics/TEOXANE laboratories
	HydraFill	Allergan
	Surgiderm	Allergan
	Hyaluderm	LCA Pharmaceutical
	STYLAGE	VIVACY Laboratories
	Perlane	Medicis Aesthetics
Human collagen	Cosmoderm	Inamed/Allergan
	Cosmoplast	Inamed/Allergan
Bovine collagen	Zyderm	Inamed corporation
	Zyplast	Inamed corporation
Porcine collagen	Evolence	ColBar LifeScience
Poly-L-lactic acid	Sculptra	Dermik aesthetic
Calcium hydroxylapatite	Radiesse	Merz Aesthetics
Polymethylmethacrylate	Artecoll	Rofil medical
	Artefill	Artes Medical
	Lipen	Chungwha Medipower
Polyacrylamide	Aquamid	Contura International
	Outline	Trillium Meditec
Silicone	Bioplastique	Uroplasty
	Silikon-1000	Alcon

로 하고 최소한 2주이상 경과한 후 추가주입을 하여야 한다. 셋째, 조루증의 치료를 위한 경우 귀두의 감각이 가장 예민한 부위는 corona와 frenulum이다. 반면에 이 부위는 피부층이 가장 얇아 filler를 충분히 주사하기가 어렵다. 넷째, filler의 장기생존율이 우수하다고 하나 수년간에 걸친 장기적인 연구결과가 없으며, 귀두의 경우 정확한 이식용적의 생존율을 평가할 방법이 없다. 다섯째, 히알루론산 겔은 이론적으로 시간경과에 따라 isovolemic degradation을 한다고 알려져 있으나, 흡수될 경우 귀두의 모양이 균일하지 않고 함몰이나 굴곡이 생길 수 있다. 시간경과에 따른 이식용적의 감소나 귀두모양의 변형이 발생하는 경우에는 추가적인 주입이 필요하다. 여섯째, filler로 이용되는 이식물질인 히알루론산 겔의 가격이 비싼 점이있다.

향후 filler를 이용한 귀두 확대가 선택적 치료법으로 이용되기 위해서는 주입방법의 표준화, 주입용량의 적정화, 흡수률 저하 및 시판 가격의 저하 등의 문제가 개선되어야 한다.

3) 진피 지방이식

(1) 이식편의 생착기전

진피지방이식은 이식부의 피하조직 내에 이식하는 방법이지만 조직구성에서 말하면 복합이식이다. 이식 후 지방세포의 생착기전은 아직 완전히 밝혀지지는 않았지만 두가지의 학설이 있다. 이식된 지방세포는 일단 파괴된 다음 세포로부터 유출되는데 이 지방은 숙주의 조직구(histiocyte)에 의해 흡수 제거된 다음 새로운 세포가 된다는 host cell replacement theory(Peer, 1955)와 이식부의 진피하 혈관망과 이식진피의 진피내 혈관망을 통한 풍부한 혈행으로 인해 이식된 다량의 지방세포가 생존한다는 cell survival theory(Peer, 1977)설이 있다. 후자는 지방과 함께 진피가 같이 이식되어 진피 쪽에서 이식 초기에 host-graft vascular anastomosis가 빨리 이루어짐으로써 지방층에 혈액 공급을 가능하게 하는 것으로 전자보다 설득력 있는 기전으로 알려져 있다. 이식된 진피내의 혈액순환은 이식 4일째 미세혈관에서 처음으로 관찰되고 6일까지 증가된다. 이때 많은 수의 조직구, 다핵구, 호산구, 형질세포 및 임파구가 나타나며 조직구와 다핵구는 유출된 지방을 탐식하는 작용을 한다. 술후 10일경 이식부에서 새로운 미세혈관이 생성되며 주위에는 섬유아세포가 증가된다. 술후 6-8개월에 울혈소견은 완전 소실되고 정상 지방조직을 보이며 이식편 주위에 섬유아세포를 포함하고 있는 섬유조직은 완전히 소실되지 않아 피막화된 지방종(encapsulated lipoma)의 양상을 띄게 된다. 이식편이 생착 되지 못한 경우에는 숙주세포로부터 삼출액이 술후 한달 이상 분비되며, 증가된 조직구 및 거대세포에 의해 지방세포와 함께 탐식된다. 술후 1개월에 지방세포는 대부분이 흡수되고 1년경에는 반흔 조직만 남게 된다.

(2) 장단점

진피지방이식의 장점은 술기가 비교적 간단하고, 채취량이 풍부하며, 생착이 쉽고 치유가 빠르며, 부풀어 있는 형태를 만들 수 있으며, 이차 이식 또는 인공물질 의 유치를 위한 좋은 베드를 만들 수 있다는 점이다. 반면 단점으로는 지방의 괴사, 섬유화 및 흡수가 일어나기 쉽고, 술자의 술기 또는 수술부위에 따라 지방 흡수율이 다르고 그 판정이 어려우며, 감염, 혈종 등의 합병증이 진피 단독이식보다 높고, 진피내 분비선에서의 분비물에 의해 낭포가 합병될 수 있으며, 반흔 또는 결절이 없어지는 데 수년이 소요되는 점이 있다.

(3) 술전 준비

술전 2-3주부터 저지방식을 하여 지방세포가 소량의 지방을 함유하도록 한다. 지방세포가 지방 함유량이 적을수록 파괴된 세포로부터 지방 유출이 감소되어 수술 조작을 용이하게 하고 지방세포의 생착률을 높일 수 있다. 따라서 비만환자보다 여윈 환자에서 더 높은 성공률을 기대할 수 있다. 이식부위와 채취부위의 피부소독을 철저히 하고, 술전 항생제를 투여한다.

(4) 수술방법

둔부의 주름상부, 하복부, 측복부, 내대퇴부 또는 상 완 내측부에 진피지방 채취 부위(donor site)가 결정되면, 채취가 쉽도록 환자의 자세를 교정하여 위치시킨다. 수술펜을 이용하여 음경의 크기에 따라 타원형으로 채취 부위를 표시한다. 이식편의 크기는 지방흡수율을 고려하여 음경의 크기를 기준으로 20-30% 많은 양을 채취하는 것이 적절하다. 이 때 피부 긴장이나 괴사의 위험을 줄이기 위해 채취부의 폭은 4 cm를 넘지 않도록 하는 것이 좋다. 국소마취 하에 Reese dermatome set (14/1000 inch), Bard- Parker size 15번 blade 또는 면도칼을 이용하여 채취부위를 thin split thickness법으로 박피(deepithelization) 하는데, 이 때 표피(epidermis)외에도 표재부 진피층도 부분적으로 같이 절제될 수 있다. 진피지방층은 수술용 가위 또는 메스로 절개하여 채취한다. 이 때 이식편은 작은 여러 조각보다는 하나의 큰 덩어리가 지방 흡수율을 줄일 수 있으며, 이식편의 채취 시 근막을 같이 채취하면 혈행이 잘 보존되고 삼출물의 흡수를 촉진하는 장점이 있다. 다음은 채취부를 세밀히 지혈한 다음 심부 지방층과 피하조직을 각각 4-0 chromic으로 단순 봉합한 뒤 피부는 5-0 nylon vertical mattress 또는 American법으로 봉합한다. 채취된 진피지방편은 항생제가 포함된 생리식염수가 충분히 적셔진 거즈로 덮어둔다. 채취된 조직은 가능한 빨리 이식함으로써 조직의 건조를 막고 감염의 기회를 줄일 수 있다.

이식부는 음경의 관상구 직하의 음경간 이식부의 피부를 환상 또는 종절개한 다음 Buck 근막층까지 박리하여 이식편이 유치되는 dartos근막과 Buck 근막 사이에 충분한 공간(pocket)을 확보한다(그림 50-1).

이식부는 가능한 피부주름을 따라 절개하고 반흔 조직을 충분히 절제하고 출혈이나 혈전을 완전히 제거함으로써 이식된 조직으로 혈류공급을 원활하게 할 수 있다. 채취된 진피지방편을 확보된 공간에 유치한 다음 이식편의 양단, 복측과 배측의 6 및 12시 방향에 4-0 Vicryl 로 고정 봉합을 한 뒤 지방이 돌출되지 않도록 피하조직, 피부 순으로 각각 4-0 Vicryl로 조밀하게 봉합한다. 이식편은 일반적으로 이식부의 피부와 병행하게 놓는 방법(juxta-position)이 흔히 이용되지만 때로는 거꾸로 놓는 방법(reversed position)도 가능하다. 거꾸로 놓는 방법은 이식편의 지방층이 과도한 경우 쉽게 지방층의 크기를 쉽게 줄일 수 있다는 장점이 있다. 창상의 봉합은 충분한 양의 피하조직이 이식편에 덮이도록 하며 창상파열을 방지하고 이식편의 생착을 촉진시키는 데 도움이 된다. 이식된 지방의 흡수율은 수술조작 시 지방세포의 손상에 비례하므로 채취된 지방에 불필요한 조작을 피하여 지방세포의 손상을 줄여야 한다.

유리이식(free graft)의 결점을 보완하기 위해 미세혈관수술의 술기를 도입한 유경이식(pedicle graft)이 시도될 수도 있다. 이 경우 음경에서 비교적 가까운 표재부 외음부 동맥의 상치골 분지(suprapubic branch of superficial external pudendal a.)에 의해 영양되는 paramedian flap이 이용될 수도 있다. 이러한 유경진피지방이식술은 술기상의 어려움이 있지만 이식편에 대한 충분한 혈류 공급으로 인해 지방 흡수가 적고 다량의 지방을 이식할 수 있는 장점이 있다. 봉합이 끝난 뒤 압박 밴드를 이용하여 가볍게 드레싱하고, 감염방지를 위해 3-4일간 항생제를 투여한다.

4) 주요 수술의 합병증과 대책

(1) 진피지방이식술

급성 합병증으로는 술후 다음날 암적색 혹은 암갈색을 띤 부종과 함께 음경피부에 윤이 나는 반상출혈이 관찰되며, 대부분 가벼운 압박 드레싱으로 자연히 소실된다. 아주 심한 경우 부종이나 발적은 술후 약 6주 지속되며, 술후 3개월 이내에 정상으로 회복된다. 음경만곡은 이식편의 부분괴사 혹은 대칭적 유치 실패로 인해 음경의 둘레가 균일하지 않아 생기는 합병증으로 심한 음경만곡이 있는 경우 재이식술이 고려된다. 이식편의 대칭적 유치 실패는 이식부를 종절개하였거나 반환상절 개시에 흔히 동반될 수 있다.

이식부위가 감염되면 지방은 용해되어 소실되고 진피도 괴사되는 과정을 거치게 된다. 진피지방이식편의 두께가 1 cm 이상이거나 과도한 양의 이식편을 유치한 경우 상부의 dartos 근막 및 피부가 압박되어 생긴 정맥 울혈로 인한 혈류장애로 피부괴사, 창상파

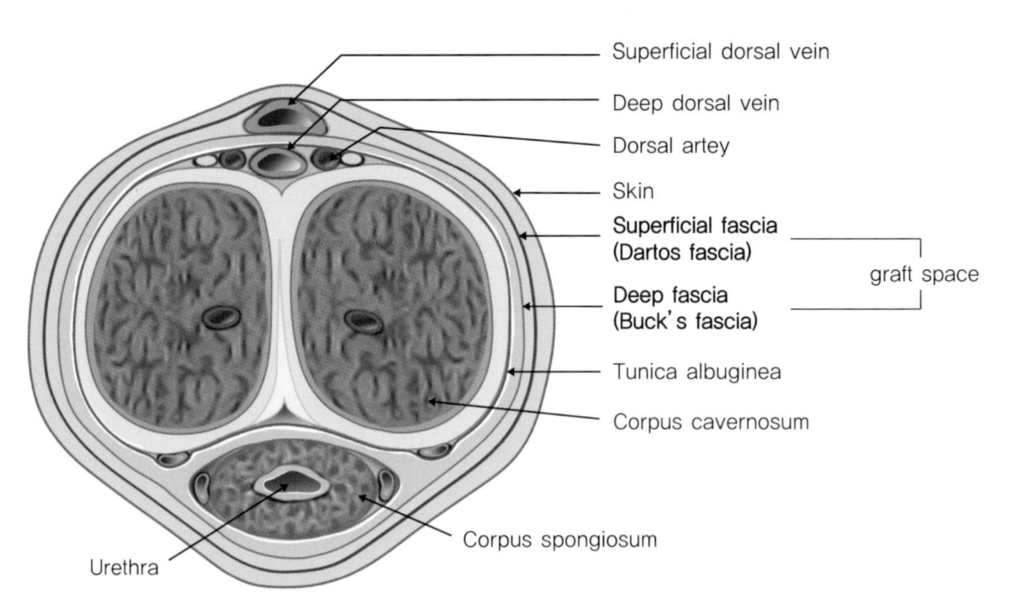

그림 50-1 음경의 해부학적 구조와 filler의 삽입 혹은 주사 위치

열 및 이식편 돌출이 동반될 수 있다. 충분한 공간 확보를 위해 술전에 피부확장기(penile stretcher, external cutaneous expander)를 이용하여 피부장력을 줄이고 피부의 양을 늘리는 것도 도움이 된다. 감염이나 괴사소견이 나타나면 임상적 소견에 따라 경한 경우 부분절제 후 재봉합이 가능하지만, 광범위한 경우에는 조기에 이식편을 제거한 다음 최소 3개월 후 재수술 계획을 마련하여야 한다. 만성합병증으로 유사표피낭(epidermoid cyst)은 대개 술후 2주경에 진피 내에 남아 있던 피지선 혹은 모낭으로부터 발생된다. 진피지방이식은 신경이나 혈관이 없는 표피만 제거하므로 진피내의 털운동근(pilomotor muscle), 모낭 그리고 피지선 등의 피하선이 영구적으로 남게 된다. 하지만 피지선은 2주내, 모낭은 2개월 내에 퇴행성 변화에 의해 소실되는 반면 한선은 1년 이상 남아서 기능하지만, 대부분의 경우 파열과 탐식의 과정을 거쳐 섬유화되거나 소실된다. 장액종(seroma)은 파괴된 지방세포에서 유출된 지방이 고여 발생하며 적은 양인 경우 대부분 자연흡수 된다. 심한 경우 18G. 주사기로 1-2회 천자하면 대부분이 자연소실 된다. 이식된 진피지방이식편의 크기 감소가 모든 환자에서 관찰되는데, 지방, 진피지방 및 진피이식 후 수개월 내에 관찰되는 조직흡수율은 각각 50%, 20-30% 및 15-20% 정도 되는 것으로 알려져 있다. 따라서 이식편 채취시 자연 흡수를 고려하여 채취량을 결정하여야 한다. 이식편에 생기는 석회화는 아주 드문 합병증으로 이식 수년 후에 가수분해된 지방산 및 비용해성칼슘 및 칼슘염이 혼합되어 생긴다. 자각증상이 없으며 방사선 촬영으로 우연히 발견되는 경우가 많다.

(2) VY-plasty

창상파열은 V-flap의 가장자리에 혈류장애로 인해 발생하며 flap의 크기가 클수록 빈도가 높다. Dog-ear 결손은 아주 큰 VY-plasty를 시행한 경우에 생기며 음경과 음낭피부의 만곡이 동반된다. 치골상부의 피부가 음경 배부로 이동됨으로써 비정상적으로 많은 음모가 나타난다. 음경의 감각저하는 큰 VY-plasty 혹은 Scarpa 근막의 광범위한 절제시에 생기는 장골서혜부신경(ilioinguinal nerve)의 손상이 원인이며, 술 후 부종의 개선과 함께 6-12개월 내에 자연회복 될 수 있다. 감각저하가 동반되었다 하더라도 실제 성생활 시 음경 귀두부에 대부분의 성감대가 있으므로 큰 문제가 되지 않는다. 그 외에도 음낭내 음경매복, 단축음경(short penis), 반흔의 과다증식 또는 켈로이드 등이 합병될 수 있다.

(3) 현수인대절단술

음경 부종은 환자를 불편하게 하지만 그리 심하지 않으며 2-3주내 자연소실 된다. 야간음경발기에 의한 동통은 술후 7-10일 이내에 발생하며, 첫 1-2일에 가장 심하다. Estrogen 근주 및 ketoconazole 경구요법으로 음경 발기를 억제시킬 수 있다. 혈종은 폐쇄식 배농인 경우 드물게 발생한다. 심한 경우 혈종의 배농을 위해 재수술이 필요할 수 있다. 중증의 창상감염 및 봉와직염은 극히 드물게 발생하며 항생제 투여 및 soaking을 비롯한 일반적인 감염 치료를 통해 치유될 수 있다. 심한 경우 치골의 골수염으로 진행될 수 있으므로 주의하여야 한다. 음경길이의 단축은 남성발기부전환자에서 정맥결찰술 후에 생기는 음경단축과 같이 음경해면체가 치골 결합부에 다시 부착되거나 반흔 위축에 의해 이차적으로 발생한다.

술후 음경단축을 방지하거나 음경길이연장술의 수술 효과를 극대화하기 위하여 현수인대를 절단한 뒤 음경해면체와 치골사이에 주위의 지방조직, 실리콘 또는 Gore-tex® 뭉치를 채우거나 음경을 치골의 원위부로 견인하는 장치를 이용할 수 있다. 음경견인장치는 340- 900 gm의 무게로 수주간 음경을 견인함으로써 음경의 유착이나 함몰을 방지하고 음경의 길이가 충분히 늘어나도록 하는 효과가 있다. 이때 견인은 1회 10분 이하로 제한하여야 하며 감각이상(numbness) 또는 피부변색이 일어나면 중단하여야 한다. 진피지방이식술이 동시에 시행된 경우 이러한 음경견인장치나 상품화된 음경 extender를 이용하면 음경의 부종과 동통이 아주 심하게 된다. 그 외에도 만성적인 치골부 동통이나 현수인대에 의한 지지력 소실로 인해 음경 pivot 현상이 동반되기도 한다.

3. 이물질제거술

Removal of Foreign Body

음경확대목적으로 연성 혹은 고형물질 삽입 후 중증의 합병증이 동반되어 있거나 예견되는 경우 이물질제거술이 필요하며, 때로는 이물질 제거 후 피부성형술이 동시에 시행된다. 이물질 중에는 무면허 시술로 음경 피하조직 내에 주입된 파라핀이나 바셀린이 시간이 지나면서 심한 이물반응에 의해 섬유화와 염증이 유발되는 것이 가장 문제가 된다. 파라핀종은 크기와 위치에 따라 음경 원위부에 국한된 경우, 음경 원위부 및 체부에 국한된 경우 그리고 음경 전체, 치골 상하부 및 음낭부에 광범위하게 위치하는 경우의 세 종류로 나누어진다. 이물질제거술이 요하는 주요 적응증으로는 피부발적, 감염, 농양, 괴양, 괴사, 종괴(lump)나 육아종, 발기시 동통, 삽입 불가, 음경만곡, 이물질 전이, 서혜부 임파절종대 및 신경불안증 등이 있다. 심한 경우 서혜부의 심부 임파절에도 파라핀이 침윤되어 이차적으로 색전증의 원인이 되거나 심지어는 악성종양의 원인이 되기도 한다.

이물질 제거시에는 이물질을 포함한 주위 감염조직과 육아종을 완전히 제거하여야 한다. 대부분의 경우에서 육아종과 정상조직 사이에 경계가 잘 이루어져 있지만, 음경 귀두부와 환상구 주위, 요도 해면체 및 Buck 근막에 깊이 침윤된 경우에는 이물질의 완전한 제거가 불가능할 뿐만 아니라 술중 심한 출혈이 관찰되기도 한다. 특히 음경의 복측이나 원위부 요도해면체를 침윤한 경우 요도손상을 피하기 위해 요도 카테터를 삽입한 후에 조심스럽게 박리하는 것이 좋다.

제거 후 이물질이 음경 원위부에 국한되어 피부결

손이 적고, 특히 포경수술을 시행하지 않아 충분한 포피가 있으면 단순봉합만으로 교정이 가능하다. 그러나 음경 피부결손이 크고 주위조직으로의 침윤이 많은 경우에는 피부성형술이 필요하다. 음경피부결손을 위한 성형술은 음낭피부가 주로 이용되는데, 음낭 모발의 음경으로의 전이로 인한 불편함과 음낭의 크기가 적어지는 단점이 있지만, 음경에 가까이 위치하고 음경 전체를 덮을 수 있을 정도로 피부 탄력성이 우수하며 유경(pedicle) 이식이 가능한 장점으로 인해 가장 흔히 이용 된다. 물론 음낭의 발육부전이나 피부결손이 있는 경우에는 음낭이외의 부위로 부터의 피부 이식이 필요하다.

음낭 피부판을 이용한 수술은 크게 유경이식(pedicle graft)과 유리이식(free graft), 일단계(one stage)과 이단계 수술(two stage)이 있으며 현재까지 6 종류의 술식이 흔히 이용된다(그림 50-2). 술식은 음경 피부결손 정도, 음낭 피부의 상태 및 술자의 선호도나 숙련도에 따라 선택되며, 창상의 상태나 술자의 경험에 따라 조금씩 변형될 수 있다. 술후 관리는 1-2일의 압박 드레싱으로 충분하다. 합병증으로는 이식된 피판의 괴사가 가장 흔하며 혈종, 창상감염, 반흔 수축 및 음경만곡 등이 있다.

1) 음낭피부판 전진이식 (Advancement Flap)

음낭 피부판을 박리한 다음 결손부 쪽으로 당겨서 음경을 덮어주는 방법이다.

2) 음낭피부판 유리이식

피부결손부와 비슷한 크기의 사각형의 음낭피부 이식편을 전층 혹은 부분층 식피술(full, split thickness skin graft)로 이식하는 방법이다. 이 방법은 음경발기로 인한 이식편으로의 혈류장애로 피부괴사 및 위축 등이 합병될 가능성이 높다.

3) 단순음낭피부이식

피부결손부와 비슷한 크기의 사각형의 음낭 피부판을 만든 다음, 피하조직을 유경(pedicle)으로 하는 피부판을 음경의 배측으로 돌려 음경 배측에서 봉합하는 방법이다. 음부동맥의 음낭분지가 손상될 위험성이 있으며, 봉합선이 배측에 놓이는 단점이 있다.

4) Apron 법

음부동맥의 음낭분지를 보존하면서 피부결손부와 비슷한 크기로 앞치마 모양의 음낭 피부판을 만든 다음, 피부판을 근위부 창(window)을 통해 음경의 배측으로 전위시켜 음경 복측에서 봉합한다.

5) 변형 Cecil법

피부가 결손된 음경을 음낭피부하에 매복시켰다가 최소 8주 이후 음낭피부와 함께 음경을 절개하여 음경 복측에서 봉합하는 방법이다. 이차수술로 시행되기 때문에 매복된 음경의 발기 시 동통이나 음경음낭부 요도의 굴곡으로 인한 배뇨장애 혹은 협착이 합병될 수 있고, 심리적 스트레스 및 경제적 부담 등으로 인해 흔히 시행되지 않는다.

6) 양측 유경 음낭 피부판 이식 (Bipedicle Scrotal Flap)

음낭의 정중선을 따라 절개한 뒤 음경의 둘레 반만큼의 크기로 횡절개 혹은 역 Y자 모양으로 절개하여 만들어진 날개 모양의 음낭 피부판을 음경 배측으로 전위시켜 복측과 배측에서 각각 봉합하는 방법이다. 횡절개시 술자의 반대측에서 불을 비추어 피부판으로 가는 외음 부동맥(external pudendal a.)의 음낭분지를 최대한 보존하면서 피부판을 절개하는 것이 좋다. 피부괴사나 이식 피부의 수축 가능성은 매우 낮지만 봉합선이 길고 봉합선이 배측과 복측에 동시에 놓여 외관상 나쁘다는 단점이 있다.

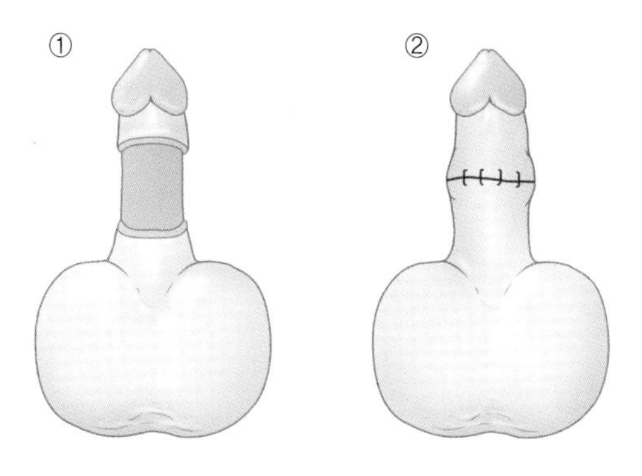

A 음낭피부판 전진이식

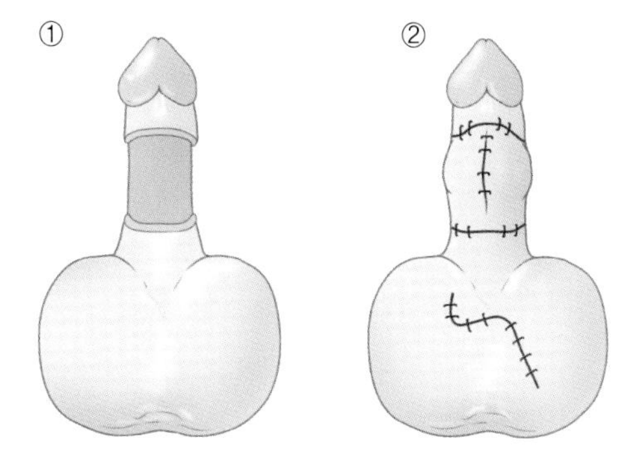

B 음낭피부판 유리이식

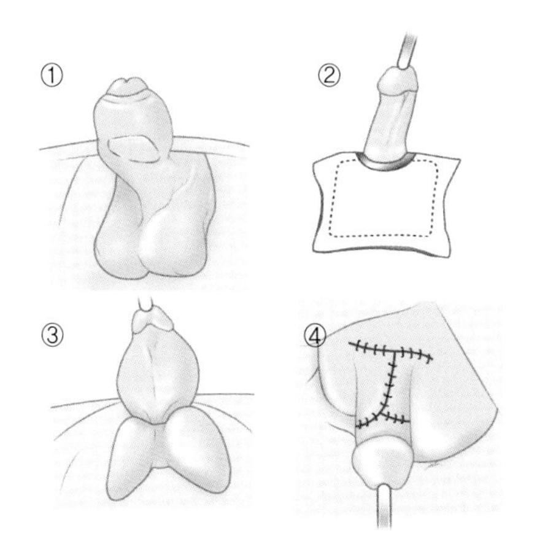

C 단순음낭피부이식

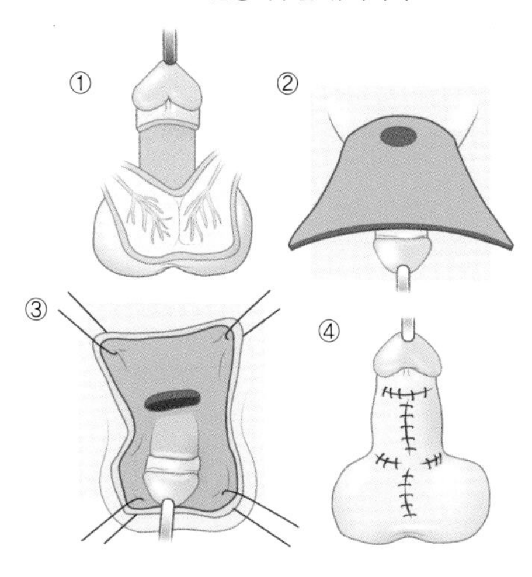

D Apron 법

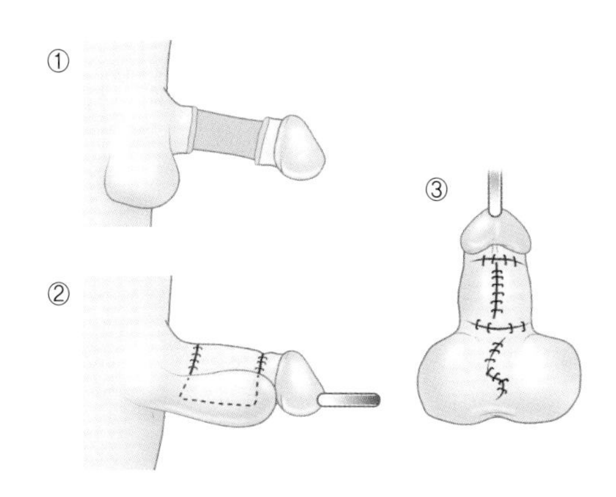

E 변형 Cecil법

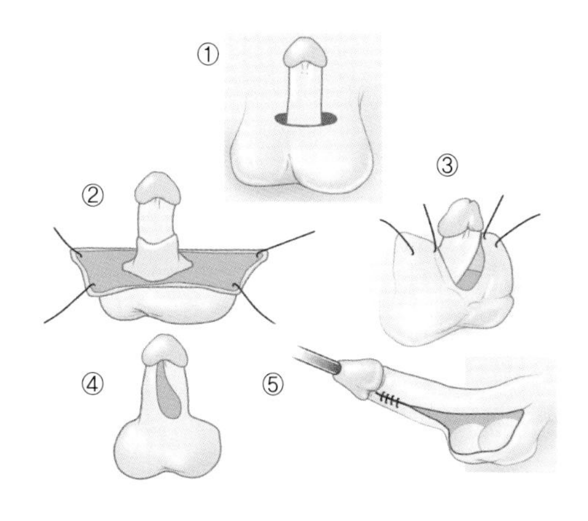

F 양측 유경 음낭 피부판 이식

그림 50-2 음경 이물질 제거후 피부성형술

4. 음경 손상, 절단 및 성전환증 환자에서 음경재건술

Total penile reconstruction for penile injury, amputation, and trans-sexualism)

음경재건술은 1936년 Bogaraz에 의해 음경 손상 환자의 치료 목적으로 처음 보고되었으며, 2차대전 중 러시아와 영국의 전상 환자들을 대상으로 본격적으로 시술 된 바 있다. 초기에는 복부 이식편을 "tube-within- tube"으로 재단한 다음 2차로 이식하고 배뇨는 근위부 요도루를 통해 하도록 하는 방법이 70년대 초반까지 보편적으로 시행되었다. 70년대에는 이식편을 둔부에서 가져오거나 미세수술기법을 적용하는 정도까지 발전되었다. 전완 이식은 주로 쓰지 않는 쪽을 이용하며 동맥 부전 유무를 평가하기 위해 술전에 척골동맥과 요골동 맥의 측부순환을 알아보기 위한 Allen 검사가 필요하다. 오늘날 가장 흔히 시술되는 요골 동맥을 이용한 전완피판을 이용한 음경재건술은 1984년 Chang과 Hwang 에 의해 두개로 나누어진 전완피판을 이용한"tube- within-tube" 법이 처음으로 보고되었으며 그 후 귀두부를 포함한 재건된 음경의 외양을 개선하고 피부 괴사, 요도 협착과 누공과 같은 부작용을 극소화하면서 음경 발기능을 획득하기 위한 다양한 술식의 개선이 이루어져 왔다(그림 50-3). 대표적인 변형 전완이식으로 1988년 Biemer는 요도부를 이식 피판의 중간에 두고 음경 강직을 위해 요골이식을 시행하였으며, 1990년 Farrow 와 Boyd은 요도부를 이식 피판의 중간에 두고 원위부로 길이를 연장한 소위 "크리켓 방망이(crick bat)" 술식으로 발전시켰다. 특히 "crick bat" 변형 술식은 외상으로 근위부 발기조직이나 요도가 남아 있는 환자에서 유용하다. 그 외에도 술자에 따라 다양한 변형 술식이 고안되었는 데 이식편의 생착률을 높이기 위해 근막을 같이 이식하거나 요도접합부의 혈행을 개선하기 위하여치 골경골근(gracilis muscle)을 가져와 요도 주위를 싸주거나, 요골동맥의 길이가 짧은 경우에는 복재정맥 이식을, 귀두 환상구 성형을 위해 피부 줄무늬를 넣거나 전층 피부이식을, 음경 강직과 발기능 획득을 위해서는 요골, 늑골, 비골 등의 자가 골이식이나 음경보형물삽입술이, 성전환 환자에서는 인공고환삽입술이 동시에 시행 되기도 한다. 다만 음경보형물삽입술은 음경재건 약 1년 이후에 신경재생, 감각회복 그리고 완전한 요도재건을 확인한 다음 시행하여야 보형물 돌출이나 피부 미란 (erosion) 등을 방지할 수 있다.

전완이식의 단점으로는 전완 이식피판 채취부의 반흔 및 냉과민성 그리고 재건된 음경이나 요도 내에 자라 나온 전완 피부의 체모에 의한 문제 등이 있다. 이러한 점을 극복하기 위하여 이식피판 내 신경혈관의 크기, 양과 길이가 충분한 광배근(latissimus dorsi muscle) 근피이식, 전측부 대퇴 근피이식, 하퇴 비골부 근피골이식이 시도되기도 한다. 술후 합병증으로 요도 누공이나 괴사가 동반된 경우 전층피부이식, 방광상피이식이나 볼점막이식으로 교정될 수 있다.

5. 요약

음경수술은 비뇨생식기 수술 중 가장 흔히 시술되는 수술이다. 기본적인 술식이 비교적 간단하고 국소마취만으로도 시술 가능하다는 이점으로 인해 외래에서도 쉽게 시행될 수 있다. 많은 술자에 의해 경험된 다양한 임상증례와 변형된 술식으로 인해 포경수술로 시작된 음경수술은 현재 복원적 수술 나아가 미용적 개념의 음경확대성형수술이나 음경재건술로 개선 발전되고 있다. 따라서 음경수술에 관심을 가진 모든 임상의는 시술에 앞서 수술의 개념과 술기에 대한 완전한 숙지가 필요하다.

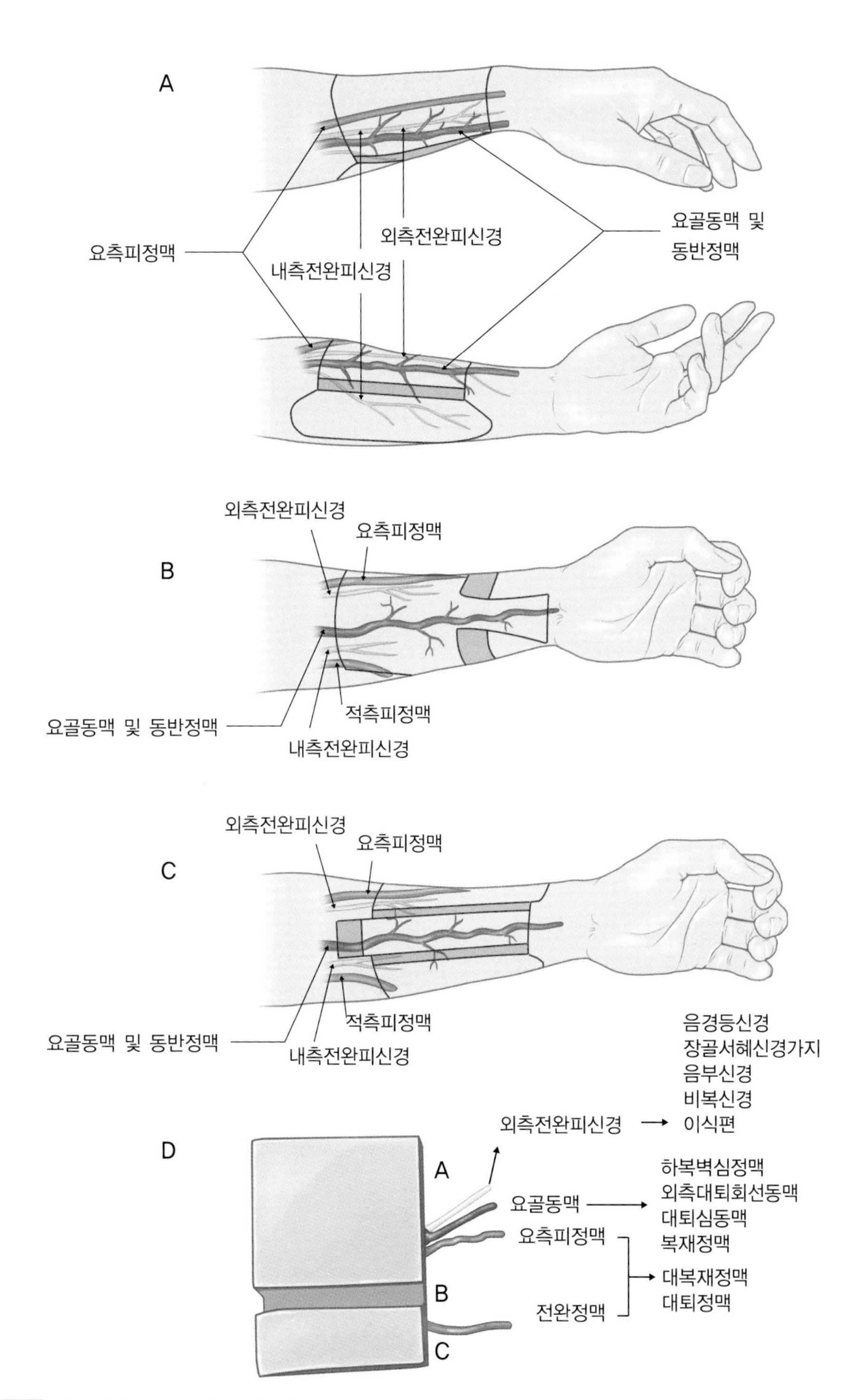

그림 50-3 전완피판을 이용한 음경재건술 A. 요골동맥에 기초한 Chang과 Hwang 술식. 두개의 분리된 피판을 이용하며 척골쪽 "요도" 판은 피부박리띠에 의해 음경몸통덮개판과 분리된다. B. Farrow와 Boyd의 "크리켓 방망이" 술식. 동맥이 중앙에 위치한 요도부분은 원위부로 피판을 연장하여 피판 중앙부로 말려들어가 관형태가 만들어 지고, 전완의 몸쪽 부위 피판은 음경몸통덮개부분이 되고 피부박리영역 (사선 부분)은 귀두부의 모양과 크기를 더해준다. C. Biemer 술식. 요도판은 중앙에서 관형태를 이루면서 피부박리띠(사선 부분)와 두 가장자리 피판에 의해 분리되며, 가장자리판 또한 관형태를 이루면서 음경몸통덮개부분이 된다. D. 전완피판과 이식부 혈관문합

참고문헌

1. 김동성, 최한용. 음경 파라핀종 39례의 임상치험. 대한비뇨기과학회지 1992;33:551-556.
2. 문두건, 곽태일, 조현이, 배재현, 김제종. 주사용 히알루론산겔을 이용한 음경귀두확대의 효과. 대한남성과학회지 2003;21:38-43.
3. 문우철, 오충환, 문영태, 김세철. 음경파라핀종(1). 대한비뇨기과학회지 1986;27:171-180.
4. 배상호, 정희창, 황영수, 문기학, 서준규, 정재호. 음경파라핀종에서 Z-plasty를 추 가 한 음낭피판술의 치험. 대한남성과학회지 1995;13:133-138.
5. 안준탁, 조성태, 박창현, 임재규, 김형윤, 김기영, 서인석. 파라핀종 제 거 후 감각 요골부 전박유리피판을 이용한 음경 성형술. 대한비뇨기과학회지 2002;43:183-5
6. 윤재식, 박철희, 최동원. 광범위 음경파라핀종: 음낭피부편 및 전완부 유리피판을 이용한 음경성형술. 대한남성과학회지 1999;17:51-56.
7. 이강영, 나용길, 윤율로. 음경피부가 완전괴사된 파라핀종의 치료에 있어서 음낭피부판을 이용한 Apron 방법. 대한비뇨기과학회지 1995;36:445-448.
8. 이활, 하달봉. 음경 파라핀종 임상치험 42례. 대한남성과학회지 1998;16:191-195.
9. 이희석, 조진선, 이양우, 류인. 음경내 진피지방 이식술(Dermal-Fat Graft Augmentation) 후 발생한 음경피부괴사. 대한남성과학회지 1997;15:77-79.
10. 이희영. 남성과학. 서울대학교 출판부 1987;187-189.
11. 정연태, 최성, 류현열. 음경 파라핀 절제술. 대한남성과학회지 1995;13;2:139-148.
12. 탁민성. Flap-to-graft conversion technique을 이용한 음경 paraffinoma의 재피복. 최신의학 1996;39:11-16.
13. Alter GJ. Penis enhancement. AUA update series. 1996;15:93-100.
14. Schoen E, Anderson G, Bohon C, Hinman Jr F, Poland R, Wakeman E. Report of the task force on circumcision. Pediatrics. 1989;84:388-1.
15. Attalla MF, Taweeda MN. Pathogenesis of postcircumcision adhesion. Pediatr Surg Int 1994;9:103-5
16. Biemer E. Penile construction by the radial arm flap. Clin Plast Surg 1988;15:425-430.
17. Bloom DA,Shapiro SR, Maizel M. Management of the 'concealed' penis. Dialog in Ped Urol 1993;8:1-8.
18. Burman SP, Kelly TP. Enhancement Phalloplasty with Girth Augmentation by Autologous Fat Transfer: A Further Report of 700 Cases. Proceedings of the International Symposium on Penile Disorders, Germany, 1996;252-257.
19. Buva J, Lemaire A, Survey on penile lengthening and augmentation surgery. ISIR newsbulletin 2000;4:13-24.
20. Chang TS, Hwang WY. Forearm flap in one-stage reconstruction of the penis. Plast Reconstr Surg 1984: 74:251-258.
21. DG Moon, TI Kwak, HY Cho, JH Bae, HS Park, JJ Kim. Augmentation of Glans Penis using Injectable Hyaluronic Acid Gel. Int J Impot Res. 2003;15:456-460.
22. Dunsmuir WD, Gordon EM. The history of circumcision. BJU int 1999;83:1-12.
23. Engelman ER, Herr HW, Ravera J. Lipogranulomatosis of external genitalia. Urology, 1974;3:358-361.
24. Semple JL, Boyd JB, Farrow GA, Robinette MA. The "cricket bat" flap: a one-stage free forearm flap phalloplasty. Plast Reconstr Surg 1991:88:514-519.
25. Furlow W. Presented at Los Angeles Urological Society, Los Angeles, Ca, 1993.
26. Gairdner D. The fate of the foreskin. Br Med J. 1949;2: 1433-1437.
27. Hage J, Winters H, Van Lieshout J. Fibula free flap phalloplasty: Modifications and recommendations. Microsurgery 1996;17:358-365.
28. Hanukoglu A, Danielli L, Katzir Z, Gorenstein A, Fried D. Serious complications of routine ritual circumcision in a neonate: hydro- ureteronephrosis, amputation of glans penis, and hyponatraemia. Eur J Pediatr 1995; 154:314-315.
29. Roos H. Penis Lengthening. Int J Aesthetic Restorative Surg 1994:89-96.
30. Hinman F Jr. Circumcision. In: Hinman F Jr., editor. Atlas of Pediatric Surgery. Philadelphia: WB Saunders; 1994;621-626.
31. Horton CE, Vorstman B, Teasley D, Winslow B. Hidden penis release: Adjunctive suprapubic lipectomy. Ann Plast Surg 1987;19:131-134.
32. JJ Kim, TI Kwak, BG Jeon, J Cheon, DG Moon. Human

Glans Penis Augmentation using Injectable Hyaluronic Acid Gel.Int J Impot Res. 2003;15:439-443.

33. JJ Kim, TI Kwak, BG Jeon, J Cheon, DG Moon. Effects of Glans Penis Augmentation using Injectable Hyaluronic Acid Gel for Premature Ejaculation. Int J Impot Res. 2004;16:547-551.

34. Johnston JH. Lengthening of the congenital or acquired short penis. Br J Urol. 1974;46:685-688.

35. Jordan GH, Schlossberg SM. Surgery of the penis and urethra. . In: Wein AJ, Kavoussi LR, Novick AC, Partin AW, Peters CA, editors. Campbell-Walsh Urology. 9th ed. Philadelphia : WB Saunders; 2007;1092-1096.

36. Leriche A, Timsit MO, Morel-Journel N, Bouillot A, Dembele D, Ruffion A. Long-term outcome of forearm free-flap phalloplasty in the treatment of transsexualism. BJU Int 2008;101:1297-1300.

37. Lighterman I. Silicone granuloma of the penis. Case reports. Plast Reconstr Surg. 1976;57:517-519.

38. Lim SH. Penile lengthening and girth enlargement using cylindrical device versus penile lengthening or girth enlargement alone. Int J Impot res 1998;10:S3 abstract.

39. Lin CT, Chen LW. Using a free thoracodorsal artery perforator flap for phallic reconstruction - a report of surgical technique. J Plast Reconstr Aesthet Surg 2009; 62:402-408.

40. Long DC. Elongation of the penis. Zhonghua Zheng Xing Shao Shang Wai Ke Za Zhi 1990;6:17-19, 74.

41. Lumen N, Monstrey S, Ceulemans P, van Laecke E, Hoebeke P. Reconstructive surgery for severe penile inadequacy: Phalloplasty with a free radial forearm flap or a pedicled anterolateral thigh flap. Adv Urol. 2008: 704343. Epub 2008 Nov 4

42. Horton CE, Stecker JF, Jordan GH. Management of erectile dysfunction, genital reconstruction following trauma, and trans- sexualism. In: Popkin G, McCarthy J, May J, Litter J, editors. Plastic Surgery. Philadelphia: WB Saunders; 1990;4213-4245.

43. Perovic SV, Djinovic R, Bumbasirevic M, Djordjevic M, Vukovic P. Total phalloplasty using a musculocutaneous latissimus dorsi flap. BJU Int 2007;100:899-905.

44. Rubino C, Figus A, Dessy LA, Alei G, Mazzocchi M, Trignano E, Scuderi N. Innervated island pedicled anterolateral thigh flap for neo-phallic reconstruction in female-to-male transsexuals. J Plast Reconstr Aesthet Surg 2009;62:45-49.

45. Skoglund RW Jr., Chapman WH. Reduction of paraphimosis. J Urol 1970;104:137.

46. Seftel AD. Effects of glans penis augmentation using hyaluronic acid gel for premature ejaculation.J Urol. 2005;173:2077.

47. Stewart RC, Beanson ES, Hayes CW, Granuloma of the penis from self-infections with oils. Past Reconstr Surg, 1979;64:108-111.

48. Thomas JA, Small DS. Carcinoma of the penis in southern India. J Urol 1963;160:520-526.

49. Wiswell TE, Smith FR, Bass JW. Decreased incidence of urinary tract infections in circumcised male infants. Pediatrics 1985;75:901-903.

CHAPTER 51

조직공학의 응용

Applications of Genital Tissue Engineering

■ 박흥재

우리는 생물학적인 르네상스(biologic renaissance)의 중심부에 있다. 조직공학(tissue engineering) 혹은 재생의학(regenerative medicine)이 더 이상 낯선 의학 분야가 아니고, 세포를 이용한 치료가 다양한 분야에서 임상 적용되고 있다. 조직공학의 목적은 병들거나 손상된 조직과 기관을 대체하여 못 쓰게 된 부분의 기능을 복원하고 유지, 향상시키는 것이다. 비뇨기계는 인체에서 선천적 이상이 가장 많이 나타나는 기관 중 한 곳이며, 후천적으로 생식기계를 침범하여 변형을 일으키는 질환도 자주 발생한다. 다양한 선천적 기형은 물론 음경 손상, 페이로니병(Peyronie's disease) 등의 후천적인 질병을 치료하는 데에는 주로 수술적 처치가 필요하다. 생식기계의 질병은 질환이 침범한 부위의 증상과 기능 문제 뿐 아니라, 생식기계가 내포하는 상징적인 의미 때문에 정서적인 성장, 발달에도 영향이 크다.

내부 생식기는 물론 외부 생식기 질환의 수술에 시용할 조직은 자신의 신체에서 수술 수여 부위와 흡사한 조직으로 대체하는 것이 가장 적합하다. 그러나 수술에 필요한 자기 조직이 충분치 않은 경우가 많으며, 이런 경우 인체에 영향이 적은 인공 물질을 수술에 사용하거나, 필요 조직과 다른 자기 신체의 조직을 이용하기도 한다. 그러나 silicon, teflon 등 인공물질을 사용하는 경우 조직의 인체부적합성, 감염, 조직 손상, 이식조직의 생착 곤란 등 이물반응이 문제되며, 자기 신체의 다른 조직을 사용하는 것도 공여 조직을 얻기 위한 추가 수술의 필요성과 공여 부위의 기능손실, 흉터 등의 문제와 함께 수술에 충분한 조직을 얻기가 쉽지 않다는 한계가 있다. 이러한 문제들을 해결하기 위해, 공여 조직의 손상을 최소화하면서 자기 조직과 같거나 흡사한 조직을 필요한 만큼 충분히 공급하려는 시도로 조직공학이 비뇨기계에서 응용, 연구되었다.

조직공학의 기본 요소는 세포와 생체적합물질(biomaterials)이다. 조직공학으로 조직을 생성하는 일반적인 방법은 간단한 생검 등으로 구한 소량의 조직에서 필요한 세포를 분리하고, 이 세포를 체외에서 필요한 양 만큼 배양하여 지지체 역할을 하는 생체재료와 결합시킨 후 인체 수여부에 이식하여 원하는 조직이 형성되도록 하는 것이다. 조직공학은 비뇨기계에서 임상적으로 요도, 방광, 요관, 음경백막(tunica albuginea)의 치료와 음경성형술에 사용되고 있으며, 세포나 생체적합물질을 이용하여 고안된 요실금이나 방광요관역류에 사용하는 주사 치료제들 역시 임상

치료에 사용되고 있다. 한편 줄기세포를 이용한 신장, 음경해면체, 음경보형물, 고환 보형물 뿐 아니라 여성 생식기 재건에 대한 연구도 진행되고 있다. 최근에는 유전자 조합이나 줄기세포를 이용한 연구들이 주류를 이루고 있어 재생의학은 줄기세포 및 유전자 연구와의 결합 양상을 보여준다.

1. 세포

조직이나 기관의 최소 구성단위인 세포는 재생의학의 기본이다. 체내고유세포(endogenous primary cells)는 재생의학에서 이상적인 세포 공급원 중 하나이다. 이들은 조직 거부반응이 없고 염증 문제를 최소화 할 수 있다. 성인 요로상피세포는 요독성에 대한 방어벽 역할 및 방광의 용적 변화를 조절하는 확장 능력 등 많은 중요한 기능을 한다. 또한 평활근세포는 배뇨에 중요한 역할을 한다. 두 세포 모두 방광 생검을 통해 성공적으로 획득할 수 있다. 체내고유세포를 이식한 인공구조체(scaffolds)는 생체 내 방광을 확대하거나 대체하는 데 사용 될 수 있다. 체내고유세포를 사용하는 데 있어 중요한 문제점은 이 세포들이 생체 외에서 상대적으로 수명이 짧아서 세포수를 대량으로 늘리는 데 어려울 수 있다는 점, 환자에게 해가 될 수 있는 추가적인 시술이 필요하다는 점, 그리고 질환에 이환된 장기에서 세포수 확장을 시작할 만한 건강한 세포를 충분히 획득하기 어려울 수 있다는 점이다. 그러나 연구결과 정상 방광 및 신경인성 방광에서 채취한 평활근세포에서 유사한 생체지표를 나타냈으며 생체 내, 외 실험 모두에서 유사한 수축성을 보여주었다. 또한 정상 신장 및 만성신질환에 이환된 신장에서 채취한 신세포를 비교한 연구에서 두 세포 모두에서 유사한 표현형(phenotype)과 확산 역학(proliferation kinetics)을 보였으며, 나트륨 및 알부민 흡수를 포함한 기능 평가에서 두 세포에서 비슷한 결과를 보였다. 이러한 연구결과를 볼 때 질환에 이환된 장기에서 획득한 세포라도 세포치료에 이용할 수 있는 가능성을 보여준다. 현재 많은 종류의 세포에 대하여 생체 외에서 특정 세포를 대량으로 생산할 수 있는 방법들이 개발되었다. 그물피부이식(mesh graft)과 같은 기술의 적용으로 같은 양의 세포로 3-6배 더 큰 구조물을 만들 수 있게 되었다.

줄기세포는 크게 배아줄기세포(embryonal stem cells), 성체줄기세포(adult stem cells)로 대표된다. 배아줄기세포는 인간 배반포기(blastocyst)의 내세포집단(inner cell mass)에서 분리할 수 있다. 이 세포는 세포분열을 통한 무한한 자가 증식 능력이 있고, 정상 발생기에 분화되는 내배엽, 중배엽, 외배엽의 모든 세포로 분화할 수 있는 다능성세포(pluripotential cell)이다. 배아줄기세포의 이러한 특성을 통하여 요로상피세포 및 평활근세포를 대량으로 생산할 수 있으며, 이는 방광 재생에 이용될 수 있다. 하지만 배양 시 기형종 등 악성 분화를 나타내며, 면역반응을 나타내고, 특히 인간 배아 세포를 실험에 사용한다는 윤리적 문제로 현재 대부분의 나라에서 배아줄기세포를 이용한 연구와 실험을 금지하고 있다. 이러한 문제점을 해결하기 위하여 잔여 다능성이나 종양진행 관련 유전자를 제거하는 방법 및 환자에서 종양의 조기 발견 및 제거와 같은 다양한 전략들을 시험하고 있다.

배아줄기세포와 비슷한 태아줄기세포(fetal stem cells)는 양수나 태반에서 얻는 세포로 배아줄기세포와 흡사한 다능성 분화 능력이 있고, 기형종으로 분화되지 않는다는 장점이 있으며, 윤리적 문제에도 부담이 적어서, 나중에 본인의 질병 치료에 필요할 것에 대비하여 태아줄기세포를 추출하여 보관하기도 한다.

성체줄기세포는 대부분 규칙적이고 빠르게 재생되는 성인의 골수, 피부, 지방세포, 근육세포, 소화기관, 머리카락 뿌리 등에서 분리한 것이다. 배아줄기세포에 비해 세포수를 늘리는 것이 원활하지 않으나, 역시 다양한 세포로의 분화능력이 있고, 악성 분화를 하지 않고, 윤리적 문제에서 벗어날 수 있다. 성체줄기세포는 다양한 배양 기술로 지방, 연골, 뼈, 조혈, 근육, 신경세포로 분화시킬 수 있어서 이를 세포치료제로 개발하는 연구 및 임상 실험이 진행되고 있다. 최근에는 역분화 만능줄기세포(reprogrammed pluripotent stem cells)도 개발되었는데, 이는 다능성(pluripotency)이 없는 이미 분화된 세포들을 인위적인 역분화 과정을 통해 다능성을 가지도록 유도한 세포들을 일컫는 말로서 유도다능줄기세포(induced pluripotent stem cel!s, iPS)라고도 한다. 이들 세포들은 배아줄기세포와 비교해서 유전자발현(gene expression)과 염색체 변형(chromatic modification)패턴이 유사하고 다능성을 가지며 유전자의 생식성 전이(germ line transmission)가 가능한 유사점을 보이고, 배아줄기세포보다 생산과정이 덜 복잡하며, 난자나 배아를 사용하지 않고도 다능줄기세포를 만들 수 있기 때문에 그 동안 배아줄기세포 연구의 걸림돌이었던 종교적 그리고 생명 윤리적 논쟁을 피할 수 있고, 환자면역 적합형 세포치료제를 개발할 수 있는 장점을 가지고 있다. 하지만 역분화 만능줄기세포는 종양형성 문제를 갖고 있으며, 이 세포가 진정한 배아줄기세포의 대체가 될 수 있는지에 대한 충분한 검증은 아직 이루어지지 않은 상태이다.

2. 생체적합물질

이식된 세포들이 3차원 구조의 조직을 형성하는데 필요한 것이 생체적합물질이다. 생체적합물질들은 세포의 지지체 역할을 하고, 이식 주위 조직에서 세포, 혈관, 신경 등이 이동하는 징검다리 역할을 하며 여기에 성장인자 및 사이토카인과 같은 생물활성인자를 함유할 수도 있다. 생체적합물질은 전통적으로 세포외기질로 사용되어 왔는데 그동안 연구에서 세포외기질은 유전자의 발현, 증식, 이동, 분화 및 생존을 포함한 세포의 기능 및 행동을 조절하는데 중요한 역할을 하는 것으로 나타났다. 또한 생체적합물질은 당뇨나 호르몬 질환치료에 장시간 지속적으로 약물이나 호르몬을 방출하는 약물전달물질로도 응용되고 있다. 재생의학에서 이용되는 생체적합물질들은 크게 천연재료, 무세포 기질(acellular matrix)과 합성고분자(synthetic polymers)로 분류한다. 콜라겐(collage)은 가장 흔히 사용되는 천연재료이며, 동물조직에서 신속하게 추출할 수 있다. 콜라겐은 신체 및 세포외기질 안에 분포하는 필수적이고 주요한 단백질 구성 요소이다. 알지네이트(alginate), 젤라틴(gelatin), 그리고 피브린(fibrin)도 조직공학에서 흔히 사용하는 천연재료이다. 천연재료는 생체에 거부반응을 일으키지 않고 생분해성 물질이라는 장점이 있어 다양한 조직공학에 응용될 수 있다. 하지만 이들의 고유특성에 대한 결정적 영향을 미치지 않으면서 생화학적 특성을 수정하는 데에는 어려움이 따른다. 방광 무세포기질(bladder acellular matrix, BAM)이나 소장 점막하조직(small intestinal submucosa, SIS)은 재생의학에서 종종 이용되고 있다. 돼지 등의 방광이나 소장을 기계적, 화학적으로 처리하여 점막하 무세포기질 조직을 만들 수 있는데, 이들은 다양한 성장인자들을 함유하고 있으며, 생체에서 면역 거부반응을 나타내지 않아서 요실금 수술에서 sling 물질로 쓰이거나, 음경백막의 결손부위 봉합, 요도, 방광, 요관의 조직공학적 대체 수술에 사용된다. 하지만 천연유도재료와 무세포 기질은 좋은 품질을 유지하면서 대량으로 생산하는데 어려움이 있다. 이에 반해 몇몇 합성고분자들은 상업적으로 이용되고 있으며, 상대적으로 가공이 용이하다. Glycolic 유도체, latic acid 유도체, 그리고 공중합체 혼합물(copolymer mixtures)들은 다양한 3차원 인공구조체를 생산하는데 적용되고 있다. 이들은 분자량 및 공중합 비(copolymerization ratio)를 조정하여 물리화학적 특성, 생체적합성, 분해율을 조절할 수 있기 때문에 미래의 조직공학 재료로 각광받고 있다. 합성고분자의 중요한 단점 중 하나는 성장인자를 함유하지 못하는 점인데, 이에 대하여 최근에 많은 연구자들이 생활성 요소를 함유하는 인공구조체를 만들거나 결합하는데 많은 관심을 가지고 있으며, 합성고분자와 함께 천연유도재료를 적용하기 위하여 많은 노력이 이루어지고 있다.

3. 신장

신장은 복잡한 구조와 기능으로 인하여 인체 기관 중 재건하기 가장 어려운 기관 중 하나이다. 신장의 가장 중요한 기능 중 하나는 여과 기능이며 이는 극도로 복잡한 혈관구조 및다양한 종류의 세포들로 이루어져 있으므로 신장 기능을 완전히 재건하려면 이를 복원해야 한다. 또한 적혈구성장인자(erythropoietin) 분비와 같은 신장의 내분비 기능도 복원해야 한다. 신기능의 대체는 ex vivo나 in vivo로 이루어질 수 있다. 한 연구에서 신세뇨관 보조장치(renal tubule assist device, RAD)가 신기능을 대체하는데 적용되었다. 중공섬유로 된 혈액여과장치가 인공구조체로 사용되었고, 돼지의 근위세뇨관세포를 섬유의 내강 표면에 이식하였고 이 장치를 급성 요독증이 있는 개의 신기능을 대체하기 위하여 ex vivo 관류회로에 연결하였다. 여과 기능 외에 운송 기능은 포도당 수치로 평가하였고 내분비 기능은 비타민D 분비로 평가하였다. 이 장치의 사용으로 칼륨과 혈중요소질소 수치가 개선되었고 활발한 포도당 재흡수와 비타민D 분비가 관찰되었다. 이러한 결과는 ex vivo로 신기능을 대체할 수 있음을 보여주고 있다. RAD는 임상에서도 실험되고 있는데, 급성신부전 환자에서 혈액여과 및 RAD 또는 통상적인 지속적신대체요법으로 치료 받았는데, RAD로 치료받은 환자들이 더 좋은 생존율과 더 빠른 신기능 회복을 보였다.

신기능은 in vivo로 신 조직을 증식시킴으로써 개선할 수 있다. 신장 재생을 위하여 몇몇 세포 단독 주입법이 연구되어 왔는데, 골수에서 얻은 세포가 신기능 회복에 도움이 될 수 있음을 보여주었고, 생쥐의 태아 신장 세포를 신부전 쥐에 이식하여 신장 기능이 회복되는 것을 보여준 연구도 있었다. 또한 일부 임상 연구에서도 세뇨관 치료에 세포치료가 효과가 있다는 것이 입증되었다. 양수에서 얻은 세포도 신재생에 도움이 될 수 있음이 입증되었다. 정상 공여 신장에서 채취한 인간 신세포를 증식한 후 만성 신부전이 있는 무흉선쥐의 신자에 주입한 결과 신기능이 유의하게 개선되었다. 향후 최적의 세포군을 찾아내고 그 작용기전을 입증하는 연구가 필요하다.

세포를 이식한 인공구조체를 이용한 이식신장의 생성도 장기부족문제를 해결하기 위해 연구중이다. 특히 자가유래세포를 이식한 인공구조체는 동종이식을 할 때 문제가 되는 면역관련 질환의 문제점을 해결할 수 있다. Ross 등은 쥐 신장에서 세포를 제거하고 신장 고유의 복합 구조를 보존한 후 이 구조물의 동맥이나 요관을 통하여 쥐 배아줄기세포를 이식한 결과 사구체, 세뇨관 및 혈관 구조에서 증식이 관찰되었다. 이식된 세포들은 그들의 배아기 표현형을 잃고 분화표지자들을 발현하였다. 기저막과 접촉하지 않은 세포들은 자가사멸되거나 내강을 형성하였다. 완전히 분화된 고유 신세포는 인공구조체에 이식할 또 다른 세포공급원이 될 수 있다. Song 등은 신장의 겉질, 수질, 혈관구조의 손상 없이 세포를 모두 제거한 무세포 인공구조체에 내피세포, 상피세포를 이식하였는데 이 구조물은 시험관에서 생물반응장치에서 관류시켰을 때 기본적인 소변을 만들어냈으며 인체에 정위이식 하였을 때에도 재생신장은 관류가 잘 되고 내출혈은 관찰되지 않았으며 세포이식 없는 무세포 신장의 이식과 비교하였을 때 크레아티닌 및 요소 수치가 더 높은 소변을 생산하였고 당뇨(glucosuria) 및 알부민뇨가 개선되었다(그림 51-1).

4. 방광

방광은 다양한 선천 질환이나 사고로 손상되거나 기능이 상실될 수 있다. 방광을 치료하던 전통적 방법은 소장을 이용한 방광성형술이다. 하지만 소화조직은 비뇨기조직이 분비하는 용질들을 흡수하며 장기간 사용 시 감염, 점액질 생산, 결석 형성, 이온 및 상투성 장애, 천공 및 종양형성 등의 합병증이 발생할 수 있다. 현재 소장을 사용하지 않고 방광을 대체하기 위하여 많은 노력들이 이루어지고 있다.

방광무세포기질을 이용한 방광재건술이 많이 연구되었다. 쥐를 대상으로 방광부분절제술을하고 방광

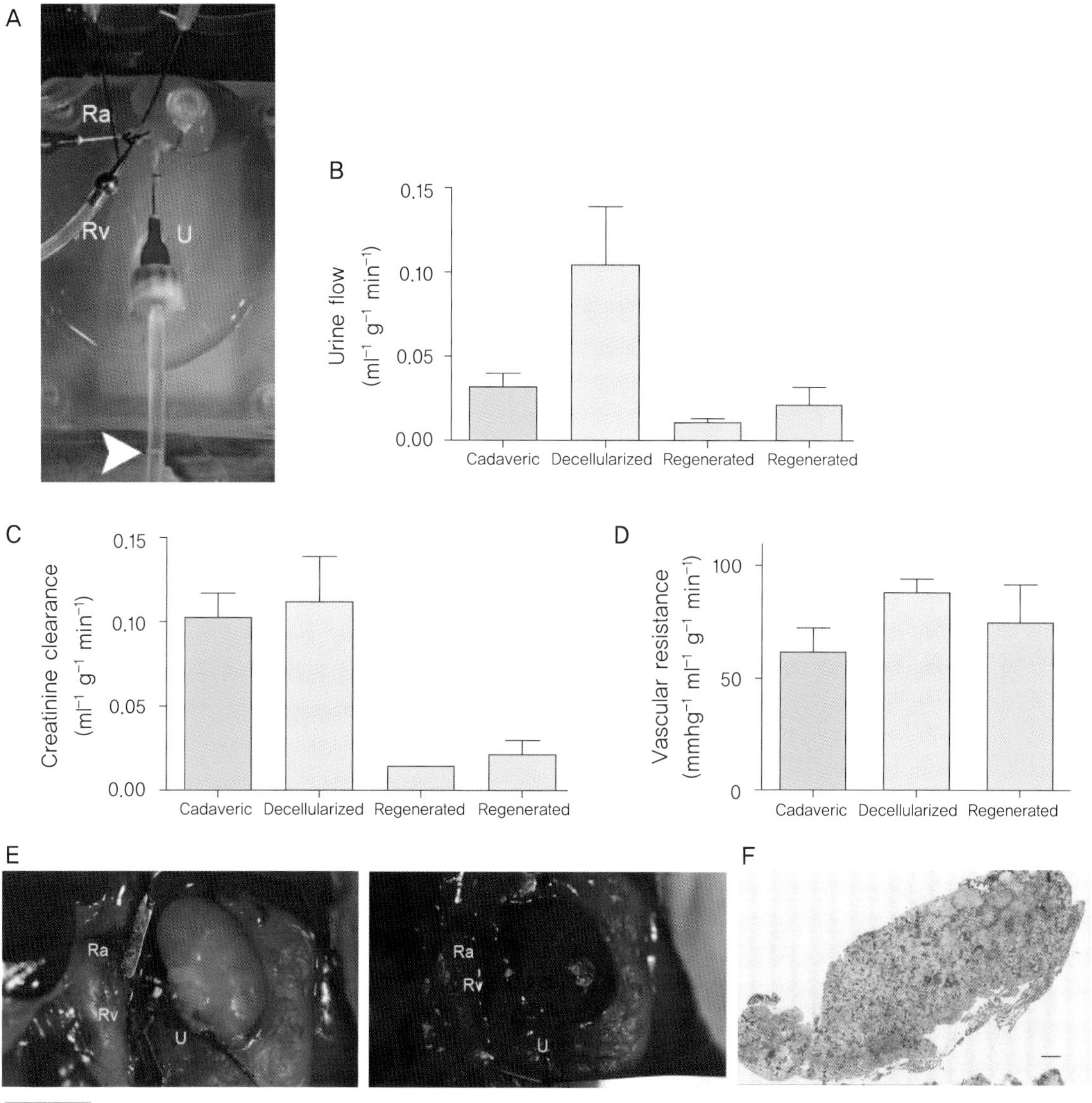

그림 51-1 생체공학적으로 재건된 신장의 in vitro 기능 및 정위이식. (A) In vitro test를 거친 생제공학적으로 재건된 쥐 신장 구조물 사진. 화살표는 소변과 공기의 인터페이스. (B) 무세포(decellularized), 커대버(cadaveric), 80mmHg로 관류된 재건 신장(regenerated), 120mmHg로 관류된 재건 신장(regenerated*)에서 평균 요속 (mL/min). (C) 평균 크레아티닌 청소율. (D) 혈관 저항. (E) 개복술, 좌신제거술 및 왼쪽 재건신장 구조물을 정위이식한 이후 쥐의 복막 사진. (F) 재건 이식신의 조직학적 이미지. Ra: Renal artery(신동맥), Rv: Reanl vein(신정맥), U: Ureter(요관)

무세포기질 동종이식을 한 실험이 있었는데, 상피화, 평활근 재생, 신혈관형성 및 신경성분이 잘 생장하는 것이 관찰되었다. 지난 20년간 많은 시도가 있었으나 아직까지 무세포기질만으로 방광의 조직학적 구조를 완전하게 재건하는 데에는 실패하였다. Jayo 등은 개 모델에서 무세포방광기질에 세포를 함께 이식한 것과 세포 없이 이식한 경우를 비교하였는데, 세포 없이 이식된 무세포방광기질은 섬유증 및 용적 감소 소견을 보였다. 지금까지으이 연구를 종합하면 중공기관인 방광의 성공적인 재건을 위해서는 기능하는 평활근육층이 필요하다는 결론이다. Atala 등은 고압 또는 순응도가 떨어지는 방광기능을 보이는 7명의 환자를 대상으로 인공구조체에 자가 방광세포를 이식하여 재건한 생체공학적 구조물을 이용한 치료법을 임상실험하였다. 생체공학적 방광을 만들기 위하여 자가 방광세포를 in vitro에서 증식한 후 collagen이나 collagen-polyglycolic acid로 된 인공구조체에 이식하였다(그림 51-2). 재건된 방광으로 대체술을 받은 환자들은 순응도 및 방광요적이 증가하였고 방광충만압도 감소하였다(그림 51-3). 대상 장애나 결석 형성은 관찰되지 않았고 신기능도 잘 유지되었다. 방광의 배뇨근 및 괄약근은 중요한 기능을 하며 세포 치료법이 이들의 기능성을 개선시키는 것으로 보고되고 있는데, 한 연구에서 전기 응고된 괄약근에 자가 근육 전구 세포를 주입한 결과 한 달 후에 괄약근 기능이 41%까지 회복되었다. 이러한 연구들은 조직공학에 의한 방광 대체술의 미래를 밝게 하고 있다. 대부분의 연구들은 완전한 기능을 갖춘 방광을 만드는 데 관심을 기울이고 있다.

5. 음경

임상적으로 음경 재건이 필요한 경우는 무음경(apenia), 왜소음경(micropenis), 반음양, 요도하열이나 요도상열 등의 선천적 이상과 종양으로 인한 음경 절제술, 음경 손상, 페이로니병 등 후천적인 질병 및 발기부전, 성기성형술 등이 있다. 지금까지 음경의 재건에는 늑골 연골, 서혜부피판, 근막피판, 골근피판 등이 사용되었으나, 조직 공여부의 수술이 필요하며 흉터가 남고 대부분의 경우 여러 단계의 수술이 필요하고, 특히 형태적 재건이 목적이어서 기능적 요구를 충족하지 못했다. 이에 기존 방법에 더하여 음경보형물을 삽입하는 방법도 시도되었으나, 수술의 복잡성과 보형물의 합병증 문제가 남아있다. 이에 따라 음경의 형태 뿐 아니라 기능까지 복원하고자 재생공학이 도입되었다. 음경 재건의 목표 조직은 음경해면체, 요도, 요도해면체와 음경백막이다. 이 중 기능상

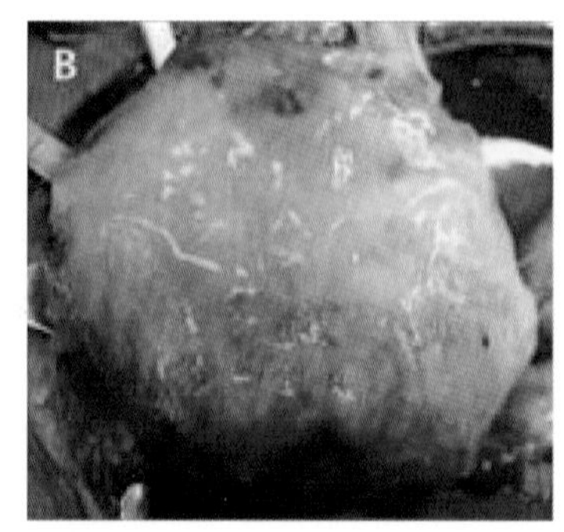

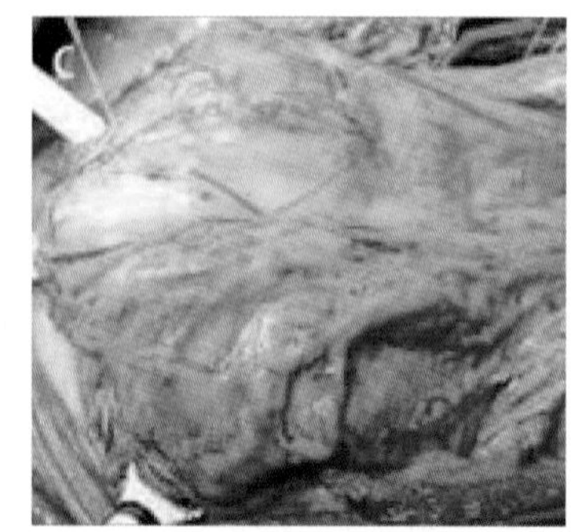

그림 51-2 공학적 방광의 구조 (A) 세포 이식된 인공구조체. (B) 기존 방광에 4-0 polyglycolic suture로 공학적 방광을 접합함. (C) Fibrin glue 및 그물막으로 덮힌 이식조직

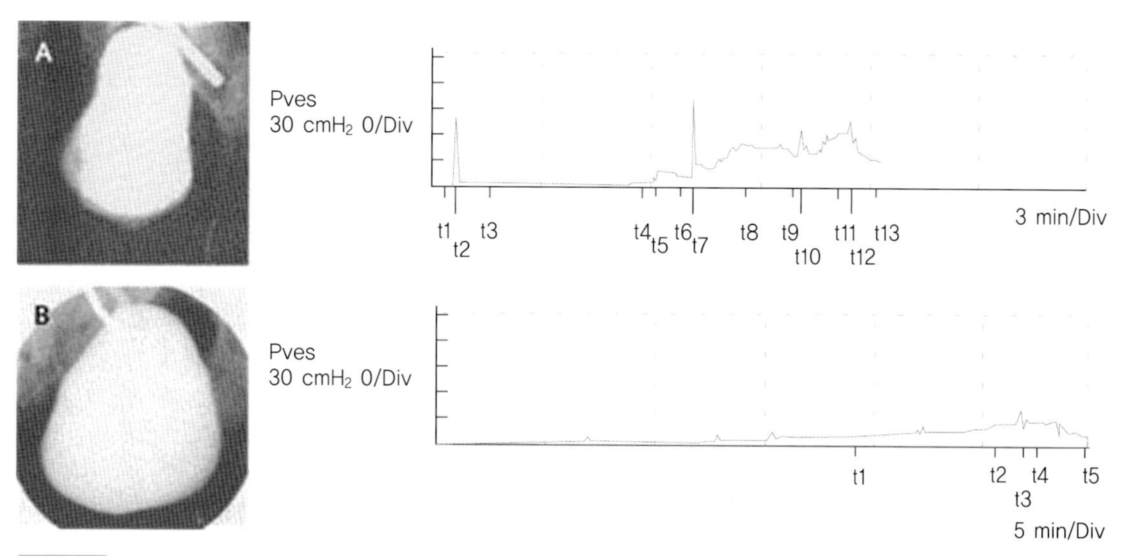

그림 51-3 Collagen-PGA 인공구조체로 설계된 방광을 이식한 환자에서 수술 전(A) 및 수술 후 10분 뒤(B) 방광조영술 및 요역동학 소견

주된 역할을 하는 음경해면체는 스폰지와 흡사한 망상구조물로서 뼈대를 구성하는 결합조직 위에 평활근과 내피세포가 덮고 있으며, 그 사이에 동맥, 정맥 및 신경들이 분포한다. 이 복잡한 조직을 만들기 위한 연구는 음경해면체를 구성하는 세포들을 이용하여 단순해면체조직을 구성하는 단계, 해면체의 뼈대 역할을 하는 망상 구조물을 제작하는 단계, 세포들과 망상 구조물을 결합하여 동물에서 음경해면체와 흡사한 조직을 생성하여 이식하는 단계로 전개되어왔다. 기술적으로 음경해면체 조직공학이 다른 조직의 재생에 비해 까다로운 점은 스펀지와 같은 구조의 음경해면체와 흡사한 생체적합물질을 구하는데 있다. 우선 음경해면체를 구성하는 주요 세포인 해면체 평활근세포와 내피세포를 함께 이식하여 음경조직의 형성이 시도되었다(그림 51-4). 인간의 해면체 평활근세포를 내피세포와 함께 PGA에 결합하여 이식한 결과 여러 층의 평활근육 세포와 내피세포로 구성된 신생 조직이 형성되었다. 평활근 세포만 사용한 실험에 비해 내피세포를 함께 이식하였을 때 조직 생존에 필수적인 혈관이 더 잘 형성되어 음경해면체와 유사한 조직이 생성되었다. 토끼를 대상으로 여러 가지 생체재료로 실험한 결과 합성재료로 제조한 음경해면체 지지체보다 다른 토끼의 음경해면체에서 제조한 무세포기질을 이용하는 것이 효과적이었다. 토끼의 음경해면체 무세포기질과 평활근 및 내피세포를 결합하여 손상시킨 음경에 이식한 결과 이식 6개월 후 새로 형성된 조직은 조직학적으로 정상 토끼 음경해면체 조직과 유사한 소견을 보였고, 생리학적 발기유발검사상 최대 음경해면체 내압도 정상의 51% 정도까지 측정되었다. 또한 조직 내에서 발기에 중요한 역할을 담당하는 산화질소합성효소(nitric oxide synthase)의 활성도 확인되었다. 이 토끼는 발기능력은 물론 임신까지 시킬 수 있었다.

음경 재건에도 줄기세포가 이용되고 있는데, 쥐 근육에서 채취한 근육유도 줄기세포를 늙은 쥐의 음경해면체에 주입하였는데 4주 뒤 분화된 평활근 세포가 관찰되었고 평균 동맥압에서 최대 음경해면체 내압의 비율은 개선되었다.

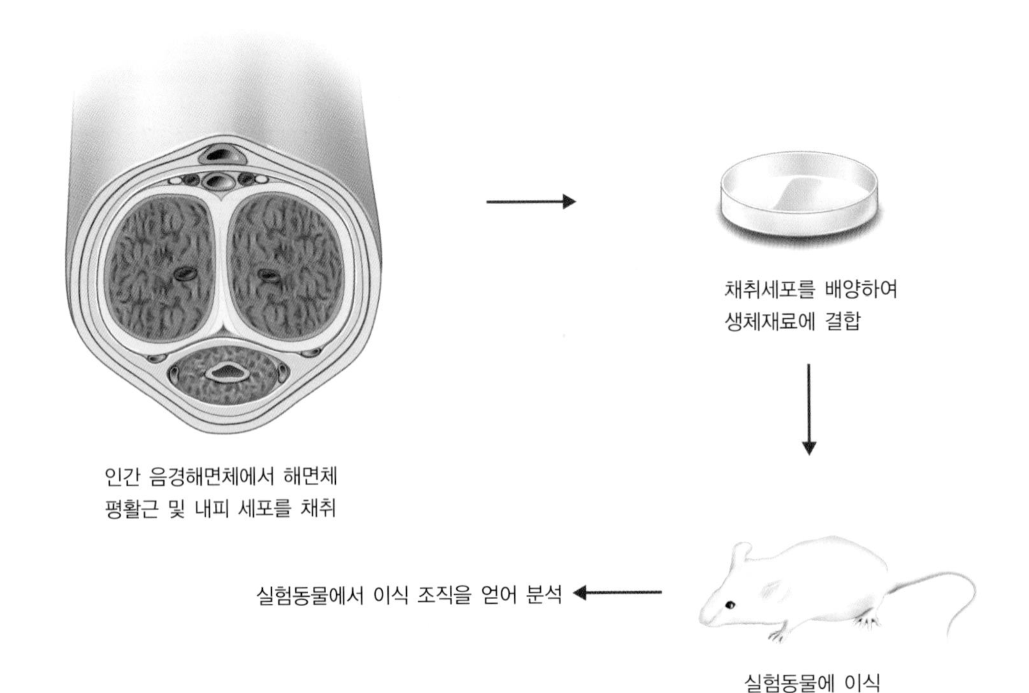

그림 51-4 조직공학적 음경 재건 실험 모식도

음경백막은 음경 및 요도해면체를 둘러싸고 있는 강하고 탄력성 있는 흰색의 두꺼운 막 구조물이다. 이 막의 주요 구성 성분은 교원질이며, 음경해면체로부터 혈액의 누출을 차단하여 발기를 유지하는 역할을 한다. 심한 삭대(chordee)가 있는 경우, 백막에 딱딱한 결절이 생기는 페이로니병, 음경손상 등에서 음경백막 수술이 필요하다. 삭대 수술에서 외성기가 휘거나 길이가 짧아지는 것을 막기 위해 해면체 백막에 이식편을 대주기도 하며, 심한 페이로니병에서도 음경백막의 딱딱한 결절을 절제하고 결손부위를 이식편으로 덮어주는 수술이 필요한데, 주로 테프론이나 Gore-tex 등 합성재료나 자가조직으로 피부 진피층, 정맥, 초막(tunica vaginalis), 뇌경막, 근막 등이 사용되어 왔으며, 최근에는 복직근막, 대퇴근막이나 소장 점막하조직(small intestinal submucosa; S1S), 방광 무세포 교원질 기질과 같은 천연 생체재료를 이용하여 음경백막을 재건하고 있다(그림 51-5). 쥐의 음경백막 일부를 절제하고 돼지의 소장에서 분리한 소장 점막하조직을 이식한 실험에서 소장 점막하조직은 원래의 음경백막과 잘 어울려서 생착되었고, 이를 인체에 적용한 결과 별다른 부작용은 나타나지 않았다. 현재 돼지의 소장에서 만든 소장 점막하조직은 상품화되어 대동맥, 대정맥, 심장, 인대, 피부 등의 이식편으로 임상 의료의 여러 분야에서 사용되고 있다.

6. 요도

음경 재건에서 요도의 생성도 중요하다. 복합성 요도 결손은 선천적 질환이나 외상 등으로 인하여 흔히 발생할 수 있다. PGA meshes, BAM, SIS와 같은 다양한 무세포기질이 요도 재건을 위하여 사용되고 있다.

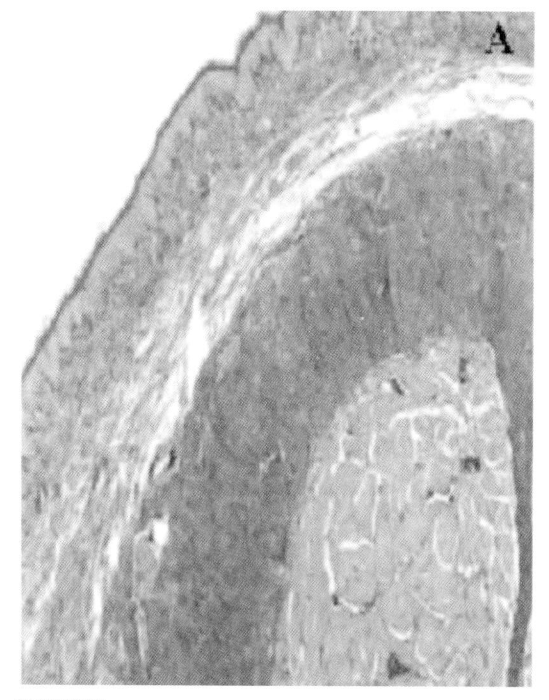

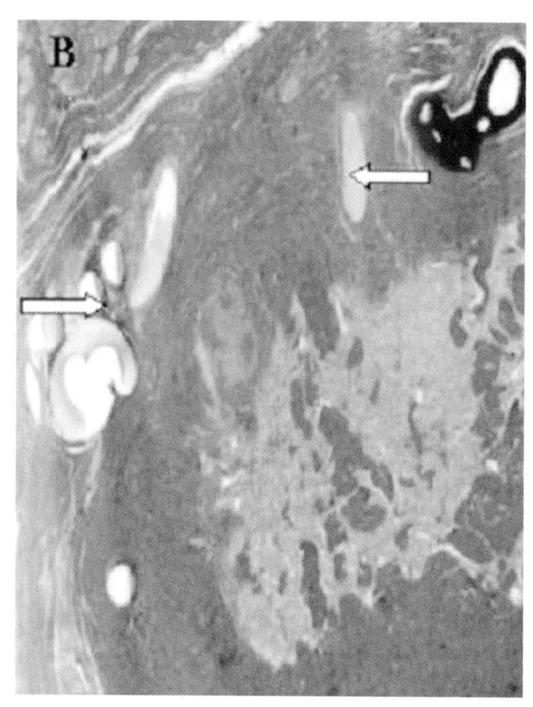

그림 51-5 토끼 음경백막의 일부를 무세포 교원질 기질(acellular collagen matrix)로 대체 이식한 모습. (A) 정상 백막 (B) 무세포 교원 기질을 이식한 백막 부위, 양족 화살표사이는 음경백막을 무세포 교원질 기질로 대체한 부분, 이식물질은 원래 음경백막과 잘 융화되어 생착하고 있다.

세포나 생체 적합물질을 이식하여 조직이나 기관을 생성하려면, 특수한 경우를 제외하고 생체적합물질을 단독으로 이식하는 것보다 세포와 결합하여 이식하는 것이 조직 생성에 월등한 효과를 보였다. 요도 손상 부위에 이식 수술을 할 때 onlay 수술이 아닌 전 요도층을 대체하는 경우 생체적합물질만 단독으로 이식하여 재생될 수 있는 길이는 1 cm 이하로 나타났으며, 그 보다 손상부위가 길 경우 소장 점막하조직을 이식한 예에서 교원질 침착, 섬유화, 반흔이 생겼다. 이는 요도 요로상피세포가 가끼운 손상 조직까지는 이동하여 어느 정도 재생되었으나 상피세포층 밑의 평활근세포층이 생성되지 않았기 때문으로 분석된다. 요도의 요로상피세포와 평활근세포를 결합한 생체적합물질을 요도 결손부에 이식한 경우 조직학적으로 정상 요도와 가까울 뿐 아니라 기능상으로도 흡사하였고, 요도 협착 등의 부작용도 적었다. 인간 방광으로 만든 무세포 기질을 이용한 요도의 onlay 수술은 지금까지 120명 이상의 환자에서 성공적인 결과를 보였고, 이 중 초기 4명의 환자는 대체 요도의 길이가 5-15 cm이었고, 3년 후 추적 검사에서 3명에서 형태, 기능상 이상이 없었다. PGA, 음경해면체 무세포기질 같은 다른 기질에 세포를 이식한 연구도 진행되고 있다. 관으로 된 요도 재건은 임상에서도 실험되고 있는데, Raya-Rivera 등은 5명의 환자에서 자가세포를 채취하여 상피세포와 근육세포를 증식한 후 PGA 인공구조체에 이식하였다. 요도 수술을 받은 환자들은 협착 없이 넓은 요도 구경과 적절한 요속을 유지하였다.

이러한 결과들은 아직 완전하지는 않으나, 음경해면체, 음경백막, 요도 각각의 재구성이 가능하며, 이들 연구를 조합하면 앞으로 임상에서도 조직공학을 이용한 음경조직의 재건이 가능함을 시사한다고 하겠다.

7. 고환

고환은 남성호르몬과 정자를 생성하는 기관이다. 1994년도에 최초로 쥐에게 고환 줄기세포를 이식하는데 성공하였는데, 수혜자의 세정관에 고환 줄기세포를 주입한 결과 정자형성이 정상적으로 일어났고 성숙한 정자를 생산하였다. 이후 나온 연구에서 배아줄기세포 및 유도다능줄기세포를 in vitro에서 남성생식세포로 유도하였고 쥐에서 성숙과정이 일어났다. 게다가 이렇게 분화된 세포는 정자형성에 참여하여 건강하고 생색력 있는 자손을 생산하였다.

남성호르몬의 생성 능력이 소실되거나 저하된 경우 외부에서 지속적으로 호르몬을 보충해야 한다. 현재 남성 호르몬 보충 방법으로 경구제제, 주사제나 피부패치가 사용되고 있는데, 하루에서 3개월 간격의 정기적인 투여가 필요하다. 이 방법은 투여가 불편할 뿐만 아니라 일부 남성 호르몬제제는 고용량을 사용해야 하므로 간 독성이나 전립선 질환 발생의 위험이 있어 새로운 치료법의 개발이 필요한 실정이다. 이러한 불편과 위험을 해소하기 위해 조직공학을 이용하여 인체에서 장기간 약물을 전달하는 남성호르몬 치료법이 연구되고 있다. 남성 호르몬을 생성하는 고환 Leydig 세포를 미소캡슐화(microencapsulation) 하여 체내에 이식하는 방법이 시도되었다. 미소캡슐의 반투과성 막을 통해 Leydig 세포에서 호르몬을 장기간 서서히 분비시키는 한편, 고환세포를 숙주의 면역체계로부터 격리하여 거부반응을 피하려는 의도이다. 거세한 쥐에 alginate 및 poly-L-lysine을 사용하여 미소캡슐화한 Leydig 세포를 이식하고 체내의 남성호르몬을 측정한 결과 장기간에 걸쳐 적정량의 남성호르몬을 검출할 수 있었다.

한편 무고환증, 정류 고환, 고환암 등으로 고환을 절제하는 경우 고환보형물의 삽입이 필요하다. 대표적인 고환보형물은 silicon으로 제작된 것인데 역시 인공재료의 단점이 있다. 생체 적합 고환보형물을 만들고자 음경보형물 제작과 같은 방법으로 연골세포와 PGA를 결합하여 쥐의 음낭에 이식하였다. 생성된 연골조직은 형태가 고환과 흡사하고 이물반응이 없는 장점이 있었으나, 연골조직 특유의 강도와 탄력성 때문에 원래의 고환과 감촉이 다른 단점이 있다. 최근에는 고환보형물에 남성호르몬 치료를 병합한 방법이 시도되고 있는데, 이는 조직공학으로 만든 고환보형물을 체내에서 장기간 남성 호르몬을 분비할 수 있는 매개체로 사용하는 것이다. 소의 연골세포를 고환 모양으로 제작한 지지체에 결합한 후 체외에서 4주간 배양하여 연골조직으로 구성된 보형물을 형성하였다. 그 후 일정량의 남성호르몬을 보형물 내에 주입한 다음 호르몬을 측정한 결과 체외에서는 주입 후 40주까지, 체내에 이식한 경우에는 이식 후 14주까지 적정량의 남성호르몬이 검출되었다. 이 결과는 조직공학으로 남성호르몬 보충이 가능한 기능적 고환보형물을 제작할 수 있음을 시사한다.

8. 전망

선반 위에 저장, 보관해 두었던 물건을 필요할 때 꺼내어 사용하듯 병들었을 때 필요한 조직이나 기관을 쉽게 구해 이식할 수 있는 시대를 만드는 것이 재생조직공학의 목적이다. 인체에 적합하고 부작용이 적은 안전한 조직을 수술에 필요한 만큼 충분히 구할 수 있으면, 지금까지 조직양이 부족하여 무리한 수술을 하거나, 가용 조직의 성장을 기다리느라 오랜 시간을 소비하고, 몇 차례 나눠서 수술을 해야 했던 불편을 해소할 수 있을 것이다.

또한 원래 조직의 형태 재건에 국한되었던 치료에서 더 나아가 기능의 회복까지 이룰 수 있다면 진정한 치료 개념에 접근한다 하겠다. 남성기능의 치료에 대한 재생조직공학적 접근법은 성기의 모양과 기능을 모두 재생하는 새로운 전략이라 할 수 있다. 근래에는 여러 종류의 세포로 분화하는 능력을 가진 줄기세포를 이용한 연구, 핵전이, 유전자, 성장인자 등을 이용하여 기능이 향상된 세포를 만들어 치료에 사용하는 세포치료, 새로운 생체재료의 개발로 필요 조직의 복원, 재생 및 향상을 목적으로 활기찬 연구가 전개되고 있다.

9. 요약

손상되거나 기능이 없는 인체 조직을 재생하는 방법으로 재생조직공학을 이용한 연구가 활발하다. 정신적, 기능적, 신체적으로 중요한 의미를 가지는 비뇨생식기 재건에 대한 조직공학 연구는 신장, 방광, 음경해면체, 음경백막, 요도 등 비뇨생식기 주요 구성 조직뿐 아니라 고환, 고환보형물에 대한 동물실험을 거쳐 상당 분야에서 이미 임상에 응용되고있다. 재생조직공학에 줄기세포, 유전자, 성장인자 등의 장점을 결합하고, 더 나은 지지체의 개발 연구가 활발하여 발전된 연구 결과가 속속 발표되고 있다. 세포와 지지체를 기본으로 필요한 조직을 충분히 생성할 수 있는 재생조직공학은 지금까지 비뇨생식기 수술에서 걸림돌이 되었던 문제들을 상당 부분 해결할 수 있으며 나아가 조직의 기능 복원까지 가능한 치료법으로 앞으로 수술 등 임상치료의 중요한 부분을 담당하게 될 새로운 분야로 주목받을 것이다.

참고문헌

1. 박홍재. Genital and reproductive tract tissues In: 유지, 이일우, editors. 조직공학과 재생의학. 1st ed. 서울: 군자출판사; 2002;461-469.
2. 문홍철 주관중 박홍재. 돼지 방광의 점막하 조직과 무세포기질에서의 성장인자수용체와 신경영양인자의 발현. 대한비뇨기과학회지 2005:46:12:1344-1347.
3. 이지열, 백순영, 육순홍, 이진호, 길성호, 이상섭. 흰쥐 가자미 근에서 변형된 전플라스크 방법을 이용한 근육 줄기세포의 분리 및 동정. 대한비뇨기과학회지 2004;45:1279-1284.
4. 이진호 생체재료의 분류 및 특성 In: 유지, 이일우, editors. 조직공학과 재생의학. 1st ed. 서울: 군자출판사; 2002;181-204.
5. 손경철, 김선옥, 주수연, 안영근, 이재혁, 권동득. 복압성 요실금 흰쥐모델에서 요도주위 간엽줄기세포주입의 효과. 대한비뇨기과학회지 2008;49:432-438.
6. Atala A. Creation of bladder tissue in vitro and in vivo. A system for organ replacement. Adv Exp Med Biol. 1999;462:31-42.
7. Atala A, Bauer SB, Soker S, Yoo JJ, Retik AB. Tissue-engineered autologous bladders for patients needing cystoplasty. Lancet. 2006;367:1241-1246.
8. Ben-David U, Benvenisty N. The tumorigenicity of human embryonic and induced pluripotent stem cell. Nat Rev Cancer. 2011;11:268-277.
9. Brinster RL, Zimmermann JW. Spermatogenesis following male germ-cell transplantation. Proc Natl Acad Sci U S A. 1994;91:11298-11302.
10. Brivanlou A, Gage F, Jaenisch R, Jessell T, Melton D, Rossant J. Stem cells: Enhanced: Setting Standards for Human Embryonic Stem Cells Science 2003;300;913-916.
11. Blelloch R, Venere M, Yen J, Ramalho-Santos M. Generation of induced pluripotent stem cells in the absence of drug selection. Cell Stem Cell 2007;1:245-247.
12. Chen KL, Eberli D, Yoo JJ, Atala A. Regenerative Medicine Special Feature: Bioengineered corporal tissue for structural and functional restoration of the penis. Proc Natl Acad Sci U S A. 2010;107:3346-3350.
13. Cilento BG, Freeman MR, Schneck FX, Retik AB, Atala A. Phenotypic and cytogenetic characterization of human bladder urothelia expanded in vitro. J Urol. 1994;152:665-670.
14. Diamond DA, Caldamone AA. Endoscopic correction of vesicoureteral rellux in children using autologous chondrocytes: Preliminary results. J Urol 1999;162:1185-1188.
15. Eberli D, Susaeta R, Yoo JJ, Atala A. A method to improve cellular content for corporal tissue

engineering. Tissue Eng Part A 2008;14:1581-1589.

16. Falke G, Yoo JJ, Kwon TG, Moreland R, Atala A. Formation of corporal tissue architecture in vivo using human cavernosal muscle and endothelial cells seeded on collagen matrices. Tissue Eng 2003;9:871-879.

17. Feng C, Xu YM, Fu Q, Zhu WD. Cui L, Chen J. Evaluation of the biocompatibility and mechanical properties of naturally derived and synthetic scaffolds for urethral reconstruction. J Biomed Mater Res A. 2010;94:317-325.

18. Fiala R, Vidlar A, Vrtal R, Belej K, Student V. Porcine small intestinal submucosa graft for repair of anterior urethral stricture. Eur Urol. 2007;51:1702-1708.

19. Gupta S, Verfaille C, Chmielewski D, Kim Y, Rosenberg ME. A role for extrarenal cells in the regeneration following acute renal failure. Kidney Int. 2002;62: 1285-1290.

20. Humes HD, Buffington DA, MacKay SM, Funke AJ, Weizel WF. Replacement of renal function in uremic animals with a tissue-engineered kidney. Nat Biotechnol. 1999;17:451-455.

21. Itskovitz-Eldor J, Schuldiner M, Karsenti D, Eden A, Yanuka 0, Amit M, et al. Differentiation of human embryonic stem cells into embryoid bodies compromising the three embryonic germ layers. Mol Med 2000;6:88-95.

22. Jayo MJ, Jain D, Ludlow JW, et al. Long-term durability, tissue regeneration and neo-organ growth during skeletal maturation with a neo-bladder augmentation construct. Regen Med. 2008;3:671-682.

23. Kassaby EA, Yoo JJ, Retik AB, Atala A. A novel inert collagen matrix for urethral stricture repair. J Urol 2000;308S:70.

24. Knoll LD. Use of porcine small intestinal submucosal graft in the surgical management of tunical deficiencies with penile prosthetic surgery. Urology 2002;59:758-761.

25. Kim BS, Mooney DJ. Development of biocompatible synthetic extracellular matrices for tissue engineering. Trends Biotechnol 1998;16:224-230.

26. Kim SS, Park HJ, Han JH, et al. Improvement of Kidney Failure with Fetal Kidney Precursor Cell Transplantation. Transplantation 2007:83:1249-1258.

27. Kwon TG, Yoo JJ, Atala A. Autologous penile corpora cavernosa replacement using tissue engineering technique. J Urol 2002;168:1754-1758.

28. Lai JY, Yoon CY, Yoo JJ, Wulf T, Atala A. Phenotypic and functional characterization of in vivo tissue engineered smooth muscle from normal and pathological bladders. J Urol. 2002;168:1853-1857.

29. Le Roux P. Endoscopic urethroplasty with unseeded small intestinal submucosa collagen matrix grafts: a pilot study. J Urol 2005;173:140-143.

30. Machluf M, Orsola A, Boorjian S, Kershen R, Atala A. Microencapsulation of Leydig cells: a system for testosterone supplementation. Endocrinology 2003;144:4975.

31. Mauney JR, Ramachandran A, Yu RN, Daley GQ, Adam RM, Estrada CR. All-trans retinoic acid directs urothelial specification of murine embryonic stem cells via GATA4/6 signaling mechanisms. PLoS One. 2010;5: e11513.

32. Nolazco G, Kovanez I, Vernet D, et al. Effect of muscle-derived stem cells on the restoration of copora carvernosa smooth muscle and erectile function in the aged rat. BJU Int. 2008;101:1156-1164.

33. Oberpenning F, Meng J, Yoo JJ, et al. De novo reconstruction of a functional mammalian urinary bladder by tissue engineering. Nat Biotechnol. 1999;17: 149-155.

34. Osman Y, Shokeir A, Gabr M, EI-Tabey N, Mohsen T, EI-Baz M. Canine ureteral replacement with long acellular matrix tube: is it clinically applicable? J Urol 2004;172:1151-1154.

35. Park HJ, Yoo JJ, Kershen Rt, et al. Reconstruction of human corpus carvernosum smooth muscle and endothelial cells in vivo. J Uol 1999:62:1106-1109.

36. Park HJ, DeZheng D, Atala A. Chap. 91. Penis. In: Methods of tissue engineering (USA). 2002:1011-1017. Academic Press. Atala A, Lanza RP.

37. Perovic SV, Byun JS, Scheplev P, Djordjevic ML, Kim JH, Bubanj T. New perspectives of penile enhancement surgery: tissue engineering with biodegradable scaffolds. Eur Urol. 2006;49:139-147.

38. Prodromidi El, Poulsom R, Jeffery R, et al. Bone marrow-derived cells contribute to podocyte regeneration and amelioration of renal disease in a

mouse model of Alport syndrome. Stem Cells. 2006;24):2448-2455.

39. Raya-Rivera A, Esquiliano DR, Yoo JJ, Lopez-Bayghen E, Soker S, Atala A. Tissue-engineered autologous urethras for patients who need reconstruction: an observational study. Lancet. 2011;377:1175-1182.

40. Raya-Rivera AM, Baez C, Atala A, Yoo JJ. Tissue engineered testicular prostheses with prolonged testosterone release. World J Urol. 2008;26:351-358.

41. Rookmaaker MB, Smits AM, Tolboom H, et al. Bone-marrow-derived cell contribute to glomerular endothelial repair in experimental glomerulonephritis. Am J Pathol. 2003;163:553-562.

42. Ross EA, Williams MJ, Hamazaki T, et al. Embryonic stem cells proliferate and differentiate when seeded into kidney scaffolds. J Am Soc Nephrol. 2009;20:2338-2347.

43. Rota C, Imberti B, Pozzobon M, et al. Human amniotic fluid stem cell preconditioning improves their regernerative potential. Stem Cells Dev. 2012;21:1911-1923.

44. Song JJ, Guyette JP, Glipin SE, Gonzalez G, Vacanti JP, Ott HC. Regeneration and experimental orthotopic transplantation of a bioengineered kidney. Nat Med. 2013;19:646-651.

45. Sutherland RS, Baskin LS, Hayward SW, Cunha GR. Regeneration of bladder urothelium, smooth muscle, blood vessels and nerve into an acellular tissue matrix. J Urol. 1996;156:571-577.

46. Tanrikut C, McDouggal WS. Acid-base and electrolyte disorders after urinary diversion. World J Urol. 2004;22:168-171.

47. Thomson J, Itskovitz-Eldor J, Shapiro S, Waknitz M, Swiergiel J, Marshall V, et al. Embryonic stem cell lines derived from human blastocysts. Science 1998;282: 1145-1147.

48. Toyooka Y, Tsunekawa N, Akasu R, Noce T. Embryonic stem cells can form germ cells in vitro. Proc Natl Acad Sci U S A. 2003;100:11457-11462.

49. Tumlin J, Wali R, Williams W, et al. Efficacy and safety of renal tubule cell therapy for acute renal failure. J Am Soc Nephrol. 2008;19:1034-1040.

50. West JA, Park IH, Daley GQ, et al. In vitro generation of germ cells from murine embryonic stem cells. Nat Protoc. 2006;1:2026-2036.

51. Yamaleyeva LM, Guimaraes-Souza NK, Krane LS, et al. Cell therapy with human renal cell cutures containing erythropoietin-positive cells improves chronic kidney injury. Stem Cells Transl Med. 2012;1:373-383.

52. Yiou R, Yoo JJ, Atala A. Restoration of functional motor units in a rat model of sphincter injury by muscle precursor cell autografts. Transplantation. 2003;76: 1053-1060.

53. Yoo JJ, Park HJ, Lee I, et al. Autologous endineered cartilage rods for penile reconstruction. J Utol 1999: 162:1119-1121.

54. Yoo JJ, Park HJ, Atala A. Tissue-engineering applications for phallic reconstruction. World J Urol 2000:18:62-66.

55. Zhang C, Murphy SV, Atala A. Regenerative medicine in urology. Semin Pediatr Surg. 2014;23:106-111.

SECTION 07

여성성기능 및 성기능 장애

Chapter 52. 해부 및 생리 ········· 박광성

Chapter 53. 여성 성기능에 대한 성호르몬의 역할 ········· 최영민

Chapter 54. 여성 성기능 장애의 병인 ········· 민권식

Chapter 55. 여성 성기능 장애의 진단 ········· 최 성

Chapter 56. 여성 성기능 장애의 치료 ········· 윤하나

CHAPTER 52

해부 및 생리

Anatomy and Physiology of Female Sexual Organs

■ 박광성

여성 성기능은 남성에서와 같이 혈관계, 신경계, 내분비계 등의 복합적인 작용에 의해 조절된다. 여성의 성기능 및 성기능장애에 대한 연구는 제한적으로 이루어져 왔는데 남성에서 발기부전치료제가 보편화되면서 최근에 들어 여성성기능장애에 대한 관심이 높아지고 있는 추세이다.

여성의 성기관은 남성에 비해 복잡한 구조를 가지고 있고 여러가지 호르몬의 영향을 받고 있다. 여성 성기능의 생리는 남성과 유사하면서도 차이점을 보이고 있는데 여러 인자가 복합적으로 작용하는 특징을 가지고 있다. 최근들어 여성성기능에 대한 많은 기초연구들이 진행되고 있지만 여성성기능의 생리에 대한 보다 정확한 기전을 밝히기 위한 연구가 필요하다. 본 장에서는 여성의 성기능 및 성기능장애를 이해하기 위해 기초가 되는 여성성기관의 해부 및 생리에 대해 알아보고자 한다.

1. 해부학적 구조 *Anatomy*

여성의 성기관은 내부생식기(internal genitalia)와 외부생식기(external genitalia)로 나눌 수 있다. 내성기는 질(vagina)을 포함하여 자궁경부(cervix), 자궁(uterus), 나팔관(fallopian tubes)과 난소(ovary)로 구성되어있고, 외부생식기는 외음부(vulva)인 대음순(labia majora), 소음순(labia minora), 음핵(clitoris), 큰질전정샘(great vestibular gland; Bartholin' s gland), 음순소대(frenelum of labium) 등을 포함한다. 대음순의 안쪽에 소음순이 있어 앞쪽으로 음핵을 만나는데 소음순에 의해 둘러싸인 구조가 질전정(vestibule)이고 이곳으로 질과 요도가 개구한다. 질전정에서 질입구의 양측으로 큰질전정샘이, 요도입구의 양측으로 작은질전정샘(lesser vestibular gland)이 개구하여 질전정의 윤활을 담당한다(그림 52-1).

1) 질(Vagina)

질은 약 5-15 cm의 길이로 자궁경부부터 회음부까지 이르는 원통구조를 하고 있는데, 질벽의 내강은 많은 주름(rugae)과 융기(fold)가 있어 성교나 출산 시 확장성을 갖게 하고 작은 주름(smaller ridges)은 성관계시에 마찰력(frictional tension)을 좋게 한다. 질벽은 3층으로 구성되어 있는데, 내측은 점막상피세포(mucous membrane epithelium), 중간은 혈관근육층(vascular muscularis layer), 외측은 지지 섬유구조

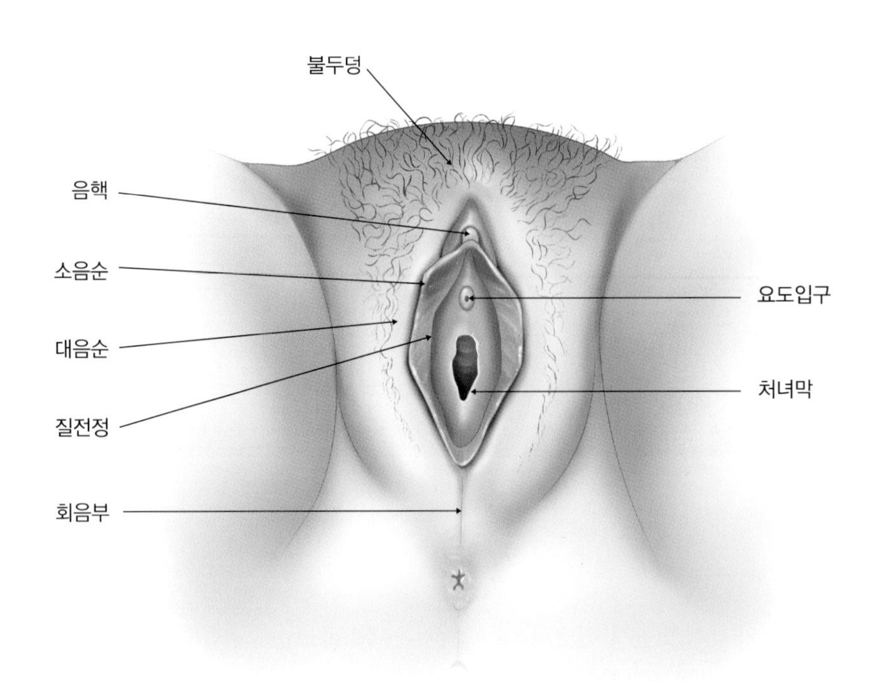

그림 52-1 여성 내성기의 해부학적 구조

(supportive fibrous mesh)로 되어 있다. 질점막은 호르몬의 영향을 받아 주기적으로 변화하는 편평상피세포층(stratified squamous epithelium)으로 되어 있고, 중간의 근육층은 평활근과 잘 발달된 혈관이 분포하고 있다. 질 외측의 섬유층은 탄력섬유(elastin)와 콜라겐(collagen)의 섬유질구조로 되어 있다.

질은 내장골동맥(intemal iliac artery)의 분지인 자궁동맥(uterine artery)은 질동맥(vaginal artery)으로 분지된다. 내음부동맥과 부음부동맥(accessory pudendal artery), 총음핵동맥(common clitoral artery)도 질에 분지를 낸다(그림 52-2).

2) 대음순(Labia majora)

여성의 외음부에서 가장 분명하게 관찰되는데, 질입구 양측에 음모가 존재하며 융기된 부분이 대음순이다. 접혀진 피부로 피지선(sebaceous gland)를 포함하고 있어 대음부의 내측면은 항상 촉촉한 상태로 유지된다.

3) 소음순(Labia minora)

소음순은 대음순의 내측에 있는 두개의 작은 융기로 앞쪽에서는 음핵과 만나고 있으며, 길이는 사람마다 다양하다. 소음순에는 음모가 없으며 정맥동(venous sinus), 피지선과 신경이 분포되어 있다.

4) 음핵(Clitoris)

음핵은 남성 음경의 상동기관으로 귀두(glans), 체부(body), 각부(crura)로 구성되어 있다. 외부에서 관찰되는 귀두부는 질전정 부위로 2-3 cm 정도 돌출되어 있으며, 체부은 한쌍의 음핵해면체(corpora

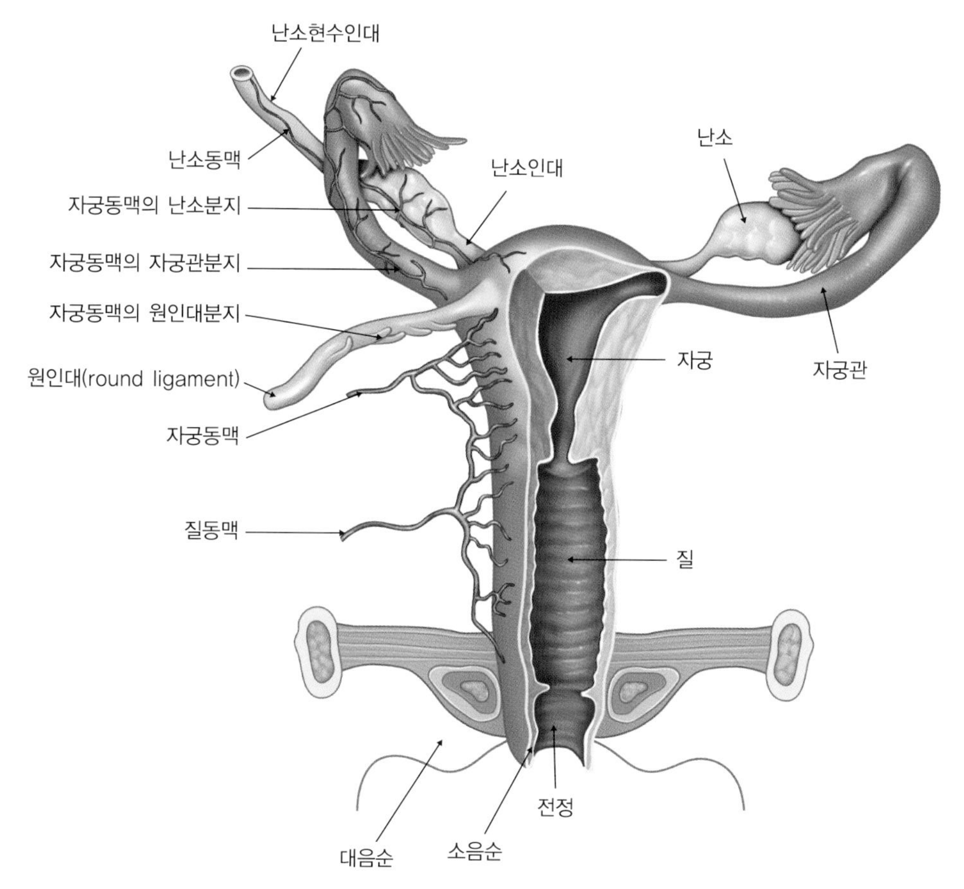

그림 52-2 여성 내성기의 해부학적 구조 및 혈관 분포

cavemosa)로 구성되어 있다. 체부은 다시 두 갈래로 나누어져 9-11cm 길이의 각부를 형성하여 치골에 부착되어 있다.

5) 질전정(Vestibule)

질전정은 소음순에 의해 둘러싸여 있으며 질과 요도가 개구한다. 질전정으로 많은 분비선이 개구하는데 질 입구의 양쪽으로 대전정선이, 요도입구의 양쪽으로는 소전정선이 개구하여 질전정에 윤활역할을 한다.

2. 중추 및 말초신경계

Central and peripheral nervous system

여성성기능을 조절하는 신경계에 대해서는 잘 알려져 있지 않으나, 동물모델연구와 임상연구를 통해 점차 밝혀지고 있다. 외성기 자극에 의한 흥분이나 오르가즘은 척수반사기전(spinal cord reflex mechanism)에 의한 데 구심성 신경은 일차적으로 음부신경을 통하고 원심성 신경은 교감신경, 부교감신경, 체신경의 복합적인 협조관계로 이루어진다(그림 52-3). 척수반사기전에서 대표적인 반사기전은 구해면체 신경반사(bulbocavernous reflex)이다. 음핵팽창와 질충혈에

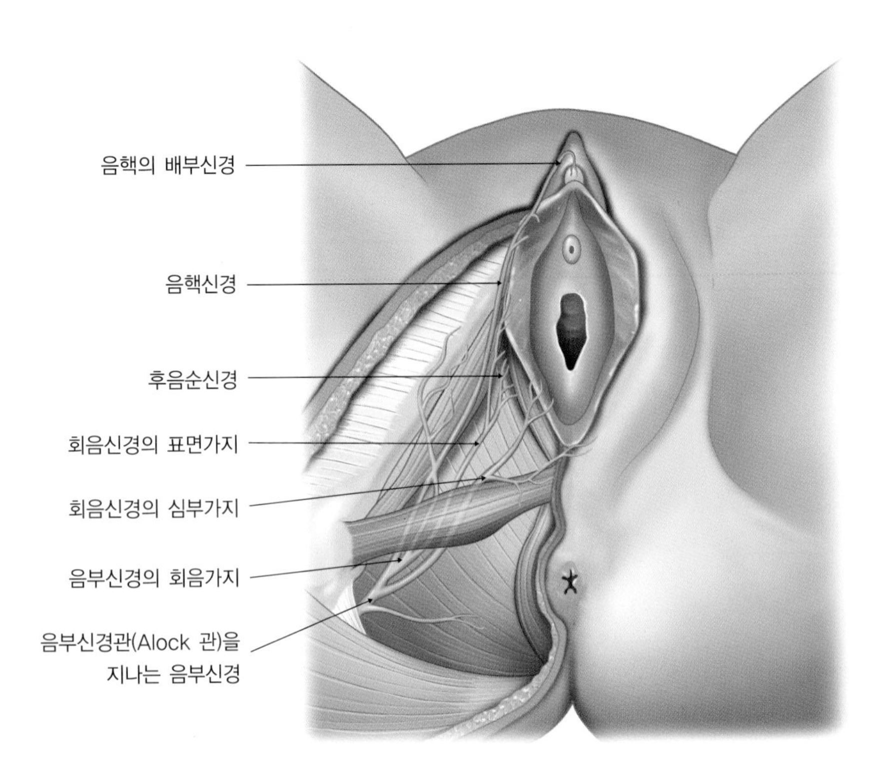

그림 52-3 여성 외성기의 신경지배

관여하는 신경반사기전은 잘 알려져 있지 않으나, 음핵해면체신경이 관여하는 것으로 보아 여성에서의 성반응도 남성에서 신경자극에 의한 발기와 비슷한 기전으로 추측되고 있다.

1) 중추신경계(Central nervous system)

성적반응에서 구심성신경은 천수부에서 척수로 들어가 척수시상로(spinothalamic tract)와 척수그물로(spinoreticular) 경로를 거쳐 척수상부중추로 전달된다. 척수시상로 경로는 시상(thalamus)의 후외측신경핵(posterolateral nucleus)에서 내측시상(medial thalamus)으로 전달되고 척수그물로 경로는 뇌간망양체(brain stem reticular formation)에 이른다. 뇌간(brain stem)에서는 원심성 신경조절을 하는데 nucleus paragigantocellularis에서 나오는 원심성 골반신경과 요천골 척수(lumbosacral spinal cord)에 있는 사이신경세포(intemeuron)은 세로토닌(serotonin)을 함유하고 있다. 이는 우울증 치료제인 선택적 세로토닌재흡수억제제(selective serotonin reuptake inhibitor, SSRI) 계통의 약물이 극치감장애를 가져오는 기전으로 설명될 수 있다.

시상하부(hypothalamus)는 성행동이나 생식에 중요한 역할을 하는 것으로 알려져 있는데 내시각교차전핵(medial preoptic nucleus)은 성적동기(sexual motivation)나 행위(performance)보다는 배우자선택(mate selection)과 관련이 있는 것으로 보인다. 뇌실결핵(paraventrlcular nucleus)은 주로 외성기반응의 조절과 있고 성적흥분과 극치감시에 이 부위에서 옥시토신(oxytocin)이 분비된다고 한다.

성적흥분의 중추신경계의 반응에 대한 연구는 주

로 동물모델을 통해 이루어지고 있으나, 여성의 성적 홍분반응을 BOLD-based functional MRI를 이용하여 영상화한 연구에서는 성적반응은 주로 변연계(limbic area)와 변연계 주위(paralimbic area)에서 나타나고, 남성과 비교하여 여성에서 성적자극에 의한 전체적인 뇌활성화 강도가 약하게 나타나고 시간도 더 오래 소요되었다고 보고되고 있다.

2) 말초신경계(Peripheral nervous system)

골반강내 장기(pelvic viscera)는 대부분 자율신경계의 지배를 받는데, 외음부의 피부와 근육은 체신경계의 감각신경과 운동신경계의 지배를 받는다. 교감신경계는 척수의 흉요수절(T11-L2)에서 유래하여 하복신경(hypogastlic nerve)이 되고, 부교감신경은 천추(S2-4)의 천수 부교감신경핵에서 나와 골반신경(pelvic nerve)이 되는데 서로 만나 골반신경총(pelvic plexus)을 이룬다. 골반신경의 자극은 음핵해변체평활근을 이완시키고 동맥평활근을 확장시켜 음핵해변체동맥의 혈류유입과 음핵해면체내압을 증가시켜 음핵의 충혈과 음핵귀두의 돌출을 유도한다. 성적극치감때 체신경인 음부신경의 자극으로 구해변체근과 좌골해면체근을 수축시킨다. 회음부피부, 외성기의 체감각신경과 외음부근육의 운동신경은 음부신경과 장골서혜신경(ilioinguinal nelve)의 지배를 받는다(그림 52-3).

3. 여성의 성생리

Physiology of female sexual function

1) 질윤활작용(Vaginal lubrication)

여성은 성적으로 흥분이 되면 음핵과 음순이 충혈되어 자극에 예민해지며 질은 길이가 넓어지면서 윤활액이 분비되어 발기된 음경의 삽입을 쉽게 한다. 여성의 성각성반응은 혈관 및 신경계가 복합적으로 작용하여 나타나는데 질에서 나타나는 반응은 성적흥분 시 질벽의 점막하 모세혈관망과 근육층의 혈관총이 확장되어 혈액이 충만하게 된다. 질은 선조직이 없는 편평상피세포층에 평활근으로 둘러싸여 있으며 치밀한 혈관과 신경조직이 분포되어 있다. 질의 원위부와 전방부는 근위부와 후방부에 비해 다양한 신경전달물질[5HT, 노르에피네프린, 아세틸콜린, 도파민, VIP, NPY, GRP, TRH, CGRP, 소마토스타틴, substance P, 옥시토신, cholecystokinin(CCK), relaxin 등]을 함유하는 신경들이 많이 분포되어 있는데, 이들의 기능은 성적자극에 반응하여 성각성에 관여할 것으로 여겨지지만 완전하게 밝혀지지 않은 상태이다. 성적흥분이 되면 천추의 S2-S4 신경을 통한 자극으로 질 피하에 혈류공급이 증가되고 동시에 정맥을 통한 유출이 감소해 질에서 울혈이 일어난다. 질벽 점막하 모세혈관망이 울혈되면 모세혈관내압이 상승하여 혈관내 혈장액이 혈관 외부로 누출되고 이는 질 상피세포를 통하여 질벽에서 혈장 삼출현상을 유발하여 질벽에서 윤활액이 분비된다고 제시되고 있다. 하지만 성적흥분에 따른 질 윤활액의 분비의 기전은 아직까지 정확히 확립되지 않았다.

질에서 산화질소(NO)의 역할은 잘 알려져 있지 않으나 질조직의 혈관에서 NOS 양이 적은 것으로 보아 NO는 음경에서와 달리 질혈류에 주된 역할은 하지 못할 것으로 보인다. 질조직은 혈관조직이 매우 풍부하며 질벽의 상피세포 직하방까지 골고루 분포해 있다. 동물모델실험에서 골반신경 자극시 질 충혈은 혈류의 증가가 매우 중요한 요인임을 밝혔으며, 혈관조직과 질벽의 상피세포층 사이의 상호작용에서 수분통로단백인 아쿠아포린(aquaporins)이 성적흥분 시 수분의 이동에 가능성이 제시되었다.

2) 음핵의 울혈작용(Clitoral engorgement)

음핵 해면체는 백막(tunica albuginea)으로 둘러싸여 있고, 음핵 해면체 발기조직은 평활근과 결합조직으로 구성되어 있다. 음핵은 성적자극에 의해 길어지고 부피는 2-3배로 팽창되는데 이때 음핵 귀두부도 부풀어 음핵포피 밖으로 돌출이 되어 성행위 중 더 민감하게 된다. 음핵은 발기조직과 백막사이에 백막하층이 없고 해면체구조가 정맥차단을 불완전하게 하기 때문에 성적인 자극에 의해 강직도를 갖는 발기기가 이루어지지 못하고 팽창(tumescence)되거나 울혈된다.

3) 골반 및 외음부근육활동 (Pelvic and genital muscular activity)

질근육은 자율신경계 분포를 받는 평활근으로 구성되어 있는데 내측은 세로방향, 외측은 가로방향으로 구성되어 있고, 질의 외부에서 3종류의 골반횡문근(pelvic striated muscles)으로 둘러싸여 있다. 표층부는 좌골해면체근(ischiocavernosus muscle)과 구해면체근(bul bocavernosus muscle)이, 중간층은 음횡근(transverse perineal muscle), 심층부는 항문거근(levator ani muscle)이 위치하고 있다. 성적으로 자극이 없는 상태에서 골반 횡문근의 역할은 거의 없으나 자궁과 질의 평활근은 월경주변기(perimeostruation)에 자궁과 질의 내용물을 배출하기 위해 주기적으로 수축을 한다. 성적흥분기와 극치감기에는 질내압이 상승하는 것을 볼 수 있는데 극치감기에는 골반횡문근에 의한 수축이 약 0.8초간격으로 일어나 점차 길어지고 약해지는데 약 50-60초 정도 지속된다. 이러한 수축은 주관적인 극치감과 일치하여 나타나는데 골반근육의 자발적인 수축은 극치감을 불러 일으키지는 못하나 가끔 성적흥분은 증가시킬 수는 있다. 성적흥분기에서 절정기 전까지는 간헐적인 자궁수축이 나타날 수 있으나 극치감에 이르면 하복신경(hypogastric nerve)을 통한 교감신경 매개로 자궁수축이 나타난다. 이러한 현상은 자궁과 난관에서 정자를 빠르게 수송하는데 관여한다.

4. 요약

여성성기능장애는 남성에서와 같이 혈관성, 신경성, 약물 등 다양한 기질적 원인이 있지만, 여성은 해부학적 구조가 복잡하여 보다 다양한 원인으로 성기능장애가 발생할 수 있으며, 이러한 여성성기능장애의 생리를 이해하기 위해서는 여성 성기관의 해부학적인 구조에 대한 숙지가 필요하다. 여성 성기는 음핵을 포함한 외부생식기와 질을 포함한 내부생식기로 구성되어 있다. 여성의 음핵은 남성의 음경과 비슷한 구조를 지니고 있으나, 발기조직과 백막사이에 백막하층이 없기 때문에 성적인 자극에 의해 강직도를 갖는 발기가 이루어지지 않는다. 질은 광범위한 혈관과 신경의 지배를 받고 있어 성적인 자극에 의해 울혈되어 윤활액의 분비로 음경의 삽입을 용이하게 한다. 성 자극시의 질 윤활액의 분비기전에 대해서는 아쿠아포린 등의 역할에 대한 연구가 이루어지만 아직까지 정확히 밝혀진 바는 없다. 이러한 음핵과 질을 비롯한 여성의 성기관에 대한 중추 및 말초신경계와 신경전달물질에 대해서는 앞으로 많은 연구가 필요하다.

참고문헌

1. Berman JR, Shuker JM, Goldstein 1, Female Sexual Dysfunction In: Carson CC, Kirby RS, Goldstein 1, editors, Textbook of Erectile dysfunction, Oxford: ISIS Medical Media; 1999;627-638.
2. Goldstein 1, Graziottin A, Heiman JR, Johannes C, laan E, Levin RL, et al, Female Sexual Dyslunction: anatomy and physiology of sexaul arousal 01 the human lemale genital tract , In: Jardin A, Wagner G, Khoury S, Giuliano F, Padma-Nathan H, Rosen R, editors, Erectile Dyslunction, Plymouth: Plymbridge; 2000;516-526.
3. Moore CK. Female Sexual Function and Dysfunction. In: Wein AJ, Kavoussi LR, Novick AC, Partin AW, Peters

CA, editors. Campbell-Walsh Urology. 10th ed. Philadelphia : WB Saunders; 2012;823-833.

4. Netter FH. Atlas of Human Anatomy, 6th ed: WBSaunders; 2014.

CHAPTER 53

여성 성기능에 대한 성호르몬의 역할

The Role of Sex Hormone for Female Sexual function

■ 최영민

여성의 성기능이 정상적으로 유지되기 위해서는 적절한 성호르몬의 분비, 정상적인 자율신경 및 체신경계, 그리고 성적 기관으로의 적절한 혈류 유지가 필수불가결한 요소이다. 특히 성호르몬은 여성의 성기능 관련 조직의 해부학적 구조 및 기능을 유지하는데 관여하며 여성의 성기능에 있어서 성호르몬이 관여할 것이라는 점은 오래 전부터 생각되어 왔다. 그러나 성호르몬의 기여 범위 및 역할을 정확히 규명한다는 것은 매우 어려운 일로, 이에 대한 연구나 관심이 현재까지는 매우 적은 편이며, 향후 많은 연구가 필요할 것으로 생각된다. 본 장에서는 현재까지의 연구들을 토대로 성호르몬이 여성 성기능에서 담당하는 역할과 이들의 변화에 따른 성기능 장애를 살펴보고, 이들 호르몬의 대체요법이 성기능에 미치는 영향에 대하여 고찰하고자 한다.

1. 에스트로겐 *Estrogen*

에스트로겐은 여성 성기능을 조절하는데 있어서 중요한 역할을 수행한다. 에스트로겐은 질 점막조직을 유지시키고, 질의 감각, 질의 울혈(vasocongestion), 질 분비물 뿐만 아니라 중추신경계 및 말초신경계의 신경 전달에 영향을 미쳐 성흥분(sexual arousal)을 향상시키게 된다. 혈중 에스트로겐이 감소하면 질 점막과 질벽의 평활근이 위축이 일어나며, 에스트로겐이 감소하면 질내 산도가 저하되어 질의 감염, 요로계의 감염, 요실금증을 초래할 수 있다. 그리고 에스트로겐이 결핍되면 음핵, 질 및 요도의 혈류 양이 유의하게 감소하며, 조직학적으로는 음핵이 섬유화되고, 질 상피층이 얇아지며, 질의 점막하 혈관들이 감소한다.

또한 에스트로겐은 혈관 보호(vaso-protective) 및 혈관 이완작용이 있어 질과 음핵, 요도의 동맥혈류를 증가시키는 효과를 갖게 되는데, 이러한 작용은 골반 동맥들의 동맥경화증 진행을 막아 여성의 성적 반응성을 유지시켜주는 기전으로 작용한다. 뿐만 아니라 여성호르몬의 변화는 여성 얼굴의 매력과 관련성을 보이고 있어 성적인 활동을 증가시킬 가능성이 있다.

동물 실험에서 에스트로겐 투여시 음부신경(pudendal nerve)의 분포에 따라 존재하는 접촉 수용체 부위(touch receptor zone)가 확장되었으며, 이는 에스트로겐이 감각 역치에 영향을 미침을 시사한다. 폐경 여성에서 에스트로겐 대체요법은 음핵과 질의 진동(vibration)과 압력(pressure) 역치를 폐경전 여성과 비슷한 정도로 회복시킨다. 그리고 에스트로겐은 또한 산화질소(nitric oxide: NO) 생산을 담당하는 효소인 nitric oxide synthase (NOS)의 질과 음핵에서의 발현을 조절하는데, 동물 실험에서 노화나 수술적 거세 시 질과 음핵의 NOS 발현이 감소하고 질벽의 평활근과 점막 상피의 세포자멸사(apoptosis)가 초래되며, 에스트로겐을 보충하였을 때 질 점막 건강이 회복되고 질의 NOS 발현이 증가하고 질 점막 세포의 사멸이 감소한다. 이러한 소견은 실데나필(sildenafil) 등과 같이 NO의 매개에 의하여 혈관 및 비혈관 평활근을 조절하는 약제들이 여성 성기능 장애, 특히 성적 흥분장애의 치료에 효과가 있을 가능성을 제시한다.

여성이 폐경 이후 호소하게 되는 성적인 문제는 성욕의 소실, 질건조감, 성행위 빈도의 감소, 성교시 통증, 성적 반응성 감소, 오르가즘 획득의 어려움, 성기 감각의 감소이며, 조직학적으로는 음핵의 섬유화, 질 점막 두께의 감소 및 질내 점막하 혈류의 감소가 나타난다. 이들 중 성기 감각과 혈류의 변화에 따른 증상들은 에스트로겐 농도 감소가 상당 부분 기여한다고 생각되고 있다.

폐경 여성의 경우 폐경전 여성에 비하여 성적 반응도, 성교 횟수, 질 윤활도 및 성적 만족도가 감소하며 질건조감과 동반된 성교통이 증가된다. 폐경 여성에서 에스트로겐 요법은 경구 및 국소적 요법 모두 질건조감과 질내 산도를 회복시키며 동반된 성교통의 호전을 기대할 수 있다. 한편 에스트로겐 요법이 성적 욕구를 향상시킬 수 있는지에 대해서는 상반된 연구결과가 보고되고 있다.

폐경 전 여성에서는 주로 경구 피임약이 리비도에 미치는 영향에 대해 연구되어 왔는데, 아직까지 자료가 충분치는 않으나, 임신에 대한 우려를 감소시킬 수 있다는 점에서 긍정적인 영향을 줄 수도 있다는 보고가 있는 반면, 프로게스테론을 함유하고 있기 때문에 부정적 영향을 줄 수 있다는 보고가 있다.

2. 프로게스테론 *Progesterone*

설치류에서의 성적 활동은 에스트로겐, 프로게스테론과 같은 스테로이드 호르몬에 의하여 결정된다고 알려져 있다. 프로게스테론에 의한 성적인 행동은 시상하부의 배내측핵(ventromedial nucleus)에 위치한 프로게스테론 수용체를 통해 이루어지며, 성적 활동의 시간 역시 수용체의 양에 비례한다고 보고되고 있다. 또한 프로게스테론 수용체는 프로게스테론에 의한 리간드 의존적인 방식에 의해 작용하기도 하지만, 도파민 및 도파민 작용제(agonist)에 의해서 리간드 비의존적인 방식에 의해 활성화될 수 있다고 보고되고 있어, 성적 행동에 대한 치료제로서의 가능성을 보여주었다. 설치류에서 항프로게스틴 제제인 RU486을 투여하였을 때 성적 활동의 감소가 나타나는 경향 역시 관찰되었다.

그러나 프로게스테론에 의해 나타나는 성적 활동의 양상은 포유류에서는 다르게 나타나는데, 에스트로겐을 투여하였을 때에는 성적인 매력, 성적 반응이 높게 나타났지만 프로게스테론을 투여하면 감소한다고 보고되었고 이는 자연 주기에서도 동일하게 관찰되었다.

인간에서도 생리 주기에 따라 성적 관심과 성적 활동의 빈도가 차이가 있으며 포유류에서와 유사하게 난포기 (follicular phase)에는 성적 활동이 증가하고, 황체기 (luteal phase)에는 감소하였다. 그러나 이와 같은 성적 활동과 측정된 프로게스테론과의 관련성은 보이지 않았는데, 이는 인간의 성적 활동에 프로게스테론뿐만 아니라 조건화 (conditioning)과 같은 과거 경험이 중요한 역할을 하기 때문인 것으로 추측되고 있다. 그러나 전반적으로 프로게스테론은 성적 활동을 방해하는 역할을 할 것으로 생각되고 있다.

3. 옥시토신 *Oxytocin*

옥시토신은 자궁과 유방의 평활근을 수축시키는 역할을 하며 분만과 수유에 직접적으로 작용하는 호르몬으로 설치류에 대한 실험에서는 공격적인 행동을 감소시키고 접촉과 관련된 행동을 촉진시키는 효과가 있어 간접적으로 성기능에 영향을 미칠 가능성이 제시되었으나 이와 같은 결과는 장기간에 걸친 실험에서는 증명되지 못하였다. 인간에서는 생리 주기에 따라 황체기에 감소하는 양상을 보이고 성기능 중 질내 윤활도와 관련성을 보였다는 연구가 있어 여성 성기능과 관련이 있을 가능성이 있으나 아직 많은 연구가 진행된 바가 없어 결론을 내리기는 어렵다.

4. 안드로겐 *Androgen*

1) 테스토스테론

(1) 여성에서 테스토스테론 생성과 대사

폐경전 여성은 하루에 0.3 mg의 테스토스테론을 생산하는데, 이는 난소와 부신에서 동량으로 생성된다. 난소에서 생성되는 testosterone 의 50% 는 난소에서 생산되고, 나머지 50%는 androstenedione (ADD)와 같은 전구물질이 말초에서 변환되어 생산된다. 부신에서 생산된 dehydroepiandrosterone (DHEA), DHEA-sulfate (DHEA-S), ADD 등은 말초에서 변환되는 것으로 알려져 있다. 말초에서의 변환은 뇌, 뼈, 혈관 및 지방 조직, 근육, 간에서 이루어진다.

약 98%의 테스토스테론은 단백질에 결합되어 있는데, 이중 1/3은 알부민에 약하게 결합되어 있고, 나머지는 성호르몬 결합글로불린(sex hormone-binding globulin: SHBG)에 알부민의 약 20배 정도 강하게 결합되어 있다. 단백질에 결합되어 있지 않은 테스토스테론의 농도에 따라 테스토스테론의 생체이용성 (bioavailability) 가 달라지게 되며 예를 들어 에스트로겐 투여시 SHBG가 증가하여 유리(free) 테스토스테론은 감소한다.

연령이 증가하면 안드로겐의 농도가 감소하는데 20대 여성에 비해 40대 여성의 혈중 테스토스테론 농도는 절반 정도로 감소하며 혈중 테스토스테론 농도의 감소는 폐경후 여성에서도 지속된다. 혈중 에스트로겐 농도와는 달리 혈중 테스토스테론 농도는 폐경시 급격히 감소하지 않으며, 연령이 증가함에 따라 꾸준히 감소하는 경향을 보인다. 이는 부신에서의 안드로겐 생산이 연령에 따라 서서히 감소하고, 생식 연령 후반기에서 난소에서 생산되는 테스토스테론이 감소하는 결과이다.

(2) 테스토스테론이 여성 성기능에 영향을 미치는 기전

안드로겐과 에스트로겐 수용체 모두 중추신경계에 광범위하게 존재하는데, Broca diagonal band, mammilary nucleus에서 가장 높은 농도로 발현되며 suprachiasmatic, terminal stria, medial perioptic nucleus에서도 발견된다. 뇌의 편도(amygdala), terminal stria의 기저핵(basal nucleus), medial preoptic 영역과 mamillary body nucleus는 성적 동기 유발에 영향을 미치며 시상하부의 뇌실근접핵(paraventricular nucleus)과 배내측핵(ventromedial nucleus)은 성적 반응에 관여한다.

안드로겐은 중추계 작용뿐만 아니라 말초 조직에 대한 효과를 가질 수 있는데, 동물 모델에서 대음순, 소음순, 질은 면역조직학적으로 안드로겐 수용체 양성을 나타내며, 동물실험에서는 안드로겐은 질벽의 근긴장도를 조절하여 질 근육의 이완을 항진시키고 질 근위부에서 NOS의 활성을 증가시킨다고 보고되었다. 질 혈류와 안드로겐에 관한 동물 실험에서는 난소절제술 후 질 혈류가 감소하나 안드로겐을 투여한 경우 정상화되었고, 또 이와 더불어 안드로겐 및 에스트로겐 수용체의 증가가 나타났다. 또 다른 연구에서는 난소제거 후 질상피의 안드로겐 수용체는 감소하며 질섬유화가 증가하게 되는데 이는 에스트로겐 요법에 의해 다시 복원된다고 알려져 있고, 에스트로겐 수용체 역시 안드로겐 요법에 의해 증가하는 것으로 보고되었다. 안드로겐 수용체는 질점막 뿐만 아니라 혈관 내피상피의 평활근 세포와 기질에도 존재하며 동물실험에서는 질 근육의 이완을 항진시키고 NOS의 활성을 증가시킨다고 보고되었다. 동물실험에서 난소 절제 후 질 근위부에서 NOS 활성이 감소하는데, 여기에 안드로겐을 보충한 경우 다시 NOS 활성도가 증가하는 것이 관찰되었다. 이와 같은 현상은 질 원위부에서는 나타나지 않으며, 에스트로겐을 보충한 경우에는 오히려 NOS 활성도가 감소하는 것으로 나타나 질 근위부와 원위부, 안드로겐과 에스트로겐이 NOS 활성도에 미치는 영향은 다를 것으로 생각되고 있다. 또한 NOS의 기질로 작용하는 L-아르기닌(arginine) 분해 효소인 arginase 활성도 역시 안드로겐과 에스트로겐의 영향을 받는데 안드로겐은 arginase 활성도를 감소시키는데 반하여 에스트로겐은 증가시켜 NOS와 arginase 활성에 대하여 반대되는 역할을 수행하는 것으로 보고되었다.

동물실험에서 질 점막을 분리하여 노에피네프린(norepinephrine)으로 미리 수축시킨 후 안드로겐을 투여하면 점막 평활근의 이완도가 증가하나 에스트로겐과 안드로겐을 같이 투여하는 경우 이와 같은 이완도 증가는 덜한 것으로 보고되었다. 또 안드로겐은 혈관활성장 펩타이드(vasoactive intestinal peptide, VIP)에 의하여 유도된 평활근 이완을 다시 정상화시키는 것으로 보고되어 신경전달물질에 영향을 끼칠 가능성이 있다. 동물실험에서 난소절제술 후 안드로겐을 보충하면 질 점막의 점액 생산(mucification)이 정상화된다고 보고된 바가 있으나, 인간에서는 질위축증 및 질 윤활도의 호전은 보이지 않았다.

여성에서 안드로겐이 성기능에 미치는 영향은 안드로겐의 생산과 대사가 난소, 부신, 말초 조직 등에서 각각 이루어지기 때문에 그 과정이 복잡하여 연구에 제한점이 있어 향후 지속적인 연구가 필요하다.

(3) 테스토스테론과 여성성기능

폐경전 여성을 대상으로 한 연구들에서 월경 주기 중간 시기(midcycle)의 혈중 안드로겐 농도는 성교 빈도, 자위 빈도, 성기의 반응성 등의 성기능과 양성 상관관계를 보였다. 그러나 폐경 여성에서는 폐경 이후 성적 관심, 성적 만족도, 성교 횟수가 감소되었으나 테스토스테론 농도와 성적 기능과는 관련성이 없다고 보고되고 있다.

그러나 테스토스테론의 정상 범위가 아직 정확히 정해지지 않았기 때문에 테스토스테론 농도와 성기능에 대한 연구들의 결과가 상반되게 도출되었을 가능성이 있다. 혈중 총 테스토스테론(total testosterone), 유리 테스토스테론 검사의 민감도는 측정 방법에 따라 차이가 있으며, 테스토스테론 농도는 생리 주기에 따라 다르게 나타나는 문제점이 있기 때문이다. 따라서 정상범위라 하더라도 하위 1/4 이하인 경우에는 남성호르몬 결핍의 가능성이 있으며, 임상적 증상이 동반된 경우 진단 가능성이 높아진다.

건강한 자연 폐경 혹은 외과적 폐경 이후 성욕감퇴장애(hypoactive sexual disorder) 여성을 대상으로 한 무작위 대조군 연구들에서는 경피 테스토스테론 단독 요법을 6개월-1년간 시행하였을 때 300㎍ 패치를 사용한 경우 성교 횟수가 의미있게 증가하였으며 성욕이 증가하고 스트레스가 감소하였다고 보고하였다. 또 주사제, 경구 테스토스테론 요법을 시행하였을 때 성적인 욕구, 성적 만족도, 성교 횟수, 오르가즘이 증가되었으며, 또한 난소제거술을 받은 폐경후 여성에서 에스트로겐과 함께 테스토스테론을 보충한 경우 에스트로겐만 투여받은 경우보다 성적 활동, 오르가즘, 성적 환상, 자위 행위 빈도, 안녕감을 증가시켰다고 보고되었다. 그러나 많은 연구들에서 테스토스테론과 함께 에스트로겐 혹은 에스트로겐과 프로게스테론을 병행 투여한 경우가 있어 테스토스테론의 단독 요법에 대한 연구는 많지 않은 실정이다. 현재까지 시행된 연구들에서는 테스토스테론을 보충하였을 때 체내에서 에스트로겐으로 변환될 수 있어 유방암의 증가에 대한 우려가 있으나, 위에 기술한 연구들에서는 유방암이 의미있게 증가하지는 않았다. 그러나, 비교적 단기간인 1-2년에 걸친 연구이므로 향후 대규모 전향적 연구가 필요하다.

2) DHEA, DHEAS

최근 부신피질 호르몬인 DHEA와 DHEAS에 대한 관심이 높아지고 있는데, DHEA는 남성보다는 여성의 성기능에 관여하는 중요한 호르몬으로 새로이 인식되고 있다. 혈중 DHEA와 DHEAS는 여성에서 가장 풍부한 성호르몬으로 주로 난소와 부신에서 DHEA를 생산하며 부신피질의 세망대(zona reticularis)에서 주로 DHEAS를 생산한다. DHEA와 DHEAS는 사춘기 전 8-10세가 되면 다시 이들 호르몬이 분비되기 시작하여 음모 및 겨드랑이털의 성장을 일으키게 되는데 이 시기를 부신초경(adrenarche)이라고 부르게 되며, 이 시기가 gonadarche의 전구기가 된다. 특이하게도 혈중 DHEAS 농도는 남녀 모두에서 20-30대에서 짧은 정점(peak) 이후 바로 감소하며 70세 여성에서의 농도는 젊은 여성의 20%에 불과한 농도를 보인다. 이러한 연령에 따른 부신 안드로겐 분비의 감소는 폐경과는 관련이 없으며 정확한 기전은 알려져 있지 않다. 한편 DHEA가 결합하는 수용체가 있을 것으로 생각되지만, 아직까지 그 수용체가 분리되지 않아 DHEA의 역할에 대한 정확한 규명이 어려운 실정이다.

정상 부신 기능을 가진 여성에서 성기능 저하가 있을 때 DHEA를 투여하였을 경우 혈중 DHEA, DHEAS는 증가하였으나 일부 연구에서는 성기능이 호전되었으나 대부분 성기능은 변화하지 않았다고 보고되고 있다. 그러나 이 연구들은 표본 수가 적어 검증력이 떨어지며 투여한 DHEA 용량이 달랐고 짧은 기간 동안 진행된 연구이므로 아직까지 DHEA 치료가 여성 성기능에 미치는 영향에 대해서는 확실한 결론을 내릴 수는 없다. 최근 발표된 메타분석 보고에서도 의견이 조금씩 달라서 삶의 질, 폐경 증상에 영향을 주지는 않았으나 성기능을 약간 호전시키는 양상이 관찰되었다는 보고가 있는 반면 정상 부신 기능을 보이는 여성에서는 성기능에 전혀 영향을 주지 않았다는 보고가 있다.

한편 부신기능부전증 환자는 부신에서 DHEA 분비가 저하되어 일반적으로 성욕 저하를 호소하게 되므로 DHEA 치료로 가장 효과를 볼 수 있는 환자군으로 생각되고 있다. 부신기능부전증 여성 환자를 대상으로 한 DHEA 위약-대조군 시험에서는 대부분 성적 욕구 및 만족도의 상승을 보였고, 메타분석에서는 성기능에 영향을 주지는 못했으나 삶의 질과 우울감에는 긍정적 영향을 보였다.

5. 요약

여성의 성기능을 위해서는 적절한 성호르몬의 분비와 정상적인 신경계, 혈류 유지가 필요하다. 특히 여성은 폐경을 경험하면서 성욕의 소실, 질건조감, 성교통 등을 호소하게 되어 에스트로겐이 성기능과 밀접한 연관성이 있음을 시사한다. 에스트로겐 요법에 의하여 질건조감과 성교통이 호전될 수 있으나 성적 욕구의 향상에 대해서는 확실한 결론이 내려지지 않은 상태이다. 프로게스테론과 옥시토신 역시 성기능에 영향을 미칠 가능성이 있으나 아직 많은 연구가 진행된 바가 없어 결론을 내리기는 어렵다. 여성에서 안드로겐이 성기능에 미치는 영향에 대해서는 많은 연구가 이루어졌으며 성기능을 활성화시키는 방향으로 작용할 것으로 생각되고 있으나 안드로겐의 생산과 대사가 복잡하여 연구에 제한점이 있다. 안드로겐

중 테스토스테론 보충 요법이 성욕과 성적 만족도 등이 증가된다는 여러 보고가 있으며 안전성에 대한 향후 대규모 전향적 연구가 필요하다.

참고문헌

1. Alkatib AA, Cosma M, Elamin MB, Erickson D, Swiglo BA, Erwin PJ, Montori VM. A systematic review and meta-analysis of randomized placebo-controlled trials of DHEA treatment effects on quality of life in women with adrenal insufficiency. J Clin Endocrinol Metab. 2009;94:3676-3681.
2. Arlt W, Callies F, van Vlijmen JC, Koehler I, Reincke M, Bidlingmaier M. Dehydroepiandrosterone replacement in women with adrenal insufficiency. N Engl J Med 1999;341:1013-1020.
3. Bachmann GA, Leiblum SR. The impact of hormones on menopausal sexuality: a literature review. Menopause 2004;11:120-130.
4. Barnhart KT, Freeman E, Grisso JA, Rader DJ, Sammel M, Kapoor S et al. The effect of dehydroepiandrosterone supplementation to symptomatic perimenopausal women on serum endocrine profiles, lipid parameters, and health-related quality of life. J Clin Endocrinol Metab 1999;84:3896-3902.
5. Beach FA. Sexual attractivity, proceptivity, and receptivity in female mammals. Horm Behav 1976;7:105-138.
6. Berman JR. Physiology of female sexual function and dysfunction. Int J Impot Res 2005;17(Suppl 1):S44-51.
7. Berman JR, Goldstein I.Female sexual dysfunction. Urol Clin North Am 2001;28:405-416.
8. Berman J, McCarthy M, Kyprianou N. Effect of estrogen withdrawal on nitric oxide synthase expression and apoptosis in the rat vagina. Urology 1998;44:650-656.
9. Braunstein GD. Safety of testosterone treatment in postmenopausal women. Fertil Steril 2007;88:1-17.
10. Braunstein GD, Sundwall DA, Katz M, Shifren JL, Buster JE, Simon JA et al. Safety and efficacy of a testosterone patch for the treatment of hypoactive sexual desire disorder in surgically menopausal women:a randomized, placebo-controlled trial. Arch Intern Med 2005;165:1582-1589.
11. Burger H, Hailes J, Nelson J, Menelaus M. Effect of combined implants of oestradiol and testosterone on libido in postmenopausal women. Br Med J (Clin Res Ed) 1987;294:936-937.
12. Burnett AL, Truss MC. Mediators of the female sexual response:pharmacotherapeutic implications. World J Urol 2002;20:101-105.
13. Burrows LJ, Basha M, Goldstein AT. The effects of hormonal contraceptives on female sexuality:a review. J Sex Med. 2012;9:2213-2223.
14. Buster JE, Kingsberg SA, Aguirre O, Brown C, Breaux JG, Buch A et al. Testosterone patch for low sexual desire in surgically menopausal women:a randomized trial. Obstet Gynecol 2005;105:944-952.
15. Carter CS. Oxytocin and sexual behavior. Neurosci Biobehav Rev 1992;16:131-144.
16. Davis SR, Davison SL, Donath S, Bell RJ. Circulating androgen levels and self-reported sexual function in women. JAMA 2005;294:91-96.
17. Davis SR, Moreau M, Kroll R, Bouchard C, Panay N, Gass M et al. Testosterone for low libido in postmenopausal women not taking estrogen. N Engl J Med 2008;359:2005-2017.
18. Davis SR, McCloud P, Strauss BJ, Burger H. Testosterone enhances estradiol's effects on postmenopausal bone density and sexuality. Maturitas 1995;21:227-236.
19. Davison SL, Bell R, Donath S, Montalto JG, Davis SR. Androgen levels in adult females:changes with age, menopause, and oophorectomy. J Clin Endocrinol Metab 2005;90:3847-3853.
20. Dennerstein L, Lehert P, Burger H, Guthrie J. Sexuality. Am J Med 2005;118 Suppl 12B:59-63.
21. Dennerstein L, Randolph J, Taffe J, Dudley E, Burger H. Hormones, mood, sexuality, and the menopausal transition. Fertil Steril 2002;77 Suppl 4:S42-48.
22. Dennerstein L, Gotts G, Brown JB, Morse CA, Farley TM, Pinol A. The relationship between the menstrual cycle and female sexual interest in women with PMS complaints and volunteers. Psychoneuroendocrinology 1994;19:293-304.

23. Dennerstein L, Burrows GD, Wood C, Hyman G. Hormones and sexuality:effect of estrogen and progestogen. Obstet Gynecol 1980;56:316-322.
24. Elraiyah T, Sonbol MB, Wang Z, Khairalseed T, Asi N, Undavalli C, Nabhan M, Altayar O, Prokop L, Montori VM, Murad MH. Clinical review:The benefits and harms of systemic dehydroepiandrosterone (DHEA) in postmenopausal women with normal adrenal function:a systematic review and meta-analysis.J Clin Endocrinol Metab. 2014;99:3536-3542.
25. Floter A, Nathorst-Boos J, Carlstrom K, von Schoultz B. Addition of testosterone to estrogen replacement therapy in oophorectomized women:effects on sexuality and well-being. Climacteric 2002;5:357-365.
26. Hackbert L, Heiman JR. Acute dehydroepiandrosterone (DHEA) effects on sexual arousal in postmenopausal women. J Womens Health Gend Based Med 2002;11: 155-162.
27. Havelock JC, Auchus RJ, Rainey WE. The rise in adrenal androgen biosynthesis:adrenarche. Semin Reprod Med 2004;22:337-347.
28. Hubayter Z, Simon JA. Testosterone therapy for sexual dysfunction in postmenopausal women. Climacteric 2008;11:181-191.
29. Johannsson G, Burman P, Wiren L, Engstrom BE, Nilsson AG, Ottosson M et al. Low dose dehydroepiandrosterone affects behavior in hypopituitary androgen-deficient women:a placebo-controlled trial. J Clin Endocrinol Metab 2002;87:2046-2052.
30. Kow LM, Pfaff DW. Effects of estrogen treatment on the size of receptive field and response threshold of pudendal nerve in the female rat. Neuroendocrinology 1973-1974;13:299-313.
31. Labrie F. Intracrinology. Mol Cell Endocrinol 1991;78:C113-118.
32. Lobo RA, Rosen RC, Yang HM, Block B, Van Der Hoop RG. Comparative effects of oral esterified estrogens with and without methyltestosterone on endocrine profiles and dimensions of sexual function in postmenopausal women with hypoactive sexual desire. Fertil Steril 2003;79:1341-1352.
33. Lobo RA. Androgens in postmenopausal women: production, possible role, and replacement options. Obstet Gynecol Surv 2001;56:361-376.
34. Lovas K, Gebre-Medhin G, Trovik TS, Fougner KJ, Uhlving S, Nedrebo BG et al. Replacement of dehydroepiandrosterone in adrenal failure:no benefit for subjective health status and sexuality in a 9-month, randomized, parallel group clinical trial. J Clin Endocrinol Metab 2003;88:1112-1118.
35. Mani SK, Allen JM, Clark JH, Blaustein JD, O'Malley BW. Convergent pathways for steroid hormone- and neurotransmitter-induced rat sexual behavior. Science 1994;265:1246-1249.
36. Morales AJ, Nolan JJ, Nelson JC, Yen SS. Effects of replacement dose of dehydroepiandrosterone in men and women of advancing age. J Clin Endocrinol Metab 1994;78:1360-1367.
37. Mortola JF, Yen SS. The effects of oral dehydroepiandrosterone on endocrine-metabolic parameters in postmenopausal women. J Clin Endocrinol Metab 1990;71:696-704.
38. Myers LS, Dixen J, Morrissette D, Carmichael M, Davidson JM. Effects of estrogen, androgen, and progestin on sexual psychophysiology and behavior in postmenopausal women. J Clin Endocrinol Metab 1990;70:1124-1131.
39. Palacios S. Androgens and female sexual function. Maturitas 2007;57:61-65.
40. Panjari M, Davis SR. DHEA therapy for women:effect on sexual function and wellbeing. Hum Reprod Update 2007;13:239-248.
41. Persky H, Dreisbach L, Miller WR, O'Brien CP, Khan MA, Lief HI et al. The relation of plasma androgen levels to sexual behaviors and attitudes of women. Psychosom med 1982;44:305-319.
42. Salonia A, Nappi RE, Pontillo M, Daverio R, Smeraldi A, Briganti A, et al. Menstrual cycle-related changes in plasma oxytocin are relevant to normal sexual function in healthy women. Horm Behav 2005;47:164-169.
43. Sarrel PM. Effects of hormone replacement therapy on sexual psychophysiology and behavior in postmenopause. J Womens Health Gend Based Med 2000;9 (Suppl 1):S25-32.
44. Sarrel P, Dobay B, Wiita B. Estrogen and estrogen-androgen replacement in postmenopausal women

dissatisfied with estrogen-only therapy. Sexual behavior and neuroendocrine responses. J Reprod Med 1998;43:847-856.

45. Scheffers CS, Armstrong S, Cantineau AE, Farquhar C, Jordan V. Dehydroepiandrosterone for women in the peri- or postmenopausal phase. Cochrane Database Syst Rev. 2015;1:CD011066.
46. Schmidt PJ, Daly RC, Bloch M, Smith MJ, Danaceau MA, St Clair LS et al. Dehydroepiandrosterone monotherapy in midlife-onset major and minor depression. Arch Gen Psychiatry 2005;62:154-162.
47. Semmens JP, Tsai CC, Semmens EC, Loadholt CB. Effects of estrogen therapy on vaginal physiology during menopause. Obstet Gynecol 1985;66:15-18.
48. Shen WW, Urosevich Z, Clayton DO. Sildenafil in the treatment of female sexual dysfunction induced by selective serotonin reuptake inhibitors. J Reprod Med 1999;44:535-542.
49. Shifren JL, Braunstein GD, Simon JA, Casson PR, Buster JE, Redmond GP et al. Transdermal testosterone treatment in women with impaired sexual function after oophorectomy. N Engl J Med 2000;343:682-688.
50. Simon J, Braunstein G, Nachtigall L, Utian W, Katz M, Miller S et al. Testosterone patch increases sexual activity and desire in surgically menopausal women with hypoactive sexual desire disorder. J Clin Endocrinol Metab 2005;90:5226-5233.
51. Traish AM, Kim SW, Stankovic M, Goldstein I, Kim NN. Testosterone increases blood flow and expression of androgen and estrogen receptors in the rat vagina. J Sex Med 2007;4:609-619.
52. Traish AM, Kim N, Min K, Munarriz R, Goldstein I. Role of androgens in female genital sexual arousal:receptor expression, structure, and function. Fertil Steril 2002:77 Suppl 4:S11-18.
53. Uphouse L. Dose-dependent effects of the antiprogestin, RU486, on sexual behavior of naturally cycling Fischer rats. Behav Brain Res. 2015;282:95-102.
54. Wang H, Hahn AC2 Fisher CI, DeBruine LM, Jones BC. Women's hormone levels modulate the motivational salience of facial attractiveness and sexual dimorphism. Psychoneuroendocrinology. 2014;50:246-251.
55. Widstrom RL, Dillon JS.Is there a receptor for dehydroepiandrosterone or dehydroepiandrosterone sulfate? Semin Reprod Med 2004;22:289-298.
56. Wilcox AJ, Baird DD, Dunson DB, McConnaughey DR, Kesner JS, Weinberg CR. On the frequency of intercourse around ovulation: evidence for biological influences. Hum Reprod 2004;19:1539-1543.
57. Wolf OT, Neumann O, Hellhammer DH, Geiben AC, Strasburger CJ, Dressendorfer RA et al. Effects of a two-week physiological dehydroepiandrosterone substitution on cognitive performance and well-being in healthy elderly women and men. J Clin Endocrinol Metab 1997;82:2363-2367.
58. Zumoff B, Strain GW, Miller LK, Rosner W. Twenty-four mean plasma testosterone concentration declines with age in normal premenopausal women. J Clin Endocrinol Metab 1995;80:1429-1430.

CHAPTER 54

여성 성기능 장애의 병인

Pathophysiology of Female Sexual Dysfunction

■ 민권식

1. 성기능 장애의 정의와 분류

남성은 발기부전과 조루 등 분명한 질환의 차이를 이해하고 병명을 사용하지만 여성성기능장애는 확연히 구분되는 다양한 영역이 있지만 여성성기능장애라는 포괄적 용어가 흔히 사용되고 있다. 따라서 여성성기능장애를 이해하기 위해서는 각각의 세부 성기능장애에 대한 이해가 우선적으로 필요하다. 현재까지 여성성기능장애에는 다양한 분류가 사용되었다. WHO에서는 ICD-10 (International Classification of Disease, 10th edition)분류를 제시하였는데 ICD-10에는 여성 성기능장애에 대해 7가지로 분류하였지만 그 개념이 비교적 모호하여 임상적으로 유용성이 매우 적었다 (Basson et al 2000). 그 이후 DSM-IV의 분류는 정신신체적 측면에 초점을 둔 분류로서 6 가지로 분류를 하였다. 그러나 DSM-IV 분류는 실제 임상과 임상적 연구 간에 거리가 있는 문제점을 지녔던 분류이어서 1999년에 AFUD (American Foundation of Urologic disease)의 성기능건강평의회 (Sexual Function Health Council)에서 여성성기능장애의 정의와 분류에 대하여 다시 정리하였다(Basson et al 2000). 특징으로는 DSM-IV의 분류를 기초로 임상연구와 실제 임상의 연속성을 고려하여 분류되었으며 성동통장애 영역이 추가된 분류가 제시되었다.

그러나 실제 임상에서 이 진단 분류를 적용할 수 없는 증례가 발생하게 되자 최근에는 질병을 세분화하는 보완을 거쳐 DSM-V (표 54-1), 2nd International Consultation on Sexual Medicine (ICSM; 2003) (표 54-1)에서 분류하고 정의한 내용으로 진일보하였다(Hatzimouratdis and Hatzichristou 2007). 이렇게 진단이 세분화됨으로써 임상적 접근이 용이하고 현재 개발 중인 약제의 적응증이 보다 구체화됨으로써 임상시험 시 비교적 약제의 효과판정이 분명하게 도출되리라 생각한다. 여기서는 임상적 환경과 가장 유사한 ICSM의 분류를 소개한다.

1) 성욕구 장애

지속적이거나 반복적으로 성적 환상이나 성행위에 대한 욕구가 결핍되어 만족스러운 성행위가 이루어지지 않아 성적 갈등을 야기하는 상태로 이전의 성욕저하증(hypoactive sexual desire disorder)을 의미한다. 이전에 포함되었던 성혐오증(sexual aversion disorder)은 임상적으로 진단되는 경우가 거의 없었기에 DSM-V에서는 성욕구장애에서 제외하였고

표 54-1 고프로락틴혈증의 원인

ICD-10
Lack or loss of sexual desire
Sexual aversion disorder
Failure of genital response
Orgasmic dysfunction
Non-organic vaginismus
Non-organic dyspareunia
Excessive sexual drive
DSM-IV
Hypoactive sexual desire
Sexual aversion disorder
Female arousal disorder
Female orgasmic disorder
Dyspareunia
Vaginismus
AFUD Consensus Meeting
Sexual desire disorder
Hypoactive sexual desire
Sexual aversion disorder
Sexual arousal disorder
Orgasmic disorder
Sexual pain disorder
Dyspareunia
Vaginismus
Non-coital pain disorder
DSM-V
Hypoactive sexual desire disorder
Sexual arousal disorder
Female orgasmic disorder
Dyspareunia
Vaginismus
Interantional Consultation on Sexual Medicine
Sexual interest/desire dysfunction
Sexual arousal disorder
Subjective sexual arousal disorder
Genital sexual arousal disorder
Combined genital and subjective arousal disorder
Persistent genital arousal disorder
Orgasmic disorder
Sexual pain disorder
Dyspareunia
Vaginismus
Other condition
Sexual aversion disorder

ICSM에서는 기타 분류로 변경하여 분류하였다.

2) 성각성 장애

지속적이거나 반복적으로 충분한 성적 각성 반응이 일어나지 않거나 만족스러운 성적 각성이 유지되지 않아 성적 갈등을 야기하는 상태를 의미한다. DSM-V에서는 과거에 사용하였던 용어 그대로 포괄적 단일 분류를 유지하고 있으나 ICSM에서는 환자가 느끼는 주관적인 성적 각성과 외성기의 국소적 각성 반응을 구분하여 분류하였고 드물기는 하나 지속외성기각성 장애를 추가하였다. 주관적 성각성 장애는 성적 흥분 때 나타나는 외성기의 신체적 반응(외성기 충혈, 질분비 등)은 적절하더라도 정신적으로 성적 흥분이 되지 않는 상태를 말하며 외성기 각성 장애는 성적자극이 있을 때 주관적인 정신적 성적 흥분은 적절하더라도 질분비물이 적거나 외성기의 충혈이 부적절한 상태를 말한다. 지속외성기각성 장애는 성적 욕구가 없는 상태에서 원하지 않는, 외성기에 발생한 성적 각성 반응으로 자위 등으로 극치감을 경험하여도 외성기 각성 상태가 해결되지 않고 수 시간, 혹은 수 일간 지속되어 심한 스트레스를 동반하는 상태이다. 남성의 지속발기증에 해당한다고 할 수 있다.

3) 극치감 장애

충분한 성적 자극과 만족스러운 성각성이 유지되었음에도 불구하고 반복적, 지속적으로 극치감 도달이 어렵거나 극치감 도달이 불가능하여 성적 갈등을 야기하는 상태이다. ICSM에서는 정의에 정량적 표현이 포함되어 있지 않지만 DSM-V에서는 6개월간 적어도 전체의 75% 이상에서 극치감을 경험하지 못할 때로 정의하고 있다.

4) 성동통 장애

성행위의 유무와 관계없이 외성기에 반복적, 지속적으로 통증이 있어서 만족스러운 성생활에 장애를 받는 상태로서 성교통(Dyspareunia)과 질경련(vaginisnus)이 포함되는데, 성교통은 질 분비물 부족으로 인한 것은 배제하였으며 성기접촉이 아닌 성행위로 발생하는 외성기 동통도 포함시키는 것으로 변경되었다.

이 외에 충분한 성적 각성과 극치감에도 불구하고 전체적인 성적 만족도가 결여되는 경우가 있으므로 상기 분류에 성만족 장애(sexual satisfaction disorder)를 추가하자는 주장도 있다(Leiblum 2001).

2. 여성 성기능 장애 역학

일반적으로 여성 성기능 장애 는 여성의 30-50%를 차지할 정도로 남성보다 이환율이 높으며 연령이 증가할수록 빈도가 높을 뿐만 아니라 지속적인 진행성 질환으로 인정되고 있다(Spector and Carey 1990). 미국의 National Health and Social Life Survey에서 시행한 역학 조사를 보면, 1749명의 여성을 대상으로 실시하여 43%에서 다양한 성기능장애를 호소한 반면 남성은 31%에서 호소하여 남성 보다 여성성기능장애가 빈도가 더 높음을 보고하였다. (Laumann et al 1999). 성기능장애를 유형별로 살펴보면 지역과 연구방법에 따라 다양한 빈도로 보고되고 있다. 우선 미국 일반인을 대상으로 여성성기능장애를 평가한 15개 연구를 분석한 결과, 성욕의 문제는 5~22%, 성각성 문제는 4~14%, 극치감 장애는 5~16%, 동통성 성교를 호소한 여성은 7~19%였다. 결국 미국의 전체 여성 성기능 장애는 매우 높은 유병율을 보이고 있음을 알 수 있다.

유럽에도 다양한 국가들의 역학 결과들이 있지만 동일한 기준하에서 40~80세 여성을 대상으로 한 전세계 지역별 성기능장애를 조사한 연구를 보면, 북유럽은 성욕장애가 17%, 질 분비물 이상이 13%, 극치감 장애가 10%, 성교통이 6%였으며 남쪽 유럽은 성욕장애가 21%, 질분비물 이상이 12%, 극치감 이상이 17%, 성교통이 9%로서 전체 유럽의 여성성기능장애 유병률을 보면 적게는 46%에서 많게는 59%에 이르렀다(Laumann et al 2005).

이 연구에서 한국은 426명을 대상으로 조사하였는데 성적 흥미소실이 26.9%, 성이 즐겁지 않거나 질분비물 부족이 각각 36.5%와 29.4%, 극치감 도달불능이 30.8%, 성교통이 28.1%로서 미주나 유럽보다는 비율이 상대적으로 높았고 다른 아시아권과 비교하였을 때 성적 흥미 소실이 유의하게 낮은 반면 성이 즐겁지 않다는 비율은 유의하게 높아 대조적인 모습을 보였다(Edson 2006). 그러나 이런 성적 문제점들이 있어도 성적 건강을 회복하기 위한 노력은 아시아권의 다른 나라에 비해서도 매우 낮은 수치를 보였다.

그 외 아시아지역, 중남미 등의 지역별 호소하는 성적 문제의 빈도는 표 54-2에 나타난 바와 같다(Laumann et al 2005).

전세계 지역별 여성성기능장애 유형별 공통점은 즐겁지 않은 성생활과 질윤활 부족과 같은 성각성 장애를 호소하는 비율이 가장 높았고 단일 증상으로는 성적 흥미 결핍이 가장 흔한 증상으로 파악되었다. 여성 성기능 장애를 호소하는 여성들 대부분이 단일 증상보다는 2 가지 이상의 증상을 호소하였다.

이러한 증상들에 대해 어떤 요소들이 관계하는지에 대한 연구들도 병행되었는데, Spector와 Carey(1990)는 연령에 따라 여성 성기능 장애 빈도가 증가한다고 보고한 반면 Laumann 등(1999)은 젊은 여성일수록 성기능 장애가 많다고 상반된 조사결과를 보고하였는데 그 이유로는 젊은 여성에서 독신이 많고 성파트너가 자주 바뀌어 규칙적인 성생활이 되지 못하고 성적 스트레스가 증가하기 때문인 것으로 설명하고 있다.

배우자가 있는 기혼자보다는 미혼, 이혼, 사별, 혹은 별거 여성들이 규칙적인 성생활이 어려우므로 성기능 장애를 많이 호소하였고 성행위 빈도가 적은(달

표 54-2 전세계 지역별 여성성기능장애 별 빈도(%)

지역	성적 흥미소실	즐겁지 않은 성	질 분비물 부족	극치감 부족	성교통
한국	26.9	36.5	29.4	30.8	28.1
동아시아	36.1	26.5	37.4	33.6	30.6
동남아시아	38.7	30.4	32.4	37.0	23.9
미국	31.4	22.7	20.6	25.7	15.6
북유럽	25.6	17.1	18.4	17.7	9.0
남유럽	29.6	22.1	16.1	24.2	11.9
유럽제외서구	33.6	19.8	27.8	25.0	12.1
중남미	23.5	19.5	22.5	22.4	16.6
중동	43.4	31.0	23.0	23.0	21.0

1 회 이하) 여성은 상대적으로 성욕구 장애와 성각성 장애를 많이 호소하였으며 성적 환상의 빈도도 성욕구 장애와 관련이 있는 것으로 조사되었다(Laumann et al 1999).

교육 정도도 영향을 미치는 요소로 작용하는데 학력이 높을수록 전체적인 성기능 장애의 빈도가 일관되게 낮게 나타났다. 특히 저학력자에게서 성에 대한 근심이 많고 성생활이 즐겁지 않다는 빈도가 높았다. 인종별로는 동양인을 포함하는 기타 인종과 흑인에서 백인과 남미 계열에 비하여 여성 성기능 장애 환자의 비율이 현저하게 높은 것으로 보아 사회문화적 및 종교적 배경이 성기능 장애를 유발하는 요소가 될 수 있음을 시사한다(Laumann et al 1999).

감성적 이상이나 스트레스가 있는 여성은 성욕 및 성각성의 장애 뿐만 아니라 성동통도 유의하게 증가하였다. 가정의 경제적인 수입 부분도 성기능장애를 유발하는 유의한 요소로 지적되었는데 수입이 낮은 가정이 남성보다 여성에서 스트레스가 더 많은 것으로 밝혀졌다. 사춘기 이전에 성적 접촉이 있었거나 성폭행을 당한 경험이 있는 여성은 성각성 장애를 유의하게 많이 호소하였다. 원하지 않는 성적 접촉은 장기간에 걸쳐 성기능에 부정적 영향을 초래하는 결과를 보였다(Laumann et al 1999).

여성성기능장애는 그 선별 기준이 연구결과에 따라 다양하고 연구 대상도 다양하여 보고한 빈도를 전적으로 인정하기 힘든 부분도 일부 있으며 성기능장애에 대한 분류와 정의가 다양하여 연구간 자료의 비교가 불가능한 경우들도 많다. 그러므로 이를 위해서는 성기능장애의 분명하고 공감이 형성된 정의의 도출과 성기능 장애 정도를 측정하는 방법의 확립과 표준화가 시급하며 그 타당도도 검정되어야 할 것이다.

3. 여성 성기능장애의 병인

남성에서와 마찬가지로 다양한 혈관질환과 신경질환이 여성 성기능 장애를 유발할 수 있는데 여성은 해부학적 구조가 보다 복잡함으로 인하여 매우 다양한 상황에서 성기능장애를 유발할 수 있다.

1) 혈관질환

여성의 외성기 성각성 반응이 외성기 혈류 증가를 배경으로 하는 신경매개성 혈관 반응이므로 외성기 혈류 장애는 외성기 성각성 장애를 초래할 수 있다. 혈관의 병변을 유발하는 고혈압, 동맥경화, 심장질환 등에서는 장골하복-음부 동맥의 경화성 병변이 초래되어 질과 음핵의 혈류가 저해될 수 있는 중요한 병인이다. 또한 장기간의 골반 혈류의 감소는 질벽과 음핵, 음순의 혈관성 및 비혈관성 평활근의 섬유화 병변을 초래한다. 또한 만성적인 혈관질환은 음핵이나 소음순의 팽창부에 있는 혈관내피세포 기능부전을 초래하여 혈관평활근의 이완을 저해함으로써 외성기 혈류감소를 가중시킨다. 따라서 음핵 혈류 감소는 음핵 팽만 감소로 음핵의 성감이 저하되며 질 혈류 감소는 질분비물 감소, 질 팽윤 저하, 질감각 저하 등을 초래하여 외성기의 성각성 장애를 유발할 수 있다. 이러한 상태를 음핵 및 질 혈관 부전 증후군(clitoral and vaginal vascular deficiency syndrome)이라고 한다(Goldstein et al 1998).

2) 신경질환

다발성 경화증 환자에서 흔히 성적 활동이 감소하는데 여성 환자의 절반에서 성욕 감소, 질분비물 감소, 외성기 감각 이상, 외성기 통증, 등의 성기능 장애를 호소한다(Hulter 1995). 또 신체 경직이 너무 심해 성행위를 하기 어려운 경우도 있다. 주 원인은 중추성 및 말초성 신경계 이상이지만 나이, 현훈, 조화운동 불능(ataxia), 등의 증상과도 연관이 있다. 그외 척수병증(myelopathy), 다발신경병증(polyneuropathy)이 있는 환자에서도 성기능 장애 증상이 흔하다. 골반의 자율 신경계, 감각 신경의 신경병, 특히 음부신경의 신경병은 다양한 성기능장애를 유발한다.

3) 당뇨병

당뇨 여성에서 흔히 성욕구가 소실될 수 있는데 요독증이 있을 때 특히 증가하는 것으로 보아 대사성 원인으로 인한 남성호르몬 감소가 문제인 것으로 생각된다. 요독증이 병합되지 않을 때의 성욕구 장애는 당뇨병의 합병증으로 인한 스트레스와 우울증이 관계되는 것으로 여겨진다(Steele 1996). 성각성 관련 증상은 이와 같이 당뇨병으로 인한 정신사회학적인 원인도 관계가 되지만 당뇨로 인한 자율신경계 및 말초신경계의 신경병, 외성기 혈류에 관계하는 말초혈관 이상, 내분비 이상, 등이 유발인자들이다(Webster 1994, Park et al 2002). 당뇨에 신경병이 동반된 경우는 성기능 장애가 다양한 종류의 성기능 장액 발생하며 그 정도도 매우 심하다.

4) 손상

극치감 장애는 외성기의 운동 및 감각 기능이 소실될 때 유발될 수 있는데 척수 손상이 있는 여성의 7~23%에서 성각성 장애가 있거나 극치감 도달이 되지 않는다. 그러나 척수 손상 여성 중에서도 정상과 유사한 극치감을 경험할 수 있는데 이때는 외성기의 자극으로 인한 것 보다는 정신적인 성적 자극이 더 중요하다. 완전 척수 손상환자에서 외성기의 감각전달에는 미주신경이 관여하여 정상적인 성반응을 보일 수 있다는 주장도 있다(Sipski et al 1995). 두부 손상 후에 흔히 일어나는 성기능 장애로는 성적 흥미나 성욕의 변화가 유발된다. 골반골절, 회음부 둔상, 등에 의해서도 내장골 동맥이나 음부동맥, 또는 골반내 신경총이나 음부신경의 손상으로 성기능 장애가 발생할 수 있다(Munnariz et al 2002b).

5) 의인성 원인

골반 장기에 대한 수술은 성반응에 중요한 혈관과 신경에 손상을 줄 수 있으므로 배뇨 장애와 함께 성기능 장애를 유발할 수 있다. 직장 및 대장 절제술 후 질건조증, 성교통, 성행위의 장애 등을 호소할 수 있다. 또한 직장 절제술 후 30~40%의 여성이 자궁의 후방고정으로 성교통을 호소한다. 질탈출증 예방을 위하여 천골가시인대고정술(sacrospinous ligament fixation)을 시행하는데 25~46%에서 질강이 좁아져서 성교를 할 수 없거나 성교통을 호소한다(Holley et al 1996).

자궁절제술이 성기능 장애를 유발하는 것에 대해서

는 논란이 있다. Rhodes 등(1999)은 자궁절제술 후 성교통 감소, 성행위 빈도 증가, 극치감 빈도 증가를 보이는 등 성기능이 오히려 개선되었다고 주장한 반면, Munarriz 등(2000)은 자궁절제술 후 질 및 음핵의 혈류 감소와 외성기의 냉온감 및 진동감각이 유의하게 감소하여 성각성 장애가 유발 될 수 있음을 주장하였다. 해부학적으로는 전자궁적출술뿐만 아니라 단순자궁절제술도 자궁 동맥의 질분지를 차단하고 자궁경부 주위의 자율신경총에 손상을 가해 성기능 장애가 유발될 수 있는 것으로 거론된다. 후부 질봉합술(posterior colporrhaphy), 외음절개술(episiotomy)을 시행한 후에도 성교통이 야기될 수 있다.

6) 종양

악성 종양은 질환 자체로도 환자에게 정신적인 스트레스와 우울증을 유발할 뿐만 아니라 항암 치료나 방사선 치료로 성욕을 감소시키고 성각성에 몰입되지 못하게 한다. 특히, 유방암이나 외성기 종양 같은 경우는 외과적 절제 후에 수술에 따른 신체적인 결함이 신체에 대한 자신감 결여로 이어져 환자에게 성욕장애 및 성각성장애를 일으킬 수 있다. 방사선 치료는 음핵과 음순의 발기조직의 섬유화로 성각성이 감소되고 질의 섬유성 위축과 탄력 소실로 질의 내강과 길이가 감소하여 성각성 반응이 잘 유발되지 않으며 성교통이 발생할 수 있다. 또한 방사선 치료로 동맥내막염이 초래되어 외성기 혈류 장애로 성각성 반응도 원활하지 않게 된다. 방사선 치료 환자에서 과거의 즐거웠던 성생활로 복귀하지 못하는 경우가 50%에 달하므로 의료인의 주의가 요구된다. 항암치료로 인한 탈모, 질 위축도 성적 각성 반응이 잘 일어나지 않게 한다.

7) 약물복용

신경안정제들은 모두 자율신경계에 작용하여 성각성과 극치감을 억제하며 수면제나 진정제는 중추신경계에 작용하여 성욕을 억제한다. 또한 리튬은 성욕을, 마약은 성각성을 감소시킨다. 우울증으로 성기능 장애가 유발될 수 있는 반면에 항우울제도 30~70%의 환자에서 성기능 장애를 유발하는데 대표적인 약제가 SSRI (selective serotonine reuptake inhibitor)이다(Kennedy et al 2000). 호소하는 증상으로는 성욕 감소, 질분비물 감소, 성교통, 극치감 도달 어려움 등이다. 이뇨제, β-교감신경 차단제와 같은 항고혈압제가 외성기 혈류량을 감소시켜 성각성장애를 유발할 수 있고 시메티딘과 같은 H_2 저해제는 활성 남성호르몬을 저하시켜 성욕구 저하를 포함하는 성기능 장애를 유발할 수 있다(Moss et al 1982). 경구 피임약은 임신에 대한 공포에서 벗어난다는 심리적인 도움으로 성기능이 향상될 수도 있으나 피임약의 에스트로젠이 성호르몬결합글로불린을 증가시켜 활성 테스토스테론을 감소시킴으로써 성욕감소와 더불어 성기능 장애를 초래할 수 있다(표 54-3 참고).

8) 부인과 질환

질 및 자궁 경부의 염증, 자궁내막증, 골반수술이나 질전정 염증성 질환으로 인한 골반 유착, 골반 종양, 소화기계 및 비뇨기계 이상 등에 의해 성교통이 발생할 수 있다. 자궁 후굴, 특이한 성교의 체위, 혹은 강한 처녀막도 성교통을 유발할 수 있다. 골반장기 탈출은 성교통을 유발하고 성욕을 감소시키기도 한다. 음문질전정염은 난치성 성교통의 원인으로 알려져 있으며 우울증이나 공포심과 더불어 질경련으로 발전할 수 있다. 요실금으로 성행위 빈도가 감소하고 성욕 감소나 성각성 장애가 유발될 수 있는데 그 원인은 요실금으로 인한 자기 자신감의 저하, 악취에 대한 염려, 파트너의 성관계 회피 등이다(Thomas et al 1980). 심한 경우는 외성기 피부염이 발생하여 성교통이 발생할 수도 있다. 음핵 포피의 만성적 염증은 음핵이 포피에 싸여 노출이 되지 않아 성각성 장애가 초래되기도 한다(Munarriz et al 2002a).

표 54-3 성적 부작용이 알려진 약제

Alcohol
Amphetamines
Antidepressarits and mood stabilizers
Selective serotonin reuptake inhibitors
Serotonin-norepinephrine reupatake inhibitors
Tricyclic antidepressants
Monoamine oxidase inhibitors
Antipsychotics or Psychotropic drugs
Benzodiazepines
Anticonvulsants
Antiepileptics
Antihypertensives
β blockers
α blockers
Diuretics
Cardiovascular agents
Lipid-lowering agents
Digoxin
Histamine-2 receptor
Cimetidine
Hormones
Oral contraceptive pills
Estrogens
Progestins
Gonadotropin-releasing hormone agonists
Steroids
Narcotics
Cocaine
Marijuana

9) 정신과 질환

우울증, 불안, 신체에 대한 이미지, 갈등과 같은 정신과적인 요소들이 성기능에 많은 영향을 미친다. 그 중 우울증은 가장 대표적인 질환으로 성욕 및 성각성 반응을 감소시키며 특히 성기능장애가 있는 환자에서 성고민 지수(sexual distress scale)가 유의하게 높게 나타나 성기능장애와 우울증은 유의한 상관관계를 보이는 것으로 인정된다. 간질 환자의 14~66%에서 성욕 저하, 성각성 반응 저하, 등을 호소하는데 자신의 이미지나 고립적 사회성, 대뇌 신경계 기능 이상, 간질 치료제로 인한 성호르몬의 변화, 등이 관여하는 것으로 여겨진다. 성적 불안감, 성병이나 임신에 대한 공포심 등이 질액 분비를 방해하여 성교통을 유발할 수 있다. 성폭행과 같은 성적인 정신적 외상이 질경련의 원인이 될 수 있다. 국내는 종교적, 문화적 배경을 고려할 때 심인성 원인이 비교적 높을 것으로 생각된다.

10) 노령

11~48%의 노령 여성에서 성욕의 감소를 호소하는데 특히 폐경 후에는 성적인 사고나 성적 환상의 빈도 감소, 질분비물 감소, 등이 두드러진다. 고령으로 인해 야기되는 신체적 질환, 다양한 질환 치료 약제의 복용, 폐경으로 인한 여성 및 남성호르몬 감소, 우울증, 등도 모두 연관될 것으로 추정된다(Bachman 1993).

성각성 반응도 연령에 따라 감소하게 되는데 폐경으로 인한 에스트로젠의 감소가 질혈류와 질분비물을 감소시키고 질의 위축으로 질이 얇아지고 질 벽의 탄성이 줄어들며 질원개(vaginal vault)가 짧아져 쉽게 성교통이 발생한다. 동시에 고령으로 인한 남성호르몬의 감소가 성욕 감소 뿐만 아니라 성각성 및 극치감 이상도 초래할 수 있다.

노령이 되면 성각성 중 외성기 충혈 감소, 골반저근의 수축력 감소 및 자궁의 수축력 저하 등으로 극치감도 짧아지고 약해진다. 그러나 나이가 들어도 다발성 극치감은 유지되는 것으로 알려져 있다.

11) 기타

요독증으로 인해 성욕 감소, 성각성 이상, 극치감 이상 등을 야기할 수 있다. 그 원인은 혈관 부전과 자율신경병증으로 여겨지며 치료를 위한 혈액투석이나 스테로이드, 항고혈압제도 성기능 장애의 유발을 돕는 원인으로 생각된다. 크론씨병(Crohn's disease) 환자의 25%에서 복통, 설사 등으로 성생활에 장애를 받고 있으며 특히 60%에서 성교통을 호소한다(Moody et al 1992). 류마티스 관절염 환자의 절반 이상이 성적 동기나 성적 표현이 감소하면서 성욕이 감소한다. 전신 경화증(Systemic sclerosis) 환자는 질건조증, 외성기 궤양, 성교통이 유의하게 증가한다. 항문질환이나 항문누공도 성교통과 연관이 있다. 시상하부-뇌하수체 질환의 60~80%에서 성기능 장애를 호소하며 과프로락틴혈증은 84%에서 성욕 감소를 호소한다. 모두 원인 질환에 의한 성호르몬의 혈중 변화가 원인으로 지적된다.

4. 요약

여성 성기능 장애 는 여성의 3단계 성반응에 따라 성욕장애, 성각성장애, 극치감장애 및 성교통장애로 분류하고 있다. 여성성기능장애는 남성보다 빈도가 높은 것으로 알려져 있으며 각 성기능장애는 국가별 발생의 차이는 있으나 대개 유사한 발병 빈도를 보인다. 이러한 성기능장애를 유발하는 병인으로는 당뇨병, 고혈압과 같은 혈관질환, 다발성경화증 같은 신경계질환, 각종 정신과 및 부인과질환, 악성 종양, 다양한 약제 복용, 고령 등이 단일 혹은 복합적으로 관계하는 것으로 알려져 있다. 여성의 성반응이 이와 같이 내 · 외성기 혈관계나 신경계, 성호르몬의 환경에 지대한 영향을 받지만 대인관계나 개인적 상상력, 성격 등과 같은 정신적 환경에 의해서도 영향을 많이 받으므로 기질적 병인만큼 심인성 원인도 매우 중요하다.

참고문헌

1. Bachman GA. 1993, Sexual function in perimenopause. Obstet gynechol Clin North Am 209:379-389.
2. Basson R, Berman J, Burnett A, et al. 2000, Report of the international consensus development conference on female sexual dysfunction: definitions and classifications. J Urol 163:888-893.
3. Edson DM, Kim SC, Glasser D. 2006, Sexual activity, Prevalence of sexual problems and associated help-seeking patterns in men and women aged 40-80 years in Korea: data from the global study of sexual attitudes and behaviors (GSSAB). J Sex Med 3:201-211.
4. Goldstein I, Berman J. 1998, Vasculogenic female sexual dysfunction: Vaginal engorgement and clitoral erectile insufficiency syndromes. Int J Impot Res 10:S84-90.
5. Hatzimouratidis K, Hatzichristou D. 2007, Sexual dysfunctions: classifications and definitions. J Sex Med 4:241-250.
6. Holley RL, Varner RE, Gleason BP et al. 1996, Sexual function after sacrospinous ligament fixation for vaginal vault prolapse. J Repro Med 41:355-358.
7. Hulter BM, Lundberg PO. 1995, Sexual function in women with advanced multiple sclerosis. J Neurol Neurosurg Psychiatry 59:83-86.
8. Kennedy SH, Eisfeld BS, Dickens SE, et. al. 2000, Antidepressant-induced sexual dysfunction during treatment with moclobemide, paroxetine, serteraline, and venlafaxine. J Clin Psychiatry;61:276-281.
9. Laumann E, Paik A, Rosen R. 1999, Sexual dysfunction in the United States: prevalence and predictors. JAMA 281:537-544.
10. Laumann E, Nicolosi A, Galsser DB et al. 2005, Sexual problems among women and men aged 40-80 year-old: prevalence and correlates identified Global Study of Sexual Attitude and Behaviors. Int J Impo Res 17:39-57.
11. Leiblum SR. 2001, Critical overview of the new consensus-based definitions and classification of female sexual dysfunction. J Sex Marital Ther 27:159-167.
12. Moss HB, Procci WR. 1982, Sexual dysfunction

associated with oral hypertensive medication: a critical survey of the literature. Gen Hosp Psychiatry;4:121-128.

13. Munarriz R, Talakoub L, Flaberty E, et al. 2000, Elective hysterectomy and female sexual dysfunction: the postoperative irony of increased opertunity to have sexual activity but marked irreversible diminished quality of sexual activity. Proceedings of International Society of Study for Women's Sexual Health 3rd Annual Meeting. Boston: International Society of Study for Women's Sexual Health;69.

14. Munarriz R, Talakoub L, Kuohung W, et al. 2002a, The prevalence of phimosis of the clitoris in women presenting to the sexual dysfuncion clinic;lack of correlation to disorders of desire, arousal and orgasm. J Sex Marital Ther, 28 Suppl 1:181-185.

15. Munarriz R, Talakob L, Somekh NN, et al. 2002b, Characeristics of female patients with sexual dysfuncion who also had a history of blut perineal trauma. J Sex Marital Ther, 28 Suppl 1;175-179.

16. Park K, Ahn K, Chang JS, et al. 2002, Diabetes induced alteration of clitoral hemodynamics and structure in the rabbit. J Urol. 168:1269-1272.

17. Rhodes JC, Kjerulff KH, Langenberg PW, et al. 1999, Hysterectomy and Sexual functioning. MAMA 282; 1934-1941.

18. Sipski ML, Alexander CJ, Rosen RC, 1995, Physiological parameters associated with psychogenic sexual arousal in women with complete spinal cord injuries. Arch Phys med Rehabil 76:811-818.

19. Spector I, Carey M. 1990, Incidence and prevalence of the sexual dysfunction: A critical review of the empirical literature. Arch Sex behav 19:389-408.

20. Steele TE, Wuerth D, Finkelstein S et al. 1996, Sexual experiences of the chronic peritoneal dialysis patients. J Am Soc Nephrol. 7:1165-1168.

21. Thomas TM, Plymat KR, Blannin J, et al. 1980, Prevalence of urinary incontinence. Br J Urol;281:1243-1245.

22. Webster L. 1994, Management of sexual problems in diabetic patients. Br J Hosp med 51:465-468.

CHAPTER 55

여성 성기능 장애의 진단

Diagnosis of Female Sexual Dysfunction

■최 성

여성 성기능장애의 표준화된 진단과정에 대해서는 현재까지 일치된 견해가 없지만 남성 성기능장애에서와 같이 진단은 문진, 신체검사, 검사실검사, 정신과적 면담의 과정으로 구성된다. 치료를 시작하기 전에 교정이 가능한 원인들(예를 들면 건강상태, 투약과 관련된 성기능장애 및 생활스타일의 변화)을 제거하고 환자 및 배우자에 대한 적절한 해부학, 생리학적교육 및 위험인자에 대한 설명이 중요하다. 모든 환자들에게 성적흥분문제에 영향을 줄 수 있는 감정적 혹은 관계된 문제점에 대해 평가하여야 한다. 여기에는 환자의 성적관심, 자존심과 체형(體型) 그리고 배우자와의 성적욕구를 소통하는 환자의 능력 등이 포함된다. 이들은 여성성기능 평가의 필수적인 요소이다. 감정 혹은 관계상의 문제점은 치료 전, 특히 치료효과를 결정하기 전에 해결되어야 한다.

1. 문진 *History*

문진은 가장 중요한 진단과정이다. 문진은 여성성기능장애의 신체적 및 심리적인 원인에 영향을 줄 수 있는 성적, 의료적, 그리고 정신사회적인 면을 포함해야 한다. 적절한 성기능평가를 위해 성기능장애를 호소하는 여성은 심리학적 전문가에 의한 독자적인 심리학적 면담을시행하는 것이 필요하다.

1) 성적 병력(Sexual history)

성적 병력에는 다음과 같은 환자가 호소하는 성기능장애에 대한 상세문진, 환자의 성생활전반과 성상대의 병력들을 확인한다. ①성적문제(기간, 지속성, 발생, 일차성 혹은 이차성), ② 성욕, 흥분, 극치감(과거와 현재의 기능), ③ 성기동통(위치, 정도, 성행위와의 관계), ④ 성행위의 빈도, 양상 및 유도, ⑤ 일관되게 만족스러운 성행위를 한 마지막 시기, ⑥ 개인적 성적고민 정도의 평가, ⑦ 성적배우자의 성기능, ⑧ 성적배우자와 관계문제, ⑨ 효과 없는 성적기교의 존재유무, ⑩ 성행위시의 각각의 성적 역할.

2) 의료병력(Medical history)

남성과 달리 문진 중 많은 비중을 차지하며, 성기능장애를 유발할 수 있는 질환과 상태에 대하여 문진을 한다(표 55-1, 2)

표 55-1 여성성기능장애의 문진사항

혈관질환 위험인자
울혈성심부전, 관상동맥심장질환, 고혈압, 동맥경화증, 고콜레스테롤혈증, 당뇨, 이전의 심근경색, 흡연
신경과적 장애
척수손상, 다발성경화증, 말초신경장해, 뇌졸중
약제복용(표 55-2 참조)
부인과/비뇨기과적 병력
월경력(월경의 시작, 주기, 마지막 월경기간, 폐경, 폐경 전 증상), 임신력(임신 분만 · 유산 · 낙태 횟수, 불임, 경구피임약, 에스트로겐/프로게스테론 투여여부)
외성기상태(질경련, 외음부이형성증, 피부염, 외성기위축, 음핵위축, 음핵유착, 성기궤양, 질전정염, 바르톨린선염, 외음부 절개반흔, 질구협착, 신경종), 질상태(질염, 질위축, 질의 탄력성변화, 술 후 변화, 방사선치료 후 변화, 협착, 질경련)
자궁상태(자궁종괴 혹은 낭종, 자궁암, 자궁내막증, 퇴행, 섬유종, 자궁내막염, 자궁탈출증, 자궁적출술, 자궁경부염, human papilloma virus 감염)
비뇨기과적 상태(간질성방광염, 요로감염, 요실금, 방광류)
내분비장애
갑상선질환, 고프로락틴증, 부신질환
수술 및 손상의 과거력
골반수술, 자궁적출술, 회음부수술, 골반골절, 장기간 자전거타기, 패러글라이딩
기타질환
만성신부전, 유방암, 과도한 음주

3) 정신사회력(Psychosocial history)

여성들의 성적만족도는 상상, 감성 혹은 분위기에 많이 연관된다. 여성에서 성적욕구를 증가시키는 매개체 역할을 하는 정신사회적 요소로는, 성적상대자와의 친밀감, 여성이 지닌 성지식의 정도, 성에 관련된 과거의 경험, 성행위에 대한 예견, 성생활과 관련된 문화 및 종교적인 배경, 그리고 결혼의 상태(사별, 이혼, 별거, 동거, 독신 등) 등에 따라 신체적 질환이 없더라도 개인별 성반응의 정도와 장애를 호소하는 정도에는 많은 차이가있다.

4) 성기능평가 설문지(Female sexual function questionnaire)

주관적인 성기능, 특히 성적흥분을 평가하기 위해서는 여러 도구들이 사용가능하다. 궁극적인 목적이 여성의 개인적인 성적반응을 증가시키는 것이므로 평가에 중요한 인자인 주관적인 성적반응자료는 환자의 주관적 경험을 반영한다. 여성의 성기능과 건강에 대한 제4차 ICI (International Consultation on Incontinence) 회의에서 추천된 설문지로서는 GRISS (Golombok-Rust Inventory of Sexual Satisfaction), BFLUTS (ICIQ-JLUTSsex), PISQ (Pelvic Organ Prolapse/Urinary Incontinence Sexual Questionnaire) (이상 A등급), BISF (Brief Index of Sexual Function for Women), FSFI (Female Sexual Function Index), SQOL-F (Sexual Quality of Life-Female)(이상 B등급), 그리고 MFSQ (McCoy Female Sexuality Questionnaire; C등급) 등이 있다.

현재 가장 보편적으로사용되는 FSFI는 2000년 Rosen 등에 의해 개발된 것으로 19문항으로 이루어진 자가보고식 설문지이다.

성적 욕구와 성적흥분, 윤활액, 절정감, 만족감 및

표 55-2 여성성기능장애를 초래하는 약제

성욕장애를 초래하는 약제
정신활성약제(antipsychotics, barbiturates, benzodizepines, tricyclic antidepressants; TCAs, selective serotonin reuptake inhibitors; SSRIs, lithium)
심혈관계 및 항고혈압제[항지질제, 베타차단제, clonidine (Catapress®), digoxin]
호르몬제제[danazol (Danocrine®), GnRH agonist, 경구용피임제]
기타[H_2 수용기차단제 및 촉진제, indomethacin(Indosin®), ketokonaxole(Nizoral®), phenytoin sodum(Dilantin®)]
성적흥분장애를 초래하는 약제
항콜린제
항히스타민제
항고혈압제
정신활성약제[benzodiazepines, SSRIs, TCAs, monoamine oxidase(MAO) inhibitors]
극치감장애를 초래하는 약제
methyl dopa (Aldomet®), amphetamines 및 관계된 식욕감퇴약제, 항정신병약, benzodiazepine, SSRIs, narcotics, trazodone (Besyrel®), TCAs

성교통통 등의 6개 영역으로 구성되어 점수를 평가하게 되어있다

2. 신체검사 *PhysicaL examination*

일반적인 신체검사 및 질 내진을 포함하여 자세한 검사를 시행한다. 요도주위, 방광경부, 질, 자궁경부, 자궁, 음순과 음핵 등 외성기의 이상, 동통부위를 확인한다. 특히 성관련 동통을 찾아내는데 많은 도움이 되므로 동통성 성기능장애를 호소하는 여성은 보다 세밀하게 검사할 필요가 있다. 외성기동통을 호소할 경우 면봉으로 동통이 국소적인지 만연된 부위인지 확인한다. 국소적인 경우 외과적인 처치가 도움이 될 수 있으나 만연된 경우는 약제 도포나 전신투여가 일반적이다.

1) 질내 pH 검사(Vaginal pH)

신체검사에서 질 분비물, 질 냄새 혹은 질 위축이 확인된 경우, 또는 성적 건강에 관심이 있는 환자에서 시행한다. 디지털 pH 측정기(pH meter)를 사용하여, 소식자를 질 내에 삽입하여 연속검사치의 평균을 기록한다. 건강한 질환경에서 질내 pH는 3.5-4.4 범위이다. 산성 pH는 세균성 질염을 제외한다. 질내 pH가 4.5이상이면 질염, 질증(vaginosis), 위축성 질염 등을 고려한다.

2) 질 도말검사 (Wet mount testing, vaginal smear)

질경검사 동안 질분비물에 대한 평가를 시행한다. 질 도말검사와 배양을 위해 표본을 채취한다. 정상적인 질분비는 냄새가 없고 가려움 혹은 자극의 임상적인 호소와 동반되지 않는다.

3. 검사실 검사 *Laboratory findings*

1) 성호르몬 검사(Sex hormone evaluation)

여성의 성기능평가를 위해 추천된 기본적인 호르몬 검사는 없다. 7가지의 안드로겐과 3가지의 에스트

로겐을 포함하여 107가지의 성호르몬이 있다. 성기능평가를 위한 여성에서 다양한 성스테로이드호르몬의 측정은 체내의 호르몬환경을 파악하기 위해 시행될 수 있다. 혈액검사는 내과적 질환이 의심되는 경우에 시행할 수 있다. 환자의 상태에 따라 DHEA-S, androstenedione, 총 테스토스테론, 지유 테스토스테론, 성호르몬결합글로불린(sex hormone binding globulin, SHBG), 그리고 dihydrotestosterone과 같은 다양한 안드로겐 수치를 평가할 수 있다.

(1) 여성호르몬(Female sex hormone)

성기능장애를 호소하는 여성의 성기는 여성호르몬에 의존적이므로 여성호르몬의 혈중농도를 확인한다. 외과적 난소절제에 의한 폐경기라면 환자가 인식하고 있겠지만, 환자가 느끼지 못하는 자연폐경기나 다른 호르몬 질환이 있을 수 있으므로 외성기의 신체검사결과에서 여성성기의 기능적 및 구조적 상태가 정상적으로 유지되지 못한다면 생리가 있다 하더라도 여성호르몬 치가 비정상적일 수가 있다. 필요하면 estradiol과 estrone과 같은 에스트로겐 수치를 평가할 수 있다. Estradiol은 생물학적으로 에스트로겐의 가장 활성화된 형태이다. 외인성 합성 에스트로겐(conjugated equine estrogen)은 생물학적으로 동등하지 않으므로 이것을 복용하는 여성에서 estradiol 혈액수치는 외인성 에스트로겐 투여량과 다를 수 있다.

(2) 남성호르몬

남성호르몬은 성적욕구를 유발하기 위한 필수적인 호르몬으로 인정되고 있다. 남성호르몬의 혈중농도는 배란기에 가장 증가하고 생리전후에 가장 낮으므로 배란기 직후에 검체를 채취하는 것이 적절하다. 총 테스토스테론, 자유 테스토스테론, DHEA, DHEA-S, androstenediol 등을 측정한다. 그러나 성기능평가를 위한 여성에서 혈청호르몬수치의 평가는 고려할 사항이 많다. 대부분의 테스토스테론은 SHBG에 결합되어 있고 총 테스토스테론의 단지 아주 작은 양만이 생물학적으로 사용가능 하기 때문에, 성기능평가에서 자유 테스토스테론은 총 테스토스테론 보다 더욱 중요하다.

자유 테스토스테론에 대해서는 평형분리(equilibrium dialysis)법이 아주 민감한 검사법이지만, 이 방법은 고가이어서 실제 임상에서는 적합하지 않다. 아날로그 분석(analog assay)에 의한 자유 테스토스테론의 측정은 신뢰도가 낮으므로 임상에서는 사용되지 않아야 한다. 자유 테스토스테론은 SHBG (nmol/L)의 농도에 의해 나눈 총 테스토스테론 농도(nmol/L; ng/dL×3.47 = nmol/L)인 free androgen index를 사용하여 추정 될 수 있다. SHBG 수치가 낮을 때는 자유 테스토스테론 수치는 신뢰할 수 없다. 또한 총 테스토스테론, SHBG, 그리고 알부민 수치를 입력하면 자동적으로 자유 테스토스테론 수치는 결정된다. 이 수치의 연산은 http://www.issam.ch/freetesto.htm에서 계산 할 수 있다. SHBG의 측정은 재현성이 우수하고 시행하기에 비교적 간단하다. 가능하면 채혈은 오전 8시와 10시 사이에 시행하여야 한다. 왜냐하면 테스토스테론의 일중 변화 때문에 이 시간에 더 높은 수치를 보이기 때문이다.

테스토스테론 수치는 배란기의 초기동안 최저치에 도달하며 배란주기의 나머지 동안 작고 덜 유의한 변화를 보인다. 그러므로 채혈은 배란주기의 8일째 후에 시행되어야 하며 20일째 전에 시행하는 것이 좋다. 자유 테스토스테론의 측정에 관한 가장 좋은 방법은 평형분리법으로 생각되고 있다. 여성이 경구용 피임제 같은 외인성 에스트로겐을 복용하는 경우에 SHBG의 측정이 필요하다. 여성이 국소 테스토스테론 젤의 치료 후에 여드름이나 탈모증의 부작용을 보인다면 dihydrotestosterone의 측정이 필요하며, 증가된 경우에 5알파-환원 효소억제제가 사용될 수 있다.

DHEA는 반감기가 훨씬 길어서 안정된 결과를 보이는 황산염화(sulfated) 형태의 DHEAS를 측정한다.

DHEAS에 대한 면역분석(immunoassay) 방법은 상대적으로 시행하기가 쉽다. 많은 연구자료는 DHEAS에 대해 일치되고 나이와 연관된 하락곡선을 보여주었다. 만일 낮은 수치가 발견되면 부신결핍을 배제하기 위해 아침의 코티솔(cortisol)수치를 측정하여야 한다.

요약하면, 비록 개별적인 호르몬 혈액검사의 수치, 특이도, 그리고 민감도에 관해서 임상적인 의견일치가 부족하지만 성기능장애를 가진 여성에서 외인성 스테로이드 성호르몬 치료효과가 입증되었다. 그러므로 치료 기간에 안전성을 위해 혈액검사를 시행하는 것이 필요하다.

가장 흔하고 논쟁이 되는 질문은 성기능장애를 가진 여성에서 성호르몬검사의 정상범위에 관한것이다. 여성의 테스토스테론 농도는 나이에 따라 감소한다. 1995년 Zumoff 등은 정상적인 월경주기를 가진 건강한 여성 33명에서 자유 테스토스테론의 평균혈장농도를 장시간 동안 측정하였다. 40-49세 사이의 여성에서 테스토스테론 농도는 20-29세의 여성의 농도의 절반보다 적었다. Zumoff 등의 연구대상 여성들은 성기능장애 유무가 조사되지 않아서 성기능장애를 가진 일부 여성이 포함되었을 가능성이 있으므로성기능장애를 가진 일부 여성 은 낮은 테스토스테론수치를 가졌으므로 정상 성기능을 가진 폐경기전 여성에서 테스토스테론수치의 정상적인 범위가 낮게 평가 되었을 가능성이 있다.

(3)기타호르몬

성호르몬 결핍이 있을 때 1차성 혹은 2차성 결핍의 감별진단을 위하여 뇌하수체기능평가를 위해 FSH 및 LH를 측정할 수 있다. 프로락틴의 증가도 항남성호르몬 효과로 인한 성욕감소가 있으므로 측정할 가치가 있다. 갑상선질환이 성기능장애를 유발할 수 있으므로 T3, T4, TSH도 측정한다. 부신질환이 성호르몬의 변화를 초래할 수 있으므로 적응이 되면 ACTH, cortisol 등을 측정한다. SHBG도 유리 테스토스테론의 농도에 영향을 미치므로 측정해볼 수 있다.

2) 기타 검사실검사

혈관질환을 진단하기 위해 혈중 콜레스테롤측정, 심전도, 초음파심장조영술 등을 시행할 수 있다. 요로계 질환을 파악하기 위해 일반 요검사 및 요배양검사를 시행한다. 그 외 만성소모성질환을 진단하기 위해 일반혈액검사, 신기능검사, 간기능검사, 공복시 혈당검사 등을 시행한다.

4. 외성기 혈류검사

Blood flow tests on external genitalia

외성기혈류에 대한 객관적이고 재현성이 있는 검사를 개발하기 위해 많은 시도가 있었다. 성적흥분으로 인한 외성기혈관충혈에 대한 특수 성기혈류검사는 문헌에 기초한 타당성과 특이성을 가지며 선별적으로 사용될 수 있다. 현재까지 여성성기능장애, 특히 흥분장애의 객관적 지표로 관찰되는 항목이나 성적흥분을 위한 대부분의 검사는 성적자극에 따라 발생하기 때문에 정상수치에 관한 자료는 많지 않다. 만일 여성이 주관적인 성적흥분, 즐거움 및 만족을 경험하지 못한다면 치료가 성공적이지 않다. 그러므로 생리학적 변화 혹은 혈류의 향상이 개선된 성적경험으로 해석되는지를 결정하는 것이 중요하다. 여성성기능장애를 가진 여성에서 진단적인 혈역동학적 평가의 임상적인 관련성은 아직 유의하지 않다.

그러나 장골-하복-음부동맥분지 폐쇄질환(ilio-hypogastric pudendal arterial occlusive disease)과 관련된 여성에서 성적 각성문제와 조직 온전성의 변화가 있을 수 있다. 성적각성 동안에 성기의 혈류를 평가하기 위한 생리학적 평가에는 질광혈류량측정법(vaginal photoplethysmography)와 질벽의 산소분압 및 온도변화 측정법(oxygen temperature measurement)

등이 있다. 최근의 진단법은 복합도플러초음파검사법과 자기공명영상법을 포함한다.

1) 복합도플러초음파검사법 (Duplex doppler ultrasonography)

복합도플러초음파검사는 시청각자극, 진동자극 전 후에, 또는 알프로스타딜 국소도포 전 후에 각각 측정한다. 일반적으로는 약간 어둡고 조용한 방에서 쇄석위로 누운 상태에서 먼저 음핵의 기본혈류를 측정한 뒤에 헤드셋으로 에로틱한 비디오로 시청각성적 자극을 주면서 음핵의 혈류를 측정한다. 음핵해면체 동맥의 최고 수축기혈류속도(peak systolic velocity, cm/sec, PSV) 및 확장말기혈류속도(end diastolic velocity, EDV) 및 저항계수(resistance index, RI) 등을 측정한다. 소음순 및 질의 동맥에서도 측정할 수 있으며 대개 3번 정도 연속하여 혈류를 측정한 뒤에 평균치를 기록한다. 정상군과 성기능장애 환자군 사이에 유의한 혈류감소가 보고된 바 있으며, 또한 배란기와 경구용 피임약을 복용 시에도 기준 PSV 수치가 증가된다는 보고도 있다. 복합도플러초음파검사법은 성적 각성장애를 가진 폐경기여성, 수많은 혈관위험인자에 노출된 여성, 골반골절을 수상한 여성, 혹은 다른 치료에 반응이 없는 성적각성장애를 가진 여성 등에서 적응될 수 있다. 경질식 소식자는 질내 동맥의 PSV변화를 평가하는데 사용될 수 있다. 성기능장애를 가지지 않는 대조군여성의 복합도플러초음파검사의 정상수치는 아직 정립되지 않았다.

2) 자기공명영상법 (Magnetic resonance imaging, MRI)

MRI는 최근 골반성기부위(pelvic genital area)와 뇌에서 여성의 성적각성과 동반된 조직신호강도(tissue signal intensity)의 변화를 평가하는 새로운 방법으로 적용되었다. MRI는 시간의 흐름에 따른 조직변화의 역동학적 평가를 제공할 수 있으며, 또한 특정한 구조의 3차원적인 해부학적 용적에 관한 정보, 지역의 혈류변화, 지역의 대사산물 구성에 관한 정보 등과 같은 정량적인 생리학적 정보를 제공할 수 있다. 성각성 시에 MR영상은 음핵 특히 음핵의 각부와 체부에서 가장 현저한 충혈의 특징적인 변화를 보인다.

기능적(functional) MRI는 빠르고 역동적인 MRI를 사용하여 개체에 의해 수행되는 특정한 업무에의 반응시에 뇌 활성의 해부학적 부위를 관찰할 수 있는 능력을 보여준다. 여성에서 감정적인 반응과 성적각성의 평가를 위해 기능적 MRI를 적용하는 수많은 연구가 있다. 성적각성으로 활성화되는 뇌 부위는 시각과 연관된 부위(posterior temporal-occipital cortices, paralimbic areas, anterior cingulate cortex)와 관련되어 있다.

3) 질광혈류량측정법 (Vaginal photoplethysmography)

여성흥분장애를 정신생리적으로 진단하는 보편적인 방법으로 사용되어 왔으며 시청각적인 성적자극으로 질충혈을 일으키는 정도를 양적으로 측정할 수 있다. 탐폰크기의 광원/탐지기를 통하여 적외선을 방출하여 돌아오는 빛을 감지함으로서 질벽점막의 혈류를 측정하는 원리이다. 두 가지를 측정하는데 질조직의 혈류량을 측정하는 질혈류량과 질충혈의 단기적인 변화를 측정하는 질파동폭이 있다. 질파동폭의 변화는 각 심박동에 따른 조직에서의 혈류의 양의 단계적 변화를 반영하는데 질파동폭이 크면 질충혈의 정도가 심하다는 것을 의미한다. 성적흥분을 측정하는데에는 질혈류량보다 질파동폭을 측정하는 것이 민감하다고 알려져 있는데 질혈류량은 골반근육이나 질의 운동에 영향을 받기 때문이다.

4) 레이저도플러질혈류측정법 (Laser doppler flowmetry)

레이저도플러는 레이저광을 이용해 1 mm 깊이의

피부나 점막 아래에 있는 모세혈관이나 소동맥의 혈류를 측정한다. 측정부위에 따라 동맥의 분포가 차이가 있기때문에 여러 군데를 측정하여 평균치를 비교하는 것이 좋다.

5) 질벽의 산소분압 및 온도변화 측정법 (Oxygenation-temperature method)

질의 충혈정도를 측정하는 방법으로 질벽의 산소분압을 측정하거나 온도의 변화를 측정함으로서 질벽혈류의 변화를 간접적으로 측정하는 방법이다. 이 방법의 장점은 동시에 질의 표면에 부착하여 측정하기 때문에 질의 운동이나 움직임에 의한 측정치 오류가 비교적 없다는 것이다. 단점은 온도를 측정하는 전극을 질벽에 오래 부착했을 때 질벽의 점막을 손상시킬 수 있고 온도변화를 측정하기 위해서는 비교적 오랜 시간동안 기준점이 되는 휴지기가 필요하다는 점 등이 있다.

6) 기타

Laser oximetry, xenon 유실검사법, 질분비액측정법, 음핵해면체내압측정법 등이 개발, 이용되었다.

5. 외성기 감각검사

Sensory nerve tests on external genitalia

여성의 성적 반응의 생리학적 조절에 관여된 중추 및 말초신경계에 대해서는 잘 알려지지 않았다. 생식기의 감각 및 운동신경지배에 악영향을 미치는 신경학적 병리는 여성 성기능장애를 야기할 수 있다. 병력에서 신경학적 병리생리를 의심할 경우에 여성 외성기의 감각 및 운동신경지배의 온전성 검사가 적응된다. 예를 들면, 척수손상, 말초신경병, 독성신경병, 요독증신경병, 요부신경병 그리고 다발성경화증과 일치되는 병력이 있으면 여성성기의 신경학적 기능을 정량적으로 평가할 필요가 있다. 또한, 여성은 자연분만에 의해 골반구조물의 손상이 많고 남성에 비해 골반수술이 많아 신경의 손상 비율이 비교적 높으므로 신경인성 성기능장애의 빈도가 높을 것으로 예측된다.

따라서 감각신경손상에 따른 외성기의 감각에 대한 양적측정은 신경인성 여성성기능장애를 진단하는데 의미가 있다. 현재 감각측정은 질벽과 음핵귀두부에서 진동과 냉온감을 이용하여 측정하고 있다. 진동감각은 large myelinated fiber를 통해 전달되고 온감은 unmyelinated C fiber, 냉감은 small myelinated A delta fiber를 통해 전달된다. 진통감각역치는 standard biothesiometer를 이용하여 음핵 배중위와 좌우 소음순에서 측정하며 각 부위에서 연속 3회 측정의 평균치를 기록한다. 음핵과 질의 온도와 진동검사는 성기감각의 보전평가를 위해 사용되었으며 정상자료도 이용될 수 있다. 이러한 검사는 외래에서 시행될 수 있으며 다발성 경화증과 경질출산손상과 같은 상태와 동반된 성적흥분장애는 이들 방법으로 조사할 수 있다. 최근에는 질과 음핵의 진동과 온감 및 냉감을 정량적으로 측정할 수 있는 기기(Medoc TSA-2001 GenitoSensory Analyzer, Israel)를 이용하여 기질적 여성성기능장애 환자에서 정상대조군에 비하여 음핵 및 질의 진동감각, 온감 및 냉감이 둔화된 결과가 보고되고 있다. 얻어진 결과는 감각 감수성의 증가(hypersensitivity) 혹은 저하(hyposensitivity)가 존재하는지를 결정하기 위해 연령 보정된 정상역치 수치와 비교된다. 온감(thermal) 소식자의 작동하는온도의 범위는 섭씨 0-50도이다. 진동 소식자는 100 Hz의 고정된 진동횟수(frequency)를 가지며, 크기는 0-130 Hz의 범위를 가진다. 환자의 주관적인 감각과 버튼 을 누르는 개인의 반응시간에 의존하기 때문에 객관적이지는 못한 단점이 있다. 이것은 여성에서 생식기부위의 감각상태를 평가하는 유용한 초기의 임상기기로서 사용될수있다.

성적흥분에 대한 특수 신경학적검사는 신경전도검사, 체감각유발전위검사(somatosensory evoked potential), 구해면체(bulbocavernous) 반사검사, 그리고 근전도를 포함한다.

6. 질유순도 검사법

Vaginal pressure-volume change(compliance)

상업적으로 이용할 수 있는 유순도 풍선(balloon)을 이용하여 0 cc때와 30 cc의 공기를 주입시마다 측정한다. 최대유순도(질내압력/용적)는 최대 질내용적 시의 질내압력으로 정의된다. 최대질내용적은 환자가 불쾌감을 느끼나 동통을 호소하지 않는 질내압력 혹은 충만감을 경험할 때 표시된다.

7. 요약

현재까지 여성성기능장애의 진단적 방식에 대한 일치된 견해는 없으나, 진단의 기본적 구성은 문진, 신체검사, 검사실검사 및 정신심리학적 면담 등이다. 최근 혈관질환, 신경계이상, 호르몬결핍, 다른 질환의 치료를 위한 약제의 부작용 등의 기질적 원인이 많이 밝혀지고 있다. 이에 대해서 임상적으로 확진할 수 있는 진단기기의 개발과 진단적 기준이 필요하다.

참고문헌

1. Bancroft J. Practice. In: Bancroft J. Human sexuality and its problems. New York: Churchill Livingstone; 1983;381-386.
2. Bancroft J. The medicalization of female sexual dysfuncition; the need for caution. Arch Sex Behav 2002;31:451-455.
3. Basson R. The complexities of female sexual arousal disorder: potential role of pharmacitherapy. World J Urol 2002;20:119-126.
4. Berman J, Berman L, Werbin T, Flaherty E, Leahy N, Goldstein I. Clinical evaluation of female sexual function: effects of age and estrogen status on subjective and physiologic sexual responses. Int J Impot Res 1999;11:31-38.
5. Biliups KL. The role of mechanical devices in treating female sexual dysfuntion and enhancing the female sexual response. World J Urol 2002;20:137-141.
6. Binik YM, Reissing E, Pukall C, Flory N, Payne KA, Khalife S. The female sexual pain disorders: genital pain or sexual dysfunction? Arch Sex Behav 2002;31:425-429.
7. Brassil DF, Keler M. Female sexual dysfunction: definitions, causes, and treatment. Urol Nurs 2002;22:237-244.
8. Davis SR. The role of androgens and the menopause in the female sexual response. Int J Res 1998;10:S82-83.
9. Goldstein I, Rosen RC. Female sexuality and sexual dysfunction. Arch Sex Behav 2002;31:391.
10. Leiblum SR. Classification and diagnosis of female sexual disorders. In: Goldstein I, Meston CM, Davis S, Traish AM, editors. Women' s Sexual Function and Dysfunction: study, diagnosis and treatment. London: Taylor and Francis; 2005;323-331.
11. Heiman JR. Psychologic treatments for female sexual dysfunction: are they effective and do we need them? Arch Sex Behav 2002;31:445-450.
12. Kennedy SH, Eisfeld BS, Dickens SE, Bacchiochi JR, Bagby RM. Antidepressant-induced sexual dysfunciton during treatment with moclobemide, paroxetine, serteraline, and venlafaxine. J Clin Psychiatry 2000;31:276-281.
13. Lightner DJ. Female sexual dysfunciton. Mayo Clin Proc 2002;77:698-702.
14. Basson R, Weijmar Schultz WCM, Binik YM, Brotto LA, Eschenbach DA, Laan E, et al. Women' s desire and arousal disorders and sexual pain. In: Lue T, Basson R, Rosen R, Giuliano F, Khoury S, Montossi F, editors. Sexual medicine: sexual dysfunctions in men and women. Paris: Health Productions; 2004;851-974.

15. Min K, O' Connell L, Munarriz R, Huang YH, Choi S, Kim N et al. Experimental models for the investigation of female sexual function and dysfunciton. Int J Impot Res 2001;13:151-156.

16. Moss HB, Procci WR. Sexual dysfunciton associated with oral Hypertensive medication: a critical survey of the literature. Gen Hosp Psychiatry 1982;4:121-128.

17. Nappo RE, Mancini M, Veneroni F, Colpi GM, Ferdeghini F, Platti F. Clitoral artery blood flow in healthy young women: preliminary report on menstrual cycle and hormonal contraception. J Sex Marital Ther 2002;28:187-193.

18. Rosen R, Brown C, Heiman J, Leiblum S, Meston CM, Shabsigh R, et al. The female sexual function index: A multi-dimensional self report instrument for the assessment of female sexual function. J Sex Marital Ther 2000;26:191-208.

19. Rosen RC. Sexual function assessment and the role of vasoactive drugs in female sexual dysfunciton. Arch Sex Behav 2002;31:439-443.

20. Sipski MI. Central nervous system based neurogenic female sexual dysfunciton: current status and future trends. Arch Sex Behav 2002;31:421-424.

21. Sommer F, Caspers HP, Esders K, Klotx T, Engelmann U. Measurement of vaginal and minor labial oxygen tension for the evaluation of female sexual function. J Urol 2000;165:1181-1184.

22. Talakoub L, Munarriz R, Hoag L, Gioia M, Flaherty E, Goldstein I. Epidermiological characteristics of 250 women with sexual dysfunction who presented for initial evaluation. J Sex Marital Ther 2002;28:217-224.

23. Vardi Y, Gruenwald I, sprecher E, Gertman I, Yarnitsky D. Normative values for female genital sensation. Urology 2000;1035-1040.

CHAPTER 56

여성 성기능 장애의 치료

Management of Female Sexual Dysfunction

■ 윤하나

여성 성기능 장애 는 기질적 요인이 주원인이라 하더라도 성 반응과 성적 행동에는 심리적 요인, 환경, 호르몬 상태 등을 비롯한 상당히 많은 요소들이 관여하기 때문에 임상적으로 나타나는 성적 증상 문제만 국한하여 치료하는 데에는 한계가 있다. 이는 남성 성기능 장애의 치료와는 뚜렷하게 차별되는 특징이기도 하다.

남성에서도 마찬가지이지만 특히 여성에서는 성기능 장애의 원인을 파악하고 치료함에 있어서 성행위에 관계되는 전 과정을 고려하여야 한다. 따라서 치료를 할 때, 다방면적인 접근이 필요하며, 어떤 경우든지 심리적인 지지 요법 또는 성생활에 영향을 줄 수 있는 잠재적인 스트레스나 우울 성향에 대한 이해와 치료가 필요할 수 있음을 숙지하여야 한다.

1. 일반적 요법 *General management*

1) 환자 면담과 교육

여성 성기능 장애 환자의 치료를 시작하면서 가장 기본적으로 이루어져야 할 것은 상담을 통한 적절한 성 지식의 제공과 성 상대자와의 성 생활에 대한 의사의 충분한 이해, 환자와 성 상대자 간의 잘못된 성 지식이나 습관은 없는 지 등을 파악하는 것 이다. 또한, 성기능 장애를 치료하기 위한 세부적인 처치를 시작하기 전 환자의 전신 상태와 심리적 상태를 정확히 파악하여 필요하다면 정신 심리적인 처치를 선행하거나 병행하여 치료하는 것도 권장되고 있다. 이런 경우 부부가 동반하여 상담 받고 성 상대자가 치료에 동참하는 것을 권장하고 있다.

특히 이 부분은 전통적으로 남성 중심의 가부장적 사회구조를 가지고 우리나라의 현실적 여건에서는 가장 절실하면서도 가장 이루어지지 않고 있는 부분이기도 하다. 병원을 찾게 되는 환자들 중 상당수는 성 상대자 모르게 치료 받기를 원한다. 따라서 임상의들은 환자 치료를 시작하기에 앞서 충분한 의사-환자 간의 신뢰관계를 형성해야 하고, 성상담을 통한 부부생활에 대한 올바른 성교육 정보를 제공해야 한다. 성 생활은 부부 중 어느 한 쪽의 노력만으로 이루어지는 것이 아니며, 효과적인 치료를 위해서는 다각도에서 성 상대자의 참여가 상당히 중요함을 이해시켜야 한다.

또한, 남녀 성 반응의 생리, 그리고 나이에 따른 적절한 성지식, 자신이 가지고 있는 성적인 문제가 어디에 해당이 되는 지에 대한 정보가 제공되어야 한다. 심리적인 측면에서도 성 상대와의 친밀감, 갈등관계, 성지식, 성에 관한 과거의 경험 같은 것들이 성욕, 성적 흥분 반응 등에 관여할 수 있음을 이해시키고, 부부 모두의 잘못된 성 지식이나 일방적이고 편의적인 성생활이 이루어지고 있다면 이를 개선할 수 있는 지 상담한다. 필요에 따라 정신과적 치료 또는 심리 상담치료가 이루어질 수 있도록 해 주며, 치료기간 동안 환자와 성 상대자의 관계에 어떤 변화가 있는지(예를 들면 갈등 관계의 해소, 환자가 호소하는 문제에 대해 성 상대자의 태도 변화, 환자 스스로 생각하는 변화 등등)를 자주 확인해 보는 것이 좋다. 특히 정신 심리적 원인이 성기능 장애의 중요한 원인이 되고 있다면 성행위 또는 성생활을 구체적으로 지침하며 단계적으로 문제점을 교정해 나가는 인지 행동 치료 등으로 이를 교정할 수 있다. 그러나 최근 많은 여성 환자들이 심인성 원인이 아니라 기질적 원인의 성기능 장애를 동반하고 있음이 밝혀지고 있어 기질적 요인이 성기능 장애의 발병에 관여하고 있는지, 진단 과정에서 꼭 확인해 볼 필요가 있다.

2) 가역적 원인의 교정

생활 습관 중 흡연, 음주, 습관성 약물 복용, 과격한 운동, 식이요법 등도 성 기능에 영향을 미칠 수 있으므로 적절히 조절하도록 하여야 한다. 또한 만성적인 스트레스, 만성 피로, 우울증 역시 성기능에 영향을 줄 수 있으므로 가능한 원인을 찾아 제거하도록 하거나 적절한 치료를 시작하여야 한다. 한편, 항우울제를 복용하고 있는 경우 선택적 세로토닌 수용체 억제제(SSRI) 를 복용 중이라면 성욕감소, 성 흥분, 극치감 지연의 부작용이 적은 부프로피온(bupropion hydrochloride)으로 전환하도록 한다. 부프로피온의 경우 대뇌에서 도파민 수용체를 자극하여 성욕을 증진시키는 효과를 기대할 수 있어 호르몬 수치가 정상인 성욕 저하 환자에게 사용하면 도움이 된다. 고혈압 약제 중 성기능 장애를 유발 할 수 있는 베타 차단제나 이뇨제는 칼슘 통로 차단제나 안지오텐신 전환 효소 억제제로 바꾸도록 한다. 칼슘 차단제나 안지오텐신 전환 효소 억제제(angiotensin converting enzyme inhibitor)는 외성기 혈류량을 증가시켜 성 기능에 긍정적인 효과를 보인다. 시메티딘(cimetidine), 라니티딘(ranitidine) 등의 H2 수용체 억제제 역시 성욕 감퇴 효과가 있으므로 약물복용을 중지하거나 성기능 감퇴 효과가 없는 파모티딘(famotidine)으로 약제를 변경하도록 한다. 장기간의 경구피임약 복용은 혈중 유리 테스토스테론의 감소로 성기능 장애가 유발될 수 있다. 따라서 피임약을 복용하고 있는 여성이 성기능 장애를 호소한다면, 피임약 복용을 중단하고 비경구용 피임 방법을 이용하게 하거나, 꼭 피임약이 필요하다면 남성호르몬을 추가 투여하는 방법을 고려해볼 수 있다.

2. 정신 심리학적 치료

정신 심리적인 문제가 성기능 장애의 뚜렷한 원인으로 의심될 때는 면밀한 심리 상태의 분석과 정신과적인 병인을 찾아 치료하도록 하여야 한다. 여기에는 정신 분석, 인지 행동 치료, 커플 성 치료, 인지 행동-역동 정신치료의 통합 치료 등이 포함된다.

인지 행동 치료란 왜곡된 개념, 잘못된 인지의 역기능적 배경을 파악하고 현실을 인식하도록 하여 왜곡된 사고를 재평가, 수정함으로써 전에는 극복할 수 없었던 문제나 상황에 대처하는 것을 학습하도록 한다. 그럼으로써 문제에 대해 긍정적으로 적응하고 부적절한 행동을 변화시키거나 대안적인 행동을 하여 합리적인 반응을 할 수 있도록 하는 것이다.

커플 성 치료는 두 가지의 문제를 고려하여야 한다. ① 환자의 두 사람의 관계에서 성적이지 않은 문제가 성 기능에 어떻게 영향을 주는가, ② 치료가 관계에 어떤 변화를 가져올 것인가 등이다.

3. 성욕 장애 및 성각성 장애의 약물 치료

1) 호르몬 보충요법 (Hormone supplementation)

중추신경계에서 에스트라디올(estradiol)은 시상하부(hypothalamus)와 preoptic area에 가장 고농도로 존재하며, aromatization에 의해 테스토스테론(testosterone)으로 전환된다. 따라서, 중추신경계의 높은 에스트라디올(estradiol) 농도는 성행동을 조절할 수 있다. 또한 중추신경계에는 에스트로겐 수용체가 다량으로 존재하여 catecholaminergic, serotonergic, cholinergic, gamma-aminobutyric acidergic system에 상호작용하는 역할을 하여 신경 전달체의 활성을 조절하는 데 기여한다. 또한 에스트라디올(estradiol)은 프로게스테론(progesterone) 수용체 발현을 증진시켜 신경망의 활성을 조절한다. 신경계뿐 만 아니라 호르몬부족으로 인한 전신증상, 질환경의 변화 등이 여성 성기능장애를 더욱 악화시키는 데 기여하므로 적절한 호르몬 환경을 유지시키는 것은 치료에서 매우 중요하다.

호르몬치료를 결정함에 있어서 반드시 고려하여야 할 것은 성기능 장애가 있는 여성의 어느 정도까지 치료 효과를 기대하고 있는가, 발생 가능한 부작용에 대해 이해하고 있는가, 그리고 호르몬치료의 적응증에 해당이 되는지, 아니면 호르몬치료의 위험군인지 등을 고려하고 환자에게 충분히 이해시킨 후 시작하여야 한다는 것이다.

(1) 에스트로겐과 프로제스테론 치료

① 폐경 전 여성의 치료

정상적으로 배란을 하고 생리주기가 규칙적인 여성의 성기능 장애에 에스트로겐(estrogen)이나 프로제스테론(progesterone)이 효과적인가에 대해서는 근거가 없다. 반면, 생리주기가 불규칙적이거나 자궁내막증 등 다른 병인이 있어서 치료가 필요하여 정상적인 주기로 배란을 하지 못하는 경우, 무월경, 과다월경 등은 폐경 전이라도 호르몬 치료가 필요한 경우이다.

그러나 에스트로겐, 프로제스테론의 외부 주입, 가장 흔하게 이용되는 경구용 피임제제를 이용한 호르몬 치료 등은 SHBG와 안드로겐의 체내 농도 변화를 불러와 결국에는 성 기능에 영향을 줄 수 있다. 따라서, 폐경 전 여성에서 호르몬치료가 필요한 경우에는 치료 전 기본적인 호르몬 상태의 점검과 주기적으로 SHBG와 안드로겐 수치를 모니터 할 필요가 있다.

② 폐경 후 여성의 치료

에스트로겐(estrogen)은 여성의 생식기 조직과 기능 유지에 필수적이다. 따라서 성기능 장애를 호소하는 폐경 후 여성은 적절한 에스트로겐 수치가 유지될 수 있도록 보충해 주는 것이 우선적으로 필요하다.

폐경으로 에스트로겐(estrogen)이 감소되어 흔히 생기는 위축성 질염, 에스트로겐 감소로 질 산도가 변화의 결과로 병원성 세균총 증가로 인한 빈번한 세균성 질염, 외음부 피부의 위축 등은 호르몬 보충 치료로 개선될 수 있다.

일반적인 전신 투여 방법은 경구 투여가 보편적이며, 그 밖에 피부에 붙이는 패취 제제, 피하 주사가 사용된다(표 56-1). 자궁 절제로 자궁이 없는 경우에는 에스트로겐 제제만, 자궁이 있는 경우에는 자궁 내막암의 예방을 위해 프로제스테론이 함유되어 있는 제제를 사용하는 것이 일반적이다(표 56-1.).

국소 투여법으로 질 점막에 도포하는 연고, 질정, 질 내 삽입하는 에스트로겐이 함유 된 링 등이 있으며, 국내에서는 연고제가 사용 가능하다. 유방암, 자궁암 등 전신적인 부작용을 피하고 에스트로겐 보충 효과를 얻기 위한 방법으로 많이 사용된다. 에스트로

표 56-1 국내 사용되고 있는 여성 호르몬 제제

종류	용량	용법
Estrogen 단독제제		
estradiol	0.5-2.0mg/정	1일 1회 매일 복용
estradiol 패취	3mg/패취	주1-2회 교환
estradiol 크림	0.75mg ~1mg/g	1.5mg/일, 24-28일 도포
conjugated equine estrogen (CEE)	0.625mg/정	1일 1회 매일 복용
estrone(estropiate)	0.625mg/정	1일 1회 매일 복용
estradiol-depot	10mg/ml	근주(intramuscular injection)
Estrogen과 progestin 혼합제제		
conjugated equine estrogen /medroxyprogesterone	0.3mg/1.5mg ~ 0.625mg/5.0mg	1일 1회 매일 복용
Progesterone 단독제제		
Medroxy-progesterone	2.5mg/정	1일 1회 매일 복용
Medroxy-progesterone	5-10mg/정	1달에 한 번
progesterone 질정	200mg	1달에 한 번
progesterone 겔	90mg(8%)	필요용량 도포
progesterone injection	500mg/10ml	근주(intramuscular injection)
합성 스테로이드 호르몬		
tibolone	2.5mg	1일 1회 매일 복용

겐의 투여만으로는 유리 테스토스테론이 감소하여 성욕감소, 성적 반응 감퇴 등이 병발할 수 있으므로 에스트로겐 투여를 결정할 때 이를 고려하여 소량의 남성 호르몬을 병용할 수 있다. Lann은 폐경기 여성에서 합성 에스트로겐으로 약한 남성 호르몬의 효과가 있는 티볼론(tibolone) 제제를 투여하여 다른 에스트로겐 투여 군보다 여성 성기능 지수가 유의하게 증가하였음을 보고 한 바 있다. 성기능 장애가 있는 폐경 여성을 대상으로 한 무작위 대조 연구에서 티볼론과 전신적인 호르몬 치료 (경피 에스트라디올-노르에티스테론 아세테이트, transdermal estradiol-norethisterone acetate) 투여 효과를 비교하였을 때, 24주 후 성기능은 파트너의 유도에 따른 성생활에서 티볼론 투여 그룹이 의미 있게 반응도가 증가하였다.

폐경 여성에서 성기능 장애를 호소할 경우 환자의 증상과 치료 요구도에 따라 호르몬 치료의 방법을 선택하되 주기적인 검사를 함께 하는 것이 안전하다.

(2) 테스토스테론(Testosterone)

① 폐경 전 여성의 치료

폐경 전에도 나이가 들수록 테스토스테론(testosterone)의 수치는 서서히 감소하며, 가임연령의 후반으로 갈수록 생리 주기 중 유리 테스토스테론(free testosterone) 수치가 상승하는 변화도 둔화된다. 그러나 이런 서서한 변화 외에 병적으로 테스토스테론(testosterone) 치가 낮아 성기능 장애의 원인이 되는 경우에는 보충이 필요하다.

그러나, 여성에서 테스토스테론(testosterone)의 사용에 대한 근거는 제한적이고, 장기 사용 시 부작용의 문제가 있어 주의를 요하며 공식적으로 폐경 전 여성에서 테스토스테론(testosterone) 사용의 근거가 부족하다.

안드로겐 부족 증후군(androgen insufficiency syndrome)과 같은 경우 테스토스테론(testosterone) 보충 치료가 도움이 될 수 있다. 테스토스테론 보충으로 안드로겐 생성의 감소로 발생한 골 소실, 근력 감퇴, 기억력 감퇴, 인지 기능의 변화와 함께 성기능 장애 증상도 개선시킬 수 있다.

안드로겐 보충 치료로 폐경 전 여성에게 생길 수 있는 문제점 중 하나가 임신 시 태아에 미치는 영향이다. 인체에서는 안전하다는 연구는 아직 없으나, Sprague-Dawley rat를 대상으로 한 연구에서 모체에서 안드로겐의 효과가 나타나더라도 태아에는 영향을 미치지 않았다.

결론적으로 폐경 전 여성에서 안드로겐 부족으로 치료가 필요하다고 하더라도 장기적인 안전성에 대한 데이터가 아직 없으므로 주의를 요한다.

② 폐경 후 여성의 치료

Shifren 등이 외과적 절제로 폐경이 된 31세-56세 여성 75명을 대상으로 한 테스토스테론 150 μg, 300 μg 패취와 위약의 효과를 12주간 투여 하며 비교한 연구에서 150 μg, 300 μg, 투여 군 모두 위약보다 의미 있게 혈중 총 테스토스테론, 유리 테스토스테론, 생체이용가능(bioavailable) 테스토스테론이 증가하였고, 성기능의 지표가 향상되었다. 테스토스테론 상승으로 인한 혈액검사 소견의 변화나 여드름, 다모 등의 부작용은 없었다.

또한, 에스트로겐의 저하 없이 혈중 테스토스테론 및 유리 테스토스테론이 감소되는 경우 성욕 저하, 성적 각성 감퇴 등의 성기능 장애가 발생하며, 이를 여성의 남성 호르몬 결핍 증후군이라고 하는데 남성호르몬을 보충함으로써 성욕감퇴, 외성기 감각 저하, 성교통 등의 치료에 효과가 있다.

여성에 있어서 남성 호르몬 보충에 대해서는 아직까지도 논란이 있으나, 폐경기 여성에서 에스트로겐과 남성호르몬의 병용 시 성욕 감퇴, 성교통, 질 윤활액 분비 감소 등에 효과가 있으며, 국소적인 남성호르몬 제제는 질 편평 태선(vaginal lichen planus)의 치료제로 인정받아 임상적으로 이용되고 있다 비교적 최근의 무작위 위약 대조 연구에서 테스토스테론 젤을 16주간 질에 도포한 경우, 폐경 전 여성이나 폐경 후 여성 모두 자가 보고한 성기능은 향상되는 효과를 보였다. 일부의 연구에서는 테스토스테론을 매일 질에 국소적으로 사용하더라도 여성호르몬 억제 치료 중인 유방암의 경과에는 영향을 미치지 않으며, 성교통을 호전시키는 효과가 있었다. 실험적으로도 경피적으로 사용한 테스토스테론은 아로마타아제(aromatase)에 의한 여성호르몬으로의 전환이 없고 국소적으로 장기에 바로 흡수되어 작용하는 것으로 보고 있다.

그러나, 테스토스테론을 이용한 치료는 아직까지는 잘 계획된 무작위 이중 맹검 연구 등 효과를 뒷받침할 만한 연구가 부족하고 장기 사용 시 안전성의 문제가 입증되지 않았으므로 신중히 사용하여야 한다.

전신적인 또는 국소적인 남성 호르몬 투여의 단점은 체중증가, 음핵비대, 안면 다모 또는 수염, 고지혈증, 혈관계 질환 빈도 증가, 여드름, 저음, 남성형 탈모 등의 부작용이 생길 수 있으므로 주의하여야 한다는 것이다. 성호르몬 의존성 종양의 기왕력이 있거나 심한 혈관 질환자 또는 심혈관 질환 고 위험군은 남성호르몬 보충을 금하여야 한다. 남성 호르몬 과다 투여 후 정상으로 환원되는 기간은 수개월 이상이 소요된다.

(3) DHEA(Dehydroepiandrosterone)

① 폐경 전 여성의 치료

DHEA는 3β, 17-βhydroxysteroid dehydrogenase에 의해 Δ-5-androstenediol, Δ-4-androstenedione, 테스토스테론(testosterone)으로 전환되는 androgen의 전

구체이다. 이들은 종국에는 aromatase에 의해 estadiol로, 5α-reductase에 의해 dihydro테스토스테론(testosterone)으로 전환된다. DHEA의 수용체가 endotheilum에 존재하므로 혈관 평활근의 이완에도 DHEA가 직접적으로 관여한다.

DHEA는 DHEA 자체로서 뿐 아니라 sex stroid hormone의 전구체로서도 성 기능에 중요한 역할을 하기 때문에 여성 성기능 장애의 치료제로서 초기부터 관심을 받아왔다. 하루 50mg의 DHEA 섭취가 성기능 개선에 도움이 된다고 하나, DHEA의 androgenic effect 때문에 여드름, 다모증, 테스토스테론(testosterone)의 증가와 관련된 간독성, HDL-cholesterol 감소, 에스트라디올(estradiol), 에스트론(estrone)의 증가 등의 부작용을 유의하여야 한다. 따라서 DHEA의 치료 시 주기적인 혈액 검사로 이를 모니터하여야 한다.

② 폐경 후 여성의 치료

DHEA 투여로 혈중 테스토스테론이 증가하므로 남성 호르몬 결핍 증상의 치료 뿐 만 아니라 골량의 증가, 지질 대사의 개선, 전신 증상의 개선, 유방암의 억제 효과 등도 기대할 수 있다. Goldstein 등은 50mg의 DHEA를 매일 투여하여 에스트로겐의 증가없이 혈중 총 테스토스테론, 유리 테스토스테론, 안드로스테네디온(androstenedione), DHEA, DHEA sulfate의 유의한 증가를 관찰할 수 있었다고 보고하였다. 그러나 폐경 후 여성에서도 DHEA의 안전성과 효과에 대한 보고는 제한적이므로 사용 시 주의하여야 하고, 정기적으로 혈액검사를 하여 남성호르몬 과다에 의한 합병증 발생에 유의하여야 한다.

(4) 오스페미펜(Ospemifene, selective estrogen receptor modulator)

오스페미펜(Ospemifene)은 선택적에스트로겐 수용체 조절제 (selective estrogen receptor modulator, SERM)로 중등도-중증의 성교통 치료제로 2013년 FDA의 승인을 받아 사용되고 있다. 2015년 현재 아직 국내 도입되지 않았다.

SERM이란 에스트로겐 수용체에 결합할 수 있는 비호르몬성 물질로서 표적 장기에 따라 에스트로겐 혹은 항에스트로겐처럼 달리 작용하는 양면성을 가지고 있다. 따라서 장기마다 에스트로겐 수용체의 발현양상이 다르고, 리간드(ligand)에 따라 수용체에 결합한 후 진행되는 변화양상이 달라 표적 장기에 따른 co-activator(공활성제)또는 co-respressor(공억제제)와의 상호작용이 차이가 난다. 이로써 장기에 따라 다른 영향을 미치는 점을 이용하여 골다공증 치료제, 유방암 치료제, 질건조증 치료제 등으로 쓰이데 된다. 대부분의 SERM은 뼈에서는 에스트로겐처럼 작용하고, 유방에서는 항에스트로겐으로 작용하는 한편, 자궁과 질점막에 대한 효과는 균일하지 않다. 오스페미펜은 질 조직을 좀 더 두텁고 덜 취약하게 만들어 성교통을 감소시키는 효과가 있는 것으로 알려져 있다.

외음부 및 질 위축증을 가진 폐경 후 여성을 대상으로 한 대표적인 3개의 임상 연구 결과 12주 치료 후 위약 대조 시험의 결과들은 위약을 투여한 여성들에 비해 오스페미펜으로 치료한 여성들에서 성교통이 통계적으로 유의하게 개선됐음을 보여주었다. 오스페미펜 60mg 투여로 질 건조증의 호전과 성교통이 개선됨을 보고한 연구도 있다. 또한, 장기간 투약하였을 경우 성교통 호전 효과와 안전성을 입증하였다. 지금까지 발표된 중요한 임상 연구들에서 오스페미펜은 성교통의 호전이 통계적으로 의미 있는 결과를 보여주고 있다. 그밖에 통계적으로 의미있는 차이는 없었지만 질 및 외음부 위축으로 인한 다른 증상들 ? 질 및 외음부 소양증, 자극증상, 성생활과 관련된 질 출혈, 배뇨곤란, 배뇨통 등의 증상에도 호전을 보여주었다.

그러나, 아직 이 약에 대한 실질적인 광범위한 임

상 데이터는 부족하며, 호르몬은 아니지만 호르몬 수용체를 조절하는 기능으로 인해 저용량 에스트로겐 치료요법처럼 혈전형성 위험도가 높아지고, 일부 여성에서는 자궁내막을 자극하여 자궁내막 증식증 또는 자궁암의 발병 위험이 있을 수 있음을 주의하여야 한다.

2) 중추 신경계 작용 제제

(1) 플리반세린(Flibanserin)

플리반세린은 5HT1A 항진효과와 5HT2 길항 효과를 동시에 가지고 있는 약물로 우울증 치료제의 연구 중에 여성 성욕구장애 치료제로 개발되었다. 항우울제의 잘 알려진 부작용 중 성욕 감퇴, 성적 흥분의 어려움, 오르가즘 장애 등이 있는데, 이는 세로토닌(serotonin, 5-Hydroxytryptamine, 5-HT)이 성적 억제 효과가 있기 때문이다. 플리반세린은 전두엽피질(prefrontal cortex)의 피라미드 뉴론(pyramidal neuron)에서 글루타메이트 glutamate)를 억제하며, 만성적으로 복용할 경우 전두엽전방에서 i)5HT를 억제, ii)도파민과 노르에피네프린 분비를 상승, iii)기본적인 도파민, 노르에피네프린 수치를 상승, iv) 중격측좌핵 (nucleus accumbens)에서 기본적인 노르에피네프린 수치 상승효과를 보인다. 성욕구장애가 있는 폐경 전 여성을 대상으로 한 3상 (phase III) 임상 연구에서 위약 대비 플리반세린 100 mg 취침 전 매일 복용이 성기능 설문지 (Female sexual function index, FSFI)의 욕구, 전반적인 성기능 (FSFI 총점)이 통계적으로 의미 있게 향상되었으며, 성생활과 관련된 고통이나 곤란함을 확인하는 설문에서도 약물 복용으로 좋아지는 결과를 보였다. 한편, 52주 장기 복용에도 플리반세린의 효과는 유지되고 심각한 부작용은 없었다. 플리반세린 복용과 관련하여 위중한 부작용은 1% 미만이었고, 흔한 부작용은 졸리움, 메스꺼움, 어지러움, 피로감 등으로 전체적으로 10% 이하로 보고되었다.

그러나, 이들의 성욕장애 치료효과의 통계적 차이는 경계선상에 있는 정도로 위약에 비해 확연하게 차이가 나지 않는 점 때문에 추가적이고 장기적인 연구를 필요로 하고 있다.

플리반세린은 2015년 8월에 미국 식품의약안전청(FDA)의 승인을 받아 폐경 전 여성의 후천적, 전반적인 성욕구 저하 장애 (acquired, generalized hypoactive sexual desire disorder, HSDD)의 치료제로 사용되고 있다.

(2) 도파민 길항제

도파민 수용체를 자극하면 성 충동과 반응이 자극되어 중추에서의 성 각성과 욕구가 증진된다. 안드로겐은 방향효소(aromatase) 에 의해 중추에 에스트라디올(estradiol) 농도를 높여 이 과정에 도움을 준다. 프로제스틴(progestin) 또한 여성의 시상하부(hypothalamus)와 변연계(limbic system)의 수용체를 자극하여 성 충동을 증진시킨다.

비특이적 도파민 수용체 길항제인 아포몰핀(apomorphine)의 폐경 전 여성에서 성욕/성흥분 장애 치료 효과에대한 이중 맹검 임상 연구에서 극치감, 만족도와 빈도 점수가 아포몰핀 2 mg이나 3 mg을 매일 투여한 경우 투약 전이나 위약과 비교하여 효과적이었으며, 3 mg가 2 mg보다 우세한 효과가 있었다. 아포몰핀 연구에서 부작용은 비교적 경하였는데, 오심, 구토, 어지러움, 두통 등이 주된 부작용이다. 그러나, 2000년대 초반의 연구 외에 후속 연구가 발표되지 않았다.

우울증 치료제로 인해 발생한 성 기능 장애와 관련한 연구에서 도파민제제가 포함된 아만타딘(amantadine), 미안세린(mianserin) 등의 효과에 대한 연구가 있으나, 사전에 잘 계획된 위약 대조 후속 연구가 없어 효과 및 안전성에 대한 근거가 부족하다.

부프로피온(bupropion)은 성욕저하장애(hypoactive sexual desire disorder)에 효과가 있을 수 있다. 이 약

제는 도파민과 노르에피네프린 재흡수 억제제(reuptake inhibitor)이자, 직접적인 세로토닌 증진 효과는 없다. 성욕장애과 성흥분 장애를 가지고 있는 폐경 전 여성을 대상으로 한 위약 대조 시험 연구에서 경도- 중등도의 호전 효과를 보았다. 부프로피온은 성욕장애 치료제로 공식적으로 인가받지는 않았으나 의사의 판단에 따라 사용되고 있다. 이밖에도 트라조돈(trazodone) 등의 성기능 관련 부작용이 없는 항우울제나 항불안제와 테스토스테론의 병합 사용 등의 방법으로 성반응의 신경내분비 반응의 균형을 이뤄 성욕 장애, 성흥분 장애를 치료하고자 하는 방법들이 연구 되고 있다.

(3) 멜라노콜틴 수용체 항진제 (Melanocortin receptor agonist)

브리멜라노타이드(bremelnotide, P-141)은 알파-멜라노사이트(alpha-melanocyte) 자극 호르몬의 합성 유사체로 대뇌의 멜라노콜틴 수용체(MC3R, MC4R)에 작용, 비교적 자연스러운 성반응을 일으키는 약물로 알려져 있다. 개발 당시엔 비강 내 살포제(intranasal spray)로 필요시 사용하도록 개발되었다. 그러나 부작용으로 혈압 상승의 위험도가 있어 좀 더 변형된 형태의 피하 제제가 요구되어 피하주사로 개발되고 있다. 이어진 2B 임상 연구에서 브리멜라노타이드 1.75mg을 필요시 주사하였을 때, 위약과 대비하여 성욕, 성각성, 성적 자극 신호에 대한 외부생식기의 반응이 의미 있게 증가되는 효과를 보였다. 또한 이 연구의 대상 환자들은 성욕 감퇴를 비롯한 성에 관련된 고충도 통계적으로 의미 있게 경감되어 2015년 현재 3상 임상 시험이 진행 중에 있다.

이 약제의 폐경 후 여성에서의 효과는 폐경 전 여성과 유사한 것으로 보고되었다.

지금까지 보고된 부작용으로는 구역(nausea)이 가장 흔하며(12.5%), 그 외에 구토, 홍조, 두통, 코막힘, 졸림, 일시적인 수축기 혈압 상승 등이 있었다. 부작용의 정도는 대부분 경미하였다.

멜라노콜틴 수용체 항진제의 성기능 개선 효과와 안전성에 대해서는 더 심층적인 연구가 아직도 진행 중이나, 기존의 중추신경계 작용 약물에 비해 비교적 자연스럽고 만족스러운 성반응을 유도할 수 있다는 장점으로 여성 성기능 장애 의 차세대 치료 약물로 기대되고 있다.

(4) 성장호르몬 분비 펩타이드 (growth hormone-releasing peptide)

남성 성기능 장애의 동물연구에서 성장호르몬 분비 펩타이드를 대뇌 중추의 paraventricular nucleus(PVN)에 직접 주입 하였을 때 음경 발기를 자극하였다. 그 작용 기전이 PVN 내의 신경세포에서 NO 생성과 옥시토신 관련 작용에 관여하여 cyclic GMP의 내인성 생산 증가를 유도하는 것이므로 여성의 성기능 장애에도 이용될 수 있을 것으로 기대된다.

3) 혈관 확장제

(1) Phosphodiesterase(PDE) 5 억제제(PDE 5 inhibitors)

여성 성기능 장애의 생리학적 연구와 동물 치료 모델 연구 데이터는 아직도 충분하지 않다. 그러나, 지난 수 년간 폐경 전 또는 후 여성을 대상으로 한 선택적 Phosphodiesterase(PDE) 5 억제제(PDE 5 inhibitors)의 효과에 대한 여러 연구가 진행되었다.

여성 성기증 장애에서 PDE5 억제제 이용의 이론적 근거는 여성의 음핵, 질, 소음순에 PDE 이형체(isoform)존재하기 때문이다. 선택적인 type 5(cGMP 특이) PDE 억제제는 cGMP의 분해를 억제하여 질과 음핵 평활근의 산화질소에 의한 이완을 돕는다.

선택적 PDE5 억제제는 외성기 혈류량 감소로 인한 성 홍분 장애 환자에게 효과가 있을 것으로 여겨지며, 여성 성기능 장애의 치료에 단독으로 또는 다른 혈관 확장제와 병용하여 사용될 수 있다. 또한 선택적 PDE 5 억제제는 SSRI 로 인한 성욕 소실, 성 각성 장애, 성교통 등 성 기능 장애의 치료에 효과적이다.

그러나 다수의 연구에서 폐경기 여성에 선택적 PDE 5 억제제 중 하나인 실데나필 투여가 유의한 효과를 보이지 못하였으며, 섹스 스테로이드(안드로겐과 에스트로겐) 호르몬의 적절한 농도가 선택적 PDE 5 억제제의 효과를 볼 수 있는 전제조건이 라고 여겨지고 있다. 또한 남성에서도 PDE5 억제제는 성욕이 어느 정도 있었느냐에 따라 반응이 결정되며, 성욕을 증진시키는 효과는 없기 때문에 여성에서도 이 점을 간과할 수 없다.

결론적으로 선택적 PDE 5 억제제는 성 각성 장애가 있는 폐경기 전후 여성 중 선택된 경우에 효과적일 것으로 여겨진다.

(2) 알파 차단제(alpha blocker)

펜톨아민(phentolamine)은 비특이적 알파 차단제로 남성에서 발기부전에 효과있는 것과 마찬가지로 여성에서도 혈관확장의 효과로 성각성장애의 치료 효과에 대해 연구되고 있다. 여성 성각성 장애에 펜톨아민의 효과 연구는 경구복용 형태 뿐 아니라 질도포액 효과도 유사하다. 폐경 후 여성에서는 호르몬 보충치료를 하지 않은 경우에는 위약과 별 다른 차이가 없어 펜톨아민은 에스트로겐 환경이 적절한 경우의 성각성 장애 여성에서 효과적인 것으로 보인다.

요힘빈(Yohimbin)은 주로 중추신경계에 존재하는 알파2 수용체에 작용, 노르에피네프린(Norephinephrine)의 분비를 촉진하는 효과로 성욕의 증가에 기여할 수 있을 것으로 여겨지나, 소규모의 코호트 연구에서 요힘빈의 경구 복용이 성욕증진에는 별다른 효과를 주지 못해 여성 성기능 장애 치료의 이용에는 좀 더 확실한 데이터가 필요하다.

(3) 프로스타글란딘 E1(Prostaglandin E1, Alprostadil)과 Vasocative intestinal polypeptide (VIP)

프로스타글란딘 E1(PGE1)은 1986년에 남성 발기부전의 치료제로 사용되기 시작하였다. 음경해면체내 주사법외에 국소 도포용제가 개발되면서 여성에서도 실험적으로 이용되었는데, 일부에서 음핵과 음순의 혈류량이 증가하는 것이 관찰되었으나, Padma-Nathan 등의 500mg, 1000mg, 1500mg 알프로스타딜 크림 음부 도포제와 위약의 대조 연구에서는 Female sexual function index 점수 비교 시 뚜렷한 성각성의 차이를 증명할 수 없었다.

PGE1 제제와 같은 국소 혈관 확장제는 혈관인성 여성 성기능 장애의 진단에는 도움이 되나 아직까지는 치료에 효과를 입증할 만한 충분한 임상 결과가 보고되지 않았다.

Vasoactive intestinal polypeptide 역시 혈관 확장제로 혈관주사로 질혈류의 증가와 윤활액 분비에 효과가 있음이 보고되었으며, 강력한 VIP 유도체인 norleucin-VIP(Nle17-VIP) 이용하여 연고형 제제가 개발되면서 향후 임상적으로도 유용한 효과를 기대할 수 있게 되었으나 아직 공식적으로 보고된 결과는 없다.

(4) Nitric oxide (NO) 공여 약물(NO donor)

성적 자극에 대한 질과 음핵의 적절한 반응을 위해 평활근 확장에 필요한 조직 내 cyclic GMP를 상승시키는 데 NO 공여 약물이 도움이 된다, 여러 NO 공여 약물 중 polyethylenimine-nitric oxide (DS1)만이 여성 성기능장애에 대해 연구되었는데, 동물실험에서 혈압변화 등의 전신 부작용 없이 질 혈류의 증가에 효과적이라는 결과가 있다. 따라서 NO 공여체의 국소 도포가 질혈류가 감소된 여성 성기능 장애의 치료에 이용될 수 있을 것이나 아직 체계적인 임상 연구 결과는 없다.

4) 복합제

최근 여성의 성욕장애의 치료제로 개발되고 있는 약 중 성욕 저하의 원인에 따라 필요한 부분을 조절해주는에 초점을 맞춘 약이 있다. 성욕저하가 발생되는 이론적 배경은 i)성적 자극 신호에 대뇌가 상대적으로 둔감해서 생기거나 (즉, 덜 활동적이거나) ii)성적 억제 기전이 증진되는 경우 발생한다. 따라서 성적으로 건강한 여성에서 생리적 및 주관적 성적 반응을 증진시키는 테스토스테론과 병합하는 약물을 성적 자극에 대해 더뎌진 반응을 활성화 시키는 데 도움을 주는 약 (PDE5 억제제, sildenafil 50mg) 또는 지나치게 반응을 억제하는 기전을 조절하여 성반응을 증진시키는 약(5-HT1A 수용체 부분 길항제, buspirone 10mg)을 선택하여 원인에 따라 다른 조합을 쓸 수 있도록 복합제가 개발되어 임상 시험 중에 있다. 또한, 테스토스테론 설하정과 발데나필(vardenafil) 10mg을 필요에 따라 복용하여 생식기의 성적 반응을 증진시키는 병합 약제도 시도된 바 있다.

이와 같이 현재 개발 중이거나 향후 개발이 고려되고 있는 여성 성기능 장애의 치료 약제들은 단순하지 않은 여성 성반응 및 성기능 장애의 발생 기전을 고려하여 개인 별 특성에 따른 맞춤 치료에 중점을 두고 있다.

4. 성 동통 장애의 치료

Sexual pain disorder

1) 음핵 포경/귀두염
(Clitoral phimosis/balanitis)

음핵은 귀두부가 포피로 덮여 있는데, 귀두 포피의 잦은 감염으로 반흔이 형성되어 있거나 포경이 심한 경우 음핵 쪽으로만 국한된 통증이나 가려움, 타는 듯한 느낌을 호소할 수 있다. 이런 경우에는 자세하게 병변을 살펴보는 것이 좋다. 에스트로겐이나 테스토스테론(testosterone)의 국소 도포로 포피의 피부가 탄력이 생기고 여유가 생길 수 있다. 귀두에 진균 감염이 있는 경우에는 nystatin 국소 도포나 fluconazole의 경구 복용이 도움이 된다. 감염의 원인은 헤르페스 바이러스도 가능한데, 이 경우에는 acyclovir 로 치료한다. 음핵 귀두의 문제가 심한 포경으로 인해 약물 치료로 호전이 없는 경우 배부절개(dorsal slit) 과 같은 외과적 절제가 도움이 된다.

한편, 외음부나 치골 피부의 지루성 낭종 감염이 귀두 포피로 확장되면 심한 부종, 통증, 압통, 발열, 농성 분비물이 있을 수 있다. 이런 경우에는 항생제 치료와 습포(soaking), 좌욕으로 치료한다. 대부분 절개배농 만으로도 효과적이다.

2) 경화 태선(Lichen Sclerosus)

Lichen sclerosis는 만성 외음부의 피부질환으로 심한 가려움과 타는 듯한 통증, 다양한 정도의 외음부 반흔형성으로 개구부가 좁아지고 성교통이 유발된다. 증상의 발현 양상은 개인에 따라 다양한데, 심한 경우에는 가려움증과 작열감으로 일상생활이나 수면에 지장을 받기도 한다. lichen sclerosis는 신체검사에서 외음부와 질전정의 조직이 창백하고 탈색되어 있으며, "시가 종이" 처럼 주름이 져 있다. 전형적으로는 외음부 피부의 변화가 질 안쪽까지 침범되지는 않으며, 회음부를 침범하면 특징적인 '8자 모양' 의 형태를 띤다. lichen sclerosis는 질전정을 흔히 침범하기 때문에 소음순과 질구가 위축되고 탄성이 감소된다. 치료는 스테로이드 제제인 clobetasol이 효과적이다.

3) 편평 태선(Lichen planus)

Lichen planus는 면역 질환의 일종이다. 또한 고혈압 약, 이뇨제, 경구용 혈당 강하제, 비스테로이드계 소염제(NSAID) 등 약제에 이차적으로 생기기도 한다. lichen planus는 종류에 따라 양상이 다른데, 소양형(pruritic type)은 병변이 자주색으로 질 점막을 침범하기도 하는 양상이 lichen sclerosis와 다르다. 궤양형에서는 질전정의 궤양, 반흔 형성, 위축 등의 병변이 나타난다. 확진은 조직검사를 통해서 하며 치료는 clobetasol이 도움이 된다.

4) 외상성 신경염

외음부 외상이나 출산, 수술, 하복부의 Pfannelstiel 절개, 겸자 분만(forcep delivery), 부분 마취 등과 같은 경우에 신경 손상(특히 장골하복신경(iliohypogastric nerve), 장골서혜신경(ilioinguinal nerve)의 손상)이 있을 수 있으며, 신경통증을 호소하기도 한다. 또는 낙상, 자전거나 오토바이, 자동차 사고 등으로 외음부에 갑작스런 충격을 받은 경우에도 외음부의 신경손상은 가능하다. 신경통증은 amitriptyline이나 gabapentin, pregabalin 등의 약제로 치료 한다. 경구 복용이 힘들 경우 일반적으로 쓰이는 국소적인 진통제 또는 마취제의 주사로 대증적 치료를 할 수 있다.

5) Skene's gland염

Skene' s gland는 요도구 옆 여러 방향에 존재한다. Skene' s gland염의 병인은 불확실하나 면역 기능 이상 또는 섹스 스테로이드 부족이 원인으로 의심된다. 전형적인 소견은 요도점막의 탈출은 없으면서 요도구가 붓고 튀어나와 있는 것이다. 환자는 삽입 성행위 중 요도구의 통증이나 불쾌감, 또는 배뇨통을 호소한다. 보존적 치료는 전신적 또는 국소적 에스트로겐(estrogen) 투여이다. 요도구 옆에 위치하는 배출구에 농양이 생긴 경우에는 외과적 절제가 효과적이다.

6) 기타 비뇨생식기계 질환

요도염, 재발성 요로감염, 간질성 방광염, 방광통증후군 등 만성 방광 질환은 성교통을 동반할 수 있다. 또한, 만성 질감염, 요도 게실, 과민성방광, 골반장기 탈출증, 자국내막증, 자궁근종 등도 성교통을 유발한다. 따라서, 성교통의 교정 가능한 원인이 의심될 때에는 면밀한 검사로 감별 진단 후 성교통의 원인이 될 수 있는 비뇨기과적, 산부인과적 병발 질환을 먼저 치료하는 것이 우선이다.

7) 외음부동통(Vulvodynia)

(1) 전반적 외음부동통 (Generalized vulvodynia)

generalized vulvodynia는 전반적이고 지속적인 작열통이 항문부터 치골부 까지 외음부 전체에 있는 것이다. 외음부는 통각 과민 상태(hyperpathic) 하고 자극에 대단히 민감하다. generalized vulvodynia의 치료는 여러 과가 협진하여 치료하여야 하며, 정서적지지, 외음부 위생 관리 및 유발 인자 관리에 대한 대처 등을 교육하고 다양한 대증 치료를 한다. 약물 치료로 삼환계 항우울제(tricyclic antidepressant, TCA)인 아미트립틸린(amytrptyline), 신경성 통증의 효과적 진통제인 프리가발린(pregabalin)이나 가바펜틴(gabapentin)등이 사용된다. 상당수의 간질성방광염/방광통증후군 환자들도 증상의 하나로 외음부 또는 질전정 및 요도 주변의 통증을 호소한다. 그러므로 통증을 유발할 수 있는 다른 비뇨기과적 또는 산부인과적 원인 등 골반강 내 장기의 다른 가능한 원인이 있는 지 반드시 전체적인 파악을 하여야 한다.

(2) 질전정염 증후군(Vulvar vestibulitis syndrome/vestibular adenitis)

Fridrich는 질전정염증후군 진단 기준을 ① 병력 상 질전정을 건드리거나 질 내 삽입 시도 시 심한 통증이 있고 ② 신체검사에서 질전정에 다양한 정도의 발적이 있으며, ③ 면봉으로 검사할 때 누르는 부위에 통증을 느끼는 부분이 국한되어 있어야 한다.

질전정염 증후군은 50세 이하 여성의 성교통의 가장 흔한 원인 중 하나이다. 일차 치료는 대개 보존적 치료이다. 유발 원인 조절 및 제거, 위생 관리, 바이오피드백, 진통제 및 소염제, 에스트로겐이나 테스토스테론(testosterone)의 국소 도포, 리도케인 크림 도포, 삼환계 항우울제(TCA) 나 프리가발린, 가바펜틴(gabapetin)계 약물 복용 등이 도움이 될 수 있다. generalized vulvodynia와 달리 질전정염증후군은 약물 치료로 호전되지 않을 경우 문제 부위의 외과적 절제(vestibulectomy)로 효과를 볼 수도 있다. 수술적 치료를 결정하기 전에 통증 부위의 단기적 국소마취제 주사 등으로 병변의 제거가 통증의 감소에 효과적인지를 먼저 파악하고 결정하여야 한다. 제한적인 결과이지만, 몇 몇 위약 대조 무작위 임상 연구에서 병변 부위에 보툴리눔 톡신 주사 치료의 가능성을 제시하고 있다. 그러나 질전정의 통증 치료로 보툴리눔 톡신 주사는 아직 안전성과 유효성에 대한 평가를 할 수 있는 자료가 부족하여 향후 좀 더 연구가 필요하다.

5. 요약

여성 성기능 장애의 치료는 여러 분야 임상 분야의 협진이 필요하다. 여성의 성기능 장애의 발생은 남성과는 달리 육체적, 정신적으로 다양한 인자가 관여할 수 있음을 고려하여 치료에 접근하여야 하며, 환자뿐 만아니라 성 상대자의 이해와 치료 참여 또한 중요하다. 기질적 원인으로 인한 여성 성기능장애의 치료는 원인이 되는 질환을 치료하거나 약물을 변경하는 것이 우선적이다. 또한, 부족한 남성 호르몬과 여성 호르몬의 장기간 보충이 효과적이며, 알파 차단제, PDE5 억제제, 아포몰핀, 멜라노콜틴 수용체 항진제 등의 약물치료법이 효과가 기대되고 있는 치료법이다. 그러나 이들 치료법들은 아직까지 상당수가 임상실험 중으로 안전성과 장기적인 효과의 검증이 필요하다. 성교통의 치료는 원인에 따라 적절한 보존적 약물치료가 효과적이며, 필요시 외과적 절제가 고려되기도 한다.

참고문헌

1. Ayton RA, Darling GM, Murkies AL, Farrell EA, Weisberg E, Selinus I st al. A comparative study of safety and efficacy of continous low dose estradiol released from a vaginal ring compared with conjugated equine estrogen vaginal cream in the treatment of postmenopausal vaginal atrophy. Br J Obstet Gynaecol 1996;103:351-358.
2. Anderson MR, Klink K, Cohrssen A: Evaluation of vaginal complaints. JAMA 2004;291:1368-1379.
3. Bachamann G, Bancroft J, Braunstein G, Bruger H, DavisS, Dennerstein L et al. Female androgen insufficiency: the Princeton consensus statement on definition, classification, and assessment. Fertil Steril 2002;77:660-665.
4. Bachmann GA, Komi JO et al. Ospemifene effectively treats vulvovaginal atrophy in postmenopausal women: results from a pivotal phase 3 study. Menopause. 2010;17:480-486.
5. Baulieu EE, Thomas G, Legrain S, Lahlou N, Roger M, Debuire B, et al. Dehydroepiandrosterone(DHEA), DHEAsulfate, and aging: contribution of the DHEAge study to a sociobiomedical issue. Proc Natl Acad Sci 2000;97:4279-4284.
6. Behnia B, Heinrichs M, Bergmann et al. Differential effects of intranasal oxytocin on sexual experiences and partner interactions in couples. Horm Behav 2014;65:308-318.
7. Buster JE. Managin female sexual dysfunction. Fertil Steril 2013;100:905-915.
8. Caruso S, Intelisano G, Farina M, et al: The function of sildenafil on female sexual pathways: A double-blind, cross-over, placebo-controlled study. Eur J Obstet Gynecol 2003;110:201-206.
9. Caruso S, Agnello C, Intelisano G, et al: Placebo-controlled study on efficacy and safety of daily apomorphine SL intake in premenopausal women affected by hypoactive sexual desire disorder and sexual arousal disorder. Urology 2004;63:955-959
10. Cui Y, Zong H, Yan H, et al. The efficacy and safety of ospemifene in treating dyspareunia associated with

postmenopausal vulvar and vaginal atrophy: a systematic review and meta-analysis. J Sex med 2014;11:487-497.

11. Davis SR. Androgen treatment in women. MJA 1999; 170:545-549.
12. Giraldi A, Marson L, Nappi R, et al: Physiology of female sexual function: Animal models. J Sex Med 2004;1:237-253.
13. de Villiers TJ, Pines A, Panay N, et al. Updated 2013 international menopause society recommendations on menopausal hormone therapy and preventive strategies for midlife health. Climacteric 2013;16:316-337.
14. Diamond LE, Earle DC, Heiman JR, Rosen RC, Perelman MA, Harning R. An effect on the subjective response in premenopausal women with sexual arousal disorder by bremelanotide(PT-141), a melanocortin receptor agonist. J Sex Med2006;3:628-638.
15. Goldstein SR, Bachmann GA, Koninckx PR, et al. Ospemifene 12-month safety and efficacy in postmenopausal women with vulvar and vaginal atrophy. Climacteric 2014;17:173-182.
16. Grazziottin A. Libido: the biologic scenario. Maturitas 2000;34: Suppl 1:S9-16.
17. Guay A. Premenopausal and postmenopausal women with low libido have decreased testosterone and dehydroepiandrosterone-sulfate(DHEA-S) levels. Proceedings of International Society of study for Women' s Sexual Health 3rd Annual Meeting. Boston: International Society of Study for Women' s Sexual Health. 2000;56.
18. Jeon Y, Kim Y, Shim B, Yoon H, Park Y, Shim B, et al. A retrospective study of the management of vulvodynia. Korean J Urol. 2013;54:48-52.
19. Kielbasa LA, Daniel KL. Topical alprostadil treatment of female sexual arousal disorder. Ann Pharmacother 2006;40:1369-1376.
20. Laan E, van Lunsen RHW, Everaerd W. The effects of tibolone on vaginal blood flow, sexual desire and arousability in postmenopausal women. Climacteric 2001;4:28-41.
21. Lee YC, Yoon HN, Park YY. Effect of Functional Electrical Stimulation (FES)- Biofeedback on Sexual Activity and Quality of Life in Stress Incontinence Patients. Kor J Urol 2003;44;999-1005. 21. Leusink P, Boeke AJ, Laan E. Toward personalized sexual medicine: where is the evidence? J Sex Med 2014;11:2357-2358.
22. McCormack WM, Spence MR. Evaluation of the surgical treatment of vulvar vestibulitis. Eur J Obstet Gynecol Reprod Biol 1999; 86:135-138.
23. McKay E, Kaufman RH, Doctor U, Berkova Z, Galzer H, Redko V. Treating vulvar vestibulitis with electromyographic biofeedback of pelvic floor musculature. J Reprod Med 2001;46:337-342.
24. Min K, Kim NN, McAuley I, Stankowicz M, Goldstein I, Traish A. Sildenafil augments pelvic nerve-mediated female genital sexual arousal in the anesthetized rabbit. Int J Impot Res. 2000 Sep;12 Suppl 3:S32-39.
25. Miner MM, Sftel AD. Centrally acting mechanism for the treatment of male sexual dysfunction. Urol Clin N Am 2007;34:483-496.
26. Munarriz R, Kim SW, Kim NN, Traish A, Goldstein I. A review of the physiology and pharmacology of peripheral (vaginal and clitoral) female genital arousal in the animal model. J Urol 2003;170:S40-45.
27. Nappi RE, Cucinella L. Advances in pharmacotherapy for treating female sexual dysfunction. Expert Opin Pharmacother 2015;16:875-887.
28. Pacher P, Mabley JG, Liaudet L, et al. Topical administration of a novel nitric oxide donor, linear polyethylenimine-nitric oxide/nucleophile adduct (DS1), selectively increases vaginal blood flow in anesthetized rats. Int J Impot Res 2003;15:461-464.
29. Perelman MA. Clinical application of CNS-acting agents in FSD. J Sex Med 2007;4(suppl4)280-290.
30. Pfaus J, Giuliano F, Gelez H. Bremelanotide: an overview of preclinical CNS effects on female sexual function. J Sex Med 2007;4(Suppl 4):269-279.
31. Portman DJ, Edelson J, Jordan R, et al. Bremelanotide for hypoactive sexual desire disorder: analyses from a phase 2B dose-ranging study. Obstet Gynecol 2014;123(Suppl 1):31S.
32. Rosen RC, Phillips NA, Gendrano NC III, Ferguson DM. Oral phentolamine and female sexual arousal

disorder: a pilot study. J Sex Marital Ther 1999;25:137-144.

33. Rubio-Aurioles E, Lopez M, Lipezker M, et al. Phentolamine mesylate in postmenopausal women with female sexual arousal disorder: a psychophysiological study. J Sex Marital Ther 2002;28(Suppl 1):205-215.
34. Safarinejad MR. Evaluation of the safety and efficacy of bremelanotide, a menlanocortin receptor agonist, in female subjects with arousal disorder: a double-blind placebo-controlled, fixed dose, randomized study. J Sex Med 2008;5:887-897.
35. Smith RG, Sun Y, Betancourt L, Asnicar M. Growth hormone secretagogues: prospects and potential pitfalls. Best Pract Res Clin Endocrinol Metab 2004;18:333-347.
36. Traish M, Kim N, Min K, Munarriz R, Goldstein I. Androgens in female genital sexual arousal function: a biochemical perspective. J Sex Marital Ther. 2002;28 Suppl 1:233-244.
37. Traish M, Kim N, Min K, Munarriz R, Goldstein I. Role of androgens in female genital sexual arousal: receptor expression, structure, and function. Fertil Steril. 2002 Apr;77 Suppl 4:11-18.
38. Tuiten A, Bloemers J, van Rooij K, et al. Response to "toward personalized sexual medicine: where is the evidence?". J Sex Med 2014;11:2359-2363.
39. Uckert S, Mayer ME, Jonas U, Stief CG. Potential future options in the pharmacotherapy of female sexual dysfunction. World J Urol 2006;24:630-638.
40. van der Made F, Bloemers J, Yassem WE, et al. The influence of testosterone combined with a PDE5-inhibitor on cognitive, affective, and physiological sexual functioning in women suffering from sexual dysfunction. J Sex Med 2009;6:777-790.
41. Wright JJ, O' Connor KM. Female sexual dysfunction. Med Clin N Am 2015;99:607-628.
42. Yoon H, Chung WS, Shim BS. Botulinum toxin A for the management of vulvodynia. Int J Impot Res. 2007;19:84-87.
43. Ziegler DD, Fanchin R. Progesterone and progestins: applications in gynecology. Steroids 2000;65:671-679.

PART

03

남성갱년기 Aging Male

SECTION 1. 노인의 내분비 변화
SECTION 2. 남성호르몬과 신체기능
SECTION 3. 남성갱년기증후군

SECTION 01 노인의 내분비 변화

Chapter 57. 남성호르몬 및 기타 호르몬 ······ 백재승

CHAPTER 57

남성호르몬 및 기타 호르몬

■ 백재승

여성과 남성의 수명의 차이를 설명하는 기전은 분명하지 않으나 여성과 남성의 노화과정에 차이가 있다는 것은 잘 알려져 있다. 폐경과 동시에 급격한 노화과정을 겪는 여성과 달리 남성에는 그와 같은 급격한 변화는 없으나 점진적이고 지속적인 노화과정을 밟는다. 이와 같은 남성노화의 특징과 남성노화를 규정지을 수 있는 명확한 현상이 없다는 것 그리고 노화의 개인차가 있다는 점들로 인해 남성의 노화과정은 여성에 비해 많이 연구되지 않았다. 근자에 이르러 남성에서도 연령증가에 따른 여러 호르몬의 변화가 나타나며 이러한 변화가 골, 근육, 정신, 생식, 성기능 등에 발생하는 증상들과 연관되면서 남성노화에 관한 연구는 비로소 싹트기 시작한 느낌이다. 현재까지의 남성노화분야에서 발표된 논문들을 분석해 보면 대규모의 장기추적검사 결과를 바탕으로 한 원저는 소수에 불과하다. 따라서 이 분야에서 확립된 연구결과는 드물며 최근 연구가 진행되면서 노화와 연관된 여러 사실들이 조금씩 실체를 드러내고 있다. 추후 우수한 연구결과가 발표되면서 이 분야에 대한 이해가 깊어지리라 생각한다.

전반적이며 점진적, 지속적인 남성노화의 배경에는 남성호르몬을 중심으로 하는 내분비계의 변화가 주 역할을 하는 것으로 알려져 있으므로 이를 중심으로 남성의 생리적 노화과정을 기술하고자 한다.

1. 정상 생식 생리

Male reproductive physiology

생식을 담당하는 주 기관인 고환은 세정관(seminiferous tubule) 내에서 정자를 생성하는 기능과 간질조직 내의 Leydig cell에서 남성호르몬을 분비하는 두 가지의 기능을 담당한다. 분비된 남성호르몬은 정자형성을 보조하는 동시에 이차 성징의 발현과 성적행동을 조절하는 역할을 하고 있다. 고환기능은 뇌하수체 전엽(anterior pituitary)에서 기원하는 성선자극호르몬인 난포자극호르몬(follicle stimulating hormone, FSH)와 황체화호르몬(luteinizing hormone, LH)에 의해 조절되며 이 두 개의 뇌하수체 전엽에서 분비되는 호르몬은 시상하부(hypothalamus)에서 분비되는 성선자극호르몬 생성호르몬(gonadotropin releasing hormone, GnRH)에 의해 조절된다. 이 시상하부-뇌하수체-고환 축은 정상생식기능의 유지를 위해 되먹임(feedback)기전으로 조절되고 있다.

1) 시상하부(Hypothalamus)

시상하부는 뇌의 고위중추로부터 신경자극을 받아 이를 통합하여 뇌하수체와 고환에서 호르몬을 분비할 수 있도록 성선자극호르몬 생성호르몬을 분비하는 역할을 하며 뇌하수체와는 문맥으로 연결되어 있다. 시상하부에서 분비되는 성선자극호르몬 생성호르몬은 뇌하수체를 자극하여 황체화호르몬과 난포자극호르몬의 생산과 분비를 촉진한다. 성선자극호르몬 생성호르몬은 70-90분에 한번씩 주기적 및 박동성으로 분비되며 혈중 반감기가 2-5분으로 매우 짧다. 성선자극호르몬 생성호르몬의 주기적 분비는 뇌하수체의 적절한 자극을 위해 매우 중요한데 연속적인 자극은 뇌하수체 수용체의 하향조절을 유도하여 오히려 뇌하수체호르몬의 분비를 억제한다. 성선자극호르몬 생성호르몬의 주기적 분비는 노화과정이 진행될수록 감소한다고 알려져 있다. 또한 이러한 주기적 분비에는 식이, 운동, 스트레스, 우울증, 영양실조, 약물 등이 영향을 미친다고 알려져 있고 신경전달물질이나 endorphin 등에 의해 매개되며 촉진성 매개물질로는 neuropeptide Y, 억제성 매개물질로는 substance P, leucine-enkephalin 및 β- endorphin등이 알려져 있다.

2) 뇌하수체 전엽(Anterior pituitary)

성선자극호르몬 생성호르몬은 뇌하수체 전엽의 성선자극세포(gonadotroph)에 선택적으로 결합하여 두 개의 성선자극호르몬인 난포자극호르몬과 황체화호르몬을 비정기적으로 분비한다. 이 호르몬들은 두 개의 polypeptide chain이 결합된 당단백으로 β-subunit의 차이로 인해 면역학적, 기능적 차이를 보인다. 난포자극호르몬이 황체화호르몬에 비해 상대적으로 긴 반감기를 지니므로 일중 농도변화는 황체화호르몬이 심하다. 또한 황체화호르몬의 분비는 성선자극호르몬 생성호르몬에 의한 분비 자극과 보다 밀접하게 연결이 되어 있어 그 분비 양상은 명백히 박동성인 반면에 난포자극 호르몬의 주기적인 분비 양상은 덜 뚜렷하다. 게다가 난포자극호르몬의 분비는 고환에서 생성되는 단백질인 activin과 inhibin의 피드백에 의해서도 조절될 수 있기 때문에 성선자극호르몬 생성호르몬의 영향이 강한 황체화호르몬의 분비에 비해 다소 그 영향이 덜하다.

3) 고환(Testis)

황체화호르몬은 Leydig cell 세포막의 수용체와 선택적으로 결합하며 결합된 호르몬-수용체 복합체는 adenylyl cyclase를 활성화 시켜 환식 cyclic adenosine monophosphate(cAMP)을 형성하여 세포막내의 인산화 효소의 조절단위와 결합하고 이는 인산화 효소를 활성화시켜서 steroid hormone인 테스토스테론의 합성을 촉진한다. 또한 프로락틴이 이러한 황체화호르몬의 Leydig cell에의 작용을 강화한다고 알려져 있다. 하지만 황체화호르몬의 박동성 분비 양상이 테스토스테론의 분비에 필수적인 것은 아니며 테스토스테론의 분비는 에스트로겐과 함께 주기적으로 이루어진다. 한편 황체화호르몬 또는 hCG(human chorionic gonadotropin)와 결합 후 황체화호르몬의 수용체는 하향조절되기 때문에 그 수가 감소되어 테스토스테론 합성을 효과적으로 조절한다. 난포자극호르몬은 세정관의 상피에 존재하는 지주세포(Sertoli cell) 표면에 있는 수용체와 결합하여 역시 이차전령인 cAMP와 cAMP의존성 단백인산화효소를 활성화하여 RNA의 생성을 촉진한다. 난포자극호르몬은 발생과정 중 세정관을 성장시키는 촉진인자로서 작용하며, 사춘기 때 정자형성과정의 시작에 핵심적인 역할을 담당한다. 성인에서는 난포자극호르몬이 정상 수치의 정자를 생성하는데 관여한다. 난포자극호르몬은 간접적으로 테스토스테론 형성에 작용하여 Leydig cell의 성숙과 황체화 호르몬의 수용체의 수를 증가시키며 남성호르몬 결합단백과 방향화 효소(aromatase)의 합성을 유도한다.

4) 되먹이기 기전
(Feedback in reproductive axis)

시상하부-뇌하수체-고환 축은 정상 생식기능의 유지를 위하여 되먹임 기전을 주로 활용한다. 뇌하수체 호르몬은 테스토스테론과 그의 대사물인 dihydrotestosterone 또는 에스트로겐에 의해 분비가 억제 된다. 에스트로겐은 시상하부 단계에서 성선자극호르몬 생성 호르몬의 분비를 억제하는 테스토스테론과 달리 뇌하수체 단계에서 뇌하수체호르몬의 분비를 직접 억제하는 것으로 알려져 있다. 난포자극 호르몬의 분비조절은 보다 복잡해서 테스토스테론과 에스트로겐에 의하여 억제조절되는 것으로 알려져 있으나 inhibin이라는 세정관 내의 인자도 중요한 역할을 하는 것으로 알려져 있다. Inhibin은 주로 지주세포에서 만들어지며 a와 b두 개의 subunit로 이루어진다. Inhibin A(a , b A subunit)과 inhibin B(a , b B subunit)는 체외 실험에서 모두 난포자극 호르몬을 억제하는 것으로 나타났으나 실제 인간 남성에는 inhibin B만 존재한다. 성인 남성에서 inhibin B는 시상하부 또는 뇌하수체 단계에서 혈중 난포자극 호르몬의 음성되먹이기 기전을 담당하는 역할 외에도 직접적으로는 주변분비(paracrine) 기전에 의해, 간접적으로는 음성되먹이기 기전을 통한 난포자극 호르몬의 억제를 통해 정자발생(spermatogenesis)을 억제한다고 알려져 있다. 또한 b A와 b B subunit가 합쳐져서 구조적으로 transforming growth factor(TGF)-β와 유사한 activin을 형성하며 이는 생체외 실험에서 난포자극 호르몬의 분비를 촉진하는 것으로 알려져 있다. 이외에도 몇 가지의 성장인자인 follistatin과 TGF-β도 난포자극 호르몬의 분비조절과 연관이 있는 것으로 알려져 있다. Follistatin은 activin과 높은 친화성을 가지고 결합하며 activin의 활성화를 억제한다. 따라서 되먹임기전에는 내분비(endocrine) 기전외에도 자가분비(autocrine)와 주변분비 기전도 관여하는 것으로 생각되며 뇌하수체뿐 아니라 고환 내의 세정관, Leydig cell 등에서도 조절인자들이 분비되어 혈중 농도의 변화를 즉각적으로 정확하게 조절한다(그림 57-1).

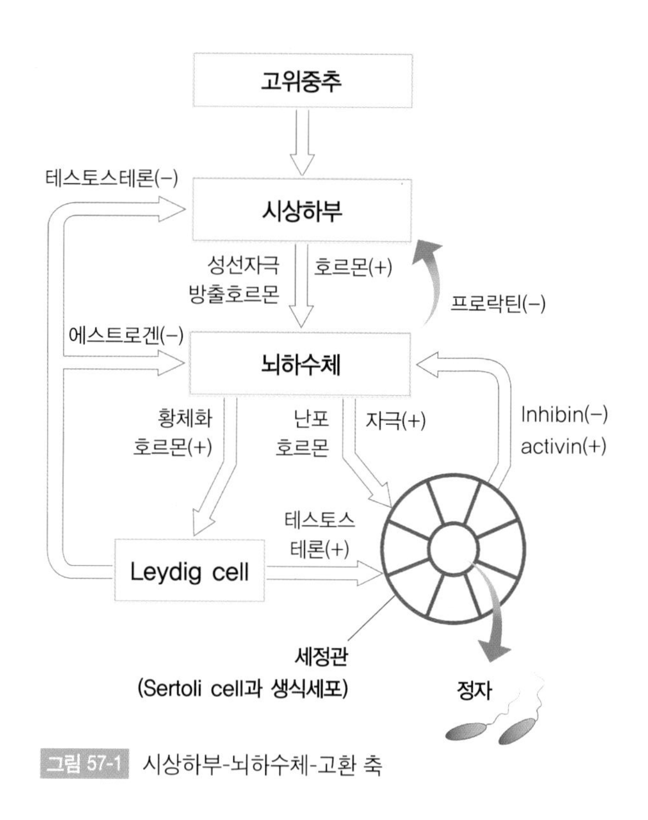

그림 57-1 시상하부-뇌하수체-고환 축

5) Prolactin

Prolactin의 내분비적 조절기능은 복잡하다. 고농도의 prolactin은 성선자극호르몬 생성호르몬 및 황체화 호르몬을 억제하여 hypoandrogenism을 유발시키는 반면에 저농도의 prolactin은 황체화호르몬의 수용체와 남성호르몬 대사와의 상호작용을 통해 황체화호르몬의 Leydig cell에 작용을 강화시키는 역할을 한다. 또한, prolactin은 남성에서 부성선(accessory sex gland)의 성장 및 분비 기능을 강화시킨다. 한편, 인간의 Leydig cell에도 프로락틴 수용체가 존재한다고 밝혀진 바 있다. 설치류 모델에서 prolactin이 황체화 호르몬 수용체 발현의 촉진 및 유지와 남성호르몬 합성의 효소 단계에서의 조절을 통해 테스토스테론 분비에 영향을 미친다고 보고된 바 있다.

2. 남성호르몬 *Androgen*

1) 남성호르몬의 생산과 대사

남성호르몬의 작용에는 성선자극호르몬의 분비조절, 정자생산의 유도와 유지, 태생기 성분화 단계에서 남성화 유도, 사춘기에서의 성적성숙, 성욕과 성기능의 조절 등이 있다. 대표적인 남성호르몬인 테스토스테론은 하루에 약 5 mg 정도 생성되며, 간헐적으로 10-40 nmol/l 정도의 박동성 분비를 한다. 또한 이른 아침에 분비량이 가장 많으며 수면시작 후 가장 낮은 농도로 감소한다. 또한, 모든 남성에서 매주 최대 20%까지 혈청 남성호르몬 수치에서 차이가 난다. 혈청 남성호르몬치는 개인의 전신건강상태, 흡연, 음주, 비만, 채혈시간 등에 따라 차이를 보인다고 알려져 있다. 테스토스테론은 표적세포(target cell)의 세포막에서 5α-reductase에 의해 dihydrotestosterone이 되며 이들은 친화도가 높은 남성호르몬 수용체와 결합하여 호르몬-수용체 복합체를 형성한 후 핵으로 이동하여 생리적 작용을 한다. 에스트로겐은 고환에서 직접 분비되거나 테스토스테론의 말초변환으로 생성되며 남성호르몬의 기능을 강화 또는 억제하는 것으로 알려져 있으나 그 기전은 아직 불분명하다.

정상남성에서 테스토스테론의 2%는 유리형으로 존재하며 50-60%는 성호르몬결합글로불린(Sex Hormone Binding Globulin, SHBG)과 높은 친화도로 결합되어 있고 나머지는 알부민 등의 기타 단백질과 낮은 친화도로 결합되어 있다(그림 57-2). 성호르몬결합글로불린에 결합된 테스토스테론은 거의 모든 표적조직에 결합하지 못해서 비활성이지만, 전립선과 같은 일부 조직처럼 표적세포의 성호르몬결합글로불린 수용체를 통해 기능하는 경우도 드물게 있다.

Partridge 등은 뇌와 간 등에서 알부민과 결합한 테스토스테론이 유리되어 표적장기에 기능한다는 것을 확인하였다. 따라서 이들과 유리형을 통칭하여 생체이용가능(bioavailable) 테스토스테론이라고 하며 실제 기능하는 호르몬으로 인정한다.

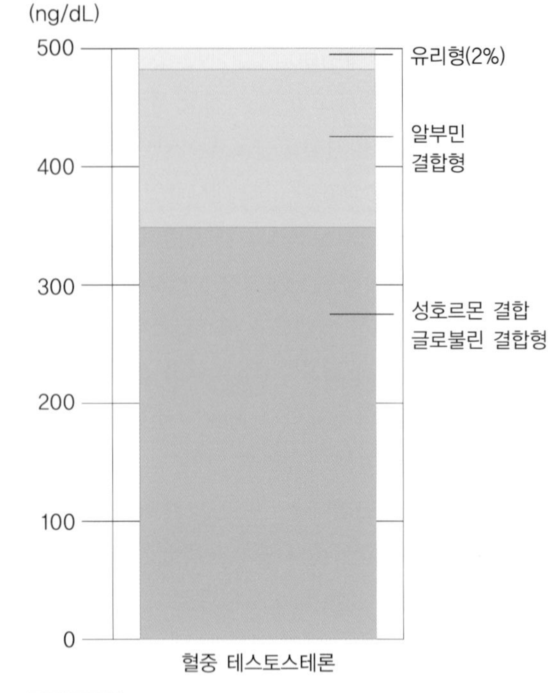

그림 57-2 테스토스테론의 혈중 분포

2) 남성호르몬의 표적장기(Target organs)

남성에서 남성호르몬은 근골격계, 중추신경계, 성기능, 골수, 전립선 등에 중요한 기능을 하는 것으로 알려져 있다. 남성호르몬의 생물학적 작용은 표적장기(target organ)에서의 기능에 따라 크게 두 가지로 대별할 수 있는데 성적성숙과 분화를 돕는 남성화(androgenic)기능과 체성분의 성장을 담당하는 동화(anabolic)기능으로 나눌 수 있다. 과거에는 이 두 작용을 별개의 것으로 간주하였으나, 현재는 이 두 작용이 근본적으로 같은 기전에 의해 일어나지만 조직 특성의 차이로 다른 반응이 일어나는 것으로 이해하고 있다.

남성호르몬은 출생 전 성 분화와 출생 후 성적성숙과 유지에 관여하며 남성성기능의 유도와 지속에 관여한다. 지금까지의 연구결과로는 정상 성욕, 사정,

야간 발기 등에 영향을 미치는 것으로 알려져 있으나, 기능의 유지를 위해서 어느 정도의 남성호르몬이 필요한지에 관해서는 잘 알려져 있지 않다.

동화작용에 미치는 남성호르몬의 영향은 근골격계에서 근육과 골의 건조질량을 증가시키며 골형성과 골흡수에 영향을 미치는 것으로 알려져 있으나 정상 골대사를 유지하는데 필요한 남성호르몬의 양에 대해서는 알려져 있지 않으며 마찬가지로 골대사에 중요한 역할을 하는 에스트로겐과의 역할 구분도 불분명하다. 또한 간에서 단백질 합성을 촉진시킨다고 알려져 있다.

조혈기능을 촉진하는 역할은 잘 알려져 있으며 혈중 지질 대사에도 영향을 미치는 것으로 보고되어 있어 정상 남성에서 폐경기 여성에 비해 혈중 고밀도지단백(High Density Lipoprotein, HDL)의 농도는 낮으며 중성지방과 저밀도지단백(Low Density Lipoprotein, LDL) 그리고 초저밀도지단백(Very Low Density Lipoprotein, VLDL)의 농도는 높게 나타난다는 보고가 있으나 남성호르몬에 의한 혈중 지질대사의 변동은 연구자들마다 다른 결과를 보고하고 있다.

남성호르몬은 일생 동안 인지기능의 활성화와 정서에 중요한 역할을 하는 것으로 알려져 있으나 구체적인 결과는 나타나 있지 않다.

일반적으로 여성에서 남성에 비해 자가면역질환의 빈도와 immunoglobulin의 농도가 높으며 자가항원에 대한 반응이 과장되어 있는 것을 알 수 있는데 에스트로겐은 자가면역질환을 악화시키며 테스토스테론은 자가면역질환에 대한 방어적 역할을 하는 것으로 알려져 있다.

3) 부신성 남성호르몬(Adrenal androgens)

부신호르몬의 분비는 뇌하수체 전엽의 부신피질자극호르몬(adrenocorticotropic hormone, ACTH)에 의해 주로 유발되며, 그에 의해 부신피질에서 DHEA, DHEA-S, androstenedione (ADD) 등의 부신성 남성호르몬이 분비된다. 이들의 남성호르몬 작용은 매우 미약하나 말초에서 강력한 형태인 테스토스테론과 dihydrotestosterone으로 전환이 가능하며 실제로 여성에서는 이들의 말초변환이 중요한 테스토스테론의 원천으로 작용한다. 남성에서는 부신에서 1일 3-4 mg의 DHEA, 7-14 mg의 DHEA-S, 1-1.5 mg의 androstenedione (ADD), 50 μg의 테스토스테론이 분비되며, 이들의 90%는 알부민에 결합하고 3%는 성호르몬결합글로불린에 결합한다.

DHEA-S는 부신성 남성호르몬의 가장 많은 양을 차지하며 남녀 차는 크지 않으나 연령이 증가함에 따라 감소하는 양상을 보인다. 20-30대에 가장 높은 혈중 농도를 보이나 70대에는 1/5로 감소한다. 이 호르몬의 혈중 농도는 심혈관계질환과 암의 발생률과 반비례하는 것으로 알려져 있어 다년간 많은 연구가 행해졌으나 아직 분명히 밝혀지지 않았다. 이 호르몬은 다양한 노화억제효과가 있는 것으로 알려져 있어 '회춘호르몬'으로까지 인식되고 있으나 이를 입증할 만한 구체적인 증거는 빈약하다.

3. 연령에 따른 남성호르몬 및 생식기능의 변화

Reproductive function

남성호르몬은 지금까지 알려진 여러 종적, 횡적 연구에서 30대 이후 점차적 지속적으로 1년에 1%씩 감소하는 것으로 알려져 있다. 따라서 60세 이상 남성의 20%, 80세 이상에서는 50%가 hypotestosteronism을 나타나는 것으로 알려져 있다. 70대 노인의 평균 혈중 테스토스테론 수치는 젊은 성인 남성보다 35% 정도 더 낮다. 연령에 따른 이와 같은 감소는 테스토스테론을 생산하는 고환기능부전과 시상하부의 기능저하에 따른 뇌하수체에서의 황체화호르몬 분비감소로 설명할 수 있다. 고환기능부전을 나타내는 증거로는 연령의 증가에 따른 고환크기의 감소(75세까지 30%감소), Leydig cell 수의 감소, 테스토스테론 기저치의 감소, 황체화호르몬이나 이와 유사한 hCG 외부 투여에 대한 테스토스테론 분비가 감소되어있는 점 등을 들 수 있다. 이는 연령 증가에 따라 Leydig cell에서 황체화호르몬에 대해 부분적인 탈감작(desensitization)이 이루어짐을 시사한다. 또한 노인의 고환에서 혈관성 변화가 관찰되며 이는 전신적 죽상경화증의 정도와 관련 있다는 보고가 있어 전신적 죽상경화증이 연령에 따른 고환기능의 감소에 관여한다는 것을 시사한다. 시상하부의 기능 저하를 나타내는 증거로는 연령의 증가에 따라 테스토스테론의 분비가 저하되어 이에 의한 음성되먹이기 기전이 저하되어도 황체화호르몬 분비횟수와 양의 증가가 별로 없으며 황체화호르몬의 불규칙적인 분비가 증가되고 고진폭(large-amplitude) 분비의 빈도가 감소되는 것을 들 수 있다. 즉 시상하부에서 황체화호르몬의 분비를 조절하는 성선자극호르몬 생성호르몬 분비 조절기능이 연령증가에 따라 감소되어있음을 의미한다. 이러한 변화는 sex steroid 호르몬의 되먹이기 기전에 대한 시상하부의 반응성이 노인에서 증가되어있기 때문에 일어난다고 설명할 수 있다. 난포자극호르몬의 경우는 황체화호르몬 보다는 노화의 영향을 덜 받으나 일중 변화가 젊은 사람에 비해 크지 않다. 또한 naloxone 등의 마약성 길항제(narcotic antagonist)에 대한 시상하부의 성선자극호르몬 방출호르몬 분비 증가가 약화되어 있다는 점 그리고 flutamide나 ketoconazole 등의 항남성호르몬의 투여에 대해서 성선자극호르몬(gonadotropin)의 분비가 증가하지 않는 점 등도 시상하부의 이상을 시사하는 증거이다. 그러나 뇌하수체의 분비기능은 유지되는 편이어서 노인에서 주기적인 성선자극호르몬 방출호르몬 투여 시에 정상적인 황체화 호르몬의 분비기능을 보인다는 보고가 있다. 또한 젊은 사람과 노인에서는 남성호르몬의 일주기 리듬 자체가 다르다. 나이가 젊을수록 저녁보다 이른 아침에 남성호르몬치가 더 높으며 연령의 증가에 따라 일주기 리듬의 진폭이 낮아지고 편평해지며 개인간 또는 개인내의 차이가 심해 소실되기도 한다.

또한 노인에서 혈청 성호르몬결합글로불린의 증가에 의해 유리형 및 생체이용가능 테스토스테론이 급격히 감소하여 표적장기에 이용가능한 남성호르몬의 결핍을 유발하는 것으로 알려져 있다. 노인에서 이러한 성호르몬결합글로불린 증가의 기전은 성장호르몬 등의 somatropic 축(axis)의 활성도 감소가 기여할 것으로 생각되고 있으나 아직까지 명확히 밝혀진 바는 없고 간접적인 증거들만이 제시된 바 있다.

혈중 테스토스테론의 감소는 노인에서 흔히 직면하는 여러 동반 질환(만성 신부전, 간질환, 폐질환, 암, 영양실조)이 있거나 약물(steroid 또는 중추신경계 약물)을 사용할 때도 흔히 나타난다. 상기한 동반 질환이 있거나 수용시설에 거주하는 노인들의 혈중 테스토스테론 농도가 정상생활을 하는 다른 노인들에 비해 20-30%이상 유의하게 감소되어 있다는 사실은 여러 연구결과에서 지적되고 있다.

세정관의 기능도 연령에 따른 감소를 보여서 노인 남성에서는 조직학적으로 정자형성의 감소를 보인다. 그러나 사정의 빈도와 사정액의 양이 감소하므로 정자의 농도는 변화가 없거나 오히려 늘어나게 된다. 정상 운동성과 형태를 지닌 정자는 감소하지만 이들이 체외수정 기능이 감소되지는 않는다고 한다. 그러나 성관계의 빈도가 감소하므로 전반적인 수정능력의 감소가 연령에 따라 일어난다. 또한 고령의 아버지에서 출생한 자녀들이 상염색체우성유전병을 가질 위험이 높았다는 보고도 있다. 이외에도 지주세포의 수와 여기에서 분비되어 혈중 난포자극호르몬에 대한 음성되먹이기 기전을 담당하는 inhibin B의 혈중 농도가 연령이 증가함에 따라 감소되었다는 보고도 있다.

4. 남성노화와 관련된 기타 호르몬

Other hormonal alterations associated with aging

지금까지 진행된 노화에 대한 연구에서 hypotestosteronism이 가장 의미 있게 나타나며 노인에서 일어나는 여러 변화과정을 설명하는데 주로 인용되고 있으나, 노화과정에서는 테스토스테론 뿐 아니라 다른 호르몬들도 많은 변화를 겪는 것이 밝혀지고 있다. 따라서 과거에는 테스토스테론의 감소가 노화의 주된 이유로 생각되었으나 현재는 다른 호르몬의 변화도 비중있게 다루어지고 있다(표 57-1).

1) 성장호르몬(Growth hormone)

성장호르몬은 191개의 아마노산으로 구성된 단백질로 뇌하수체호르몬 중 가장 많은 양을 차지한다. 성장호르몬의 분비조절은 시상하부가 주로 담당하며 성장호르몬분비호르몬(GHRH)과 somatostatin의 상호작용으로 분비량을 조절한다. 그 외에도 주로 위저부 점막에서 분비되는 ghrelin이 중추신경계의 성장호르몬 수용체(growth hormone secretagogue receptor)와 결합하여 성장호르몬의 분비를 촉진한다. 또한 이런 조절인자들은 수면, 운동, 식이 등에 영향을 받는 것으로 알려져 있다. 성장호르몬은 일중 변동이 심하며 박동성 분비를 하므로 혈중 농도를 1회 측정하는 것만으로는 의미가 없다.

성장호르몬 분비는 사춘기에 정점을 이룬 후에 십년에 약 14%씩 서서히 지속적으로 감소한다. 특히 야간에 수면시기의 분비가 주간의 분비보다 많이 감소하는 것으로 되어있다. 성장호르몬의 분비감소의 기전으로는 성장호르몬분비호르몬의 분비 감소나 말초에서 somatostatin의 증가 등이 실험적으로 증명되고 있으나 여러 복합적인 원인의 조합으로 생각되고 있

표 23-1 남성노화에 따른 호르몬의 변화

호르몬	노화에 따른 변화
황체화호르몬(LH)	변화없거나 약간 증가
난포자극호르몬(FSH)	증가
총(Total)/유리형(Free)/생체이용가능(Bioavailable)	
테스토스테론(testosterone)	모두 감소
성호르몬결합글로불린(SHBG)	증가
에스트로겐(E2)	변화없음
인히빈 B(Inhibin B)	감소
멜라토닌(melatonin)	감소
성장호르몬(Growth hormone)	감소
인슐린양성장인자 1(IGF-1)	감소
부신피질자극호르몬(ACTH)	변화없음
코티졸(Cortisol)	변화없음
DHEA	감소
Leptin	증가
갑상선자극호르몬(TSH)	변화없음
T4(Thyroxine)	감소
T3(Triiodothyronine)	감소

다. 테스토스테론은 말초에서 에스트로겐으로의 변환을 통해 성장호르몬의 분비를 촉진하지만 테스토스테론의 감소가 성장호르몬의 연령증가에 따른 감소를 설명하지 못하며 테스토스테론의 투여가 성장호르몬부족상태를 회복시키지는 못한다. 따라서 성장호르몬은 노화에 따라 남성호르몬과는 독립적으로 분비가 감소함을 알 수 있다. 성장호르몬은 insulin like growth factor-1(IGF-1)의 생성을 통해 말초조직에 작용하는 것으로 알려져 있으므로 성장호르몬이 감소하는 경우 혈중 IGF-1 또한 감소하며 그 결과로 근육량과 골밀도의 감소, 체모와 복부지방의 분포의 변화를 일으킨다. 이 외에도 인지와 기억력의 감소가 동반되며 3-4 단계의 수면을 이루지 못하게 하여 숙면을 방해한다. 상기한 증상들은 성선기능저하증(hypogonadism)에도 동반된다고 알려진 증상들이라 어떤 호르몬이 노화증상에 더 주도적인 역할을 하는지 판정하기 어렵다. 최근 연구에 의하면 성장호르몬 투여 시 이러한 변화들이 호전되었으며, 성선기능이 저하된(hypogonadal) 환자에서보다 성선기능이 정상인(eugonadal) 환자에서 더 유의한 치료효과가 관찰되었다.

2) 멜라토닌(Melatonin)

송과선(pineal gland)에서 저혈당과 어두움에 반응하여 분비되는 것으로 알려진 멜라토닌도 연령에 따라 감소하는 것으로 알려져 있다. 송과선은 생식기능과 생체주기(biorhythm)를 조절하는 기능을 가진 것으로 알려져 있으나 분명하지 않다. 멜라토닌의 다른 역할로는 항산화효과, 면역조절기능, 진통효과 등이 알려져 있다. 백서에서 실험한 결과 멜라토닌이 종양의 성장을 억제한 효과가 알려지면서 이 호르몬은 대중에게 만병통치약인 것처럼 소개되었으나 과학적인 근거는 빈약하다. 노인들에게 흔히 발생하는 수면장애의 치료에는 이 호르몬의 역할이 기대되나 이 또한 테스토스테론 또는 성장호르몬의 역할과 중복되는 면이 있어 현재 이 호르몬 고유의 역할로 간주하기에는 문제점이 있다. 또한 eugonadal 남성에서 장기간 멜라토닌의 투여 후 뇌하수체-성선의 호르몬 분비가 변화 없다고 보고된 바 있다. 하지만 인체의 여러 계통이 이 호르몬의 영향을 받는다는 것은 분명하다.

3) Thyroxine, Prolactin

연령 증가에 따라 시상하부-뇌하수체-갑상선 축의 변화에 의해 약 20%의 노인 남성에서 갑상선기능저하증이 발생한다고 알려져 있다. 반면에, Cortisol이나 에스트로겐 및 prolactin 등은 일생 동안 그 농도가 일정하게 유지된다고 알려져 있다. 또한, 성욕 감소 및 성선기능저하증을 호소하는 남성에서 뇌하수체 선종에 의한 hyperprolactinemia는 감별되어야 한다. Metoclopramide와 같은 약물에 의해 혈중 prolactin 수치가 상승되기도 한다.

4) Leptin

지방세포에서 검출된 leptin이라는 호르몬은 근자에 알려진 호르몬으로 이의 임상적 이용이 기대된다. Leptin은 hypotestosteronism에서 높게 검출되며 노화에 따른 지방축적의 변화를 담당하는 것으로 알려지고 있다. 또한 Leydig cell에 leptin의 수용체가 존재하며 hCG 투여에 의한 테스토스테론의 합성을 억제한다고 알려져 있다. 실제로 테스토스테론 투여 시 leptin의 혈중농도는 감소하며 복부비만의 호전을 보인다고 보고된 바 있다. 이러한 leptin의 혈중농도에 대한 중요한 결정인자로서 insulin이 대두되고 있으며 섭식이나 과식 시에 insulin이 증가하여 leptin이 증가한다고 알려져 있다. 또한 체중증가는 내장지방의 축적을 야기하고 고도의 내장비만(visceral adiposity)은 높은 혈장 insulin 농도와 낮은 혈장 성호르몬결합글로불린 및 테스토스테론과 상관관계가 있다고 보고된 바 있다. 최근 비만과 전립선암의 연관성에 대해 연구결과들이 보고된 바 있다. 향후 전립선암에서

leptin의 역할에 대한 연구가 필요할 것이다.

5. 요약

상기한 바와 같이 남성호르몬의 감소는 연령증가에 따른 생리적 감소에 의해서만 발생하는 것이 아니며 교정가능하며 가역적인 여러 원인들에 의해서 일어날 수 있다. 따라서 이를 유발하는 여러 원인들을 사전에 충분히 숙지하고 이를 사전에 충분히 교정을 해주는 것이 적절한 대처법이 될 것이다. 노화에 따른 골질량의 감소로 인한 골절의 경우를 예를 들면 이는 단순히 hypotestosteronism 뿐 아니라 hypoestrogenism, 저성장호르몬 또는 저인슐린양성장인자혈증, 칼슘섭취부족, 비타민 D 결핍증, 영양실조, 약물(steroid, 항경련제), 운동부족, 흡연이나 음주, 선천성 질환 등의 원인들이 이를 유발한다고 알려져 있다. 따라서 노인 환자들의 치료는 복잡하며, 단순한 호르몬 대체요법 이상의 다각적 접근법이 필요함을 알 수 있다. 이런 환자들에서는 하나의 원인에 대한 치료가 다른 여러 동반이상을 교정할 수 있으며, 또한 여러 가역적 원인을 교정하는 것만으로 호르몬대체요법을 면하게 할 수도 있다. 예를 들면 테스토스테론을 투여하면 에스트로겐과 성장호르몬, IGF의 증가를 간접적으로 유도하여 이를 정상화하고 근력, 운동능력, 유연성, 평형감각을 호전시켜 낙상을 예방할 수 도 있다. 또한 영양부족, 약물, 음주, 흡연 등을 교정함으로써 외부에서 테스토스테론을 공급할 필요가 없게 하거나 투여할 테스토스테론의 양을 절감할 수도 있다. 이와 같이 남성갱년기의 여러 증상은 단순한 호르몬의 감소로 이해되어서는 안되며 가능한 인과관계가 모두 고려되는 다면적 접근법이 필요하다.

참고문헌

1. 백재승. 남성갱년기 대한의사협회지. 2001;44:183-191.
2. 백재승. 고환기능저하증. In: 서울대학교 의과대학. 내분비학. 서울: SNU PRESS;2005:687-697.
3. Anawalt BD, Merriam GR. Neuroendocrine aging in men. Andropause and somatopause. Endocrinol Metab Clin North Am 2001;30:647-669.
4. Comhaire FH. Andropause: hormone replacement therapy in the ageing male. Eur Urol 2000;38:655-662.
5. Deck R, Kohlmann T, Jordan M. Health-related quality of life in old age: preliminary report on the male perspective. Aging Male 2002;5:87-97.
6. Ebeling PR. Osteoporosis in men. New insights into aetiology, pathogenesis, prevention and management. Drugs Aging 1998;13:421-434.
7. Gooren LJ. Late-onset hypogonadism. Front Horm Res. 2009;37:62-73.
8. Gotherstrom G, Elbornsson M, Stibrant-Sunnerhagen K, Bengtsson BA, Johannsson G, Svensson J. Ten years of growth hormone (GH) replacement normalizes muscle strength in GH-deficient adults. J Clin Endocrinol Metab. 2009;94:809-816.
9. Heaton JP, Morales A. Andropause- a multisystem disease. Can J Urol 2001;8:1213-1222.
10. Heaton JP. Andropause: coming of age for an old concept? Curr Opin Urol 2001;11:597-601.
11. Lamberts SW, van den Beld AW, van der Lely AJ. The endocrinology of aging. Science 1997;278:419-424.
12. Mahmoud A, Comhaire FH. Mechanisms of disease: late-onset hypogonadism. Nat Clin Pract Urol 2006; 3:430-438.
13. Matsumoto AM. Andropause: clinical implications of the decline in serum testosterone levels with aging in men. J Gerontol A Biol Sci Med Sci 2002;57:M76-99.
14. Morales A. Androgen deficiency in the aging male. In: Wein AJ, Kavoussi LR, Novick AC, Partin AW, Peters CA, eds. Campbell-Walsh Urology 10th ed. Philadelphia: Elsevier Saunders; 2012:810-820.
15. Morales A, Lunenfeld B. Investigation, treatment and monitoring of late-onset hypogonadism in males.

Official recommendations of ISSAM. International Society for the Study of the Aging Male. Aging Male 2002;5:74-86.

16. Morales A, Heaton JP, Carson CC 3rd. Andropause: a misnomer for a true clinical entity. J Urol 2000;163:705-172.
17. Morley JE, Patrick P, Perry HM 3rd. Evaluation of assays available to measure free testosterone. Metabolism 2002;51:554-559.
18. Pardridge WM, Demers LM. Bioavailable testosterone in salivary glands. Clin Chem 1991;37:139-140.
19. Qian SZ, Cheng Xu Y, Zhang J. Hormonal deficiency in elderly males. Int J Androl 2000;23:1-3.
20. Rosner W, Hryb DJ, Khan MS, Nakhla AM, Romas NA. Androgen and estrogen signaling at the cell membrane via G-proteins and cyclic adenosine monophosphate. Steroids 1999;64:100-106.
21. Schreiber G, Ziemer M. The aging male--diagnosis and therapy of late-onset hypogonadism. J Dtsch Dermatol Ges 2008;6:273-279.
22. Seftel A. Memory loss as reported symptom of andropause. J Urol 2002;168:862.
23. Sternbach H. Age-associated testosterone decline in men: clinical issues for psychiatry. Am J Psychiatry 1998;155:1310-1318.
24. Swerdloff RS, Heber D. Endocrine control of testicular function from birth to puberty. In Burger H, de Kretser D, eds. The testis. Raven Press, New York 1981:107-126.
25. Tan RS. Andropause: introducing the concept of 'relative hypogonadism' in aging males. Int J Impot Res 2002;14:319.
26. Tariq SH, Haren MT, Kim MJ, Morley JE. Andropause: is the emperor wearing any clothes? Rev Endocr Metab Disord 2005;6:77-84.
27. Turek PJ. Male reproductive physiology. In: Wein AJ, Kavoussi LR, Novick AC, Partin AW, Peters CA, eds. Campbell-Walsh Urology 10th ed. Philadelphia: Elsevier Saunders;2012:591-598.
28. Urban RJ. Neuroendocrinology of aging in the male and female. Endocrinol Metab Clin North Am 1992;21:921-931.
29. Vermeulen A, Verdonck L, Kaufman JM. A critical evaluation of simple methods for the estimation of free testosterone in serum. J Clin Endocrinol Metab 1999;84:3666-3672.
30. Vermeulen A, Kaufman JM. Ageing of the hypothalamopituitary-testicular axis in men. Horm Res 1995;43:25-28.
31. Weidner W, Altwein J, Hauck E, Beutel M, Brahler E. Sexuality of the elderly. Urol Int 2001;66:181-184.
32. Wu CY, Yu TJ, Chen MJ. Age related testosterone level changes and male andropause syndrome. Changgeng Yi Xue Za Zhi 2000;23:348-353.

SECTION 02

남성호르몬과 신체기능

Chapter 58. 성기능 ······ 문경현

Chapter 59. 대사증후군 ······ 이승욱

Chapter 60. 남성호르몬과 기타 신체기능 ······ 김진욱

CHAPTER 58

성기능

Sexual Function

■ 문경현

정상 성기능은 정신과 신체의 복잡한 상호작용을 통하여 이루어진다. 즉 신경계, 순환계, 내분비계 및 정신과의 상호작용을 통해 성적 반응을 나타내게 된다. 발기능장애는 성인 남성에서 나이가 증가함에 따라 꾸준히 증가하는 추세이다. 남성호르몬은 나이에 따라 점진적으로 감소하게 되며, 또한 이러한 감소는 다양한 질병을 초래하기도 한다. 남성호르몬은 태생기의 남성 성결정과 성분화 그리고 사춘기 이차성징의 발현과 생식기능에 반드시 필요한 중요한 인자 및 남성 성기능의 유지와 발현에 필수적인 요소로서 알려져 있으며, 주로 성적욕구 및 성적행동에 관련된 효과가 잘 알려져 있다. 하지만 직접적으로 발기작용에 대해 밝혀진 바는 명확하지 않았다. 그러나 최근 연구결과에서 남성호르몬은 중추신경계 이외에도 발기조직이나 발기기전의 말초부에도 많은 영향을 미치는 것으로 알려지고 있다. 혈중 테스토스테론치에 따른 성기능의 변화와 관련된 연구에서 성기능으로 분류되고 있는 각각의 증상들의 남성호르몬 역치는 조금씩 차이를 보였지만, 남성호르몬이 감소할수록 이러한 증상 변화 및 성기능 감소가 증가하는 것으로 나타났다. 노화와 관련한 이러한 변화들은 성선기능저하증을 가진 젊은 환자에게도 나타나며 이들에게 남성호르몬을 투여했을 때 이러한 변화들이 호전되는 양상을 보여주었다. 따라서 노화와 관련한 성기능의 변화는 간접적으로 성선기능저하증에 동반한 성기능의 변화와 매우 흡사하다고 할 수 있다. 한편, 나이가 들면서 성기능의 감소가 나타나는 것은 남성호르몬 외에도 당뇨병이나 고혈압, 동맥경화 증 등의 혈관질환과 깊은 연관이 있으며 최근에는 남성호르몬 저하와 대사증후군과의 연관성에 대한 연구가 활발하다. 본 장에서는 최근의 다양한 연구 결과를 토대로 남성호르몬이 남성 성기능에 미치는 영향을 알아보고자 한다.

1. 음경의 발기기전

정상 발기는 부교감신경 및 교감신경계에 의해 촉발되는 신경절 유발에 대한 신경전달물질, 생화학물질 및 혈관 평활근 사이의 상호작용을 통해 이루어진다. 음경은 평소 이완상태에서는 음경해면체 평활근뿐만 아니라 해면체동맥과 소동맥이 교감신경의 자극에 의해서 수축된 상태를 유지함으로 혈류의 말초저항이 높아져 혈액이 해면체내로 많이 유입되지 못하고 영양만을 공급할 정도의 최소량만 유입된다. 성적인 자극을 받으면 음경조직내와 나선동맥 주위의 해면체신경 말단 부위의 비아드레날린성 비콜린성 신경계나 부교감신경의 자극에 의해 nitric oxide (NO)와 같은 신경전달물질이 분비되어 guanylyl cyclase를 활성화시켜 2차 전달물질인 cyclic guanosine monophosphate (cGMP)를 만드는데 cGMP는 해면체와 혈관 평활근의 칼슘 흡수를 감소시켜 음경해면체 내의 해면체강과 음경동맥의 순응도가 증가하여 혈액유입에 대한 저항이 감소하게 된다. 따라서 음경동맥의 혈류가 5-10배 급증하면서 음경해면체강내에 혈액이 충만하고 해면체내 압력의 상승에 따라 음경길이와 직경이 증가하여 음경백막하부의 정맥총이 압박이 되어 정맥혈이 차단되면서 음경발기가 이루어진다. 이어서 phosphodiesterase 5 (PDE5)에 의해 cGMP가 파괴되면서 동맥혈관의 확장이 소실되어 음경이 다시 이완상태로 돌아오게 된다.

2. 남성호르몬과 음경발기

1) 남성호르몬의 Nitric oxide synthase 발현 및 활성 조절

음경발기에는 NO synthase (NOS)/cGMP 경로가 중요한 역할을 하는데 동물모델에서 남성호르몬과 음경해면체내 NOS 활성과의 관계에 대한 연구들이 많이 이루어지고 있다. 많은 연구에서 남성호르몬이 음경해면체에서 NOS 여러 아형들의 발현과 활성을 조절하는 것을 보고하고 있다. 남성호르몬은 NOS 활성화를 통하여 관상동맥에서 뿐만 아니라 음경에서 혈관확장제로서 작용을 하게 된다. 남성호르몬 결핍은 음경평활근 세포의 자연고사(apoptosis)를 유발하고 내피세포 NOS 발현을 감소시킨다. 반면에 거세된 동물에서 테스토스테론이나 5α-dihydrotestosterone (5α-DHT)을 투여하면 음경에서 NOS의 발현과 활성도가 정상화되고 발기능도 회복된다. 백서를 이용한 동물실험에서 고환절제술을 통한 남성호르몬 차단시 음경해면체 내압이 현저히 감소하였다가 테스토스테론을 보충하면 음경해면체 내압이 정상 수준으로 회복되는 것을 알 수 있다. 5α-환원효소가 차단된 경우에는 남성호르몬을 보충하여도 발기력이 향상되지 않았는데 이는 음경발기에 DHT이 중요하게 작용 한다는 것을 시사한다.

2) 남성호르몬의 신경 구조 및 기능 조절

남성호르몬은 여러 골반 신경절신경세포의 구조 및 기능 유지에 중요한 역할을 하며, 척수 말초부위에 작용하여 음경해면체신경의 발기 반응을 향상시킨다. 동물 모델에서 남성호르몬이 음경해면체 신경섬유 및 배부신경의 구조 및 기능에 중요한 역할을 하는 것으로 보고되고 있다. 거세된 쥐에서 음경해면체신경 및 음경배부동맥 미세구조 변형 소견을 보이고 이로 인해 해면체강내압의 뚜렷한 감소 즉, 발기능의 소실을 나타낸다. 더구나 최근 한 연구는 내측시삭전야(medial preoptic area) 자극에 의한 음경 발기가 남성호르몬의 작용의 결과라고 보고하고 있다. 남성호르몬은 음경 발기의 중추 기전 및 말초신경 기전을 조절하는 것을 알 수 있다.

3) 남성호르몬의 PDE5 조절

PDE5는 혈관 및 음경해면체 평활근에서 cGMP를 GMP로 가수분해시키는 작용을 한다. PDE5 활성은 NOS/cGMP 경로에 의한 평활근 이완 작용을 없애 평활근 수축력을 회복시켜 음경을 이완시키는 작용을 하게 된다. 세포내 cGMP와 GMP 균형은 NOS와 PDE5의 활성도에 의해 조절된다. 거세된 동물 모델에서는 PDE5의 발현과 활성을 감소시키고, 다시 남성호르몬을 보충하면 PDE5의 발현과 활성을 증가시킨다. 남성호르몬은 NOS를 상향조절하게 되고 NOS는 NO 합성을 증가시키고 다시 증가된 NO는 PDE5

를 상향조절하게 된다. 남성호르몬 결핍은 반대로 작용하게 된다. 이렇게 남성호르몬이 NOS와 PDE5 활성을 모두 증가시키는 것은 역설적으로 보여질 수 있다. 이는 이들 경로에 중요한 효소들이 상대적으로 일정 비율을 유지할 수 있도록 하는 항상성기제로 생각된다.

4) 남성호르몬의 세포 성장 및 분화 조절

거세에 의한 남성호르몬결핍은 해면체평활근의 양을 감소시키고 결체조직의 양은 증가시켜서 정맥폐쇄부전에 의한 발기부전을 초래한다. 또한 남성호르몬은 백막의 구조에도 영향을 미친다. 남성호르몬결핍은 탄성섬유를 감소시키고 섬유화를 촉진시키고 백막을 더 얇아지게 한다. 전자현미경 관찰에 의하면 해면체평활근에는 많은 양의 세포질내 공포(vacuoles)가 형성되고 백막의 탄성섬유는 감소되며 백막하에 지방함유세포가 관찰된다. 이러한 해면체조직의 변화는 발기시 정맥누출에 기여하고 결과적으로 발기능감소를 초래한다. 한편, 남성호르몬은 혈관평활근세포의 성장과 분화를 조절하는데, 순환 혈관 전구세포(progenitor cell) 총수는 남성호르몬 수준에 좌우된다고 한다. 최근의 연구에 의하면 남성호르몬은 음경조직에서 만능줄기세포(pluripotent stem cells)가 근육세포로의 분화를 촉진하고 지방세포로는 분화하지 않도록 하는데 관여한다고 한다. 따라서 음경해면체에서 안드로겐은 근육세포로의 분화에 결정적인 역할을 하는 것으로 보인다. 이는 남성호르몬 차단이 간질 전구세포가 지방세포를 생산하는 adipogenic lineage로 분화되는 것을 촉진시킴으로써 발기력에 변화를 초래한다는 연구결과와도 유사하다. 남성호르몬은 음경해면체 세포 성장 및 분화 작용을 통하여 음경해면체의 구조와 기능을 유지하는데 중요한 역할을 하고 있다. 향후 남성호르몬이 음경혈관, 해면체조직, 백막 등의 음경발기조직 재생을 조절하는 기전에 대한 세포분자학적인 연구와 병리기전에 대한 충분한 이해가 필요할 것으로 생각된다.

3. 남성호르몬이 음경발기에 미치는 영향에 대한 임상연구

남성호르몬 감소는 성적관심감소, 발기능감소, 극치감결여 및 성적쾌감감소 등의 임상양상으로 나타나게 된다. 남성호르몬 감소는 노화과정에서 가장 광범위하게 받아들여지는 변화이며, 이는 나이와 관련된 성기능장애와 연관되며, 혈관-내피 기능부전은 나이와 관련된 발기능장애의 가장 중요한 원인으로 알려져 있으며, 남성호르몬은 음경의 발기생리에서 중추신경계를 통하여 성욕에 미치는 영향이 음경해면체에 미치는 영향보다 중요하게 여겨졌다. 그러나 최근의 연구결과에 의하면 혈청 테스토스테론 수치가 정상인보다 발기부전 환자에서 월등하게 낮았으며, 음경발기시 음경해면체와 그 말초부에 남성호르몬의 농도가 증가하는 소견을 보였다. 이는 남성호르몬이 말초발기조직에도 영향을 미치는 것으로 생각 할 수 있다. 특히 남성호르몬이 발기조직에 미치는 영향에 관한 연구는 대부분 전립선암 환자에서 남성호르몬 차단요법에 관한 것이었으나 최근에는 발기부전환자에서 남성호르몬 보충요법에 관한 연구도 많이 진행되고 있다.

성선기능저하증 환자에서 남성호르몬 보충요법이 성기능을 회복시킨다는 것은 주로 전립선암환자에서 수술적 또는 내과적 약물치료로 거세한 환자를 대상으로 시행한 많은 연구결과에서 보고되었다. 전립선암으로 남성호르몬 차단요법을 시행하기 전에는 정상 발기능을 가졌던 환자에서 양측 고환절제술이나 호르몬치료를 시행한 후 58%에서 발기부전이 보고되었으며, 성선자극호르몬(gonadotropin releasing hormone, GnRH) 길항제를 투여한 젊은 남성에서 성욕감퇴, 자발적 발기 횟수의 감소, 성교 중 발기력이 유지되지 않는 것 등이 관찰되었고, 비스테로이드성 항남성호르몬제인 bicalutamide 치료를 받은 환자의 50%에서 발기부전을 나타내었다. Carani 등은 성선기능저하증환자에게 테스토스테론 보충요법을 시행한 후 음경의 강직도가 증가함을 통해 말초기관에 직접 영향을 준다고 추론하였다. 이를 바탕으로 Aversa 등은 내분비 질환이 있는 남자에서 낮은 테스토스테론 수치는 나이와 상관없이 음경해면체 내피세포, 평활근세포 등에 영향을 미치고 음경해면체의 이완기능을 저해한다고 하였다. 만성적인 남성호르몬 차단요법은 PDE5 mRNA 단백 발현을 저하시키고 발기능을 약화시킨다. 그러므로, 성선기능저하증 환자에서 테스토스테론 보충요법은 PDE5 억제제의 효과를 높인다고 할 수 있다. 최근 연구에서 PDE5 억제제 비반응군에서 테스토스테론을 보충해주면 PDE5 억제제에 반응을 보이는 것으로 알려지고 있다. 남성호르몬의 다른 흥미로운 관심사는 수면관련발기에 대한 역할이다. 나이가 들어감에 따라 일반적으로 야간발기의 지속시간 및 빈도는 감소하게 된다. 따라서 성선기능저하증 환자에서는 야간발기능이 대개 소실되는데 이는 테스토스테론 보충요법에 의해 회복된다. 또한 Cunningham 등은 비정상 수면관련발기와 낮은 테스토스테론 수치와의 연관성을 보고하였다. 하지만 시각자극과 연관된 발기는 성선기능저하증에 큰 영향을 받지 않는 것으로 보고되고 있다.

건강한 성인 남성에서 혈중 테스토스테론은 개인별로 많은 편차를 보이는데 혈중 테스토스테론치가 정상 범위 내에서는 성기능에 어떠한 영향을 주는지는 확실하지 않다. 최근의 연구결과에 의하며 정상 성선기능과 성기능을 가진 남성에서 성적 자극에 의한 정상 음경발기시 발기반응은 전신 및 음경해면체 내 테스토스테론치의 증가와 밀접한 관련이 있음을 제시하였다. 정상 성선기능을 가진 발기부전 환자에서 음경해면체 혈관확장과 유리테스토스테론치의 직접적인 연관성을 나타내었고, Becker 등은 건강한 남자에서 성적 각성 후 음경발기 시 전신 및 음경해면체내 테스토스테론치가 증가하는 반면, 발기부전 환자에서는 정상치보다 낮거나 약간 감소하였으며, 이완상태에서 음경발기시까지 테스토스테론의 증가비는 정상대조군의 48%에 비해 발기부전환자군에서는 15%로 낮다고 보고하였다. 이러한 연구결과들은 혈중 테스토스테론치가 음경의 발기에 어느 정도는 영향을 미칠 수 있다는 것을 의미한다. 또한 정상인에게 테스토스테론의 투여는 야간발기 검사에서 발기력을 증가시킨다는 결과도 보고되었다. 한편 중추신경계에서 성기능과 남성호르몬의 역할에 대한 연구는 많지는 않으나 양전자방출단층촬영술(positron emission tomography, PET)을 이용한 연구에서 젊고 건강한 남성에서 시각유발 성적 각성 동안paralimbic zone이 활성화되었다. 이는 성적각성 동안에 혈장 테스토스테론치의 상승과 연관이 있음을 시사한다. 향후 남성호르몬에 대한 음경발기를 비롯한 성기능의 조절에 필요한 농도의 범위와 음경혈류 및 고위 중추신경계에서의 역할이 아직 완전히 정립되지 않아 이 분야에 대한 추가적인 연구가 필요하다.

4. 남성호르몬과 대사증후군과의 관계

심혈관계질환의 위험인자로 나이, 흡연, 고혈압, 고콜레스테롤혈증, 고혈당, 비만, 신체적 비활동성 및 혈액응고이상 등이 있다. 이러한 위험인자들은 동시에 발생하는 경우가 많고 이러한 질환들은 대사증후군에 속한다. 최근 대사증후군과 발기부전에 대한 연구가 활발하게 진행되고 있으며 대사증후군의 위험인자들이 남성갱년기증후군의 지표 중 하나인 테스토스테론치의 감소와 발기부전의 발생에 강한 연관이 있음을 시사하고 있다. 남성호르몬 결핍은 대사증후군과 제2형 당뇨의 독립적 위험인자이며, 심혈관계질환의 위험인자이기도 하다. 대사증후군에서는 유리 및 총 테스토스테론치가 유의하게 낮았으며, 반대로 높은 테스토스테론치를 보이는 경우 대사증후군 위험도는 감소시키고 인슐린 민감도를 증가시키는 것을 알 수 있었다. 인슐린에 대한 민감도, 비만 및 테스토스테론치는 서로 긴밀히 연결되어 있고 테스토스테론이 비만과 인슐린저항성에 대해 중요한 역할을 한다. 또한 남성에서 낮은 혈중 테스토스테론치는 제 2형 당뇨병, 내장 비만, 인슐린 저항성, 고인슐린혈증, 이상지질혈증과도 관계가 있다고 여겨져 왔다. 대사증후군 환자에서는 성선기능저하증 위험도가 증가하였고, 성선기능저하증 환자에서는 높은 대사증후군 유병율을 나타내었다. 남성호르몬과 체지방과는 강한 역상관관계를 나타낸다. 남성호르몬은 음경조직에서 만능줄기세포(pluripotent stem cells)가 근육세포로의 분화를 촉진하고 지방세포로는 분화하지 않도록 하는데 관여하므로 근육량을 증가시킨다. 반면에 남성호르몬 결핍은 체지방량을 증가시키게 된다. 대사증후군을 나타내는 성선기능저하증 환자에서 남성호르몬 보충요법은 성기능과 같은 성선기능저하증과 중요한 대사 표지자를 개선시키는 등 충분한 이점이 있다. 남성호르몬이 낮은 경우 사망률 증가와 연관되므로 남성호르몬 보충요법이 적극적으로 고려되며, 이에 앞서 남성호르몬 보충요법에 대한 명확한 기준이 정립되어야 할 것이다.

5. 요약

남성호르몬은 나이에 따라 점진적으로 감소하게 되며, 또한 이러한 감소는 다양한 질병을 초래하기도 한다. 남성호르몬은 태생기의 남성 성결정과 성분화 그리고 사춘기 이차성징의 발현과 생식기능에 반드시 필요한 중요한 인자 및 남성 성기능의 유지와 발현에 필수적인 요소로서 알려져 있다. 정상 발기는 부교감신경 및 교감신경계에 의해 촉발되는 신경절유발에 대한 신경전달물질, 생화학물질 및 혈관 평활근 사이의 상호작용을 통해 이루어진다. 음경발기에는 NOS/cGMP 경로가 중요한 역할을 하며, 남성호르몬은 NOS 활성화를 통하여 관상동맥에서 뿐만 아니라 음경에서 혈관확장제로서 작용을 하게 된다. 남성호르몬 결핍은 음경평활근 세포의 자연고사(apoptosis)를 유발하고 내피세포 NOS 발현을 감소시킨다. 남성호르몬은 여러 골반 신경절신경세포의 구조 및 기능 유지에 중요한 역할을 하며, 척수 말초부위에 작용하여 음경해면체신경의 발기 반응을 향상시키고, NOS를 상향조절하게 되고 NOS는 NO 합성을 증가시키고 다시 증가된 NO는 PDE5를 상향조절하게 된다. 남성호르몬 결핍은 반대로 작용하게 된다. 또한 남성호르몬은 음경해면체 세포 성장 및 분화 작용을 통하여 음경해면체의 구조와 기능을 유지하는데 중요한 역할을 한다. 남성호르몬 감소는 노화과정에서 가장 광범위하게 받아들여지는 변화이며, 이는 나이와 관련된 성기능장애와 연관되며, 혈관-내피 기능부전은 나이와 관련된 발기능장애의 가장 중요한 원인으로 알려져 있으며, 남성호르몬은 중추신경계 이외에도 발기조직이나 발기기전의 말초부에도 많은 영향을 미치는 것으로 알려지고 있다. 남성호르몬 보충요법은 성선기능저하증 발기부전환자에서 발기능과 PDE5억제제에 대한 반응성을 증가시킨다고 한다. 향후 남성호르몬이 음경혈관, 해면체조직, 백막 등의 음경발기조직 재생을 조절하는 기전에 대한 세포분자학적인 연구와 병리기전에 대한 이해가 필요하며, 음경발기를 비롯한 성기능의 조절에 필요한 농도의 범위와 음경혈류 및 고위 중추신경계에서의 역할에 대한 추가적인 연구가 필요하다.

참고문헌

1. Armagan A, Kim NN, Goldstein I, et al. Dose-response relationship between testosterone and erectile function: evidence for the existence of a critical threshold. J Androl 2006;27:517-526.
2. Aversa A, Isidori AM, De Martino MU, Caprio M, Fabbrini E, Rocchietti-March M, et al. Androgens and penile erection:evidence for a direct relationship between free testosterone and cavernous vasodilation in men with erectile dysfunction. Clin Endocrinol 2000; 53:517-522.
3. Aversa, A., Isidori, A.M., Greco, E.A., Giannetta, E., Gianfrilli, D., Spera, E. & Fabbri, A. Hormonal supplementation and erectile dysfunction. European Urology, 2004;45:535-538.
4. Aversa A, Isidori AM, Spera G, Lenzi A, Fabbri A. Androgens improve cavernous vasodilation and response to sildenafil in patients with erectile dysfunction. Clin Endocrinol 2003;58:632-638.
5. Baba K, Yajima M, Carrier S, et al. Delayed testosterone replacement restores nitric oxide synthase-containing nerve fibres and the erectile response in rat penis. BJU Int 2000;85:953-958.
6. Baba K, Yajima M, Carrier S, et al. Effect of testosterone on the number of NADPH diaphorase-stained nerve fibers in the rat corpus cavernosum and dorsal nerve. Urology 2000;56:533-538.
7. Bagatell CJ, Heiman JR, Rivier JE, Bremner WJ. Effects of endogenous testosterone and estradiol on sexual behavior in normal young men. J Clin Endocrinol Metab 1994;78:711-716.
8. Becker AJ, Uckert S, Stief CG. Cavernous and systemic testosterone plasma levels during different penile conditions in healthy males and patients with erectile dysfunction. Urology 2001;58:435-440.
9. Bloch W, Klotz T, Sedlaczek P, Zumbe J, Engelmann U, Addicks K. Evidence for the involvement of endothelial nitric oxide synthase from smooth muscle cells in the erectile function of the human corpus cavernosum. Urol Res 1998;26:129-135.
10. Blouin, K., Despres, J.P., Couillard, C., Tremblay, A., Prud' homme, D., Bouchard, C. et al. Contribution of age and declining androgen levels to features of the metabolic syndrome in men. Metab Clin Exp 2005;54: 1034-1040.
11. Burnett AL, Lowenstein CJ, Bredt DS, et al. Nitric oxide: a physiologic mediator of penile erection. Science 1992;257:401-403.
12. Carani C, Scuteri A, Marrama P, Bancroft J. The effects of testosterone administartion and visual erotic stimuli on nocturnal penile tumescence in normal men. Horm Behav 1990; 24:435-441.
13. Chamness SL, Ricker DD, Crone JK, et al. The effect of androgen on nitric oxide synthase in the male reproductive tract of the rat. Fertil Steril. 1995;63:1101-1107.
14. Chou TM, Sudhir K, Hutchison SJ, et al. Testosterone induces dilation of canine coronary conductance and resistance arteries in vivo.Circulation. 1996;94:2614-2619.
15. Cohan P, Korenman SG. Erectile dysfunction. J Clin Endocrinol Metab. 2001;86:2391-2394.
16. Cunningham GR, Karacan I, Ware JC, Lantz GD, Thornby JI. The relationship between serum testosterone and prolactin levels and nocturnal penile tumescence (NPT) in impotent men. J Androl 1982;3: 241-247.
17. Fabbri, A., Aversa, A. & Isidori, A. Erectile dysfunction: an overview. Human Reproduction Update, 1997;3:455-466.
18. Feldman, H.A., Longcope, C., Derby, C.A., Johannes, C.B., Araujo, A.B., Coviello, A.D., Bremner, W.J. & McKinlay, J.B. Age trends in the level of serum testosterone and other hormones in middle-aged men: longitudinal results from the Massachusetts Male Aging Study. Journal of Clinical Endocrinology and Metabolism, 2002;87:589-598.
19. Foresta C, Caretta N, Lana A, et al. Reduced number of circulating endothelial progenitor cells in hypogonadal men. J Clin Endocrinol Metab 2006;91:4599-4602.
20. Giuliano F, Rampin O, Schirar A, et al. Autonomic control of penile erection: modulation by testosterone in the rat. J Neuroendocrinol 1993;5:677-683.
21. Kapoor, D., Malkin, C.J., Channer, K.S. and Jones,

T.H. Androgens, insulin resistance and vascular disease in men. Clin Endocrinol (Oxf) 2005;63:239-250.

22. Keast JR, Gleeson RJ, Shulkes A, et al. Maturational and maintenance effects of testosterone on terminal axon density and neuropeptide expression in the rat vas deferens. Neuroscience 2002;112:391-398.

23. Korenman, S.G., Morley, J.E., Mooradian, A.D., Davis, S.S., Kaiser, F.E., Silver, A.J., Viosca, S.P. & Garza, D. Secondary hypogonadism in older men: its relation to impotence. Journal of Clinical Endocrinology and Metabolism, 1990;71:963-969.

24. Marin R, Escrig A, Abreu P, et al. Androgen-dependent nitric oxide release in rat penis correlates with levels of constitutive nitric oxide synthase isoenzymes. Biol Reprod 1999;61:1012-1016.

25. Meusburger SM, Keast JR. Testosterone and nerve growth factor have distinct but interacting effects on structure and neurotransmitter expression of adult pelvic ganglion cells in vitro. Neuroscience 2001;108: 331-340.

26. Montorsi F, Oettel M. Testosterone and sleep-related erections: an overview. J Sex Med 2005; 2: 771-84.

27. Morales, A., Heaton, J.P. & Carson, C.C. III Andropause: a misnomer for a true clinical entity. Journal of Urology, 2000;163:705-712.

28. Morelli A, Filippi S, Mancina R, et al. Androgens regulate phosphodiesterase type 5 expression and functional activity in corpora cavernosa. Endocrinology 2004;146:2253-2263.

29. Rajfer J, Aronson WJ, Bush PA, Dorey FJ, Ignarro LJ. Nitric oxide as a mediator of relaxation of the corpus cavernosum in response to nonadrenergic, noncholinergic neurotransmission. N Engl J Med 1992;326:90-94.

30. Rogers RS, Graziottin TM, Lin CM, et al. Intracavernosal vascular endothelial growth factor (VEGF) injection and adeno-assoicated virus-mediated VEGF gene therapy prevent and reverse venogenic erectile dysfunction in rats. Int J Impot Res 2003;15:26-37.

31. Seo SI, Kim SW, Paick JS. The effects of androgen on penile reflex, erectile response to electrical stimulation and penile NOS activity in the rat. Asian J Androl 1999;1:169-174.

32. Shen Z, Chen Z, Lu Y, et al. Relationship between gene expression of nitric oxide synthase and androgens in rat corpus cavernosum. Chin Med J (Engl) 2000;113: 1092-1095.

33. Shen ZJ, Zhou XL, Lu YL, et al. Effect of androgen deprivation on penile ultrastructure. Asian J Androl 2003;5:33-36.

34. Singh, R., Artaza, J.N., Taylor, W.E., Gonzalez-Cadavid, N.F. and Bhasin, S. Androgens stimulate myogenic differentiation and inhibit adipogenesis in C3H 10T1/2 pluripotent cells through an androgen receptor-mediated pathway. Endocrinology 2003;144: 5081-5088.

35. Singh R, Artaza JN, Taylor WE, et al. Testosterone inhibits adipogenic differentiation in 3T3-L1 cells: nuclear translocation of androgen receptor complex with betacatenin and T-cell factor 4 may bypass canonical Wnt signaling to down-regulate adipogenic transcription factors. Endocrinology 2006;147:141-154.

36. Suzuki N, Sato Y, Hisasue SI, et al. Effect of testosterone on intracavernous pressure elicited with electrical stimulation of the medial preoptic area and cavernous nerve in male rats. J Androl 2007;28:218-222.

37. Traish AM, Goldstein I, Kim NN. Testosterone and erectile function: from basic research to a new clinical paradigm for managing men with androgen insufficiency and erectile dysfunction. Eur Urol 2007; 52:54-70.

38. Traish AM, Munarriz R, O' Connell L, et al. Effects of medical or surgical castration on erectile function in an animal model. J Androl 2003;24:381-387.

39. Turner, H.E. & Wass, J.A. Gonadal function in men with chronic illness. Clinical Endocrinology, 1997;47: 379-403.

40. Zhang X-h, Morelli A, Luconi M, et al. Testosterone regulates PDE5 expression and in vivo responsiveness to tadalafil in rat corpus cavernosum. Eur Urol 2005; 47:409-416.

41. Zitzmann M, Faber S, Nieschlag E. Association of specific symptoms and metabolic risks with serum testosterone in older men. J Clin Endocrinol Metab 2006;91:4335-4343.

CHAPTER
59

대사증후군
Metabolic Syndrome

■ 이승욱

급격한 고령화와 함께 지방질의 과다섭취와 식이섬유의 섭취부족, 인스턴트식품의 섭취 같은서구화된식 생활문화에 따라 체지방 특히 복부지방 증가, 고혈압, 공복 시 고혈당 및 당뇨, 비만, 고중성지방혈증같은 이상지질혈증등의 질환들이 함께 나타나는 대사증후군 이 급증하고 있다. 대사증후군의 진단기준에 따르면 4,700만 명의 미국인들이 대사증후군에 해당되고 60세 이상의 노인인구 중 약 절반 정도가 대사증후군이 있다고 한다.

또한, 최근 발표된 National Health and Nutrition Examination Survey (NHANES) III 결과에 의하면 50세 이상의 미국인 중 약 44%가 National Cholesterol Education Program (NCEP) 기준에 의한 대사증후군 환자로 밝혀졌다. 이처럼 노화와 관련된 남성갱년기증후군(late onset hypogonadism)은 대사증후군과 내분비계 이상이라는 병인을 공유한다고 할 수 있다. 이런 대사증후군은 염증이나 내피세포이상 등 심혈관계 위험인자와도 연관성이 높아 뇌졸중이나 심근경색 및 협심증 같은 치명적인 질환을 야기할 수 있고 실제 생명력을 단축 시킬 수 있는 매우 중요한 질환이라 할 수 있다. 이에 본장에서는 갱년기 남성에서 저하되는 남성호르몬과 대사증후군에 관하여 알아보고자 한다.

1. 대사증후군의 개념과 진단기준

최근 들어 심장질환, 제2형 당뇨병, 발기부전 등의 질환과 관련하여 대사증후군에 대한 관심이 높아지고 있다. 이러한 대사증후군에 대한 기술은 이미 1923년 스웨덴 의사인 Kylin이 한 환자에게서 고혈압, 고혈당, 고요산혈증 등 3가지 질환이 동반되어 있음을 발견하면서 시작되었다. 그리고 1947년 Vague가 소위 남성형 비만으로 알려진 상체비만의 유형이 제2형 당뇨병과 각종 심혈관질환증 대사이상과 흔히 연관 된다는 사실을 발표하였다.

1965년에는Avogaro 등이 고지혈증, 비만, 허혈성 심질환, 고혈압을 동반한 당뇨환자들에게 "plurimetabolic syndrome" 이라는 개념을 도입하였다. 이후 1981년 Hanefeld와 Leonhardt 등이 "metabolic syndrome" 이란 용어를 처음 만들어내며 통념화 하였는데, 흔히 비만, 고지질단백혈증(hyperlipoproteinerunia)과 이상지질혈증, 제2형 당뇨병, 통풍, 고혈압 등이 죽상경화성혈관질환, 지방간, 담석 등의 발생과 연관되어 있다고 하였다. 그리고 1988년 Reaven은 미국당뇨병학회에서 인슐린 저항성이 대사증후군을 이루는 질병들의 중심 병인이 라는 학설에 기인해 "X 증후군"이라 명명하였고 DeFronzo와 Haffel 등은 대사질환의 공통된 결함을 강조하여 "인슐린저항성 증후군"이라는 용어를 사용하여 대사증후군은 인슐린저항성 증후군, X 증후군 등 여러 명칭으로도 사용되고 있다.

대사증후군은 주로 심혈관계 위험인자인 복부비만, 인슐린 저항성, 이상지질혈증 등으로 구성된 일종의 증상복합체로(그림 59-1), 이러한 위험인자들은 서로 상관관계를 가지고 동시에 발생하는 경우가 많다. 1998년 세계보건기구(WHO)는 이러한 다양한 임상적 발현 양상을 통합하여, 처음으로 대사증후군에 대한 진단기준을 제시하였다. 이 진단기준은 최초로 대사증후군과 관련된 진단기준을 제안하였다는 점에서 높이 평가되나, 실제 임상에 적용하기에는 제한점이 있다.

이후 1999년 유럽 인슐린저항성연구회(European Group for Study of Insulin Resistance, EGIR)에서 새로운 진단기준을 제시하였다. 이는 인슐린저항성(insulin resistance)을 보다 중시하여 용어자체도 "인슐린저항성 증후군"으로 부를 것을 권고하였으며 당뇨병이 있는 경우를 대사증후군 범주에서 제외시킨 특징이 있으나, 중요 진단기준인 인슐린저항성의 정의를 위한공복인슐린 측정치의 표준화가 되지 않은 단점이 있다. 또한 2001년 NECP의 Adult Treatment Panel (ATP) III에 의하면 심장혈관질환이 'constellation of lipid and nonlipid risk factors of metabolic origin'에 의해 발생된다고 하였으며 새로운 진단기준을 제시하였다.

이는 실제 임상에서 쉽게 적용 가능한 방법으로 단순화한 특징이 있으나, 일부 진단기준의 모호성이 지적되고 있으며 상대적으로 인슐린저항성을 잘 반영하지 못하는 단점이 있다. 이 밖에도 2003년 American Association of Clinical Endocrinologists (AACE) 진단기준은 제2형 당뇨병을 제외하고 인슐린저항성증후군이라는 용어를 사용할 것을 주장한 점에서 EGIR 진단기준과 유사하나 다른 진단 기준들과 달리 복부비만 기준이 제외된 단점이 있다. 2005년 열린 International Diabetic Federation (IDF)에서의 새로운 진단기준이 제시되었고 이는 기본적으로는 NCEP-ATP III 기준을 따르되 복부비만과 인슐린저항성을 가장 잘 반영하는 필수조건으로 대시증후군, 발기부전, 내피세포기능부전과 그리고 심혈관계질병의 높은 위험도와 관련되어 있다고 할 수 있다(표 59-1).

2009년에는 AHA(American Heart Association)와 IDF등 여러 기관에서 대사증후군에 대한 Harmonizing

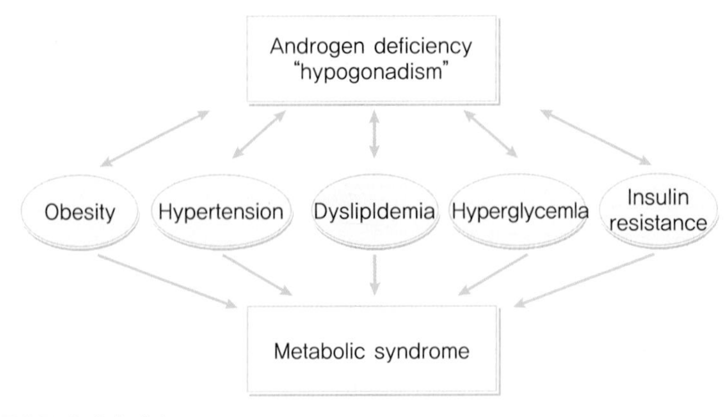

그림 59-1 대사증후군의 여러 인자

표 59-1 대사증후군의 진단기준

대사증후군의 구성 요소	WHO(1998) Criteria #1 포함 나머지 중 2개	EGIR (1999) Criteria #1 포함 나머지 중 2개	NCEPATP III(2001) 5개의 기준 중 3개	AACE (2003) Criteria #1 포함 나머지 임상적 판단에 기안하여 한가지	IDF (2005) Criteria #2 포함 나머지 중 2개
Hyperinsulinemia or Hyperglycemia	IGT, IFG, lowered insulin sensitivity or Type 2 DM	IGT, IFG (but not diabetes)	FBS≥110mg/dL (includes diabetes)	IGT, IFG (but not diabetes)	FBS≥110mg/dL (includes diabetes)
Body size	허리와 엉덩이 둘레비 〉0.90 in men 〉0.85 in women and/or BMI ≥30kg/m2	허리둘레 ≥94cm in men ≥80cm in women	허리둘레 ≥102cm in men ≥88cm in women	BMI ≥25kg/m_2	허리둘레 ≥94cm (population specific)
중성지방 (TG)	TG≥150 mg/dL	TG≥150 mg/dL	TG≥150 mg/dL	TG≥150 mg/dL	TG≥150 mg/dL
HDL-C	〈35mg/dL in men 〈39 mg/dL in women	〈39 mg/dL in men and women	〈40mg/dL in men 〈50mg/dL in women	〈40mg/dL in men 〈50mg/dL in women	〈40mg/dL in men 〈50mg/dL in women or HDL-C Rx
BP	≥140/90mmHg	≥140/90mmHg or on HTN Rx	≥130/85mmHg	≥130/85mmHg	Systolic ≥130mmHg Diastolic ≥85mmHg or on HTN Rx

definition을 제시하였으며, 이는 2001년 NCEP정의와 유사하나, 공복혈당을 100mg/dL 까지 낮추고, 고지혈증의 기준에 관련 약제를 쓴 경우에도 포함한 것이 다르다고 할 수 있다(표 59-2).

이렇듯 많은 기관 및 단체에서 대사증후군을 새롭게 정의하려고 하는 것은 대사증후군 자체가 심혈관질환으로 인한 이환율과 사망률을 증사시킬 뿐만 아니라, 여러 대사질환과 심혈관질환의 위험성에 대한 높은 예측률을 가지고 있다는 중요성 때문이다. 물론 여러 연구에서 어떠한 진단 기준이 각 질병의 발생을 예측하는데 가장 좋다는 결과들이 제시된 바 있으나, 아직 뚜렷이 결론이 난 상태는 아니다. 하지만 서로 다른 대사증후군에 대한 정의는 사용하는 연구자들마다 혼돈을 가져 올 수 있으며, 이는 당뇨병 및 심혈관질환의 위험인자들과 연관성에 대해 연구에서도 제한점이 되고 있다. 또한, 각기 다른 대사증후군의 정의를 각 나라(인종)마다 적용하는데 어려움이 있어 이에 대한 효용성도 제기 되고 있다.

아직 우리나라 사람을 대상으로 대사증후군에 대한 정확한 진단 기준이 제시되지 못하고 있다. 그 간 여러 유사 기관에서 합일점에 도달하고자 회의를 하였으나, 여자에서의 허리둘레 80cm가 너무 낮게 정해졌다는 것에는 일치를 보았으나, 어느 수준으로 정할지에 대해서는 아직 결정되지 못하였다. 대한비만학회에서 단면적 분성을 통하여 85cm가 적절하다고 제시하였으나, 다른 학회에서 이를 다 받아들이지 않고 있는 실정이다. 이에 당뇨병학회 대사증후군 소연구회에서는 현재 가장 널리 쓰이고 있는 2009 AHA/IDF의 harmonizing definition에서 제시한 진단 기중을 이용하기를 권고한다. 다만 허리둘레 기준은

표 59-2 미국심장학회(American Heart Association)과 세계당뇨병연맹(International Diabetic Federation)의 대사증후군 진단기준 (Harmonizing definition, 2009)

Risk Factor	Defining Level
1. Abdominal Obesity	Population-and country-specific definitions
Men	〉 90cm
Women	〉 80cm
2. Triglycerides	≥150mg/dL or MeD.
3. HDL-cholesterol	
Men	〈 40mg/dL or MeD.
Women	〈 50mg/dL or MeD.
4. Blood pressure	≥130/85 mmHg or Med
5. Fasting glucose	≥100mg/dL or Med

*3 or more of these components

향후 전향적인 연구를 통해서 새로이 정해질 수 있다는 점을 고려해야 한다(표 59-3).

대사증후군은 지리, 인종, 생활습관, 나이, 성별 등에 영향을 받을 뿐만 아니라 남성호르몬과 성호르몬 결합 글로불린의 감소는 남성에서의 대사증후군 위험요인으로 대두되고 있다. 따라서 이에 대한 연구가 많이 이루어져, 남성호르몬 결핍과 대사증후군과의 중요한 연관성이 밝혀지고 있으며 테스토스테론의 감소는 대사증후군, 발기부전, 내피세포기능부전과 그리고 심혈관계 질병의 높은 위험도와 관련되어 있다고 할 수 있다(그림 59-2).

2. 대사증후군과 남성호르몬

1) 비만과 테스토스테론

노화가 진행되면서 남성과 여성 모두 제지방과 체중 감소, 근육량과 근력감소, 체지방 증가가 나타난다. 18세에서 85세사이의 남성을 대상으로 조사한 한 연구에서 노화에 따라 체지방이 18%에서 36%로 배 이상 증가하였고 다른 많은 역학조사에서도 테스토스테론이 감소하는 중노년층에서 체지방증가의 빈도가 높다고 알려져 있다. 체지방중 특히 복부지방 혹은 내장지방의 증가는 노령화가 되면서 흔히 나타나는 증상 중 하나로 복부의 내장기관들 사이에 지방세포가 축적되어 발생한다. 이는 피하지방과는 구별되며, 염증과 관련이 깊고 대사질환의 주요 위험인자이다. 복부비만의 진단방법으로는 크게 체질량지수와 허리둘레수치를 이용하는 방법이 있으며 복부비만은 인슐린, 혈당, c-pepticle를 증가시키고 총 테스토스테론과 유리 테스토스테론을 감소시키는, 내분비학적인 불균형을 초래하게 된다.

이와 같은 비만과 남성호르몬과의 역상관관계는 몇 가지 기전으로 설명할 수 있다.

첫째, 비만한 사람은 지방세포에서 검출되는leptin이 상승하는데 이는 LH/hCG에 의해 자극되어 분비되는 남성호르몬(androgen) 생성을 방해하여 남성호르몬형성을 억제 한다는 가설이 있다. 그리고 남성호르몬 결핍이 있는 비만한 남성에서 hyperleptinism이 동반되는데 테스토스테론 투여 후 leptin 감소와 더불어 지방량이 감소된 연구결과는 비만과 혈청 leptin과의 밀접한 상관관계를 시사한다. 둘째, 비만과 과도한 cortisol이 분비가 연관성이 있다. Cortisol이 과도하게 분비되는 환자에서 시상하부뇌하수체-성선 축

표 59-3 한국인 대사증후군 진단 권고안

Risk Factor	Defining Level
1. Abdominal Obesity	Waist Circumference
Men	〉90cm
Women	〉80cm*
2. Triglycerides	≥150mg/dL TG lowering medication
3. HDL-cholesterol	
Men	〈 40mg/dL or HDL raising medication.
Women	〈 50mg/dL or HDL raising medication.
4. Blood pressure	≥130/85 mmHg or antihypertensive medication
5. Fasting glucose	≥100mg/dL or antidiabetic medication

* 3 or more of these components are needed to define metabolic syndrome
* Waist circumference cutoff point for women can be redefined.

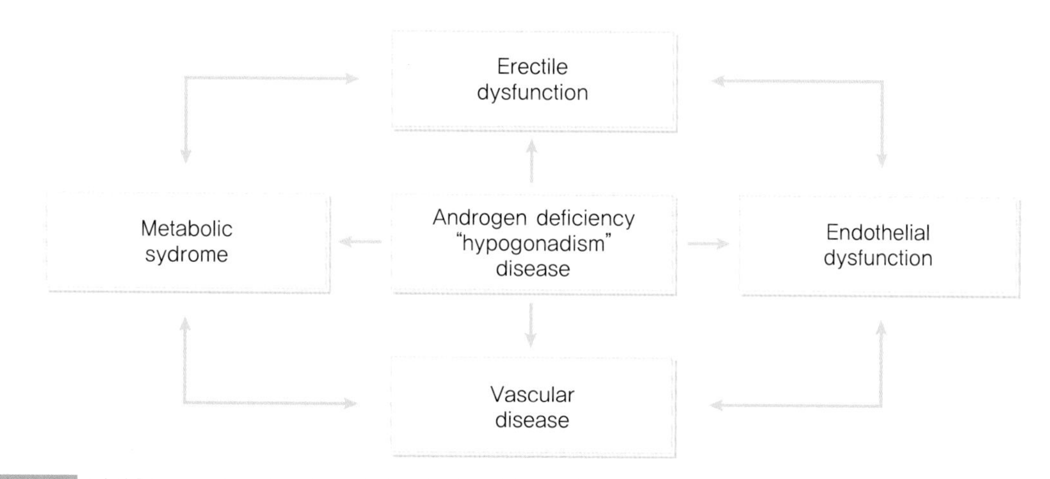

그림 59-2 남성호르몬결핍, 대사중후군, 발기부전 사이의 상호 역할

에 의해 테스토스테론 생성을 억제하여 체질량지수, 허리둘레, WHR (waist-to-hip ratio)의 증가가 있다는 사실은 잘 알려져 있다. 셋째, 비만남성에서 성호르몬결합글로불린감소가 있고, 에스트로겐과 estracliol이 높다. 이는 말초조직에서 방향화 효소에 의한 안드로겐 전구체가 에스트로겐으로 전환되기 때문이며 이렇게 증가된 에스트로겐은 음성되 먹임에 의해 뇌하수체의 LH 분비를 억제를 통해 시상하부 - 뇌하수체 성선F축의 기능을 억제할 수 있다. 넷째, 일부 cytokine은 testicular steroid 생성 억제를 매개한다.

요컨대 복부비만 남성은 테스토스테론이 부족한데 이는 지방분해를 감소시키게 되고, 대사율을 저하시키며, 다시 내장지방축적이라는 악순환에 들어서게 된다. 또한 비만은 내분비장애 외에 제2형 당뇨병, 심장병, 뇌졸중, 고혈압, 수면 무호흡증 등의 유병률을 높이며 또한 이러한 요인들은 고령에서의 발기부전을 악화시키 기도한다.

2) 남성호르몬박탈요법(Androgen deprivation therapy, ADT)과 체형변화

나이가 들면서 남성호르몬이 감소하는 것은 전립선 암 환자에서 남성호르몬박탈요법을 받는 것과 유사하다고 할 수 있다. 여러 연구에 따르면 남성호르몬박탈요법을 받는 전립선암환자는 남성호르몬박탈요법 후에 제지방과 체중 감소, 지방량, 체질량지수, 총체중, 중성지방, 공복 시 혈당이 증가하였다. 즉, 남성호르몬박탈요법을 받는 남성은 성선기능저하가 발생하고 대사증후군 및 심혈관질환 위험도가 증가한다.

3) 인슐린저항성 및 당뇨와 테스토스테론

인슐린저항성과 당뇨는 대사증후군의 중요한 요소로 잘 알려져 있다. 제2형 당뇨병의 유병률은 급격히 증가 하고 있는데 이는 과체중 및 비만의 유병률이 증가하는 것과 비슷하다 최근 여러 연구에서 남성호르몬의 감소는 제2형 당뇨병으로 진행될 위험성이 더 크며, 실제로 당뇨병이 더 많이 생기는 것을 볼 수 있었고 마찬가지로 성호르몬 결합글로불린과 테스토스테론이 낮을 경우 혈당이 더 높고, 비만율도 증가함을 예측할 수 있었다. 즉, 남성호르몬과 당뇨병 사이에 역상관관계가 있음을 암시하는 것이다. 특히 남성호르몬 중 총테스토스테론 보다 유리 테스토스테론이 제2형 당뇨병과 더 밀접한 관계를 나타낸다.

남성호르몬과 대사증후군의 관계에 대한 역학조사인 Massachusetts Male Aging Study (MMAS)에 따르면, 처음에 남성호르몬이 낮았던 군이 11년 후에 대사증후군 발병률이 2.28배, 당뇨의 유병률 2.33배 증가하였으며, 당뇨 및 대사질환이 발병률이 50% 이상이었다. 또한 Rancho Bernardo 연구에서는 중노년층에서 남성호르몬은 체질량지수 및 허리둘레와 역상관성이 있고, 특히 인슐린저항성의 지표(HOMA-IR)는 현저한 역상관관계를 보고하였는데, 이를 통해 중노년 남성에서 남성호르몬의 결핍은 지방의 양을 증가시키고 이에 따르는 인슐린저항성의 유병률이 높아지는 것을 알 수 있다.

이처럼 인슐린저항성 또는 제2형 당뇨병은 남성호르몬결핍과 매우 밀접한 관계를 가진다. 전립선 암 환자에게 남성호르몬박탈요법을 시행하는 경우에도 나이, 건강상태, 고혈압 등을 교정하였음에도 불구하고 당뇨의 위험도가 증가하기도 하며 반대로 성선기능저하증 환자에게 남성호르몬보충요법을 시행할 경우 공복혈당이 낮아지며, 인슐린 감수성은 향상되고, 인슐린저항 성이나 당뇨의 위험도가 낮아지기도 한다.

4) 당뇨, 발기부전 그리고 테스토스테론

당뇨환자에서 발기부전이 증가한다는 것은 역학조사 에서 매우 잘 알려진 사실로, 당뇨환자의 약35%에서 75%까지 발기부전을 가지고 있으며, 당뇨환자의 발기 부전은 정상인들보다 5-10년은 빨리 나타난다. 대사증후군의 핵심요소인 인슐린 저항성은 내피세포의 기능 부전을 일으키는 중요한 요소이다. 인슐린저항성이 내피세포 기능부전을 일으키는 일차적 기전은 고혈당에 의한 당독성, 고유리지방산혈증에 의한 지독성 (lipotoxicity), 염증성 cytokines의 증가 등이며, 역으로 내피세포기능부전이 발생하변 인슐린 저항성을 유발 또는 악화 시킬 수 있다는 것이다. 이런 내피세포기능부전은 NO 활성도결함이라는 병태생리를 가지고 있으며, NO와 연관된 혈관 수축 및 이완이상이 발기부전에 중요한 역할을 한다. 즉, 남성호르몬의 부족은 인슐린 저항성과 내피세포기능부전을 야기하며 결국발기부전을 일으키고 악화시킬 수 있다.

5) 고혈압과 테스토스테론

고혈압은 관상동맥질환의 위험인자로 잘 알려져 있다. 일반적으로 남성은 나이가 들수록 테스토스테론은 감소하는 반면 혈압은 상승한다. 모든 연구에서 테스토스테론과 혈압이 역상관관계를 보이는 것은 아니지만, 테스토스테론이 낮을 경우 혈압이 높거나 고혈압이 있는 남성에서 테스토스테론이 낮다는 연구들이 있다. 하지만 테스토스테론과 혈압이 양의 상관관계를 보인다는 보고는 없다. 테스토스테론과 혈압의 관련성에 대한 명확한 기전은 밝혀지지 않았으나몇 가지 가설이 있다. 먼저 유전인자와 관계가 있는데 고혈압의 가족력이 있는 군에서 테스토스테론이 더 낮게 측정 되었으며,쥐를 이용한 한 동물연구에서 natriuretic peptide receptor A (Npr1)에 관여하는 gene이 결핍된 쥐에서 상대적으로 혈압은 높고 테스토스테론은 낮았다. 다른 동물연구에서는 테스토스테론이 대동맥을 이완시키기 때문에 항고혈압 효과를 나타낸다고 하였다. 뿐만 아니라 테스토스테론은 관상동맥의 혈류에도 영향을 주어 심근허혈 등의 관상동맥질환에 긍정적 효과를 보이는 것으로 나타났다. 그리고 전립선암환자에서 남성호르몬박탈요법을 시행 받을 경우 비만과 인슐린 저항성에 관여 하는 것처럼 테스토스테론은 중심동맥압도 증가시키는 연구결과도 발표되었다. 즉, 이러한 결과들은 테스토스테론이 혈관의 저항성과 혈류에 영향을 주는 것을 암시한다.

3. 요약

남성은 나이가 들면서 점차 활력이 떨어지고 근육 및 뼈의 양은 줄어들며 지방 양이 증가하는체형의 변화를 보인다. 이러한 생리적 변화는 남성갱년기에 따르는 현상으로, 테스토스테론 감소와 관련이 있다. 테스토스테론 감소와 대사증후군과의 관련성에 대한 정확한 기전은 밝혀 지지 않았지만, 오랜 연구를 통해 테스토스테론 감소가 인슐린저항성, 당뇨, 비만, 고혈압, 고지혈증 등의 대사증후군을 야기하는데 관여하고, 발기부전 심지어는 심근경색, 뇌졸중등의 치명적인 혈관질환을 일으킬 수 있음이 밝혀지고 있다. 따라서 노화, 성선기능저하증, 또는 남성 호르몬박탈요법을 받은 전립선암 환자 등에서 대사증후군의 위험성을 감소시키기 위해서는 식이, 운동 등에 관한 생활양식을 변화시키는 것이 중요하다. 왜냐하면 생활 습관의 교정은 당뇨예방, 내피세포기능 호전, 염증반응 표식자 감소, 심혈관 혈류증가 등의 효과가 기대되기 때문이다. 또한 테스토스테론 보충요법도 생활습관의 교정과 더불어 대사증후군을 개선시키는데 도움이 될 것으로 생각된다.

참고문헌

1. 권혁상, 김두만, 김보완, 김용기, 김인주, 김태화 등. 대사증후군의 최신지견 (Update on the Metabolic Syndrome). Biowave 2007;9:1-13.
2. 김제종, 문두건. 후기 발현 남성 성선기능저하증의 최신지견. 대한남성과학회지 2006;24:107-114.
3. 박현준. 대사증후군과 남성불임. 대한남성과학회지 2008;26:1-7.
4. 박현준, 예정우, 박창수, 박남철. 대사증후군이 남성갱년기증후군의 증상 및 혈중 총 테스토스테론치에 미치는 영향. 대한남성과학회지 2008;26:11-7.
5. 박혜순, 오상우, 강재헌, 박용우, 최중명, 김용성 등. 한국인에서 대사증후군의 유병률 및 관련 요인. 대한비만학회지 2003;12:1-14.
6. 손환철. 대사증후군과 발기부전. 대한남성과학회지 2007;25:39-44.
7. 한 호, 신진호, 이창범, 박용수, 김동선, 안유헌 등. 한국남성에서 테스토스테론 농도와 대사 증후군 및 관상동맥 질환과의 연관성. 대한내과학회지 2007;73:34-43.
8. Andersson B, Marin P, Lissner L, Vermeulen A, Bjorntorp P. Testosterone concentrations in women and men with NIDDM. Diabetes Care 1994;17:405-411.
9. Avogaro P, Crepaldi G. Essential hyperlipidemia, obesity and diabetes. Diabetologia 1965;1:137.
10. Balkau B, Charles MA. Comment on the provisional report from the WHO consultation. Diab Med 1999;16: 442-443.
11. Bansal TC, Guay AT, Jacobson J, Woods BO, Nesto

RW. Incidence of metabolic syndrome and insulin resistance in a population with organic erectile dysfunction. Sex Med 2005;2:96-103.

12. Basaria S, Muller DC, Carducci MA, Egan J, Dobs AS.Hyperglycemia and insulin resistance in men with prostate carcinoma who receive androgen-deprivation therapy. Cancer 2006;106:581-588.
13. Bloomgarden ZT. American Association of Clinical Endocrinologists (AACE) consensus conference on the insulin resistance syndrome: 25-26 August 2002, Washington, DC. Diabetes Care 2003;26:1297-1303.
14. Breigeiron MK, Lucion AB, Sanvitto GL. Effects of renovascular hypertension on reproductive function in male rats. Life Sci 2007;80:1627-1634.
15. Calles-Escandon J, Cipolla M. Diabetes and endothelial dysfunction: a clinical perspective. Endocr Rev 2001;22: 36-52.
16. D' Amico AV, Denham JW, Crook J, Chen MH, Goldhaber SZ, Lamb DS, et al. Influence of androgen suppression therapy for prostate cancer on the frequency and timing of fatal myocardial infarction. J Clin Oncol 2007;25:2420-2425.
17. Esposito K, Di Palo C, Marfella R, Giugliano D. The effect of weight loss on endothelial functions in obesity: response to Sciacqua et al. Diabetes Care 2003; 26:2968-2969.
18. Fedele D, Colli E, Coscelli C, Landoni M, Santteusanio F, Parazzini F, et al. Erectile dysfunction in diabetic subjects in Italy. Diabetes Care 1998;21:1973-1977.
19. Fogari R, Preti P, Derosa G, Marasi G, Zoppi A, Rinaldi A, et al. Effect of antihypertensive treatment with valsartan or atenolol on sexual activity and plasma testosterone in hypertensive men. Eur J Clin Pharmacol 2002;58:177-180.
20. Fonseca V, Jawa A. Endothelial and erectile dysfunction, diabetes mellitus, and the metabolic syndrome: common pathways and treatments? Am J Cardiol 2005;96:13-18.
21. George Alberti. Introduction to the metabolic syndrome. European Heart Journal Supplements 2005;7:3-5.
22. Haffner SM, Miettinen H, Karhap P, Mykk nen L, Laakso M. Leptin concentrations, sex hormones, and cortisol in nondiabetic men. J Clin Endocrinol Metab 1997;82:1807-1809.
23. Haidar A, Yassin A, Saad F, Shabsigh R. Effects of androgen deprivation on glycaemic control and on cardiovascular biochemical risk factors in men with advanced prostate cancer with diabetes. Aging Male 2007;10:189-196.
24. Ingelsson E, Arnlov J, Lind L, Sundstrom J. Metabolic syndrome and risk for heart failure in middle-aged men. Heart 2006;92:1409-1413.
25. Isidori AM, Caprio M, Strollo F, Moretti C, Frajese G, Isidori A, et al. Leptin and androgens in male obesity: evidence for leptin contribution to reduced androgen levels. J Clin Endocrinol Metab 1999;84:3673-3680.
26. Kalyani RR, Dobs AS. Androgen deficiency, diabetes, and the metabolic syndrome in men. Curr Opin Endocrinol Diabetes Obes 2007;14:226-234.
27. Knowler WC, Barrett-Connor E, Fowler SE, Hamman RF, Lachin JM, Walker EA, et al. Reduction in the incidence of type 2 diabetes with lifestyle intervention or metformin. N Engl J Med 2002;346:393-403.
28. Lage MJ, Barber BL, Markus RA. Association between androgendeprivation therapy and incidence of diabetes among males with prostate cancer. Urology 2007;70: 1104-1108.
29. Muller M, Grobbee DE, den Tonkelaar I, Lamberts SW, van der Schouw YT. Endogenous sex hormones and metabolic syndrome in aging men. J Clin Endocrinol Metab 2005;90:2618-2623.
30. NCEP. Expert panel on detection, evaluation and treatment of high blood pressure in adults. Executive summary of the third report of the National Cholesterol Education Program (NCEP) expert panel on detection and evaluation and treatment of high blood cholesterol in adults. (Adult Treatment Panel III). JAMA 2001;285: 2486-2497.
31. Oh JY, Barrett-Connor E, Wedick NM, Wingard DL;Rancho Bernardo Study. Endogenous sex hormones and the development of type 2 diabetes in older men and women: the Rancho Bernardo study. Diabetes Care 2002;25:55-60.
32. Osuna JA, Gomez-Perez R, Arata-Bellabarba G, Villaroel V. Relationship between BMI, total testosterone, sex hormonebinding-globulin, leptin,

insulin and insulin resistance in obese men. Arch Androl 2006;52:355-361.

33. Pasquali R, Macor C, Vicennati V, Novo F, De Lasio R, Mesini P, et al. Effects of acute hyperinsulinemia on testosterone serum concentrations in adult obese and normal-weight men. Metabolism 1997;46:526-529.

34. Reaven GM. Banting Lecture 1988. Role of insulin resistance in human disease. Diabetes 1988;37:1595-1607.

35. Rhoden EL, Ribeiro EP, Riedner CE, Teloken C, Souto CA. Glycosylated haemoglobin levels and the severity of erectile function in diabetic men. BJU Int 2005;95: 615-617.

36. Rhoden EL, Ribeiro EP, Teloken C, Souto CA. Diabetes mellitus is associated with subnormal serum levels of free testosterone in men. BJU Int 2005;96:867-870.

37. Romeo JH, Seftel AD, Madhun ZT, Aron DC. Sexual function in men with diabetes type 2 association with glycemic control. J Urol 2000;163:788-791.

38. Rosmond R, Wallerius S, Wanger P, Martin L, Holm G, Bjorntorp P. A 5 year follow-up study of disease incidence in men with an abnormal hormone pattern. J Intern Med 2003;254:386-390.

39. Saad F, Gooren LJ, Haider A, Yassin A. A dose-response study of testosterone on sexual dysfunction and features of the metabolic syndrome using testosterone gel and parenteral testosterone undecanoate. J Androl 2008;29:102-105.

40. Saad F, Gooren L, Haider A, Yassin A. Effects of testosterone gel followed by parenteral testosterone undecanoate on sexual dysfunction and on features of the metabolic syndrome. Andrologia 2008;40:44-48.

41. Selvin E, Feinleib M, Zhang L, Rohrmann S, Rifai N, Nelson W, et al. Androgens and diabetes in men. Diabetes Care 2007;30:234-238.

42. Shores MM, Matsumoto AM, Sloan KL, Kivlahan DR. Low serum testosterone and mortality in male veterans. Arch Intern Med 2006;166:1660-1665.

43. Sih R, Morley JE, Kaiser FE, Perry HM 3rd, Patrick P, Ross C. Testosterone replacement in older men: a 12 month randomized controlled trial. J Clin Endocrinol Metab 1997;82:1661-1667.

44. Simon D, Charles MA, Nahoul K, Orssaud G, Kremski J, Hully V, et al. Assocation between plasma total testosterone and cardiovascular risk factors in healthy adult men: the Telecom Study. J Clin Endocrinol Metab 1997;82:682-685.

45. Smith MR, Lee H, Nathan DM. Insulin sensitivity during combined androgen blockade for prostate cancer. J Clin Endocrinol Metab 2006;91:1305-1308.

46. Stellato RK, Feldman HA, Hamdy O, Horton ES, McKinlay JB. Testosterone, sex hormone-binding globulin, and the development of type 2 diabetes in middle-aged men: prospective results from the Massachusetts male aging study. Diabetes Care 2000; 23:490-494.

47. Svartberg J, von Muhlen D, Schirmer H, Barrett-Connor E, Sundfjord J, Jorde R. Association of endogenous testosterone with blood pressure and left ventricular mass in men. The Tromso Study. Eur J Endocrinol 2004;150:65-71.

48. Tenover JS. Effects of testosterone supplementation in the aging male. J Clin Endocrinol Metab 1992;75:1092-1098.

49. Traish AM, Guay A, Feeley R, Saad F. The dark side of testosterone deficiency: I. Metabolic syndrome and erectile dysfunction. J Androl 2009;30:10-22.

50. Traish AM, Saad F, Guay A. The dark side of testosterone deficiency: II. Type 2 diabetes and insulin resistance. J Androl. 2009;30:23-32.

51. Walczak MK, Lokhandwala N, Hodge MB, Guay AT. Prevalence of cardiovascular risk factors in erectile dysfunction. J Gend Specif Med. 2002;5:19-24.

52. World Health Organization: Definition, diagnosis and classification of diabetes mellitus and its complications: Report of a WHO Consultation. Part 1. Diagnosis and classification of diabetes mellitus. Geneva, World Health Organization, 1999.

53. Zimmet P, Magliano D, Matsuzawa Y, Alberti G, Shaw J. The metabolic syndrome: a global public health problem and a new definition. J Atheroscler Thromb 2005;12:295-300.

CHAPTER 60

남성호르몬과 기타 신체기능

■ 김진욱

테스토스테론 및 남성호르몬은 성욕 및 발기부전 등 성기능 뿐만 아니라, 전신적 동화작용에 중요한 역할을 담당하며, 특히 전립선의 발달과 성장에 지대한 영향을 준다. 테스토스테론에 의해 남성은 여성에 비해 평균 1.2배의 체구로 성장하게 되며 뇌신경학적, 정신적 발달에 대한 영향으로도 성장 과정에서 큰 영향을 미치게 된다. 이에 따라 본 단원에서는 전립선을 위시한 테스토스테론의 전신적 영향에 대해 검토하며, 임상적으로 남성 갱년기에 대한 테스토스테론 보충요법의 기타 신체 영향을 살펴보고자 한다.

1. 전립선

테스토스테론은 전립선을 위시한 남성 생식기 발달에 중추적인 역할을 담당하고 있다. 전립선은돌연변이에 의해 안드로겐 수용체나 5-알파 환원효소가 결핍된 환자에서 형성되지 않으며, 전립선 발달 과정에서 DHT에 의해 간질이 확장된다. 한편, 전립선암은 간질이 종양의 양태를 변성하는데 관여하나, 주로 전립선 간질이 아닌 전립선 상피에서 형성된다.

전립선암에서 테스토스테론 등 남성호르몬 억제에 대한 효과는 임상적으로 부인할 수 없는 부분이다. 1941년 Huggins와 Hodges에 의해 전립선암의 성호르몬에 대한 감수성을 보여주면서, 이후 이에 대한 고환절제술이나 성전자극호르몬 억제 요법 등은 전이성 전립선암 치료의 핵심이 되었다. 그러나, 반대로 테스토스테론이 전립선암을 진행하거나 악화시키는 것에 대해서는 불명확하다.

혈중 테스토스테론은 인생 전장에 걸쳐 영향을 미치기 때문에 어떤 특정 단면에서 보여주는 전립선에 대한 영향으로 질환에 대한 위험을 평가하기는 어렵다. Baltimore Longitudinal Study on Aging은 이에 대해 검토한 가장 오래된 종단 연구로 40여년간 지역 코호트를 관찰하였으며, 높은 유리 테스토스테론은 전립선암에 대한 위험을 정상 군에 비해 49% 증가시켰으며(비교 위험 2.59) 65세 이상의 고령 환자에서 가장 높은 4분위 유리 테스토스테론 환자군은 PSA 20 ng/ml 이상, Gleason Score 8이상의 전립선암의 위험이 유의하게 높았다. 반면, 이에 관련된 18개 연구를 취합한 메타연구에서 Endogenous Sex Hormones and Prostate Cancer Collaborative Group은 테스토스테론, 유리테스토스테론 등 안드로겐들이 전립선암 위험을 증가시키지 않는 것으로 보고하였다.

전립선 비대증과 관련하여 Rancho Bernardo Study는 8년간에 걸쳐 테스토스테론이 전립선 비대증 발생과 유의한 관계가 있음을 보였다. 그러나, 전립선암이 발생하지 않은 환자들에서는 이후 20년의 추적관찰에서 오히려 생체 이용 테스토스테론과 하부요로증상 간의 음의 상관관계를 보였다.

테스토스테론 보충의 효과를 조사한 다양한 소규모 연구에서 전립선 질환 발생에 대한 위험이 높지 않음을 보였다. 생화학적 테스토스테론 저하증에 대한 교정은 미약한 전립선 용적 및 PSA 증가를 보였다. 대부분의 연구에서 PSA 증가는 테스토스테론 요법 시작 6개월 내에 증가하였으나, PSA의 증가는 크지 않았다. 결과적으로 테스토스테론 혈청 수치의 교정은 미약한 전립선 증대 효과를 보였으나, 치료 기간이나 보충 농도에 비례한 증가를 보이지 않으며, 오히려 같은 정상 테스토스테론 및 연령 보정 남성에 유사한 수준으로 보정하는 것으로 보인다.

테스토스테론 보충에 따른 PSA 수치의 증가는 잠재적으로 불필요한 전립선 생검을 야기할 수 있다. 그러나, PSA만을 기반으로 한 전립선 생검은 저위험군 환자에 대해 생존 이득이 없음을 보여주고 있는 가운데, 최근 경향은 40세 기저 PSA 수치를 바탕으로 연간 1.4ng/ml 이상의 증가를 침습적 검사의 기준으로 하고 있으며, 남성호르몬에 의한 PSA 증가가 평균 0.5ng/ml임을 이러한 수치 증가에 함께 고려해야 한다. 이에 따라, 테스토스테론 보충에 따른 전립선 추적 관찰은 보충 시작 후 4-6개월에 확인하며, 이후 매년 확인 할 것으로 권장되며, 침습적 검사는 PSA 증가 속도에 따라 판단한다.

대부분 연구에서 테스토스테론 보충에 대해 전립선 비대증을 제외하기 때문에, 이미 전립선 비대증이 있는 환자에서 테스토스테론 보충의 영향에 대해 많은 보고가 있지 않다. 그러나 일부 이에 대해 보고된 연구에서는 30ml 이상의 용적이 확인되는 전립선에서 테스토스테론 보충이 단독으로, 또는, 5알파 환원효소 억제제와 병합할 경우 전립선 관련 임상 증상의 악화나 전립선 용적의 증대를 보이지 않았다.

한편, 5알파 환원효소 억제제는 PCPT (Prostate Cancer Prevention Trial) 등에서 보고된 바와 같이 장기적 이용은 저등도 전립선암 발생을 억제하였다. 5알파 환원효소는 2형 아형이 전립선 내에 높은 농도로 발현되며 테스토스테론은 DHT로 전환한다. 이에 대한 억제제는 미량의 테스토스테론 증가로 이어지며 혈청 DHT는 finasteride의 경우 70%, dutasteride의 경우 95% 감소된다. 반면 5알파 환원효소 억제제는 DHT감소로 인한 동화 작용의 저하와 성기능 감퇴를 야기하며, 흥미롭게도 고등도 전립선암 발생은 오히려 소폭 증가하였다. REDUCE (Reduction by Dutasteride of Prostate Cancer) 연구에서도 4년간에 걸쳐 전립선암의 위험은 22.8% 감소하였으나, PCPT와 마찬가지로 고등도 전립선암의 위험이 증가하였다. 또한, 테스토스테론 보충요법과 5알파 환원효소 억제제의 병합 요법은 이론적으로 전립선 내부의 5알파 환원효소 억제 효과를 유지하며, 골대사 및 근육, 지방 대사에 대한 동화 작용 효과를 유지할 수 있다. 최근 연구에서는 3년간에 걸친 병합 요법은 전립선 용적 증가를 방지하며, 골대사, 체질개선과 근력 증가에 대해 긍정적인 효과를 확인하였다.

테스토스테론의 기저치는 노인 환자에 대한 역학조사에서 유의하게 전립선 질환과 연관성을 보이기도 하였으나, 이에 대한 연관성이 강하지 않으며, 테스토스테론 보충 요법이 전립선 질환을 유발하거나 악화시키는 근거 또한 약하다. 이에 따라 전립선 질환에 대해 면밀한 추적관찰 및 PSA 증가 속도에 따른 검사를 시행하면서 이들 환자에 대해 테스토스테론 저하에 대한 전신적 기능에 대한 고려 또한 필요하다.

2. 뼈

1) 골대사

남성호르몬은 생애 주기 전장에 걸쳐 뼈 크기, 질량, 재구성 등에 다양한 영향을 미친다. 성호르몬은 골격의 신장과 성숙에 영향을 주며, 테스토스테론은 특히 칼슘의 재흡수 및 이에 대한 골조직 내로의 유입을 유도하므로서 장골의 신장, 연골세포의 성숙, 골간단의 골화, 골막 주위의 새로운 골 생성에 영향을 미친다. 단적인 예는 사춘기 시기에 남성호르몬의 영향에 따라 골형성과 골흡수의 균형이 전자에게로 치우쳐져 전반적인 골 크기 및 부피의 성장을 보이게 된다.

호르몬의 영향은 주로 골모세포(osteoblast), 골세포(osteocyte) 및 파골세포(osteoclast) 안드로겐 수용체(Androgen Receptor; AR)와 에스트로겐 수용체(Estrogen Receptor; ER)를 통해 이루어진다. 테스토스테론은 AR 결합 후, AR로부터 heat shock protein이 분리되고 이합체를 형성하여 핵으로 진입하여 유전자 전사를 유발하는 직접적인 영향으로 이어진다. 그 외에도 테스토스테론에 의해 활성화된 AR은 세포 내에서 직접적인 신호전달 체계의 활성화와 칼슘 조절을 비유전적 경로를 통해 기시하기도 한다.

골 대사에 주로 영향을 미치는 테스토스테론은 주로 dihydrotestosterone (DHT)를 통해 이루어지는 것으로 알려져 있다. 그 구체적인 세포 내 표적은 아직 불명확하나, 골모세포의 분화 촉진 및 분화를 유도하며, 골모세포와 골세포에 대해 세포사멸 억제 효과를 보인다. 또한 골모세포로부터 osteoprotegerin 형성을 촉진시켜 파골세포로의 분화 및 골 흡수를 억제하는 것으로 보인다.

테스토스테론은 또한, P450에 의해 17 베타 에스트라디올 및 에스트론으로 전환되어 골형성 및 유지에 영향을 미치기도 한다. 에스트로겐은 골의 대사 전환을 억제하고 골흡수와 골생성의 균형을 유지한다. 세포 수준에서 에스트로겐은 인터루킨과 형성 인자를 통해 (IL-1, 6, TNF-alpha, 대식세포, 대식세포집락자극인자) 골모세포의 형성 및 분화를, 파골세포 형성과 세포사멸 촉진을 유도한다.

마지막으로, 테스토스테론은 성장호르몬 등 다른 호르몬 신호 전달 체계와의 교차반응으로 insulin-like growth factor 1의 생성을 촉진하거나, 칼슘 흡수의 증가를 통해 비타민 D대사에 영향을 미칠 수 있다.

2) 골다공증

남성에서 골다공증은 실제 골반이나 척추 골절이 발생하기 전까지는 지나치는 경우가 흔하다. 특히, 과거 흔한 골절 재발의 기왕력, 골다공증의 가족력이나 최근 수년간 신장이 수 센티미터 감소한 경우 남성호르몬에 대한 평가가 필요하다. 그 외에도 만성적인 스테로이드 복용을 요하는 기타 질환이 있는 경우나, 우연히 외상과 무관한 척추 골절 의심 소견이 방사선학적 검사에서 발견되는 경우 이에 대한 조사가 필요하다.

골에 대한 영향은 성인에서는 주로 에스트로겐의 효과에 의해 나타나지만, 테스토스테론의 직접 영향도 적지 않다. 실제로 골다공증에서 에스트로겐 저하의 유병률이 테스토스테론 저하보다 더 보편적으로 나타나며, 생체 활용 에스트로겐 농도는 높은 골 전환과 낮은 BMD와 관련 있었다. 또한, aromatase 활성도의 척도인 에스트로겐 대 테스토스테론 비율이 골다공증에서 낮게 나타난다.

DEXA (Dual energy x-ray absorptiometry)는 효과적인 골밀도 검사(Bone mineral density; BMD) 방법으로 일차 검사로 추천되며, 초기 선별 검사, 및 치료에 따른 추적 관찰에 활용 가능하다. 골밀도의 기준은 주로 30세의 골밀도 평균을 기준으로 T 분포에 따른 -2.5 t-score에서 골다공증을 진단하게 된다. 검사실 검사에서는 혈청 creatinine, calcium, phosphorus, alkaline phosphatase, C-terminal telopeptide, 25-

hydroxyvitamin D 및 24시간 요 calcium 및 creatinine이 도움이 된다.

기타 다른 단원에서 언급된 테스토스테론 보충 요법에 대한 지침과 별개로 골대사에 대한 추적관찰은 체중과 허리 둘레의 신체지수를 확인해야 하며, BMD에 대한 검사는 시작 전 및 2년 단위로 확인하는 것이 권고되고 있다.

테스토스테론 보충 요법에 대한 효과는 주로 요추 BMD증가로 확인되고 있으나, 장골에 대한 영향은 아직 논란이 많으며, 신뢰할 만한 골절 위험 감소에 대한 보고는 아직 명확하지 않다. 이는 연구에 따라 핵심적이라고 볼 수 있는 에스트로겐과 칼슘에 대한 분석이 종종 결여되어 있으며, 다른 장기에 비해 더 느린 변화를 보이는 골 대사의 특성에 따라 36개월 이상의 추적을 요하여, 향후 더 명확한 지침이 보고될 것으로 기대된다.

3. 인지기능

생체적 농도에서 테스토스테론과 DHT는 뇌혈관 장벽(Blood Brain Barrier; BBB)를 투과하여 뇌신경내 AR에 영향을 미치게 된다. AR은 전두전엽(prefrontal cortex), 편도핵(amygdala), 해마(hippocampus) 등에 주로 분포하며 영향을 받게 된다. 실험실 결과 등에서 테스토스테론과 DHT는 뇌신경세포의 생존력을 증가시키며, 세포사멸을 억제하였다. 실험 쥐에서 거세를 통한 테스토스테론 감소는 신경세포 사멸, 해마에서 항산화 효소의 감소와 베타 아밀로이드의 축적을 보였으며, 이러한 영향은 테스토스테론 보충에 의해 역전되었다.

반면, 반드시 순기능만 있는 것은 아니다. 허혈성 뇌손상 모델인 glutamate 축적 모델에서, 신경절 후 glutamate수용체의 과자극에 따른 칼슘 축적은 세포사멸을 일으키는데, 테스토스테론은 이러한 glutamate 세포 사멸 모델에서 세포사를 촉진시켰다. 또한 도파민 계열 세포주에서도 과산화 화합물 증가 및 thiol 수치의 감소에 따라 세포사가 촉진되었다.

기억 형성과 학습의 기본적인 기전인 신경절 성형력(synaptic plasticity)은 테스토스테론에 의해 영향을 받으며, 기존 연구들은 공통적으로 낮은 테스토스테론 수치와 기억력 감퇴의 연관성을 시사하고 있다. 이러한 조절 기전에는 glutamate, acetylcholine 등의 신경전달 물질의 분비 조절과 신경절 후 N-methyl-D-aspartate (NMDA) 수용체 조절에 의해 나타나는 것으로 보인다. 기존 동물 연구에서 거세를 통한 쥐의 해마 위축은 테스토스테론 보충에 의해 회복되었으며, 임상적으로도 전립선암에 대한 남성호르몬 차단 요법 환자에서 혈청 베타 아밀로이드 증가와 불안 증상 및 인지력 감퇴 증상이 발현되는 것이 확인되었다. 그러나, 이러한 테스토스테론과 인지 기능의 차이는 단순한 저하증의 부재에 따라 절대적으로 일어나는 것이 아니며, 인지기능 뇌신경에 대한 염증 반응 등이 함께 중요한 인자로 작용하며 이는 남성호르몬의 영향 외에도 당뇨나 비만과 같은 상태에 영향을 받고 있어 복합적인 해석이 불가피하다. 또한, Klinefelter 증후군이나 Kallmann 증후군에서 테스토스테론의 영향은 현존하는 저하증에 의한 영향도 있으나, 근본적으로는 성장 과정에서 지속적이고 장기적인 뇌신경 형성에 미친 영향이 있어 단순한 테스토스테론과 뇌신경의 관계를 단정하면 안 된다. 높은 SHBG 수치나 저하된 갑상선자극 호르몬(TSH) 등 테스토스테론과 깊이 관련 있는 인자들이 알츠하이머 병의 발생에 영향을 미치고 있다고 보고되고 있어, 테스토스테론의 신경에 대한 영향에 있어서 복합적인 연관 인자의 영향 또한 무시할 수 없음을 알 수 있다.

현재까지는 아직 인지기능에 대한 테스토스테론의 치료적 사용에 대한 근거는 부족하다. 비록 앞서 언급한 긍정적인 영향도 있으나, 테스토스테론이 뇌신경에 미치는 부정적 영향 또한 일부 동물 모델 기반실험에서 보고되고 있으며, 그 외에도 비만이나 당뇨와 같은 기저 질환의 영향, IGF-1이나 TSH 등 교차 신호를 발생할 수 있는 인자들 등 현재 밝혀지지 않은 관계가 많다.

4. 우울증

테스토스테론 저하증 환자의 주요 기분 증상은 불쾌감, 피로, 과민성, 성욕 저하 등 주요 우울 장애의 우울삽화에 상응하는 증상을 호소하기도 한다. 그러나 많은 유병률 연구에서 명확한 연관성을 확인하기는 어렵다. Rancho Bernardo Study는 50에서 89세 사이 남성 856명을 대상으로 유리 테스토스테론과 우울증 척도로 Beck Depression Inventory(BDI)의 연관성을 확인하였다. 낮은 혈청 유리 테스토스테론과 높은 BDI 점수의 상관성은 연령, 체중, 운동량 등 보정하여 유의한 상관성을 보였다. 반면, 40세에서 70세의 1709명 남성에 대한 Massachusetts Male Aging Study에서는 유리 테스토스테론과 Centers for Epidemiologic Studies Depression Scale (CES-D)의 연관 조사에서 우울 증상과 호르몬 수치의 유의한 연관성을 발견하지 못했다.

우울 증상에 대한 아형에 대해서는 일부 연관성이 보고되기도 하였다. 중증우울병(melancholic depression)에 대한 연구에서는 이런 환자들의 이른 아침 혈청 테스토스테론이 유의하게 감소된 것이 보고되고 있다. 주요 우울장애와 HIV 감염이 함께 있는 환자에서도 평균 이하의 혈청 테스토스테론이 보고되고 있다. 이에 따라, 전반적인 테스토스테론의 명확한 주요 우울 증상과의 관계에 대해 확언하기 어려울 수 있으나, 일부 증상이 테스토스테론과의 관련성 있을 것으로 시사하고 있다.

테스토스테론 보충요법의 효과 또한 많은 보고가 있으나, 그 결론이 명확하지는 않다. 무작위 이중맹검 위약 조절 연구만 고려한 메타분석에서 DMA-IV로 주요 우울 장애 진단을 받은 환자들의 Hamilton-D 우울 척도에서 테스토스테론의 증상 개선 효과가 확인되었다. 반면, 이러한 연구에서 제외된 보고가 상당하며, 이들 중에는 낮은 상관성에 대한 발표도 많아 아직까지 명확한 결론을 단정 짓기는 어려울 것으로 보인다.

5. 조혈기능

사춘기이전의 남녀는 유사한 혈색소농도를 보이나 사춘기이후 남자에서 혈색소가 증가하여 사춘기가 끝 나는 시점에서 남녀간 hematocrit의 차이는 3-4%에 달 한다. 테스토스테론은 신장에서 조혈호르몬인 erythropoietin의 분비를 증가시키며, 골수에서 조혈 전 구세포의 발생을 촉진한다.

테스토스테론의 조혈 기능에 대해서는 오래전부터 잘 알려져 있었다. 실제로 재조합 적혈구형성인자(erythropoietin; EPO) 생산이 가능했던 1989년 이전에는 말기신부전 환자의 빈혈에 대해 임상적으로 테스토스테론을 사용하였다. 비록 현재에는 재조합 인간 EPO에 의해 이러한 용도로 대체되었으나, 아직도 EPO만으로 목표 혈색소치에 도달하지 못한 경우 EPO 치료 효과에 대한 부차적 증강을 위해 이용되기도 한다.

한편, 테스토스테론 보충요법의 위험으로서 적혈구 증가가 지적되기도 하지만, 실제 어떠한 위험이 있는지에 대해서는 불명확하다. 심혈관계에 대한 테스토스테론 보충요법은 대부분 심혈관계 위험을 증가시키지 않는 것으로 보고되고 있다. 증가된 적혈구 생산은 이론적으로 음경 지속발기증에 악영향이 있을 것으로 예상되나, 낫적혈구 빈혈(Sickle cell anemia) 환자에서 테스토스테론은 일반적으로 저하증 상태로 보고되고 있으며, 이들의 음경 지속발기증 발생 회수와 테스토스테론의 상관성은 없는 것으로 보인다. 또한 이들 환자에 대한 테스토스테론 보충요법은 음경 지속발기증을 유발하지 않는 것으로 보고되고 있다.

6. 수면 무호흡증과 체액 저류

테스토스테론의 투여 후 5 kg 내외의 체중의 증가는 흔히 관찰되며 간혹 부종이 관찰되므로 심한 심부전이 있는 경우 호르몬투여에 신중을 기해야 한다. 아직 충분한 자료가 확보되어 있지 않으나 테스토스테론의 투여가 수면무호흡증을 악화시킨다는 보고가 있다. 그러나 대부분의 보고가 적은 대상군의 수를 포함 한 증례 보고의 수준이고, 테스토스테론의 투여와 수면 무호흡증의 관계를 이중맹검, 위약대조군 방법으로 조사한 단 하나의 연구는 생리적 농도이상의 테스토스테 론을 투여한 결과이므로 생리적 농도에서의 효과를 예측하기는 문제가 있다. 최근에 보고된 혈중 테스토스테론과 수면의 관계에 대한 연구결과를 보면 혈중 테스토스테론이 250 ng/dL 미만인 경우 그 이상인 군에 비해 야간 각성 회수, 적은 서파수면 시간, 높은 수면무호흡지표, 수면 중 산소포화도 90% 미만인 시간의 증가 등을 보 였다고 한다. 낮은 테스토스테론을 지닌 군은 그렇지 않은 군에 비해 높은 체질량지수(body mass index, BMI) 와 굵은 허리둘레를 보여 비만이 수면장애와 관련되었 을 가능성을 보였다.

7. 요약

테스토스테론의 남성 성기능의 조절이외에도 골대사, 조혈기능, 인지기능 등 다양한 기능에 영향을 미친다. 골대사에 미치는 영향으로는 테스토스테론의 투여 시 골손실을 억제하며 골밀도를 유지시킨다는 것이 알려져 있으며 아직 확실한 증거는 없으나 테스토스테론의 투여가 인지기능을 향상시키고 우울증의 호전과 관련 있음을 시사하는 소견이 알려져 있다. 테스토스테론이 조혈작용을 강화하는 효과는 잘 알려져 있으며, 현재에도 신기능 부전에서 조혈 치료가 목표치에 미치지 않을 때 보충적으로 사용하고 있다. 한편 테스토스테론은 전립선 성장과 발달에 영향이 지대하여 보충요법이 전립선비대증을 악화시키고 잠재적인 전립선암을 악화 시킨다는 우려가 있다. 현재까지 보고는 정상 또는 경도의 저성선증 환자에서 남성호르몬의 투여가 전립선의 증식 또는 PSA 상승에 미치는 효과는 우려할 만한 정도가 아닌 것으로 생각되고 있으며, 최근의 연구결과들 이 보고되면서 전립선 질환 환자에서 선택적인 테스토스테론의 사용은 가능할 것으로 보인다.

참고문헌

1. Tirabassi G, Biagioli A, Balercia G. Bone benefits of testosterone replacement therapy in male hypogonadism. Panminerva Med. 2014;56:151-163.
2. Fernandez MM. Adverse effects of testosterone therapy in adult men: a systematic review and meta-analysis. J Clin Endocrinol Metabol 2010;95:2560-2575.
3. Cooper LA, Page ST. Androgens and prostate disease. Asian J Androl. 2014;16:248-255.
4. Pintana H, Chattipakorn N, Chattipakorn S. Testosterone deficiency, insulin-resistant obesity and cognitive function. Metab Brain Dis. 2015;30:853-876.
5. Johnson JM, Nachtigall LB, Stern TA. The effect of testosterone levels on mood in men: a review. Psychosomatics. 2013;54:509-514.
6. Parsons JK, Palazzi-Churas K, Bergstrom J, Barrett-Connor E. Prospective study of serum dihydrotestosterone and subsequent risk of benign prostatic hyperplasia in community dwelling men: the Rancho Bernardo Study. J Urol. 2010;184:1040-1044.

7. Moreira DM, Nickel JC, Andriole GL, Castro-Santamaria R, Freedland SJ. Chronic baseline prostate inflammation is associated with lower tumor volume in men with prostate cancer on repeat biopsy: Results from the REDUCE study. Prostate. 2015;75:1492-1498.
8. Poyet C, Nieboer D, Bhindi B, et al. Prostate cancer risk prediction using the novel versions of the European Randomised Study for Screening of Prostate Cancer (ERSPC) and Prostate Cancer Prevention Trial (PCPT) risk calculators: independent validation and comparison in a contemporary European cohort. BJU Int. 2015:n/a. doi:10.1111/bju.13314.

SECTION
남성갱년기증후군 03

Chapter 61. 남성갱년기의 정의 및 역학 ··· 김제종
Chapter 62. 남성갱년기의 진단 ··· 문두건
Chapter 63. 남성갱년기의 치료 ··· 이성원, 이준호

CHAPTER 61

남성갱년기의 정의 및 역학

Definition and Epidemiology of Late Onset Hypogonadism

■ 김제종

1. 서론

경제발전으로 인한 생활수준의 향상과 의학의 발전 및 의료공급의 개선으로 인해 한국인의 평균수명은 1900년 47.3세에서 2008년 78.5세로 증가하였고, 이와 더불어 출산율의 저하로 인해 노인인구의 비율은 해마다 점차 증가하고 있다. 2014년 통계청의 조사에서 전체 인구 중 65세 이상 노인의 비율은 12.7%로 발표되었는데, 2030년에는 24.3%, 2050년에는 37.4%에 이를 것으로 전망되고 있다(그림 61-1). 전 세계적으로도 노령인구의 증가는 전반적인 사회의 고령화로 이어져 사회문제로 부각되기에 이르렀고, 인류의 또 다른 재앙으로까지 비유되고 있다.

UN(국제연합기구)은 노령인구 비율이 7% 이상이면 고령화 사회, 14% 이상이면 고령사회, 20% 이상이면 초고령 사회로 분류하고 있는데 우리나라는 2000년대에 이미 고령화 사회에 들어섰고 2018년에는 14.3%로 고령사회에, 2026년에는 20.8%로 초고령 사회에 진입할 것으로 전망된다. 과거와 달리 급성질환은 더 이상 주요 사망원인이 아니며, 만성질환, 퇴행성질환, 전이암, 면역결핍질환 및 장애나 운동제한에 의해 의존성을 초래하는 질환과 사고 등이 주요사망원인으로 대두되면서 사망에 이르는 과정을 정신적, 신체적, 경제적으로 더 길고 고통스럽게 만들고 있다. 이는 급속한 의학발전에도 불구하고 실제 증가된 건강한 삶은 몇 년에 불과하고, 나머지는 장애의 연장이라고 해도 과언이 아니기 때문이다. 이로 인해 단순한 수명의 연장이 아닌 삶의 질을 향상시키려는 요구가 지속적으로 증가하고 있으며 최근 남성노화에 관한 연구도 활발히 진행되고 있다 본 장에서는 남성갱년기의 역학과정의 및 증상을 알아보고자 한다.

2. 남성갱년기의 역학

노화로 인한 남성호르몬의 감소는 다양하게 나타나는데 먼저 총 테스토스테론은 매년 0.8%가감소하여 55-60세에는 유의하게 나타나고 75세에는 30세의 60% 정도로 감소한다. 이는 연령증가에 따른 성호르몬결합 글로불린(sex hormone-binding globulin, SHBG)이 증가하기 때문인 것으로 추정되며 성호르몬결합글로불린의 증가는 성장호르몬(growth hormone, GH)과 인슐린 양성장인자-1(insulin-like

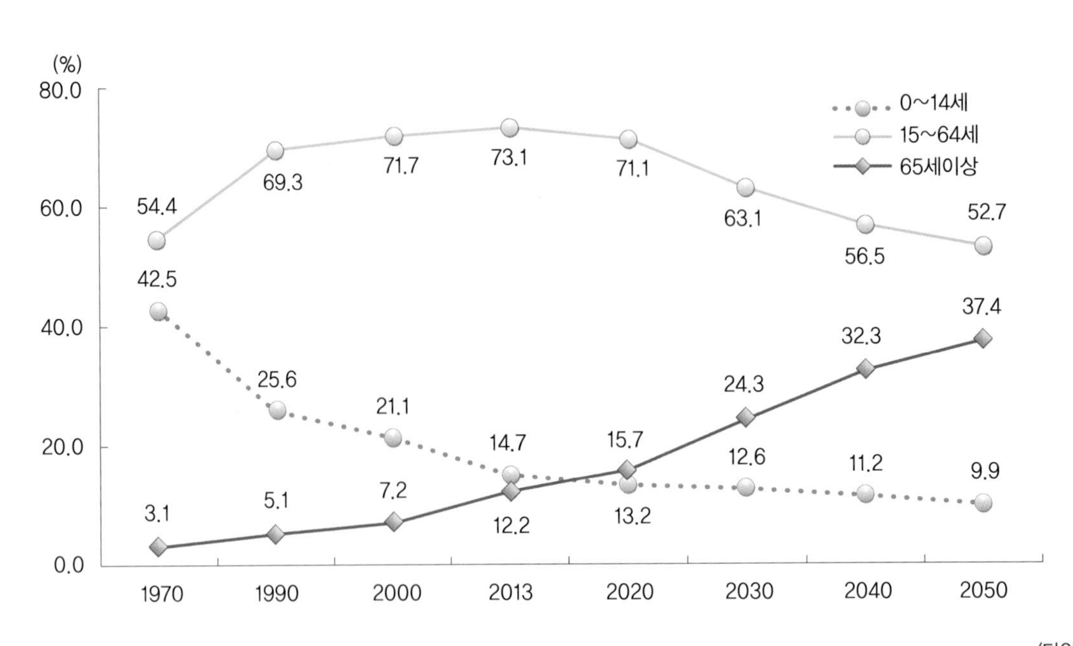

(단위 : %)

	1970	1990	2000	2013	2020	2030	2040	2050
총인구	100.0	100.0	100.0	100.0	100.0	100.0	100.0	100.0
0~14	42.5	25.6	21.1	14.7	13.2	12.6	11.2	9.9
15~64	54.4	69.3	71.7	73.1	71.1	63.1	56.5	52.7
65세이상	3.1	5.1	7.2	12.2	15.7	24.3	32.3	37.4
65~74세	2.3	3.5	4.9	7.3	9.0	14.6	15.8	15.3
75~84세(75세이상)	(0.8)	(1.6)	2.0	4.0	5.1	7.2	12.4	14.4
85세이상	–	–	0.4	0.9	1.6	2.5	4.1	7.7

그림 61-1 연령계층별 고령인구

growth factor-1, IGF-I)의 감소와 연관이 있는 것으로 알려져 있다. 한편 유리 테스토스테론의 감소는 총 테스토스테론보다 더 일찍 감소하고 더욱 현저하여 매년 1.4%씩 감소하여 75세에는 30세의 40% 밖에 되지 않는다고 보고되고 있다. 건강한 40-69세의 남자 415명과 한 가지 이상의 질병을 가진 1, 294명을 대상으로 시행한 역학조사에 의하면 남성은 해마다 유리 테스토스테론은 1.2%씩, albumin-binding testosterone은 1.0%씩 감소를 나타내고, 성호르몬결합글로불린은 1.2%씩 증가하여 결과적으로 총 테스토스테론은 매년 0.4%가 감소되었다. 이러한 남성호르몬의 감소는 성기능, 골대사, 근육질과 신체 지방분포의 변화, 기분과 인지능력 등에 영향을 미친다. 한편, 연령이 증가함에 따라 인슐린저항성과 고혈압이 현저하게 증가하고 젊은 남성에서는 2%정도인 대사증후군이 고령군에서는 40%까지 증가하게 되는데, 대사증후군도 낮은 테스토스테론과 높은 성호르몬결합글로불린이 관련이 있는 것으로 알려져 있다.

노화에 따른 테스토스테론의 변화에 대한 대단위 임상 연구는 그리 많지 않을 뿐만 아니라 대부분의 연구가 어떠한 시점에서 대상군의 혈청 호르몬 수치를 측정한 단면연구이기 때문에 대상군의 수나 검사

방법 등에 따라 그 결과도 다양하다. 일반적으로 총 테스토스테론과 유리 테스토스테론은 연령이 증가함에 따라 감소되지만 개인차가 심하여, 80세 이상의 15%에서는 정상성인보다 높은 20 nmol/L 이상의 테스토스테론을 나타내기도 하며, 일부 건강한 성선기능저하증 환자들에서는 유리 테스토스테론이 40-60대보다 60-80대에 감소하지 않고 오히려 20%이상 증가하기도 한다. 이처럼 폐경 후 여성과는 달리 모든 건강한 남자들이 나이가 든다고 해서 모두성선기능저증이 발생하는 것은 아니며, 개인별로 차이를 나타내게 된다. 이러한 개인치는 유전적 소인이 60%를 차지하고 체질량지수, 인슐린저항성, 식이, 스트레스 및 흡연 등의 생리적 요인과 급, 만성 질환, 약물 등이 복합적으로 작용하기 때문이다.

국내에서 40세 이상의 남성을 대상으로 인터넷을 이용한 대규모 설문조사를 시행한 결과 남성갱년기 설문지에 응답한 5, 795명 중 64.6%인 3, 744명이 남성갱년기 증상이 있는 것으로 나타났으며 연령대별 양성비율은 40대 57.1%, 50대 68.4%, 60대 81.4%, 70대 이상 90.1% 이었다(그림 61-2). 한편, 남성갱년기 증상 중에서는 발기력 감소가 55.0%로 가장 많았으며 체력 및 지구력 감소(51. 5%)와 성욕 감소(49.9%)도 높은 응답률을 보였다. 이러한 인터넷 설문 결과를 우리나라 연령대별 인구 비(40-49세: 40%, 50~59세: 27.5%, 60-69세: 17.9%, 70세 이상: 14.6%, 통계청 인구 추계 참조)로 보정하면 우리나라 40세 이상 남성에서 갱년기 증상의 발현율은 69.4%로 인터넷 설문조사결과인 64.6%보다 약간 높을 것으로 추산된다.

40~80세 사이의 건강보험공단에 등록되어 2011년 1월에서 12월 사이 건강검진을 시행한 환자 1,875명을 무작위로 배정하여 시행한 국내 대규모 연구에서 대략 10.2%에서 테스토스테론결핍 소견을 보였다. 테스토스테론 수치는 나이와 높은 상관관계를 가졌으나 테스토스테론 결핍증상은 또한 나이에 따른 유의한 상관관계를 보였으나 혈중 테스토스테론 수치에 영향을 받지 않는 것으로 나타났다. 하지만 성욕감소는 테스토스테론 수치가 550 ng/dL에서 의미있게 감소하였고 발기부전 역시 250 ng/dL이하에서 의미 있게 나타났다. 따라서 대부분의 테스토스테론결핍증상은 일차적으로는 나이에 의해 발생한다고 할 수 있다.

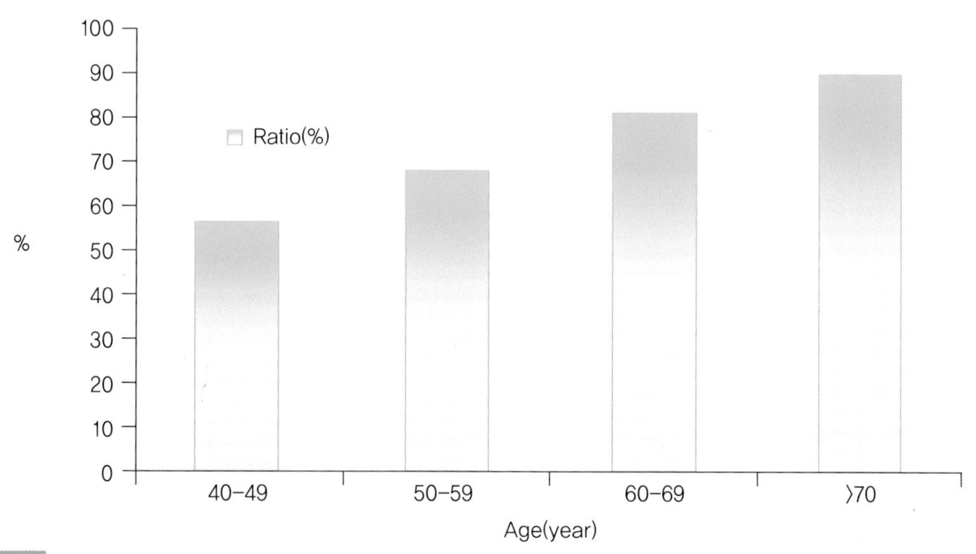

그림 61-2 우리나라 40대 이상 남성 중, 테스토스테론 결핍증후군을 나타내는 연령대별 비율

3. 남성갱년기의 정의

지난 20여 연간 남성에서 나이가 들면서 나타나는 남성호르몬의 저하와 관련된 증후군은 male climacterium, andropause, partial androgen deficiency in the aging male (PADAM), androgen Deficiency in Aging Males (ADAM) 등으로 다양하게 표현되어 왔는데 이는 대부분 소수의 전문가나 권위자의 개인적인 의견으로 남성호르몬의 저하에 국한된 생화학적 개념이었으며 일반인들에게는 여성갱년기의 대측개념인 남성갱년기로 알려져 왔다.

2002년 ISSAM (International Society for Study of Aging Male)은 성인남성에서 연령과 관련된 테스토스테론 결핍 환자의 진단, 치료 및 추적관찰에 대한 권고안을 발표하면서 '후기발현 성선기능저하증(late onset hypogonadism, LOH)은 남성에서 연령이 증기하면서 경험하게 되는 전형적인 증상들과 혈청 테스토스테론 결핍을 동반하는 임상적, 생화학적 증후군이며 이로 인해 삶의 질이 의미 있게 손상될 수 있고 여러 신체기관의 기능에 부정적인 영향을 초래할 수 있다' 라고 정의를 하였다.

이후, 2005년에는 ISA (International Society of Andrology), ISSAM 및 EAU (European Association of Urology)가 공동으로 이에 대한 제 1차 개정 권고안을 제시하였고, 국내에서는 이를 근간으로 2006년 대한남성갱년기학회(Korean Society for Aging Male Research, KOSAR)와 대한남성과학회가 우리나라 실정에 맞는 한글 권고안을 제안하였다. 한편, 2007년 Morales 등은 '성선기능저하증' 이라는 용어는 주로 시상하부-뇌하수체-고환 축에 이상이 발생하거나 특정 질환이 있는 병적인 상황에 사용하는 용어이며, 남성호르몬의 저하는 빠른 경우 20대에서도 나타나고 모든 노년에서도 나타나지 않을 수도 있으므로 후기발현이라는 용어는 남성호르몬 결핍을 노년층에 국한시킨다는 문제점이 있다고 하였다.

이로 인해, 남성호르몬 저하와 관련된 증후군을 가장 적절하게 정의할 수 있는 용어로 '연령에 따른 테스토스테론결핍증후군(age-associated testosterone deficiency syndrome, TDS)' 을 사용할 것을 주장하였다. 이후 2008년 ISA, ISSAM, EAU, EAA (European Academy of Andrology) 및 ASA (American Society of Andrology)가 공동으로 남성호르몬 결핍 환자의 진단, 치료 및 추적관찰에 대한 2차 개정 권고안을 발표하면서 남성갱년기의 정의는 기존 권고안과 통일하나 그 명칭에 있어 후기발현 남성 성선기능저하증과 연령에 따른 테스토스테론결핍증후군을 같이 사용하도록 권고하였다.

최근 2014년 ISSAM 권고안에서는 성인남성의 성선기능저하증 또는 테스토스테론 결핍(hypogonadism or testosterone deficiency in adult men)이라는 용어 사용을 제안하는데 이는 염색체이상, 뇌하수체이상, 고환이상 등 테스토스테론결핍을 야기하는 모든 병증을 포함하는 것이 아니라 성인남성에서 발생하는 대사성 및 특발성 질환들과 같은 성선기능저하증과 관련된 주된 임상양상에 집중하는 것이라고 하였다.

4. 남성갱년기의 증상

여성갱년기는 모든 여성에서 40대 중후반에서 50대 사이에 여성호르몬부족에 의한 전형적인 갱년기 증상을 경험하게 된다. 남성갱년기의 증상은 원발성 혹은 속발성 성선기증저하증이 있는 젊은 남성이나 전립선암에 대한 치료로 수술적 혹은 약물에 의한 거세를 시행했을 때의 증상과 유사한 남성호르몬 부족 증상이다. 그러나 여성갱년기와 달리 남성갱년기 증상은 모든 남성에게서 일정한 시기에 전형적인 증상이 발생하기보다는 점진적으로 서서히 나타나고 개인차가 심하다는 것이 특징이며, 증상의 정도도 전형적인 성선기능저하증보다 뚜렷하지 않다. 이는 중노년의 남성에게 흔히 동반되는 타 질환의 증상들인 경우가 많고, 성장호르몬 등 다른 내분비 기능을 포함한 생리학적 기능의 전반적인 저하 및 심인성 요인까지 고려할 때 증상의 원인이 매우 다양하고 복잡하기 때문이다. 남성갱년기 증상은 크게 성적, 신체적 그리고 정신-뇌신경학적 증상으로 대별할 수 있으나 비특이적이고 다원적이며 정상적인 노화과정과 구분하기 모호하기 때문에 최근 국제성의학회(International Society of Sexual Medicine, ISSM)와 대한남성갱년기학회는 7가지 증상을 남성갱년기의 주된 증상으로 규정하고 있다(표 61-1). 그러나 2008년에 발표된 근거중심 개정안에서는 테스토스테론의 저하와 가장 연관이 있는 증상은 성욕이며 나머지 증상은 남성호르몬부족의 특이적 증상이 아니기 때문에 남성갱년기로 진단하기 위해서는 테스토스테론치의 저하와 함께 한 가지 이상의 증상이 있어야 한다고 하였다.

1) 성적 증상

(1) 성기능의 변화

테스토스테론의 감소와 성욕 및 성기능 사이의 관계는 다른 증상보다 뚜렷한 편으로 성욕감퇴가 대표적인 증상이다. 성욕감퇴는 노화로 인해 테스토스테론이 점진적으로 감소하게 되면서 갱년기 남성 대다수에서 관찰되는 것으로 알려져 있다. 테스토스테론은 발기보다 성욕과 더 연관성이 있는 것으로 알려져 있지만, 발기력 역시 노화와 더불어 전반적으로 저하하는 양상을 보인다.

갱년기 남성에서는 성행위 시 흥분하기까지나 발기 시작까지의 시간이 길어지며 사정하기까지의 시간도 길어지는 경향을 나타낸다. 또, 발기가 되더라도 발기가 약하고 발기지속시간이 짧아지며 극치감이 감소하고 사정 시 사정액의 양도 줄어들거나 사정하지 않고 극치기나 해소기에 도달하는 경우도 나타나게 된다. 야간 및 조조발기의 횟수 및 강도도 줄어들며, 성행위 횟수도 줄어 주 1회 이상의 성행위 빈도를 보이는 경우는 40대 후반 남성에서는 95% 정도로 나타나지만, 60대 후반에서는 28% 정도로 감소한다. 또한, 고령에서는 당뇨, 심혈관계질환, 뇌혈관질환, 대사성질환, 신경학적질환, 정신과적질환 등의 만성질환의 유병률이 높기 때문에 이 질환들 자체나 이들에 대한 치료 약물들로 인해 발기부전이 일어날 수 있으며, 이런 질환이 있는 환자들은 신체적인불편, 배우자와의 비협조적 관계 등으로 인해 성행위에 제한을 받는 경우가 흔하다. 상당수 노인성질환에서 테스토스테론 저하가 동반되면 그렇지 않은 경우에 비해 경구용 PDE5 억제제에 대한 치료반응이 저하되고, 테스토스테론이 낮으면서 PDE5 억제제에 반응이 없었던 발기부전 환자에게 테스토스테론을 보충해 주면 PDE5 억제제에 대한 발기반응이 향상된다.

(2) 생식기능의 변화

남자는 출생 시에 약 7억 개의 Leydig cell을 가지고 있지만, 20세 이후에는 매년 약 6백만 개씩 세포가 줄어들고 이는 테스토스테론의 생산 저하로 이어진다. 그러나 이러한 테스토스테론의 감소가 정자의 운동성을 포함한 수정 능력이나 임신율에 미치는 영향은 아직 확실한 결론이 나지 않은 상태이다.

표 61-1 남성갱년기의 임상증상

1. 성욕저하, 발기력의 감소(빈도, 질) 특히 야간발기의 감소
2. 지적활동, 인지능력, 공간/지남력의 감소, 피로, 우울, 성급함을 수반하는 기분의 변화
3. 수면장애
4. 근육량과 근력의 감소와 관련된 제지방(lean body mass)의 감소
5. 내장지방(visceral fat)의 증가
6. 체모의 감소 및 피부변화
7. 골밀도감소

2) 신체증상

(1) 체형 및 근골격의 변화

남성갱년기에서는 여성에서와 마찬가지로 체지방량(lean body mass)의 감소와 근육량의 감소가 흔하게 나타난다. 근육량은 20세와 80세 사이에 약 35-40% 가량 감소하며, 체지방은 18-85세 사이의 남성을 대상으로 조사한 연구에서 노화에 따라 18%에서 36%로 2배 이상 증가하는 것으로 나타났다. 이러한 결과로서, 체중감소, 조기피로, 쇠약감, 걷는 속도의 감소, 육체활동력의 저하가 흔한 증상으로 나타난다. 물론, 테스토스테론의 변화가 이같은 신체변화에 어느 정도의 영향을 미치는지는 아직 확실하지 않다.

(2) 골밀도의 저하

남성의 골밀도가 노화에 따라 감소(35세 이후 매년 0.3% 씩)하므로, 이로 인하여 골다공증 및 척추나 고관절의 골절 빈도가 증가하게 된다. 실제로 50세 이상 남성 8명 중 1명이 골다공증으로 인한 골절을 경험하는 것으로 알려져 있다. 그러나 테스토스테론의 감소와 골밀도 감소 사이의 연관성에 대해서는 아직 더 많은 연구가 필요한 실정이다.

(3) 대사성 질환의 위험도 증가

갱년기 남성에서 테스토스테론 감소는 동맥경화증의 증가나 경동맥혈관 두께 증가와 관련이 있는 것으로 알려져 있다. 또한, 체지방의 증가에 따라서도 심혈관계 질환이나 인슐린저항성 및 제 2형 당뇨병, 고혈압, 동맥경화성 혈관 질환이 나타날 위험도도 증가하게 된다.

(4) 성장호르몬의 분비감소

성장호르몬은 65-86세에 24-34세 때에 비해 50% 이하로 감소한다. 성장호르몬 분비 감소는 제지방 체중 감소, 근력약화, 복부 및 내장지방 등 체지방의 증가 등의 증상을 초래할 수 있다. 기억력과 인지능력 및 깊은 수면의 장애도 노화에 따른 성장호르몬 분비감소와 함께 나타난다. 물론, 이와 같은 증상들은 테스토스테론 감소와도 관련되어 나타날 수 있기 때문에 성장호르몬의 직접적인 연관성에 대해서는 더 많은 연구가 필요하다.

(5) 기타증상

피부의 두께가 감소하고 윤기가 감소하며, 겨드랑이 털이나 음모가 감소하거나 여성형유방을 나타내기도 한다. 안면홍조와 더불어 땀이 많아지고, 창상회복이 늦어지는 경우도 나타난다. 또한, 노화에 따라 뇌하수체 용량이 줄어들고 정상적인 수면 양상을 유지시키는 혈중 melatonin 감소로 수면장애가 초래되어 수면이 깊지 못하고 단절되는 경향을 나타낸다. 이 밖에도 melatonin 저하는 기분장애, 인지능력 저하, 혈소판 생산 저하, 항암면역반응 저하 등을 초래한다.

3) 정신-뇌신경학적 증상

정신-뇌신경학적 증상으로서 상실감, 우울증, 화를 잘 냄, 성급함을 동반한 기분의 변화, 불안, 신경쇠약, 기억력이나 집중력의 저하, 공간지각저하 등이 대표적으로 나타나게 된다. 우울증과 테스토스테론과의 관계는 아직 논란의 여지가 있으나, 어느 정도 서로 연관이 있는 것으로 여겨진다. 실제 테스토스테론치가 감소된 노년기 남성에서 우울증의 유병률이 증가하고, 치료에 반응이 없는 환자에서 높은 빈도로 성선기능저하증이 발견된 바 있다. 또, 다른 증상으로 활력감소 및 만성 피로감을 나타낼 수 있는데, 이는 심리적 요인에 의해 나타날 수도 있고, 제지방 체중이나 근력 감소에 기인할 수도 있다. 또, 일상생활의 전반적인 활력이나 행복감, 만족감도 줄어든다. 실제로, 남성갱년기 환자에서는 심리적, 육체적, 사회적 면을 총괄하는 건강관련 삶의 질(health-related quality of life)의 지수가 현저히 저하됨을 흔히 볼 수 있다.

5. 요약

지난 반세기동안 남성의 평균수명은 20년 이상 증가하였으며, 남성갱년기는 과거 일부 전문가나 권위자의 개인적인 관심과 의견을 떠나 의학계 전반의 관심과 연구의 대상이 되었다. 이로 인해 2002년 ISSAM에 의해 제시된 '후기발현 성선기능저하증' 과 2008년 혼용할 것으로 인정된 '테스토스테론결핍증' 이 공식적인 학술용어이며 국문과 일반인을 위해서는 남성갱년기라는 용어가 적절하다. 남성갱년기란 '남성에서 연령이 증가하면서 경험하게 되는 전형적인 증상들과 혈청 테스토스테론 결핍을 동반하는 임상적, 생화학적 증후군이며 이로 인해 삶의 질이 의미 있게 손상될 수 있고 여러 신체기관의 기능에 부정적인 영향을 초래할 수 있다' 라고 정의한다. 남성갱년기의 증상은 신체적, 정신적, 성적영역에서 다양하게 나타날 수 있지만 이러한 증상들은 남성호르몬 감소 뿐 아니라 노화에 따른 다양한 원인들에 의해서도 발생할 수 있으므로 가능한 모든 인과관계를 고려하여야 한다. 또, 이미 고령화 사회에 진입하여 고령사회를 향해 나아가고 있는 우리나라의 현실에 비추어 볼 때, 남성갱년기로 인한 사회, 경제적 비용의 증가는 더욱 늘어날 것으로 예상되며, 노령인구의 보다 높은 삶의 질 유지를 위해 앞으로 남성갱년기는 물론, 노화과정 전반에 대한 연구도 함께 수반되어야 할 것으로 생각된다.

참고문헌

1. 대한남성과학회. 남성갱년기. In: 대한남성과학회. 남성건강학. 2nd ed. 서울; 군자출판사; 2013;253-257.
2. 박남철. 남성갱년기증후군의 검사, 치료 및 추적관찰을 위한 2008 ISA, ISSAM, EAU, EAA 및 ASA 권고안 해설. 대한남성과학회지 2009;27:63-73.
3. Du Geon Moon, Jin Wook Kim, Je Jong Kim, Kwang Sung Park, Jong Kwan Park, Nam Cheol Park et al. Prevalence of Symptoms and Associated Comorbidities of Testosterone Deficiency Syndrome in the Korean General Population, J Sex Med 2014;11:583-594.
4. Elin RJ, Winters SJ. Current controversies in testosterone testing: aging and obesity. Clin Lab Med 2004:24:119-139.
5. Goncharova ND, Vengerin AA, Oganyan TE, Lapin BA. Ageassociated changes in hormonal function of the pancreas and regulation of blood glucose in monkeys. Bull Exp Biol Med 2004:137:280-283.
6. Juul A, Skakkebaek NE. Androgens and the ageing male. Hum Reprod Update 2002;8:423-433.
7. Matsumoto AM. Andropause: clinical implications of the decline in serum testosterone levels with aging in men. J Gerontol A Biol Sci Med Sci 2002;57: M76-99.
8. Nieschlag E, Swerdloff R, Behre HM, Gooren LJ, Kaufman JM, Legros JJ, et al. Investigation, treatment, and monitoring of lateonset hypogonadism in males: ISA, ISSAM, and EAU recommendations. J Androl 2006; 27:135-137.
9. Szulc P, Duboeuf F, Marchand F, Delmas PS. Hormonal and lifestyle determinants of appendicular skeletal muscle mass in men: the MINOS study. Am J Clin Nutr 2004;80:496-503.
10. Greco EA, Spera G, Aversa A. Combining testosterone and PDE5 inhibitors in erectile dysfunction: basic rationale and clinical evidence. Eur Urol 2006;50:940-47.
11. Haren MT, Kim MJ, Tariq SH, Wittert GA, Moley JE. Andropause: A quality of life issue in older males. Med Clin N Am 2006;90:1005-1023.
12. Kelleher S, Conway AJ, Handelsman DJ. Blood testosterone threshold for androgen deficiency symptoms. J Clin Endocrinol Netab 2004;89:3813-3817.

13. Moretti C, Frajese GV, Guccione L, Wannenes F, De Martino Mu, Fabbri A, et al. Androgens and body composition in the aging male. J Endocrinol Invest 2005;28 (suppl 3):56-64.

14. Seidman SN. Androgens and the aging male. Psychopharmacol Bull 2007;40:205-218.

15. Sato Y, Tanda H, Kato S, Onishi S, Nakajima H, Nanbu A, et al. Prevalence of major depressive disorder in self-referred patients in a late onset hypogonadism clinic. Int J Impot Res 2007;19:407-410.

16. Wang C, Nieschlag E, Swerdloff R, et al. ISA, ISSAM, EAU, EAA and ASA recommendations: investigation, treatment and monitoring of late-onset hypogonadism in males. Int J Impot Res 2009;21:1-8.

CHAPTER 62

남성갱년기의 진단

Diagnosis of Late Onset Hypogonadism

■ 문두건

1930년대에 남성호르몬을 합성한 이후 1990년대에 간독성이 없어 안전하고 혈중농도가 잘 유지되는 효과적인 경피형제형이 개발되면서 최근에는 성선기능저하증 환자에서 남성호르몬보충요법이 여러 표적장기에 이로운 효과를 나타내고 노령층에서도 단기보충요법이 젊은 성선기능저하증 환자에서와 비슷한 효과를 나타내는 것으로 밝혀졌다. 한편, 전세계적으로 노령인구가 증가 추세에 있어 남성 갱년기와 남성호르몬 보충요법에 대한 관심과 사용이 증가한 만큼 남성호르몬에 관한 논쟁 또한 증가하고 있는 실정이다. 이는 남성호르몬 감소에 특이적인 남성갱년기의 확립된 진단 및 치료의 기준이 없기 때문이다.

2002년 국제남성갱년기학회(International Society for the Study of the Aging Male, ISSAM)는 '후기발현 성선기능저하증 (late-onset hypogonadism, LOH 혹은 남성갱년기증후군)의 정의와 진단, 치료 및 추적관찰에 관한 권고안을 제시한 이후, ISSAM의 간행위원회(writing committee)는 2005년 ISA (International Society of Andrology), EAU (European Association of Urology)와 함께 개정 권고안을 출간하였으며, 2006년 대한남성갱년기학회는 대한남성학회와 함께 이 권고안을 우리의 실정에 맞게 정리하여 발표하였다. 이후 LOH보다는 연령증가에 따른 테스토스테론결핍증후군(age-associated testosterone deficiency syndrome, TDS)이 더 정확한 표현이라는 주장이 제기되었고 2007년 비뇨기과의사들이 간행위원회에 가세한 후 2008년 ISA, ISSAM, EAU, EAA (European Academy of Andrology), ASA (American Society of Andrology)는 근거중심의 2차 개정 권고안을 마련하여 관련 학술지들에 발표하였다. 2015년 ISSAM 권고안에서는 성인남성의 성선기능저하증 또는 테스토스테론 결핍(hypogonadism or testosterone deficiency in adult men)이라는 용어 사용을 제안하는데 이는 염색체이상, 뇌하수체이상, 고환이상 등 테스토스테론 결핍을 야기하는 모든 병증을 포함하는 것이 아니라 성인남성에서 발생하는 대사성 및 특발성 질환들과 같은 성선기능저하증과 관련된 주된 임상양상에 집중하는 것이라고 하였다. 또한 ADAM, AMS 등의 지표는 진단에 대한 특이도는 낮으나 LOH의 선별검사로서 효과적이며 남성호르몬 보충요법의 반응을 보이는데 유용하다고 보고 있다. 2002년 ISSAM의 첫 권고안이 마련된 이후 최근 2015년 개정판의 동향은 남성호르몬에 보다 특이적인 증상위주로 진단하고 남성호르몬보충요법시에도 증상별 장기별 보충효과에 관한 연구로 개별화하고 있다.

현재까지 남성갱년기 진단은 연구자마다 또는 각 종 학회마다 다양한 의견 및 방법을 제시하고 있고 이에 대한 확정된 지침은 없다. 이에 본 장에서는 지금까지 공감대를 얻고 있는 연구결과를 바탕으로 남성갱년기 진단방법을 알아보고자 한다.

1. 남성갱년기 진단기준의 변화의 배경

남성갱년기는 남성의 연령이 증가하면서 혈청 테스토스테론치의 감소와 연관된 임상증상이 나타나고 이로 인해 각 장기의 기능에 부정적인 영향을 미치고 결국 삶의 질이 저하되는 것을 말한다. 이로 인해 1990년대에는 혈청 테스토스테론치의 저하로 진단을 하였으며 2000년대에 갱년기증상 설문지가 개발되었다. 이를 바탕으로 남성갱년기의 진단과 남성호르몬 보충요법을 시행한 결과, 남성갱년기에 특이적인 남성호르몬 수치를 정확하게 정의하고 측정하기 어려울 뿐만 아니라 임상증상 또한 정확하게 구분할 수 없고 갱년기증상설문지도 완벽하지 않다는 문제점이 지속적으로 제기되어 왔다. 반면에 비교적 안전하고 효과적인 남성호르몬제는 이미 개발되었고 남성갱년기를 극복하고자 하는 욕구는 증가하고 있기에 현재 마련된 권고안은 향후 연구결과에 따라 계속 변화할 수밖에 없는 실정이다. 또한, 현재까지의 제한점을 충분히 고려하면서 남성갱년기의 효과적인 진단 및 치료를 위해서는 남성갱년기의 진단 및 치료에 관한 모식도를 참고하는 것이 도움이 된다(그림 62-1).

2. 병력청취와 가족력

남성갱년기와 관련된 가족력에서는 모든 질병에 대해서 조사할 필요는 없지만, 심혈관계 질환, 고혈압, 고지혈증, 당뇨병, 악성종양에 대한 가족력은 남성갱년기의 진단 이외에도 질병의 예방이나 조기치료에 도움이 된다. 환자의 남성호르몬 수치나 성호르몬결합글로불린(sex hormone binding globulin, SHBG) 남성호르몬 수용체에 영향을 줄 수 있는 질환이나 약물에 대한 정보는 환자의 테스토스테론치를 평가하는데 매우 유용하다. 당뇨병, 만성폐쇄성호흡기질환, 염증성 관절질환, 만성 신부전증, AIDS 등의 만성 질환이나 비만과 같은 대사 증후군은 성선기능저하증의 위험인자이다. 또한 정신작용제, 성선자극호르몬 유리호르몬(gonadotropin releasing hormone, GnRH) 작용제 혹은 길항제, ketoconazole, aldactone, thiazide, opioids, 에스트로겐, 프로게스테론, 부신피질호르몬, amiodarone 등의 약물도 테스토스테론을 감소시키며, aldactone, flutamide, cimetidine 등은 테스토스테론 수용체를 간섭하여 테스토스테론의 효과를 감소시키는 제제이다.

3. 임상증상과 진단설문지

노화와 관련된 질병의 위험인자는 자연적인 노화과정의 일부일 뿐만 아니라 질병이 나타나는 과정자체가 노화과정이기 때문에 정확히 알기는 어렵다. 특히, 남성 갱년기와 같이 호르몬결핍으로 인한 증상은 일정한 정도가 되기 전까지는 건강에 영향을 미치지 않는다.

항상 혈중 테스토스테론치의 저하와 이로 인한 증상이 함께 동반되어 나타나는 것은 아니어서, Black 등은 생화학적 뒷받침 없더라도 증상이 있다면 치료를 시도하는 것이 더 바람직하다고 주장하였다. 이런 증상들은 크게 세 가지로 구분할 수 있는데, 첫째 성욕감퇴, 발기능 저하, 특히 야간 발기능 저하, 정액 감소와 생식능 저하를 특징으로 하는 성생식기능 저하, 둘째는 복부체지방 증가로 인한 체형의 변화, 근육량

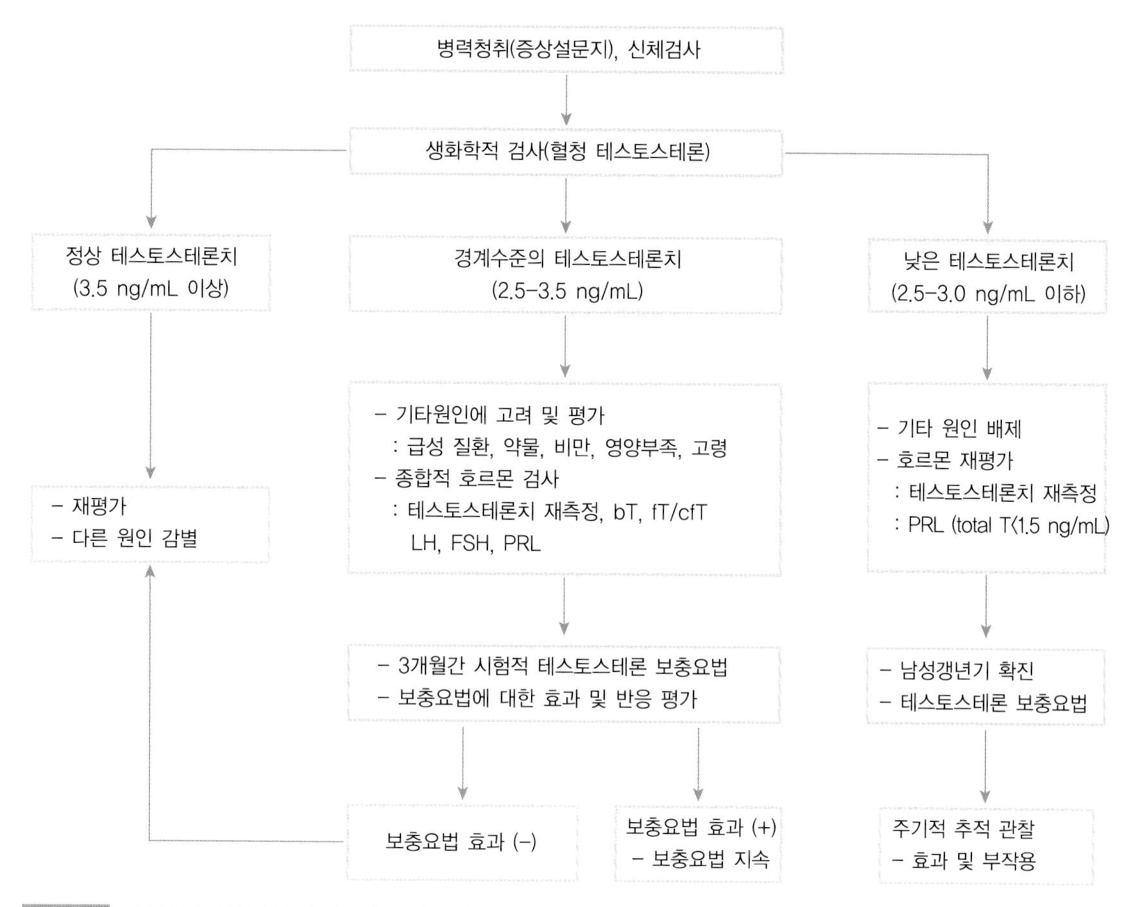

그림 62-1 남성갱년기의 진단 및 치료에 관한 모식도

및 힘의 저하, 골밀도 감소로 인한 골다공증, 탈모나 체모 감소, 안면홍조, 피부변화, 시력과 청력의 변화, 심혈관 및 호흡기능의 저하와 같은 신체기능의 변화, 셋째는 지적 능력 저하, 공간구분능력 저하, 기분저하, 의욕저하, 우울, 치매, 흥분, 만성피로와 같은 뇌신경기능의 저하 등이 있다. 이와 같은 증상들이 비특이적이며 다원적이고 대부분 모호하기 때문에 최근 국제성학회와 대한남성갱년기학회는 성욕 저하와 발기부전(빈도, 질, 특히 야간발기 장애), 지적 활동, 인지기능, 공간 지남력의 감소, 피로, 우울, 성급함을 수반하는 기분의 변화, 수면장애, 근육량과 근력의 감소와 관련된 체지방의 감소, 내장지방 증가, 체모의 감소 및 피부변화, 그리고 골밀도 감소의 7가지 증상을 특징으로 하고 있다고 보고하였다.

남성갱년기의 증상이나 징후를 파악하고 그 정도를 객관적으로 측정하기 위해 자가진단 설문지를 사용하고 있지만, 이를 측정할 수 있는 증상 점수표를 만들기란 쉽지는 않다. Morley 등은 생체이용가능 테스토스테론(bioavailable testosterone, bT) 수치가 낮은 사람들에게서 남성갱년기 증상 중 어떤 것이 더 흔한 지를 조사한 후, 이를 바탕으로 남성호르몬과 관련된 10개 문항의 ADAM(Androgen Deficiency in Aging Male)을 개발하였다(표 62-1). ADAM은 비교적 간단하고 사용하기가 편리하다는 장점 때문에 한글로도 번역되어 자가진단용이나 선별검사지로 사용되고 있으나 일부 문항은 부적절할 뿐만 아니라 점수제

표 62-1 ADAM Questionnaire

1. 나는 성적 흥미가 감소했다.
2. 나는 기력이 몹시 떨어졌다.
3. 나는 근력이나 지구력이 떨어졌다.
4. 나는 키가 줄었다.
5. 나는 삶에 대한 즐거움을 잃었다,
6. 나는 슬프거나 불안감이 있다.
7. 나는 발기의 강도가 떨어졌다.
8. 나는 최근 운동할 때 민첩성이 떨어졌다.
9. 나는 저녁식사 후 바로 졸리다.
10. 나는 최근 일의 능률이 떨어졌다.
1번 또는 7번이 해당되거나 나머지 7문항 중 3가지가 해당되면 남성갱년기로 판정

가 아니어서 증상의 정도를 평가하기에는 부족하다.

현재까지 개발된 남성갱년기 설문지 중에서 전립선비대증이나 성기능장애와 같이 국제적으로 인정된 것은 없지만 전 세계적으로 가장 널리 사용되고 있는 것은 Heinemann 등이 개발한 AMS (Aging Male' s Symptoms) rating scale로 각국의 언어로 번역하여 사용되고 있다(표 62-2).

Heinemann 등은 40세 이상의 건강한 남성을 대상으로 노화에 따른 증상을 조사하고 요인분석과 유효성 검사를 통해 정신적 증상 5항목, 신체적 증상 7항목, 성적증상 5항목의 총 17개 항목, 5등급으로 구성된 설문지를 개발하여 증상에 따라 4등급으로 분류하였다. 그러나 AMS는 정상인을 대상으로 개발하였을 뿐만 아니라 등급판정의 기준에 남성호르몬 부족 환자가 얼마나 포함되었는지를 알 수가 없으며, 3개 영역 중 어느 것이 남성호르몬 부족과 가장 연관이 있는 증상인지는 명확하지 않다. 이로 인해 Heinemann 등은 AMS는 남성호르몬에 특이적인 자가설문 증상 점수표가 아니라 남성갱년기 환자의 삶의 질을 평가하는 것이라고 하였다. 따라서, AMS는 테스토스테론치와 관련이 없다는 연구결과들이 발표되는 것은 당연한 결과이다.

이에 2008년 권고안에서는 AMS나 ADAM과 같은 설문지는 특이성이 낮기 때문에 성선기능저하증의 진단에 권유하지 않는다고 하였다. 그러나 이러한 제한점에도 불구하고 남성갱년기의 진단에 사용할 증상설문지가 필요하기 때문에 2015년 ISSAM 권고안에서는 AMS는 남성갱년기의 진단을 내리는데 있어 특이도는 낮으나 선별검사로서 효과적이며 증상의 여부 및 심한 정도를 평가하고 추적 관찰하는데 유용성이 있다고 하였다. 현재까지 남성갱년기의 진단 및 치료법이 완전히 확립된 상태는 아니기 때문에 치료가능한 성선기능저하증 증상만을 진단하기 위해서는 테스토스테론 결핍과 관련이 있는 증상이나 징후를 파악하는 것이 효과적일 뿐만 아니라 남성호르몬의 오남용과 부작용을 방지할 수 있다. 성선기능저하증과 가장 관련이 있는 것은 성욕저하이며 발기부전, 근육량 및 근력의 감소, 체지방증가, 골밀도 감소 및 골다공증, 활력저하 및 우울한 기분 등은 테스토스테론치의 저하를 의심할 수는 있으나 현재까지의 연구결과로는 테스토스테론치의 저하에 따른 특이적인 증상으로만 볼 수는 없다.

4. 신체검사

성선기능저하증은 임상증상과 테스토스테론치만으로 완벽하게 진단할 수 없으므로 환자의 병력을 자세히 청취하고 철저한 신체검사를 통하여 좀 더 정확한 정보를 얻을 수 있을 뿐만 아니라 불필요한 검사가 중복되는 것을 방지함으로써 최소한의 비용으로 테스토스테론의 결핍을 진단할 수 있다. 신체검사 시에는 심혈관계, 구해면체반사, 항문괄약근 긴장도, 고환과 음경의 민감도, 회음부의 감각 등 간단한 신경학적 검사와 고환용적, 치모, 여성형 유방 등에 대한 검사로 일차와 이차성징을 관찰하여야 한다. 특히, 테스토스테론치는 고환의 발육상태나 용적과 관계가

표 62-2 Aging Male's Symptoms (AMS) rating scale of Heinemann

1. 몸 상태가 안 좋아진 느낌이다.				
2. 관절과 근육이 아프다.				
3. 땀이 지나치게 많이 난다.				
4. 수면장애가 있다.				
5. 수면시간을 늘리고 싶고 가끔씩 피곤하다				
6. 잘 흥분한다.				
7. 신경이 예민하다.				
8. 항상 불안하다.				
9. 신체적으로 기진맥진하고 활력이 없다				
10. 근력이 저하되고 있다				
11. 기분이 우울하다				
12. 전성기가 지나버린 느낌이다.				
13. 정서적으로 탈진한 느낌이다.				
14. 수염이 자라는 속도가 떨어진다.				
15. 정력이 떨어지고 성생활 횟수도 줄고 있다.				
16. 아침에 발기되는 횟수가 줄고 있다.				
17. 성욕이 줄고 성적 충동도 줄고 있다				
증상의 정도에 따른 배점				
없음: 1,	경도: 2,	중등도: 3,	심함: 4,	매우 심함: 5
판정기준				
정신적 증상	없음	경도	중등도	고등도
(6,7,8,11,13)	5점 이하	6-8	9-12	12점 이상
육체적 증상 (1,2,3,4,5,9,10)	8점 이하	9-12	13-18	19점 이상
성적 증상 (12,14,15,16,17)	5점 이하	6-7	8-10	11점 이상
총점	17-26	27-36	37-49	50 점 이상

있는데 고환은 18세 정도가 되면 성인의 크기에 도달하고 점차 그 크기가 감소하게 된다. 고환용적을 측정하는 방법은 장경 및 횡경을 측정한 후 고환 용적 측정 공식으로부터 산출하거나(고환용적 = 0.52 × 길이 × 폭2), 또는 Prader 고환용적기(orchidometer)를 이용할 수도 있다. 성인에서 고환의 평균용적은 18.6 ± 4.8 mL 이며 보통 15 mL 이상이면 정상으로 간주한다.

5. 호르몬 검사

1) 테스토스테론

(1) 테스토스테론의 측정법

남성갱년기의 진단을 위해서는 남성호르몬치의 측정이 가장 중요하다. 테스토스테론치의 측정에는 여러 방법과 계산식이 있지만, 아직까지 어느 수치가 정확한 테스토스테론의 농도를 반영하는지, 이 농도가 생리적 또는 병리적 변화와 관계가 있는지, 젊은 사람의 정상치를 갱년기의 진단에 이용해도 되는지 등에 대해서는 확립된 것이 없다. 테스토스테론치에 영향을 주는 또 다른 변수는 SHBG이다 SHBG는 여러 가지 병리적 상황에서 변화하여 총 테스토스테론치에 변화를 줄 뿐만 아니라 나이가 증가함에 따라 증가되는데 이는 성장호르몬 생산이 감소하고 유리 테스토스테론에 비해 free estradiol이 증가하기 때문이다(표 62-3). 이와 같이 SHBG의 변화에 따라 총 테스토스테론치의 유용성이 떨어지는 경우에는 남성호르몬치를 가장 정확히 반영하는 유리 테스토스테론치를 측정하여야 한다. 유리 테스토스테론치는 SHBG에 대한 총 테스토스테론치의 비 (유리 테스토스테론 지수 = 총 테스토스테론 농도 / SHBG 농도)로 계산할 수도 있으며 직접 측정하는 방법 중에서 면역측정법은 정확하지 않고 검사실 간의 차이가 있으며 평형투석법은 표준검사법으로 인정되고 있으나 시간과 비용소모가 크다. 이로 인해 Vermeulen 등은 유리 테스토스테론치를 직접 측정하기 보다는 총 테스토스테론과 SHBG, 알부민의 결합계수를 이용하여 유리 테스토스테론치를 계산하는 방법을 개발하였는데 이 계산치와 equilibrium dialysis 방법으로 측정한 수치와의 상관관계가 우수하다고 하였다. 이 계산식은 ISSAM website(www.issam.ch/freetesto.htm)를 통해 쉽게 이용할 수 있다. 한편 알부민과 느슨하게 결합한 테스토스테론은 적지 않을 뿐만 아니라 쉽게 분리되어 체내에서 작용하기 때문에 단순한 유리 테스토스테론 보다는 생체이용가능 테스토스테론의 중요성이 많이 부각되고 있다. 생체이용가능 테스토스테론의 측정법은 ammonium sulfate를 첨가하여 SHBG 결합 테스토스테론을 침전시킨 후 상층부의 SHBG 비결합 테스토스테론을 측정하는데 2단계 측정법으로 측정이 어렵고 가격이 비싸다. 최근에는 타액에서 측정한 테스토스테론치가 유리 테스토스테론치를 대체할 수 있다고 하나 측정법이 표준화되어 있지 않고 성인의 정상 기준치도 확립되어 있지 않아 현재까지는 권장되지 않고 있다.

(2) 테스토스테론의 정상치

테스토스테론치의 측정을 위한 혈액은 오전 7-11시 사이에 채취하여야 하며 박동성 분비를 고려하여 최소한 3개의 샘플을 20-40분 간격으로, 혹은 2개의 샘플을 1, 2주 간격으로 채취하여 각각 혹은 동량을 혼합한 혈액(pooled blood)의 농도를 측정하는 것이 가장 이상적이다. 그러나 실제 임상에서는 최소한 2회 이상 측정하는 것이 좋으며 SHBG나 다른 호르몬을 측정할 때도 가능하면 동일한 샘플에서 측정하여

표 62-3 성호르몬 결합단백질(sex hormone binding globulin, SHBG)에 영향을 주는 인자

SHBG 증가	SHBG 감소
Age	Androgens
Estrogens and xenoestrogens	Insulin and obesity
Glucocorticoids	Growth hormone, Acromegaly
Thyroxine and hyperthyroidism	Hypothyroidism
Hepatitis and Liver cirrhosis	Corticosteroids
HIV infections	Nephrotic syndrome
Free fatty acids (saturated FFA)	Diet:high protein and low carbohydrate
Phenytoin (anticonvulsant)	Danazol (Progestins)

야 한다. 가장 보편적인 방법은 먼저 총 테스토스테론치를 측정하고 정상치 이하인 경우 SHBG를 측정하여 유리 테스토스테론치와 생물학적 활성 테스토스테론치를 계산하여 사용하거나 유리 테스토스테론치를 측정하는 것이다.

한편, 테스토스테론측정법의 다양함과 제한점으로 인해 성인 남성에서 테스토스테론의 정상범위는 학회나 단체에 따라 다르다. 2010년 미국내분비학회에서는 총 테스토스테론이 9.8-10.4 nmol/L (280-300 ng/dL) 미만 이거나 유리 테스토스테론이 5-9 ng/dL 미만일 경우 아침 테스토스테론 수치를 재측정 하도록 권하고 있으며 재검사상 총테스토스테론이 6.9 nmom/L (200 ng/dL) 미만이면 성선기능저하증으로 진단한다. 그러나 남성갱년기는 생화학적인 면으로만 진단이 이루어지지 않고 임상적인 면을 고려하여 진단하기 때문에 2008년 ISSAM 권고안에서는 총 테스토스테론치가 12 nmol/L (346 ng/dL -350 ng/dL) 이상이거나 유리 테스토스테론이 250 pmol/L (72 pg/mL) 이상이면 남성호르몬 보충은 필요 없고 총 테스토스테론치가 8 nmol/L (230 ng/dL) 이하이면 대부분 보충요법의 효과가 있을 것이며 유리 테스토스테론치가 225 pmol/L (65 pg/mL) 이하이면 보충요법의 대상이 된다고 하였으며 2015년 권고안에는 총 테스토스테론치가 12 nmol/L (346 ng/dL -350 ng/dL) 이상일 경우에도 증상이 있다면 호르몬 보충요법 치료의 타당성이 있다고 하였다. 총 테스토스테론치가 8-12 nmol/L인 경우에는 SHBG와 함께 총 테스토스테론치를 재측정하여 유리 테스토스테론치를 계산하거나 직접 측정하는 것이 도움이 된다.

또한 최근에는 다양한 LOH의 증상에 대하여 각각의 증상 별 테스토스테론 기준 값이 다르다고 보고 있다. 성욕과 정력의 감소가 가장 먼저 나타나며 우울증, 비만, 발기능 저하, 골밀도 감소가 차례로 나타난다. 남성호르몬 보충요법 치료 시에도 남성갱년기 증상의 개선 또한 각각의 기관에 따라 특정 시간대를 가지고 서로 다른 시간에 발생한다.

한편, 비만환자에서는 총 테스토스테론치가 성선기능저하증의 진단적 검사가 아니기 때문에 유리 테스토스테론이나 생체이용가능 테스토스테론치를 측정하여야 한다. 혈청 총 테스토스테론치가 정상 성인치의 하한선이거나 그 이하이고, 일차성과 이차성 성선기능저하증을 구분하기 위해서는 황체형성호르몬 (lutenizing hormone, LH)을 측정하는 것이 좋고 총 테스토스테론 치가 5.2 nmol/L (150 ng/dL) 이하이거나 이차성 성선 기능저하증이 의심되는 경우에는 prolactin 수치를 측정하여야 하며, 자기공명 영상촬영을 통하여 부신피질이나 시상하부질환의 가능성을 배제하여야 한다.

2) 기타호르몬

노화와 연관된 변화는 테스토스테론 이외에도 estradiol, growth hormone, DHEA와 같은 다른 내분비 기관에도 나타난다. 지난 10여 년간 이러한 기타 호르몬들에 관한 많은 연구가 있었으나 이러한 호르몬들의 중요성에 대해서는 아직 정확히 밝혀지거나 정립된 것은 없다. 따라서 현재까지의 연구 결과로는 다른 내분비기관의 이상이 의심되는 증상이나 징후가 발견되지 않는 한 estradiol, thyroid hormone, cortisol, DHEA, DHEA—S, melatonin, GH, IGF-I을 평가하거나 사용할 필요는 없다.

6. 비뇨기과적 선별검사

1) 성기능

남성갱년기의 3대 영역 증상 중에서 가장 흔한 것이 성기능장애로 남성호르몬부족과 가장 관련이 많은 것은 성욕감소이며 발기부전은 남성호르몬부족에 특이적 증상은 아니지만 남성호르몬 부족을 의심할 수 있다. 이는 발기능을 포함한 정상적인 성기능은 혈관계, 신경계, 호르몬계, 대사계 및 성적활동을 하고자 하는 사고방식과 성욕, 약물 등이 총체적으로 작용하기 때문이다. 특히 최근에는 남성호르몬보충요법이 성기능을 향상시키는 연구결과가 많이 보고되고 있다. 이로 인해 최근의 권고안에서도 모든 발기부전환자나 성욕감소를 호소하는 환자의 초기검사로 테스토스테론치를 측정할 것을 권유하고 있다. 성기능을 평가하기 위한 설문지로는 국제발기능지수(Internationl Index of Erectile Function, IIEF)가 가장 많이 사용되고 있으며 발기능, 극치감, 성적욕구, 성교 시 만족도 및 총체적인 만족도 의 다섯 가지 영역으로 성기능을 평가하고 있다. 또한, 성기능장애는 당뇨, hyperprolactinemia, 대사증후군, 방광출구폐색, 말초혈관질환이나 약물과도 연관이 있으므로 이에 대한 평가도 같이 시행하는 것이 좋다.

2) 전립선 안전성에 대한 검사

현재까지 남성호르몬 보충요법이 전립선암이나 전립선비대증의 발생 위험성을 증가시킨다는 결정적인 근거는 없으며 또한 임상적으로 진단되지 않은(subclinical) 전립선암을 임상적으로 발견되는(clinically detectable) 전립선암으로 변화시킨다는 근거도 없다. 그러나 국소적으로 진행된 전립선암이나 전이성 전립선암을 더 자라게 하고 증상을 악화시킨다는 것에 대해서는 상반된 결과들이 보고되고 있다. 향후, 남성호르몬보충요법이 전립선암에 미치는 영향에 대한 장기연구결과가 나올 때까지는 갱년기남성의 호르몬보충요법 시작 전 전립선암에 대한 평가를 시행할 필요가 있으며 전립선의 안전성에 관해서 주의 깊은 추적관찰을 요한다.

전립선암의 선별검사로 경직장 전립선수지검사와 PSA 측정을 시행하여야 한다. 남성호르몬 보충요법시 PSA 추적 관찰을 해야 하며 시작일 기준으로 3-6개월 후, 12개월 후, 이후 매 1년마다 시행을 권하고 있다. 추적검사 시 직장수지검사 상 이상이나 PSA가 1.0 ng/ml 이상 증가하거나 PSAV>0.35ng/ml 일 경우 경직장 전립선생검을 포함한 정밀검사가 필요하다. 미국내분비학회에서는, PSA가 4이상일 경우에는 남성호르몬 보충요법의 고위험군으로 시행하지 않을 것을 권하고 있다.

3) 하부요로증상 (Lower urinary tract symptoms)

노화과정의 많은 남성들은 빈뇨, 세뇨, 야간뇨, 급박뇨, 급박요실금, 잔뇨, 요실금, 급성요폐 등의 배뇨증상을 경험하게 된다. 이러한 하부요로증상이 삶의 질에 미치는 영향은 개인차가 심하기 때문에 진단과 치료의 필요성은 환자가 느끼는 괴로움의 정도에 따라 다르다. 그러나 남성갱년기 환자에서 하부요로증상을 평가하여야 하는 이유는 남성호르몬요법이 전립선의 성장이나 하부요로증상에 미칠 수도 있을 뿐만 아니라 하부요로증상이 성기능 등의 다른 증상과도 밀접한 관계가 있기 때문이다. 현재까지의 연구결과, 하부요로증상 및 전립선비대증과 남성호르몬 간에는 상관관계가 있다고 보고 있으며 갱년기 남성에서 남성호르몬 보충요법이 하부요로증상을 악화시키거나 급성 요폐를 유발한다는 증거는 없다. 미국내분비학회에서는 국제전립선증상점수(International Prostate Symptom Score, IPSS)가 20점 이상일 경우에는 주의할 필요성이 있다고 하며 몇몇 다른 연구들에서는 남성호르몬 보충요법시 전립선 비대증 및 하부요로증상이 개선된다는 보고도 있다.

7. 기타 보조적 검사

남성갱년기는 테스토스테론치의 감소와 함께 동반된 임상증상으로 진단을 하는데 성욕감소를 제외한 발기 부전, 근육 및 근력감소, 체지방증기 골밀도감소와 골다공증 등은 테스토스테론 감소에 의한 특이증상은 아니지만 테스토스테론 감소를 의심할 수는 있다. 또한 남성갱년기를 진단하려는 목적은 남성호르몬보충요법의 필요성을 판단하려는 목적 때문이므로 보충요법의 효과와 부작용을 평가하기 위해 보조적인 추가 검사가 필요하다.

1) 골밀도

골다공증(osteoporosis)의 발생에 영향을 주는 두 가지 중요한 요인은 성장 시 획득된 최대 골량과 이후의 골소실율인데 여기에는 나이, 성별, 유전, 호르몬, 생활습관, 질병이나 수술 등이 영향을 미치게 된다. 성선기능저하증은 남성에서 골소실을 야기하며 이차성 골다공증의 주요원인으로 알려져 있다. 골감소증(osteopenia), 골다공증, 골절의 유병률은 젊은 성선기능저하증환자나 노인에서 증가하고 모든 연령의 성선기능저하증 환자에게 테스토스테론을 보충하면 골밀도는 증가한다. 아직 골절의 유병률과 남성호르몬 보충요법의 결과는 부족하지만 성선기능저하증 환자에서는 2년 간격으로 골밀도를 측정하고 골감소증이 있는 사람에서는 테스토스테론치를 측정하여야 한다. WHO 기준에 의하면 측정한 골량이 젊은 성인 골량의 평균에서 2.5 SD 이하로 감소된 경우를 골다공증(osteoporosis)으로 정의하고, 하나 이상의 골절이 동반된 경우를 확립된 골다공증 또는 중증 골다공증이라 하며, 골밀도가 평균치보다 1-2.5 SD 정도 낮으면 골감소증이라 한다. 검사실 검사로는 혈청 칼슘과 알부민을 측정하여야 하며, alkaline phosphatase와 osteocalcin을 측정하면 골교체(turn-over)의 정도를 알 수 있다.

소변 내의 칼슘량을 측정하면 비정상적인 양의 칼슘이 소실되는지를 알 수 있다. 24시간 소변검사에서 칼슘과 골재흡수 대사산물인 hydroxyproline이나 deoxy-pyrolidine을 측정하는 것이 도움이 되기도 한다. 이때 24시간뇨가 아니라도 2시간뇨와 creatinine을 측정하면 충분한 정보는 얻을 수 있다.

2) 비만, 대사증후군과 제 2형 당뇨

대사증후군의 구성요소인 비만, 고혈압, 이상지혈증, 당뇨는 성선기능저하증에서도 나타나는데 역학조사를 포함한 현재까지의 많은 연구결과, 비만과 테스토스테론치의 저하와 발기부전은 밀접한 관계가 있는 것으로 밝혀졌다(그림 62-2). 비만은 내피세포의 기능에 부정적인 영향을 미치고 인슐린 저항성과 대사증후군을 통해 테스토스테론치를 저하시키는데, 비만인 사람의 20-64%에서 총 테스토스테론이나 유리 테스토스테론 저하 소견이 관찰되며, 또한 복부장기의 체지방분포는 심혈관계 질환이나 당뇨병의 발생을 암시하는 지표로 잘 알려져 있다.

(1) 비만

비만 정도를 나타내는 여러 지표 중에서 가장 많이 쓰이는 것은 신체질량지수(body mass index, BMI)로 신장(m^2)에 대한 체중(kg)의 비 (kg/m^2)이기 때문에 체중보다 더 유용한 지수이다. BMI의 정상치는 18-25 kg/m^2이며 25-30은 과체중, 30 이상은 비만, 40 이상은 과도비만으로 분류한다. 아시아인들은 BMI가 비교적 낮은데도 질병의 이환율이나 사망률이 높기 때문에 세계보건기구는 BMI 가이드라인을 개정하여 동양인은 23 이상이면 과체중, 25 이상이면 비만으로 분류하고 있다. 한편, BMI는 지방분포와 연관된 건강에 대한 위험을 잘 반영하지는 못하므로 허리와 둔부의 비 또는 허리둘레를 추가로 이용하기도 한다. 허리둘레는 늑골과 장골능의 중간부위를 측정하고, 둔부둘레는 양측 고관절 사이를 측정한다. 허리와 둔부의 비가 1.0 이상이면 복부비만, 허리둘레가 100 cm (여성 88 cm) 이상이면 복부/내장 비만을 의미한다. 아시아인은 전신비만은 없는데도 복부 내의 지방이 많으므로 세계보건기구의 아시아인 guideline에서는 남녀 각각 허리둘레가 90 cm (여성 80 cm) 이상이면 복부비만으로 정의하고 있다. 그 외에 복부 CT 촬영, 피부두께 등 부위에 따라 여러 가지 측정법이 있다.

그림 62-2 비만, 대사증후군, 혈중 테스토스테론 치 저하와 발기부전의 상호관계

(2) 당뇨

당뇨병에서는 인슐린 저항성, 고혈압, 이상지혈증과 같은 심혈관계 질환의 위험인자들이 누적되어 나타날 뿐만 아니라 대사증후군과 제 2형 당뇨는 테스토스테론치의 저하와 관련이 있다. 당뇨병은 조절 가능한 질환이므로 조기 진단을 통해 다른 위험인자와 함께 적극적으로 치료해야 한다. 공복 시 혈당이 110-125 mg/dL이면 포도당 비내성(glucose intolerance)으로 매 6개월마다 추적관찰하여야 하며, 126 mg/dL이상이면 임상적 당뇨병으로 치료가 필요하다. 한편, 남성호르몬 부족증상이 있는 당뇨환자에서는 테스토스테론치를 측정하여야 하지만 테스토스테론 보충요법이 혈당 조절에 영향을 주는지는 아직 밝혀지지 않았다.

(3) 심혈관계 질환 및 위험인자

심혈관계 위험인자들 중에서 조절할 수 없는 것으로는 연령, 성, 가족력이 있고, 조절함으로써 심혈관계 질환의 위험을 낮추고 건강을 지킬 수 있는 인자들로는 흡연, 고혈압 ,당뇨병, 고지혈증, 운동부족 등이 있다. 이들은 대사증후군의 구성요소일 뿐만 아니라 남성호르몬 및 성기능과도 연관이 있으므로 남성갱년기의 진단 및 치료에 보조적인 역할을 하는 인자이다. 흡연은 세계보건기구에서 질병으로 규정하였으며 심혈관계의 중대한 위협으로 뇌졸중, 말초동맥질환은 흡연량에 의존적이며, 심근경색, 급사와도 관련이 있다. 고혈압환자에서 혈압을 낮추는 것이 예방효과가 있다는 것은 이미 잘 알려져 있으며, 비만, 특히 복부비만은 고혈압의 주요 위험인자이다. 모든 심혈관계 사건의 35%는 고혈압과 관련이 있으므로 경도나 중등도의 고혈압도 진단하고 치료하는 것이 바람직하다. 육체적인 운동량의 부족이 심혈관계 질환에 미치는 영향은 잘 알려져 있다. 조금이라도 움직이는 것이 도움이 되며, 체중, 혈압, 포도당내성, 지질 등의 위험인자를 향상시키는데 도움이 된다.

또한, 근력운동은 테스토스테론치를 증가시키고 남성호르몬 보충요법은 근육량과 근력을 증가시키는 것으로 알려져 있다. 미국국립보건기구는 매일 중등도의 강도로 30분 정도의 규칙적인 운동을 할 것을 권유하고 있다. 총 콜레스테롤 및 저밀도 지질단백(low-density lipoprotein, LDL) 콜레스테롤과 심혈관계질환의 인과 관계는 잘 알려져 있으며 남성호르몬 보충요법은 콜레스테롤 수치에도 영향을 미치는 것으로 알려져 있다.

지질검사는 총 콜레스테롤, HDL, LDL, 중성지방으로 이루어져 있으며, 각각의 정상치는 총 콜레스테롤〈5mmol/L (200mg/dl), HDL〉1.0nmol/L (35mg/dl), LDL〈4.0mmol/L (130mg/dl), triglycerides〈1.8 mmol/L (200mg/dl) 이다. LDL/HDL 비는 4 이하여야 한다. 콜레스테롤, 특히 LDL을 낮추면 뇌졸중을 포함한 심혈관계질환의 발생을 줄일 수 있고 HDL을 증가시키는 약물은 심혈관계 사망률을 감소시키며, 흡연, 과체중, 운동부족은 HDL치에 부정적인 영향을 미친다. 고중성지방혈증(hypertriglyceridemia)는 HDL이 낮은 경우나 복부비만 등의 위험인자와 서로 얽혀있어 인슐린 저항성이나 혈전증과도 연관이 있다. 따라서 고중성지방혈증은 주의 깊게 관찰하여 필요한 경우에는 복합적인 진단적 검사를 통해서 위험인자를 교정해 주어야 한다.

8. 요약

남성갱년기의 진단은 노화에 의한 테스토스테론치의 감소 및 임상 증상에 의거하여 이루어진다. 테스토스테론은 현재까지도 정확하게 측정할 수 있는 표준 방법이 없으며 임상증상 역시 정신적, 육체적, 성적인 3개영역에 광범위하게 나타나는 복합적인 현상이므로 자연적인 노화현상과 구분하여 테스토스테론치의 저하와 관련이 있는 증상만을 평가하기는 쉽지 않다. 이로 인해 최근에도 남성갱년기 진단에 대한 권고안은 각 학회마다, 연구자마다 다르며 치료 방법에 있어서도 최근까지도 많은 변화를 겪고 있다. 향후에도 더 많은 연구를 통해 남성갱년기의 진단 및 치료법은 계속 진화할 것으로 예상되므로 남성갱년기의 진단 및 치료에 관심이 있는 의사라면 누구나 지속적인 관심과 주의가 필요하다.

참고문헌

1. 대한남성과학회. 남성갱년기. In: 대한남성과학회. 남성건강학. 2nd ed. 서울; 군자출판사; 2013;273-282.
2. Carruthers M. The paradox dividing testosterone deficiency symptoms and androgen assays: a closer look at the cellular and molecular mechanisms of androgen action. J Sex Med 2008;5:998-1012.
3. Diaz-Arjonilla M, Schwarcz M, Swerdloff RS, Wang C. Obesity, low testosterone levels and erectile dysfunction. Int J Impot Res 2009;21:89-98.
4. Dobs AS. The role of accurate testosterone testing in the treatment and management of male hypogonadism. Steroids 2008;73:1305-1310.
5. Dobs AS, Morgentaler A. Does testosterone therapy increase the risk of prostate cancer? Endocr Pract 2008;14:904-911.
6. Gooren LJG. Diagnostic approach to the aging male. World J Urol 2002;20:17-22.
7. Heinemann LAJ, Zimmermann T, Vermeulen A, Thiel C, Hummel W. A new ' aging males' symptoms' rating scale. The Aging Male 1999;2:105-114.
8. Bernie, A.M., J.M. Scovell, and R. Ramasamy, Comparison of questionnaires used for screening and

symptom identification in hypogonadal men. Aging Male, 2014;17:195-198.

9. Lunenfeld B, Mskhalaya G, Zitzmann M, Arver S, Kalinchenko S, Tishova Y, et al. Recommendations on the diagnosis, treatment and monitoring of hypogonadism in men. Aging Male. 2015;18:5-15.
10. Ly LP, Handelsman DJ. Empirical estimation of free testosterone from testosterone and sex hormonebinding globulin immunoassays. Eur J Endocrinol 2005;152: 471-478.
11. Mahmoud A, Comhaire FH. Mechanisms of disease: late-onset hypogonadism. Nat Clin Pract Urol 2006;3: 430-438.
12. Miner MM, Sadovsky R. Evolving issues in male hypogonadism: evaluation, management, and related comorbidities. Cleve Clin J Med 2007;74(suppl 3):S38-46.
13. Morley JE, Charlton E, Patrick P, Kaiser FE, Cadeau P, McCready D, et al. Validation of a screening questionnaire for androgen deficiency in aging males. Metabolism 2000;49;1239-1242.
14. Raynaud JP, Tichet J, Born C, Taieb C, Igigabel P, Giton F, et al. Aging Male Questionnaire in normal and complaining men. J Sex Med 2008;5:2703-2712.
15. Nieschlag E, Swerdloff R, Behre HM, Gooren LJ, Kaufman JM, Legros JJ, et al. Investigation, treatment, and monitoring of lateonset hypogonadism in males: ISA, ISSAM, and EAU recommendations. J Androl 2006: 27:135-137.
16. Rosen RC, Riley A, Wagner G, Osterloh IH, Kirpatrik J, Mishra A. The international index of erectile dysfunction (IIEF): a multidimensional scale for assessment of erectile dysfunction. Urology 1997;49:822-830.
17. Rosner W, Auchus RJ, Azziz R, Sluss PM, Raff H. Position statement: Utility, limitations, and pitfalls in measuring testosterone: an Endocrine Society position statement. J Clin Endocrinol Metab 2007;92:405-413.
18. Ross PD. Osteoporosis. Frequency, consequences, and risk factors. Arch Intern Med 1996;156:1399-1411.
19. Traish AM, Saad F, Guay A. The dark side of testosterone deficiency: II. Type 2 diabetes and insulin resistance. J Androl 2009;30:23-32.
20. Corona, G., et al., Obesity and late-onset hypogonadism. Mol Cell Endocrinol, 2015;418 Pt 2:120-133.
21. Jarvis, T.R., B. Chughtai, and S.A. Kaplan, Testosterone and benign prostatic hyperplasia. Asian J Androl, 2015;17:212-216.
22. Vermeulen A, Verdonck L, Kaufman JM. A critical evaluation of simple methods for the estimation of free testosterone in serum. J Clin Endocrinol Metab 1999;84: 3666-3672.
23. Wang C, Nieschlag E, Swerdloff R, Behre HM, Hellstrom WJ, Gooren LJ, et al. ISA, ISSAM, EAU, EAA and ASA recommendations: investigation, treatment and monitoring of late-onset hypogonadism in males. Int J Impot Res 2009:21:1-8.
24. Yassin AA, El-Sakka AI, Saad F, Gooren LJ. Lower urinary-tract symptoms and testosterone in elderly men. World J Urol 2008;26:359-364.
25. Yeap BB. Testosterone and ill-health in aging men. Nat Clin Pract Endocrinol Metab 2009;5:113-121.

CHAPTER 63

남성갱년기의 치료

Management of Aging Male

■ 이성원, 이준호

남성갱년기 임상 증상은 특별하지 않고 노화현상과 유사하며, 일부 증상은 남성호르몬 보충요법보다 다른 치료방법들이 효과적이다. 즉 다른 만성 질환들과 마찬 가지로 교정 가능한 생활습관의 개선이 중요하다. 과도한 술과 담배를 금하고, 식습관의 개선 및 운동을 통해 내장지방을 감소시키고, 근력을 강화할 수 있다. 그리고 bisphosphonate는 골다공증에 효과적인 치료약으로 사용가능하며, 항우울제와 상담은 불쾌감 치료에 효과적이다. 하지만 이런 방법들은 중도 탈락률이 높기 때문에 효과적이지 못하다. 따라서 생화학적 근거가 분명하며 뚜렷한 증상을 가지고 있는 남성갱년기 환자라면 생활 습관의 교정과 함께 테스토스테론 보충요법의 대상이 된다.

노령층의 남성에서 테스토스테론 보충요법이 노화를 예방하거나 일부의 노화 현상을 역행시킬 가능성에 대하여 관심이 높았고 이에 대한 연구가 진행되었다. 특히 급격한 노령인구의 증가와 맞물려 노화와 연관된 기능 장애와 노인의 삶을 질적으로 향상 시킬 가능성에 따라 많은 관심을 받고 있다. 테스토스테론 보충요법의 지난 10년간의 연구는 남성갱년기 노인의 여러 기관에 이점이 있다는 증거를 보여주고 있다. 최근 연구에서는 테스토스테론이 낮은 노인에서의 테스토스테론 보충요법이 젊은 남성에서의 치료효과와 유사한 단기 효과를 보인다고 하였다. 하지만 노인에서의 테스토스테론 보충요법의 장기 효과는 아직까지 골에 대한 영향과 체구성에 대한 영향에 주로 국한되어 있다. 신체 상태 호전, 행복감 및 기분 향상, 삶의 질 증가 같은 중요한 질문에 대한 자료는 아직 부족한 상태이다. 특히 전립선과 심혈관계 에 미치는 영향에 대한 연구가 더욱 필요한 상태이다. 따라서 테스토스테론 보충요법을 시행하기 위해서는 저테스토스테론혈증이라는 생화학적 증거와 더불어 특징적 임상양상에 근거한 분명한 적응증이 필요하다. 혈청 총 테스토스테론 12 nmol/L (350 ng/dL) 이상에서는 테스토스테론 보충요법이 필요하지 않으며, 마찬가지로 청년층에서의 자료를 근거로 총 테스토스테론 8 nmol/L (230 ng/dL) 이하에서는 보충요법이 필요하다. 유리 테스토스테론 수치의 일반적인 기준은 없지만, 225 pmol/L(65 pg/mL) 이하에서는 보충요법의 적응증이 된다. 또한 테스토스테론 결핍에 따른 증상은 총 테스토스테론 8-12 nmol/L에서 나타나므로, 이들 증상에 대한 다른 원인들이 배제된 환자들에서 보충요법의 치료적 시도가 고려될 수 있다.

1. 테스토스테론 보충요법에 사용 가능한 약제

혈중 테스토스테론의 대부분(65%)은 성호르몬결합 글로불린(Sex Hormone Binding Globulin, SHBG), 간 당단백질(hepatic glycoprotein)과 강력하게 결합하고 나머지는 알부민과 느슨하게 결합한 채로 존재한다. 혈중 테스토스테론의 1-2%만이 유리형으로 존재하며 자유롭게 표적조직(target tissue)에 작용한다. 테스토스테론은 그 자체로 작용할 뿐만 아니라 dihydrotest osterone(DHT)이나 estradiol의 형태로 전환하여 작용 한다. 테스토스테론은 주로 간에서 대사되며 17β 수산화탈수소효소(17β-hydroxy dehy- drogenase)에 의해 생물학적으로 비활동형인 andros- terone과 etiocholanol one으로 전환 된다. DHT는 androsterone과 androste nedione, androsenediol로 대사되며, 이러한 화합물들은 글루쿠로니드화(glucuro- nidation) 또는 황산화(sulfation)의 과정을 거쳐 소변으로 배출된다.

테스토스테론 보충요법 시 이상적인 호르몬 투여제는 혈중 테스토스테론의 농도를 생리적 상태와 가장 근접하도록 유도하는 약물이다. 현재까지 피하삽입제, 근육내 주사제, 경구용 제제, 경피 제제, 구강내 제제 등 다양한 투여 경로를 가진 제제들이 있으며, 각 제제마다 다양한 약동학적 특성을 가지고 있다. 이러한 약동학적 특성 외에도 환자의 연령 및 경제적 사정, 투여의 편리성, 부작용, 환자의 선호도 등을 함께 고려하여 가장 적합한 약제를 선택하는 것이 중요하다.

1) 경구약제

경구용 17α-alkylated androgens (17α-methyltes tosterone, fluoxymesterone, oxandrolone, stanozolol, oxymetholone)은 1970년대까지 남성 성선기능저하증 환자에서 테스토스테론을 보충하기 위한 목적으로 사용되어 왔으나, 효과를 나타내는데 많은 용량이 필요할 뿐만 아니라, 생체에서의 활성도를 예측하기 어려운 단점이 있다. 또한, 담즙정체, 간의 낭종성 질환, 간종양 등의 부작용으로 더 이상 임상적으로 추천되지 않는다.

Mesterolone은 1α부위를 알킬화한 제제로 간에서의 대사 작용을 피할 수 있는 장점이 있다. 화학적 구조에서 A 고리가 포화되어 있어 estradiol로 전환되거나 gonadotropin의 분비를 억제하지 않는 장점이 있다. 또 한, 17α-alkylated androgen 들과 달리 간독성을 나타내지도 않는다. 하지만, 테스토스테론의 생리학적인 효과를 완전히 나타내지 않는 단점이 있어 점차 사용이 감소하는 추세이다.

경구용 testosterone undecanoate는 40 mg의 캡슐 형태로 사용되며, 하루 40-160 mg을 2-3회 분복한다. 본 제제는 위장관의 임파선을 통해 흡수되므로 간장에서의 대사를 피할 수 있는 장점이 있다. 음식과 함께 투여 할 경우 지방으로 인한 임파선 흡수를 항진하여 생체이용률을 높일 수 있어 식사 중, 혹은 식사 후에 복용한다. Testosterone undecanoate의 생체이용률은 약 7%로 혈중 최고 농도는 약 2-6 시간 후에 도달하며, 투여시작 3일 정도 후에는 안정된 체내 농도를 유지하게 된다. 하지만, 약물 역동학적으로 개인별 차이를 많이 보이며 약물 흡수에 변수가 많고 반감기가 짧아 일정한 혈중 농도를 유지하기 어려운 단점이 있다. 또한, 약물의 최고 농도 유지시간이 매우 짧고 혈중 농도의 기복이 심하여 임상에서 약물 농도를 측정하는 것은 투여량을 결정하는 데 실질적으로 큰 도움을 주지는 못하는 것으로 알려져 있다. 경구 testosterone undecanoate는 장관의 5α환원 효소제의 영향으로 DHT를 증가시키며, 간문맥을 통한 다량의 남성호르몬의 간 유입은 SHBG을 감소시켜 DHT : 테스토스테론 비율을 증가시킨다. 경구용 test osterone undecanoate는 가격이 높으며 생체이용률이 낮은 단점이 있으며, 짧은 반감기로 인하여 매일

표 63-1 일반적으로 사용되는 테스토스테론 제제들

투여 경로	투여 제제	용량
피하 삽입	Testosterone implants	매 4-6주마다 400-800 mg
근내 투여	Testosterone enanthate	매 2-4주마다 200-250 mg
	Testosterone cypionate	매 2-4주마다 200 mg
	Testosterone propionate	매 주마다 2-3회 50 mg
	Testosterone undecanoate	매 10-12주마다 1000 mg
	Mixed testosterone esters	매 2-4주마다 250 mg
경구 투여	Testosterone undecanoate	매일 80-200 mg
피부 투여	Scrotal patches	매일 2.5-10.0 mg
	Nonscrotal skin patches	매일 5-15 mg
	Transdermal gel	매일 25-100 mg
구강점막 투여	Testosterone buccal system	하루 두 번 30 mg

여러번 약물을 복용해야 하는 제약이 있다.

2) 주사제

근육내 주사제는 1950년대 이후 남성호르몬 보충요법의 주된 치료법으로 자리 잡고 있다. 주사제의 종류는 매우 다양하며, testosterone enanthate, testosterone cypionate, testosterone propionate, testosterone butylcyclohexylcarboxylate, mixed testosterone esters 등이 있다. 일반적으로 testosterone esters 제재는 주사 초기에 초과생리적농도(supraphysiological testosterone levels)에 이르고 이후 감소하여 주사 직전에는 매우 낮은 농도를 보여 근력, 성기능 그리고 감정의 변화를 보이는 단점이 있다. 이러한 만족스럽지 못한 약동학적 특징에도 불구하고 근육 내 주사제는 최근까지도 널리 사용되고 있다. 이유는 다른 제제들에 비하여 약물 작용시간이 길고, 가격이 저렴하며, 용량의 조절이 용이한 장점이 있기 때문이다. 최근에는 이러한 단점을 줄이는 장시간 지속형 testosterone undecanoate 등이 사용되고 있다. 근육 내 주사제의 투여 농도를 적절히 유지하기 위해서는 다음 투여 직전에 테스토스테론 농도를 측정하는 것이 필요하며, 테스토스테론 농도가 15 nmol/L 보다 높거나 8 nmol/L 보다 낮을 경우에는 투여량 및 투 여빈도를 조절하도록 한다.

(1) Testosterone enanthate

반감기가 4.5 일로 혈중 최고 농도는 주사 후 10 시간 내에 이르며, 3-4주 후에는 정상 테스토스테론 농도 이하로 감소한다. 일반적으로 200-250 mg을 2-4주 간격으로 투여한다. 혈중 DHT와 estradiol의 농도는 테스토스테론 농도의 증가에 비례하여 증가하므로 DHT, estradiol과 테스토스테론의 비율은 변하지 않는다.

(2) Testosterone cypionate

반감기는 약 8일 가량으로 2-3주마다 200 mg을 투여 한다. 투여 후 초기에 생리적 혈중 농도 이상으로 상승하고 이후 농도가 저하되어 다음 주사 직전에는 최하 상태를 보인다.

(3) Testosterone propionate

반감기가 19시간으로 짧으며 50 mg 을 2-3일 간격으로 투여한다. 테스토스테론 농도의 기복(fluctuation)

이 심하고 작용시간이 짧아 단독 제제로는 장기적 호르몬 보충요법의 선택으로 적절하지 못하다. 일반적으로 mixed testosterone esters에 포함되어 사용되며, 유방암 및 사춘기 지연의 치료제로도 사용된다.

(4) Testosterone undecanoate

근래에 사용하게 된 제제로 1000 mg의 약물이 4 mL 의 피마자유에 용해되어 있다. 반감기는 약 34 일로 혈중 최고 농도는 주사 후 11.4일 이후에 도달한다. 1000 mg을 6-12주 간격으로 투여한다. 혈청 DHT 와 estradiol 수치가 테스토스테론 수치와 평행하게 증가하며 결과적으로 테스토스테론 대 DHT, 테스토스테론 대 estradiol의 비율에도 영향을 미치지 않았다. 초기 투여 후에는 투여 간격을 10-14주로 연장할 수 있어 1년에 4 번의 투여만으로도 치료가 가능한 장점이 있다. 본 제제는 남성호르몬 보충 요법을 장기간 유지할 필요가 있는 젊은 환자에서 더욱 유용하게 사용될 수 있다. 하지만, 약제의 반감기가 길어 노년층의 남성에서는 신중한 투여가 필요하다.

3) 경피용 제제

하루 중 필요한 테스토스테론의 양은 5-7 mg으로 이를 피부를 통하여 투여하는 방법이다. 일반적으로 흡수를 향상시키고 생체이용률을 증가시키기 위하여 첨가제를 사용한다. 음낭 피부 혹은 비음낭 피부를 통하여 투여할 수 있도록 한 제제는 1990년대 초반부터 사용되어 왔다. 초회효과(first-pass effects) 없이 호르몬 분비의 생리적 하루주기 변화(circadian rhythm)와 비슷하게 보충 할 수 있는 장점이 있으며, 부작용이 발생할 때 즉시 중단할 수 있어 고령층에서의 호르몬 보충요법에 적합한 장점이 있다. 하지만, 약제의 사용으로 인한 피부 부작용이 단점으로 지적되고 있다.

(1) 음낭 패치(Scrotal patch)

10-15 mg의 테스토스테론이 포함되어 있으며, 하루 4-6 mg의 테스토스테론이 투여된다. 음낭 피부의 경우 혈관이 풍부하고 모낭(hair follicle)이 풍부하여 약제의 투과에 적합하나 제모가 필요한 단점이 있다. 패치는 22-24시간 동안 부착한다. 테스토스테론 농도는 2-5시 간 후 최고에 이르며 정상 테스토스테론 농도 내에서 점차 감소하여 실제 생리적인 변화와 유사한 장점이 있다. 초과생리적농도에 도달하지 않고, 패치를 제거할 경우 테스토스테론 농도가 바로 감소하는 장점이 있다. 약제를 붙인 부위 피부의 소양감이 가장 흔한 이상반응으로 5-8%에서 발생한다. 비록 음낭패치는 효과가 우수한 방법이기는 하나 음낭 피부의 제모가 필요한 단점이 있으며 새로운 형태의 경피제제가 사용됨에 따라 현재는 많이 사용되지는 않고 있다.

(2) 비음낭 패치(Nonscrotal patch)

음낭 외 피부에 부착하는 패치로서 깨끗하고 건조한 피부에 부착하며 등이나 복부, 상완, 허벅지 등의 부위를 통하여 투여한다. 24시간 동안 부착 후 새로운 패치를 다른 부위에 부착하는 방법으로 사용한다. 패치를 밤에 사용함으로써 테스토스테론의 정상적인 일주기 변화와 비슷한 효과를 얻을 수 있다. 하루 5-6 mg의 테스토스테론 이 투여된다. DHT와 estradiol의 농도를 정상적인 농도로 유지되도록 하는 장점이 있다. 일시적인 발적과 소양감은 매우 빈번한 이상반응이나, 이 중 약물투여의 중단이 필요한 경우는 일부에 불과하다. 이외에도 알레르기성 접촉성피부염, 만성적인 피부자극, 피부 물집 반응 등이 일어날 수 있으며, 뼈가 돌출된 부위나 취침 중 압력을 지속적으로 받는 부위에 부착할 경우 흔하게 발생한다. 치료 전 triamcinolone acetonide 크림을 패치 부착 부위에 바르는 것이 피부반응의 줄이는데 도움이 된다고 알려져 있다. 피부반응, 날마다 붙여야 하는 불편함, 미용적인 단점으로 인하여 사용이 줄고 있다.

(3) 겔타입 제제(Transdermal gel)

알코올성 hydrogel을 통하여 테스토스테론을 경피적으로 투여하는 방법은 2002년부터 사용되어 왔다. 겔은 몸통이나 어깨, 상완에 하루 한 번, 얇게 바름으로써 투여할 수 있으며 바른 후에는 곧 건조된다. 피부의 각질 층이 저장소 역할을 하며 테스토스테론을 혈중으로 배출한다. 안정된 테스토스테론 농도는 48-72시간 후에 도달하며 96시간 후에는 초기 농도로 감소한다. 투여되는 테스토스테론의 9-14%가 생체이용이 가능해지는 것으로 알려져 있다. 상용화된 약제로는 1% 혹은 2% 제제가 있다. 혈중 DHT 농도가 정상범위 혹은 그 이상으로 상승하는 경향이 있지만, DHT와 테스토스테론의 비율은 정상 수준을 유지한다. Estradiol 농도는 치료와 함께 증가하나 정상 수준을 유지한다. 투여량을 평가하기 위한 목적으로는 하루 중 언제나 측정하여도 무방한 장점이 있으며, 장기 사용에도 비교적 안전한 것으로 알려져 있다. 피부자극은 가장 흔한 이상반응으로 4.0-5.5%에 서 발생한다.

혈색소와 전립선특이항원 농도가 증가하는 경향을 보이나 일반적으로 정상 범위 내에 유지되며, HDL과 LDL cholesterol의 변화는 없는 것으로 알려져 있다. Gel 형태의 테스토스테론 제제는 잠재적으로 피부접촉을 통한 타인으로의 전파 가능성이 있어 이에 대한 우려가 있다. Gel 타입의 테스토스테론은 용량의 선택이 자유로우며, 비음낭패치에 비하여 피부 자극이 적은 장점이 있다. 본 제제는 매일 투여해야 하는 불편함 및 약물의 흡수율이 환경에 따라 변할 수 있는 단점에도 불구하고 대부분의 환자에서 순응도가 높은 장점이 있다. 이는 필요시 즉시 사용을 중단해야 하는 노인이나 젊은 환자에서 이차 성징이 나타나도록 유도하기 위한 목적으로 사용 시에 적합하다.

(4) 외용액상제제

최근 겨드랑이에 도포하는 외용액상제제가 개발되었다(2% topical solution). 펌프 한번에 30mg의 테스토스테론이 함유되어 있고 양쪽 겨드랑이에 각각 30mg 씩 총 60mg을 바르는 것이 권고 된다. 젤타입에 비해 빨리 마르는 장점이 있고 특수한 기구를 이용하여 인체 대 인체간 전달 가능성을 줄일 수 있는 장점이 있는 것으로 알려져 있다. 성선기능 저하증을 겪는 남성 135명에게 투여한 결과 120일 후 84.1%의 환자가 정상 테스토스테론 범위로 회복 되었다. 가장 흔한 피부 부작용은 피부자극(skin irritation) 7%, 홍반(erythema) 5%로 알려 졌다. 하지만 아직까지 임상데이터가 충분치 않아 추후 약제에 대한 더 많은 임상시험이 필요할 것으로 생각한다.

4) 구강 내 제제(Buccal preparation)

최근에 작은 정제를 잇몸 혹은 구강 내 점막에 부착하는 형태의 테스토스테론 제제가 개발되었다. 본 제제를 잇몸에 부착하면 지속적으로 테스토스테론을 방출하며 유리된 테스토스테론은 구강점막을 통하여 체내로 흡수된다. 30 mg의 제제를 하루 두 번 투여한다. 흡수된 테스토스테론은 바로 상행대정맥으로 유입되므로 초회 효과를 피할 수 있는 장점이 있다. 투여 24시간 이내에 생리적인 농도의 테스토스테론 및 DHT 농도에 도달하며, 지속적으로 농도가 유지된다. 본 제제 사용 시 잇몸과 관련한 이상반응이 치료 초기에 16% 정도 보고 되었으나 대부분 치료의 중단을 유발하지 않았으며, 지속적인 사용 후에 오히려 완전히 소실되었다. 하지만 본 제제의 사용 시 미각의 변화가 올 수 있는 단점이 있다. 가격이 높으며, 새로운 타입의 제제임에도 불구하고 널리 사용되지는 못하는 실정이다.

2008년 후기발현 남성 성선기능저하증의 임상연구, 치료, 추적관찰에 관한 12가지 권고안에서는 현재 사용 가능한 경구, 경피, 근육 내 주사제 및 구강 내

제제 모두 안전하고 효과적이며, 의사는 각 제제의 장점과 반감기 같은 약물역동학에 대해 충분한 지식과 적절한 이해가 필요하다고 하였다. 또한 제제의 선택은 환자와 의사의 충분한 협의에 의해 결정되어야 한다고 하였다. 그리고 치료기간 동안 금기증의 발생가능성으로 인해 단기 작용 제제가 선호된다고 권고하고 있다. 남성호르몬 보충 요법의 효능과 안전성에 근거한 적정 혈중 테스토스테론 수치에 대한 자료는 충분하지 않으므로 현재까지는 청년층의 중간 이하(mid to lower)의 수준이 적정치료로 여겨지며 이것이 치료 목표치로 권고하고 있다. DHT를 비롯한 DHTA-S, androstenedione, andros enediol과 같은 다른 안드로겐 제제의 보충요법을 추천하는 충분한 증거는 없으며, Leydig cell에서 테스토스테론의 생성을 촉진하는 hCG(human chorionic gonadotropin) 역시 효능과 부작용에 관한 충분한 자료 가 없으므로 치료에 추천되지 않는다. 테스토스테론 수치를 증가시키는 방향화 억제제(aromatase inhibitors)는 충분한 자료가 없어 치료제로 추천되지 않는다. 선택 성 남성호르몬 수용체 조절자(selective androgen receptor modulators)가 개발되었지만, 조절자의 대부분이 방향화를 하지 않고 장기 사용의 안전성이 명백하지 않기 때문에 아직 임상적 사용을 권고하고 있지 않다.

2. 남성호르몬 보충요법의 효과

1) 골에 대한 효과

골다공증, 골절은 성선기능저하증을 가진 젊은 남성 과 노인에서 높은 유병률을 보인다. 남성호르몬 보충요법은 모든 연령의 성선기능저하증 남성에서 골 무기질 밀도를 증가시킨다. 그러나 장기적으로 어느 정도의 호르몬 보충 양이 골의 유지에 최적인가 하는 문제와 실제로 호르몬 보충에 의한 골밀도의 증가가 골절 감소와 연관되는지에 대한 연구가 필요하다. 성선기능저하증을 가진 남성에서는 2년마다 골밀도에 대한 평가가 필요하며 골다공증이 의심되는 모든 남성에서 혈중 테스토스테론 수치에 대한 검사가 필요하다.

2) 체구성 및 근력의 변화

남성호르몬 보충요법을 시행하면 체구성의 변화가 일어난다. 젊은 성선기능저하증 남성과 마찬가지로 노인에서도 전체 지방의 양이 감소 감소한다. 하지만 제지방체중(lean body mass)의 변화는 일반적으로 극적이지 않다. 근력의 변화는 노인에서는 제한적으로 일어난다. 대부분의 연구에서 남성호르몬 보충요법을 시행하면 악력(grip strength)이 증가한다고 보고하였다. 하지만 이러한 작용에 DHT는 관여하지 않는다.

남성호르몬을 보충하면 전체 지방의 양의 감소 없이 체지방이 감소하고 제지방체중이 증가한다. 이러한 체구성의 변화로 이차적으로 근력 증가와 근육 기능의 증가 그리고 심혈관계에 이점을 가져 올 수 있다. 하지만 대단위 규모의 연구로 이차적인 이점에 대한 확인이 필 요하다.

3) 심혈관에 대한 효과

심혈관계 질환은 혈액응고기전, 지질대사, 관상동맥을 포함한 혈관에 대한 작용 등이 복합적으로 나타나기 때문에 테스토스테론의 역할에 대해서는 관점에 따라 다르게 해석된다. 하지만 대부분의 역학조사에서 남성에서 높은 혈중 테스토스테론 수치는 높은 심혈관계 질환의 위험도보다는 낮은 위험도와 연관관계가 있다고 보고하고 있다. 일반적으로 남성호르몬 치료에 따른 심혈관 대한 영향은 노인에서 혈중 콜레스테롤 및 LDL이 감소하고 체지방 비율이 감소하므로 위험도를 감소시키는 효과를 기대할 수 있으나 이에 대한 직접적인 연구가 없는 실정이다. 그러나 생리적 수치보다 높게 보충할 경우는 혈중 지질의 분포가 심혈관 질환을 증가시키는 방향으로 변하게 된다는 보고도 있다. 아직 결론을 내리기는 이르지만 지금까지 이루어진 테스토스테론 보충 요법을 이용한 어느 임상연구 결과도 심혈관계 위험을 증가 시키지는 않았다고 보고하고 있다.

4) 성기능 및 발기능에 대한 효과

남성호르몬이 성욕을 포함한 남성의 성기능에 필수 적인 요소라는 데는 모든 사람이 동의하고 있지만, 정확하고 객관적인 인과 관계에 대해서는 더욱더 연구가 필요한 상황이다. 일반적으로 남성의 성기능과 남성 호르몬은 나이가 들어감에 따라 남성호르몬치가 점진적으로 감소하면서 성교 횟수와 사정 횟수 및 성욕감퇴와 야간 발기 감소 등의 성기능 저하가 발생한다고 알려져 있 다. 하지만 이는 단편적인 결과들을 통해 추론하는 것일 뿐 인간의 성 생리와 노화현상에는 남성호르몬 이외에 많은 요소들이 남성호르몬과 복합적으로 작용하기 때문에 정상인에서 남성호르몬만의 효과를 밝힐 수 없다는 것이다.

발기 부전 또는 성욕이 감소된 모든 남성에서 첫 평가는 테스토스테론 수치이다. 이러한 기능이상은 테스토스테론 결핍여부와 관계없이 당뇨, 고프로락틴증, 대사증후군, 방광 하부 폐쇄, 말초 혈관 질환 같은 동반질환과 연관이 있다. 발기 부전, 성욕의 감소, 테스토스테론 결핍은 남성호르몬 보충요법의 적응증이 된다. 남성 호르몬 보충요법에 적절한 반응을 하지 않으면 원인에 대한 재평가가 필요하다. 임상적으로 테스토스테론 결핍 증상이 있으면서 혈중 테스토스테론 수치가 경계선에 위치하면 단기간(3개월)의 남성호르몬 보충요법을 시도할 수 있다. 반응이 없으면 보충요법을 중단해야 한다. 장기적인 보충요법 전에 만족스러운 반응이 위약 효과에 의한 것일 수도 있으므로 지속적인 평가가 필요하다. 발기부전을 동반하는 저테스토스테론혈증 환자에서는 호르몬 보충요법 단독으로는 반응하지 않을 수 있으며, 이 경우 PDE5 억제제의 추가적 사용이 도움이 된다. 마찬가지로 PDE5 억제제에 반응하지 않는 발기부전 환자들은 저테스토스테론혈증을 동반할 수 있으며, 이 경우 보충요법이 도움이 된다.

5) 인지능력에 대한 효과

인지능력에 대한 남성호르몬의 효과는 인지능력의 종류에 따라 다르나 일반적으로 공간인지능력, 언어구사능력 및 기억력에서 기능의 향상을 보인다는 보고가 있다. 이에 대한 많은 연구들의 결과가 일치하지 못하는 것은 연구 방법의 문제점, 다시 말하면 연구 집단 크기의 문제점, 통일되지 못한 평가법에 기인한다.

6) 비만, 대사 증후군 그리고 제2형 당뇨병

대사 증후군의 많은 구성요소(비만, 고혈압, 혈당조절 능력 상실, insulin 저항성)는 성선기능저하증 남성에서도 존재한다. 많은 역학 연구에서 비만과 건강한 남성 의 낮은 테스토스테론 수치와 밀접한 관계가 있다고 밝혀졌다. 비만 남성의 20-64%는 낮은 테스토스테론 수치를 가지고 있다. 대사 증후군과 제2형 당뇨병 또한 낮은 테스토스테론 수치와 연관이 있다. 테스토스테론 결핍 증상이 의심되는 제2형 당뇨병 남성은 혈중 테스토스테론 수치의 측정이 필요하다. 혈당조절이 잘되는 당뇨병 남성에서의 남성호르몬 보충요법의 효과는 확실하지 않다. 테스토스테론 수치가 낮지 않고 다른 성선기능저하증의 증상이 없는 대사 증후군과 제2형 당뇨병 남성 에서 남성호르몬 보충요법을 시행하는 것은 성급한 결정이다. 성선기능저하증이 있는 대사 증후군 그리고 당뇨병 남성에서 남성호르몬 보충요법은 일부 연구에서 대사상태의(혈중 공복혈당, hoemostatis model assessment index (HOMA), 중성지방 , 허리둘레의) 호전이 관찰되었다.

3. 남성호르몬 보충요법의 부작용 및 금기증

1) 전립선

전립선의 발달과 기능에 있어서 남성호르몬이 중요한 역할을 하고 있지만 전립선비대증과 전립선암의 진행에 있어서 남성호르몬의 역할에 대해선 아직 확실히 알지 못한다. 현재까지 이루어진 연구를 종합해보면 남성호르몬은 전립선암의 발생 및 진행에 긍정적, 부정적인 역할을 함께하는 양면성이 있다. 사람에서는 남성호르몬이 전립선암 발암과정에서 유발인자로 작용하는지는 아직 증거가 부족하다. 그럼에도 불구하고 남성호르몬이 없는 상태에서는 전립선암이 발생하지 않으며, 대부분의 전립선암은 그 성장과 세포고사의 방지를 위해서는 남성호르몬이 필요하다는 사실은 분명하다. 또한 진단 당시 대부분의 전립선암은 남성호르몬의존성으로 세포가 성장하고, 남성호르몬 수용체 배위자를 제거하면 세포고사가 현저히 암성장이 위축된다. 하지만 시간이 지나면 남성호르몬 없이도 성장하는 호르몬비 의존성 전립선암으로 발전한다. Prostate Cancer Prevention Trial (PTCP)의 결과도 테스토스테론의 전립선암에 미치는 양면성을 입증하고 있다. 5-α환원효소 차단제를 복용한 환자에서 위약군에 비해 24.8%의 전립선암 발생률이 낮은 반면, 분화도가 낮은 공격적인 암의 발생빈도는 더 높았다.

테스토스테론 보충요법을 이용한 임상연구는 대부분이 6개월 이하로 기간이 짧고, 전립선암 위험군은 배제하였기 때문에 직접적인 임상연구 결과는 아직 부조한 상태이다. 지금까지 이루어진 임상연구를 종합해보면, 총 583명의 환자를 대상으로 한 총 22개의 테스토스테론 보충요법 임상연구에서 PSA의 측정이 이루어 졌는 데, 그 중 16건의 임상연구에서는 PSA의 증가가 관찰되지 않았고, 6건의 연구에서만 평균 0.48 ng/mL의 PSA증 가와 평균 0.52 ng/mL/year 의 PSA속도가 관찰되었다. 7건의 임상연구에서 전립선 크기, 최고 요속, 전립선증 상점수 등을 측정했는데, 그 중 어느 연구에서도 이 측 정변수의 차이를 관찰하지 못했다. 이 결과는 노년층에 서 3년 이내의 단기간 테스토스테론 보충요법이 전립선에 미치는 유해한 효과가 거의 없음을 시사한다. 하지만 노년층에 장기간의 테스토스테론 보충요법을 시행하기 위해서는 테스토스테론의 전립선암 및 전립선비대증 발생 및 진행에 미치는 병태생리에 대한 충분한 연구와 대규모의 장기간 임상연구 결과가 필요하다.

현재 남성호르몬 보충요법이 전립선 비대증과 전립선암의 발병 위험을 증가시킨다는 결정적인 증거는 없다. 또한 남성 호르몬 보충요법이 임상적으로 발견되지 않은 전립선암을 임상적으로 발견 가능한 전립선암으로 진행시킨다는 증거도 없다. 하지만 국소 전립선암이나 전이된 전립선암 환자에서 테스토스테론이 병을 진행시키고 증상을 악화시킨다는 증거는 있다. 현재는, 남성호르몬 보충요법이 어떤 추가적인 위험을 가지는지에 대해 결정할 장기간의 전립선질환에 대한 연구가 없다. 45세 이상의 성선기능저하증 남성에서는 남성호르몬 보충요법 전에 남성호르몬 보충요법의 이점과 잠재적인 위험에 대한 충분한 상담이 필요하다.

남성호르몬 보충요법을 시작하기 전에 전립선암의 위험도를 평가하여야 한다. 최소한 직장 수지 검사 (digital rectal exam, DRE)와 PSA (prostate specific antigen)검사를 시행하여야 한다. 임상적으로 전립선암의 위험성을 평가하는 몇 가지 진단방법이 있지만 남성 호르몬 보충요법을 시행하는 모든 환자가 대상이 되지는 않는다. 하지만 위험성이 높다면 전립선암의 위험성을 평가하여야 한다. 일반적으로 치료 전에 전립선 초음파 검사는 추천되지 않는다.

비록 테스토스테론 보충요법이 전립선비대증을 진행 시키고, 급성 요폐의 발생률을 증가 시킨다는 증거는 없 지만, 국제 전립선 증상 점수(〉21)가 높은, 심한 하부요로증상을 가진 전립선 비대증 환자는 남성 호르몬 보충 요법의 금기증이다. 하부요로폐색이 치료된다면 테스토스테론 보충요법을 시작할 수 있다.

성선기능저하증 증상을 가진 전립선암 남성에서 전립선암에 대한 치료를 마치고, 일정기간 동안 임상적으로나 실험실 검사에서 잔존암이 없는 것으로 판정되면, 신중하게 테스토스테론 보충요법을 시도 할 수 있다. 하지만 장기 결과가 없기 때문에 의사는 이러한 상황에서 테스토스테론 보충요법의 장점과 단점을 충분히 숙지 하고 환자와 충분한 상의를 하여 시행하여야 한다. 또한 엄격한 추적 관찰이 필요하다.

2) 수면 무호흡증

테스토스테론 보충요법에 관한 문헌이나 가이드라인은 테스토스테론 보충요법이 수면 중 무호흡증을 야기하고 악화시킨다는 증거가 부족함에도 수면 중 무호흡증이 있는 남성에서는 테스토스테론 보충요법을 조심해야 한다고 한다. 하지만 현재까지의 연구에서는 테스토스테론 보충요법과 수면 중 무호흡증을 사이를 연결하는 증거는 약하다. 이전까지의 연구가 적은 수를 대상으로 하였고 단기간의 결과 밖에 없기 때문이다. 하지만 대규모의 장기 연구 결과 또한 없기 때문에 이러한 연구가 필요하다. 따라서 수면 중 무호흡증이 있는 환자는 테스토스테론 보충요법을 시행해서는 안된다. 하지만 수면 중 무호흡증 치료 후에는 테스토스테론 보충요법을 시행해도 된다.

3) 적혈구 증가증

테스토스테론은 생리적으로 적혈구생성 촉진인자이다. 성선기능저하증 환자는 같은 연령의 대조군에 비해 혈색소 수치가 낮고, 테스토스테론 보충요법에 의해 정상으로 회복된다는 보고가 있다. 또한 노인에서 경증의 빈혈이 흔히 있는 것도 테스토스테론의 감소와 연관이 있는 것으로 추정하고 있다. 적혈구의 생성이 이처럼 빈혈 환자에게는 도움이 되겠지만 만성폐쇄성 호흡기 질환이나 울혈성 심부전증 환자에서 적혈구 용적증가 및 혈전증의 증가 위험을 증가시킬 수 있다. 또한 노인에서 남성호르몬 치료 시 나타나는 적혈구증가증은 젊은 성선기능저하증 환자에서 남성호르몬 치료 시 나타나는 정도에 비해 심하므로 주의가 필요하다.

그 외에도 체액 잔류, 간독성, 여성형 유방 등이 드물지만 보고된 적이 있으므로 위험인자가 있는 환자에서는 고려해야 한다. 위의 결과를 종합해 보면 전립선암 혹은 유방암이 의심되는 환자는 테스토스테론 보충요법은 절대적 금기증이다. 또한 심한 적혈구증가증(적 혈구용적률 >52%), 치료되지 않은 수면무호흡증, 중증의 심부전, 중증의 하부요로폐쇄증상(국제 전립선증상 점수 >21), 혹은 전립선 비대증으로 인한 방광출구폐쇄의 임상적 소견을 가진 경우 역시 금기증이다. 중증도의 폐쇄증상은 부분적 금기증이며, 폐쇄증상의 성공적인 치료 후에는 금기증에서 제외된다. 분명한 금기증이 없는 경우, 나이는 테스토스테론 보충요법의 금기증이 되지 않는다.

4. 남성호르몬 보충요법의 추적관찰

호르몬 보충요법에 따른 부작용을 최소화 하기 위하여 추적관찰은 매우 중요하다. 특히 장기간의 호르몬 보충 시에는 전립선암과 심장을 포함한 순환계 질환에 대한 영향이 완전하게 규명되지 않아 추적관찰의 중요성은 매우 높다. 자세한 추적관찰 방법은 다음과 같으며 이 가이드라인은 2010년 The Endocrinology Society 2008년에 ISA (International Society of Andrology), ISSAM (International Society for the Study of Aging Male), EAU (European Association of Urology), EAA (European Academy of Andrology)and ASA (American Association of Urology)공통 권고안과 SMSNA (Sexual Medicine Society of North America)권

고안을 참고한 것이다.

1) 간의 추적관찰

Methylated 제제를 제외하고 현재 사용되는 테스토스 테론 제제는 간독성에 안전하다. 하지만 간기능에 대한 검사는 치료 전에 시행하는 것을 권고 한다. 상업적인 제조회사들은 증거가 부족함에도 불구하고 그들의 제제를 사용시 간독성에 대해 경고하고 있기 때문이다.

2) 지질의 추적관찰

테스토스테론 보충요법 전에 공복 시 지질검사를 할 것을 권고하고 있고, 만약 이루어지지 않았다면 치료시 작 후 3-6개월 후에 확인할 것을 권고하고 있다.

3) 전립선의 추적관찰

45세 이상에서 직장수지검사와 PSA검사를 보충요법 시행 전에 기초검사로 시행해야 하며, 첫 12개월 동안은 3개월마다 1회, 그 이후에는 1년마다 1회 시행해야 한다. 경직장 초음파하 전립선 조직생검은 직장 수지검사 혹은 PSA가 비정상일 경우에만 적응증이다.

4) 기분의 추적관찰

테스토스테론 보충요법은 정상적으로 기분과 안녕감(well-being)을 개선시키지만, 부정적 행동양상(공격성, 과잉 성욕 등)이 나타나면 용량의 조절이나 중단이 필요 하다.

5) 혈액학적 추적관찰

적혈구증가증은 테스토스테론 보충요법 시에 나타날 수 있다. 치료 전에 이에 대한 검사가 필요하고 치료 중에도 첫 해에는 3개월 간격으로 이후에는 일년에 한 번씩 추적 관찰이 필요하다. 아직까지 적절한 기준은 없지만, 적혈구 용적율을 52-55%이하로 유지하기 위하여 필요 시 용량을 감소하거나 중단하여야 하며, 정맥절개술을 시행할 수도 있다.

6) 수면무호흡증의 추적관찰

테스토스테론 보충요법 시에 수면 무호흡증이 악화 될 수도 있다. 테스토스테론 보충요법 동안에 수면 무호흡증에 대한 적절한 평가와 치료가 필요하다.

7) 골밀도의 추적관찰

테스토스테론 보충요법 시에 골밀도의 증가와 골절률의 감소가 기대되며, 가능하다면 매 2년마다 골밀도 검사를 고려할 수 있다.

5. 요약

후기발현 남성 성선기능저하증을 가진 남성 노인에서의 테스토스테론 보충요법의 최종 목표는 노화와 연관된 기능 손실을 예방하거나 손실된 기능을 회복하는데 있다. 그러나 노화에 따른 신체 기능의 변화는 단순한 호르몬 수치 저하에서만 오는 것이 아니고 호르몬 분비 양상의 변화, 되먹이기 기전의 변화, 작용 기관 및 수용체 이후 세포내의 전달 변화 등 신체기능에 영향을 줄 수 있는 많은 요소가 있다. 단순하게 호르몬 보충을 통하여 기능의 변화를 기대하기에는 생체 내에서 이루어지는 현상에 대하여 밝힐 부분이 많다. 또한 현재의 치료 목표치가 건강한 정상인을 기준으로 만들어져서 노인층에서의 남성호르몬 요구 및 역할이 젊은 층과 동일한지 밝혀지지 않았으며, 조직에서의 testosterone 민감도를 객관화시킬 도구도 없기 때문에 아직은 논란이 있다. 하지만 이런 논란에 대한 최소한의 답을 얻기 위해서는 여성의 호르몬대체요법에 대한 연구에서 보듯이 5000명 이상의 성선기능저하증 환자를 대상으로 5년 이상의 임상연구가 필요하다. 그러나 적어도 10년에서 15년 이

내에는 그 결과가 나오기 어려운 실정이기 때문에 모든 근거가 명확해질 때까지 기다리는 것보다는 적응증이 분명한 환자에서는 믿을만한 정보를 근거로 전문가들의 권고를 안내 삼아 치료에 임하는 것이 더 논리적일 것이다.

참고문헌

1. Allan CA, Strauss BJ, Burger HG, Forbes EA, McLachlan RI. Testosterone therapy prevents gain in visceral adipose tissue and loss of skeletal muscle in nonobese aging men. J Clin Endocrinol Metab 2008;93:139-146.
2. Amory JK, Watts NB, Easley KA, Sutton PR, Anawalt BD, Matsumoto AM, et al. Exogenous testosterone or testosterone with finasteride increases bone mineral density in older men with low serum testosterone. J Clin Endocrinol Metab 2004;89:503-510.
3. Bhasin S, Cunningham GR, Hayes FJ, Matsumoto AM, Snyder PJ, Swerdloff RS, et al. Testosterone therapy in adult men with androgen deficiency syndromes: an endocrine society clinical practice guideline. J Clin Endocrinol Metab 2006;91:1995-2010.
4. Calof OM, Singh AB, Lee ML, Kenny AM, Urban RJ, Tenover JL, et al. Adverse events associated with testosterone replacement in middle-aged and older men: a meta-analysis of randomized, placebo-controlled trials. J Gerontol A Biol Sci Med Sci 2005;60: 1451-1457.
5. Carpenter WR, Robinson WR, Godley PA. Getting over testosterone: postulating a fresh start for etiologic studies of prostate cancer. J Natl Cancer Inst 2008;100: 158-159.
6. David Muram, Thomas Melby & Erin Alles KingshillSkin reactions in a phase 3 study of a testosterone topical solution applied to the axilla in hypogonadal men. Curr Med Res Opin. 2012 May;28: 761-766.
7. Diver MJ, Imtiaz KE, Ahmad AM, Vora JP, Fraser WD. Diurnal rhythms of serum total, free and bioavailable testosterone and of SHBG in middle-aged men compared with those in young men. Clin Endocrinol (Oxf) 2003;58:710-717.
8. Dobs AS, Matsumoto AM, Wang C, Kipnes MS. Short-term pharmacokinetic comparison of a novel testosterone buccal system and a testosterone gel in testosterone deficient men. Curr Med Res Opin 2004;20:729-738.
9. Gooren LJ. A ten-year safety study of the oral androgen testosterone undecanoate. J Androl 1994;15:212-215.
10. Greco EA, Spera G, Aversa A. Combining testosterone and PDE5 inhibitors in erectile dysfunction: basic rationale and clinical evidences. Eur Urol 2006;50:940-947.
11. Greenstein A, Mabjeesh NJ, Sofer M, Kaver I, Matzkin H, Chen J. Does sildenafil combined with testosterone gel improve erectile dysfunction in hypogonadal men in whom testosterone supplement therapy alone failed? J Urol 2005;173:530-532.
12. Hanafy HM. Testosterone therapy and obstructive sleep apnea: is there a real connection? J Sex Med 2007;4:1241-1246.
13. Heinemann LA, Saad F, Heinemann K, Thai DM. Can results of the Aging Males' Symptoms (AMS) scale predict those of screening scales for androgen deficiency? Aging Male 2004;7:211-218.
14. Isidori AM, Giannetta E, Gianfrilli D, Greco EA, Bonifacio V, Aversa Wang C, Ilani N, Arver S, McLachlan RI, Soulis T, Watkinson A. Efficacy and safety of the 2% formulation of testosterone topical solution applied to the axillae in androgen-deficient men. Wang C, Ilani N, Arver S, McLachlan RI, Soulis T, Watkinson A. A, et al. Effects of testosterone on sexual function in men: results of a meta-analysis. Clin Endocrinol (Oxf) 2005;63:381-394.
15. Isidori AM, Giannetta E, Greco EA, Gianfrilli D, Bonifacio V, Isidori A, et al. Effects of testosterone on body composition, bone metabolism and serum lipid profile in middle-aged men: a meta- analysis. Clin Endocrinol (Oxf) 2005:63:280-293
16. Kalyani RR, Dobs AS. Androgen deficiency, diabetes, and the metabolic syndrome in men. Curr Opin Endocrinol Diabetes Obes 2007;14:226-234.
17. Kapoor D, Aldred H, Clark S, Channer KS, Jones TH. Clinical and biochemical assessment of hypogonadism

in men with type 2 diabetes: correlations with bioavailable testosterone and visceral adiposity. Diabetes Care 2007;30:911-917.

18. Kapoor D, Goodwin E, Channer KS, Jones TH. Testosterone replacement therapy improves insulin resistance, glycaemic control, visceral adiposity and hypercholesterolaemia in hypogonadal men with type 2 diabetes. Eur J Endocrinol 2006;154:899-906.
19. Kelleher S, Conway AJ, Handelsman DJ. Influence of implantation site and track geometry on the extrusion rate and pharmacology of testosterone implants. Clin Endocrinol (Oxf) 2001;55:531-536.
20. Kelleher S, Howe C, Conway AJ, Handelsman DJ. Testosterone release rate and duration of action of testosterone pellet implants. Clin Endocrinol (Oxf) 2004;60:420-428.
21. Khera M, Lipshultz LI. The role of testosterone replacement therapy following radical prostatectomy. Urol Clin North Am 2007;34:549-553.
22. Korbonits M, Slawik M, Cullen D, Ross RJ, Stalla G, Schneider H, et al. A comparison of a novel testosterone bioadhesive buccal system, striant, with a testosterone adhesive patch in hypogonadal males. J Clin Endocrinol Metab 2004;89:2039-2043.
23. Liverman C, Blazer D. Testosterone and aging: clinical research directions: Joseph Henry Pr, 2004 Morales A, Spevack M, Emerson L, Kuzmarov I, Casey R, Black A, et al. Adding to the controversy: pitfalls in the diagnosis of testosterone deficiency syndromes with questionnaires and biochemistry. Aging Male 2007;10: 57-65.
24. Malkin CJ, Pugh PJ, West JN, van Beek EJ, Jones TH, Channer KS. Testosterone therapy in men with moderate severity heart failure: a double-blind randomized placebo controlled trial. Eur Heart J 2006;27:57-64.
25. Moore C, Huebler D, Zimmermann T, Heinemann LA, Saad F, Thai DM. The Aging Males' Symptoms scale (AMS) as outcome measure for treatment of androgen deficiency. Eur Urol 2004;46:80-87.
26. Morales A, Morley J, Heaton JPW. Androgen deficiency in the aging male. In: Kavoussi LR, Novick AC, Partin AW, Peters CA, Wein AJ. editors, Campbell-Walsh urology. 9th ed. Philadelphia: Saunders; 2006;850-862.
27. Morales A, Schulman CC, Tostain J, Wu FCW. Testosterone Deficiency Syndrome (TDS) needs to be named appropriately-the importance of accurate terminology. Eur Urol 2006;50:407-409.
28. Nieschlag E, Swerdloff R, Behre HM, Gooren LJ, Kaufman JM, Legros JJ, et al. Investigation, treatment, and monitoring of late- onset hypogonadism in males: ISA, ISSAM, and EAU recommendations. J Androl 2006; 27:135-137.
29. Page ST, Amory JK, Bowman FD, Anawalt BD, Matsumoto AM, Bremner WJ, et al. Exogenous testosterone (T) alone or with finasteride increases physical performance, grip strength, and lean body mass in older men with low serum T. J Clin Endocrinol Metab 2005;90:1502-1510.
30. Park NC, Yan BQ, Chung JM, Lee KM. Oral testosterone undecanoate (Andriol) supplement therapy improves the quality of life for men with testosterone deficiency. Aging Male 2003;6:86-93.
31. Parsons JK, Carter HB, Platz EA, Wright EJ, Landis P, Metter EJ. Serum testosterone and the risk of prostate cancer: potential implications for testosterone therapy. Cancer Epidemiol Biomarkers Prev 2005;14:2257-2260.
32. Roddam AW, Allen NE, Appleby P, Key TJ. Endogenous sex hormones and prostate cancer: a collaborative analysis of 18 prospective studies. J Natl Cancer Inst 2008;100:170-183.
33. Rolf C, Kemper S, Lemmnitz G, Eickenberg U, Nieschlag E. Pharmacokinetics of a new transdermal testosterone gel in gonadotrophin-suppressed normal men. Eur J Endocrinol 2002;146:673-679.
34. Rolf C, Knie U, Lemmnitz G, Nieschlag E. Interpersonal testosterone transfer after topical application of a newly developed testosterone gel preparation. Clin Endocrinol (Oxf) 2002;56:637-641.
35. Rosner W, Auchus RJ, Azziz R, Sluss PM, Raff H. Position statement: Utility, limitations, and pitfalls in measuring testosterone: an Endocrine Society position statement. J Clin Endocrinol Metab 2007;92:405-413.
36. Sarosdy MF. Testosterone replacement for hypogonadism after treatment of early prostate cancer with brachytherapy. Cancer 2007;109:536-541.

37. Schousboe JT, Taylor BC, Fink HA, Kane RL, Cummings SR, Orwoll ES, et al. Cost-effectiveness of bone densitometry followed by treatment of osteoporosis in older men. JAMA 2007;298:629-637.
38. Schubert M, Minnemann T, Hubler D, Rouskova D, Christoph A, Oettel M, et al. Intramuscular testosterone undecanoate: pharmacokinetic aspects of a novel testosterone formulation during long-term treatment of men with hypogonadism. J Clin Endocrinol Metab 2004;89:5429-5434.
39. Seidman SN. Testosterone deficiency and depression in aging men: pathogenic and therapeutic implications. J Gend Specif Med 2001;4:44-48.
40. Selvin E, Feinleib M, Zhang L, et al. Androgens and diabetes in men: results from the Third National Health and Nutrition Examination Survey (NHANES III). Diabetes Care 2007;30:234-238.
41. Swerdloff RS, Wang C. Free testosterone measurement by the analog displacement direct assay: old concerns and new evidence. Clin Chem 2008;54:458-460.
42. Travison TG, Morley JE, Araujo AB, O' Donnell AB, McKinlay JB. The relationship between libido and testosterone levels in aging men. J Clin Endocrinol Metab 2006;91:2509-2513.
43. Wang C, Cunningham G, Dobs A, Iranmanesh A, Matsumoto AM, Snyder PJ, et al. Long-term testosterone gel (AndroGel) treatment maintains beneficial effects on sexual function and mood, lean and fat mass, and bone mineral density in hypogonadal men. J Clin Endocrinol Metab 2004;89:2085-2098.
44. Wang C, Nieschlag E, Swerdloff R, Behre HM, Hellstrom WJ, Gooren LJ, et al. Investigation, treatment, and monitoring of late-onset hypogonadism in males: ISA, ISSAM, EAU, EAA, and ASA recommendations. Eur Urol 2009;55:121-130.
45. Wang C, Swerdloff R, Kipnes M, Matsumoto AM, Dobs AS, Cunningham G, et al. New testosterone buccal system (Striant) delivers physiological testosterone levels: pharmacokinetics study in hypogonadal men. J Clin Endocrinol Metab 2004;89:3821-3829.
46. Wittert GA, Chapman IM, Haren MT, Mackintosh S, Coates P, Morley JE. Oral testosterone supplementation increases muscle and decreases fat mass in healthy elderly males with low-normal gonadal status. J Gerontol A Biol Sci Med Sci 2003;58:618-625.
47. Wu FC, Tajar A, Pye SR, Silman AJ, Finn JD, O' Neill TW, et al. Hypothalamic-pituitary-testicular axis disruptions in older men are differentially linked to age and modifiable risk factors: the European Male Aging Study. J Clin Endocrinol Metab 2008;93:2737-2745.
48. Zitzmann M, Faber S, Nieschlag E. Association of specific symptoms and metabolic risks with serum testosterone in older men. J Clin Endocrinol Metab 2006;91:4335-4343.
49. Zitzmann M, Nieschlag E. Effects of androgen replacement on metabolism and physical performances in male hypogonadism. J Endocrinol Invest 2003;26:886-892.

PART 04

전립선질환 Prostatic diseases

SECTION 01

Chapter 64. 전립선의 발생 및 해부학 ········· 윤병일
Chapter 65. 세균성 전립선염의 병인 및 진단 ········· 조인래
Chapter 66. 세균성 전립선염의 치료 ········· 조강수
Chapter 67. 비세균성 전립선염/만성골반통증증후군의 병인 및 진단 ········· 감성철
Chapter 68. 비세균성 전립선염의 치료 ········· 이원기
Chapter 69. 전립선 비대증의 병인 및 진단 ········· 박해영
Chapter 70. 전립선 비대증의 치료 ········· 김성대
Chapter 71. 남성 과민성방광 및 야간뇨 ········· 김종욱

CHAPTER 64

전립선의 발생 및 해부학

Development and Anatomy of Prostate

■ 윤병일

1. 발생 *Development of Prostate*

전립선의 발생은 태생 10주경에 중신관(mesonephric duct) 개구부 주위의 요도 상피가 외측으로 뻗어나가 관상분지 성장을 하면서 시작되어 16주에 완성된다. 전립선의 발생, 성장 및 분화는 남성호르몬에 의하여 조절되며, 이는 전립선 중간엽(mesenchyme) 조직과 상피 조직의 상호작용(epithelial-mesenchymal interactions) 에 의하여 이루어진다(그림 64-1).

이러한 상호 작용은 태생기에 미분화된 기질조직인 중간엽 조직에 의하여 상피 세포가 발달되며, 상피세포도 역으로 중간엽 조직의 분화를 유도한다는 사실에 근거한다. 상피세포의 작용은 서로 다른 종간의 조직 재조합실험에서 더욱 명확해진다. 사람의 전립선 도관은 굵은 평활근(smooth muscle)에 의하여, 쥐의 전립선 도관은 얇은 평활근으로 둘러싸여 차이가 난다. 사람의 전립선 상피세포를 쥐의 요생식동 중간엽(urogenital sinus mesenchyme)과 함께 이식하면 사람의 전립선과 마찬가지로 도관 주위에 굵은 평활근이 발달한다. 이는 전립선 상피세포가 전립선 기질로부터 평활근의 분화를 유발할 뿐만 아니라 그 형태학적 유형도 결정함을 의미한다.

전립선이 성장함에 따라서 평활근의 분화를 나타내는 여러 지표들이 순차적으로 나타나게 된다. 그리고 생후 20일이 되면 정상적인 분화를 마치며, 이러한 과정이 남성호르몬에 의하여 결정된다. 사람의 태생기 전립선을 반으로 나누어 각각 정상 누드 마우스와 거세한 누드 마우스의 신피막내로 이식하여 정상 누드마우스에 이식한 전립선은 평활근이 잘 발달하는데 반하여 거세한 누드마우스에 이식한 전립선은 평활근을 형성하지 못한다. 이식한 전립선 모두에 상피 세포가 존재하므로 거세한 쪽으로 평활근의 분화가 이루어지지 않는 것은 남성 호르몬이 없기 때문으로 해석할 수 있다. 거세한 누드마우스의 전립선에서 평활근은 혈관 주위에 국한되어 있으며 이는 전립선 평활근이 혈관의 평활근과는 달리 남성호르몬에 의존한다는 것을 의미한다. 성숙한 쥐에서 전립선 평활근이 분화된 상태를 유지하는 것도 역시 남성호르몬에 의존한다. 쥐를 거세하게 되면 전립선 평활근의 분화를 나타내는 지표가 없어지고 평활근은 분해되어 소실된다. 그러므로 태생기의 전립선 평활근의 분화와 성장한 뒤 분화의 상태를 유지하는 것은 남성호르몬과 전립선 상피세포의 영향을 받는다고 볼 수 있다.

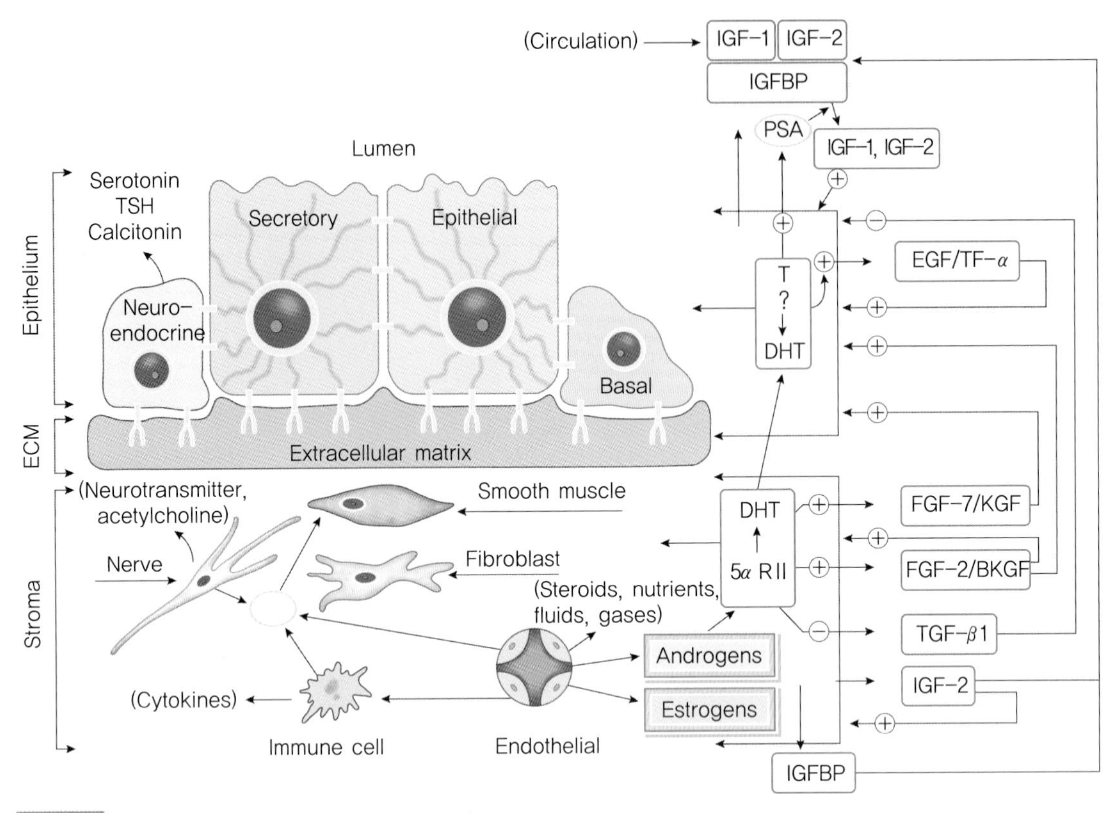

그림 64-1 Epithelial-mesenchymal interactions of prostate

전립선 세포간의 상호작용은 태생기는 중간엽과 상피 간의, 성장한 뒤에는 기질과 상피간의 상호작용으로 기술되어 왔다. 전립선의 상피는 basal epithelial cells, intermediate cells, neuroendocrine cells, 그리고 luminal secretory epithelial cells로 구성되어 진다. 기질은 결합조직(connective tissue), 섬유아세포(fibroblast) 및 평활근으로 구성되며 평활근은 남성호르몬 수용체를 가지며 남성 호르몬수용체가 없는 섬유아세포 사이에 3-4겹의 관의 형태로 존재한다. 평활근은 상피세포의 기저막(basement membrane)과 매우 밀접한 접촉을 갖고 있으며, 상피세포와 평활근은 약300 nm밖에 떨어져 있지 않다. 남성 호르몬 수용체를 갖는 평활근이 상피 세포와 매우 가깝게 존재한다는 것은 기존의 기질과 상피 간의 상호작용이 바로 평활근과 상피세포 사이에서 이루어진다는 것을 의미한다. 전립선 평활근은 일단 요생식동 중간엽에서 분화된 후에는 상피세포의 중요한 환경이 되어 전립선이 발생 후에 항상성을 유지하는 데 결정적인 역할을 하게 되는 것으로 판단된다. 전립선의 구조와 연관된 종합적 cell biology는 표 64-1. 에 정리되었다.

2. 해부학 *Anatomy of Prostate*

전립선은 선(glandular) 조직(70%) 과 이를 둘러싸는 섬유근(fibromuscular) 조직(30%) 으로 이루어진 부성선기관(accessory sex gland)으로 정상 성인의 평균적인 전립선의 무게는 약 18 g이며 길이 3 cm, 폭 4 cm, 그리고 깊이가 2 cm이다. 전립선의 선체는 요도를 중심으로 동심원적으로 배열되어 있으며, 여기에서 나온 15-30개의 도관이 전립선요도에 개구하고 있다. 전립선 전체는 정맥 총(venous plexus)과 탄성 섬유(elastic fiber)가 풍부한 결합조직피막에 의해 싸여 있으며, 선체는 다량의 간질(stroma)내에 매몰되어 있다.

전립선은 위로 방광경부와 인접하여 전방의 치골전립선인대(puboprostatic ligament)에 고정되어 있으며, 아래로는 비뇨생식격막(urogenital diaphragm) 에 의해 고정되어 있다. 전립선 후방으로는 튼튼한 근막(Denonvilliers fascia)이 있어 직장과 분리되어 있다 전방과 외측은 내골반근막(endopelvic fascia)에 싸여 골반저(pelvic floor)에 밀착되어 있다(그림 64-2). 전립선 아래로는 요도 괄약근으로 이어지며, 위쪽으로는 방광의 배뇨근의 외종근층(external longitudinal muscular layer)이 합쳐져서 근섬유성피막을 형성한다. 내종근층(internal longitudinal muscular layer)과 횡근(circular muscle)이 전립선 요도까지 내려와서 전전립선 요도괄약근(preprostatic sphincter)을 형성한다.

전립선 내로 전립선요도와 정구(verumontanum)가 있으며, 후면으로 2개의 사정관이 들어와 전립선 요도로 개구한다. 전립선 요도는 전립선 중간부위에서 전립선동(prostatic sinus)을 형성하면서 앞쪽으로 약 35°로 꺾여서 지나가는데 이 부위를 중심으로 하여 해부학적 그리고 기능학적으로 근위부와 원위부의 2 종류로 나뉘어진다. 근위부 전립선 요도에서 요도와 선 조직 사이에는 원주상의 평활 괄약근층이 형성되어 정구의 기저부에서 방광의 경부에 이르는 전체를 둘러싸게 되는데 이를 전전립선 괄약근으로 명명하며 방광 근처로 갈수록 점점 두꺼워져서 요도괄약근

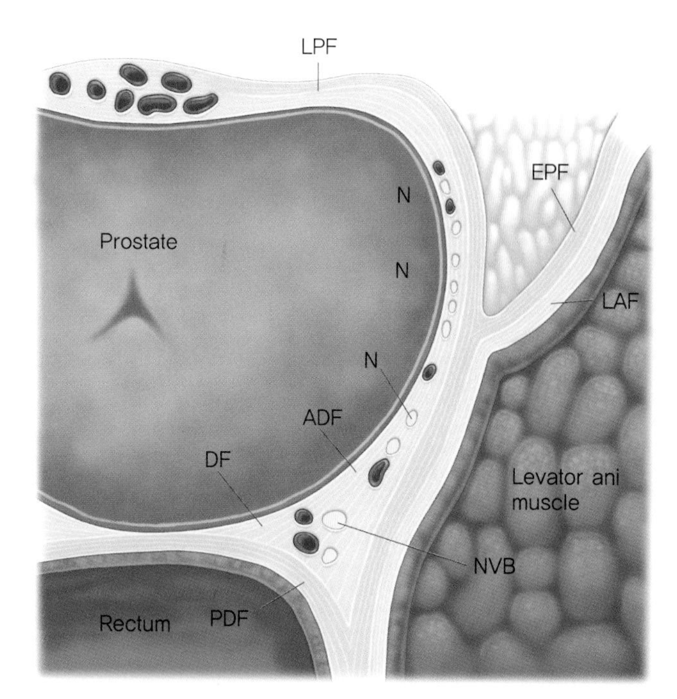

그림 64-2 Cross section of prostate with prostatic fascial layers
lateral prostatic fascia (LPF), endopelvic fascia (EPF), levator ani fascia (LAF), Denonvilliers fascia (DF), anterior lamina of Denonvilliers fascia (ADF), posterior lamina of Denonvilliers fascia, neurovascular bundle (NVB), and lateral nerves (N).

을 형성하게 되고 방광의 외종근층으로 연결된다. 중간부에서 평활근은 단층을 이루고, 원위부에서 점점 드물어져서 드문드문 나타나게 된다. 평활근이 없는 전립선 간질 부위에서는 섬유모세포가 빈 공간을 채우게 된다. 이 평활근은 정구상방의 전립선요도 주위를 둘러싸서 역행성 사정을 막는 남성 생식기 괄약근의 역할을 한다. 모든 전립선 비대증은 바로 이 전전립선 괄약근에서 혹은 바로 그 근처의 이행대에서 발생한다고 알려져 있다

1912년에 Lowsley는 전립선을 5개의 엽으로 나누어 2개의 측엽과 전엽, 중엽, 후엽으로 나누었으나 오늘날 이러한 엽구조 개념(concept of a lobular structure)은 1968년 McNeal에 의하여 주장된 대별개념(zonal concept)으로 바뀌게 되었다. 이는 전립선의 선조직을 요도에 대한 위치, 병리학적 병변, 발생학적으로 구분하여 이행대(transitional zone), 중심대(central zone), 말초대(peripheral zone), 전방섬유근성기질(anterior fibromuscular stroma) 들로 분류한다(그림 64-3). 각각의 부위는 경직장 초음파 검사로 구분되어 관찰되는데 대체로 Lowsley의 전엽은 McNeal의 전방섬유근성기질에, 중엽은 중심대, 후엽 및 양측엽은 말초대에 해당한다. 이러한 분류는 전립선의 해부학적 구조와 일치할 뿐 아니라 전립선에 발생하는 중요 질환의 호발 부위의 차이와도 부합하는 구분으로 임상적으로 유용한 구분법으로 인정되고 있다.

이행대의 관상계(duct)는 전전립선 괄약근 바로 밑에서 외측과 후방으로 지나가는데 정상적으로 전립선 선조직의 5%-10%을 차지한다. 근섬유띠(fibromuscular band)가 이행대를 주위 선조직과 구분하며 이 근섬유띠는 경직장 초음파에서도 관찰할 수 있다. 전립선 비대증은 대부분의 경우 이행대에서 발생하며 또한 전립선암의 20%도 이 부위에서 발생한다. 중심대의 관상계는 사정관주위를 둘러가며 발생하는데 전립선 선조직의 25%을 차지하고, 1-5%의 전립선암

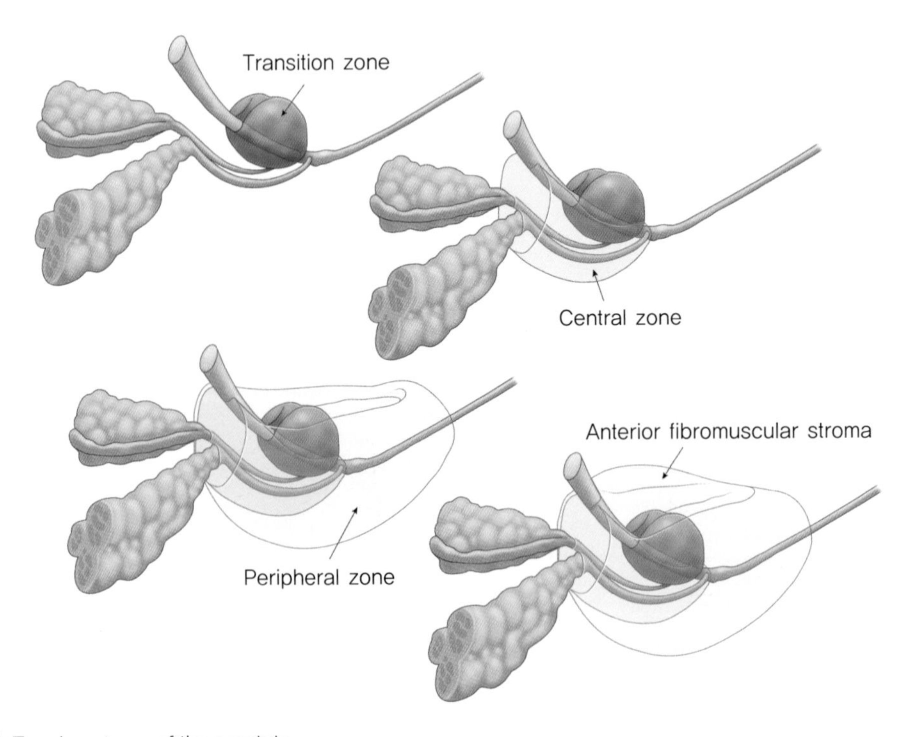

그림 64-3 Zonal anatomy of the prostate

이 이 부위에서 발생한다. 말초대는 후방과 외측에서 선조직의 거의 70%를 차지한다. 그리고 전립선암의 70%가 이 부위에서 발생하며 만성 전립선염이 발생하는 부위이기도 하다. 섬유근성기질은 많게는 전립선의 33%까지 차지하며 암에 의한 침범은 드문 것으로 보고되고 있다.

전립선 전체는 정맥총과 탄성 섬유가 풍부한 결합조직피막에 의해 싸여 있으며, 70%를 구성하는 선체는 간질 내에 매몰되어 있다 전립선액은 관상계를 통해 요도로 배출되는데 전립선 관상계는 전립선의 독립된 기능적 단위로 분비액은 각각의 배출관을 통해 요도로 배출된다. 관상계는 요도를 중심으로 동심원적으로 배열되어 있으며 요도 개구부에서 보면 나뭇가지가 가지를 내는 것처럼 계속 분지해 들어간다. 인간의 전립선은30개 이상의 관상 구조로 되어 있으며 전립선요도에 개구하고 있다. 쥐의 전립선을 연구하여 얻은 결과에 따르면 관상계는 요도 개구부에서부터 근위부, 중간, 원위부로 구분할 수 있는데, 원위부 끝의 상피세포는 키가 크고, 원주상이다. 핵은 세포의 첨부에 있으며, 유사분열이 일어나는 것을 관찰할 수 있다. 중간부의 세포는 키가 크고, 원주상이며. 핵은 기저부에 위치하나 세포 분열은 거의 일어나지 않으며, 중간부의 세포들은 단지 분비기능만을 갖추고 있다. 요도에 바로 근접한 근위부세포는 입방형이거나 납작하고 세포사가 활발히 일어나는데 상피세포아래 납작한 기저세포가 자리 잡고 있으며 이 세포는 상피세포에 대한배아줄기세포(embryonal stem cell)의 역할을 담당하고 있는 것으로 알려져 있다.

분비 세포 사이에 신경내분비세포(neuroendocrine cell)가 존재 하는데 이는 전립선비대증의 발생에 관여하며, 전립선암의 예후판정에 중요한 지표가 될 수 있다는 연구결과가 나오면서 최근에 주목 받게 되었다. 신경내분비세포는 성장 과정에 따라 세포의 출현과 분포 형태가 변한다는 사실이 밝혀졌는데 전립선 주변부의 신경내분비 세포는 출생 시에는 존재하나 생후 3개월경에 없어지며, 사춘기 때 다시 출현하는 것으로 알려져 있으며 이와 같은 현상을 조절하는 인자는 혈중내의 남성호르몬일 것이라고 추측하고 있

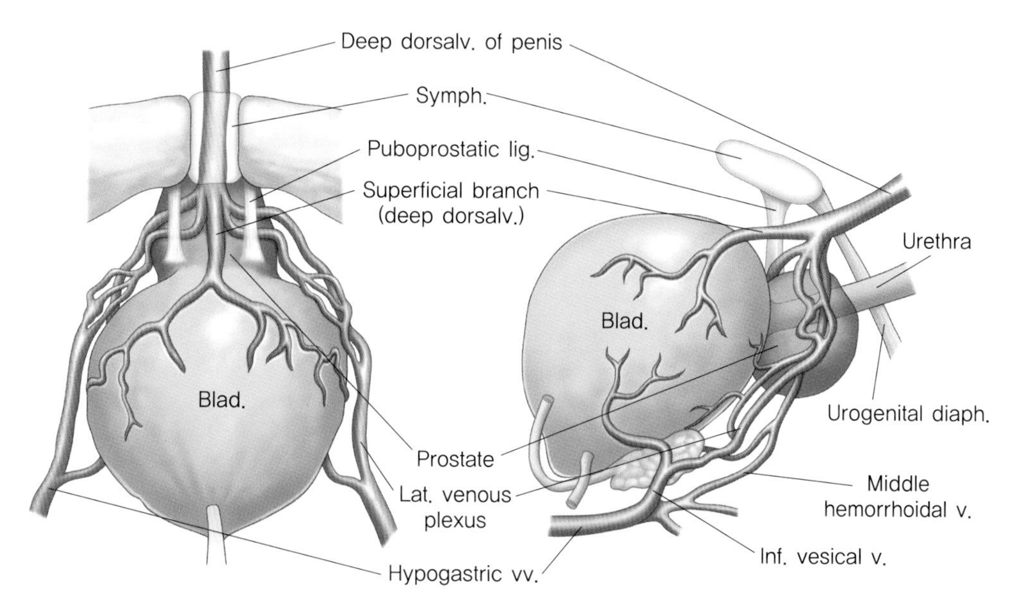

그림 64-4 Zonal anatomy of the prostate

표 64-1 Summary of the Anatomy and Cell Biology of the Prostate Gland

COMPONENTS	PROPERTIES
Development	
Seminal vesicles	From wolffian ducts through testosterone stimulation
Prostate	From urogenital sinus through dihydrotestosterone stimulation
Prostate Zones	
Anterior fibromuscular	30% of prostate mass, no glandular elements, smooth muscle
Peripheral	Largest zone, 75% of prostate glandular elements, site of carcinomas
Central	25% of prostate glandular elements; surrounds ejaculatory ducts
Transitional	Smallest zone, surrounds upper urethra complex, sphincter 5% of prostate glandular elements, site of benign prostatic hyperplasia 15%-30% of prostate volume
Epithelial Cells	
Basal	Small and flattened undifferentiated, nonsecretory cells with a low proliferative index (〈1%) that express keratins 5, 14, 18
Epithelial Cells (continued)	
Intermediate	Proliferating cell type that has characteristics intermediate between basal and secretory cells, including production of basal and secretory cell keratins
Columnar secretory	Terminally differentiated, nondividing, rich in acid phosphatase and PSA ; 20-μm tall, most abundant cell, keratins 5,18
Neuroendocrine	Terminally differentiated, nonproliferating cells that express serotonin, chromogranin-A, neuron-specific enolase, and synaptophysin proteins
Stromal Cells	
Smooth muscle	Rich in α-actin, myosin, and desmin
Fibroblast	Vimentin rich, associated with fibronectin
Endothelial	Associated with fibronectin; alk.phosphatase positive
Tissue Matrix	
Extracellular matrix	
- Basement membrane	Type IV and V collagen meshwork that is laminin rich and supports basal cells, stem cells, transit-amplifying cells, and secretory epithelium
- Connective tissue	Type I and type III fibrillar collagen; elastin
- Glycosaminoglycans	Sulfates of dermatan, chondroitin, and heparin; hyaluronic acid
Cytomatrix	Tubulin, α-actin, and intermediate filaments of keratin
Nuclear matrix	Dynamic structure of the nucleus that directs the functional organization of DNA into loop domains; contains ribonuclear proteins

다. 이에 반해 요도 주변부와 전립선관 부위의 신경내분비세포는 출생 시 나타나 그대로 평생을 지속한다. 또한 전립선비대증의 결절이 작으면 신경내분비 세포의 수가 증가했고, 결절이 크면 신경내분비 세포는 그 수가 감소하는데 전립선 비대증은 결절의 형성을 특징으로 하는 질환이므로 결절과 신경내분비 세포의 상관관계는 전립선 비대증에서 신경내분비 세포가 어떤 역할을 하고 있다는 것을 알려준다고 하겠다.

전립선 동맥혈류의 주 공급원은 하방광동맥(inferior vesical artery)에서 기원하는 전립선동맥이며 요도동맥(urethral artery)와 피막동맥(capsular artery)로 분지된다. 이 중 요도 동맥은 방광 경부로1시에서 5시 방향과7 시에서 11시 방향으로 들어가며 선체의 주요혈류공급 원이며 전립선 수술 시 4시와8시에서 대부분의 출혈이 발생하는 원인이 되기도 한다. 피막동맥은 전립선 측후면으로 음경 해면체신경(corpus carvemosal nerve)과 함께 주행하며 신경혈관속(neurovascular bundle)를 형성하면서 골반격막(pelvic diaphragm)까지 지나간다. 전립선의 정맥혈류는 전립선 정맥총을 이루며, 이는 음경의 심배부정맥(deep dorsal vein)과 문합하여 내장골정맥(internal iliac vein)으로 배출된다(그림 64-4). 전립선 정맥총은 척추 주위 정맥총(paravertebral plexus of Batson)과 교통이 풍부하며 이 때문에 전립선 암이 척추 전이가 많은 것으로 알려지고 있다. 전립선의 림프관은 폐쇄림프절, 내장골림프절로 주로 배출된다.

일반적으로 골반내 장기와 외성기에 분포하는 자율 신경계 신경은 골반 신경총을 거쳐 분포한다. 이를 구성하는 교감신경섬유는T11-12에서, 부교감신경섬유는 S2-S4에서 기원하며 가장 흔히 관찰되고 가장 풍부한 것은 교감 신경계이다. 절전(preganglionic) 교감 신경성 섬유는 대체로 요추에서 출발하여 하복신경을 통해서 골반강 내에 들어와서 전립선 부근에서 신경절과 연접을 형성하고 골반신경총에서 나온 교감신경은 음경해면체 신경을 통해 전립선으로 들어가게 되는데 이들은 전립선의 피막 동맥을 따라서 전립선의 선성분 및 기질성분에 분포하게 된다. 미세구조의 연구에 의하면 교감신경의 분포는 전립선의 분비관 주위에 가장 풍부하다고 한다. 부교감신경은 샘꽈리(acini)를 지배하여 분비를 증강시키며 교감신경은 피막과 간질의 평활근을 수축시킨다. 따라서 α 차단체는 간질과 전전립선 괄약근의 긴장도를 감소하여 요속을 증가시킨다.

3. 요약

전립선의 발생은 태생 11주경에 중신관 개구부 주위의 요도상피가 외측으로 뻗어나가 관상분지 성장을 하면서 시작되어 16주에 완성되는데 전립선의 발생 성장 및 분화는 남성호르몬에 의하여 조절되며 이는 전립선 간엽 조직과 상피조직의 상호작용에 의하여 이루어진다. 또한 전립선은 선조직과 이를 둘러싸는 섬유근조직으로 이루어져 있으며 정상성인의 평균적인 전립선의 무게는 약 18 gm, 길이는 4 cm, 폭2 cm, 깊이 2 cm의 부성선 기관이다.

참고문헌

1. 남성갱년기연구회. 남성갱년기와 안드로겐. 제1판. 서울; 한국의학. 1998;118-122.
2. 대한비뇨기과학회. 발생학. In: 대한비뇨기과학회. 비뇨기과학. 4th ed. 서울: 고려의학; 2007;36-47.
3. Berry S, Coffey D, Walsh P, Ewing L. The development of human benign prostatic hyperplasia with age. J Urol 1984;132:474-479.
4. Cohen R, Glezerson G, Taylor L, Grundle H, Naude J. The neuroendocrine cell population of the human prostate gland. J Urol 1993;150:365-368.
5. Greene DR Fitzpatrick JM, Scardino PT. Anatomy of the prostate and distribution of early prostate cancer. Semin Surg Oncol 1995;11:9-22.
6. Hayward SW, Cunha GR, Dahiya R. Normal development and carcinogenesis of the prostate. A unifying hypothesis. Ann N Y Acad Sci 1996;784:50-62.
7. Hayward SW, Rosen MA, Cunha GR. Stromal-epithelial interactions in the normal and neoplastic prostate. Br J Urol 1997;79 (suppl2):18-26.
8. Brooks JD. Anatomy of the lower urinary tract and male genitalia. In: Wein AJ, Kavoussi LR, Novick AC, Partin AW, Peters CA, editors. Campbell-Walsh' Urology. 9th ed. Philadelphia: WB Saunders; 2007;38-78.

9. Lee C. Cellular interactions in prostate cancer. Br J Urol 1997;79:21-27.

10. LeDuc IE. The anatomy of the prostate and the pathology of early benign prostatic hypertrophy. J Urol 1939;42:1217-1241.

11. Myers R, Goellner J, Cahill D. Prostate shape, external striated urethral sphincter and radical prostatectomy: the apical dissection. J Urol 1987;138:543-550.

12. Mcneal FE. Normal histology of the prostate. Am J Surg Pathol 1988;12:619-633.

13. Mcneal JE. The zonal anatomy of the prostate. Prostate 1981;1:35-49.

14. Older R, Watson L. Ultrasound anatomy of the normal male reproductive tract. J Clin Ultrasound 1996;24:389-404.

15. Vaalasti A, Hervonen A. Autonomic innervation of the human prostate. Inves Urol 1980;17:41-47.

CHAPTER 65

세균성전립선염의 병인 및 진단

Pathogenesis and Diagnosis of Bacterial Prostatitis

■ 조인래

전립선염은 50세 이하의 남성에서 가장 흔한 전립선 질환이며, 50세 이상에서는 전립선비대증, 전립선암 다음으로 흔한 전립선 질환이다. 비뇨기과 의사들은 전립선염 환자를 매우 자주 접하게 되지만, 그 진단 및 치료효과가 만족스럽지 못하여 치료하는 의사나 환자 모두가 곤혹감을 느끼고 있다. 그 이유는 전립선염에 대해 많은 연구가 이루어져 왔음에도 불구하고 아직도 그 병인 및 치료에 있어서 밝혀지지 않은 점이 많기 때문이다.

캐나다 비뇨기과 의사들의 전화 인터뷰 조사에서 비뇨기과 의사들은 전립선염을 치료함에 있어서 전립선암이나 전립선비대증을 치료하는 것보다 더욱 좌절감을 느낀다고 하였으며, 또한 전립선염이 환자들의 삶의 질에 끼치는 영향이 전립선비대증보다 심하며, 거의 전립선암 정도로 영향을 준다고 인지하고 있다. 그리고 비뇨기과 의사들은 전립선염을 치료함에 있어서 좌절감과 불편함과 부족한 자신감을 대부분 호소한다.

전립선염을 "임상적인 무식함의 쓰레기통"이라 불리기도 하는데 전립선염의 정확한 원인과 치료를 알지 못하는 현실을 적절하게 잘 표현한 것으로 생각한다. 또한 "전립선 질환들 중에서 검은 양"이고 표현을 하는데 만성전립선염 환자의 특성과 비뇨기과 의사의 정신적 고통을 잘 나타낸 것이라고 생각한다. 전립선염 환자들이 겪는 고통을 질병영향지수로 환산하면 최근에 발생한 심근경색증이나 불안정 협심증 혹은 활동성 크론씨병과 비슷하다.

따라서 전립선염의 빈도, 현재에 제시되고 있는 원인, 분류와 세균성 전립선염을 중심으로 증상과 진단에 대하여 살펴보자.

1. 전립선염의 유병률

Epidemiology of prostatitis

전립선염은 사춘기 이전에는 드물지만 성인 남성에서는 50%가 평생 동안 한번은 전립선염 증상을 경험하게 되고, 미국통계에 의하면 5-16%의 유병률을 보이며, 비뇨기과 외래환자의 25%, 우리나라 개원비뇨기과 내원환자의 약 15-25%가 전립선염증후군 환자로 추정될 만큼 매우 흔한 요로질환이다.

1990년에서 1994년까지 미국 비뇨기과에 의뢰된 환자를 조사한 결과 5% 정도에서 전립선염으로 진단받았는데, 매년 약 2백만 명이었고, 이 중 18세에서

50세 사이의 환자가 70만 명, 50세 이상의 환자가 90만 명이었다. 미국의 미네소타 주의 올름스테드 주에 거주하는 40세에서 79세 사이의 2,115명 중에 8.8%에서 전립선염이 있었다. 이 자료를 근거로 한 유병률은 당뇨병이나 심근경색증의 유병률과 비슷한 정도이다.

2. 세균성전립선염의 원인

Etiology of bacterial prostatitis

급성세균성전립선염, 만성세균성전립선염은 균이 밝혀진 경우이다. 이러한 경우는 전립선염 환자의 10% 정도이고 원인균을 밝히지 못하는 경우가 대부분이다. 세균성전립선염의 발생과정은 직장 내의 균들이 직장으로부터 직접 전파 및 림프관을 통한 감염이나 요도로부터의 상행성 감염, 혹은 요도 카테타와 연관되어 감염되는 경우와 성관계로 인한 전염과 혈행성 감염 등이 있을 수 있으나 요도로부터의 상행성 감염이 가장 많다. 최근에는 전립선조직검사 후 급성세균성전립선염이 1-2%에서 발생한다. 또한 급성세균성전립선염을 치료 후 만성세균성전립선염으로 이행되는 경우가 5-10%에 있다.

세균성전립선염의 원인균은 주로 호기성 그람 음성균인 대장균이고 녹농균(*Pseudomonas aeruginosa*), 장구균인 대변연쇄구균(*Streptococcus faecalis*), 그람 양성균(포도상구균, 연쇄상구균, 디프테로이드) 등이다. 급성전립선염의 원인균은 *E. coli*가 80%, *Pseudomonas aeruginosa*, *Serratia*, *Klebsiella*, *Proteus* 속의 균들이 10-15%, enterococci가 5-10%이다.

하지만 전립선염의 원인균에 대해서 아직 정립되지 않은 부분이 있다. *E. coli*를 비롯한 몇몇 균주에 대하여 전립선염의 세균성 원인균으로 인정하지만 다른 균에 대하여는 아직 연구 중에 있다(표 65-1). 특히 요도에 정상적으로 존재하는 균(normal flora)에 대하여 이견이 많다. 왜냐하면 전립선액이나 정액을 배양할 때에 요도의 균이 오염될 수 있기 때문이며 이에 대하여는 연구가 진행되고 있다.

표 65-1 전립선염의 원인균

Proven Etiology	Under debate
E. coli	Anaerobic bacteria
Other Gram-negative bacteria	*Corynebacterium* species
Enterococcus faecalis	*Gonococci*
Staphylococci	*Mycobacteria*
	C. trachomatis
	Genital mycoplasma
	Yeasts
	Trichomonas vaginalis
	Genital viruses

3. 전립선염의 분류

Classification of prostatitis

전립선염의 원인을 19세기 후반에는 만성전립선염의 원인이 승마와 같이 반복되는 회음부 손상이나 과도한 사정 즉 자위나 성생활로 기인한다고 믿었다. 20세기에 들어오면서 감염에 대한 원인을 생각하였고 1920-30년대에 임균 등의 세균이 원인균으로 대두되었다. 1950년대에 들어서 전립선염 증상을 유발하는 비세균적 요인이 인지되면서 '백혈구와 세균'에 초점을 맞추게 되었다. 1968년에 Meares와 Stamey의 3배분뇨 방법이 발표하였고 1978년에 Drach 등은 최근까지 널리 사용하였던 급성세균성전립선염, 만성세균성전립선염, 비세균성전립선염 그리고 전립선통의 백혈구와 세균에 초점을 맞춘 분류(표 65-2)를 제시하였다. 하지만 이러한 분류는 여러 가지 문제점이 있다.

하지만 이러한 분류의 여러 가지 문제점 때문에 1995년 NIDDK(national institute of diabetes and digestive and kidney diseases) NIH chronic prostatitis workshop에서 새로운 분류를 제안하였으며 이후 여러 번의 논의 후에 새로운 분류(표 65-3)를 제시하여 보편적으로 사용하고 있다. 새로운 분류에서 만성골반통증후군이란 명칭을 기존의 비세균성전립선염과 전립선통을 묶어서 부여한 것인데, 만성전립선염으로 내원한 환자들의 증상에서 골반통이 가장 많았다는 Krieger 등의 논문에 근거하였다. 이는 지난 6개월 동안 3개월 이상의 증상을 호소하는 환자들이 대상이 된다. 또한 만성비세균성전립선염을 세분하는데 3배분뇨법 외에 정액검사가 포함되었다. 전립선통 환자에서 농정액증을 보이면 염증성골반통증후군(category IIIa)이 되고 농정액증이 없으면 비염증성골반통증후군(category IIIb)이 된다. 그리고 지금까지 분류가 제대로 되지 못하였던, 불임 환자에서 정액검사를 시행한 후에 나타나는 농정액증 환자나, 전립선비대증이나 전립선암을 의심하여 전립선 조직검사를 시행하였을 때에 증상이 없이 염증 소견을 보이는 경우들을 category IV 무증상 전립선염으로 분류하고 있다. 특히 전립선염과 전립선암의 연관성에 대한 연구가 보고되면서 무증상전립선염에 대한 관심이 증가하고 있다.

4. 전립선염의 진단

Diagnosis of prostatitis

세균성전립선염은 전립선염의 원인균이 확인된 경우에 진단이 가능하다. 하지만 만성세균성전립선염과 만성비세균성전립선염의 감별이 어려우므로 통합하여 진단에 대하여 살펴보자. 만성비세균성전립선염/만성골반통증후군의 진단은 유사한 증상을 나타

표 65-2 만성전립선염의 분류(Drach 등)

Syndrome	Symptoms	EPS leukocytes	Bacteriuria	Physical Examination
Acute Bacterial Prostatitis	+	+	+	+
Chronic Bacterial Prostatitis	+	+		+
Nonbacterial prostatitis		+	+	
Prostatodynia			+	

표 65-3 만성전립선염의 새로운 분류

Category I.	*Acute bacterial prostatitis* is an acute infection of prostate.
Category II.	*Chronic bacterial prostatitis* is a recurrent infection of the prostate.
Category III.	*Chronic nonbacterial prostatitis/ chronic pelvic pain syndrome(CPPS)*, where there is no demonstrable infection. Subgroups of this class are: Category IIIa. *Inflammatory chronic pelvic pain syndrome*, where white cells are found in the semen, expressed prostatic secretions(EPS), or voided bladder urine-3(VB-3). Category IIIb. *Non-inflammatory chronic pelvic pain syndrome*, where white cells are NOT found in the semen, EPS, and VB-3.
Category IV.	*Asymptomatic inflammatory prostatitis(AIP)*, where there are no subjective symptoms but white cells are found in prostate secretions or in prostate tissue during an evaluation for other disorders.

표 65-4 유럽비뇨기과학회의 만성전립선염의 진단 지침

1. Clinical history and symptoms
2. Physical Examination
3. UA & UC(mid-stream urine)
4. R/O venereal diseases
5. Micturition chart, UFR, RU
6. 4 glass test(Meares & Stamey)
7. Antibacterial therapy in patients with proven or suspected infection
8. In case of no improvement(after 2 weeks) further evaluation is necessary e.g. video urodynamics

표 65-5 CPCRN의 만성전립선염의 진단 지침

Recommended
History
P/E, including digital rectal examination
Lower urinary tract localization(4-glass or 2-glass test)
NIH CPSI
Flow rate
Residual urine determination(by US)
Optional
Semen analysis and culture
Urethral swab for culture
Pressure flow studies
Video urodynamics(including flow-EMG studies)
TRUS of prostate
Pelvic US, CT or MRI
PSA
Urine cytology

내는 치료가 가능한 다른 원인이 있는지를 먼저 검사하는 것이 필요하다. 감별해야 할 질환으로는 비뇨기계 종양(방광암: 이행상피세포암, 이행상피내암, 전립선암), 하부 요로결석, 간질성 혹은 방사선치료 후의 방광염, 신경인성방광, 감염질환 즉 요도염과 부고환염 등, 위장관 질환으로 염증성장질환이나 직장이나 항문주위 질환(농양, 치열, 치핵 등), 서혜부탈장, 요도협착 등이 있다.

진단 방법에 대해서 여러 가지 의견이 있다. 유럽비뇨기과학회에서 진단적 기준(표 65-4)을 제시하였고, 북미의 8개 대학 비뇨기과 교수들의 모임인 CPCRN(chronic prostatitis collaborative research network group)에서 전립선염의 진단에 대한 지침(표 65-5)을 제시하고 있으나 계속 논의 중에 있다. 이러한 지침들을 중심으로 각각의 검사에 대하여 살펴보자.

1) 병력(History)

전립선염으로 진단 받은 병력이 있는지를 알아보는 것이 중요하다. 올름스테드 주 연구 초기에 2,115명 중에 186명(9%)에서 이전에 전립선염의 병력이 있었다. 이 중 179명의 자료를 자세히 분석한 결과 37명(66%)에서 여러 번 전립선염의 진단을 받았다. 급성전립선염 환자나 만성세균성전립선염 환자가 얼마나 높은 빈도에서 만성골반통증후군으로 이행되는지는 알 수 없으나 상당수 될 것으로 추정하고 있다. 또한 만성골반통증후군으로 진단 받았던 병력이 있는 환자의 진단과 치료는 처음 발병한 환자와 다를 수 있기 때문이다.

우울증이나 다른 정신적인 질환으로 치료받은 병력이나 항문이나 고환의 질환 여부도 알아보아야 한다. 하루 종일 앉아서 지내는 직업을 가지고 있는지 살펴보는 것도 중요하다. 운전사나 컴퓨터 프로그래머 등은 치료를 해도 만성 통증이 호전되지 않는 경

우가 많기 때문이다.

2) 신체검사(Physical examination)

만성전립선염은 회음부나 외성기의 통증을 호소하기 때문에 서혜부탈장이나 항문 주위의 다른 질환이 있는지, 부고환의 병변이 있는지 살펴 볼 필요가 있다. 특히 정관수술 후에 부고환의 병변으로 만성적으로 호소하는 통증과는 감별하여야 한다.

직장수지검사는 전립선비대증이나 전립선암의 감별을 위하여 필요하지만 전립선염의 진단에 명확한 정보를 제공하는 경우는 급성전립선염이나 전립선농양을 제외하고는 드물다. 급성전립선염의 경우는 전립선의 직장촉진에서 매우 심한 압통, 부종과 온열감 등의 소견을 나타내므로 쉽게 진단할 수 있다. 하지만 대부분의 전립선염 환자의 전립선 촉지 소견은 부드러운 것에서부터 딱딱한 정도로 다양하게 만져지며 특징적인 소견은 없다. 전립선내에 결석이 있는 경우에는 전립선암과 같이 단단하게 만져질 수 있고, 치료가 잘되지 않는 만성전립선염 환자에서는 표면이 울퉁불퉁하고 압통을 호소하는 경우도 있다.

3) 임상증상(Clinical symptoms)

급성전립선염은 갑작스런 고열과 오한, 하부요통, 회음부통증, 빈뇨, 요급박, 야간뇨, 배뇨통 및 배뇨곤란 등 하부요로 증상을 보이고 근육통, 관절통의 증상이 나타나므로 임상증상으로 진단이 가능하다.

만성전립선염은 다양한 증상을 호소하고 주증상을 치료하여 소실되면 다른 증상을 호소하고, 이를 또 치료하면 다시 또 다른 증상을 호소하는 경향이 있기 때문에 환자의 진단과 치료에 있어서 환자의 증상이 중요하다. 따라서 이러한 환자가 내원하였을 때에 다양한 증상을 먼저 파악하여 치료하는 것이 중요하다.

전립선은 사정과 배뇨를 조절하는 기능이 있는 남성 생식기관이므로 전립선에 병변이 발생되면 배뇨증세, 신경통증세, 성기능에 관련한 증세 등의 전립선 증상이 다양하게 발현될 수가 있다.

만성전립선염의 특징적인 증상으로 회음부 통증, 성기 끝의 통증, 고환통, 아랫배 통증, 배뇨통과 사정통의 6가지가 있다. 배뇨증상은 전립선비대증 환자들과 비슷하게 호소하므로 만성골반통증후군 환자들을 치료할 때에 이러한 점을 고려해야 한다. 또한 만성전립선염 환자들의 성에 관련한 증상들은 정상인에 비하여 성욕 감소, 발기력 저하 등을 호소하나 성관계 횟수나 극치감을 느끼는 횟수에는 차이를 보이지 않기 때문에 성행위를 하는 데에는 큰 영향을 주지 않는다.

전립선염의 다양한 증상들을 정량화하는 작업을 CPCRN에서 진행하여 지금까지의 알려진 증상점수표와 전립선염에 관한 논문들을 분석해서 통증 또는 불편감, 배뇨증상, 삶의 질에 미치는 영향의 3가지 분야로 크게 나누어 모두 9가지 항목으로 이루어진 미국국립보건원 만성전립선염 증상 점수표(National Institutes of Health Chronic Prostatitis Symptom Index, NIH-CPSI)를 제시하였다(표 65-6). 통증 혹은 불편감에 대한 점수가 0-21점이고, 배뇨증상의 점수가 0-10점이고, 삶의 질에 관한 점수가 0-12로 분류되어 총점수가 0-43점으로 구성되어 있다. 점수가 많을수록 증상이 심한 것을 의미하며 경증(mild)은 0-14점, 중(中)증(moderate)은 15-29, 중(重)증(severe)은 30-43으로 제시하고 있다.

신뢰할 만한 공인기관인 미국국립보건원 후원으로 만들어진 만성전립선염 증상지수는 미흡한 점이 있으나 충분한 검증을 마쳤고, 비교적 간단하게 만들어져 있고, 만성전립선염 환자들에서의 특징적인 증상을 포함하고 있어서 환자들의 초기 치료와 치료 중 혹은 치료 후의 평가에 유용하다.

4) 하부요로감염 부위 감별진단 (Lower urinary tract localization test)

전립선염의 진단은 전립선액(EPS), 전립선마사지

표 65-6 미국국립보건원 만성전립선염 증상 점수표(NIH-CPSI)

통증 혹은 불쾌감

1. 지난 일주일 동안에 다음의 부위에서 통증이나 불쾌감을 경험한 적이 있습니까?

	예	아니오
가. 고환과 항문사이(회음부)	□1	□0
나. 고환	□1	□0
다. 성기의 끝(소변보는 것과 관계없이)	□1	□0
라. 허리 이하의 치골(불두덩이) 혹은 방광 부위(아랫배)	□1	□0

2. 지난 일주일 동안에 다음의 증상이 있었습니까?	**예**	**아니오**
가. 소변을 볼 때 통증이나 뜨끔뜨끔한 느낌	□1	□0
나. 성관계시 절정감을 느낄 때(사정시), 또는 그 이후에 통증이나 불쾌한 느낌	□1	□0

3. 위의 부위에서 통증이나 불쾌감을 느낀 적이 있다면 지난 일주일 동안에 얼마나 자주 느꼈습니까?

□0 전혀 없음 □1 드물게
□2 가끔 □3 자주
□4 아주 자주 □5 항상

4. 지난 일주일 동안에 느꼈던 통증이나 불쾌감의 정도를 숫자로 바꾼다면 평균적으로 어디에 해당됩니까?

0	1	2	3	4	5	6	7	8	9	10
□	□	□	□	□	□	□	□	□	□	□

↑
전혀 없음 상상할 수 있는 가장 심한 통증

배뇨

5. 지난 일주일 동안에 소변을 본 후에도 소변이 방광에 남아있는 것 같이 느끼는 경우가 얼마나 자주 있었습니까?

□0 전혀 없음 □1 5번 중에 한번 이하
□2 반 이하 □3 반 정도
□4 반 이상 □5 거의 항상

6. 지난 일주일 동안에 소변을 본 뒤 2시간이 채 지나기도 전에 또 소변을 본 경우가 얼마나 자주 있었습니까?

□0 전혀 없음 □1 5번 중에 한번 이하
□2 반 이하 □3 반 정도
□4 반 이상 □5 거의 항상

증상들로 인한 영향

7. 지난 일주일 동안에 상기 증상으로 인해 일상생활에 지장을 받은 적이 어느 정도 됩니까?

□0 없음 □1 단지 조금
□2 어느 정도 □3 아주 많이

표 65-6 미국국립보건원 만성전립선염 증상 점수표(NIH-CPSI) (계속)

8. 지난 일주일 동안에 얼마나 자주 상기증상으로 고민하였습니까?

□0 없음	□1 단지 조금
□2 어느 정도	□3 아주 많이

삶의 질

9. 만약 지난 일주일 동안의 증상이 남은 평생 지속된다면 이것을 어떻게 생각하십니까?

□0 매우 기쁘다	□1 기쁘다
□2 대체로 만족스럽다	□3 반반이다(만족, 불만족)
□4 대체로 불만족스럽다	□5 불행하다
□6 끔찍하다	

만성전립선염 증상 점수

통증 : 1가, 1나, 1다, 1라, 2가, 2나, 3, 4 문의 합계	= ______
배뇨증상 : 5, 6 문의 합계	= ______
삶의 질에 대한 영향 : 7, 8, 9 문의 합계	= ______

후 첫소변(VB3) 혹은 정액에서 세균 여부와 백혈구의 증가 여부로 진단하고, 주로 3배분뇨법(그림 65-1)과 정액검사로 전립선염을 세분하게 된다. 배양검사에서 균이 자라면 세균성으로 진단하게 되는데, 최근 분자생물학적인 기법으로 비세균성전립선염이 세균성으로 진단되는 경향이 있다.

(1) 전립선액검사(EPS; expressed prostatic secretion)

전립선마사지를 시행하여 나온 전립선액을 고배율 현미경에서 백혈구의 증가로 전립선염의 여부를 보편적으로 진단한다. 전립선액의 정상 백혈구치는 학자마다 다소의 차이가 있는데 정상인에서도 성교 후나 심한 흥분상태에서는 비정상적으로 올라 갈 수 있기 때문이다. 통상 400배의 고배율 시야에서 20개 이상 혹은 15개 이상 혹은 10개 이상 혹은 2개 이상으로 주장한 보고가 있다. 현재 10개 이상을 전립선염의 진단 기준으로 사용하고 있다. 하지만 이 기준을 적용하더라도 여러 가지 고려해야 한다.

첫째로 전립선 도말검사에서 10개 이하라 하더라도 전립선염이 있는 경우가 있다. 왜냐하면 전립선 마사지의 기술에 따라서 개인차를 보이고, 전립선낭에는 염증이 치료되지 않았으나 낭에서 전립선액이 나오는 전립선관의 입구나 중간에 딱지가 생겨서 이 관이 막히고 정상부위의 전립선에서만 나온 전립선액으로 검사를 하면 정상으로 나타날 수 있기 때문이다. 그래서 전립선염이 완전히 치료되지 않은 상태에서도 정상으로 나올 수 있다. 또한 이러한 경우에는 염증성만성골반통증후군이 비염증성만성골반통증후군으로 진단될 뿐만 아니라, 세균성전립선염이 비세균성전립선염으로 진단될 수 있다.

둘째로 한번의 전립선액 검사로 전립선염이 없다고 말할 수 없다. 전립선염 증상을 호소하는 환자들에서 전립선마사지를 시행하여 도말검사를 시행한 결과 처음 시행 시에는 10개 이상 백혈구가 관찰되는 환자가 26%이었으나 주 3회씩 6회 이상 시행하였을 때에 97%에서 전립선염으로 진단되었다. 따라서 처음 검사를 기준으로 하면 71%에서 위음성의 소견을

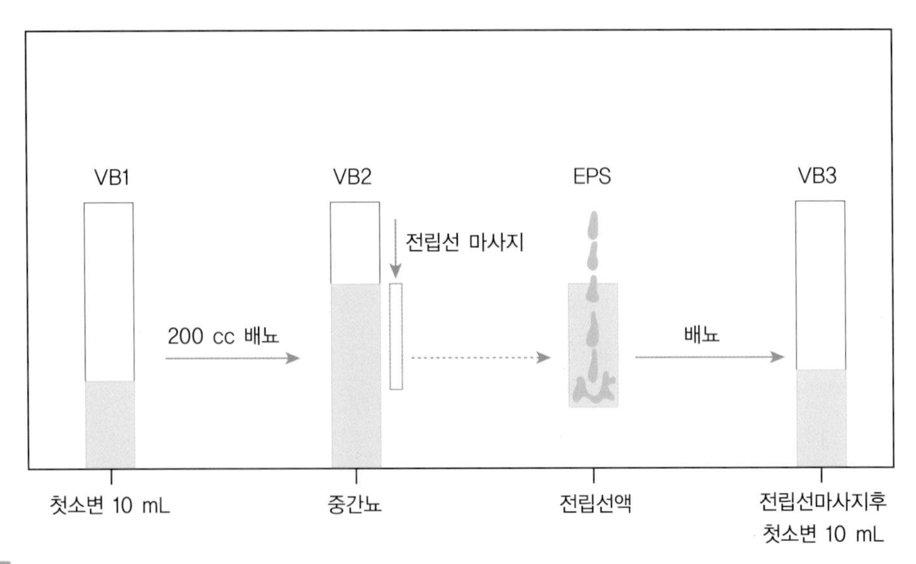

그림 65-1 3배분뇨법 검사

보였다. 하지만 주 3회의 잦은 마사지로 인한 백혈구의 증가 가능성을 배제할 수 없다.

셋째로 전립선액 도말검사 방법에서 coverslip의 문제점이다. 도말검사 시에 coverslip을 이용하기 때문에 백혈구가 한쪽으로 몰리면 위음성으로 진단할 수가 있다. Coverslip을 이용한 방법과 전립선액 전체의 양에서 백혈구의 수를 정확히 알 수 있는 hemocytometer를 이용한 방법으로 진단율을 비교한 결과 도말검사는 고배율 시야에서 10개 이상으로 하여 23%에서 전립선염으로 진단되었으나, hemocytometer 사용한 경우에 1 mL당 500개 이상의 백혈구가 관찰될 때를 진단기준으로 하여 53%에서 염증이 있는 것으로 진단되었다. 즉 30%에서 위음성으로 진단되었다.

넷째로 요도염이 치료되기 전에 전립선마사지를 시행하면 요도염의 백혈구가 오염되어 전립선염으로 오진 될 수 있다. 따라서 요도염을 치료한 후에 전립선액 검사를 시행하는 것이 필요하다.

다섯째로 요도염의 여부를 진단하는 VB1(첫뇨)과 VB2(중간뇨)의 진단적 가치가 떨어진다는 단점이 있다. 전립선염으로 의뢰된 235명에서 요도 면봉검사 후 그람염색을 시행하여 요도염을 진단한 것과 VB1과 VB2에서 요도염을 진단한 것을 비교한 결과 요도 면봉검사에서는 26%, VB1 18%, VB2 6%로 나타났으며, 요도 면봉검사에 대한 민감도는 VB1에서 0-22%, VB2에서 8-11%로 매우 낮았다. 또한 요도 면봉검사를 포함하지 않고 3배분뇨법으로 진단된 전립선염 환자의 1/3 정도에서 요도염이 있는 것으로 나타나 3배분뇨법도 전립선염을 진단하는데 부정확하다. 하지만 요도염의 근본적인 원인이 전립선염일 수 있으므로 이에 대해서는 더욱 연구가 필요하다.

여섯째로 전립선액 도말검사가 실패한 경우에는 VB1과 VB2에 비하여 10배 이상의 백혈구가 VB3(전립선마사지 후 첫뇨)에서 관찰될 때에 진단을 내리게 된다. VB2와 VB3에 세균뇨가 있는 경우에는 전립선을 침투하지 않는 항생제를 3일간 투여한 후에 다시 검사를 하여 진단해야 한다.

일곱째로 전립선액에서 pH가 8 이상인 경우나 5개 이상의 백혈구가 덩어리져 있는 것(WBC clump)과 지방알갱이를 함유한 대식세포(oval fat bodies)가 존재한다고 해서 전립선염으로 진단할 수 없으나, 전립선염을 시사하는 소견이다. 이상에서 기술한 점들을 유의하여 전립선 도말검사를 시행해야 한다.

(2) 3배분뇨법검사(3-glass test)

세균성 비세균성의 구분은 세균학적 병소확인 배양검사인 3배분뇨법이 사용되고 있다. 백혈구 및 세균이 VB1에서만 검출되면 단순 요도염을, VB1, VB2 그리고 VB3 전부에 있으면 방광염을, EPS 및 VB3에만 있으면 전립선염을 의미한다. 세균뇨가 있는 경우에는 전립선에 침투되지 않는 항생제로 방광뇨를 멸균한 후 다시 배양검사를 시행한다. 이러한 검사법은 이론상으로는 가장 정확한 진단방법이기는 하나, 실제로 검사결과에 대한 의미가 미흡하고, 검사 시간과 경비의 문제 등으로 인하여 임상에서 사용하기에는 여러 가지 어려움이 있다. 그래서 캐나다와 미국의 전립선염을 치료하는 일차의료의들과 비뇨기과 의사들을 대상으로 조사한 결과에서 대부분이 3배분뇨법을 시행하지 않고 있으며, 우리나라에서도 마찬가지다.

또한 일반배지에서의 균배양검사에서 균이 자라지 않는다고 하여 균이 없다고 말할 수 없다. 균에 따라서는 특수한 배지를 사용해야 하는데 특히 혐기성 세균을 예로 들 수 있다.

전립선액검사에서 백혈구가 증가된 경우에 전립선 내에 균이 있는 경우가 있다. 전립선염 환자 25명과 전립선통 환자 60명에서 전립선액이 아니라 회음부 천자로 전립선 조직을 얻어 균배양을 시행한 결과 배양된 세균은 전립선염군, 전립선통군에서 각각 Enterobacteriaceae 8%, 3%, Diphtheroids 24%, 13%, Coagulase-neg. *Staphylococci* 20%, 7%였으며, 호기성 세균이 24%, 7%, 혐기성세균이나 장내세균이 32%, 7%였다. 한 가지 이상의 세균이 배양된 경우는 각각 전체의 48%, 23%였고, 2가지 혹은 그 이상의 세균이 검출된 경우는 32%, 10%였다.

백혈구 수치가 정상으로 나타나는 비염증성만성골반통증후군은 세균과 무관하다고 받아들여지고 있으나 백혈구가 10개 이하인 전립선통 환자 14명 중 57%에서 전립선액 배양검사에서 세균이 검출되었다.

분자생물학적인 검사방법을 이용하여 균 검사를 최근에 많이 시행하고 있다. 대부분 DNA 중합효소(polymerase)의 연속적인 반응을 이용하여 단기간에 소량의 DNA를 대량으로 증폭하는 PCR (polymerase chain reaction) 방법을 사용한다. PCR과 같이 핵산을 증폭하여 그 산물을 진단하는 방법들을 통틀어 핵산증폭검사법(nucleic acid amplification Tests, NAATs)이라 부르며, PCR 외에 TMA (transcription mediated amplification), SDA (strand displacement amplification) 등의 방법들이 상용화되어 있다. 이러한 NAATs 방법은 높은 민감도로 인하여 균의 여부를 알 수 있지만 위양성과 위음성의 가능성이 높다는 것이다. 위양성은 검체나 검사실에서의 오염에서 비롯된다. 위음성은 시발체(primer)나 시약의 문제 등 검사 자체의 문제와 검체 체취의 문제를 생각할 수 있다. 또한 여러 균주가 있을 수 있으므로 sequencing vector에 PCR 산물을 결합하여 배양하고, 다시 PCR하여 염기서열을 해독하여 균주를 파악하는 등의 검사과정에서 시간과 비용이 매우 많이 든다.

전립선액이나 소변, 정액 등으로 검사를 하면 100% 오염되므로 Krieger 등은 비세균성전립선염 환자들과 전립선통 환자들에서 오염을 방지하기 위하여 회음부 천자로 전립선 조직검사를 시행하여 미생물에서만 나타나는 16S rRNA를 PCR로 검사한 결과 77%에서 양성 반응을 보였다. 이러한 연구에서 전립선 내에 숨은 균(cryptic organism)이 많이 있음을 알 수 있다. PCR의 발견 이후 배양되지 않지만 존재가 알려진 많은 미생물들이 생태계에 있음을 알게 되었고, 전립선염 환자에서도 배양되지 않지만 숨은 균이 발견되었다. 하지만 이러한 균이 만성전립선염 원인균인지는 추가적인 연구가 필요하다.

한편 회음부 천자의 검사방법은 환자에게 매우 고통을 주며, 죽은 균이 있어도 양성으로 나오는 단점이 있다. 이를 보완하여 생존균이 있어야만 검사가 가능한 mRNA로 검사하는 방법이 최근 제시되었으나 mRNA의 생존기간이 수 분이라는 문제가 추가된다.

이상에서 대부분의 모든 병원에서 전립선 조직으로 혐기성 배양이나 분자생물학적인 검사를 시행하지 않으며, 최소한 2주간의 항생제 금지기간을 지키지 않고 일반배지에 전립선액으로 시행한 배양검사에서 균이 자라지 않는다고 비세균성으로 진단하고 있다. 또한 많은 병원에서 오염이 되는 검체로 공인된 정도관리가 이루어지지 않고 있는 업체들에 의뢰하여 분자생물학적 방법으로 전립선염의 원인균 검사를 하고 있다. 앞으로 분자생물학적인 진단 방법이 더욱더 정확하고 편리해지면 전립선염의 명확한 원인균들이 밝혀질 것으로 생각한다.

(3) 2배분뇨법(2-glass test)

3배분뇨법은 시간이 많이 걸리고 여러 번 소변을 받는 등의 이유로 잘 시행하지 않으므로 최근에는 전립선마사지 전후의 뇨검사 및 일반 세균배양검사를 시행하는 2배분뇨법이 시행되고 있다. 동일 환자에서 3배분뇨법과 비교한 결과 매우 높은 일치율을 보여 2배분뇨법으로도 전립선염의 진단과 분류가 가능하다. 따라서 2배분뇨법을 이용하면 보다 손쉽게 전립선염을 진단할 수 있다.

(4) 정액검사(Semen analysis)

전립선염의 새로운 분류에서 전립선통 환자에서 농정액증을 보이면 기존의 전립선통 환자가 염증성 골반통증증후군이 된다. 140명의 골반통증후군 환자를 정액검사를 포함한 경우와 정액검사를 포함하지 않고 분류한 결과 정액검사를 포함하였을 때에 염증성골반통증후군이 52%, 포함하지 않았을 때에 28%로 정액검사를 포함한 경우가 24% 더 많았다. 하지만 정액은 고환, 부고환, 정낭에 염증이 있어도 백혈구가 증가될 수 있기 때문에 이에 대한 논의는 계속되고 있다.

농정액증의 진단은 정액에서 백혈구수가 1×10^6/ml개 이상이거나 혹은 100개의 정자를 헤아렸을 때 6개 이상으로 하고 있다. 하지만 미성숙 정자와 백혈구를 현미경하에서 특수한 염색을 하지 않으면 감별이 힘들다. 이 둘을 분별하는 데는 Bryan-Leishman 염색이 가장 좋으나 시간이 오래 걸리는 단점이 있고, Giemsa 염색은 백혈구의 종류를 잘 분류할 수 있는 장점이 있으나 미성숙 정자와의 감별이 조금 떨어지는 단점이 있다.

그러면 농정액증 여부를 관찰하기 위해서 정액검사를 언제 시행하는 것이 좋은가? 아직 정립된 것은 없지만 처음 내원 시에 비세균성골반통증후군으로 진단된 환자와 전립선염으로 진단된 환자에서는 전립선액 도말검사에서 백혈구 수가 10개 이하로 즉 정상범주로 최소한 2주 이상 지속되었을 때에 시행하여야 한다.

5) 기타 검사

(1) 경직장 전립선초음파검사 (Transrectal ultrasound of prostate)

만성전립선염에서 필수적인 검사는 아니지만 전립선비대증이나 전립선암의 감별진단과 사정관 폐쇄 유무, 정낭의 병변을 확인하기 위하여 필요하다. 전립선염을 진단할 수 있는 특징적인 초음파 소견은 아직 정립되지 않고 있다. 전립선 석회화, 전립선 실질내 고반향 및 저반향 에코, 전립선 주위 정맥총 확장, 전립선 피막의 불규칙성, 전립선요도 주위부의 불규칙성 같은 이상 소견이 관찰되며 중복 발현율이 높을수록 만성전립선염의 가능성이 높아진다. 또한 정상 전립선 반향구조를 보인다면 적어도 만성전립선염의 가능성을 배제할 수 있다.

색도플러 초음파를 이용한 경직장 초음파가 이용되고 있다. 색도플러의 영상은 종양이나 염증에서 증가되는 소견을 보이고 있으므로 이러한 특성을 이용하여 전립선 질환에서는 전립선암의 감별검사나 전립선 조직검사 시에 사용되고 있으며 전립선염에서 말초대와 전립선 피막에서의 도플러 영상의 증가 소견을 보인다. 하지만 이러한 소견을 보인다고 해서 전립선염으로 진단할 수는 없다.

(2) 요속검사 및 잔뇨검사, 요역동학검사 (Uroflowmetry, residual urine, urodynamic study)

요속 및 잔뇨 검사는 전립선염을 진단하는 데 필수적인 검사는 아니지만 배뇨장애를 호소하는 환자에서 필요하다. 요역동학 검사는 비염증성골반통증후군에서 배뇨근괄약근 협조장애가 초래되면서 통증이 유발될 수 있기 때문에 전립선염이 난치성인 경우에 필요하다.

(3) 내시경검사(Endoscopy)

만성전립선염에서 내시경 검사에서 정상 소견을 보일 수 있으며 간혹 전립선요도의 충혈, 부종, 폴립 등이 관찰 될 수 있다. 하지만 전립선염의 특징적인 소견이라 할 수 없다. 따라서 내시경 검사는 필수적이지 않으나 난치성인 경우에 간질성방광염이나 방광암을 감별하는데 필요하다.

(4) 성병검사

성병이 없는 지를 감별하는 것이 필요하다. 전립선염이 요도염 특히 비임균성 요도염이 적절하게 치료되지 않고서 초래되는 경우가 많아 성병으로까지 인식하고 있다. 전립선염 환자 326명 중 70%에서 정상인 100명 중 6%에서 요도염의 기왕력이 있었다. 즉 전립선염 환자들에서 요도염의 병력이 많으므로 전립선염의 발현에 요도염이 연관이 있는 것으로 추측할 수 있다. 또한 *Chlamydia* 균과 같은 성병균이 검출되는 경우도 있으므로 전립선염을 성병으로 간주할 수도 있다.

하지만 전립선염 환자의 30%에서는 요도염의 기왕력이 없었고 이중 19%에서는 요도염은 없었으나 요도염이 생길 가능성이 있는 여성과 성관계를 가진 적이 있다고 하였으나, 11%에서는 요도염도 성관계도 없었다고 하였다. 따라서 전립선염이 반드시 요도염에서 기인하는 것이 아니다. 또한 요도염의 병력이 전립선염의 만성화에 영향을 주지 않는다.

(5) 아연(Zinc)

전립선염이 있을 때에 전립선액 내의 zinc 수치가 감소되는 것에 착안하여 유용한 진단적 지표가 될 것이라고 하였으나 비세균성전립선염, 전립선비대증, 정상 대조군과 별 차이를 보이지 않기 때문에 진단을 위한 검사로 유용하지 못하다.

(6) 사이토카인(Cytokines)

최근 전립선염에서의 세포 변화에 대하여 많은 연구가 진행되고 있다. 만성골반통증후군에서 cytokine 중 염증에 관여하는 IL-1 β, TNF-α, IL-8 등이 증가하는 것으로 알려져 있다. Desireddi 등은 cytokine 중 monocyte chemoattractant protein-1과 macrophage inflammatory protein-1 α가 향후 biomaker로써 유용할 것으로 제시하였다. 이러한 cytokine들은 만성전립선염에서의 진단과 치료 경과관찰에 유용할 것으로 생각되나 검사상의 어려움으로 현재 연구 보고로만 나오고 있는 실정이다. 하지만 보다 편리한 방법으로 측정이 가능하다면 향후 진단 방법으로 유용할 것으로 생각된다.

6) 암에 대한 감별검사

(1) 뇨세포검사(Urine cytology)

만성전립선염 환자라도 혈뇨가 있을 때에는 방광암의 가능성을 배제하기 위하여 요세포 검사가 필요하다.

(2) 전립선특이항원검사
(Prostate specific antigen; PSA)

만성전립선의 염증(inflammation)이 전립선암을 유발한다는 의견도 있지만, 전립선암의 동반여부를 확인하기 위하여 혈청 PSA 검사가 필요하다. PSA는 전립선염에서 증가할 수 있고 증가된 환자의 경우 전립선염을 치료하면 대부분 정상치로 내려가기 때문에 치료의 지표로 이용할 수 있다. 하지만 PSA치는 전립선염의 정도와 비례하지 않기 때문에 지표로서의 이용에는 문제점이 있다.

전립선염 환자에서 PSA가 4 ng/mL 이상으로 증가되었을 때에 4-8주간 항생제를 투여한 후 PSA를 다시 측정하여 지속적으로 증가한 경우 전립선 조직검사를 시행함으로써 불필요한 침습적인 조직검사를 줄일 수 있다. 반면 PSA가 증가한 경우에 전립선염의 영향을 고려하여 먼저 전립선마사지를 시행하여 전립선염의 소견이 있으면 항생제를 사용하고, 없으면 바로 조직검사를 시행하는 방법도 불필요한 조직검사를 줄일 수 있는 유용한 방법이다. 하지만 전립선암의 진단이 지연될 수 있다.

따라서 PSA가 증가한 환자에서 전립선액검사(EPS), 전립선마사지후 뇨검사(VB3), 농정액증 등의 전립선염 소견이 있으면 항생제를 4-8주 투여한 후 PSA가 정상치로 감소하면 조직검사를 시행하지 않고, 주기적으로 PSA를 검사하면서 추적관찰 한다. 하지만 항생제 치료 후에도 PSA가 지속적으로 증가되어 있거나 전립선염 소견이 없는 경우에는 전립선조직검사를 시행하여 조직검사 소견에 따라 치료를 하면 된다. 하지만 PSA가 4 ng/mL 이상으로 증가된 경우에는 전립선암이 진단되지 않아도 면밀한 추적검사가 필요하다(그림 65-2).

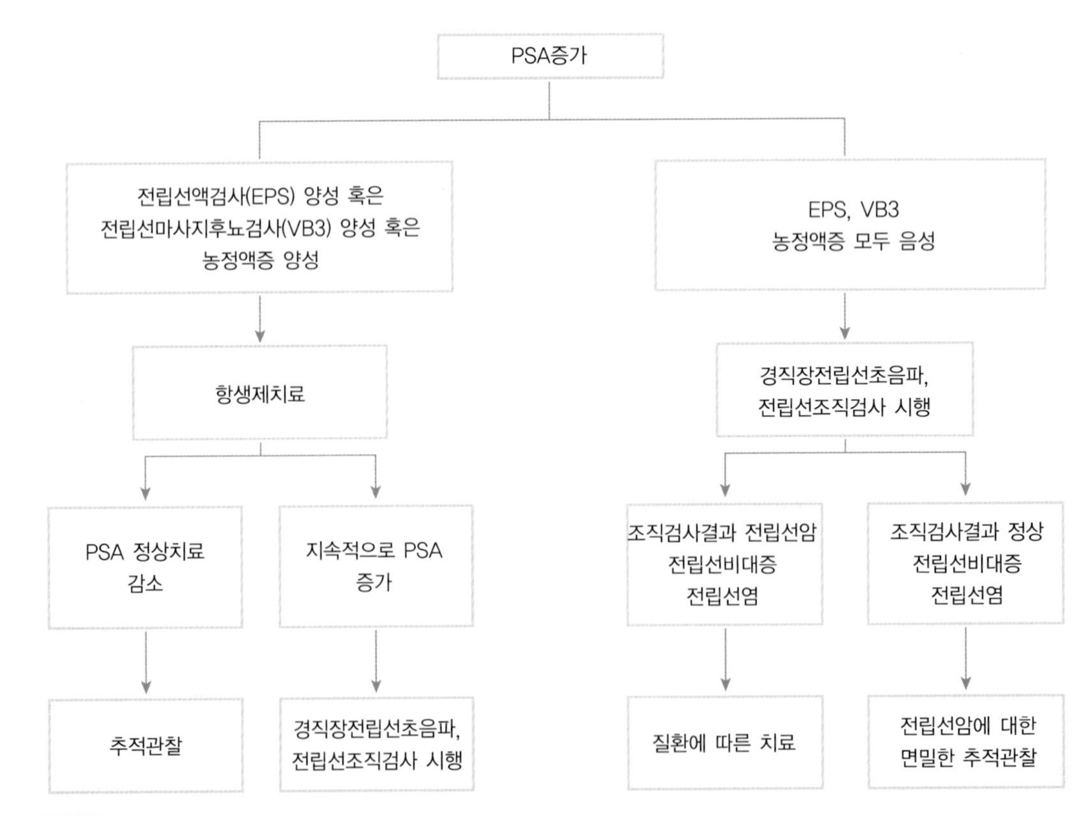

그림 65-2 전립선특이항원(PSA)이 증가된 만성전립선염 환자의 진단 및 치료전략

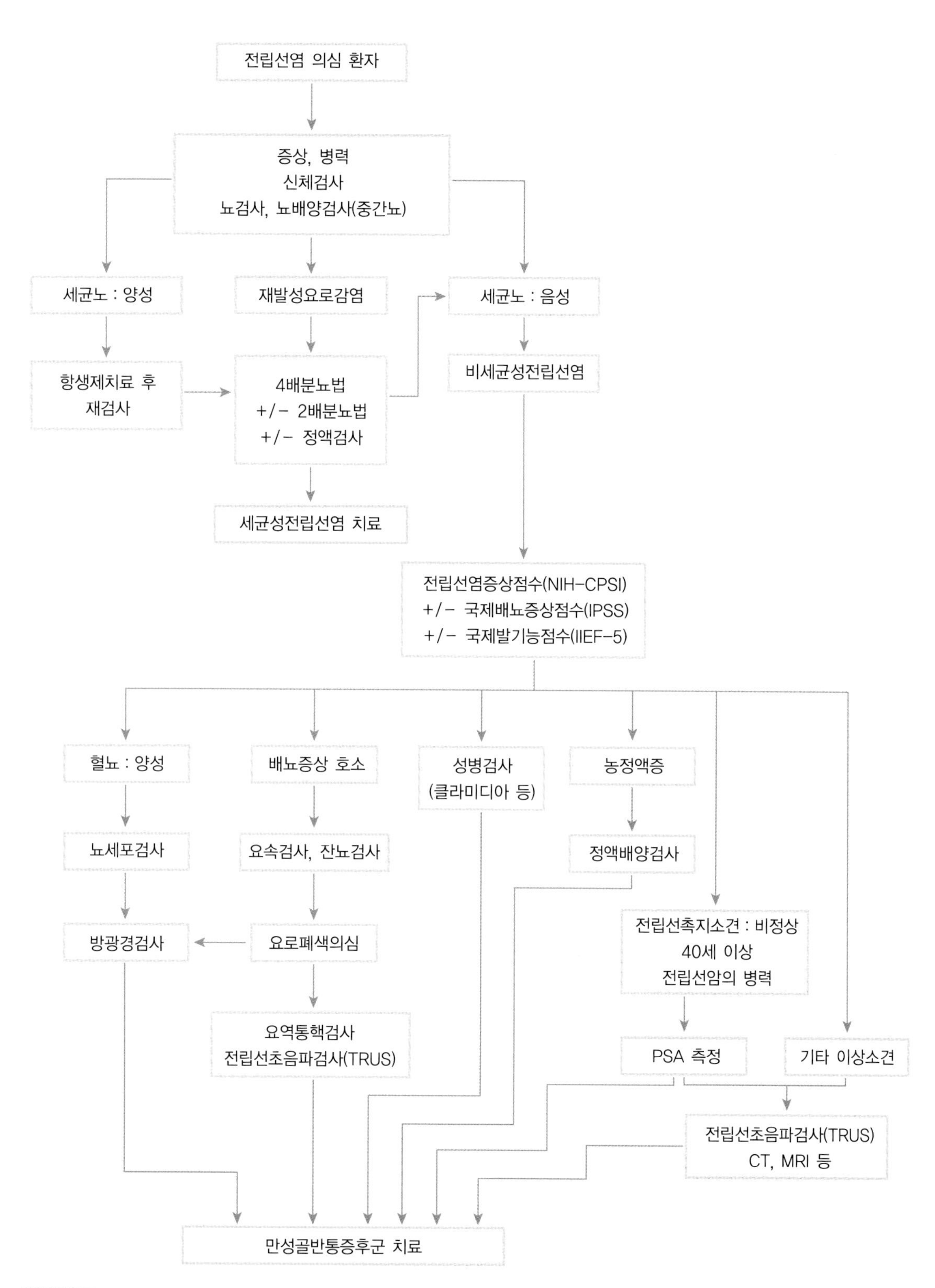

그림 65-3 전립선염의 진단 전략

5. 요약

불행하게도 만성전립선염은 매우 흔한 질환이지만 아직까지 잘 설명되지 않고, 잘 이해되지 않는 존재이다. 급성세균성전립선염은 환자의 증상으로 진단하기가 쉽고 치료도 잘 되나 만성세균성전립선염은 만성비세균성전립선염과 감별도 어렵고 치료가 잘 되지 않는다. 따라서 만성전립선염의 진단은 유사한 증상을 나타내는 치료가 가능한 다른 원인이 있는지를 먼저 검사하는 것이 필요하다. 전립선액검사와 3배분뇨법은 전립선염 진단에 있어서 중요한 검사방법이나 여러 가지 문제가 있을 수 있으므로 검사 판독 시에 여러 가지 요소를 고려해야겠다. 진단에 대한 전반적인 흐름을 그림 65-3로 정리하였다.

참고문헌

1. 구자현, 이상훈, 김민의, 이남규, 박영호, 서영록. 만성전립선염과 정신적 문제의 연관성. 대한비뇨기과학회지 2001;42:521-527.
2. 김영식, 최영득, 감경훈, 유락호, 최형기, 박희성 등. 특정집단(택시기사, 이용사)에서의 전립선질환과 증상에 대한 관찰. 대한비뇨기과학회지 1998;39:1093-1097.
3. 김태진, 박기하, 김영균, 이학송. 만성전립선염 91례에 대한 내시경검사. 대한비뇨기과학회지 1962;3:51-58.
4. 김태형, 김태홍, 김혜련, 이미경, 명순철, 김영선. 만성전립선염에서 다중 중합효소연쇄반응을 이용한 잠복 미생물의 검출. 대한비뇨기과학회지 2007;48:304-309.
5. 박석찬, 조인래, 박석산. 만성전립선염에서의 특징적인 경직장 초음파 소견은 무엇인가? 대한비뇨기과학회지 1998;39:530-536.
6. 이규성, 윤종민, 조인래. 만성전립선염의 증상점수표. Prostate Update 1999;3:11-21.
7. 이선주, 양대열, 이원기, 조인래. 비세균성 만성골반통증후군-골반통, 만성고환통. In: 대한남성과학회. 남성건강 15대 질환 길라잡이. 군자출판사; 2015:127-146.
8. 이준호, 전준성, 조인래. 만성전립선염/만성골반통증후군 환자의 특징적인 증상. 대한비뇨기과학회지 2002;43:852-857.
9. 장정훈, 김성진. 만성 전립선염증상 환자에서 전립선액의 혐기성 세균동정. 대한비뇨기과학회지 1994;35:640-645.
10. 조인래, 김경종, 박석산, 최희석. 청장년 전립선염 환자에서의 전립선특이항원. 대한비뇨기과학회지 1998;39:633-637.
11. 조인래, 김경종. 만성전립선염과 요도염. 대한남성과학회지 1999;17:33-37.
12. 조인래, 박석찬, 박석산. 청장년 전립선 증후군 환자들에서의 증상의 발현 양상. 1998;39:751-756.
13. 조인래, 이건철, 이승언, 전준성, 박석산, 성락희 등. 급성 세균성 전립선염 환자의 임상적 경과. 대한비뇨기과학회지 2005;46:1034-1039.
14. 조인래, 장영섭, 노중석, 전준성, 박석산. 전립선염 환자에서의 항생제 투여 후 전립선특이항원 및 전립선특이항원 밀도의 변화. 대한남성과학회지 2002;20:100-5.
15. 조인래. 전립선염의 진단과 치료. 대한남성과학회지 2005;23:1-114.
16. 조인래. 전립선염의 현재와 미래. 대한비뇨기과학회지 2008;49:475-489.
17. Anothaisintawee T, Attia J, Nickel JC, Thammakraisorn S, Numthavaj P, McEvoy M,et al. Management of chronic prostatitis/chronic pelvic pain syndrome: a systematic review and network meta-analysis. JAMA 2011;305:78-86.
18. Bartoletti R, Cai T, Mondaini N, Dinelli N, Pinzi N, Pavone C, et al. Prevalence, incidence estimation, risk factors and characterization of chronic prostatitis/chronic pelvic pain syndrome in urological hospital outpatients in Italy: results of a multicenter case-control observational study. J Urol 2007;178:2411-2415.
19. Benway BM, Moon TD. Bacterial prostatitis. Urol Clin North Am 2008;35:23-32.
20. Bozeman CB, Carver BS, Eastham JA, Venable DD. Treatment of chronic prostatitis lowers serum prostate specific antigen. J Urol 2002;167:1723-1726.
21. Brede CM, Shoskes DA. The etiology and management of acute prostatitis. Nat Rev Urol. 2011;8:207-212.
22. Cho IR, Keener TS, Nghiem HV, Winter T, Krieger JN. Prostate blood flow characteristics in the chronic prostatitis/pelvic pain syndrome. J Urol 2000;163:1130-

1133.

23. Collins MM, Fowler FJ Jr, Elliott DB, Albertsen PC, Barry MJ. Diagnosis and treating chronic prostatitis: Do urologists use the four-glass test? Urology 2000;55:403-407.

24. Collins MM, Meigs JB, Barry MJ, Corkery EW, Givannucci E, Kawachi I. Prevalence and correlates of prostatitis in the health professionals follow-up study cohort. J Urol 2002;167:1363-1366.

25. Collins MM, Stafford RS, OLeary MP, Barry MJ. How common is prostatitis? A national survey of physician visits. J Urol 1998;159:1224-1228.

26. Dennis LK, Lynch CF, Torner JC. Epidemiologic association between prostatitis and prostate cancer. Urology 2002:60:78-83.

27. Desireddi NV, Campbell PL,. Stern JA, Sobkoviak R, Chuai S, Shahrara S, et al. Monocyte chemoattractant protein-1 and macrophage inflammatory protein-1α as possible biomarkers for the chronic pelvic pain syndrome. J Urol 2008;179:1857-1862.

28. Drach GW, Meares EM, Fair WR, Stamey TA. Classification of benign diseases associated with prostatic pain: prostatitis or prostatodynia? J Urol 1978;120:266.

29. Engeler DS, Baranowski AP, Dinis-Oliveira P, Elneil S, Hughes J, Messelink EJ, et al. The 2013 EAU guidelines on chronic pelvic pain: is management of chronic pelvic pain a habit, a philosophy, or a science? 10 years of development. Eur Urol 2013;64:431-439.

30. Ha US, Kim ME, Kim CS, Shim BS, Han CH, Lee SD, et al. Acute bacterial prostatitis in Korea: clinical outcome, including symptoms, management, microbiology and course of disease. Int J Antimicrob Agents. 2008;31 Suppl 1:S96-101.

31. Hennenfent BR, Feliciano AE. Changes in white blood cell counts in men undergoing thrice-weekly prostatic massage, microbial diagnosis and antimicrobial therapy for genitourinary complaints. Br J Urol 1998;81:370-6. Korean J Urol 2014;55:276-280.

32. Krieger JN, Dobrindt U, Riley DE, Oswald E. Acute Escherichia coli prostatitis in previously health young men: bacterial virulence factors, antimicrobial resistance, and clinical outcomes. Urology 2011;77: 1420-1425.

33. Krieger JN, Egan KJ, Ross SO, Jacobs R, Berger RE. Chronic pelvic pains represent the most prominent urogenital symptoms of "chronic prostatitis". Urology 1996;48:715-722.

34. Krieger JN, Jacobs R, Ross SO. Detecting urethral and prostatic inflammation in patients with chronic prostatitis. Urology 2000;55:186-192.

35. Krieger JN, Jacobs RR, Ross SO. Does the chronic prostatitis/pelvic pain syndrome differ from nonbacterial prostatitis and prostatodynia? J Urol 2000; 164:1554-1558.

36. Krieger JN, Nyberg L Jr, Nickel JC. NIH consensus definition and classification of prostatitis. JAMA 1999;282:236-237.

37. Krieger JN, Riley DE, Roberts MC, Berger RE. Prokaryotic DNA sequences in patients with chronic idiopathic prostatitis. J Clin Microbiol 1996;34:3120-3128.

38. Krieger JN, Riley DE. Bacteria in the chronic prostatitis-chronic pelvic pain syndrome: molecular approaches to critical research questions. J Urol 2002;167:2574-2583.

39. Krieger JN, Riley DE. Prostatitis: What is the role of infection. Int J Antimicrob Agents 2002;19:475-479.

40. Krieger JN, Stephens AJ, Landis JR, Clemens JQ, Kreder K, Lai HH, et al. Relationship between chronic nonurological associated somatic syndromes and symptom severity in urological chronic pelvic pain syndromes: baseline evaluation of the MAPP Study. J Urol 2015;193:1254-1262.

41. Lee AG, Choi YH, Cho SY, Cho IR. A Prospective Study of Reducing Unnecessary Prostate Biopsy in Patients with High Serum Prostate-Specific Antigen with Consideration of Prostatic Inflammation. Korean J Urol 2012;53:50-53.

42. Lee SJ, Cho YH, Kim CS, Shim BS, Cho IR, Chung JI, et al. Screening for Chlamydia and Gonorrhea by strand displacement amplification in homeless adolescents attending youth shelters in Korea. J Korean Med Sci 2004;19:495-500.

43. Litwin MS, Collins MM, Fowler FJ Jr, Nickel JC, Calhoun EA, Pontari MA, et al. The national institutes of health

chronic prostatitis symptom index: development and validation of a new outcome measure. J Urol 1999;162: 369-375.

44. Meares EM, Stamey TA. Bacteriologic localization patterns in bacterial prostatitis and urethritis. Invest Urol 1968;5:492-518.

45. Muller CH, Berger RE, Mohr LE, Krieger JN. Comparison of microscopic methods for detecting inflamation in expressed prostatic secretions. J Urol 2001;166:2518-2524.

46. Naber KG, Weidner W. Chronic prostatitis - an infectious disease? J Antimicrob Chemother 2000;46: 157-161.

47. Nickel JC, Ardern D, Downey J. Cytologic evaluation of urine is important in evaluation of chronic prostatitis. Urol 2002;60:225-227.

48. Nickel JC, Nigro M, Valiquette L, Anderson P, Patrick A, Mahoney J, et al. Diagnosis and treatment of prostatitis in Canada. Urology 1998;52:797-802.

49. Nickel JC, Shoskes DA, Wagenlehner FM. Management of chronic prostatitis/chronic pelvic pain syndrome (CP/CPPS): the studies, the evidence, and the impact. World J Urol 2013;31:747-753.

50. Nickel JC. Pre and post massage test(PPMT): a simple screen for prostatitis. Tech Urol 1997;3:38-43.

51. Patel U, Rickards D. The diagnostic value of colour Doppler flow in the peripheral zone of the prostate, with histological correction. Br J Urol 1994;74:590-595.

52. Pontari M, Giusto L. New developments in the diagnosis and treatment of chronic prostatitis/chronic pelvic pain syndrome. Curr Opin Urol 2013;23:565-569.

53. Potts JM. Prospective identification of NIH Category IV prostatitis in men with elevated PSA. J Urol 2000;164:1550-1553.

54. Rees J, Abrahams M, Doble A, Cooper A; Prostatitis Expert Reference Group (PERG). Diagnosis and treatment of chronic bacterial prostatitis and chronic prostatitis/chronic pelvic pain syndrome: a consensus guideline. BJU Int 2015;116:509-525.

55. Schaeffer AJ, National Institute of Diabetes and Digestive and Kidney Diseases of the US National Institutes of Health. NIDDK-sponsored chronic prostatitis collaborative research network(CPCRN) 5-year data and treatment guidelines for bacterial prostatitis. Int J Antimicrob Agents. 2004;24(Suppl 1):S49-52.

56. Sung YH, Jung JH, Ryang SH, Kim SJ, Kim KJ. Clinical significance of national institutes of health classification in patients with chronic prostatitis/chronic pelvic pain syndrome.

57. Trevisani M, Campi B, Gatti R, Andre E, Matera S, Nicoletti P, et al. The influence of alpha1-adrenoreceptors on neuropeptide release from primary sensory neurons of the lower urinary tract. Eur Urol 2007;52:901-908.

58. Wagenlehner FM, Pilatz A, Bschleipfer T, Diemer T, Linn T, Meinhardt A, et al. Bacterial prostatitis. World J Urol 2013;31:711-716.

59. Wenninger K, Heiman JR, Rothman I, Berghuis JP, Berger RE. Sickness impact of chronic nonbacterial prostatitis and its correlates. J Urol 1996;155:965-968.

60. Zaichick VY, Sviridova TV, Zaichick SV. Zinc concentration in human prostatic fluid: normal, chronic prostatitis, adenoma and cancer. Int Urol Nephrol 1996;28:687-694.

CHAPTER 66

세균성전립선염의 치료

Management of Bacterial Prostatitis

■ 조강수

세균성전립선염에 해당하는 급성세균성전립선염과 만성세균성전립선염의 치료는 만성비세균성전립선염 또는 만성골반통증후군 보다 명확하게 표준화되어 있다. 세균성전립선염의 근본적인 치료 목표는 적절한 항생제 사용하여 균을 박멸하는 것이다. 급성세균성전립선염에서는 병을 조기에 치유하고 전립선농양과 같은 합병증을 막기 위해 초기에 고용량의 항생제를 투여하는 것이 가장 중요한 치료이며, 증상을 조절하기 위한 대증요법이 보조적으로 사용될 수 있다. 만성세균성전립선염은 전립선 조직을 정상으로 회복시키고 관련된 증상을 호전시키는 것이 치료의 목적이며, 경구 항생제, 알파차단제, 소염진통제 등이 일차 치료약물이다. 본 장에서는 급성 또는 만성세균성전립선염의 치료에 대해 자세하게 설명하고자 한다.

1. 항생제

1) 항생제

항생제 투여는 세균성전립선염 치료에서 가장 중요하고 효과적인 치료법이다. 급성세균성전립선염은 자칫 항생제 치료 시기를 놓쳤다가는 환자가 치명적인 상황에 놓일 수 있기 때문에 소변과 혈액의 배양검체를 얻은 후 즉시 고용량 정맥 항생제를 사용하는 것이 바람직하다. 항생제는 감수성 검사 결과에 따라 선택되어야 하지만 감수성 결과가 확인되지 전까지는 흔한 원인균인 그람음성간균(gram-negative rods)이나 장구균(enterococcus)을 고려한 경험적 치료가 우선적으로 시도된다. 광범위 penicillin, 3세대 cephalosporin, fluoroquinolone 등이 급성세균성전립선염의 치료에 주로 사용되는 항생제들이며, 초기 치료에는 이러한 항생제들과 aminoglycoside의 병행요법이 도움이 될 수 있다. Ciprofloxacin이나 levofloxacin과 같은 fluoroquinolone 계열의 약물은 전립선조직 내로 침투력이 매우 우수하여 혈장 농도보다 전립선 조직 내의 항생제 농도를 높게 유지할 수 있어 우리나라에서 가장 많이 선택되는 경험적 항생제이다. 일반적으로 발열이 사라지고 감염 지수들이 정상화가 되어도 경구 항생제를 보통 2~4주, 길게는 6주까지 투여해주는 것이 필요한데, 이는 농양의 형성 및 만성세균성전립선염으로의 진행을 방지하는데 도움을 준다. 또한 치료가 끝난 후에도 최소 3개월은 주기적인 진찰과 소변검사 및 전립선액의 세균배양 검사를 시행하여 세균뇨의 잔존 유무를 확인해야 한다. 항생제 투여에도 반응이 없는 경우 반드시 전립선농양을 의심해보아야 하며 경직장초음파 또는 전산화단층촬영으로 확인하여야 한다.

만성세균성전립선염도 성공적인 치료를 위해서는 적절한 항생제가 필수적 요소이며, 항생제의 선택은 급성세균성전립선염과 유사하다. 1970년대부터 1990년대까지는 만성전립선염에 가장 흔하게 쓰였던 항생제는 trimethoprim-sulfamethoxazole (TMP-SMX) 이었는데, 현재는 fluoroquinolone이 약동학, 균의 박멸과 비용-효과 측면에서 보다 우수하여 1차 약물로 사용한다. 전향적 다기관 연구를 통해서 ciprofloxacin 500mg 1일 2회 4주 요법은 만성세균성전립선염의 표준요법으로 확립되었고, 이 후 무작위 대조군 연구를 통해서 levofloxacin 500 mg 1일 1회 4주 요법도 ciprofloxacin 4주 요법과 동일한 효과를 보인다고 하였다. 2015년 유럽비뇨기과학회에서 만성세균성전립선염의 치료를 위해 권고하는 항생제를 장단점과 함께 표 66-1에 정리하였다. 만성세균성전립선염은 초기 진단 후 4~6주간 치료하는 것이 일반적이다. 비교적 높은 용량이 요구되며, 경구 투여하는 것이 선호된다. 병원균이 fluoroquinolone에 내성이 있을 경우에는 TMP-SMX 3개월 요법도 고려할 수 있다.

2) 내성균

최근엔 fluoroquinolone을 이용한 항생제 치료에 있어서 fluoroquinolone 내성균의 비율이 증가함에 따라 이에 대한 관심이 높아지고 있다. 국내의 다기관 연구에 따르면, 급성세균성전립선염 환자를 대상으로 ciprofloxacin의 감수성 테스트 결과 *Escherichia coli*에 대한 감수성이 76.2%, *Escherichia coli*를 제외한 다른 원인균에 대해서는 68.4%로 조사되었다. 이처럼 fluoroquinolone에 대한 높은 내성균의 비율은 급성세균성전립선염의 경험적 항생제로서, 또한 만성세균성전립선염에서의 1차 치료제로서 fluoroquinolone을 선택하는데 영향을 줄 가능성을 보여주는 결과이다. 따라서 우리나라에서 fluoroquinolone을 세균성전립선염의 치료제로서 투여하는 데에 신중한 고려를 하여야 할 시점이라고 사료되며, 이는 앞으로 비뇨기과 의사들에게 큰 고민거리로 다가올 수 있다.

3) 전립선 내 항생제 주입

만성세균성전립선염에서 전립선 내 항생제 주입 치료에 대한 몇몇의 연구들이 있으나 대조군 연구는 시행된 적이 없고, 현재는 치료법으로써 고려되지 않고 있다.

2. 항염증제와 면역조절제

급성세균성전립선염은 하부요통, 회음부통증과 같은 증상들이 주로 동반되고, 발열, 오한 등의 전신적 증상을 보이는 경우가 많으므로, 소염진통제의 사용이 이러한 증상의 경감에 도움을 준다. Non-steroidal anti-inflammatory drugs (NSAIDs), corticosteroid와 면역억제제들은 이론적으로 전립선의 염증 지표들을 개선시켜주는데, 이는 전립선 염증과 관련된 배뇨 증상들의 감소를 가져올 수 있다. 이러한 제제들의 잠재력은 만성전립선증후군에 훌륭한 보조요법으로 활용될 수 있음을 시사한다. 하지만 임상연구들을 통해 이 제제들의 단일 요법은 효과적이지 않음이 증명되었다.

3. 알파차단제

배뇨 시 방광경부의 이완이 잘 안되면 소변의 와류가 생기고 전립선관 안으로 소변의 역류가 일어날 수 있으며 이것이 전립선의 염증을 더하게 할 수 있다는 이론에 근거하여 알파차단제를 사용할 수 있다. 방광경부나 전립선에는 알파아드레날린성 수용체가 풍부

표 66-1 만성세균성전립선염의 치료를 위해 권고되는 항생제

항생제	장점	단점	추천
Fluoroquinolones	1. 우수한 약동학 2. 전립선 내로의 침투가 용이 3. 높은 생체이용률 4. 경구약제와 정맥약제의 동등한 약동학 5. 특이적, 비특이적 병원체 및 *P. aeruginosa*에 대한 좋은 효과 6. 우수한 안정성	1. 약물 상호작용 2. 광독성 3. 중추신경계 부작용	추천됨
Trimethoprim	1. 전립선 내로의 침투가 용이 2. 경구와 정맥 투여 가능 3. 비교적 저렴함 4. 모니터링이 필요없음 5. 대부분의 관련된 병원체에 효과 있음	1. *Pseudomonas*, 일부 enterococci, 일부 Enterobacteriaceae에 효과 없음	고려할 수 있음
Tetracyclines	1. 저렴함 2. 경구와 정맥 투여 가능 3. *Chlamydia*와 *Mycoplasma*에 좋은 효과	1. *P. aeruginosa*에 효과 없음 2. coagulase-negative staphylococci, *E. coli*, other Enterobacteriaceae와 enterococci에 불확실한 효과 3. 신부전, 간부전 환자에게 금기 4. 피부감작의 위험성	특수한 적응증에만 해당
Macrolides	1. 그람양성균(Gram-positive bacteria)에 적절한 효과 2. *Chlamydia*에 효과 3. 전립선 내로의 침투가 용이 4. 비교적 독성이 적음	1. 임상 연구 데이터가 부족함 2. 그람음성균(Gram-negative bacteria)에 불확실한 효과	특수한 적응증에만 해당

하게 존재하므로 이 수용체를 차단하여 배뇨증상 개선과 통증을 완화시켜준다. 만성전립선염의 치료에 일반적으로 6주 이상 사용을 하며, 항생제를 병용하는 경우에 전립선염의 치료효과가 우수하다는 보고가 있다. 급성요폐가 동반된 경우에도 알파차단제가 추천된다.

4. 근육이완제

평활근 이완을 위한 알파차단제와 골격근 이완제들의 복합요법은 보조요법으로서 효과적인 치료법이다. 골반의 긴장성 근육통이 있는 환자에서 diazepam, alprazolam, baclofen, methocarbamol과 같은 근골격 이완제가 유용하게 사용될 수 있다. 이 제제들은 중추신경억제, 항불안효과, 골반근 이완을 통해 근경련을 방지하고 통증을 경감시킨다.

5. 생약제

만성전립선염 치료에 생약제를 사용해 볼 수 있는데 작용기전은 확실치 않으나, 면역시스템의 활성화, 항염효과, 진통효과, 진경효과 등의 작용이 있을 것으로 예상된다. 약초나 생약제로 종려나무 열매(Saw palmetto), 안젤리카나무 뿌리(Dong Quai), 마늘 줄기, 호박씨, 아프리카 상록수 껍질(pygeum) 등이 있다. 이 생약제들은 부작용이 적은 장점이 있으나 아직 그 효과에 대해서 명확하게 밝혀진 연구는 없다.

6. 기타 약물 및 치료

만성전립선염에서 finasteride와 같은 호르몬 제제나 pentosan polysulfate, 항콜린제, 삼환계항우울제, allopurinol, colchicine, cyclosporine A, thalidomide 등이 가끔 사용되기도 한다. 기타 보조 치료로는 전기자극치료, 바이오피드백, 전립선 마사지, 온좌욕 등이 있다.

7. 요배출, 배농 및 수술

급성세균성전립선염 환자의 약 10%에서 급성요폐를 경험하게 되는데, 치골상부방광루나 간헐적 도뇨를 이용해서 요배출을 시켜주어야 한다. 치골상부방광루가 일반적으로 가장 선호되는 방법이다. 요정체의 증거가 없을 때 도뇨관을 사용 것은 만성 전립선염으로 진행의 위험성을 높이기 때문에 금기이다.

전립선농양은 면역결핍증 환자, 당뇨, 혈액투석, 요도카테터유치 환자에서 높은 빈도로 발생할 수 있다. 전립선농양이 있을 경우 항생제 치료와 필요시 배농술을 시행하게 된다. 배농술의 시행여부는 농양의 크기에 따라 달라질 수 있는데, 농양의 크기가 작은 경우에는 항생제 치료 등의 보존요법만으로 치유가 가능하다. 반면에 크기가 큰 농양일 경우 경요도배농술, 경회음부 또는 경직장 배농술 등의 배농술을 함께 시행하는 것이 효과적이다. 경회음부 혹은 경직장을 통한 최소침습배농술은 단일흡입요법이나 카테터를 이용한 지속적 배농을 통해 성공적으로 치료가 가능하다. 경요도배농술은 효과적인 외과적 배농법으로, 특히 재발하거나 최소침습배농술로 적절하지 않은 전립선농양에서 도움이 된다. 그러나 전신마취의 부담감과 잠재적인 합병증에 대한 고려가 필요하다.

만성세균성전립선염에서 수술적 요법은 피해야 할 치료법이다. 하지만 만성세균성전립선염에서 전립선 결석이 있고 불임이 문제되지 않으며, 사회생활이 불가능할 정도의 통증을 호소하는 환자에게서 선택적으로 고려할 수 있다.

참고문헌

1. 대한남성과학회. 남성건강 15대 질환 길라잡이. 서울: 군자출판사; 2015.
2. 대한비뇨기과학회. 제 5판 비뇨기과학. 서울: 일조각; 2014.
3. Bastide C, Carcenac A, Arroua F, Rossi D. Prostatic abscess due to Candida tropicalis. Prostate Cancer Prostatic Dis 2005;8:296-297.
4. Bjerklund Johansen TE, Gruneberg RN, Guibert J, Hofstetter A, Lobel B, Naber KG, Palou Redorta J, van Cangh PJ. The role of antibiotics in the treatment of chronic prostatitis: a consensus statement. Eur Urol 1998;34:457-466.
5. Bundrick W, Heron SP, Ray P, Schiff WM, Tennenberg AM, Wiesinger BA, Wright PA, Wu SC, Zadeikis N, Kahn JB. Levofloxacin versus ciprofloxacin in the treatment of chronic bacterial prostatitis: a randomized double-blind multicenter study. Urology 2003;62:537-541.
6. Cho IR, Lee KC, Lee SE, Jeon JS, Park SS, Sung LH, Noh CH, Yang WJ, Choi YD, Hong SJ, Yang SC, Cho JS, Ahn HS, Kim SJ, Kim, HS, KH Song, Seong KH, Suh JK,

Lee KS, Song YS, Lee DH, Kim YS. Clinical outcome of acute prostatitis, a muliticenter study. Korean J Urol 2005;46:1034-1039.

7. Chou YH, Tiu CM, Liu JY, Chen JD, Chiou HJ, Chiou SY, Wang JH, Yu C. Prostatic abscess: transrectal color Doppler ultrasonic diagnosis and minimally invasive therapeutic management. Ultrasound Med Biol 2004;30:719-724.
8. Goto T, Nakame Y, Nishida M, Ohi Y. Bacterial biofilms and catheters in experimental urinary tract infection. Int J Antimicrob Agents 1999;11:227-31; discussion 237-239.
9. Grabe M, Bartoletti R, Bjerklund Johansen TE, Cai T, Cek M, Koves M, Naber KG, Pickard RS, Tenke P, Wagenlehner F, Wullt B. Guidelines on Urological Infections. European Association of Urology 2015, accessed http://uroweb.org/wp-content/uploads/EAU-Guidelines-Urological-Infections-v2.pdf
10. Ha US, Cho YH. Acute Bacterial Prostatitis. J Korean Med Assoc 2007;50:903-907.
11. Ha US, Kim ME, Kim CS, Shim BS, Han CH, Lee SD, Cho YH. Acute bacterial prostatitis in Korea: clinical outcome, including symptoms, management, microbiology and course of disease. Int J Antimicrob Agents 2008;31(Suppl 1):S96-101.
12. Hua LX, Zhang JX, Wu HF, Zhang W, Qian LX, Xia GW, Song NH, Feng NH. The diagnosis and treatment of acute prostatitis: report of 35 cases. Zhonghua Nan Ke Xue 2005;11:897-899.
13. Jimenez-Cruz JF, Tormo FB, Gomez JG. Treatment of chronic prostatitis: intraprostatic antibiotic injections under echography control. J Urol 1988;139:967-970.
14. Ludwig M, Schroeder-Printzen I, Schiefer HG, Weidner W. Diagnosis and therapeutic management of 18 patients with prostatic abscess. Urology 1999;53:340-345.
15. Lipsky BA, Byren I, Hoey CT. Treatment of bacterial prostatitis. Clin Infect Dis 2010;50:1641-1652.
16. Mayersak JS. Transrectal ultrasonography directed intraprostatic injection of gentamycin-xylocaine in the management of the benign painful prostate syndrome. A report of a 5 year clinical study of 75 patients. Int Surg 1998;83:347-349.
17. McAninch JW and Lue TF, editors. Smith & Tanagho's General Urology, 18e. New York: The McGraw-Hill Companies; 2013.
18. Naber KG. Antimicrobial Treatment of Bacterial Prostatitis. Eur Urol Suppl 2003;2;23-26.
19. Naber KG, The European Lomefloxacin Prostatitis Study Group. Lomefloxacin versus ciprofloxacin in the treatment of chronic bacterial prostatitis. Int J Antimicrob Agents 2002;20:18-27.
20. Park HJ. Chronic bacterial prostatitis. Korean J Urogenit Tract Infect Inflamm 2014;9:21-26.
21. Schaeffer AJ, Weidner W, Barbalias GA, Botto H, Johansen TE, Hochreiter WW, Krieger JN, Lobel B, Naber KG, Nickel JC. Summary consensus statement: diagnosis and management of chronic prostatitis/chronic pelvic pain syndrome. Eur Urol Suppl 2003;2;1-4.
22. The Korean Society of Infectious Diseases; The Korean Society for Chemotherapy; Korean Association of Urogenital Tract Infection and Inflammation; The Korean Society of Clinical Microbiology. Clinical guideline for the diagnosis and treatment of urinary tract infections: asymptomatic bacteriuria, uncomplicated & complicated urinary tract infections, bacterial prostatitis. Infect Chemother 2011;43:1-25.
23. Wein AJ, Kavoussi LR, Novick AC, Partin AW, Peters CA, editors. Campbell-Walsh Urology, 10e. Philadelphia: Saunders; 2012.
24. Yoon BI, Kim S, Han DS, Ha US, Lee SJ, Kim HW, Han CH, Cho YH. Acute bacterial prostatitis: how to prevent and manage chronic infection? J Infect Chemother 2012;18:444-450.

CHAPTER 67

비세균성 전립선염/만성골반통증증후군의 병인 및 진단

Pathogenesis and Diagnosis of Chronic nonbacterial prostatitis/chronic pelvic pain syndrome

■ 감성철

1. 정의 및 분류

Definition and Classification

만성골반통증(chronic pelvic pain)은, 일반적으로 6개월 동안 3개월 이상 지속되는, 골반과 관련된 만성적이거나 지속적인 통증을 의미한다. 만성골반통증은 배뇨장애나 성기능장애, 소화장애 등과 관련될 뿐만 아니라 인지기능이나 행동, 정서 등에도 악영향을 줄 수 있다. 만성골반통증은, 명확한 원인이 있는 경우(specific disease-associated pelvic pain)와 그렇지 않은 경우(chronic pelvic pain syndrome)로 구분할 수 있으며, 후자의 경우를 만성골반통증증후군이라 정의한다. 즉 만성골반통증증후군은 감염 및 통증을 야기할 만한 명백한 원인이 없이 6개월 동안 3개월 이상 지속되는, 골반과 관련된 만성적이거나 지속적인 통증을 야기하는 증후군으로 정의할 수 있다.

미국국립보건원(National Institutes of Health)의 전립선염 분류에 의하면, 기존의 비세균성 전립선염과 전립선통증을 묶어서 만성골반통증증후군(category III)으로 구분하였으며 이를 다시 염증성(category IIIa)과 비염증성(category IIIb)으로 구분하였다. 그리고 지금까지 분류가 제대로 되지 못하였던, 불임환자에서 정액검사를 시행한 후에 나타나는 농정액증 환자나, 전립선비대증이나 전립선암을 의심하여 전립선 조직검사를 시행하였을 때에 증상이 없이 염증 소견을 보이는 경우들을 category IV 무증상 전립선염으로 분류하고 있다(65장. 표 65-3). 반면, 유럽에서는 통증 유발 부위에 중점을 두어 만성골반통증증후군을 분류하였다(표 67-1). 하지만, 실제 진료현장에서는 전립선을 포함하여 통증유발부위에 국한하여 구분하기 보다는 증상이나 기능에 초점을 맞추어 구분하고 치료하는 경우가 흔하다. 최근에는 만성골반통증에 대한 다학제적 접근을 많이 시도하고 있으며, 만성골반통증의 표현형(phenotype)을 바탕으로 한 "UPOINT" 분류법이 대표적이다. 이는 배뇨증상(Urinary), 정신심리증상(Psychosocial), 장기 특이적 증상(Organ specific), 감염(Infection), 신경학적 및 전신증상(Neurologic/Systemic), 압통(Tenderness) 의 5가지 표현형을 이용하여 만성골반통증증후군을 분류하고 이를 바탕으로 치료하는 것이다(표 67-2).

표 67-1 유럽비뇨기과학회의 만성골반통증후군의 분류

Axis I Region		Axis II System	Axis III End-organ as pain syndrome as indentified from Hx, Ex and Ix	Axis IV Referral characteristics	Axis V Temporal characteristics	Axis VI Character	Axis VII Associated symptoms	Axis VIII Psychological symptoms
Chronicpelvic pain	Specific disease associated pelvic pain OR Pelvic pain syndrome	Urological	Prostate Bladder Scrotal Testicular Epididymal Penile Urethral Postvasectomy	Suprapubic Inguinal Urethral Penile/clitoral Perineal Rectal Back Buttocks Thighs	ONSET Acute Chronic ONGOING Sporadic Cyclical Continuous TIME Filling Emptying Immediate post Late post TRIGGER Provoked Spontaneous	Aching Burning Stabbing Electric	UROLOGICAL Frequency Nocturia Hesitance Dysfunctional flow Urge Incontinence GYNAECOLOGICAL Menstrual Menopause GASTROINTESTINAL Constipation Diarrhoea Bloatedness Urge Incontinence NEUROLOGICAL Dysaesthesia Hyperaesthesia Allodynia Hyperalegesie SEXUOLOGICAL Satisfaction Female dyspareunia Sexual avoidance Erectile dysfunction Medication MUSCLE Function impairment Fasciculation CUTANEOUS Trophic changes Sensory changes	ANXIETY About pain or putative cause of pain Catastrophic thinking about pain DEPRESSION Attributed to pain or impact of pain Attributed to other causes Unattributed PTSD SYMPTOMS Re-experiencing Avoidance
		Gynaecological	Vulvar Vestieular Clitcral Endomeriosis associated CPPS with cyclical exacerbations Dysmenorrhoea					
		Gastrointestinal	irritable bowel Chronic anal Intermittent chronic anal					
		Peripheral nerves	Pudendal pain syndrome					
		Sexological	Dyspareuria Pelvic pain with sexual dysfun ation					
		Psychological	Any pelvic organ					
		Musculo-skeletal	Pelvic floor muscle Abdomiral Imuscle Spinal Coccyx					

표 67-2 만성골반통증후군의 UPOINT 분류 및 접근

표현형	증상	접근방법
Urinary	NIH CPSI urinary score 〉4 Obstructive voiding symptoms Bothersome urgency, frequency, and/or nocturia Elevated postvoid residual	Urinary flow, micturition diary, cystoscopy, ultrasound, uroflowmetry
Psychosocial	Clinical depression Evidence of maladaptive coping Anxiety/stress	History of negative experiences, important loss, coping mechanism, depression
Organ specific	Specific prostate tenderness Leukocytosis in prostatic fluid Haematospermia Extensive prostatic calcification	Ask for gynaecological, gastro-intestinal, ano-rectal, sexological complaints. Gynaecological examination, rectal examination
Infection	Gram-negative bacilli or enterococci localised to prostatic fluid* Documented successful response to antimicrobial therapy	Semen culture and urine culture, vaginal swab, stool culture
Neurologic /systemic	Clinical evidence of central neuropathy Pain beyond pelvis Irritable bowel syndrome Fibromyalgia Chronic fatigue syndrome	Ask for neurological complaints (sensory loss, dysaesthesia). Neurological testing during physical examination: sensory problems, sacral reflexes and muscular function
Tenderness	Palpable tenderness and/or painful muscle spasm or trigger points in abdomen and/or pelvic floor	Palpation of the pelvic floor muscles, the abdominal muscles and the gluteal muscles

2. 전립선염의 유병률

Epidemiology of prostatitis

만성골반통증증후군의 유병률은 일반적으로 성인 남성에서 2~14% 정도로 추정 된다. 최근 호주에서 성인 남성 1,346명을 대상으로 한 연구에서는 8%의 성인 남성이 비뇨생식기 통증을 갖고 있었으며, 2%에서 만성골반통증증후군의 증상을 갖고 있었다. 대부분이 40~59세 사이였으며, 미국국립보건원 만성전립선염증상점수표(NIH-CPSI)의 평균 점수는 16.3점이었고 평균 통증 점수는 8.3 점이었다. 중국에서 12,743명의 성인남성을 대상으로 한 연구에서는 8.4%의 유병률을 보였으며, 평균 연령은 35세였다. NIH-CPSI의 평균 점수는 16.4점, 평균 통증 점수는 7.55 점이었다.

국내 연구를 살펴보면, 개원비뇨기과 내원환자의

약 15-25%가 전립선염증 환자로 추정될 만큼 매우 흔한 질환으로 나타났다.

3. 만성골반통증증후군의 원인

Cause and Pathophysiology of chronic pelvic pain syndrome

호르몬, 자가면역, 골반 내 장기의 손상이나 기능이상, 신경학적 이상 혹은 스트레스 등의 정신심리학적 이상 등 다양한 원인들이 제시되고 있다. 이는 역설적으로 아직 정확한 원인을 알지 못함을 시사한다. 거의 대부분의 만성전립선통증의 경우에 지속되는 손상, 염증 그리고 감염은 발견되지 않는다. 그러나 이러한 상태들은 만성골반통증증후군을 야기할 수 있다. 이로 인해 과거에는 전립선으로 대표되는 골반 내 장기에 대한 연구가 주로 진행 되었다. 하지만 최근의 연구들을 종합해 보면, 이는 만성전립선통증증후군의 원인에서 작은 부분을 차지할 뿐이다.

최근에는 중추 신경계의 작용에 근거한 기전이 많이 밝혀졌다. 골반통증이 감염 등과 같은 골반내의 문제에 의하여 시작될 수 있지만, 통증이 면역 또는 말초신경 손상에 의하여 지속 되고, 신경가소성(neuroplasticity)을 포함한 감작(sensitisation)이 중추신경병성 만성통증을 유발할 수 있다. 이러한 기전은, 골반내의 조직 손상이 없는 경우에서 만성골반통증증후군의 원인을 설명할 수 있기도 하다. 통증뿐만 아니라, 기능적, 정신적 문제들 역시 중추신경계와 관련이 있다.

잘 알려져 있지 않지만 자율신경계(autonomic nervous system)과 내분비계(endocrine system)도 만성골반통의 통증에 관여하는 것으로 알려져 있다.(그림 67-1)

4. 만성골반통증증후군의 진단

Diagnosis of CPPS

만성골반통증증후군의 정의에 의하면, 골반통증의 명확한 원인이 없는 경우에 진단을 내릴 수 있다. 이를 위해서는 명확한 원인을 찾기 위한 노력이 먼저 수행 되어야 한다. 즉, 만성골반통증증후군의 진단은 유사한 증상을 나타내는 치료가 가능한 다른 원인이 있는지를 먼저 검사하는 것이 필요하다. 감별해야 할 질환으로는 비뇨기계 종양(방광암, 전립선암), 하부요로 결석, 간질성 혹은 방사선치료 후의 방광염, 신경인성방광, 비뇨생식계 감염질환(요도염과 부고환염 등), 위장관질환으로 염증성 장질환이나 직장이나 항문주위 질환(농양, 치열, 치핵 등), 서혜부 탈장, 요도협착 등이 있다.

중요한 점은 표 67-1에서 볼 수 있듯이, 만성골반통증증후군이 반드시 비뇨기과 영역의 문제만 존재하는 것이 아니라는 것이다. 또한, 골반통증의 원인이 반드시 골반 내에 존재하는 것은 아니며, 신경학적 문제나 정신심리학적 문제와 같은 골반 바깥에 그 원인이 있을 수 있다는 것이다. 이런 관점에서 볼 때, 최근 제시된 UPOINT 분류법을 이용한 만성골반통증의 접근방법은 이전에 비하여 우수하다고 할 수 있다(표 67-2).

진단 방법에 대해서 여러 가지 의견이 있다. 유럽비뇨기과학회에서 진단적 기준(65장. 표 65-4)을 제시하였고, 북미의 8개 대학 비뇨기과 교수들의 모임인 chronic prostatitis collaborative research network group(CPCRN)에서 전립선염의 진단에 대한 지침(65장. 표 65-5)을 제시하고 있으나 계속 논의 중에 있다. 이러한 진단지침의 검사들은 65장에 자세히 설명되어 있다.

5. 비뇨기과 영역에서의 만성골반통증

Urologic aspects of chronic pelvic pain syndrome

만성골반통증증후군 환자의 대부분은 비뇨생식기 통증을 갖고 있다. 비뇨생식기 통증은 정신심리학적 문제를 야기할 뿐만 아니라, 배뇨이상이나 성기능장애 등의 기능적 이상을 초래할 수 있다. 또한, 비뇨기과 영역에서의 만성골반통증증후군은 증상이 나타나는 부위를 뚜렷하게 구별하기 어려운 경우가 많다.

1) 전립선통증증후군 (Prostate pain syndrome, PPS)

전립선에 국한된 만성 통증은 과거에는 전립선염으로 불려졌다. 하지만 세균성 감염은 원인의 10%밖에 차지 않는다고 밝혀졌다. 남아있는 90%는 세균 감염과 다른 명백한 원인이 증명되지 않는 것에 기초하여 전립선통증증후군으로 분류된다. 통증이 전립선에 명확하게 국한되지 않거나 골반 다른 장기에서도 통증이 발생한다면 만성골반통증증후군으로 분류할 수 있다.

(1) 전립선통증증후군의 정의(definition of PPS)

전립선통증증후군은, 명확한 원인이 없으면서 전립선 부위의 통증이 지난 6 개월 동안 3개월 이상 있는 경우에 해당한다. 배뇨증상 및 성기능장애뿐 만 아니라 인지장애, 행동장애, 정서장애 등이 동반될 수도 있다. 미국국립보건원의 전립선염 분류에 의하면 category III에 해당된다. Category IIIa와 IIIb를 구별하는 것은 실제 치료에 있어서 이득이 명백하지 않으므로 이 둘을 굳이 구별하지 않는 경우가 흔하다.

(2) 전립선통증증후군의 원인(pathogenesis of PPS)

통증은 전립선통증증후군의 주 증상이다. 이러한 전립선통증증후군의 원인은 하나로 설명되지 않는다. 즉, 하나 또는 더 많은 유발인자에 반복적이거나 지속적으로 노출 될 경우 발생할 수 있다. 이러한 인자로는 감염, 유전적 요인, 해부학적 요인, 신경근육학적 요인, 내분비계적 요인, 면역계적 요인, 정신의학적 요인이 관여할 것으로 여겨진다. 이러한 요인들이 말초신경계와 중추신경계의 신경가속소성과 연관된 감작을 통하여 만성 통증을 유발할 것으로 생각하고 있다.

(3) 전립선통증증후군의 역학(epidemiology of PPS)

전립선통증증후군의 정확한 유병률을 알기에는 상당한 어려움이 있다. 예를 들어 방광통증증후군과 전립선비대증 같은 유사한 질병과 증상이 겹치는 부분이 있기 때문에, 증상을 기초로 정의한 증후군의 경우 정확한 유병률을 확인하기는 어렵다. 미국연구를 살펴보면 비뇨기과를 방문하는 환자의 8% 그리고 일차의료기관을 방문하는 환자의 1%가 전립선염을 가지고 있다고 한다. 여러 연구를 종합해 보면, 전립선염 증상의 인구에 기초한 유병률은 8.2%(범위 2.2-9.7%)로 나타났다.

(4) 전립선통증증후군의 진단(diagnosis of PPS)

전립선통증증후군은 전립선에 통증이 있다는 과거력을 기초로 하여 진단한다. 특히 다른 요로계 장기에 원인이 없어야 한다. 따라서 감염, 비뇨기과적 종양, 요로 질환, 요도 협착, 방광의 신경인성 질환이 감별 되어야 한다. 전립선통증증후군의 평가에서 과거력는 중요한 첫 번째 단계이다. 통증의 종류와 양상 그리고 위치를 포함하여야 한다. 왜냐하면, 골반 이외의 장기, 회음부, 음낭, 직장, 음경 등에서도 통증이 종종 보고되기 때문이다. 또한 하부요로증상, 성기능, 정신의학적 그리고 사회 경제적 요인들도 관여를 한다. 신체 검사에서 직장수지검사를 시행하여야 한

다. 그리고 골반 근육의 압통부위와 유발점이 있는지 촉진해 보아야 한다

질환의 중증 정도는 잘 만들어진 증상 점수 설문지로 평가할 수 있다. 미국국립보건원 만성전립선염증상점수표(NIH-CPSI)와 국제전립선증상점수표(Internation Prostate Symptom Score, IPSS)는 전립선통증증후군의 진단 및 치료결과 평가에 유용하다.

2) 방광통증증후군 (Bladder pain syndrome, painful bladder syndrome, BPS)

간질성방광염(interstitial cystitis)는 만성적으로 고통스러운 방광상태가 지속되는 질환이다. Hunner 궤양이 방광내시경상에서 특징적으로 10-50%에서 발견된다. 추가적인 연구에서 간질성 방광염은 여러 가지 방광내시경 소견과 조직병리학적 소견을 보인다는 것이 밝혀졌다. 또한 염증은 매우 일부분의 환자에서만 중요한 역할을 한다는 것도 확인되었다. 방광통증증후군은 모든 만성적인 방광 통증환자를 아우르는 명칭이다. Hunner 궤양을 동반하는 간질성방광염은 만성방광염증의 특별한 형태라고 추측할 수 있다. 이 용어는 International Society for the Study of BPS(ESSIC)에 의해 정해진 것으로, 고전적인 간질성 방광염(classic interstitial cystitis)의 경우 BPS type 3C로 분류된다(표 67-3).

(1) 방광통증증후군의 원인(Pathogenesis of BPS)

명확한 원인이 없으면서, 만성적인 방광통과 동반되는 배뇨증상이 있는 경우를 방광통증증후군이라 한다. 방광 내 소변양의 증가에 따라 치골상부의 통증이나 불편감, 압통이 나타나게 되며, 배뇨 후 증상이 경감되는 양상을 보인다. 서혜부나 골반 내로의 방사통이 생길 수 있으며, 섭취하는 음식에 따라 증상이 악화되기도 한다. 복합적인 원인에 의해 발생하는 것으로 알려져 있다. 감염이 원인이라는 명확한 증거는 없으나, 방광통증증후군 환자에서 정상인에 비하여 소아기나 청소년기에 더 많은 요로감염이나 절박뇨가 발생하며, 동물실험에서도 O-antigen deficient bacterial strain을 방광 내에 주입할 경우 염증 여부와 관계없이 만성골반통이 발생하고 이는 중추신경계의 과흥분(central neural hyperexcitability)과 연관이 있었다. 이러한 결과들은 감염이 방광통증증후군의 발생에 적어도 일정 부분 역할을 하고 있음을 시사한다. 방광조직 검사상에서는 궤양 유무와 무관하게 urothelial glycosaminoglycan 층의 손상이 보인다. 이는 유독한 소변 성분에 의한 방광 손상을 유도한다. 이외에도 신경인성염증, 유전자 조절 장애, 자가면역 반응 등이 방광통증증후군을 유발하거나 악화시키는데 관여할 수 있다.

(2) 방광통증증후군의 역학(Epidemiology of BPS)

방광통증증후군의 유병률은 정의와 연구 대상자에 따라 다양하게 보고되며, 0.06~30% 정도로 알려져 있다. 남녀 비는 10:1로 여자에서 많이 발생하고, 인종의 차이는 없는 것으로 보고되고 있다. 또한, 섬유근육통(fibromyalgia)이나 만성피로증후군(chronic fatigue syndrome), 과민성대장증후군(irritable bowel syndrome), 외음부통(vulvodynia), 우울증, 공황장애, 두통, 알러지, 천식 등과 관련이 있는 것으로 알려져 있다.

(3) 방광통증증후군의 진단(Diagnosis of BPS)

방광통증증후군의 진단은 과거력, 신체검사, 요검사, 방광내시경 그리고 방광조직검사를 이용하여 다른 질환을 배제하여 이루어 진다. 방광경 검사와 수중방광확장술을 시행하면, 적은 방광용적과 점출혈이나 Hunner씨 궤양이 있으면 진단이 가능하다. 또한 방광조직검사는 방광암과 감별에 도움이 되고, 궤

표 67-3 ESSIC에서 제안하는 방광통증후군의 분류

	Cystoscopy with hydrodistension			
	Not done	Normal	Glomerulations[a]	Hunner's lesion[b]
Bilpsy				
Not done	XX	1X	2X	3X
Normal	XA	1A	2A	3A
Inconclusive	XB	1B	2B	3B
Positive[c]	XC	1C	2C	3C

[a]Cystoscopy: glomerulations grade 2–3

[b]Lesion per Fall's definition with/without glomerulations

[c]Histology showing inflammatory infiltrates and/or detrusor mastocytosis and/or granulation tissue and/or intrafascicular fibrosis.

표 67-4 각각의 증후군 환자의 접근방법

Assessment	CPS	PPS	BPS	SPS	UPS
	Urine culture	Urine culture	Urine culture	Semen culture	Uroflowmetry
	Uroflowmetry	Uroflowmetry	Uroflowmetry	Uroflowmetry	Micturition diary
	Transrectal US prostate	Transrectal US prostate	Cystoscopy with hydrodistension	Ultrasound scrotum	Pelvic floor muscle testing
	NIH-CPSI scoring list	NIH-CPSI scoring list	Bladder biopsy	Pelvic floor muscle testing	Phenotyping
	Phenotyping	Phenotyping	Micturition diary	Phenotyping	
	Pelvic floor muscle testing	Pelvic floor muscle testing	Pelvic floor muscle testing		
			Phenotyping		
			ICSI score list		

양의 유무와 상관없이 진단에 도움이 된다.

간질성방광염증상점수표(Interstitial Cystitis Symptom Index, ICSI)가 방광통증증후군의 진단 및 치료결과 평가에 유용하다

3) 음낭통증증후군 (Scrotal pain syndrome, SPS)

음낭통증증후군은 명확한 원인이 없으면서 지속적이거나 반복적인 음낭부위 통증이 발생하는 증후군이다. 또한 하부요로증상 및 성기능이상과 관련이 있을 수 있다. 음낭통증증후군은 일반적인 용어이고 통증의 위치가 고환과 부고환으로 구분되지 않을 경우 사용할 수 있다.

(1) 음낭통증증후군의 병인 및 분류 (Pathogenesis and Classification of SPS)

만성음낭통증의 원인은 대부분의 경우에 명확한 원인을 알기 어려우며, 정삭(spermatic cord)의 신경 손상이 중요한 역할을 할 것으로 생각한다. 부위가 좀더 구체적일 경우 고환통증증후군이나 부고환통증

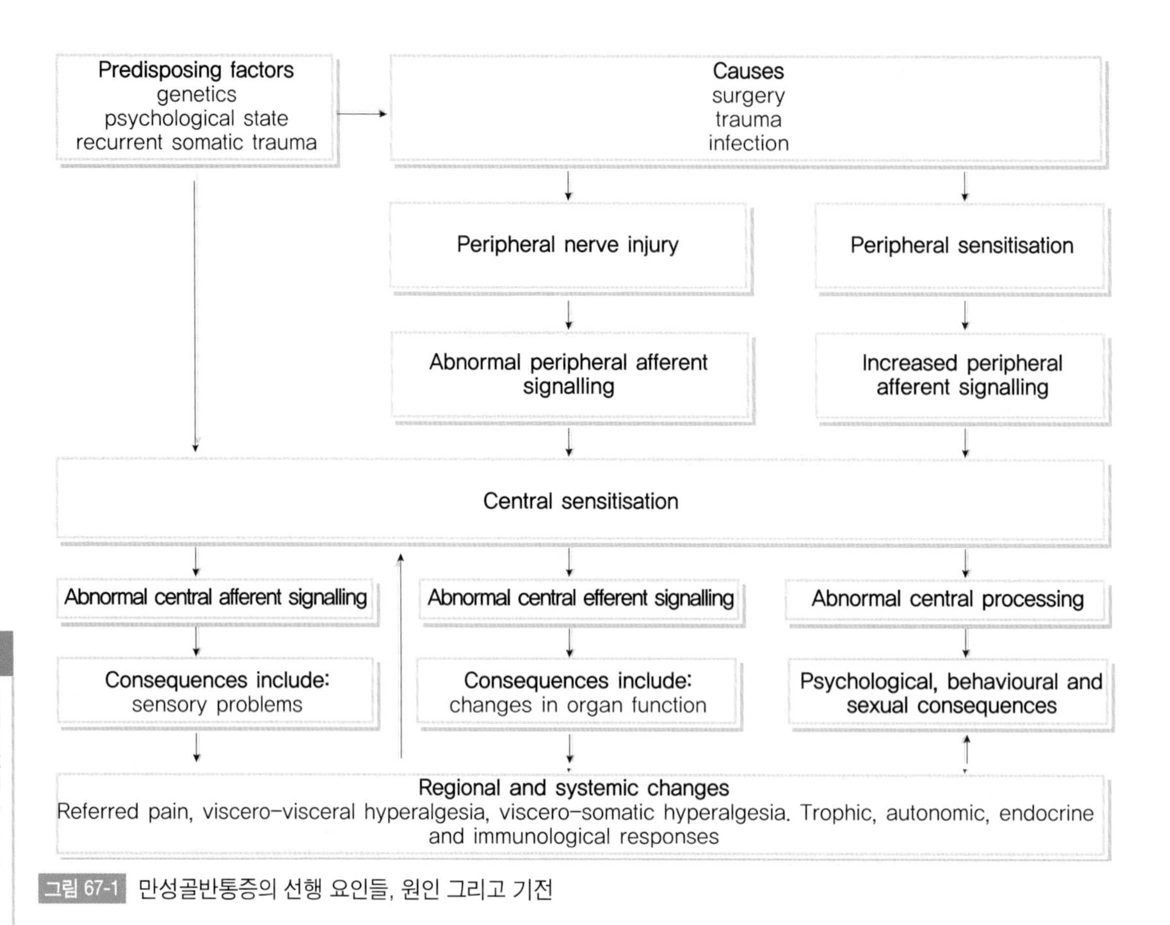

그림 67-1 만성골반통증의 선행 요인들, 원인 그리고 기전

증후군으로 부르기도 한다. 통증은 음낭 내에서 직접적으로 발생할 수도 있지만, 다른 부위에서 비롯된 방사통(referred pain)일 수 도 있다. 대표적인 것이 정관절제술후통증증후군(postvasectomy pain syndrome)과 서혜부수술 후 통증(chronic pain after inguinal surgery)이다. 정관절제술후통증증후군의 기전은 명확하지는 않으나 부고환의 울혈(congestion)에 의한 것으로 생각되며, 술 후 2~20% 정도에서 발생한다. 625명을 대상을 한 연구에서는 무도정관수술(no-scalpel vasectomy)을 시행한 경우(11.7%)에 무도정관수술을 시행하지 않은 경우(18.8%)보다 음낭통의 빈도가 낮았다. 서혜부수술 후 통증은 주로 서혜부탈장수술 후에 나타나며, 장골서혜신경(ilioinguinal nerve)이나 음부대퇴신경(genitofemoral nerve)의 손상에 기인한 것으로 생각된다. 대부분의 연구들에서 복강경수술을 시행한 경우에 개복수술을 시행한 경우에 비하여 통증의 발생 빈도가 높았다

(2) 음낭통증증후군의 진단(Diagnosis of SPS)

음낭통증환자에서는 신체검사가 진단에 중요하다. 음낭 안의 구조물을 조심스럽게 촉진하여 종물이나 통증을 유발하는 부위를 확인하여야 한다. 직장검사는 전립선의 이상유무의 확인과 골반근육 검사를 위해 시행하여야 한다. 음낭초음파는 음낭통증의 원인을 진단하는데 제한점이 있다. 80%이상의 환자에서 초음파검사에서 이상소견을 발견할 수 없었기 때문이다. 하지만 음낭통증을 일으킬 수 있는 음낭 수종, 낭종, 정계정맥류 등의 음낭질환을 진단할 수 있다.

4) 요도통증증후군
(Urethral pain syndrome, UPS)

요도통증증후군은 명확한 원인이 없으면서 지속적이거나 반복적인 요도부위 통증이 발생하는 증후군이다. 배뇨, 성기능, 배변 그리고 부인과적 장애들뿐만 아니라 인지장애, 행동장애, 정서장애 등이 동반될 수도 있다. 요도통증증후군은 남녀 모두에서 발생할 수 있다. 원인은 잘 알려져 있지 않지만, 방광통증증후군과 유사할 것으로 추측되고 있다. 또한 요로감염 후 에 신경이 병적으로 과감작(hypersensitivity)으로 통증이 유발될 수도 있다.

참고문헌

1. 대한남성과학회. 남성건강학. 제 2판. 서울: 군자출판사, 2013;445-460.
2. Abrams PA, Baranowski AP, Berger RE, et al. A new classification is needed for pelvic pain syndromes--are existing terminologies of spurious diagnostic authority bad for patients? J Urol. 2006;175:1989-1990.
3. Aihara K, Hirayama A, Tanaka N, et al. Hydrodistension under local anesthesia for patients with suspected painful bladder syndrome/interstitial cystitis: safety, diagnostic potential and therapeutic efficacy. Int J Urol. 2009;16:947-952.
4. Alfieri S, Amid PK, Campanelli G, et al. International guidelines for prevention and management of post-operative chronic pain following inguinal hernia surgery. Hernia. 2011;15:239-249.
5. Al-Hadithi HN, Williams H, Hart CA, et al. Absence of bacterial and viral DNA in bladder biopsies from patients with interstitial cystitis/chronic pelvic pain syndrome. J Urol 2005;174:151-154.
6. Altman D, Lundholm C, Milsom I, et al. The genetic and environmental contribution to the occurrence of bladder pain syndrome: an empirical approach in a nationwide population sample. Eur Urol. 2011;59:280-285.
7. Anda RF, Felitti VJ, Bremner JD, et al. The enduring effects of abuse and related adverse experiences in childhood. A convergence of evidence from neurobiology and epidemiology. Eur Arch Psychiatry Clin Neurosci. 2006;256:174-186.
8. Anothaisintawee T, Attia J, Nickel JC, Thammakraisorn S, Numthavaj P, McEvoy M,et al. Management of chronic prostatitis/chronic pelvic pain syndrome: a systematic review and network meta-analysis. JAMA 2011;305:78-86.
9. Baranowski AP, Abrams P, Berger RE, et al. Urogenital pain--time to accept a new approach to phenotyping and, as a consequence, management. Eur Urol. 2008;53:33-36.
10. Baranowski AP. Chronic pelvic pain. Best Pract Res Clin Gastroenterol 2009;23:593-610.
11. Barry MJ, Link CL, McNaughton-Collins MF, et al. Overlap of different urological symptom complexes in a racially and ethnically diverse, community-based population of men and women. BJU Int. 2008;101:45-51.
12. Bergeron S, Khalife S, Glazer HI, et al. Surgical and behavioral treatments for vestibulodynia: two-andone-half year follow-up and predictors of outcome. Obstet Gynecol. 2008;111:159-166.
13. Boucher W, Kempuraj D, Michaelian M, et al. Corticotropin-releasing hormone-receptor 2 is required for acute stress-induced bladder vascular permeability and release of vascular endothelial growth factor. BJU Int. 2010;106:1394-1399.
14. Buffington CA. Comorbidity of interstitial cystitis with other unexplained clinical conditions. J Urol 2004;172:1242-1248.
15. Cohen JM, Fagin AP, AP, Hariton E, Niska JR, Pierce MW, Kuriyama A,et al. Therapeutic intervention for chronic prostatitis/chronic pelvic pain syndrome (CP/CPPS): a systematic review and meta-analysis. PLoS One 2012;7:e41941.
16. Dundore PA, Schwartz AM, Semerjian H. Mast cell counts are not useful in the diagnosis of nonulcerative interstitial cystitis. J Urol 1996;155:885-887.
17. Eklund A, Montgomery A, Bergkvist L, et al. Chronic pain 5 years after randomized comparison of laparoscopic and Lichtenstein inguinal hernia repair. Br J Surg. 2010;97:600-608.

18. Engeler DS, Baranowski AP, Dinis-Oliveira P, Elneil S, Hughes J, Messelink EJ, et al. The 2013 EAU guidelines on chronic pelvic pain: is management of chronic pelvic pain a habit, a philosophy, or a science? 10 years of development. Eur Urol 2013;64:431-439.
19. Fall M, Baranowski AP, Fowler CJ, et al. EAU guidelines on chronic pelvic pain. Eur Urol. 2004;46:681-689.
20. Ferris JA, Pitts MK, Richters J, et al. National prevalence of urogenital pain and prostatitis-like symptoms in Australian men using the National Institutes of Health Chronic Prostatitis Symptoms Index. BJU Int. 2010;105:373-379.
21. Giamberardino MA, Costantini R, Affaitati G, et al. Viscero-visceral hyperalgesia: characterization in different clinical models. Pain. 2010;151:307-322.
22. Geurts N, Van Dyck J, Wyndaele JJ. Bladder pain syndrome: do the different morphological and cystoscopic features correlate? Scand J Urol Nephrol. 2011;45:20-23.
23. Hallen M, Bergenfelz A, Westerdahl J. Laparoscopic extraperitoneal inguinal hernia repair versus open mesh repair: long-term follow-up of a randomized controlled trial. Surgery. 2008;143:313-317.
24. Heidenreich A, Olbert P, Engelmann UH. Management of chronic testalgia by microsurgical testicular denervation. Eur Urol. 2002;41:392-397.
25. Ismail M, Mackenzie K, Hashim H. Contemporary treatment options for chronic prostatitis/chronic pelvic pain syndrome. Drugs Today 2013;49:457-462.
26. Kavoussi PK, Costabile RA. Orchialgia and the chronic pelvic pain syndrome. World J Urol 2013;31:773-778.
27. Keay S, Zhang CO, Chai T, et al. Antiproliferative factor, heparin-binding epidermal growth factor-like growth factor, and epidermal growth factor in men with interstitial cystitis versus chronic pelvic pain syndrome. Urology 2004;63:22-26.
28. Konkle KS, Clemens JQ. New paradigms in understanding chronic pelvic pain syndrome. Curr Urol Rep 2011;12:278-283.
29. Krieger JN, Lee SW, Jeon J, et al. Epidemiology of prostatitis. Int J Antimicrob Agents. 2008;31:85-90.
30. Lamale LM, Lutgendorf SK, Hoffman AN, et al. Symptoms and cystoscopic findings in patients with untreated interstitial cystitis. Urology 2006;67:242-245.
31. Leslie TA, Illing RO, Cranston DW, et al. The incidence of chronic scrotal pain after vasectomy: aprospective audit. BJU Int 2007;100:1330-1333.
32. Lin XC, Zhang QH, Zhou P, et al. Caveolin-1 may participate in the pathogenesis of bladder pain syndrome/interstitial cystitis. Urol Int. 2011;86:334-339.
33. Linley JE, Rose K, Ooi L, et al. Understanding inflammatory pain: ion channels contributing to acute and chronic nociception. Pflugers Arch. 2010;459:657-669.
34. Lokeshwar VB, Selzer MG, Cerwinka WH, et al. Urinary uronate and sulfated glycosaminoglycan levels: markers for interstitial cystitis severity. J Urol 2005;174:344-349.
35. Longstreth GF, Thompson WG, Chey WD, et al. Functional bowel disorders. Gastroenterology. 2006;130:1480-1491.
36. Magri V, Wagenlehner F, Perletti G, et al. Use of the UPOINT chronic prostatitis/chronic pelvic pain syndrome classification in European patient cohorts: sexual function domain improves correlations. J Urol. 2010;184:2339-2345.
37. Manikandan R, Srirangam SJ, Pearson E, et al. Early and late morbidity after vasectomy: a comparison of chronic scrotal pain at 1 and 10 years. BJU Int. 2004;93:571-574.
38. Marszalek M, Wehrberger C, Hochreiter W, et al. Symptoms suggestive of chronic pelvic pain syndrome in an urban population: prevalence and associations with lower urinary tract symptoms and erectile function. J Urol. 2007;177:1815-1819.
39. McMahon SB, Jones NG. Plasticity of pain signaling: role of neurotrophic factors exemplified by acidinduced pain. J Neurobiol. 2004;61:72-87.
40. Mehik A, Hellstrom P, Lukkarinen O, et al. Epidemiology of prostatitis in Finnish men: a populationbased cross-sectional study .BJU Int. 2000;86:443-448.
41. Nariculam J, Minhas S, Adeniyi A, et al. A review of the efficacy of surgical treatment for andpathological changes in patients with chronic scrotal pain. BJU Int

2007;99:1091-1093.

42. Nazif O, Teichman JM, Gebhart GF, et al. Neural upregulation in interstitial cystitis. Urology. 2007;69:24-33.

43. Nickel JC, Pontari M, Moon T, et al; Rofecoxib Prostatitis Investigator Team. A randomized, placebo controlled, multicenter study to evaluate the safety and efficacy of rofecoxib in the treatment of chronic nonbacterial prostatitis. J Urol 2003;169:1401-1405.

44. Nickel JC, Shoskes D, Irvine-Bird K. Clinical phenotyping of women with interstitial cystitis/painful bladder syndrome: a key to classification and potentially improved management. J Urol. 2009;182:155-160.

45. Nickel JC, Shoskes DA, Irvine-Bird K. Prevalence and impact of bacteriuria and/or urinary tract infection in interstitial cystitis/painful bladder syndrome. Urology. 2010;76:799-803.

46. Nickel JC, Shoskes DA, Wagenlehner FM. Management of chronic prostatitis/chronic pelvic pain syndrome (CP/CPPS): the studies, the evidence, and the impact. World J Urol 2013;31:747-753.

47. Nickel JC, Shoskes D, Wang Y, et al. How does the pre-massage and postmassage 2-glass test compare to the Meares-Stamey 4-glass test in men with chronic prostatitis/chronic pelvic pain syndrome? J Urol 2006;176:119-124.

48. Nickel JC, Tripp DA, Pontari M, et al. Psychosocial phenotyping in women with interstitial cystitis/painful bladder syndrome: a case control study. J Urol. 2010;183:167-172.

49. Nordling J, Anjum FH, Bade JJ, et al. Primary evaluation of patients suspected of having interstitial cystitis (IC). Eur Urol 2004;45:662-669.

50. Parsons CL. The role of a leaky epithelium and potassium in the generation of bladder symptoms in interstitial cystitis/overactive bladder, urethral syndrome, prostatitis and gynaecological chronic pelvic pain. BJU Int. 2011;107:370-375.

51. Peters KM, Killinger KA, Ibrahim IA. Childhood symptoms and events in women with interstitial cystitis/painful bladder syndrome. Urology. 2009;73:258-262.

52. Peters KM, Killinger KA, Mounayer MH, et al. Are ulcerative and nonulcerative interstitial cystitis/painful bladder syndrome 2 distinct diseases? A study of coexisting conditions. Urology. 2011;78:301-308.

53. Pontari MA. Chronic prostatitis/chronic pelvic pain syndrome and interstitial cystitis: are they related? Curr Urol Rep 2006;7:329-334.

54. Pontari M, Giusto L. New developments in the diagnosis and treatment of chronic prostatitis/chronic pelvic pain syndrome. Curr Opin Urol 2013;23:565-569.

55. Richter B, Roslind A, Hesse U, et al. YKL-40 and mast cells are associated with detrusor fibrosis in patients diagnosed with bladder pain syndrome/interstitial cystitis according to the 2008 criteria of the European Society for the Study of Interstitial Cystitis. Histopathology. 2010;57:371-383.

56. Roberts RO, Jacobson DJ, Girman CJ, et al. Low agreement between previous physician diagnosed prostatitis and national institutes of health chronic prostatitis symptom index pain measures.J Urol. 2004;171:279-283.

57. Sanchez-Freire V, Blanchard MG, Burkhard FC, et al. Acid-Sensing Channels in Human Bladder: Expression, Function and Alterations During Bladder Pain Syndrome. J Urol. 2011;186:1509-1516.

58. Shoskes DA, Nickel JC, Dolinga R, et al. Clinical phenotyping of patients with chronic prostatitis/chronic pelvic pain syndrome and correlation with symptom severity.Urology. 200r;73:538-542.

59. Strebel RT, Leippold T, Luginbuehl T, et al. Chronic scrotal pain syndrome: management among urologists in Switzerland. Eur Urol. 2005;47:812-816.

60. The EAU guidelines on chronic pelvic pain (2014 edition). www.uroweb.org

61. Touma NJ, Nickel JC. Prostatitis and chronic pelvic pain syndrome in men. Med Clin North Am 2011;95:75-86.

62. Tripp DA, Nickel JC, Fitzgerald MP, et al. Sexual functioning, catastrophizing, depression, and pain, as predictors of quality of life in women with interstitial cystitis/painful bladder syndrome. Urology. 2009;73:987-992.

63. Turner JUA, Ciol MA, Von Korff M, et al. Prognosis of

patients with new prostatitis/pelvic pain syndrome episodes.J Urol. 2004;172:538-541.

64. Twiss CO, Kilpatrick L, Triaca V, et al. Evidence for central hyperexitability in patients with interstitial cystitis. J Urol 2007;177:49.

65. van de Merwe JP, Nordling J, Bouchelouche P, et al. Diagnostic criteria, classification, and nomenclature for painful bladder syndrome/interstitial cystitis: an ESSIC proposal. Eur Urol. 2008;53:60-67.

66. Walz J, Perotte P, Hutterer G, et al. Impact of chronic prostatitis-like symptoms on the quality of life in a large group of men. BJU Int. 2007;100:1307-1311.

67. Warren JW, Brown J, Tracy JK, et al. Evidence-based criteria for pain of interstitial cystitis/painful bladder syndrome in women. Urology. 2008;71:444-448.

68. Warren JW, Brown V, Jacobs S, et al. Urinary Tract Infection and Inflammation at Onset of Interstitial Cystitis/Painful bladder Syndrome. Urology. 2008;71: 1085-1090.

69. Warren JW, Howard FM, Cross RK, et al. Antecedent nonbladder syndromes in case-control study of interstitial cystitis/painful bladder syndrome. Urology. 2009;73:52-57.

70. Warren JW, Wesselmann U, Morozov V, et al. Numbers and types of nonbladder syndromes as risk factors for interstitial cystitis/painful bladder syndrome. Urology. 2011;77:313-319.

71. Westesson KE, Shoskes DA. Chronic prostatitis/chronic pelvic pain syndrome and pelvic floor spasm: can we diagnose and treat? Curr Urol Rep 2010;11:261-264.

72. Yilmaz U, Liu YW, Berger RE, et al. Autonomic nervous system changes in men with chronic pelvic pain syndrome. J Urol 2007;177:2170-2174.

CHAPTER 68

비세균성 전립선염의 치료

■ 이원기

1. 일반적인 원칙 *General consideration*

아직까지 비세균성 전립선염의 표준화된 치료 방침은 없으며, 원인이나 병인조차도 명확하지 않다. 미국국립보건원의 전립선염 분류에 의하면, 기존의 비세균성 전립선염과 전립선통을 묶어서 만성골반통증후군(category III)으로 구분하였으며 이를 다시 염증성(category IIIa)과 비염증성(category IIIb)으로 구분하여 치료하도록 권고하고 있다. 반면, 유럽비뇨기과학회의 진료지침에서는, 통증유발부위에 중점을 두어 전립선통증후군(그림 68-1), 방광통증후군(그림 68-2), 음낭통증후군(그림 68-3) 등으로 구분하여 치료하도록 권고하고 있으며, 통증치료(그림 68-4) 를 별도로 구분하여 권고하고 있다. 이러한 분류들은 보다 효과적인 치료를 위한 시도들이지만, 실제 진료현장에서는 치료 효과가 없거나 부족한 경우를 흔하게 접하게 된다.

비세균성 전립선염/만성골반통증후군의 치료에 있어서 중요한 점은, 환자가 호소하는 증상이 단지 전립선에 의해서만 유발되는 것이 아니라, 다른 골반내 기관들 혹은 골반외 기관들에 그 원인이 있을수도 있다는 것이다. 이를 근거로 최근에는 비세균성 전립선염을 포함한 만성골반통증후군의 치료에 있어서 다학제적 접근을 많이 시도하고 있으며, 만성골반통의 표현형(phenotype)을 바탕으로 한 "UPOINT" 분류법이 대표적이다(표 68-1). 이는 배뇨증상(Urinary), 정신심리증상(Psychosocial), 장기 특이적 증상(Organ specific), 감염(Infection), 신경학적 및 전신증상(Neurologic/Systemic), 압통(Tenderness) 의 6가지 표현형을 이용하여 만성골반통증후군을 분류하고 이를 바탕으로 치료하는 것이다. 실제 진료현장에서는, 전립선을 포함하여 증상유발부위에 국한하여 치료하기 보다는 증상이나 기능에 초점을 맞추어 구분하고 치료하는 경우가 흔하기 때문에, 이전의 분류법에 비해 우수하다고 보여진다.

비세균성 전립선염/만성골반통증후군의 진단하에서도, 환자의 증상 및 그 정도는 개개인에 따라 매우 다양하게 나타난다. 이러한 증상들은 정신심리학적 문제를 야기할 뿐만 아니라, 배뇨이상이나 성기능장애 등의 기능적 이상을 초래할 수 있다. 또한, 비뇨기과 영역에서의 비세균성 전립선염/만성골반통증후군은 증상이 나타나는 부위를 뚜렷하게 구별하기 어려운 경우가 많다. 따라서, 치료는 통증을 비롯한 증상의 호전 및 삶의 질의 개선에 목적을 두어야 하

Treatment	
Grade A recommended	Alpha-blockers when duration is 〈 1 year
	Single use antibiotics (6 weeks) when duration is 〈 1 year
	High dose Pentosan polysulfate to improve QoL and symptoms
Grade B recommended	NSAIDs. Be aware of long-term side effects
	Phytotherapy
	Perineal extracorporeal shock wave therapy
	Electroacupuncture
	Percutaneous tibial nerve stimulation (PTNS)
	Psychological treatment focused on the pain
Not recommended	Allopurinol
	Pregabalin
	Trans Urethral Needle ablation (TUNA)

그림 68-1 전립선통증후군 환자의 치료에 대한 유럽비뇨기과학회의 권고안

Treatment	
Grade A recommended	Standard: Hydroxyzine, Amitriptyline, Pentosanpolysulphate
	Intravesical: PPS, DMSO, onabotulinum toxin A plus hydrodistension
Grade B recommended	Oral: Cimetidine, cyclosporin A
	Intravesical: hyaluronic acid, chondroitin sulphate
	Electromotive drug administration for intravesical drugs
	Neuromodulation, bladder tralning, physical therapy
	Psychological therapy
Not recommended	bacillus Caimette Guerin
	Intravesical Chiorpactin
Other comments	Data on surgical treatment are largely variable
	Coagulation and laser only for Hunner's lesions

그림 68-2 방광통증후군 환자의 치료에 대한 유럽비뇨기과학회의 권고안

Treatment	
Grade A recommended	General treatment options for chronic pelvic pain
	Microsurgical denervation of the spermatic cord
	Inform patients undergoing vasectomy about the risk of pain
	For surgeons: open hernia repair yields less scrotal pain
	For surgeons: identify all nerves during hernia repair
Grade B recommended	Epididymectomy, in case patient did not benefit from denervation
Grade C recommended	In case all other therapies, including pain management assessment have failed, orchiectomy is an option
Other comments	Ultrasound has no clinical implications on the further treatment although physicians tend to still use ultrasound to reassure the patient

그림 68-3 음낭통증후군 환자의 치료에 대한 유럽비뇨기과학회의 권고안

Treatment	
Grade A recommended	Paracetamol in somatic pain
	NSAID's whe inflammation is present
	Antidepressants (including TCA) in neuropathic pain
	Anticonvulsants in neuropathic pain
	Topical Capsaicin in neuropathic pain
	Opiods in chronic non-malignant pain
Grade B recommended	Gabapentin in women with CPP
Other comments	Nerve blocks as part of a broad management plan
	Neuromodulation may become an option, increasing research

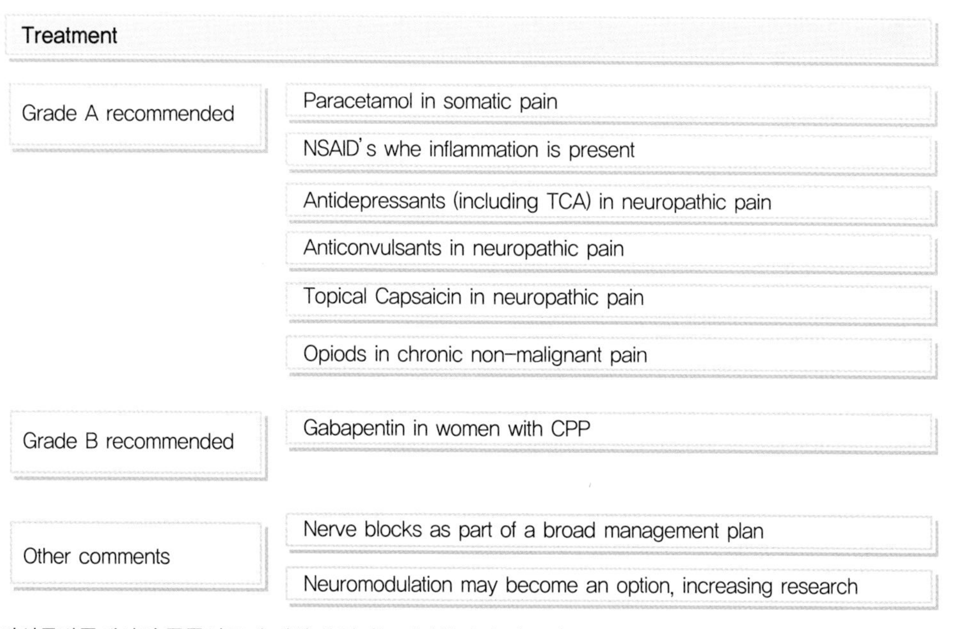

그림 68-4 만성골반통에서의 통증치료에 대한 유럽비뇨기과학회의 권고안

표 68-1 비세균성 전립선염/만성골반통증후군의 UPOINT 분류 및 치료

표현형	증상	치료
Urinary	NIH CPSI urinary score >4 Obstructive voiding symptoms Bothersome urgency, frequency, and/or nocturia Elevated postvoid residual	Urinary flow, micturition diary, cystoscopy, ultrasound, uroflowmetry
Psychosocial	Clinical depression Evidence of maladaptive coping Anxiety/stress	History of negative experiences, important loss, coping mechanism, depression
Organ specific	Specific prostate tenderness Leukocytosis in prostatic fluid Haematospermia Extensive prostatic calcification	Ask for gynaecological, gastro-intestinal, ano-rectal, sexological complaints. Gynaecological examination, rectal examination
Infection	Gram-negative bacilli or enterococci localised to prostatic fluid* Documented successful response to antimicrobial therapy	Semen culture and urine culture, vaginal swab, stool culture
Neurologic /systemic	Clinical evidence of central neuropathy Pain beyond pelvis Irritable bowel syndrome Fibromyalgia Chronic fatigue syndrome	Ask for neurological complaints (sensory loss, dysaesthesia). Neurological testing during physical examination: sensory problems, sacral reflexes and muscular function
Tenderness	Palpable tenderness and/or painful muscle spasm or trigger points in abdomen and/or pelvic floor	Palpation of the pelvic floor muscles, the abdominal muscles and the gluteal muscles

며, 반드시 환자의 상태에 맞는 개별적인 치료가 시행되어야 한다. 가급적 약물이나 행동치료, 정신치료 등 보존적 치료를 시행하여야 한다. 증상호전에 효과가 없다고 판단되는 치료는 즉각 중단되어야 하며, 약물의 교체나 치료방법의 변경이 필요하다. 단일 요법 치료는 치료실패 가능성이 높으며 다양한 방법을 이용한 치료가 선호된다. 이러한 치료에 반응하지 않는 경우 수술 등의 파괴적 치료가 제한적으로 시도될 수 있다. 아울러, 환자의 정신심리적 또는 사회적 상태에 대한 상담 및 치료가 만성골반통증후군을 치료하는데 도움이 된다.

2. 비세균성 전립선염의 치료

Treatment strategies for non-bacterial prostatitis/chronic pelvic pain syndrome

1) 항생제(antibiotics)

일반적인 검사상 세균감염이 확인되지 않더라도 세균감염이 없다고 확신할 수 없기 때문에, 항생제는 비세균성 전립선염에서 가장 흔하게 사용되는 치료법 중의 하나이다.

하지만, 이에 대한 적절하게 디자인된 연구들은 많지 않다. Ciprofloxacin을 이용한 6주간의 무작위 위약대조 시험에서, 전반적인 증상의 호전은 보였지만 NIH-CPSI 점수에서 위약과의 차이는 없었다 [3]. Levofloxacin을 이용한 12주간의 무작위 위약대조시험에서도 위약과의 차이는 없었다. Tetracycline을 이용한 12주간의 무작위 위약대조시험에서는 NIH-CPSI 점수의 의미있는 차이가 보고되었으나 대상군의 수가 단지 48명이라는 한계가 있었다.

세균감염이 없는 비세균성 전립선염에서 항생제의 치료효과는 명확하게 입증되지 않았지만, 여전히 항생제는 흔하게 사용되며, 여러 연구들에서 세균감염의 유무와 관계없이 증상의 호전을 보고하고 있다 [6,7]. 최근 시행된 메타분석들에서는 항생제가 임상적으로 의미가 크지는 않지만 통계학적으로 의미 있는 증상의 호전을 보이는 것으로 보고하고 있다. 이러한 결과는 일부 환자에서 균배양검사에서 확인되지 않는 세균 감염이 있거나, 혹은 항생제의 항염증효과(anti-inflammatory cytokine blocking effect)에 기인한 것으로 생각된다.

여러 연구결과들을 종합하여 볼 때, 항생제는 비세균성 전립선염의 통증과 배뇨 증상, 삶의 질과 관련하여 중등도의 효과가 있는 것으로 보인다. 일반적으로 4-6주 정도 복용을 한다. 증상의 호전이 있다면 4-6주 이상 사용할 수 있으며, 증상의 호전이 없다면 중지하여야 한다. 표 68-2은 흔하게 사용하는 항생제에 대하여 설명하였다 [11].

2) 알파 차단제(alpha blocker)

알파 차단제는 비세균성 전립선염/만성골반통증후군의 치료에 널리 사용되고 있다. 알파 차단제는 방광경부나 전립선의 알파 수용체를 차단함으로써 요배출 기능을 향상시킬 뿐만 아니라, 중추 신경계의 알파 1A/1D 수용체에 직접적으로 작용함으로써 다양한 증상의 완화에 도움을 줄 것으로 여겨진다.

다양한 종류의 알파 차단제에 대하여 무작위 위약대조가 시행되었고, 대부분의 연구에서 증상의 호전을 보이는 것으로 보고되었다 [tamsulosin, 12-13; alfuzosin, 14; doxazosin, 15,16; terazosin, 17,18; silodosin, 19]. 하지만, 일부 대단위 위약대조 연구들에서는 알파 차단제의 효과를 입증하는데 실패하였다 [tamsulosin, 20; alfuzosin, 21]. 최근 시행된 메타분석에서는 통증과 배뇨 증상, 삶의 질과 관련하여 유의한 호전을 보이는 것으로 보고하였으나, 또 다른 체계적 고찰에서는 임상적으로 의미있는 호전은 없었다고 보고하기도 하였다. 이러한 일관되지 못한 결과는 연구 디자인의 다양성에서 그 원인을 찾을 수 있다.

여러 연구결과들을 종합하여 볼 때, 알파 차단제는 비세균성 전립선염의 통증과 배뇨 증상, 삶의 질과 관련하여 중등도의 효과가 있는 것으로 보인다. 특히 배뇨증상이 심한 환자에서 그 효과가 더 우수한 것으로 보이며, 이전에 알파 차단제 치료에 반응이 없었거나 장기간 증상이 있었던 환자에서는 효과가 떨어지는 것으로 생각된다. 4-6 주이내에 증상의 호전이 없다면 중지하여야 하며 다른 치료 방법들을 적용하여야 한다.

3) 항염증제(anti-inflammatory drug)

항스테로이드 항염증제(NSAID) 등의 항염증제는 전통적으로 비세균성 전립선염/만성골반통증후군의 치료에 흔히 사용되지만, 임상적 근거는 적으며, 그 결과도 일관되지 않는다. Celecoxib를 이용한 6주간의 무작위 연구에서는 celecoxib은 NIH-CPSI 점수와 통증, 삶의 질에서 유의한 증상의 호전을 보였다.

표 68-2 비세균성 전립선염에서 흔하게 사용되어 지는 항생제들

Antibiotic	Advantages	Considerations	PERG recommendation
Quinolones: e.g. Ciprofloxacin	Favourable pharmacokinetic profile, with god bioavailability and excellent penetratin into prostate. Good activity againsttypical and atypical pathogens	Drug interactions; Phototoxicity; CNS adverse events (depending on choice of agent), tendonitis	Consider-first-line (Level 5) Dose and duration should be sufficient to eradicate the infection, e.g. ciprofloxacin 500 mg BID × 28 days
Trimethoprim	Active against most relevant pathogens. Monitoring unnecessary. good penetration into prostate	No activity against Pseudomonas, some enterococci and some enterobacteriaceae	Consider-sencond-line Dose and duration should be sufficient to eradicate the infection, e.g. 200 mg BID × 28 days
Tetracyclines: e.g. Doxycydine	Good activity against Chlamydia and Mycoplasma	Contraindicated in renal and liver failure. Unreliable a citivity against coagulase-negative staphylococci, E. coli, other enterobacteriaceae, and enterococci. No activity against P. Aeruginosa. Risk of skin sensitisation	Consider-second-line Dose and duration should be sufficient to eradicate the infection, e.g. doxycycline 100 mg BID × 28 days
Macrolides: e.g. Azithromycin	Good penetration into prostate Active against Chlamydia and Gram-positive bacteria	Minimal supporting data from RCTs. Unreliable activity against Gram-negative bacteria	Reserve for special indications, based on advice from microbiologist and microbiological findings

PERG, Prostatitis Expert Reference Group; BID, twice daily

Ibuprofen을 terpenic mixture (Rowatinex)와 비교한 6주간의 무작위 연구에서는 ibuprofen은 증상 호전을 보였으나 terpenic mixture 보다 우수하지는 않았다. 류코트리엔 수용체 길항제인 zafirlukast는, 무작위 위약대조 연구에서 그 효과가 입증되지 않았다. 코티코스테로이드인 prednisolone을 이용한 무작위 연구와, 신경성장인자(nerve growth factor)에 작용하는 단일클론항체인 tanazumab을 이용한 무작위 연구도 임상적 유용성을 입증하는데 실패하였다. 최근 시행된 메타분석에서는 항스테로이드 항염증제는 위약에 비해 80% 이상의 효과를 보인다고 보고하였으나, 다른 메타분석에서는 위약과 비교하여 차이가 없었다.

여러 연구결과들을 종합하여 볼 때, 항염증제는 비세균성 전립선염의 증상과 관련하여 중등도의 효과가 있는 것으로 보인다. 다만, 장기간의 사용시 나타날 수 있는 부작용에 대한 면밀한 관리가 필요하다. 되도록 단기간 사용하는 것이 추천되며, 4-6주 이내에 증상 호전이 없다면 중지하여야 한다. 항염증제

표 68-3 비세균성 전립선염에서 흔하게 사용되어 지는 신경인성 통증 조절제들

Analgesic class	Drug name	Starting dose	Maintenance dose	Common adverse effects	PERG practical points
Gabapentinoids	Gabapentin	100–300 mg at night	600 mg TID	Dizziness, sedation, dyspepsia, dry mouth, ataxia, peripheral oedema, weight gain	(Level 5) few drug interactions. Safe in overdose. Gut transport mechanism can become saturated, limiting absorption from gastrointestinal tract
	Pregabalin	50–75 mg at night	300 mg BID	Dizziness, sedation, dyspepsia, dry mouth, ataxia, peripheral oedema, weight gain	(Level 5) Linear pharmacokinetics
Tricydic antidepressants/ SNRIs	Amitriptyline	10 mg in evening	50–75 mg in evening	Sedation, dry mouth, blurred vision, urinary retention, constipation, postural hypotension, weight gain	(Level 5) Many patients obtain pain relief at lower dose
	Duloxetine	30 mg in evening (or in moring if insomnia)	60–120 mg QD	Nausea, sedation, insomnia, headache, dizziness, dry mouth, constipation	(Level 5) Less sedating. May cause insomnia in some patients

PERG, Prostatitis Expert Reference Group

단독치료보다는 다른 치료와의 병용이 더 효과적인 것으로 보인다.

4) 5알파 환원효소 억제제 (5 alpha reductase inhibitor)

5알파 환원효소 억제제의 유용성에 대한 임상적 근거는 제한적이지만, 일부 연구에서는 배뇨 증상과 통증 완화에 도움이 되는 것으로 보고하고 있다[27-29].

여러 연구결과들을 종합하여 볼 때, 5알파 환원효소 억제제는 비세균성 전립선염의 치료 효과가 불분명하며, 일반적으로 추천되지 않는다. 다만, 전립선비대증이 동반되어 있거나, 전립선특이항원이 상승되어 있는 고령의 환자 등 제한적인 환자군에서 사용될 수 있다.

5) 신경인성 통증 조절제 (anti-neuropathic drug)

신경인성 통증이 비세균성 전립선염/만성골반통

표 68-4 비세균성 전립선염의 치료에 흔히 시행되는 물리 치료의 종류

• Pelvic floor re-education • Local pelvic floor relaxation • Biofeedback • General relaxation • Deep relaxation/mindfulness • Trigger point release • Myofascial release • Stretches • Daily exercise encouraged for pain management • TENS • Acupuncture for trigger point release and pain management • Bladder retraining.

증후군과 연관이 되기 때문에, 신경인성 통증이 의심되는 일부 제한적인 환자군에서 항우울제(tricyclic antidepressant, serotonin-norepinephrine reuptake inhibitor), 항경련제(anti-epileptic drug, anti-convulsant), 마약성 진통제(opioid) 등이 사용이 고려될 수 있다. 하지만, 단독치료로는 일반적으로 추천되지 않는다.

Pregabalin을 이용한 6주간의 무작위 위약대조 연구에서, pregabalin은 NIH-CPSI 점수에서 위약에 비해 통계적으로 유의한 호전을 보였으나 임상적으로 의미있는 차이를 보이지 않았다. 마약성 진통제는 다른 치료에 반응하지 않는 난치성 통증의 환자에서 중등도의 치료효과를 보인다. 하지만, 장기간 치료에 대한 연구가 부족하며, 부작용이나 삶의 질 저하, 중독, 내성 등에 대한 충분한 주의가 필요하다. 표 68-2-2는 흔하게 사용하는 신경인성 통증 조절제에 대하여 설명하고 있다.

6) 근육 이완제(muscle relaxant)

벤조디아제팜 계통의 약물인 diazepam이나 xanax 등과 클로펜(baclofen) 등의 근육 이완제는 배뇨 괄약근의 기능 이상과 골반저 근육의 경련을 완화시키는데 도움을 줄것으로 생각되나, 임상적 근거는 많지 않다. 최근 무작위 연구에서는, 근육 이완제(tiocolchicoside)와 항염증제, 알파 차단제의 복합치료가 증상 완화에 도움이 된다는 보고를 하였으나 알파 차단제 단독 치료보다 효과적이지는 않았다.

7) 펜토산 폴리설페이트 (pentosan polysuphate sodium, PPS)

PPS는 간질성 방광염의 치료에 흔히 사용되는 약물이다. 고용량의 PPS(300mg, 3 times per day)는 비세균성 전립선염의 증상 완화와 삶의 질 개선에 도움을 줄 수 있다. 충분한 약물 복용 기간이 증상 완화를 위해 필요하다, 적어도 3개월 이상의 치료가 필요하다. 간질성 방광염의 연구에서는 약물 복용 32주째에 대략 절반 정도의 환자에서 증상 완화가 되었다.

8) 생약제(phytotherapy)

생약제의 작용 기전은 확실하지 않으나, 면역시스템의 활성화, 항염효과, 진통효과, 진경효과 등이 관련이 있을 것으로 여겨진다. 어느 정도 효과가 있는 것으로 생각되며, 최근 메타분석에서도 전체적으로 통증을 비롯하여 증상완화에 도움이 되는 것으로 밝혀졌다. 연구결과가 많지는 않으나, 꽃가루 추출(pollen extract)이나 quercetin은 무작위 위약 연구에서 증상 완화에 도움이 되는 것으로 밝혀졌다. 반면에, 전립선비대증에 흔히 사용되는 종려나무열매(saw palmetto)의 경우 1년 이상의 장기추적 결과에서 효과를 입증하지 못했다.

9) 물리 치료(physical therapy)

비세균성 전립선염의 증상은 골반저 근육의 경련이나 압통과 관련이 있는 것으로 알려져 있다. 이러한 이론적 근거 하에, 실제 진료 현장에서는 다양한 형태의 물리 치료가 시행되고 있다(그림 68-2).

무작위 대조 연구에서 extra corporeal shock wave treatment (ESWT), percutaneous tibial nerve stimulation, electromagnetic therapy, acupuncture, electro acupuncture 등은 증상 완화에 효과가 있었다. 하지만, 무작위 연구들을 비롯하여 대부분의 연구들이 소규모이기 때문에 치료 효과에 대해서는 단정하기는 이르다.

여러 연구결과들을 종합하여 볼 때, 다양한 형태의 물리치료들은 골반저 근육의 긴장이나 통증이 있는 환자의 경우 제한적으로 시행된다면, 증상 완화를 기대해 볼 수 있다.

10) 정신심리 치료 (cognitive behavioral therapy and psychotherapy)

정신심리 증상은 비세균성 전립선염의 일부분으로 널리 인정되고 있다. 정신심리 치료에 대한 무작위 연구는 없지만, 정신심리 치료는 다른 치료와 함께 병용될 때 증상 완화 및 삶의 질 향상에 도움을 줄 수 있다. 특히, 정신심리적 스트레스가 심한 환자의 경우에는 반드시 정신심리치료가 고려되어야 한다. 미국국립보건원(NIH Chronic Prostatitis Collaborative Research Network studies) 이나 유럽비뇨기과학회에서도, 정신심리 치료의 필요성을 언급하고 있다.

11) 생활습관 교정(lifestyle modification)

생활 습관 교정은 그 효과가 객관적으로 입증되지는 않았지만, 특별한 부작용이 없고, 다른 치료와 병행시 증상 완화에 도움을 줄 수 있다.

전립선액의 배출이 도움이 되므로, 억지로 사정을 막지 말고 규칙적인 부부 생활을 하거나 전립선 마사지를 주 2-3회 정도 시행하는 것이 좋다. 체계적 고찰에서는 6-12주 동안 주 2-3회의 전립선 마사지가 1/4-1/3 정도의 환자에서 약간의 도움이 되는 것으로 결론지었다. 온좌욕 혹은 반신욕은 회음부 근육을 이완시켜 통증을 완화시키고, 염증 분비물의 배출을 촉진하며, 혈액 순환을 증가시켜 근육 세포의 회복과 부종 완화에 도움이 될 수 있다. 되도록 스트레스를 받는 상황을 피하며, 회음부의 지속적인 압박은 증상을 악화시키므로 오래 앉아 있는 것을 피하고 도넛 모양의 방석을 사용하는 것도 도움이 된다. 회음부에 무리를 주는 운동은 자제하며, 유산소운동이 도움이 된다 [54]. 술과 커피, 자극적인 음식은 되도록 피하는 것이 좋다.

12) 수술적 치료(surgical management)

방광경부 절개술이나 경요도하 전립선 절제술 등의 수술적 치료에 대한 연구결과는 제한적이다. 단순히 비세균성 전립선염이 있는 환자에서는, 일반적으로 권고되지 않는다. 보존적인 치료에 반응하지 않는 일부의 제한적인 환자군에서 시도하여 볼 수 있다. 최근에, 보톡스의 요도내 주입법이 통증 완화에 효과가 있는 것으로 소규모의 연구들에서 보고되고 있으나 아직 결론을 내리기는 이르다.

3. 요약

비세균성 전립선염 환자는 주로 통증, 배뇨증상, 성기능 장애를 호소하지만, 환자 개개인에 따라 매우 다양한 증상을 호소한다. 따라서, 치료는 통증을 비롯한 증상의 호전 및 삶의 질의 개선에 목적을 두어야 하며, 다양한 증상에 맞추어 복합적인 치료가 필요하다. 일률적인 치료 방침보다는 환자의 상태에 맞는 개별적인 치료 방침을 수립하여야 한다. 아울러 비세균성 접립선염의 원인이 반드시 전립선에 기인하는 것이 아니라는 것을 명심해야 한다. 골반내 다른 장기나 혹은 골반 바깥의 장기, 때로는 신경학적 문제나 정신심리학적 문제에 의해 야기될 수 있으므로, 다학제적 치료의 필요성을 염두에 두어야 한다.

지난 20여년간 비세균성 전립선염의 치료에는 많은 발전이 있었으나, 아직까지 정립된 치료 방법은 없다. 다양한 치료방법들이 제시되고 있지만, 그에 대한 임상적 근거는 일정한 결과를 보여주지 못한다. 이는 대부분의 연구들이 소규모이고 디자인이 일정하지 못하기 때문이다. 앞으로 더 많은 연구가 필요하겠지만, 지금까지의 임상적 근거를 바탕으로 할 때, 대부분의 비세균성 전립선염은 치료될 수 있으므로, 다양한 치료 방법들에 대한 이해와 적용이 필요하겠다.

참고문헌

1. 이선주, 양대열, 이원기, 조인래. 비세균성 만성골반통증후군-골반통, 만성고환통. In: 대한남성과학회. 남성건강 15대 질환 길라잡이. 군자출판사; 2015:127-146.
2. 조인래. 만성전립선염/만성골반통증후군. In: 대한남성과학회. 남성건강학. 군자출판사; 2013:445-460.
3. Alexander RB, Propert KJ, Schaeffer AJ et al. Ciprofloxacin or tamsulosin in men with chronic prostatitis/chronic pelvic pain syndrome: a randomized, double-blind trial. Ann Intern Med 2004;141:581-589.
4. Alexander RB, Propert KJ, Schaeffer AJ et al. Ciprofloxacin or tamsulosin in men with chronic prostatitis/chronic pelvic pain syndrome: a randomized, double-blind trial. Ann Intern Med 2004;141:581-589.
5. Anderson RU, Orenberg EK, Chan CA, Morey A, Flores V. Psychometric profiles and hypothalamic-pituitary-adrenal axis function in men with chronic prostatitis/chronic pelvic pain syndrome. J Urol 2008; 179:956-960.
6. Anothaisintawee T, Attia J, Nickel JC et al. Management of chronic prostatitis/chronic pelvic pain syndrome: a systematic review and network meta-analysis. JAMA 2011;305:78-86.
7. Bates SM, Hill VA, Anderson JB, et al. A prospective, randomized, double-blind trial to evaluate the role of a short reducing course of oral corticosteroid therapy in the treatment of chronic prostatitis/chronic pelvic pain syndrome. BJU Int 2007;99:355-359.
8. Cheah PY, Liong ML, Yuen KH et al. Initial, long-term, and durable responses to terazosin, placebo, or other therapies for chronic prostatitis/chronic pelvic pain syndrome. Urology 2004;64:881-886.
9. Chen Y, Wu X, Liu J et al. Effects of a 6-month course of tamsulosin for chronic prostatitis/chronic pelvic pain syndrome: a multicenter, randomized trial. World J Urol 2011;29:381-385.
10. Clemens JQ, Brown SO, Calhoun EA. Mental health diagnoses in patients with interstitial cystitis/painful bladder syndrome and chronic prostatitis/chronic pelvic pain syndrome: a case/control study. J Urol 2008;180:1378-1382.
11. Cohen JM, Fagin AP, Hariton E et al. Therapeutic intervention for chronic prostatitis/chronic pelvic pain syndrome (CP/CPPS): a systematic review and meta-analysis. PLoS One 2012;7:e41941.
12. Elist J. Effects of pollen extract preparation Prostat/Poltit on lower urinary tract symptoms in patients with chronic nonbacterial prostatitis/chronic pelvic pain syndrome: a randomized, double-blind, placebo-controlled study. Urology 2006;67:60-63.
13. European Association of Urology. guidelines on chronic pelvic pain. http://uroweb.org/guideline/chronic-pelvic-pain.
14. Evliyaoglu Y, Burgut R. Lower urinary tract symptoms, pain and quality of life assessment in chronic non-bacterial prostatitis patients treated with alpha-blocking agent doxazosin; versus placebo. Int Urol Nephrol 2002;34:351-356.
15. Goldmeier D, Madden P, McKenna M, et al. Treatment of category III A prostatitis with zafirlukast: a randomized controlled feasibility study. Int J STD AIDS 2005;16:196-200.
16. Gul O, Eroglu M, Ozok U. Use of terazosine in patients with chronic pelvic pain syndrome and evaluation by prostatitis symptom score index. Int Urol Nephrol 2001;32:433-436.
17. Herati AS, Moldwin RM. Alternative therapies in the management of chronic prostatitis/chronic pelvic pain

syndrome. World J Urol 2013;31:761-766.

18. Hetrick DC, Ciol MA, Rothman I et al. Musculoskeletal dysfunction in men with chronic pelvic pain syndrome type III: a case-control study. J Urol 2003;170:828-831.

19. Kabay S, Kabay SC, Yucel M, Ozden H. Efficiency of posterior tibial nerve stimulation in category IIIB chronic prostatitis/chronic pelvic pain: a Sham-Controlled Comparative Study. Urol Int 2009;83:33-38.

20. Kaplan SA, Volpe MA, Te AE. A prospective, 1-year trial using saw palmetto versus finasteride in the treatment of category III prostatitis/chronic pelvic pain syndrome. J Urol 2004;171:284-288.

21. Kaplan SA, Volpe MA, Te AE. A prospective, 1-year trial using saw palmetto versus finasteride in the treatment of category III prostatitis/chronic pelvic pain syndrome. J Urol 2004;171:284-288.

22. Ku JH, Jeon YS, Kim ME, Lee NK, Park YH. Psychological problems in young men with chronic prostatitis-like symptoms. Scand J Urol Nephrol 2002;36:296-301.

23. Lee CB, Ha US, Lee SJ, Kim SW, Cho YH. Preliminary experience with a terpene mixture versus ibuprofen for treatment of category III chronic prostatitis/chronic pelvic pain syndrome. World J Urol 2006;24:55-60.

24. Lee SH, Lee BC. Electroacupuncture relieves pain in men with chronic prostatitis/chronic pelvic pain syndrome: three-arm randomized trial. Urology 2009;73:1036-1041.

25. Lee SW, Liong ML, Yuen KH et al. Acupuncture versus sham acupuncture for chronic prostatitis/chronic pelvic pain. Am J Med 2008;121:79e1-7.

26. Mehik A, Alas P, Nickel JC, Sarpola A, Helstrom PJ. Alfuzosin treatment for chronic prostatitis/chronic pelvic pain syndrome: a prospective, randomized, double-blind, placebo-controlled, pilot study. Urology 2003;62:425-429.

27. Mishra VC, Browne J, Emberton M. Role of repeated prostatic massage in chronic prostatitis: a systematic review of the literature. Urology 2008;72:731-735.

28. Nickel JC, Alexander RB, Anderson R, et al. Category III chronic prostatitis/chronic pelvic pain syndrome: insights from the National Institutes of Health Chronic Prostatitis Collaborative Research Network studies. Curr Urol Rep 2008;9:320-327.

29. Nickel JC, Atkinson G, Krieger JN, et al. Preliminary assessment of safety and efficacy in proof-ofconcept, randomized clinical trial of tanezumab for chronic prostatitis/chronic pelvic pain syndrome. Urology 2012;80:1105-1110.

30. Nickel JC, Barkin J, Forrest J, et al. Randomized, double-blind, dose-ranging study of pentosan polysulfate sodium for interstitial cystitis. Urology 2005;65:654-658.

31. Nickel JC, Downey J, Clark J et al. Levofloxacin for chronic prostatitis/chronic pelvic pain syndrome in men: a randomized placebo-controlled multicenter trial. Urology 2003;62:614-617.

32. Nickel JC, Downey J, Johnston B, Clark J, the Canadian Prostatitis Research Group. Predictors of response to antibiotic therapy for chronic prostatitis/chronic pelvic pain syndrome: a prospective multicenter clinical study. J Urol 2001;165:1539-1544.

33. Nickel JC, Downey J, Pontari MA, Shoskes DA, Zeitlin SI. A randomized placebo-controlled multicentre study to evaluate the safety and efficacy of finasteride for male chronic pelvic pain syndrome (category IIIA chronic nonbacterial prostatitis). BJU Int 2004;93:991-995.

34. Nickel JC, Forrest JB, Tomera K, et al. Pentosan polysulfate sodium therapy for men with chronic pelvic pain syndrome: a multicenter, randomized, placebo controlled study. J Urol 2005;173:1252-1255.

35. Nickel JC, Krieger JN, McNaughton-Collins M et al. Alfuzosin and symptoms of chronic prostatitis-chronic pelvic pain syndrome. N Engl J Med 2008;359:2663-2673.

36. Nickel JC, Narayan P, McKay J, Doyle C. Treatment of chronic prostatitis/chronic pelvic pain syndrome with tamsulosin: a randomized double blind trial. J Urol 2004;171:1594-1597.

37. Nickel JC, O'Leary MP, Lepor H et al. Silodosin for men with chronic prostatitis/chronic pelvic pain syndrome: results of a phase II multicenter, double-blind, placebo controlled study. J Urol 2011;186:125-131.

38. Nickel JC, Roehrborn C, Montorsi F, Wilson TH, Rittmaster RS. Dutasteride reduces prostatitis symptoms

compared with placebo in men enrolled in the REDUCE study. J Urol 2011;186:1313-1318.

39. Nickel JC, Xiang J. Clinical significance of non-traditional uropathogens in the management of chronic prostatitis. J Urol 2008;179:1391-1395.

40. Parker J, Buga S, Sarria JE, Spiess PE. Advancements in the management of urologic chronic pelvic pain: what is new and what do we know? Curr Urol Rep 2010;11: 286-291.

41. Pontari MA, Krieger JN, Litwin MS et al. Pregabalin for the treatment of men with chronic prostatitis/chronic pelvic pain syndrome: a randomized controlled trial. Arch Intern Med 2010;170:1586-1593.

42. Rees J, Abrahams M, Doble A et al. Diagnosis and treatment of chronic bacterial prostatitis and chronic prostatitis/chronic pelvic pain syndrome: a consensus guideline. BJU Int 2015;116:509-525.

43. Rowe E, Smith C, Laverick L, Elkabir J, Witherow RO, Patel A. A prospective, randomized, placebo controlled, doubleblind study of pelvic electromagnetic therapy for the treatment of chronic pelvic pain syndrome with 1 year of followup. J Urol 2005;173: 2044-2047.

44. Shoskes DA, Berger R, Elmi A et al. Muscle tenderness in men with chronic prostatitis/chronic pelvic pain syndrome: the chronic prostatitis cohort study. J Urol 2008;179:556-560.

45. Shoskes DA, Nickel JC, Dolinga R, et al. Clinical phenotyping of patients with chronic prostatitis/chronic pelvic pain syndrome and correlation with symptom severity. Urology 2009;73:538-542.

46. Shoskes DA, Zeitlin SI, Shahed A, et al. Quercetin in men with category III chronic prostatitis: a preliminary prospective, double-blind, placebo-controlled trial. Urology 1999;54:960-963.

47. Smith KB, Pukall CF, Tripp DA, Nickel JC. Sexual and Relationship Functioning in Men with Chronic Prostatitis/Chronic Pelvic Pain Syndrome and Their Partners. Arch Sex Behav 2007;36:301-311.

48. Thakkinstian A, Attia J, Anothaisintawee T, Nickel JC. Alpha-blockers, antibiotics and anti-inflammatories have a role in the management of chronic prostatitis/ chronic pelvic pain syndrome (CP/CPPS). BJUI 2012; 110:1014-1022.

49. Touma NJ, Nickel JC. Prostatitis and chronic pelvic pain syndrome in men. Med Clin N Am 2011;95:75-86.

50. Tugcu V, Tasci AI, Fazlioglu A et al. A placebo-controlled comparison of the efficiency of triple- and monotherapy in category III B chronic pelvic pain syndrome (CPPS). Eur Urol 2007;51:1113-1117; discussion 1118.

51. Tugcu V, Tasci AI, Fazlioglu A, et al. A placebo-controlled comparison of the efficiency of triple- and monotherapy in category III B chronic pelvic pain syndrome (CPPS). Eur Urol 2007;51:1113-1117.

52. Wagenlehner FM, Schneider H, Ludwig M, et al. A pollen extract (Cernilton) in patients with inflammatory chronic prostatitis-chronic pelvic pain syndrome: a multicentre, randomised, prospective, double-blind, placebo-controlled phase 3 study. Eur Urol 2009;56: 544-551.

53. Zhao WP, Zhang ZG, Li XD et al. Celecoxib reduces symptoms in men with difficult chronic pelvic pain syndrome (Category IIIA). Braz J Med Biol Res 2009; 42:963-967.

54. Zhou Z, Hong L, Shen X et al. Detection of nanobacteria infection in type III prostatitis. Urology 2008;71:1091-1095.

55. Zimmermann R, Cumpanas A, Miclea F et al. Extracorporeal shock wave therapy for the treatment of chronic pelvic pain syndrome in males: a randomized, double-blind, placebocontrolled study. Eur Urol 2009; 56:418.

CHAPTER 69

전립선비대증의 병인 및 진단

Pathogenesis and Diagnosis of benign Prostatic Hyperplasia

■ 박해영

전립선비대증(benign prostatic hyperplasia, BPH)은 노화와 연관된 병적과정으로 하부요로증상(lower urinary tract symptom, LUTS)에 기여하지만, 하부요로 증상의 유일한 원인은 아니다. 과거 많은 연구들이 전립선비대증의 병인을 규명하기 위하여 시행되었지만, 아직 원인과 결과의 명확한 상관관계를 성립하지 못하였다. 단지 전립선의 용적증가에 따른 요도내 저항증가로 전립선비대증의 임상증상을 설명하기에는 전립선비대증의 병인이 너무 복잡하며, 하부요로증상의 상당 부분이 나이와 관련된 방광근육의 부전에 기인한다는 것은 분명하다.

1. 전립선비대증의 원인

조직병리학적으로 전립선비대증은 요도주위 전립선의 상피세포와 기질세포의 증가를 특징으로 한다. 전립선 세포수의 증가는 상피세포와 기질세포의 증식에 의한 것이거나, 세포자멸사의 장애로 인한 세포들의 축적의 결과이다.

1) 과다증식(Hyperplasia)

동물실험의 결과에서 남성호르몬(androgen)과 성장 인자(growth factor)는 세포증식을 유도하지만, 사람의 전립선비대증에 있어서 세포증식의 역할은 의문이다. 왜냐하면 활동적인 세포증식에 대한 증거가 명확하게 밝혀지지 않았기 때문이다. 전립선비대증의 초기에는 빠른 세포증식이 나타날 수 있지만, 보통의 경우 비슷하거나 감소된 세포분열을 보이며, 세포자멸사를 억제하는 유전인자의 발현이 증가한다. 남성호르몬은 전립선에 대하여 정상적인 세포증식에 필요할 뿐만 아니라, 세포자멸사를 억제한다.

성호르몬들은 성인에서 뿐만 아니라 태아기나 신생 아기의 전립선 발달과정에도 영향을 미친다. 동물실험의 결과 출생 후 남성호르몬의 급상승에 의한 전립선 조직의 각인현상은 그 후 전립선 성장을 위한 호르몬의 작용에 있어 매우 중요하다.

2) 남성호르몬의 역할

남성호르몬이 전립선비대증의 직접적인 원인은 아닐지라도, 사춘기와 노화과정에 있어 고환내의 남성호르몬은 전립선 발달에 필요하다. 전립선에서 핵막과 결합 형태의 효소인 5α-reductase는 테스토스테론을 5αdihydrotestosterone (DHT)으로 환원시킨다. 전립선내 남성호르몬의 90%는 5α-DHT의 형태로 존재하며, 이는 대부분 고환의 테스토스테론에서 비롯된 것이다. 남성 호르몬의 결핍은 중요 남성호르몬 의존적 유전자의 불활성화 이외에도 세포자멸사와 관련된 특정 유전자를 활성화한다.

(1) 남성호르몬 수용체(Androgen receptors)

다른 남성호르몬 의존적 장기와는 다르게 전립선은 평생동안 남성호르몬에 반응한다. 전립선 내의 남성호르몬 수용체는 노화가 진행되는 동안에도 지속적으로 높게 유지된다. 정상 전립선 조직에 비하여 과다증식(hyperplasia) 조직에서 더 높은 수준의 핵내 남성호르몬 수용체가 발현됨은 알려져 있다.

(2) 5α –Dihydrotestosterone과 5α–reductase

전립선 내 DHT 농도는 전립선비대증의 경우에 증가 하지는 않는다. 두 종류의 5α-reductase는 각기 다른 두 개의 유전자에 의해 발현되는 것으로 밝혀졌다. 1형 5α-reductase는 피부나 간과 같은 전립선 외 조직의 주된 효소이며, 2형 5α-reductase는 정상 전립선의 발달과 과다증식 성장에 있어 중요한 역할을 한다. 2형 5α-reductase에 대한 항체들의 면역조직화학적 연구는 주로 기질세포에의 효소 국소화를 보여준다. 이러한 결과들은 기질세포가 남성호르몬 의존적 전립선 성장에 중요 역할을 하며, 기질세포내 2형 5α-reductase의 존재가 매우 중요함을 알려준다. 피부와 간에서 생성된 5α-DHT는 내분비적으로 전립선 상피세포에 작용하는 것으로 여겨진다.

3) 에스트로겐의 역할

남성에서 혈중 에스트로겐 농도는 나이에 따라 증가 한다. 전립선비대증을 가진 남성에서 전립선 내 에스트로겐의 농도는 증가되어 있다. 또한 동물실험 모델에서 에스트로겐은 남성호르몬과 상승작용을 일으켜 전립선비대를 유발하며, 남성호르몬 수용체의 발현에도 기여하는 것으로 밝혀졌다. 그러나 사람에서 에스트로겐의 전립선비대증 병인으로서의 역할은 아직 불분명하다.

4) 세포자멸사의 조절

세포자멸사는 정상 전립선조직의 항상성을 유지하는 데 필수적이다. 정상적인 조직은 세포증식과 세포사멸 간에 미세한 균형이 이루어지고 있다. 전립선도 20대 초반에 성인 크기까지 성장한 후 50대까지 그 크기를 유지한다. 이 균형을 유지하는 데에는 많은 종류의 내인성 성장조절 인자와 이와 관련된 전달경로 그리고 세포주기 조절과 세포분열과 세포사멸에 필요한 DNA 손상등이 복잡하게 상호작용을 하는 것으로 알려져 있다.

(1) DNA 합성과 세포 주기 조절

일반적으로 전립선 세포는 cell cycle 중 휴지기인 G0 phase 인데 이 상태에서 외인성 스테로이드 호르몬과 내인성 성장조절인자의 상호작용으로 세포분열의 시작인 G1 phase로 변한다. S phase, G2 phase, M phase로 진행되는 각 단계별로 진행을 억제하는 check point가 있는데 이를 조절하는 것 중 대표적으로 알려진 것이 cyclin-dependent Kinase (CDKs)이다. 이 CDK를 조절 하는 한 예가 retinoblastoma (Rb) protein으로 이것은 G1에서 S phase로 진행되는 과정에 작용하며 이것이 활성화되면 cyclin kinase를 이용하여 억제하고 있던 CDK 를 제거하고 따라서 세포의 분열과 증식이 나타나게 된다. P53 protein도 마찬가지로 손상을 입으면 세포증식 에서 check point가 기능을 상실하고 세포의 부적절한 성장과 증식이 일어나게 된다.

(2) 세포사(Cell death)의 조절

세포성장주기(cell growth cycle)와 마찬가지로 세포사주기(cell death cycle)인 D1 phase에도 check point가 존재하며 이 D1 phase는 interleukin converting enzyme (ICE), 칼슘, transforming growth factor (TGF)-b 등에 의해 상향 조절(up-regulation)되고 활성화된 ornithine decarboxylase (ODC) gene, CDK2 등에 의해 P53 단백은 하향조절(down-regulation) 보다는 최근 세포사주기의 조절단백질로 발견된 산소 등을 상향 조절하여 세포사를 일으킨다.

(3) Telomerase와 노화

전립선 성장에 대한 관계 전립선에서 telomerase와 telomerase의 활성이 성장의 조절에 중요한 작용을 한다는 것이 최근 알려졌다. Telomerase는 일종의 생체 시계로 DNA에 위치하고 있는 작은 한 조각으로 세포가 분열하는 동안 조금씩 일부분이 없어지며 이것이 축적되면 세포는 사멸되어야 한다는 것을 스스로 알게 된다. Telomerase 는 세포분열이 일어 날 때마다 작은 RNA 한 조각을 만들어 telomerase의 한 부분을 교체하는 작용을 한다. 만약 telomere가 세포 분열시마다 다시 길이가 유지된다면 불멸성(immortality)를 갖게 된다.

5) 기질-상피 상호작용 (Stroma-epithelial Interaction)

DHT은 전립선의 기질세포에서 DHT 매개 성장인자를 생성하여 상피세포에 신호를 보내 전립선의 성장과 분화를 유도한다. 전립선의 기질세포와 상피세포는 주변분비(paracrine) 형태로 매우 정밀한 상호작용을 한다. 기질세포에서 분비된 단백질은 부분적으로 상피세포의 분화를 조절한다. 따라서 전립선비대증의 경우 정상적인 세포증식을 억제하는 기질세포 성분이 결여되어 세포증식의 억제기전이 손상되어있다. 또 하나의 기질-상피 상호작용의 근거로, 전립선 세포증식의 새로운 선 형성 과정은 기질세포가 상피세포의 발달을 유도하게 되는 태아기적인 과정의 재각성을 시사한다. 이렇게 전립선비대증의 발생기전에는 상피세포와 기질세포간에 서로의 성장을 조절하는 경로가 있다.

6) 성장인자(Growth factor)

성장인자와 스테로이드 호르몬의 상호작용은 세포증식과 세포사멸의 균형을 바꾸어 전립선비대증을 일으킬 수 있다. 전립선의 성장인자, 성장인자 수용체, 스테로이드 호르몬 사이에 상호의존성이 있다. 만약 세포증식이 전립선비대를 유발하는 과정의 일부라면, 성장자극 요소(bFGF, EGF, KGF, VEGF, IGF) 들이 DHT 조절과 함께 전립선비대에 기여할 것이다. 이 중 KGF (FGF-7)는 전립선 상피세포에 대한 기질세포의 호르몬 조절을 매개하는 주요 요소이며, 이것은 기질 섬유아세포(fibroblast)에서 생성되어 상피 FGF 수용체를 통하여 효과를 나타낸다. KGF가 기질세포의 증식에는 영향을 미치지 않는 반면 basic FGF (bFGF)라 불려지는 FGF-2 는 autocrine mitogenic 효과로 전립선 조직 중 기질세포의 성장에 영향을 미치며 상피에는 영향을 미치지 않는다. 그러므로 FGF-2와 FGF-7이 전립선 비대증의 발생에 중요한 작용을 한다. KGF에 의한 성장효과는 transforming growth factor (TGF)-b에 의하여 억제된다. 그러나 상피세포 증식을 억제하는 것으로 알려진 TGF-b는 정상적으로는 상피세포 증식을 억제하는 방향으로 영향을 미치지만, 전립선비대증 환자에 있어서는 그 기능이 상실되었거나 저하되어 있다. 이와 같이 전체적으로 세포의 증식과 사멸을 조절하는 성장촉진인자 와 성장억제인자의 상호작용으로 조절되며 p53과 같은 성장억제 유전자에 의하여 각인된 단백질과 스테로이드 호르몬도 세포의 증식과 사멸을 조절한다.

7) 유전적 인자(Genetic factors)

전립선비대증은 의심할 것 없이 많은 인자에 의하여 발생하는데 이 다양한 인자 중 유전적 요인도 크게 작용하는 것을 알 수 있다. 예로 가족력이 있는 환자군과 가족력이 없는 대조군을 비교하였을 때, 수술적 치료가 필요한 비교위험도는 4.2로 크게 차이가 나타났다. 또한 전립선비대증은 체세포 우성 유전방식으로 유전되는 것으로 추측된다. 60세 이전에 전립선 절제술을 받은 환자의 50%는 유전적인 원인이 있는 반면, 60세 이후에 전립선 절제술을 받은 환자의 9%만이 유전 때문인 것으로 예측해 볼 수 있다. 가족력이 있는 전립선비대증은 평균 82.7g이상의 커진 전립선 크기를 보이는 반면, 산발성의 전립선비대증 환자의 경우 평균 55.5g의 크기를 보였다.

8) 염증세포의 잠재적인 역할

인간의 전립선 조직 내 성장인자는 염증세포의 침윤에 의하여 생성되기도 한다. 또한 IL-2, IL-7, IFN-r 등 많은 cytokine이 전립선 기질 세포의 성장을 자극하는 것으로 알려져 있다. 전립선비대증에서의 만성 염증작용은 Cyclooxygenase 2와 연관 되어 있다. 그러나 전립선비대증과 전립선 염증사이의 인과관계는 명확하게 정립되어 있지 않다.

2. 전립선비대증의 진단

현미경적 전립선비대증이란 조직학적으로 전립선 세포의 증식을 의미한다. 임상적 전립선비대증이란 현미경적 전립선비대증으로 인하여 발생하는 하부요로증상, 불완전배뇨, 급성요폐, 배뇨근의 불안정성, 요로감염, 혈뇨, 신부전등을 의미한다. 전립선비대증의 증상은 배뇨 증상과 저장 증상으로 나눌 수 있다. 배뇨 증상에는 배뇨지연, 약뇨와 세뇨, 불완전 배뇨, 이중배뇨, 배뇨말기 요점적 등이 있다. 저장 증상에는 요급, 빈뇨, 야뇨가 있다. 대부분의 증상들은 이전의 '전립선증' 혹은 하부 요로증상들인데 전립선비대증에만 나타나는 증상은 아니다. 남성들은 요로계의 병리학적인 노화과정에서 비슷한 증상들을 나타낼 수 있다. 다행스럽게도 전립선에 의하지 않은 질환의 증상들은 병력청취, 신체검사, 요검사를 통해서 감별진단 할 수 있다. 전립선 비대증의 진단, 치료에 대해서는 2003년도 미국 비뇨기과 학회에서 발표한 가이드라인이 대표적이며 국내에서도 진단방법과 치료방침을 결정하는데 대부분 이 원칙을 따른다(그림 69-1). 전립선비대증은 진단하고 치료하기 위해 시행되는 다양한 검사들 중 초기에 시행이 필요한 필수검사 또는 권장검사를 선택할 때 고려해야 할 점들이 많다. 전립선비대증은 3가지 측면으로 나누어 전립선비대증, 방광출구폐색, 하부요로증상 등 3가지 임상적 용어가 사용된다. 이러한 전립선비대증의 3가지 측면을 모두 알아보기 위해 검사법을 선택할 때 먼저 고려해야 할 점은 대부분의 환자들은 하부요로증상을 주 증상을 호소하며 이들 모두가 전립선비대증 환자가 아니라는 점이다. 따라서 여기에 언급되는 필수검사는 전립선비대증의 필수검사라기 보다는 하부요로증상으로 내원한 환자에게 필요한 필수검사라는 것이다. 현재 여러가지 검사들은 필수검사, 선택검사로 분류하고 있다(표 69-1).

1) 기본 검사

(1) 병력청취

자세한 병력 청취는 요로계, 이전 수술력, 전반적 건강상태, 수술적 치료의 적합성에 초점을 맞추어 진행되어야 하며 현재의 약물복용 여부를 확인하여 환자가 방광장애를 일으킬 수 있는 약물 혹은 배뇨장애를 일으킬 수 있는 약물을 복용하고 있는지 확인하여야 한다. 파킨슨병, 중풍, 당뇨나 울혈성 심부전으로 인한 다뇨, 요도 협착의 과거력, 항우울제의 사용, 고혈압 동반 여부 등도 반드시 확인해야 한다. 이는 전립선비대에 의한 것이 아닌 다른 요인을 감별하고 아울러 발생할 수 있는 이환률을 줄이고자 하는데 목적이 있다.

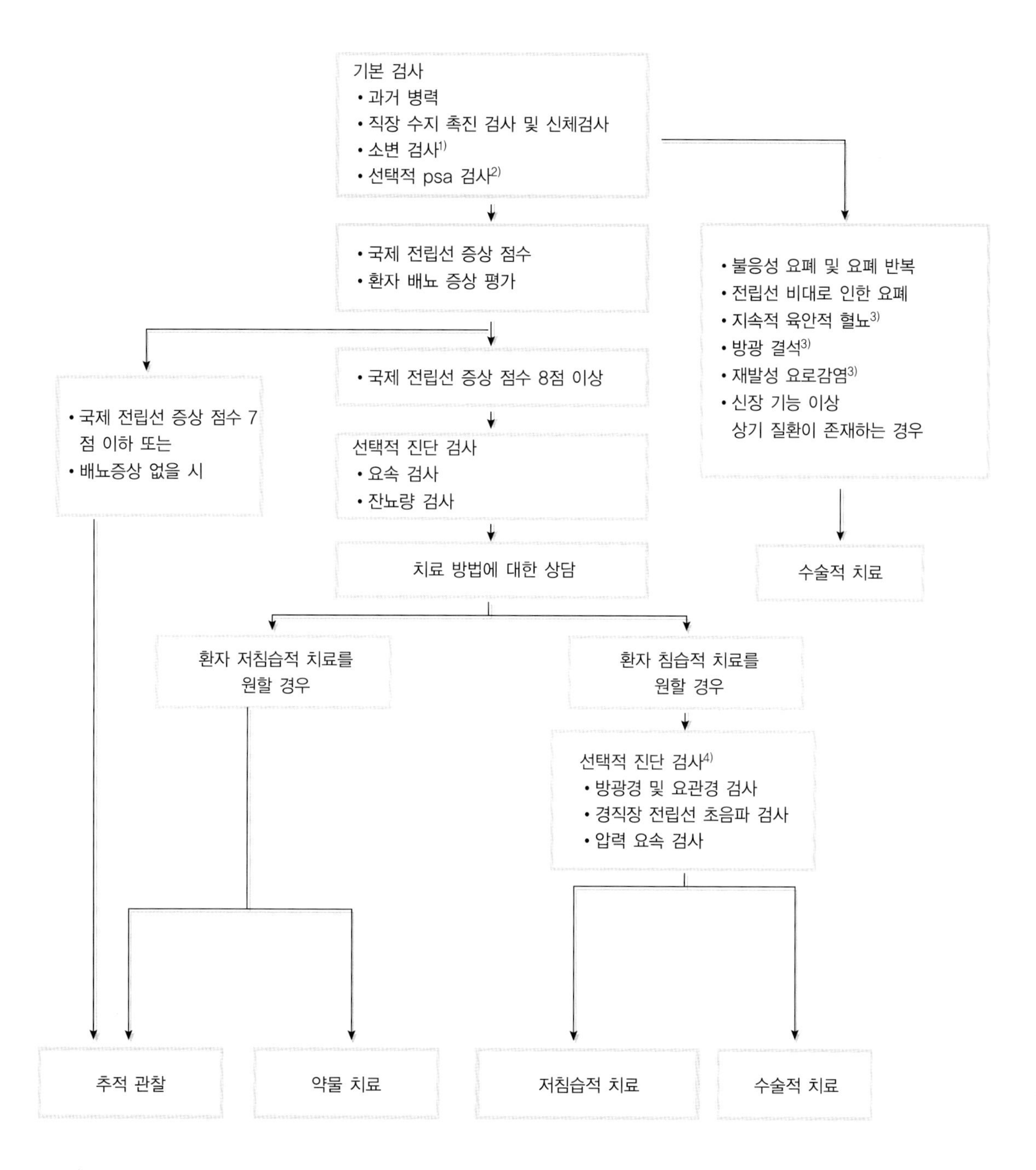

[1] 전립선의 유의한 출혈이 있는 환자의 경우 5α reductase inhibitor가 사용될 수 있으며 출혈이 지속될 경우 지혈 수술의 적응증이 될 수 있음.

[2] 최소 10년 이상의 기대수명이 예상되며 전립선 암을 가지고 있어 치료방법에 변화가 있을 수 있는 환자의 경우 또는 PSA 수치가 환자 증상에 대한 치료방법에 변화를 줄 수 있는 경우

[3] 이하의 치료적 방법에 반응하지 않을 경우

[4] 몇몇 진단적 검사가 치료방법의 효과를 예상할 수 있으나 압력 요속 검사가 수술적 치료 이전에 가장 유용한 검사임.

그림 69-1 American Urologic Association guideline (updated 2006년)

표 69-1 제 6차 전립선비대증 국제자문회의 검사항목 지침

권장검사	선택검사
병력청취	요류검사
국제전립선증상점수	잔뇨측정
진찰과 직장손가락검사	압력흐름검사
소변검사	직장경유초음파촬영술
혈청 전립선특이항원	배설성요로조영술을 통한 상부요로검사
배뇨일지	요도방광경검사

(2) 신체검사

하복부 촉진과 함께, 직장수지검사(digital rectal exam, DRE)와 신경학적 검사에 초점을 맞추어서 신체 검사를 시행하여야 한다. 직장수지검사, 신경학적 검사를 통하여 전립선 혹은 직장 내 종양을 발견할 수 있으며, 항문 괄약근의 긴장도를 평가하고, 신경학적인 질환들을 감별할 수 있다. 직장 수지검사는 전립선의 크기, 경도 및 대칭성의 정도를 확인해 보아야 한다. 직장수지 검사에 의한 전립선의 크기는 폐쇄 증상의 정도와 일치하지는 않는다. 전립선비대증 환자의 경우 대부분 부드럽고, 단단하며, 탄력 있는 전립선의 비대를 촉지 할 수 있다. 전립선암의 경우 70~80%가 말초대(peripheral zone)에서 발생하기 때문에 직장수지검사에서 비교적 명확한 경계를 갖는 단단한 결절로 만져진다. 임상의는 항상 전립선암의 가능성을 인지하고 있어야 하며, 전립선 특이항원(prostate specific antigen, PSA)치의 측정, 경직장초음파검사 및 전립선 생검 등의 추가적 검사의 필요 여부를 판단해야 한다.

(3) 요검사

감염, 혈뇨의 가능성을 배제하기 위하여 하부요로 증상이 있는 모든 환자에서 요검사를 시행하여야 한다. 요 검사는 dipstick 검사, 혹은 소변 침전물을 검사함으로써 비슷한 증상을 가지는 다른 질환에 의한 요로감염, 혈뇨등을 감별할 수 있다. 심한 저장 증상이나 배뇨통을 호소하는, 특히 흡연력이 있는 환자에서는 반드시 요세포 검사를 고려하여야 한다.

(4) 혈청 PSA (Serum prostate-specific antigen)

전립선암의 진단에 이용되는 혈청 PSA는 사정 후 정액을 액화시키는 당단백질분해제로, 측정방법에 따라 차이는 있으나 일반적으로 4 ng/mL 이하를 정상치로 잡고 있다. 혈청 PSA 검사는 환자의 기본 검사에 포함시킨다. 직장수지검사와 동반한 PSA 검사가 전립선암의 발견에 있어서는 월등한 효과가 있으나, 전립선비대증과 전립선암에 있어 PSA 수치가 중복되는 경우가 있어, 아직 논의의 여지가 있다. 암이 있는 경우 전립선비대증의 평가 및 치료가 달라지게 된다. 혈청 PSA 수치가 상승된 경우에는 진단적 특이성을 높이기 위한 노력으로 PSA 의 연령별 참조범위(age-adjusted reference range for PSA), PSA 밀도(PSA density), PSA 속도(PSA velosity), PSA 분자형 검사법(molecular forms of PSA) 등이 이용된다.

(5) 증상 평가

국제전립선 증상점수(International Prostate Symptoms Score, IPSS)는 AUA (American Urological Association) symptom index와 동일하며, 하부요로증상을 가지는 환자에 있어 기본적인 평가 사항이다

표 69-2 국제전립선증상점수표

다음은 최근 약 한 달 동안 소변을 어떻게 보고 있는지를 묻는 것으로 해당 사항에 V표를 해주십시오(하나만 선택하십시오).						
	0	1	2	3	4	5
1. 배뇨 후 시원치 않고, 소변이 남아 있는 느낌을 받은 경우가 있습니까?	전혀없다	드물게 있다 (5번 중 1번)	가끔 있다 (5번 중 1번)	절반 정도 (5번 중2~3번)	절반 이상 (5번 중 3~4번)	항상 (거의 매번)
2. 배뇨 후 2시간이 채 지나기 전에 또 소변을 보는 경우가 있습니까?	전혀없다	드물게 있다 (5번 중 1번)	가끔 있다 (5번 중 1번)	절반 정도 (5번 중2~3번)	절반 이상 (5번 중 3~4번)	항상 (거의 매번)
3. 배뇨 중 소변줄기가 끊어졌다가 다시 힘을 주면 나오는 경우가 있습니까?	전혀없다	드물게 있다 (5번 중 1번)	가끔 있다 (5번 중 1번)	절반 정도 (5번 중2~3번)	절반 이상 (5번 중 3~4번)	항상 (거의 매번)
4. 소변이 마려울 때 참기가 힘든 경우가 얼마나 자주 있습니까?	전혀없다	드물게 있다 (5번 중 1번)	가끔 있다 (5번 중 1번)	절반 정도 (5번 중2~3번)	절반 이상 (5번 중 3~4번)	항상 (거의 매번)
5. 배뇨 시 소변줄기가 약하다고 느낀 경우가 얼마나 자주 있습니까?	전혀없다	드물게 있다 (5번 중 1번)	가끔 있다 (5번 중 1번)	절반 정도 (5번 중2~3번)	절반 이상 (5번 중 3~4번)	항상 (거의 매번)
6. 소변이 마려운데 나오지 않고 한참 기다려야 나오는 경우가 있습니까?	전혀없다	드물게 있다 (5번 중 1번)	가끔 있다 (5번 중 1번)	절반 정도 (5번 중2~3번)	절반 이상 (5번 중 3~4번)	항상 (거의 매번)
7. 밤에 주무시는 동안 몇 번이나 깨어서 소변을 보십니까?	0번	1번	2번	3번	4번	5번이상
	1	2	3	4	5	6
8. 만일 지금 같은 배뇨상태가 지속된다면 어떻게 생각되십니까?	매우 만족한다	만족한다	대체로 만족하는 편이다	그저 그렇다	대체로 불편하다	이 상태로는 못 살겠다

(표 2).증상점수는 모든 전립선비대증 환자의 평가에 있어 가장 중요한 척도가 되기 때문에 치료시작 전에 실시되어야 한다. IPSS는 환자의 폐쇄 증상과 저장 증상에 대 한 7개의 질문에 대하여 0점에서 5점까지 수치를 매기며, 따라서 최종 점수는 0점에서 35점까지 나오게 된다. 0-7점은 경도(mild), 8-19점은 중등도(moderate), 20-35점은 중증(severe)으로 분류한다. 전립선 증상점수는 환자의 치료적인 필요성과 치료에 대한 반응을 알아보는데 도움이 된다. 또한 치료에 대한 반응, 혹은 추적 관찰 시에 병의 경과를 평가하는데 도움이 된다. 즉 증상점수는 전립선비대증을 진단 내리는 데는 이용하지는 못한다. 개개인에 있어서 치료방법 선택에 있어서 환자의 삶의 질을 평가해 보는데 도움이 된다(표 69-2).

(6) 배뇨일지

배뇨일지는 전립선비대증 환자들이 호소하는 주관적인 증상을 객관적으로 판단하는데 유용하다.

전립선비대증 환자는 흔히 저장증상을 호소하는데 배뇨일지로 빈뇨와 야간뇨의 유무를 객관적으로 진단할 수 있고, 이를 통해 주간의 소변량과 배뇨 횟수를 야간의 소변량 및 배뇨 횟수와 나누어 계산할 수 있기 때문에, 심한 야간뇨의 원인이 전립선비대증과 관련된 방광 용적의 감소인지, 또는 야간의 소변량의 증가인지를 알 수 있다. 일반적으로 24시간 동안 배뇨횟수와 시간, 소변량을 3일간 기록한다.

2) 추가적 진단검사

전립선비대증에 의하지 않은 증상들이 의심되는 경우 추가적 진단검사들이 고려되어야 하며, 방광경검사는 기본 검사로 시행하지 않는다.

3) 수술을 필요로 하는 환자의 추가적 진단 검사

AHCRP (Agency for Health Care Policy and Research)와 International Consensus Guideline을 보면, 치료에 반응하지 요폐, 전립선비대에 따른 증상(재발성 요로감염, 재발성 혈뇨, 방광석, 신부전, 큰 방광게실 등)이 있는 경우 수술적 치료가 추천된다.

(1) 요속검사

요속검사는 배뇨과정 전반의 요류속도를 전기적으로 기술하고 그림으로 그려내는 중요한 검사이다. 특히 최대요속이 감소되어 있어야 수술적 치료 후 효과를 기대 할 수 있고, 요속측정에서 가장 중요한 지표는 최대요속 이다. AHCPR 가이드라인 패널은 요속검사에 관여한다.

가이드라인에서는 음과 같은 결론을 내렸다.

① 요속은 배뇨량이 125-150 mL 이하일 경우에는 부정확하다.

② 요속측정은 요류역학검사 중 하부요로폐쇄를 알아보기 위한 가장 좋은 단일 비침습적 검사이다.

③ 최고요속은 평균요속보다 양성전립선증식증 환자에 있어 특이성을 가진다.

④ 최고요속은 노령일수록, 배뇨량이 감소할수록 감소하지만, 어떤 나이, 배뇨량도 실제 임상에 있어서 추천되지는 않는다.

⑤ 최고요속이 15 mL/sec이하인 환자는 그 이상인 환자보다 전립선절제술 후에 치료결과가 다소 불량 하다.

⑥ 최고요속이 낮은 경우 하부요로 폐색과 방광근 수축장애를 감별할 수 없다. 그러나 최고요속은 수술적 결과를 예측할 수 있는 척도로 여겨지고 있다.

요속검사는 주관적인 증상이나 증상수치와는 지대한 상관관계는 없는 것으로 평가되고 있다.

(2) 배뇨후 잔뇨

AHCPR 가이드라인 패널은 배뇨후 잔뇨에 관하여 다음과 같은 결론을 내렸다.

① 배뇨후 잔뇨량은 개개인에 있어 다양성을 보이며, 이는 임상적 유용성의 한계를 지닌다.

② 잔뇨량은 증상, 증후와 큰 관련성이 없다.

③ 잔뇨량이 많은 경우 보존, 관찰 요법이 실패할 가능성이 높다. 그러나 불량한 역치 부피에 대해서 는 불확실하다.

④ 잔뇨량으로 수술적 치료의 결과를 예측하는 것은 무리가 있다.

⑤ 잔뇨량으로 방광, 신손상을 평가하기는 힘들다.

⑥ 잔뇨량은 복부초음파를 통해서 비침습적 방법으로 정확하게 얻어낼 수 있다.

배뇨 후 잔뇨량은 안전성 평가지표이다. 즉, 배뇨 후 잔뇨량이 많은 환자의 경우 수술을 않고 약물요법을 시행하는 경우에는 더 주의 깊게 관찰하여야 한다. 그러나 배뇨 후 많은 잔뇨량을 보이는 경우 합병증의 위험성이 크다고 할 수는 없다.

(3) 압력-요속 검사

요도나 치골상부로 작은 카테터를 이용해 시행하며 방광압과 함께 요속을 측정함으로써 전립선비대증에 의한 폐색과 배뇨근 수축이상을 감별한다. 압력-요속 검사는 요로폐쇄로 인한 낮은 최고요속을 보이는 환자와 방광부전, 신경인성 방광 환자를 구분하는데 도움이 된다. 침습적 요로역학검사는 최고요속이 15 mL/sec이하인 환자를 대상으로 한다.

(4) 요도방광경 검사

방광경 검사는 치료방법을 결정하는데 있어 추천되는 검사는 아니다. 하부 요로의 방광경 소견과 치료결과 와의 상관관계에 대한 연구가 잘 보고되지는 않았지만, 그 상관관계는 미미하다고 할 수 있다. 방광 육주 형성은 보존적 관찰 치료 시 실패율이 약간 증가한다. 그러나 방광 육주로 수술의 성공실패여부를 예측해 볼 수는 없다. 방광경은 항상 실시해야만 하는 것은 아니며, 단지 침습적 치료를 도와주기 위한 선택적 항목이다.

(5) 방사선학적 검사

배설성 요로조영술이나 신초음파와 같은 상부요로 검사는 혈뇨, 요로감염, 신부전, 요로결석의 과거력이 없는 한 하부요로증상이 있다고 추천되는 검사는 아니다. 경직장 초음파검사는 직장 수지검사에서 결절이 만져지거나 PSA수치가 높을 때 시행한다.

(6) 혈청 크레아티닌 측정

혈청 크레아티닌 측정은 하부요로계 증상을 가지는 환자들에 있어서 요로폐색에 의한 신부전의 여부를 확 인하기 위한 검사이며, 신부전은 수술 후 합병증 발생률을 증가시키다. 혈청 크레아티닌의 상승은 상부 요로계를 평가하기 위한 영상검사(초음파)의 적응증에 해당한다. 그러나 최근에는 전립선비대증이 있는 환자에서 신기능저하의 비교위험도를 고려하여 혈청 크레아티닌의 측정을 기본 검사로 권장하지는 않는다.

4) 외래에서 시행하는 전립선암 검사

대부분의 초기 전립선암 환자들은 증상이 없다. 요즈음 진단되는 전립선암은 혈청 PSA가 증가되거나, 직장 수지검사에서 우연히 단단한 결절이 만져지거나, 전립선비대증의 수술적 치료 후 절제된 조직에서 암세포가 발견되는 경우가 대부분이다. 전립선암이 의심되는 경우 가장 유용한 검사는 앞서 설명한 직장수지검사 및 혈청 PSA 검사와 경직장 초음파검사 등이며, 전립선암의 확진은 경직장 초음파검사를 이용한 전립선 생검으로 이루어진다.

(1) 경직장 초음파검사(Transrectal ultrasonography)

경직장 초음파검사는 전립선 생검, 조직내 방사선 치료법, 냉동수술요법, high-intensity focused ultrasound (HIFU) 등 영상을 이용한 전립선의 중재적 처지의 기본이 된다. 경직장 초음파검사에서 McNeal의 분류에 따른 다섯개 대의 해부학적 구조를 명확히 구분할 수는 없지만, 말초대와 전환대(transitional zone)는 특징적으로 구분이 가능하다. 이는 대부분의 전립선암이 발생하는 말초대에 대한 전립선 생검의 결과를 신뢰할 수 있는 근거가 된다. 전립선 용적 측정을 위한 많은 공식이 나와 있으나, 많이 이용되는 방법은 정중앙 시상면의 영상에서 상하직경과 이와 수직한 방향의 전후 직경을 측정하고, 횡단면에서 좌우직경을 측정하여 세 직경의 곱에 0.523을 곱하는 것이다. 경직장 초음파검사에서 말초대에 저 에코의 병변이 나타나면, 전립선암을 의심할 수 있고, 경직장 초음파 유도하에 전립선 생검을 시행하여야 한다. 그러나 저에코 병변의 약 20%만이 전립선암으로 진단되며, 39%의 전립선암은 경직장 초음파검사에서 보이지 않는다.

(2) 전립선 침생검

전립선 침생검 없이 경직장 초음파검사 단독으로는 전립선암을 진단할 수 없다. 전립선의 국소마취는 일반적으로 시행되며, 확장된 전립선 침생검 시에 더욱 유용 하다. 경직장 초음파 유도하 전립선 침생검을 시행 받은 환자는 시술 전후에 적어도 24시간동안 경구용 항생제를 복용하여야 한다. 전립선 침생검은 기본적으로 6분 위 생검과 촉지된 결절이나 초음파 검사의 저에코 병변에 대한 추가적 생검을 시행하였었다. 그러나 이후에 발표된 여러 연구들이 6분위 생검을 포함한 추가적인 측부 생검을 통해서 전립선암 진단율을 높일 수 있다고 보고하여 6분위 생검은 전립선암의 진단을 위해 불충분 하며, 적어도 8에서 13부위의 전립선 침생검이 필요하다고 여겨지고 있다. 최근에는 20부위 이상의 확장 전립선 침생검의 높은 전립선암 진단율도 다수 보고되고 있다. 색도플러 초음파 검사로 전립선암 진단율을 다소 높일 수 있으나 모든 병소를 확인할 수는 없으며, 현재까지 전립선 침생검의 필요성을 대체할 수는 없다.

3. 요약

전립선비대증은 노화와 연관된 병적과정으로 하부요로증상에 기여하지만, 아직 다양한 원인과 결과의 명확한 상관관계는 밝혀지지 않고 있다. 전립선비대증은 노화와 연관된 과다증식, 남성호르몬 및 기타 호르몬의 영향, 세포자멸사의 조절장애, 기질-상피 상호작용, 성장인자, 유전적 요소 등 여러 인자들이 작용하여 발생한다. 전립선비대증의 진단은 병력청취, 신체검사, 검사실 검사와 방사선학적 검사로 이루어지나, 환자가 내원하였을 때 꼭 필요한 기본검사와 진단이 모호하거나 수술이 요구되는 환자에게 필요한 추가적 진단검사를 구분하여 불필요한 검사는 피하여야 한다. 또한 전립선암의 가능성을 항상 염두에 두고 직장수지검사, 혈청 PSA 검사 및 경직장 초음파 검사를 확인하여야 한다.

참고문헌

〈전립선비대증의 원인〉

1. Buttyan R, Ghafar M, Shabsigh A. The effects of androgen deprivation on the prostate gland: Cell death mediated by vascular regression. Curr Opin Urol 2000;10:415-420.
2. Chung LW, Cunha GR. Stromal-epithelial interactions: II. Regulation of prostatic growth by embryonic urogenital sinus mesenchyme. Prostate 1983;4:503-511.
3. Cunha GR, Chung LW, Shannon JM, Taguchi O, Fujii H. Hormone-induced morphogenesis and growth: role of mesenchymal-epithelial interactions. Recent Prog Horm Res 1983;39:559-598.
4. Green S, Walter P, Kumar V, Bornet JM, Argos P, Chambon P. Human estrogen receptor cDNA sequence. Nature 1986;320:134-139.
5. Isaacs JT. Antagonistic effect of androgen on prostatic cell death. Prostate 1984;5:545-557.
6. Juniewicz PE, Berry SJ, Coffey DS. Etiology and disease process of benign prostatic hyperplasia. Prostate 1987;2:33-50.
7. Kerr JF, Searle J. Deletion of cells by apoptosis during castration- induced involution of the rat prostate. Virchows Arch B Cell Pathol 1973;13:87-102.
8. Kramer G, Steiner GE, Handisurya A, Stix U, Haitel A, Knerer B, et al. Increased expression of lymphocyte-derived cytokines in benign hyperplastic prostate tissue, identification of the producing cell types, and effect of differentially expressed cytokines on stromal cell proliferation. Prostate 2002;52:43-58.
9. Kyprianou N, Isaacs JT. Expression of transforming growth factor- beta in the rat ventral prostate during castration-induced programmed cell death. Mol Endocrinol 1989;3:1515-1522.
10. Lee KL, Peehl DM. Molecular and cellular pathogenesis of benign prostatic hyperplasia. J Urol 2004;172:1784-1791.
11. McConnell JD. Prostatic growth: new insights into hormonal regulation. Br J Urol 1995;76 (Suppl 1):5-10.
12. McConnell JD, Barry MJ, Bruskewitz RC. Benign prostatic hyperplasia: diagnosis and treatment. Agency

for Health Care Policy and Research. Clin Pract Guidel Quick Ref Guide Clin 1994:1-17.

13. Marcelli M, Cunningham GR. Hormonal signaling in prostatic hyperplasia and neoplasia. J Clin Endocrinol Metab 1999;84:3463-3468.
14. Naslund MJ, Coffey DS. The differential effects of neonatal androgen, estrogen and progesterone on adult rat prostate growth. J Urol 1986;136:1136-1140.
15. Rennie PS, Bruchovsky N, Goldenberg SL. Relationship of androgen receptors to the growth and regression of the prostate. Am J Clin Oncol 1998;11:S13-19.
16. Roberts RO, Bergstralh EJ, Farmer SA, Jacobson DJ, McGree ME, Hebbring SJ, et al. Polymorphisms in the 5alpha reductase type 2 gene and urologic measures of BPH. Prostate 2005;62:380-387.
17. Russell DW, Wilson JD. Steroid 5 alpha-reductase: two genes/two enzymes. Annu Rev Biochem 1994;63:25-61.
18. Silver RI, Wiley EL, Thigpen AE, Guileyardo JM, McConnell JD, Russell DW. Cell type specific expression of steroid 5 alpha- reductase 2. J Urol 1994; 152:438-442.
19. Sommerfeld HJ, Meeker AK, Piatyszek MA, Bova GS, Shay JW, Coffey DS. Telomerase activity: a prevalent marker of malignant human prostate tissue. Cancer Res 1996;56:218-222.
20. Sporn MB, Roberts AB. TGF-beta: problems and prospects. Cell Regul 1990;1:875-882.
21. Walsh K, Sriprasad S, Hopster D, Codd J, Mulvin D. Distribution of vascular endothelial growth factor (VEGF) in prostate disease. Prostate Cancer Prostatic Dis 2002;5:119-122.

〈전립선비대증의 진단〉

22. Abrams PH. The value of urine flow rate measurement in the postoperative assessment for operation. J Urol 1977;117:70-81.
23. AUA Practice Guidelines Committee: AUA guideline on the management of benign prostatic hyperplasia: Diagnosis and treatment recommendations. J Urol 2003;170:530-547.
24. Bartsch G, Muller HR, Oberholzer M, Rohr HP. Light microscopic stereological analysis of the normal human prostate and of benign prostatic hyperplasia. J Urol 1979;122:487-491.
25. Breum L, Klarskov P, Munck LK, Nielsen TH, Nordestgaard AG. Significance of acute urinary retention due to intravesical obstruction. Scand J Urol Nephrol 1982;16:21-24.
26. Bruskewitz RC, Iversen P, Madsen PO. Value of postvoid residual urine determination in evaluation of prostatism. Urology 1982;20:602-604.
27. Cockett ATK, Barry MJ, Holtgrewe HL, et al. Indications for treatment of benign prostatic hyperplasia. Cancer 1992;70:280.
28. Cockett ATK, Khoury S, Aso Y, Chatelain C, Denis L, Griffiths K, et al, editors. Proceedings of the 2nd International consultation on Benign Prostatic Hyperplasia (BPH). Channel Islands: Scientific Communication International; 1993.
29. Denis L, Griffiths K, Khoury S, Cockett, ATK, McConnel J, Chatelain C, Murphy G, et al, editors. Proceedings of the 4th International Consultation on Benign Prostatic Hyperplasia (BPH). Plymouth: Health Publication; 1998
30. Djavan B, Milani S, Remzi M. Prostate biopsy: Who, how and when: An update. Can J Urol 2005;12(suppl 1):44-48.
31. Ismail M, Gomella LG: Ultrasound and enhanced ultrasound in the management of prostate cancer. Curr Opin Urol 2001;11:471-477.
32. Jacobsen S, Jacobson D, Girman C, Roberts R, Rhodes T, Guess H, et al. Natural history of prostatism: risk factors for acute urinary retention. The Journal of urology 1997;158:481-487.
33. Jepsen JV, Bruskewitz RC. Clinical manifestations and indications for treatment. In: Lepor H, editor. Prostatic Disease. Philadelphia: WB Saunders; 2000;127-142
34. John RR, Ethan JH, Leonard GG. Ultrasonography and biopsy of prostate. In: Wein AJ, Kavoussi LR, Novick AC, Partin AW, Peters CA, editos. Campell-Walsh' s Urology. 9th ed. Philadelphia: WB Saunders; 2007; 2883-2895.
35. Levin R, Brading A, Longhurst P, Mills I. Experimental studies on bladder outlet obstruction. In: Lepor H, editor. Prostatic Diseases. 1st ed. Philadelphia: WB Saunders; 2000;169-196.
36. McConnell J, Barry M, Bruskewitz R, Bueschen A,

Denton S, Holtgrewe H. Benign prostatic hyperplasia: Diagnosis and treatment, Clinical Practice Guideline No. 8, AHCPR Publication No. 94-0582. Rockville, Maryland: Agency for Healthcare Policy and Research. Public Health Service, US Department of Health and Human Services 1994;225.

37. Pinck BD, Corrigan JM, Jasper P, Pre-prostatectomy excretory urography: Does it merit the expense? J Urol 1980;123:390-391.

38. Siroky MB, Olsson CA, Krane RJ. The flow rate nomogram: I. Development. J Urol 1979;122:655-668.

39. Trucchi A, De Nunzio C, Mariani S, Palleschi G, Miano L, Tubaro A. Local anesthesia reduces pain associated with transrectal prostatic biopsy: A prospective randomized study. Urol Int 2005;74:209-213.

CHAPTER 70

전립선비대증의 치료

Development of Treatment for Erectile Dysfunction

■ 김성대

전립선비대증의 치료법은 크게 수술적 치료와 약물 치료가 있다. 수술적 치료는 전립선비대증을 없애는 근본적인 치료방법으로 커진 전립선 조직을 수술로 제거하여 요도의 압박을 없앤다. 이 중에서 경요도적 전립선 절제술(Transurethral resection of prostate, TURP)은 전립선비대증 치료의 표준 치료로서 가장 많이 시행되고 있는 방법이다. 그러나, 지난 몇 해 동안 합병증을 낮추기 위한 노력이 계속되고, 효과적인 약물이 많이 개발되면서 내과적인 약물요법과 최소침습적 치료법 등이 점차로 증가하고 있는 추세이다. 전립선비대증의 치료는 비대증의 정도나 환자의 증상 정도, 방광 출구폐색의 유무와 같은 주된 요인 외에도 환자의 심신상태 치료비용과 같은 보조적 요인들을 고려하여 환자에게 알맞은 방법이 선택되어야한다. 전립선비대증의 진단과 치료에 대해서는 전 세계적으로 비뇨기과의 양대 학술기관인 미국비뇨기과학회(AUA)와 유럽비뇨기과학회(EAU)에서 발표하는 AUA 및 EAU 진료지침(guideline)이 대표적이며, 국내에서도 치료방침을 결정하는데 대부분 이 자료를 참조하고 국내 상황에 맞게 수정하여 임상적으로 이용하고 있다.

1. 대기요법 *Watchful waiting*

하부요로증상을 지닌 환자 중 많은 경우는 증상이 심하지 않아 약물치료나 수술적 치료와 같은 적극적인 치료가 필요하지 않다. 국제전립선증상점수표의 증상점수가 7점 이하인 경도의 하부요로증상을 가진 환자는 치료하지 않고, 경과를 지켜보는 대기요법의 대상이 될 수 있다. 또한, 국제전립선증상점수표의 증상점수가 8점에서 19점 사이인 중등도의 환자도 하부요로증상에 따른 불편함이 없다면 대기요법의 대상이 될 수 있다. 대기요법 시행 후 일부 증상은 자연적으로 호전이 되기도 하고, 수년간 증상의 변화 없이 유지될 수 있다.

대기요법은 주로 증상이 경미한 전립선비대증환자에게 적용할 수 있다. 이는 대개 6개월에서 1년 간격으로 전립선에 대한 검진을 하면서 약물치료나 수술치료가 필요한지를 주의 깊게 관찰하는 것을 말한다. 여기에는 자기 전 수분섭취의 제한, 술과 카페인이 포함된 음식 섭취의 조절, 일정 간격의 배뇨습관 같은 생활방식의 변화를 포함하고 있다. 하부요로증상이 있으나, 불편함을 느끼지 못하는 일부 경증의 전립선비대증 환자에게 치료 없이 경과를 관찰해 볼 수 있겠으나, 중등도 이상의 증상을 가진 환자는 적극적 치료를 권유하는 것이 좋다. 또한, 중등도 이상의 환자가 치료를 원하지 않을 경우, 주의하면서 대기요법을 권유할 수 있으나, 대기요법 시행중에 급성요폐와 같은 갑작스런 증상 악화 가능성은 항상 염두에 두어야 한다. 중등도의 하부요로증상을 호소하는 환자들에서 대기요법과 경요도전립선절제술의 효과를 비교한 대규모 무작위 배정 연구 결과, 대기요법군의 36%는 5년 안에 결국 수술을 받았으며, 나머지 64%는 대기요법을 유지하였다. 수술을 받은 군을 분석하였을 때, 수술 전 불편함의 정도가 컸던 환자일수록 수술 결과가 좋았다. 또 다른 대규모 연구에서는 대기요법을 시행한 결과 1년째 85%가 증상의 변화가 없었으나, 5년째는 65%가 병의 진행을 보였다. 국제전립선증상점수 중등도 이상의 환자에서 대기요법을 고려할 경우, 증상 불편 정도를 반드시 확인하고 대기요법 중 병의 진행 위험이 있음을 염두해 두어야 한다. 대기요법 중 급성 요폐색이나 신기능부전, 결석과 같은 합병증이 드물게 발생할 수 있다. 따라서, 이에 대해 환자에게 교육하고 추적관찰을 할 수 있도록 하며, 주기적인 검사를 통해 환자의 하부요로증상을 재평가하는 것이 중요하다.

2. 전립선비대증의 내과적 치료

전립선비대증에서 약물치료는 환자들이 느끼는 불편감을 일차적으로 해결할 수 있고, 추가로 가능하다면 전립선의 크기를 줄여주거나, 아니면 최소한 더 이상 커지는 것을 방지하는 것을 목표로 한다. 따라서, 전립선비대증으로 인해 중등도 이상의 증상을 보이는 경우는 약물치료가 일차적으로 권장된다. 그러나, 방광결석이 있는 경우, 방광기능장애를 동반한 방광게실이 있는 경우, 상부요로의 확장으로 인한 신기능부전이 동반된 경우, 약물치료에도 불구하고 요폐, 요로감염, 혈뇨가 반복되거나 배뇨증상, 배뇨 후 잔뇨량의 호전이 없는 경우에는 수술적 치료가 우선 고려되어야 한다.

현재 사용되고 있는 전립선비대증의 약물요법은 크게 5가지로 구분할 수 있다. 첫째는 α-아드레날린성수용체차단제(α-adrenergic receptor blocker)이고, 둘째는 5α-환원효소억제제(5α-reductase inhibitor), 셋째는 앞의 두 가지 약물의 병합요법(combined therapy)이다. 넷째는 저장증상의 치료에 흔히 쓰는 항무스카린제(anti-muscarinic agent)이고, 다섯째는 여러 가지 생약제(phytotherapeutic agent)를 들 수 있다. 최근에는 전립선 평활근의 긴장은 α-아드레날린성수용체에 의해 이루어지며 전립선비대증환자에서 방광출구 폐색증상을 유발하게 된다. 이에 α-아드레날린성수용체차단제는 전립선 평활근의 긴장을 감소시켜서 배뇨를 원활하게 한다.

사춘기 이전에 거세를 한 사람은 전립선비대증이 발생하지 않으며, 남성호르몬의 생산에 문제가 있거나 남성호르몬의 작용기전에 문제가 있는 유전적 질환을 앓고 있는 환자에서는 전립선의 성장을 관찰할 수 없다는 점, 임상적으로 남성호르몬의 생성과 작용을 차단하면 커진 전립선이 어느 정도 위축된다는 점 등이 호르몬 요법의 이론적 근거이다. 특히, 전립선 조직에 관여하는 대표적인 남성호르몬인 테스토스테론(testosterone)이 5α-reductase 에 의하여 디하이드로테스토스테론(dihydrotestosterone, DHT)으로 전환되는데, 이것이 전립선 성장을 유발하는 세포내의 중요한 남성호르몬이라는 것이 밝혀졌다. 이에 대한 근거는 정상전립선 조직보다는 전립선비대증 조직내의 DHT량이 높고, 나이가 들면서 혈중 테스토스테론은 감소하지만 전립선 조직내의 DHT는 정상 수준으로 남아있다는 점에서도 찾아볼 수 있다. 이러한 점에서 전립선비대증에 대한 호르몬치료 중에서도 DHT의 생성단계를 차단하는 5α-환원효소 억제제가 관심을 끌게 되었다.

1) α_1-아드레날린성수용체차단제 (α_1-adrenergic receptor blocker, 약어: 알파차단제)

α_1-아드레날린성수용체차단제(약어, 알파차단제)에는 prazosin, alfuzosin, terazosin, doxazosin, tamsulosin, silodosin, naftopidil 등이 있다

(1) 작용기전

전립선비대증으로 인한 방광 하부 폐색은 해부학적 요인과 기능적 요인에 의하여 발생한다. 해부학적 요인은 이행대(transitional zone)와 말초대(peripheral zone)의 비대에 의한 것이고, 기능적 요인은 방광경부 및 전립선에 존재하는 평활근의 수축 때문이다. 방광경부와전립선에 존재하는 평활근은 자율신경의 지배를 받으며 α_1-아드레날린성수용체는 방광경부와 전립선의 평활근에는 많이 분포하나, 방광 배뇨근에는 거의 분포하지 않는다. 따라서, 알파차단제는 방광경부와 전립선의 평활근에 직접 작용을 하여 방광 배뇨근의 수축력 저하 없이 전립선비대의 기능적인 폐색을 완화시킨다. α_1-아드레날린성수용체에는 α_{1a}, α_{1b}, α_{1d} 등의 아형이 있고, α_{1a}수용체는 전립선 평활근에, α_{1b}수용체는 혈관에 더 많이 분포한다. 따라서, α_{1a}아드레날린성수용체 차단제는 전립선에 선택적인 효과가 있는 약물이다.

(2) 임상적 치료효과

알파차단제들은 임상적으로 위약에 비해 의미 있는 증상점수의 개선이 보고되고 있으며, 약제 간 비교에 의하면 언급한 알파차단제들은 적절한 용량에서 비슷한 효능을 나타내는 것으로 알려져 있다. 여러 무작위 위약-대조군 연구에서 밝혀진 바에 따르면, 알파차단제는 보통 국제전립선증상점수를 약 35-40% 감소시켜주고 최대요속을 약 20-25% 증가시켜준다. 일부 open-label 연구에서는 국제전립선증상점수가 50%까지 감소하고 최대요속은 40%까지 증가하는 것으로 나타났다. 또한, 1년 미만의 경과관찰에서는 전립선 크기가 알파차단제 효능에 영향을 끼치지 않았지만, 1년 이상에서는 40 mL 미만의 작은 전립선을 가진 환자에서 더 우수한 약물효능을 보였으나, 장기간 관찰연구에서 알파차단제는 전립선 크기를 감소시켜주지 않으며 급성요폐를 막지 못하는 것으로 나타났다.

terazosin은 본래 혈압강하제로 개발되었지만, 전립선비대증과 연관된 증상의 개선과 요속 증가 등의 효과가 입증되어 전립선비대증의 치료에도 사용되고 있다. doxazosin은 상대적 으로 작용이 빠르고, 반감기가 길기 때문에 1일 1회 복용으로 충분하다. 그러나, 점진적으로 용량을 증가시켜 원하는 용량에 도달해야 한다는 단점이 있었다. 그래서, 서방형이 개발되었고, 초기부터 4 mg을 투여할 수 있게 되었다. 여러 연구를 통하여 doxazosin의 안정성과 효과가 입증되었고 장기간 사용시에도 부작용이 적은 약물로 안전하게 임상에서 사용할 수 있다. 또한, 고혈압이 동반되어 있으면 동시에 치료할 수 있는 장점도 있다. alfuzosin은 α_1-아드레날린성수용체를 선택적 및 경쟁적으로 길항하는 약물로서, 혈장보다 전립선 내에 우세하게 분포하며, 교감신경에 의한 전립선 평활근의 긴장을 감소시킨다. 약동학적으로 α_{1a}수용체 아형에 친화성이 높다는 증거는 없지만, 실험적으로나 임상적으로 비뇨기에 선택적 약물이라는 것이 밝혀졌고, 심혈관계에 관한 부작용이 거의 없는 것으로 보고되었다. tamsulosin은 α_{1a}수용체 아형에 선택성을 가지며, 전립선비대증에 대한 배뇨증상을 개선시킨다.

(3) 부작용

알파차단제에 의한 부작용은 혈관에 분포하는 α_{1b}수용체의 차단으로 일어나며, 주로 심혈관계 및 중추신경계의 증상을 보인다. 부작용은 두통, 피로, 코막힘 등이 있지만 그 빈도는 낮으며, 가장 흔한 부작용인 기립성 저혈압, 어지러움, 무기력 등은 약 2-5%에

서 발생된다. 부작용의 정도는 약제의 종류나 용량에 따라 다르나, 용량을 점진적으로 조절하면 부작용도 많이 감소하고, 때로는 사라지기도 한다. 정상혈압을 유지하는 환자는 임상적으로 의미 있게 혈압강하가 초래되지 않으나, 혈압약을 복용하고 있는 본태성고혈압 환자는 혈압강하정도가 심할 수 있으므로 용량을 조절하여야 한다. 심혈관계 질환을 갖고 있거나 혈관에 작용하는 약물(각종 항고혈압제제, 발기부전에 사용되는 PDE-5억제제)을 복용 중인 환자는 알파차단제에 의한 혈관확장에 더욱 민감할 수 있다. 혈관확장효과는 doxazosin, terazosin에서 가장 두드러지며 alfuzosin, tamsulosin에서는 훨씬 적다. 따라서, doxazosin, terazosin은 치료를 시작할 때 용량적정(dose titration)이 필요하다.

알파차단제가 오랫동안 광범위하게 사용되어 왔지만 2005년에 이르러서야 처음으로 수술 중 홍채이완증후군(intraoperative floppy iris syndrome)이 보고되었다. 대부분의 보고는 tamsulosin과 관련된 것이었는데, 다른 알파차단제에 비해 tamsulosin이 높은 위험도를 보이는 것인지 또는 tamsulosin이 타 약제에 비해 광범위하게 사용되었기 때문인지는 명확하지 않다. 백내장 수술 전 알파차단제를 처방하지 않도록 주의하는 것은 물론 알파차단제를 복용 중인 환자에서도 백내장 수술이 계획된 경우라면 약물을 중지해야 한다.

배뇨증상과 발기부전이 동반된 경우, 알파차단제 치료가 성기능을 더욱 악화시키지는 않는다. 알파차단제가 성욕을 저해시키지 않으며 발기능에 약간의 이득이 있는 것으로 평가되나, 종종 비정상적 사정을 일으킨다는 문제점을 갖고 있다. 보통 비정상적 사정은 역행성 사정일 것으로 판단되나, 최근 자료에서는 젊은 연령에서 비정상적 사정을 보이는 경우, 상대적인 무사정증에 기인하는 것으로도 보고하고 있다. 비정상적 사정은 앞서 언급한 다른 약물보다 tamsulosin에서 더 빈번하고, silodosin과 같이 α_{1a}수용체에 더욱 선택적인 약물에서 비정상적 사정에 대한 위험이 더 큰 것으로 나타났다. 문헌고찰에 따르면, silodosin, naftopidil은 아직 관련 연구가 많지는 않으나 저용량의 tamsulosin에 준하는 증상 호전을 보이는 것으로 나타났다.

(4) 치료결과

알파차단제는 장기간 사용하여도 전립선 크기에는 영향을 미치지 못하고, 질병의 자연적 진행이나 합병증을 막을 수는 없으며, 전체 환자에서 수술적 치료의 빈도를 낮추지는 못한다. 5년 이내 치료실패율은 13~39%정도로 보고되고 있다. 전체적으로 알파차단제에 대한 치료실패의 빈도는 대기요법이나 5α-환원효소억제제와 같다.

2) 5α-환원효소억제제 (5α-reductase inhibitor)

5α-환원효소억제제의 종류에는 dutasteride와 finasteride가 있다. dutasteride는 5α-환원효소 I유형과 II유형을 모두 저해하고, finasteride는 5α-환원효소 II유형만을 저해하는 약제이다. 상기 약제들은 전립선상피세포의 세포사멸(apoptosis)을 조장하여 전립선 크기가 줄어들면서 효과를 나타낸다.

(1) 작용기전

5α-환원효소억제제는 피부, 간에 주로 분포하는 I형과 전립선 내에 분포하는 II형이 있다. 신체내에서 주도적인 남성호르몬은 테스토스테론이지만, 전립선세포에서는 5α-환원효소에 의해 전환된 디하이드로테스토스테론(dihydrotestosterone, DHT)이 주된 역할을 한다. 전립선의 성장은 기본적으로 DHT에 의존하며, 전립선 세포에서 DHT를 차단하면 남성호르몬에 의존하는 유전자의 불활성이 유도되고, 결국은 단백질 합성이 감소하여 퇴화, 때로는 세포괴사를 일으킨다. finasteride나 dutasteride 와 같은 5α-환원효소

억제제들의 작용기전을 보면, 테스토스테론에서 DHT로의 전환을 차단하여 전립선 세포 내 DHT농도를 저하시킴으로써 전립선의 퇴화를 유도한다(그림 70-1).

finasteride가 혈중 DHT수준을 거세 정도까지 낮출 수는 없는데, 이는 피부와 간에 존재 하는 I형 5α-환원효소가 혈중의 테스토스테론을 DHT로 바꾸기 때문이다. 반면, dutasteride는 I형과 II형 두 가지 모두 억제하여 Finastelide보다 혈중 DHT수준을 더 낮게 유지할 수 있다. 결과적으로 비대된 전립선의 크기가 감소하거나 전립선 비대의 진행이 억제된다. DHT의 억제는 정상적인 성욕의 유지에 필요한 혈청 테스토스테론치에 영향을 미치지 않기 때문에 성욕이나 발기기능의 저하와는 무관하게 전립선비대증에만 선택적으로 치료 효과를 보인다.

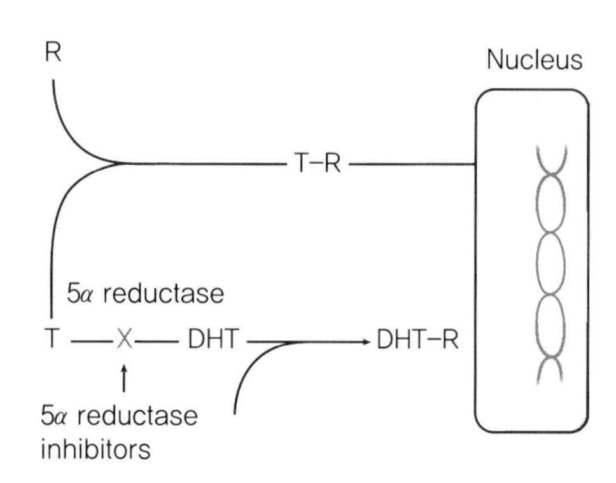

그림 70-1 전립선조직내에서 5α-환원효소 억제제의 역할

(2) 임상적 치료효과

finasteride와 dutasteeride 두 가지 약제는 몇몇 연구간 간접 비교를 통해 살펴봤을 때, 하부요로증상의 치료에 거의 동등한 효능을 보이는 것으로 보고되었다. 그러나, 주의할 점은 위약에 비해 임상적으로 효과를 나타내는 시기는 적어도 6-12개월의 치료기간이 경과한 이후이다. 전립선비대로 하부요로증상을 호소하는 환자가 5α-환원효소억제제를 복용한 지 2-4년이 지나면 국제전립선증상점수가 약 15-30% 감소하고 전립선 크기도 약 18-28% 감소하며 최대요속은 약 1.5-2.0 mL/s 증가하는 것으로 나타났다. 또한, 5α-환원효소억제제는 급성요폐 및 수술 필요성에 대한 장기간(1년 이상)의 위험을 감소시켜주는 것으로 보고되었다. 구체적으로 자료를 살펴보면, finasteride는 투여 2주 이내에 혈청 테스토스테론에 영향 없이 혈청 DHT치를 70%, 전립선내의 DHT치를 80-90%정도 감소시킨다. 사용을 중지하면 DHT는 곧 정상으로 회복된다. finasteride는 약 70%의 환자에서 전립선의 용적을 30%정도 감소시키는 효과가 있다. 이로 인해 6개월 이상 투여했을 때, 약 30%정도의 증상점수 개선과 최대요속이 1.3-1.6 mL/sec 정도 증가한다. finastelide를 복용한 지 3-6개월 후에야 임상효과가 기대되며, 일단이 약제에 반응하는 환자는 3년 이상의 장기투여에도 그 효과가 지속된다. finasteride에 관한 임상적 연구인 Proscar Long Term Efficacy and Safety Study (PLESS)에서는 3,040명의 중등도에서 중증의 전립선비대증 환자들을 대상으로 4년간 무작위 위약대조 이중 맹검법을 이용하여 연구한 결과를 발표하였다. finasteride에 의한 증상 호전은 치료 전 전립선 크기에 따라 다른데, 전립선이 40 ml보다 작은 경우나 PSA 1.4 ng/mL 이하인 경우, 위약군에 비해 별로 효과적이지 않을 것으로 여겨진다. 한편, dutasteride는 치료 전 전립선 크기가 30-40 mL인 경우에도 최대요속을 상승시키는 것으로 나타났다.

(3) 부작용

finasteride 복용시 3-5%의 환자에서 성욕감퇴, 발기력저하, 역행성사정, 사정실패, 정액량감소 등 성기능에 관한 부작용을 보인다. 그러나, 계속 복용을 하여도 이러한 부작용의 빈도가 증가하지 않으며, 약물투여를 중단하면 곧 소실된다. 6개월간의 finasteride 복용 후 투여전에 비하여 전립선특이항원 (Prostate

Specific Antigen, PSA)이 50%정도 감소되므로 6개월 이상 투여한 환자에게서 혈청 PSA치가 사용전의 50%이상일 때는 반드시 전립선암에 관한 검사가 필요하다.

(4) 고려사항

한국인의 평균 전립선 크기는 50대 이상 모든 연령대에서 서양인의 평균 전립선 크기에 비해 5-10 ml 작은 것으로 나타났다. 평균 전립선 크기가 큰 서양인을 대상으로 진행된 연구들을 근거로 얻어진 외국의 진료지침권고를 그대로 받아들이는 것은 적합하지 않다. 서양인 기준의 연구에 근거한 전립선 용적 30 ml 또는 PSA 1.4 ng/mL 이상인 경우, 5α-환원효소억제제 사용 권고는 한국 성인 남성의 전립선 용적 기준에 맞추어 조정되어야 한다. 이에 대한 명확한 근거를 제시하기 위한 국내 연구가 필요하다.

3) 알파차단제와 5α-환원효소억제제의 병용요법

전립선비대증 환자에서 알파차단제와 5α-환원효소억제제의 병용요법은 전립선비대의 성장을 억제하는 5α-환원효소억제제의 효과와 방광경부와 전립선요도의 평활근을 이완하는 알파차단제의 효과를 이중으로 얻을 수 있는 이상적인 치료법이다. 알파차단제(terazosin doxazosin, alfuzosin, tamsulosin, silodosin, naftopidil)는 수시간에서 수일 내에 하부요로증상 완화 효과를 나타내고, 5α-환원효소억제제(finasteride, dutasteride)는 의미 있는 임상효과를 나타내는 데 수개월이 필요하다. 두 약물의 병용요법에 대한 장기추적 연구에서는 병용요법이 알파차단제 단독요법이나 5α-환원효소억제제 단독요법보다 증상 감소 및 최고요속 개선에 있어서 효과적이었고, 급성요폐 및 수술의 필요성 감소에서는 알파차단제 단독요법보다 우월하였다. 알파차단제와 5α-환원효소억제제를 병합한 최초의 무작위 이중맹검, 위약대조군 연구인 VA Cooperative연구에서 평균 32g의 전립선을 가진 환자 1200명을 위약군, finasteride군, terazosin군, 병합요법(finasteride + terazosin)군으로 나누었다. 이 연구에 따르면, terazosin을 투여한 군에서만 요속개선과 증상점수저하가 유의하게 보고되었다. 하지만 이 연구의 유의할 한계점은 대상자들의 전립선비대가 심하지 않았다는 것이다. 이어 대상군의 전립선 크기에 제한을 두지 않았던 Medical Therapy of Prostate Symptoms (MTOPS) 연구에서 doxazosin군, terazosin군, 병합요법군에서 전립선비대증의 진행 위험이 각각 39%, 34%, 66%로 유의하게 감소하였다. 또 다른 연구인 SMART-1 (Symptom Management After Reducing Therapy study)은 24주간 dutasteride와 tamsulosin 병합요법후 tamsulosin복용을 중단 할 경우, 증상개선 효과가 유지될 수 있는지 알아보기 위해 진행되었다. 주관적 증상은 약물복용 30주째 병용요법군의 9%, 단독요법군의 23%에서 악화되었고, 36주째에는 각각 4%, 7%에서 악화되어, 알파차단제를 중단한 직후에는 증상이 악화될 수 있으나, 장기간 사용하면 개선될 수 있다고 보고하였다. 또한, 중등도이상의 전립선 비대를 가진 동양인을 대상으로 한 CombAT (Combination of Avodart and Tamsulosin) 연구에서는 증상점수, 전립선 용적의 감소, 요속 및 삶의 질 개선이 tamsulosin 혹은 dutasteride 단독군에 비해 병합요법군에서 우월하였다.

알파차단제 단독요법과 알파차단제와 5α-환원효소억제제의 병용요법의 메타분석비교를 보면, 단독요법에 대한 병용요법의 mean difference가 국제전립선증상점수(IPSS)는 -0.49 (95% 신뢰구간 -1.01 - 0.02)로 단독요법보다 병용요법이 증상 개선에 효과적이었으나 통계적인 유의성은 없었고, 최고요속(Q-max)의 mean difference는 0.88 (95% 신뢰구간 0.40 - 1.35)로 최고요속의 개선폭이 단독요법보다 병용요법이 더 컸으며 통계적 유의성도 확인하였다(그림 70-2). 문헌고찰과 메타분석 결과를 토대로 보았을 때, 알파차단제와 5α-

환원효소억제제의 병용요법은 단독요법에 비하여 전립선비대증의 진행을 효과적으로 예방하며 증상 개선에 나은 효능을 보였다.

이상과 같은 연구 결과로 볼 때, 병용요법은 단독요법에 비하여 전립선비대증의 진행을 효과적으로 예방하며, 비교적 전립선비대증의 진행 위험이 큰 경우, 즉 전립선의 크기가 30 g이상이거나, PSA가 1.5 ng/mL이상인 환자에게 권장된다. 국제전립선증상점수가 20점 이상인 중증 환자에게는 장기간의 병합요법을 시행하는 것이 효과적이고, 19점 이하인 중등도 증상 환자에

(A) IPSS

Study or Subgroup	Experimental Mean	SD	Total	Control Mean	SD	Total	Weight	Mean Difference IV, Random, 95% CI
2.2.1 finasteride								
Debruyne FM 1998	-6.1	4.4	358	-6.3	4.4	349	18.7%	0.20 [-0.45, 0.85]
Kirby R 2003a	-8.6	4.4	265	-8.4	4.1	250	17.2%	-0.20 [-0.93, 0.53]
Lepor H 1996	-6.2	4.2	309	-6.1	4.1	305	18.5%	-0.10 [-0.76, 0.56]
McConnell JD 2003a	-7	4.5	786	-5.9	4.5	756	22.1%	-1.10 [-1.55, -0.65]
Subtotal (95% CI)			**1718**			**1660**	**76.5%**	**-0.33 [-0.98, 0.31]**
Heterogeneity: $Tau^2 = 0.33; Chi^2 = 13.38, df = 3 (P = 0.004); I^2 = 78\%$								
Test for overall effect: Z = 1.00 (P = 0.32)								
2.1.2 dutasteride								
Roehrborn CG 2010a	-6.3	5.4	1610	-5.3	5	1611	23.5%	-1.00 [-1.36, -0.64]
Subtotal (95% CI)			**1610**			**1611**	**23.5%**	**-1.00 [-1.36, -0.64]**
Heterogeneity: Not applicable								
Test for overall effect: Z = 5.45 (P < 0.00001)								
Total (95% CI)			**3328**			**3271**	**100.0%**	**-0.49 [-1.01, 0.02]**
Heterogeneity: $Tau^2 = 0.26; Chi^2 = 18.10, df = 4 (P = 0.001); I^2 = 78\%$								
Test for overall effect: Z = 1.88 (P = 0.06)								
Test for subgroup differences: $Chi^2 = 3.15, df = 1 (P = 0.08), I^2 = 68.2\%$								

Mean Difference IV, Random, 95% CI

-2 -1 0 1 2

Favours [experimental] Favours [control]

(B) Q-max

Study or Subgroup	Experimental Mean	SD	Total	Control Mean	SD	Total	Weight	Mean Difference IV, Random, 95% CI
2.2.1 finasteride								
Debruyne FM 1998	2.2	3.4	358	1.8	2.7	349	18.9%	0.40 [-0.05, 0.85]
Kirby R 2003a	4.1	3.7	265	3.6	3.6	250	16.3%	0.50 [-0.13, 1.13]
Lepor H 1996	3.2	2	309	2.7	2.1	305	20.6%	0.50 [0.18, 0.82]
McConnell JD 2003a	3.7	1.9	786	2.5	2	756	22.0%	1.20 [1.01, 1.39]
Subtotal (95% CI)			**1718**			**1660**	**77.9%**	**0.68 [0.20, 1.16]**
Heterogeneity: $Tau^2 = 0.19; Chi^2 = 21.15, df = 3 (P < 0.0001); I^2 = 86\%$								
Test for overall effect: Z = 2.79 (P = 0.005)								
2.2.2 dutasteride								
Roehrborn CG 2010a	2.4	2.6	1610	0.8	2.6	1611	22.1%	1.60 [1.42, 1.78]
Subtotal (95% CI)			**1610**			**1611**	**22.1%**	**1.60 [1.42, 1.78]**
Heterogeneity: Not applicable								
Test for overall effect: Z = 17.46 (P < 0.00001)								
Total (95% CI)			**3328**			**3271**	**100.0%**	**0.88 [0.40, 1.35]**
Heterogeneity: $Tau^2 = 0.26; Chi^2 = 53.71, df = 4 (P < 0.00001); I^2 = 93\%$								
Test for overall effect: Z = 3.62 (P = 0.0003)								
Test for subgroup differences: $Chi^2 = 12.50, df = 1 (P = 0.0004), I^2 = 92.0\%$								

Mean Difference IV, Random, 95% CI

-2 -1 0 1 2

Favours [experimental] Favours [control]

그림 70-2 알파차단제 단독요법군과 알파차단제와 5α-환원효소억제제의 병용요법군에서 효과에 대한 숲 그림(forest plot)
출처: 전립선비대증 진료권고안. 대한비뇨기과학회. 2015

게는 일정한 병합요법 후에 5α-환원효소억제제 단독 요법만으로도 증상개선 효과가 유지되었다.

4) 항무스카린제(antimuscarinic agents)

임상적으로 많은 전립선비대증 환자들에게서 빈뇨, 급박뇨, 절박 요실금과 같은 과민성 방광증상이 자주 동반된다. 이는 연령이 증가할수록, 방광하부폐색이 심할수록 증가한다. 과민성 방광을 동반한 전립선비대증의 경우, 알파차단제만으로는 치료효과를 얻기 어려우므로 과민성 방광으로 인한 자극증상을 치료하기 위하여 항무스카린제를 사용한다. 항무스카린 약물은 불수의적 방광수축을 보이는 환자에서 방광수축이 일어날 때의 최소방광용적을 증가시키고, 수축력을 감소시키며, 최대 방광용적을 증가시킨다. 이러한 이유로 절박뇨, 절박 요실금 등의 증상을 보이는 과민성방광의 치료에 항무스카린제가 사용되고 있으며, 무작위 대조군 연구에 의해 임상적으로 그 약효가 증명된 항무스카린제는 tolterodine, trospium, solifenacin, fesoterodine, propiverine, oxybutynin, imidafenacin 등이다. 과민성 방광에서 주로 처방되는 약으로 전립선비대증에서는 저장증상을 호소할 때 고려해 볼 수 있는 약제들이다.

(1) 임상적 치료효과

tolterodine은 open-label 연구에서 12-25주 복용 후 주간빈뇨, 야간뇨, 절박요실금, 국제전립선증상점수가 복용 전에 비해 유의하게 호전되는 것으로 나타났다. 한편, 무작위 위약-대조군 연구에서는 tolterodine 복용군의 경우 위약군에 비해 절박요실금, 주간 및 24시간 빈뇨가 유의하게 줄어드는 것으로 나타났다. 야간뇨, 절박뇨, 국제전립선증상점수도 대부분 줄어들었으나 통계적으로 유의하지는 않았다. 방광자극증상을 보이는 전립선비대증 환자에 관한 연구는 대부분 tolterodine과 일부 fesoterodine에서 수행되기는 했지만, 대개 다른 항무스카린제에서도 효과나 부작용은 비슷할 것으로 받아들여진다.

(2) 부작용

항콜린제는 배뇨 후 잔뇨량 증가와 요폐에 대한 위험 때문에 방광출구폐색이 심한 전립선비대증 환자에서는 일반적으로 권장되지 않는다. 중등도 이하의 방광출구폐색이 있는 환자에서는 tolterodine을 사용하였을 때 위약군에 비해 배뇨 후 잔뇨량은 유의하게 증가하였지만, 급성요폐 발생에는 차이가 없었다. tolterdine의 가장 흔한 부작용은 입마름이며, 7-24%의 빈도로 발생한다. 대규모의 무작위 연구들에 따르면 tolterodine 복용군에서 요폐, 변비, 설사, 졸림과 같은 부작용은 대조군과 비슷한 빈도를 보였다.

5) 알파차단제와 항무스카린제 병용요법

전립선비대증 환자는 일반적으로 많은 비율에서 과민성방광 증상을 동반하게 된다. 전립선비대증으로 인한 폐색이 존재하는 경우, 50-75%에서 과민성방광이 동반되며, 폐색을 치료한 후에도 과민성방광이 38%정도에서 보이는 것으로 알려져 있다. 일반적으로 연령이 증가할수록 전립선비대에 의한 폐색의 발생률이 증가하고, 과민성방광이 동반되는 경우도 증가하게 되는데, 전립선비대증으로 인한 하부요로폐색이 심할수록 과민성방광의 발생률도 비례하여 증가한다. 실제로 환자에게 빈뇨, 절박뇨와 같은 저장증상이 배뇨증상보다 더 큰 괴로움을 준다고 알려져 있고, 치료시 이러한 점들을 충분히 감안하여야 한다. 과민성방광을 동반한 전립선비대증의 경우, 알파차단제만으로는 증상 개선에 한계가 있으며, 이러한 과민성방광으로 인한 자극증상을 치료하기 위하여 항무스카린제를 병용 사용할 수 있다.

전립선비대증에서 알파차단제와 항콜린제의 병용요법은 주로 알파차단제를 사용한 환자에서 지속적으로 남아있는 자극증상의 호전을 위해 선택적으로 사용되는 경우가 많았다. 이러한 병용요법은 알파차단제 또는 위약 단독요법과 비교하여 절박뇨 뿐만 아니라 절박성 요실금 에피소드를 유의하게 감소시키며, 삶의 질을 증가시켰다. 여러 임상시험에서 알파차단제로 치료하는 동안 하부요로증상이 지속되는 환자를 대상으로 기존의 알파차단제에 항무스카린제를 추가하여 병용요법의 효능을 평가하였다. 병용요법군에서 전반적인 증상개선 정도는 혈청 전립선특이항원 농도에 관계없이 위약군보다 유의하게 높은 반면, tolterodine 단독요법은 전립선특이항원 농도가 1.3 ng/mL미만인 환자에서 주로 증상을 개선하였다. 또한, 관련된 임상시험에서 지속되는 대부분 하부요로증상이 배뇨근 과활동과 관련된 경우에 있어서 항무스카린제의 추가에 의해서 의미 있게 감소될 수 있음을 보여주었다.

단독요법과 병용요법의 증상 개선 비교 결과를 보면, 병용요법의 mean difference가 IPSS는 -1.24 (95% 신뢰구간 -2.16 - -0.32) 정도로 증상 개선에 좀 더 효과적이었으며, 통계적으로 유의하였다. 최대요속은 병용요법군이 알파차단제 단독요법군에 비해 mean difference -0.26 (95% 신뢰구간 -0.60 - 0.09)로 수치상 감소된 효과를 보이지만 통계적으로 유의하지는 않았다. 각 군에 포함된 연구결과의 이질성은 없어 보이며, 또한 약제에 따라 일부 효과의 차이가 있어 보이지만 약제 각각에 포함된 연구의 수가 많지 않아 약제에 따른 약효의 차이를 결론 내리기는 어려웠다 (그림 70-3).

결론적으로 임상적으로 중등도 이상에서, 특히 자극증상을 주로 호소하는 환자의 경우 병용요법의 유효성과 안정성이 증명되었다. 다만 남성에서 방광출구폐색이 있는 경우에는 항무스카린제로 인한 요폐색의 합병증을 증가시킬 수 있으므로 주의가 필요하다.

6) 알파차단제와 PDE5-억제제 병용요법 (phosphodieterase 5-inbitors, PDE5-I)

Phosphodiesterase (PDE) 억제제는 세포 내 cGMP의 농도를 증가시키고, 이의 활동을 연장시킴으로써 배뇨근, 전립선 및 요도의 평활근 긴장도를 줄여주는 효과가 있다. 골반강 내 NO 체계의 변화로 발기부전이 발생하고, 전립선비대증의 이행대는 평활근이 감소한 상태이므로 조직 내 NO가 감소하여 하부요로증상이 생긴다고 보았을 때, 임상적으로 PDE5 -억제제(PDE5-I)를 사용하는 경우, 배뇨증상이 개선될 수 있다. 지금까지 11개의 PDE가 알려져 있으며, PDE 4와 5가 인체 전립선의 이행대, 방광 및 요도에서 주된 형태이다. 또한 PDE4형과 5형이 다른 기관에서보다 전립선에 상대적으로 많이 발현되므로, 전립선에 NO가 특징적으로 작용한다고 볼 수 있는데, 최근 저용량의 PDE5-I의 매일 복용에 대한 연구가 진행되면서 PDE5-I와 알파차단제의 병용 투여시 배뇨증상과 성기능에 긍정적인 효과를 나타낼 수 있다는 연구들이 발표되었다. 최초 개발되었던 sildenafil의 경우, 발기부전 환자에서 PDE5-억제제가 IPSS 설문지에 의해 측정된 하부요로증상을 유의하게 감소시키고 방광증상 관련 삶의 질을 향상시킴을 보여 주었다. 이후 다양한 PDE5-억제제의 효능에 대한 무작위, 위약 대조 임상 시험 결과들이 발표되었고, 국제전립선증상점수의 변화(IPSS), 최대요속(Qmax) 및 배뇨 후 잔뇨량을 조사해 보았을 때, 거의 모든 PDE5-억제제는 IPSS를 유의하게 감소시켰다. 방광 저장 및 배뇨 증상 모두 PDE5-억제제로 치료하는 동안 동일하게 감소하였으나, 배뇨 후 잔뇨량은 대부분의 임상시험에서 변화가 없었다. 알파차단제와 병용한 PDE5-억제제의 효능을 비교한 임상시험들은 소수의 환자를 대상으로 6-12주의 제한된 기간 동안 진행된 것들이 대부분이다.

PDE5-억제제는 질산염을 복용하는 환자에서는 금기시되는데, 추가 혈관 확장으로 인해 저혈압, 관상동맥 질환자에서 심근 허혈, 뇌졸중을 유발할 수 있기 때문이다. 혈관 확장제 효과를 가지는 알파차단제와 PDE5-억제제의 병용 투여는 일부 환자에서 증상을 동반하는 저혈압을 유발할 수 있기 때문에 조심해야 하는데, doxazocin(매일 4, 8 mg)과 tadalafil(매일 5 mg 또는 간헐적 20 mg)의 병용 투여는 혈압을 더욱 많이 낮추며, 이들의 병용 투여는 일부 환자에서 위험할 수도 있기 때문에 피하는 것이 좋다. vardenafil은 tamsulosin과는 언제든지 병용 투여해도 되지만 vardenafil과 terazosin을 동시에 투여 받는 남성은 저혈압이 더 자주 발생함을 보고하고 있다.

메타분석상의 알파차단제와 PDE5-억제제의 병용요법과의 비교결과를 보면, 단독요법에 대한 병용요법의 mean difference가 IPSS는 -1.93 (95% 신뢰구간 -2.54–1.32) 정도로 증상 개선에 좀 더 효과적이었으며, Q-max의 mean difference는 0.71 (95% 신뢰구간 0.08 - 1.33)로 최고요속의 개선효과가 병용요법에서 더 컸으며, 두 인자 모두 통계적으로 유의하였다. 또한, 발기능의 지표인 국제발기능증상점수(IIEF) 점수에 있어서 병용요법이 mean difference 3.99 (95% 신

(A) IPSS

Study or Subgroup	Experimental Mean	Experimental SD	Experimental Total	Control Mean	Control SD	Control Total	Weight	Mean Difference IV, Random, 95% CI
1.4.1 tolterodine								
Athanasopoulos. 2003	-8.2	2.751	25	-4.2	3.158	25	8.0%	-4.00 [-5.64, -2.36]
Gan. 2011	-4.4	1.27	43	-2.2	0.91	48	10.4%	-2.20 [-2.66, -1.74]
Mohanty. 2009	-10	1.72	35	-7	1.288	35	10.0%	-3.00 [-3.71, -2.29]
Wu. 2009	-6	5.201	28	-6.7	4.971	25	5.5%	0.70 [-2.04, 3.44]
Yang. 2007	-5	3.724	33	-1.2	3.765	36	7.7%	-3.80 [-5.57, -2.03]
Subtotal (95% CI)			**164**			**169**	**41.5%**	**-2.72 [-3.64, -1.79]**
Heterogeneity: Tau^2=0.65; Chi^2=14.05, df=4 (P = 0.007); I^2 = 72%								
Test for overall effect: Z = 5.76 (P < 0.00001)								
1.4.2 solifenacin								
GAO Zhong-wei. 2014_moderater	-8.9	2.4	48	-10.1	2.7	42	9.3%	1.20 [0.14, 2.26]
Kerrebroeck 2013	-7.7	5.2	176	-7.7	5.6	176	9.2%	0.00 [-1.13, 1.13]
Seo. 2011	-4.15	5.72	27	-5.72	6.9	29	4.5%	1.57 [-1.74, 4.88]
Yamaguchi. 2011	-3.1	4.468	213	-3.1	4.457	212	9.8%	0.00 [-0.85, 0.85]
Subtotal (95% CI)			**464**			**459**	**32.8%**	**0.42 [-0.27, 1.10]**
Heterogeneity: Tau^2 = 0.12; Chi^2 = 3.99, df = 3 (P = 0.26); I^2 = 25%								
Test for overall effect: Z = 1.19 (P = 0.23)								
1.4.3 propiverine								
Lee. 2005	-7.4	7.059	142	-7.3	6.898	69	7.1%	-0.10 [-2.10, 1.90]
Subtotal (95% CI)			**142**			**69**	**7.1%**	**-0.10 [-2.10, 1.90]**
Heterogeneity: Not applicable								
Test for overall effect: Z = 0.10 (P = 0.92)								
1.4.4 festoterodine								
Konstantinidis. 2012	-2.4	1.659	24	-0.7	1.623	23	9.6%	-1.70 [-2.641, -0.76]
Subtotal (95% CI)			**24**			**23**	**9.6%**	**-1.70 [-2.641, -0.76]**
Heterogeneity: Not applicable								
Test for overall effect: Z = 3.55 (P = 0.0004)								
1.4.5 oxybutynin								
MacDiarmdi. 2008	-6.9	6.5	203	-5.2	6.2	206	9.0%	-1.70 [-2.93, -0.47]
Subtotal (95% CI)			**203**			**206**	**9.0%**	**-1.70 [-2.93, -0.47]**
Heterogeneity: Not applicable								
Test for overall effect: Z = 2.71 (P = 0.007)								
Total (95% CI)			**997**			**926**	**100.0%**	**-1.24 [-2.16, -0.32]**
Heterogeneity: Tau^2 = 2.06; Chi^2 = 92.06, df = 11 (P < 0.00001); I^2 = 88%								
Test for overall effect: Z = 2.65 (P = 0.008)								
Test for subgroup differences: Chi^2 = 33.79; df = 4 (P < 0.00001); I^2 = 88.2%								

Mean Difference IV, Random, 95% CI

-4 -2 0 2 4

Favours [experimental] Favours [control]

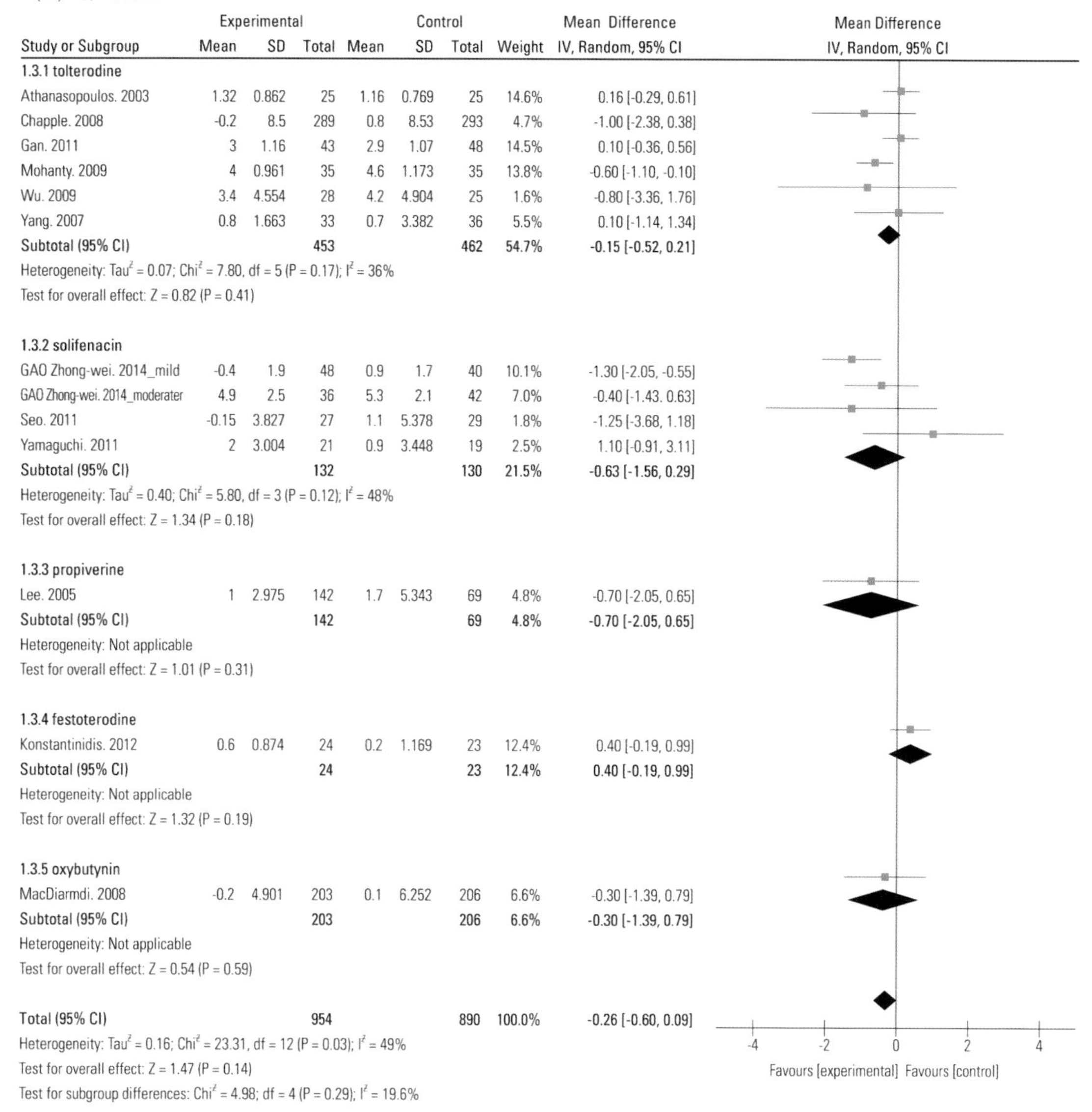

그림 70-3 알파차단제 단독요법군과 알파차단제와 항무스카린제 병용요법군의 효과에 대한 숲 그림(forest plot)
출처: 전립선비대증 진료권고안. 대한비뇨기과학회. 2015

뢰구간 2.42 - 5.56)로 발기능의 개선이 의미 있게 컸다. 통계적으로 유의하지는 않았지만 잔뇨량의 감소 폭도 병용요법에서 더 높았다(그림 70-4).

문헌고찰과 메타분석 결과를 토대로 보았을 때, 알파차단제와 PDE5 억제제의 병용요법은 임상적으로 알파차단제 요법에 비하여 성기능 개선 효과는 명확하나, 증상 개선이나 요역동학적 인자들에 관련된 여러 임상지표에서 결정적 우위를 보이지는 못 하였다. 하지만 여러 연구에서 PDE5-억제제는 알파차단제와의 복합요법에서 발기부전 여부와 관계없이 하부요로증상의 호전을 보여, 성기능 개선뿐 아니라 배뇨장애 증상 호전에 유의한 효과를 보여주고 있다.

(A) IPSS

Study or Subgroup	Experimental Mean	Experimental SD	Experimental Total	Control Mean	Control SD	Control Total	Weight	Mean Difference IV, Random, 95% CI
1.1.1 Sildenafil								
Abolyosr A et al 2013	-5.5	3.8	50	-3.4	3.8	50	16.6%	-2.10 [-3.59, -0.61]
Kaplan et al. 2007	-4.3	3.5	15	-2.7	3.1	15	6.6%	-1.60 [-3.97, 0.77]
Tuncel A et al 2010	-6.4	3.1	20	-5.4	3.1	20	10.0%	-1.00 [-2.92, 0.92]
Öztürk Mi et al 2012	-5.8	14	50	-5.1	3.1	50	2.3%	-0.70 [-4.67, 3.27]
Subtotal (95% CI)			**135**			**135**	**35.5%**	**-1.61 [-2.62, -0.59]**
Heterogeneity: $Tau^2 = 0.00$; $Chi^2 = 1.00$, df = 3 (P = 0.80); $I^2 = 0\%$								
Test for overall effect: Z = 3.09 (P = 0.002)								
1.1.2 tadalafil								
Bechara et al. 2008	-9.2	3.2	15	-6.7	3.2	15	7.0%	-2.50 [-4.79, -0.21]
Kumar, S et al 2014	-12.2	2.6	25	-9.5	2.4	25	19.1%	-2.70 [-4.09, -1.31]
Liguori G et al. 2009	-6.3	3.3	23	-5.2	3.4	22	9.6%	-1.10 [-3.06, 0.86]
Regadas RP et al 2013	-9.8	3.7	20	-6	3.9	20	6.6%	-3.80 [-6.16, -1.44]
Singh DV et al 2014	-11.7	4.4	44	-10.7	3.3	45	14.0%	-1.00 [-2.62, 0.62]
Subtotal (95% CI)			**127**			**127**	**56.4%**	**-2.12 [-3.10, -1.14]**
Heterogeneity: $Tau^2 = 0.36$; $Chi^2 = 5.61$, df = 4 (P = 0.23); $I^2 = 29\%$								
Test for overall effect: Z = 4.24 (P < 0.0001)								
1.1.3 Vardenafil								
Gacci et al 2012	-5.8	4.1	30	-3.7	4.3	30	8.1%	-2.10 [-4.23, 0.03]
Subtotal (95% CI)			**30**			**30**	**8.1%**	**-2.10 [-4.23, 0.03]**
Heterogeneity: Not applicable								
Test for overall effect: Z = 1.94 (P = 0.05)								
Total (95% CI)			**292**			**292**	**100.0%**	**-1.93 [-2.54, -1.32]**
Heterogeneity: $Tau^2 = 0.00$; $Chi^2 = 7.22$, df = 9 (P = 0.61); $I^2 = 0\%$								
Test for overall effect: Z = 6.24 (P < 0.00001)								
Test for subgroup differences: $Chi^2 = 0.55$; df = 2 (P = 0.76); $I^2 = 0\%$								

Mean Difference IV, Random, 95% CI
-10 -5 0 5 10
Favours [experimental] Favours [control]

(B) Q-max

Study or Subgroup	Experimental Mean	Experimental SD	Experimental Total	Control Mean	Control SD	Control Total	Weight	Mean Difference IV, Random, 95% CI
1.2.1 Sildenafil								
Abolyosr A et al 2013	4	2	50	3.3	2.2	50	15.4%	0.70 [-0.12, 1.52]
Kaplan et al. 2007	2	2.1	15	1.1	1.7	15	10.5%	0.90 [-0.47, 2.27]
Tuncel A et al 2010	5.7	2.7	20	3.2	2.7	20	8.4%	2.50 [0.83, 4.17]
Öztürk Mi et al 2012	3.4	2.1	50	3.2	2.4	50	14.8%	0.20 [-0.68, 1.08]
Subtotal (95% CI)			**135**			**135**	**49.1%**	**0.86 [0.09, 1.63]**
Heterogeneity: $Tau^2 = 0.29$; $Chi^2 = 5.74$, df = 3 (P = 0.12); $I^2 = 48\%$								
Test for overall effect: Z = 2.18 (P = 0.03)								
1.2.2 tadalafil								
Bechara et al. 2008	2.1	1.9	15	3	2	15	10.3%	-0.90 [-2.30, 0.50]
Kumar, S et al 2014	4.1	3.3	25	2.9	4.8	25	5.5%	1.20 [-1.08, 3.48]
Liguori G et al. 2009	3.1	2.9	23	1.7	3.9	22	6.6%	1.40 [-0.62, 3.42]
Regadas RP et al 2013	1	1.9	20	1.4	2	20	11.8%	-0.40 [-1.61, 0.81]
Singh DV et al 2014	3.7	4	44	3.1	2.6	45	10.2%	0.60 [-0.80, 2.00]
Subtotal (95% CI)			**127**			**127**	**44.3%**	**0.14 [-0.69, 0.97]**
Heterogeneity: $Tau^2 = 0.25$; $Chi^2 = 5.60$, df = 4 (P = 0.23); $I^2 = 29\%$								
Test for overall effect: Z = 0.33 (P = 0.74)								
1.2.3 Vardenafil								
Gacci et al 2012	2.6	4.5	30	-0.2	3.4	30	6.6%	2.80 [0.78, 4.82]
Subtotal (95% CI)			**30**			**30**	**6.6%**	**2.80 [0.78, 4.82]**
Heterogeneity: Not applicable								
Test for overall effect: Z = 2.72 (P = 0.007)								
Total (95% CI)			**292**			**292**	**100.0%**	**0.71 [0.08, 1.33]**
Heterogeneity: $Tau^2 = 0.48$; $Chi^2 = 18.47$, df = 9 (P = 0.03); $I^2 = 51\%$								
Test for overall effect: Z = 2.22 (P = 0.03)								
Test for subgroup differences: $Chi^2 = 6.06$; df = 2 (P = 0.05); $I^2 = 67.0\%$								

Mean Difference IV, Random, 95% CI
-4 -2 0 2 4
Favours [experimental] Favours [control]

그림 70-4 알파차단제 단독요법군과 알파차단제와 PDE5-억제제의 병용요법군에서 효과에 대한 숲 그림(forest plot)

출처: 전립선비대증 진료권고안. 대한비뇨기과학회. 2015

7) 생약제제(phytotherapeutic agents)

전립선비대증의 내과적 치료에 있어 α-아드레날린성수용체 차단제나 5α-환원효소 억제제 이외의 약물에 대해 지속적인 관심이 있어 왔다. 자연성분의 생약으로서 생약제는 전립선비대증에 비교적 광범위하게 사용되고 있으며, 특히 유럽을 포함한 서반구에서 그 사용이 많은 것으로 알려져 있다. 이들의 안전성은 비교적 잘 알려져 있으나 효과적인 측면에서는 그렇지 못하다. 극히 제한된 과학적인 검증만을 받았을 뿐으로, 향후 알파차단제나 5α-환원효소 억제제에서 시행된 여러 검증을 거쳐야 할 것이다.

3. 전립선비대증의 수술적 치료

수술적 치료는 전립선비대증으로 인한 합병증이 동반되어 있거나 증상이 약물로 완화되지 않는 경우, 또는 약물요법보다는 좀 더 적극적인 치료를 요하는 경우에 해당이 된다. 일차치료법으로서 약물치료와 수술치료의 임상결과를 직접적으로 비교한 연구는 확인되지 않았다. 다만, 치료비용 기준으로 살펴봤을 때, 중등도 증상인 환자에서는 약물치료가, 심한 증상인 환자에서는 수술치료가 비용 대비 효과적인 것으로 나타났다. 수술의 적응증이 동반된 상황에서는 처음부터 수술을 권장할 수 있으나 중등도 이하의 증상을 보이는 환자에서는 약물치료가 일차적으로 고려되어야 하는 것이 적절하다고 판단된다. 또한, 수술여부는 수술에 따른 합병증 위험, 수술비용 등을 치료이득과 비교하여 환자의 입장에서 결정하여야 한다.

두 치료 간의 직접적인 비교연구는 없지만, 주요 진료지침들에서는 수술을 고려해야 하는 경우에 대해 다음과 같이 권장하고 있다(표 70-1).

수술적 치료에는 크게 전통적인 치료방법과 최근 각광받고 있는 최소침습적 치료방법으로 나눌 수 있다. 전통적인 수술치료법으로는 경요도 전립선절제술(Transurethral resection of prostate, TURP), 경요도 전립선 절개술(Transurethral incision of prostate, TUIP), 개복전립선적출술(Open prostatectomy) 등이 있고, 최소침습적 치료법으로는 열요법(Thermotherapy, TUMT), 온열요법(Hyperthermia), 고주파침박리술(Transurethral needle ablation, TUNA), 고강도초점 초음파치료(High-intensity focused ultrasound, HIFU), 경요도 전기기화술(Transurethral electrovaporization), 레이저 전립선절제술 (Laser prostatectomy) 등이 있다. 이를 아래에서 구체적으로 살펴본다.

1) 경요도 전립선절제술(Transurethral resection of prostate, TURP)

(1) 수술의 역사와 방법

경요도 전립선절제술(Transurethral resection of prostate, TURP)은 1920년대 미국에서 최초로 소개되어 발전되어 왔다. 그 후 1970년대에 fiberoptic lighting system과 1975년 Iglesia가 constant-flow low pressure resectoscope를 소개하였고, 1984년 O'Boyle에 의해 비디오 시스템을 이용한 TURP가 시도되어 새로운 전기를 맞게 되었다. 수술방법은 절제루프(resection loop)를 부착한 절제경을 요도를 통하여 삽입한 후, 비대되어 있는 전립선 조직을 절제하는 것으로 술 후 요도카테터(foley catheter)는 36-48시간 정도 유치하게 된다.

(2) 합병증

경요도 절제기구와 관류액의 발달로 수술 후 합병증 및 사망률이 많이 감소되었으나 아직까지도 0.1%에서 수술로 인한 사망률을 보고하고 있으며, 여러 가지 합병증들이 발생한다. 이러한 합병증은 90분 이상의 절제시간, 수혈, 관류액의 양, 절제량 등에 의해서 영향을 받는다.

표 70-1 전립선비대증의 수술적 치료 적응증

EAU (2012)	전립선비대로 인해 재발성 또는 치료불응성인 요폐, 범람성 요실금, 재발성 요로감염, 방광돌이나 방광게실, 치료저항성 육안적 혈뇨, 상부요로의 확장(± 신기능부전)이 발생했을 경우 수술치료를 필요로 한다(절대적 적응증).
	또한, 보존적 치료나 약물치료에도 불구하고 하부요로증상이나 배뇨 후 잔뇨량의 호전이 불충분한 경우 수술을 고려할 수 있다(상대적 적응증).
AUA (2010)	전립선비대로 인한 신기능부전, 재발성 료로감염, 방광돌, 육안전 혈노가 있거나 다른 치료에 불응성인 하부요로증상을 보이는 경우 수술치료가 권장된다. 방광게실은 반복성 요로감염이나 진행성의 방광기능장애가 동반되지 않으면 수술의 절대적 적응증이 아니다.
NCGC (2010)	배뇨증상이 심각한 경우, 보존적 치료나 약물치료가 실패한 경우 또는 적절하지 않은 경우 수술을 권장한다. 경증 또는 중등도의 증상인 환자에게는 수술치료 전에 다른 치료법을 시도해야 한다.

① 수술중 합병증

a. 출혈

동맥출혈은 술전 감염 혹은 요폐가 있었던 경우, 전립선의 부종으로 인해 좀 더 많이 나타난다. finasteride와 함께 남성호르몬억제제를 복용하거나 flutamide의 복용으로 이런 위험을 줄일 수 있다. 정맥출혈은 전립선 피막천공과 정맥총의 열림으로 인해 생긴다. 수술중에 생기는 출혈의 양은 전립선의 크기와 수술시간에 연관되어 있다. 동맥출혈의 경우, 노출된혈관을 찾아서 지혈을 해주어야하고, 정맥출혈의 경우는 천공의 여부를 확인하고 큰 정맥혈관의 경우, 지혈을 해주고 그렇지 않다면, 요도카테터의 풍선확장만으로도 압박지혈이 가능하다.

b. 경요도전립선절제술증후군(transurethral resection of prostate sydrome, TURP sydrome)

수술 도중 노출된 정맥총을 통해 관류액이 체내로 흡수되어 나타나는 복합적 증상을 말하며, Mebust의 연구에 의하면, 약 2%이하에서 나타난다고 하였다. 저나트륨혈증, 혈장삼투압의감소, 고칼슘혈증, 고혈당, 고암모니아혈증 등이 나타난다. 심장, 폐, 혈액, 신장, 중추신경계 등에 다양한 영향을 주어 고혈압, 서맥, 오심, 구토, 의식불명, 시야장애, 호흡곤란 등의 증상이 나타난다. 위험인자로는 환자의 나이, 90분 이상의 절제시간, 전립선 정맥총의 손상, 관류압이 30 mmHg 이상의 고압, 그리고 저장성 관류액의 사용 등이 있다. 최근에 1.5% glycine 비전도성 관류액의 사용으로 경요도전립선절제술증후군으로 인한 사망률이 감소되었다. TURP를 90분 이내로 시행하면 흡수되는 관류액은 평균 1L이다. 치료는 즉시 시술을 끝내야 하며, 유출된 관류액의 지연흡수 때문에 수술 후 24시간까지도 이러한 증후군이 발생할 수 있으므로, 혈장의 삼투압과 나트륨 농도를 자주 측정하고 활력징후를 면밀히 관찰하여야한다. 이런 증상이 수술중에 나타난다면 즉시 수술을 중단하여야 하며, 이뇨제와 3% 염화나트륨(Nacl)용액 투여를 시작하여야 한다.

c. 천공

전립선 피막이 손상되었거나 방광목이 분리된 경우, 생길 수 있다. 관류액은 대부분 복강외로 유출이 되나 복강 내부로의 유출도 생길 수 있다. 들어간 관류액과 나온 관류액의 차이가 심하고 복부팽만이 보일 때 의심해 볼 수 있다. 복강외 유출인 경우, 도뇨관 유치와 이뇨제만으로 충분하다. 그러나, 복강내 유출인 경우, 관류액을 배출하기 위한 시술이 필요하다.

d. 요관구의 손상

큰 전립선 중엽의 절제시, 그리고 요관구가 잘 보이지 않을 때, 생길 수 있다. 심한 요관손상이 있으면 요관부목(D-J stent)를 삽입하고, 2-3주간 초음파로 경과를 관찰하는 것이 좋다. 반드시 전립선 절제전에 요관구를 확인하는 것이 좋으나, 큰 중엽으로 인해 여의치 않다면 조심스럽게 중엽절제를 시행하면서 확인하는 것이 좋다.

e. 외요도괄약근의 손상

대부분의 술후 요실금은 수술에 의한 외요도 괄약근의 손상보다 다른 요인에 의한 것이다. 괄약근 손상에 의한 요실금의 빈도는 0.5%이하이다. 보통 손상되는 부위는 정구가 보이지않는 12시 방향의 요도괄약근이다. 정구(verumontanum)가 이미 절제되었다면, 괄약근 손상의 위험은 더 증가한다. 이런 손상을 예방하기 위해서는 정확한 외요도 괄약근의 위치를수술 중 수시로 확인하는 것이 중요하다. 직장을 통한 촉지가 괄약근의 위치를 확인하는 데도움이 될 수 있다.

② 수술 후 합병증

a. 사정장애

역행성 사정이 약 56-72%의 환자에서 발생한다. 정구 주변의 조직을 덜 절제함으로써 예방이 가능할 것으로 생각되나, 더 중요한 것은 비교적 젊은 전립선비대증 환자에게 있어서는 TURP보다 약물치료나 덜 침습적인 치료를 우선적으로 고려하는 것이 좋겠다.

b. 요실금

초기 요실금은 30-40%정도에서 관찰된다. 보통 절박뇨를 동반하며, 절제면의 회복과 관련된 요로감염으로 인한 자극증상 혹은 장기간의 전립비대증으로 인한 배뇨근 불안정이 원인이 된다. 짧은 기간의 비스테로이드성 항염증약물(NSAID)와 항무스카린제 사용이 도움이 된다. 치료에도 불구하고 요실금이 6개월 이상 지속된다면, 자세한 검사가 필요하다. 지속되는 요실금에 대한 원인은 괄약근부전, 배뇨근 불안정, 혼합성 요실금, 남아있는 전립선종, 방광목 협착, 요도협착 등이 있다. 원인이 규명되면 그에 따른 치료를 시행한다.

c. 기타

수술후 지속되는 출혈로 인해 혈종이 방광 내에 생기기도 하고, 그로 인해 관류액의 배출이 어려워지면서 방광압전(bladder tamponade) 상태가 된다. 이때는 관류액이 잘 배출될 수 있도록 혈종을 배출시켜주어야 한다 동맥출혈인 경우, 재수술이 필요한 경우도 있다. 그 외 합병증으로 요폐, 감염, 발기부전, 요도협착 등이 있다.

(3) 결과

TURP와 개복전립선적출술은 전립선비대증의 다른 치료 방법들보다 배뇨증상과 요속을 크게 향상시킨다. 문헌에 따르면, TURP를 시행한 후 환자의 증상이 개선되는 비율은 70%~96%로 평균 88%를 보인다. 아직까지는 다른 덜 침습적인 시술보다는 TURP가 중증도의 하부요로증상을 동반한 환자 혹은 전립선비대증에 의한 합병증을 가진 환자에게 있어서 가장 확실한 표준적인 방법이다. 다만, TURP는 시술자의 경험과 숙련도가 결과에 미치는 영향이 크므로 TURP의 치료성적을 일률적으로 평가하는 것은 바람직하지 않다.

2) 경요도 전립선 절개술(Transurethral incision of prostate, TUIP)

경요도 전립선 절개술(Transurethral incision of prostate, TUIP)은 1973년 Orandi에 의해 널리 소개되었으며, 전립선비대의 정도가 크지는 않으나, 폐색을 동반한 경우, 시행할 수 있는 적절한 치료방법 중의 하나이다. 이 시술은 중간엽의 비대가 없고 방광경부가 높은 위치에 있는 비교적 작은 30g이하의 전립선 비대증일 경우에 적용이 된다. 이 시술은 collings 또는 orandi knife로 요관개구부의 직하방에서 방광경부를 거쳐 5시와 7시 방향으로 정구의 0.1 cm 근위부까지 절개를 하며 전립선 피막이 보일 때까지 절개한다. TUIP도 TURP와같이 배뇨증상의 호전과 요속의 증가면에서 유사한 결과를 보인다는 결과도 있고, 오히려 TURP보다 합병증인 요도협착이나 요실금의 빈도는 약 2% 정도로 낮다는 보고도 있으나, 아직 널리 인정되지는 않는다. 또한, 재수술이 필요한 경우는 TURP의 경우보다 높다는 것도 단점이다.

3) 개복전립선적출술(Open prostatectomy)

개복전립선적출술은 하복부의 상치골 부위에 정중앙 혹은 측선으로 절개를 하여 시행하게 되며, 두 가지 방법의 접근이 가능하다. 치골후 전립선적출술(retropubic prostatectomy)은 전립선 피막에 절개를 가하고 손가락으로 선종을 적출한다. 경방광 (치골상) 전립선적출술(transurethral or suprapubic prostatectomy)은 방광에 절개를 하고, 전립선을 적출한다. TURP에 비해 재발률이 낮고, 전립선 샘종을 더 완벽하게 제거할 수 있으며, 경요도전립선절제술증후군이 발생하지 않는다. 반면, 개복술이 필요하고 입원기간이 길며 수술중 출혈이 많다는 단점이 있다. 그래서, 대부분의 전립선비대증에서 100g 이상의 전립선비대인 경우, 방광게실이 합병되어 있을 때, 쇄석위를 취할 수 없는 경우를 제외하고는 TURP를 선호한다.

4. 전립선비대증의 최소침습적 치료법

Minimal invasive management of BPH

상기 기술한 바와 같이 전립선비대증에 대한 치료방법에서 TURP가 아직까지 표준적인 치료법이지만 이로 인한 부작용도 만만치 않다. 따라서, 치료 효과는 좋고 합병증도 적은 방 법을 자연스럽게 찾게 되어 유럽을 중심으로 최근 이에 대한 수많은 최소침습적 치료법이 개발되었다. 대부분의 최소침습적 치료법은 전립선 크기를 감소시켜 요로폐색의 정도를 완화하는 것을 목적으로 한다. 그러나, 이들 대부분의 치료결과는 TURP에 비해 증상, 요속의 개선 정도가 좋지 못하고, 또한 재시술률도 높은 편이며, 장비가 고가인 것이 대부분이다. 이들 시술 방법의 대부분은 효과에 대한 장기 추적관찰이 필요하다.

1) 열요법(Thermotherapy, TUMT)

915MHz 또는1,296MHz의 극초단파를 이용하여 경요도로 전립선에 60-70℃의 열을 가하여 전립선 조직을 응고 괴사시키는 방법으로 국소 마취하에 외래에서 시술이 가능하다. 치료 결과는 약물치료와 TURP의 중간 정도이다.

2) 온열요법(Hyperthermia)

434,915MHz 또는 2,450 MHz의 극초단파를 이용하여 경요도 또는 경직장으로 전립선 조직에 41-44℃까지 열을 가하는 치료 방법으로 초기결과는 증상점수나 요속의 개선이 있다고 보고되었으나, 장기간의 추적조사 결과 치료효과는 만족스럽지 못하다.

3) 고주파침박리술(Transurethral needle ablation, TUNA)

독특한 침을 가진 카테터를 요도를 통해 삽입한 후 부착된 내시경을 통해 정확한 전립선 위치를 선정하고 2개의 침을 전립선 중심부까지 찔러 넣은 후 고주파(radiofrequency)를 이용하여 전립선 조직에 100°C 고열을 가하여 전립선을 응고 괴사시키는 방법으로 출혈이 비교적 적고 국소마취로 시술이 가능하다는 장점이 있으나, 카테터 유치가 필요하고 중엽이 비대된 경우에는 치료가 힘든 단점이 있다. 외측엽이 비대되어 있고, 60g이하의 전립선을 가진 환자에게 치료할 때, 이득이 있을 것으로 생각된다. 시술 후 12개월에 증상점수 13.1정도로 감소되는 효과를 보이며, 최대요속이 6mL/sec 증가한다는 보고가 있으나, 보다 정확한 효율성 평가를 위해 장기추적이 필요하다.

4) 고강도초점 초음파치료(High-intensity focused ultrasound, HIFU)

전신 또는 척추마취 하에 경직장으로 고강도초점 초음파를 전립선 조직에 방사하여 전립선 조직 내의 온도를 90-100℃까지 상승시켜 응고 괴사를 일으키는 방법으로 증상과 요속의 개선이 있다고 보고되고 있으나, 안전성과 효율성에 대해서는 추적관찰이 필요하다

5) 경요도 전기기화술 (Transurethral electrovaporization)

표준 경요도 절제경의 전극을 변화시킨 소위 '회전볼 전극(roller-ball electrode)' 에 230-250W의 절제 전류와 60-80W의 응고전류를 사용하여 전립선 조직을 기화시키는 치료법으로 TURP의 효과를 얻으면서, 출혈이 적고 카테터 유치 기간이 짧다는 장점이 있다. 그러나, 시술시간이 길어 40g 이하의 전립선비대증에 적응되고 또한 조직을 얻지 못하는 단점이 있다.

6) 레이저 전립선절제술 (Laser prostatectomy)

레이저를 이용하여 전립선비대증을 치료하기 위한 방법이 1990년대부터 소개되었다. 초기의 전립선에 대한 레이저 치료는 효과가 만족스럽지 못하였고, 치료후 배뇨통, 장기간의 도뇨관 유치 및 요폐 등의 부작용이 있어서 널리 사용되지는 않았다. 그러나, 이후 비약적인 기술의 발전으로 레이저가 괄목할만한 개선을 보임에 따라 최근에는 최소침습적 치료중에서 가장 널리 활용되고 있으며, 전립선 조직을 TURP에 버금갈 만큼 효과적으로 절제, 응고, 기화시키는 결과를 보여주어 TURP를 대체할만한 유용한 표준 치료법으로 자리 잡고 있다. 현재 기존의 TURP의 단점을 극복하고, 점차 널리 사용되고 있는 대표적인 레이저 치료는 PVP (photoselective vaporization of the prostate, KTP laser)와 HoLEP (holmium laser enucleation of the prostate)가 있다.

(1) Photoselective vaporization of the prostate (PVP)

PVP는 KTP (potassium titanyl phosphate) 레이저를 이용하여 전기 기화술과 유사한 술기로 전립선을 기화시키는 것이다. 전기 기화술과 달리 전립선 표면에 레이저 섬유를 접촉시키는 것으로 전립선에 여러 개의 고랑을 형성시켜서 넓은 통로를 만들어주는 방법이다. 전기 기화술처럼 TURP에 비해 요속, 증상점수의 짧은 개선을 보인다. 그리고, 술 후 요폐로 인한 2차적 도뇨관 유치가 필요한 경우가 있다. 처음으로 나온 1세대 KTP레이저가 출력이 낮은 80W로 나와서 낮은 전립선용적 제거률, 높은 재시술률 등으로 크기가 큰 전립선비대증에 대한 효용성이 의문시되었으나, 이어서 출력이 높은 120W 2세대가 개선되어 나온데 이어 최근에는 180W 최고출력의 3세대 KTP레이저가 출시되면서 수술시간이 짧아지고 전립선용적이 효과적으로 제거되는 등 기화의 효율성이 증가하여 크기가 큰 전립선비대증에서도 효율적으로 사용할 수 있다고 한다.

(2) Holmium레이저 전립선적출술(Holmium laser enucleation of the prostate, HoLEP)

Holmium레이저 전립선절제술/적출술은 holmium 레이저를 이용하는 비교적 새로운 방식으로 레이저 섬유를 이용하여 전립선 선종(adenoma)을 절제하는 방법이다. 연구결과를 보면, 출혈과 경요도전립선절제술증후군의 발생률도 적었지만, 수술후 TURP에 비

하여 증상개선 후 유지기간이 짧았다. Holmium레이저는 아주 큰 전립선에도 적응이 가능하고 잘 훈련된 술자가 시행시 개복전립선절제술의 결과와 비슷함을 보고하였다. 하지만 술기를 배우는데 걸리는 학습곡선(learning curve)이 장기간이 필요한 단점 등이 있다. 최근의 임상연구가 많이 나온 결과, 수술후 임상결과도 TURP에 필적할 만큼 양호하다고 알려져 레이저를 이용한 최소침습적 수술방법으로서는 가장 선호되고 있다.

9) 기타

전립선요도 스텐트유치(intraprostatic stent)는 스텐트 삽입 후에 스텐트에 칼슘염의 가피(encrustation)가 형성되거나 전립선 상피의 증식 등으로 요석, 요로감염, 요로의 자극 증상등 의 합병증이 발생하므로 장기간의 사용이 어렵다. 최근에는 심폐기능 이상 등으로 관혈적 수술과 같은 침습적 치료가 어려운 환자에게 제한적으로 사용되고 있다. 풍선확장술(balloon dilatation)은 임상결과는 초기에는 증상과 요속의 개선이 70%에서 있다고 하였으 나, 장기간의 효과는 없어 현재는 거의 사용하지 않는다.

5. 전립선비대증의 치료에서 고려해야 할 사항

전립선비대증 치료는 과거에는 수술적 치료가 주를 이루었으나, 의공학의 발달과 약리학 발전에 의해 현재에는 약물치료를 비롯하여 경요도적수술이나 최소침습적 치료법 등 다양한 방법이 개발되었다. 이로 인해 의사나 환자의 선택폭도 매우 넓어졌다. 이러한 다양한 치료방법 중에서 환자 개인에게 가장 적합한 치료법을 선택하기 위해 의사가 반드시 고려해야 할 사항은 먼저 환자의 증상 정도 및 증상이 환자의 생활에 미치는 영향을 알아야 하며, 장기간으로 치료할 때의 효과와 재치료율의 빈도를 살펴보아야 한다. 또한, 치료와 관련된 이환율, 합병증과 환자의 치료 선호도 및 가격 대비 효과 측면도 고려해야한다.

1) 각 치료방법의 결과 대조표 비교

상기한 바와 같이 전립선비대증의 치료방법은 매우 다양하고 환자 각각 개별적으로 미치는 효과, 안전성 및 치료 효과가 각각 다르기 때문에 일률적인 적용이 어렵다. 따라서, 대차대조표개념의 도입이 중요하다(표 70-2). 즉, 환자에게 각 치료법의 직접 및 간접적인 결과를 설명해 주어야 하는데, 간접적인 결과는 환자 자신이 직접 느끼지 못 하는 결과이며, 환자에게는 사실 그다지 중요하지 않을 수 있다. 반면에 직접적인 결과는 환자가 바로 느끼는 증상의 호전을 의미하며, 환자에게는 가장 중요한 관심사가 된다. 따라서, 환자가 여러 치료방법들에 대해서 치료전에 충분한 정보를 알 수 있도록 하여야하며, 치료에 임하는 의사는각 치료의 긍정적 측면과 부정적인 측면에 대해 충분한 설명을 하여야 한다. 이같이 환자를 위주로 하여 치료방법을 결정하는 것이 중요하며, 전립선비대증의 치료에 있어서 가장 우수 한 치료법이 합병증은 가장 높을 수 있다는 점을 명심해야 한다. 따라서, 여러 가지 치료법의 장점과 단점을 환자에게 상세히 설명해야하며, 치료의 이점을 직접적 결과와 간접적인 결과로 조사해 보아야 한다. 어떤 환자는 외과적 치료결과의 우수성에도 불구하고, 내과적 치료가 증상의 호전에 도움이 된다는 이유로 더 선호할 수 있으며, 또 다른 환자는 상당한 정도의 증상이 있음에도 불구하고, 일상생활에 불편함을 느끼지 않거나, 치료의 합병증을 우려한 나머지 치료보다 관찰만을 원하는 경우도 있다. 결국 전립선비대증 치료 방법을 선택할 때, 환자가 일상생활에 미치는 영향과 증상을 호전시키기 위한 여러 치료법 또한 그 치료법을 선택했을 때의 부작용과 함께 고려해야한다.

표 70-2 전립선비대증 치료방법에 따른 결과대조표

		약물치료			수술적치료			대기요법
		알파 차단제	5α전환효소억제제	병합요법	TURP	TUIP	개복전립선절제술	대기요법
치료결과	증상점수 개선	5.63-7.53	3.4	6.21-6.53	14.8	15.2	10.1	0.5
	초대요속 개선	1.94-2.98	1.66	2.63-3.358	10.7	7.65	11.5	2.2
	삶의질점수 개선	1.37-1.47	0.87	1.57	3.3	3.7		
부작용 발생률	급성요폐	0-4%	2%	0%	5%	6%	1%	3%
	어지름증	5-13%	5%	2-21%				
	사정장애	0-10%	4%	1-7%	65%	18%	61%	
	발기장애	3-5%	8%	8-10%	10%	13%		
	요식금				3%	2%	6%	2%
	이차수술				5%	14%	1%	55%

2) 환자의 선호도

환자 및 보호자들의 치료방법에 대한 선호도는 치료방법을 선택하는 데 중요한 요소가 된다. 증상이 경미한 대부분의 환자들은 관찰치료만을 원할 수 있으며, 중등도의 증상을 가진환자들은 여러 가지 치료 선택이 가능한 데, 예를 들어 증상은 중등도이지만 심각할 정도로고통을 느끼고 있다면 위험도가 높더라도 수술적 방법을 택하게 될 것이다. 한편, 증상이 심한 경우에는 대개 수술적 치료를 선호하게 되지만 간혹 추적 관찰이나 내과적 치료만을 원하는 경우도 있다.

그러나, 일반적으로 환자의 증상이 심할수록 보다 침습적인 치료방법으로 효과를 볼 수 있다. 그리고, 전립선비대증이 심한 환자라도 여러 이유로 병원을 찾지 않게 되므로 전립선비대증에 대한 공공 보건 교육을 지속적으로 시행하여야함과 아울러 일차진료를 담당하는 의 사들이 보다 정확한 정보를 가지고 치료가 필요한 환자를 찾아내는 것도 중요할 것이다.

3) 전립선비대증의 치료법 선택

상기한 바와 같이 전립선비대증에 대한 각각의 치료 방법에는 모두 장단점이 있다. 약물치료는 즉시 효과가 나타나기도 하지만, 수개월이 지나서야 효과가 나타나는 수도 있으며, 어지럼증이나 저혈압, 성욕감퇴 등의 부작용도 예상할 수 있다. 수술적 치료를 선택할 때에도 출혈, 감염, 요실금 등의 합병증을 고려하여 신중한 선택을 하여야 할 것이다. 객관적인 증상의 정도만으로 치료법을 결정하고, 이를 환자에게 일률적으로 적용하는 것은 좋지 않다. 환자 개개인의 신체적 상태와 선호도 등을 고려하여 각 치료법의 장단점을 설명해 줌으로써 환자가 적절한 선택을 하도록 도와준다(표 70-3, 그림 70-5). 즉, 환자가 치료에 대해 충분히 이해하고 동의할 때에 한하여 치료를 함으로써 의사와 환자간에 신뢰가 구축되고 환자 중심의 진료가 이루어 질 수 있다.

6. 요약

전립선비대증 치료는 과거에는 수술적 치료가 주를 이루었으나, 의공학의 발달과 약리학 발전에 의해 현재에는 약물치료를 비롯하여 레이저수술이나 최소침습적 치료법 등 다양한 방법이 개발되었다. 상기한 바와 같이 전립선비대증에 대한 각각의 치료 방법에

표 70-3 증상의 정도와 치료법의 선택

	증상점수 (IPSS 기준			요폐	신기능장애, 수신증	중증 및 수술불능상태
	경증	중등도	중증			
관찰	○	○	×	×	×	○
알파차단제	○	○	△	×	×	×
호르몬차단제	○	○	△	×	×	×
수술	×	×	○	○	×	×
임시배뇨	×	×	○	○	○	○

○: 가능, △: 경과에 따라 수술요법 시기 결정, ×: 불가능 경증: 0–7점 중등도: 8–19점 중증: 20이상

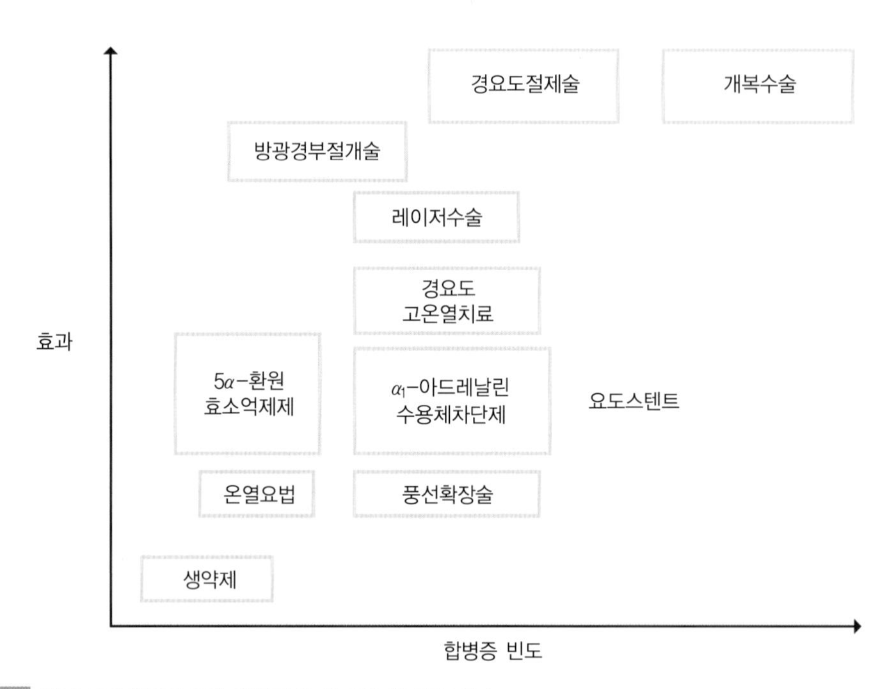

그림 70-5 전립선비대증의 각종 치료법의 효과와 합병증 비교

는 모두 장단점이 있다. 약물치료는 즉시 효과가 나타나기도 하지만 수개월이 지나서야 효과가 나타나는 수도 있으며, 어지럼증이나 저혈압, 성욕감퇴 등의 부작용도 예상할 수 있다. 수술적 치료를 선택할 때에도 출혈, 감염, 요실금 등의 합병증을 고려하여 신중한 선택을 하여야 할 것이다. 객관적인 증상의 정도만으로 치료법을 결정하고, 이를 환자에게 일률적으로 적용하는 것은 좋지 않다. 개별적 환자의 신체적 상태와 선호도 등을 고려하여 각 치료법의 장단점을설명해 줌으로써 환자가 적절한 선택을 하도록 도와준다. 즉, 환자가 치료에 대해 충분히 이해하고 동의할 때에 한하여 치료를 함으로써, 의사와 환자간에 신뢰가 구축되고, 환자 중심의 진료가 이루어질 수 있다.

참고문헌

1. 대한남성과학회. 남성과학 제2판. 군자출판사;2010.
2. 대한비뇨기과학회, 대한가정의학회, 대한배뇨장애요실금학회. 전립선비대증 진료권고안. 에이플러스;2015.
3. 김현회, 곽절, 서성일, 정헌, 이은식, 이종욱. 전립선비대증에 대한 경요도절제술의 효과 및 합병증 장기추적결과. 대한비뇨기과학회지.1996;37:268-280.
4. 유장희, 김정수. 비뇨기과 영역에서의 보완대체요법. 대한비뇨기과학회지. 2008;49:193-202.
5. Abrams P, Chapple C, Khoury S, et al. Evaluation and treatment of lower urinary tract symptoms in older men. J Urol 2009;181:1779-1787.
6. Kaplan SA. Update on the American Urological Association guidelines for the treatment of benign prostatic hyperplasia. Rev Urol 2006;8(Suppl.4):S10-17.
7. DeReijke TM, Klarskov P. Doxazosin versus alfuzosin in benign prostatic hyperplasia: results of a multinational, randomised, double-blind European trial. Eur Urol 2000;37:473-479.
8. Foley SJ, Soloman LZ, Wedderburn AW, Kashif KM, Summerton D, Basketter V, and Holmes S A. A prospective study of the natural history of hematuria associated with benign prostatic hyperplasia and the effect of finasteride. J Urol 2000;163:496-502.
9. Gilling PJ, Cass CB, Cresswell MD, Fraundorfer MR. Holmium laser resection of the prostate: preliminary results of a new method for the treatment of benign prostatic hyperplasia. Urology 1996;47:48-54.
10. Gilling PJ, Kennett KM, Fraundorfer MR. Holmium laser resection vs transurethral resection of the prostate: results of a randomized trial with 2 years of follow-up. J Endourol 2000;14:757-763.
11. Gormley GJ, Tenover JS, Darracott VE, Pappas F, Taylor A, Binkowitz B. The effect of finasteride in men with benign prostatic hyperplasia. N Engl J Med 1992;327:1185-1191.
12. Rassweiler J, Teber D, Kuntz R, Hofmann R. Complications of Transurethral Resection of the Prostate (TURP)-Incidence, Management, and Prevention. Eur Urol 2006:50;969-980.
13. John MF. Minimally invasive and endoscopic management of benign prostatic hyperplasia. In: Wein AJ, Kavoussi LR, Novick AC, Partin AW, Peters CA. Campell-Walsh' s Urology. 9th ed. Philadelphia : WB Saunders; 2007;2803-2844.
14. Kaplan SA, Te AE, Ikeguchi E, Santarosa RP. The treatment of benign prostatic hyperplasia with alpha blockers in men over the age of 80 years. Br J Urol 1997;80:875-879.
15. Kirby RS. The natural history of benign prostatic hyperplasia: what have we learned in the last decade? Urology 2000;56:3.
16. Kirby RS, Lepor H. Evaluation and nonsurgical management of benign prostatic hyperplasia. In: Wein AJ, Kavoussi LR, Novick AC, Partin AW, Peters CA. Campell-Walsh' s Urology. 9th ed. Philadelphia : WB Saunders; 2007;2776-2802.
17. Lepor H, Williford WO, Barry MJ, Michael JB, Michael KB, Christopher MD, et al. The efficacy of terazosin, finasteride, or both in benign prostatic hyperplasia. Veterans Affairs Cooperative Studies Benign Prostatic Hyperplasia Study Group. N Engl J Med 1996;335:533-540.
18. Lukacs B, Grange JC, Comet D, McCarthy C. History of 7,093 patients with lower urinary tract symptoms related to benign prostatic hyperplasia treated with alfuzosin in general practice up to 3 years. Eur Urol 2000;37:183-190.
19. Madersbacher S, Schatzl G, Djavan B, Stulnig T, Marberger M. Long-term outcome of transrectal high-intensity focused ultrasound therapy for benign prostatic hyperplasia. Eur Urol 2000;37:687-671.
20. McConnell JD, Roehrborn CG, Bautista OM, Gerald LA, Christopher MD, John WK,et al. The long-term effect of doxazosin, finasteride, and combination therapy on the clinical progression of benign prostatic hyperplasia. N Engl J Med 2003;349:2387-2398.
21. McConnell JD. The MTOPS Steering Committee. The long term effects of medical therapy on the progression of BPH: Results from the MTOPS trial. J Urol 2002;167: 1042-1049.
22. Oesterling JE, Issa MM, Roehrborn CG, Bruskewitz R, Naslund MJ, Perez-Marrero R, et. al. The long-term results of a prospective, randomized clinical trial

comparing TUNA to TURP for the treatment of symptomatic BPH. J Urol 1997;157:328-332.

23. Roehrborn CG, Boyle P, Bergner D, Gray T, Gittelman M, Shown T, et. al. Serum prostate-specific antigen and prostate volume predict long-term changes in symptoms and flow rate: results of a four-year, randomized trial comparing finasteride versus placebo. PLESS Study Group. Urology 1999;54:662-670.
24. Roehrborn CG, McConnell JD, Bonilla J, Rosenblatt S, Hudson PB, Malek GH, et. al. Serum prostate specific antigen is a strong predictor of future prostate growth in men with benign prostatic hyperplasia. PROSCAR long-term efficacy and safety study. J Urol 2000;163:13-19.
25. Madersbacher S,Marszalek M,Lackner J,Berger P. The Long-Term Outcome of Medical Therapy for BPH. Eur Urol 2007;51:1522-1533.
26. Grosse H. Frequency, localization and associated disorders in urinary calculi: analysis of 1671 autopsies in urolithiasis. Z Urol Nephrol 1990; 83:469-474.
27. Wasson JH, Reda DJ, et al. A comparison of transurethral surgery with watchful waiting for moderate symptoms of benign prostatic hyperplasia. The Veterans Affairs Cooperative Study Group on Transurethral Resection of the Prostate. N Engl J Med 1995;332:75-79.
28. Holtgrewe HL, Mebust WK, et al. Transurethral prostatectomy: practice aspects of the dominant operation in American urology. J Urol 1989;141:248-253.
29. McConnell JD, Roehrborn C, et al. The long-term effects of doxazosin, finsteride and the combination on the clinical progression of benign prostatic hyperplasia. N Engl J Med 2003;349:2385-2396.
30. Levin RM, Longhurst PA, et al. Effect of bladder outlet obstruction on the morphology, physiology, and pharmacology of the bladder. Prostate [Suppl] 1990;3:9-26.
31. McConnell JD, Barry MJ, et al. Benign prostatic hyperplasia: diagnosis and treatment. Clinical practice guideline no. 8. Rockville, MD: U.S. Department of Health and Human Services, Agency for Health Care Policy and Research, Public Health Service; 1994;1-17.
32. Mebust WK, Holtgrewe HL, Cockett AT, Peters PC. Transurethral prostatectomy: immediate and postoperative complications: a cooperative study of 13 participating institutions evaluating 3,885 patients. J Urol 1989;141:243-247.
33. DiPaola RS, Kumar P, et al. State-of-the-art prostate cancer treatment and research. A report from the Cancer Institute of New Jersey. N J Med 2001;98:23-33.

CHAPTER 71

남성 과민성방광 및 야간뇨

Male Overactive Bladder and Nocturia

■ 김종욱

1. 과민성방광

하부요로증상(lower urinary tract symptoms, LUTS)은 크게 배뇨증상(세뇨, 간헐뇨, 요주저, 복압배뇨, 배뇨말요점적)과 저장증상(주간빈뇨, 야간뇨, 요절박), 배뇨후증상으로 구분된다. 과민성방광(overactive bladder, OAB)은 이중 요절박을 중심으로 한 증상복합체로서, 정의는 요로감염 및 다른 병인이 없는 상태에서 요절박을 주 증상으로 하며 주간빈뇨와 야간뇨를 흔히 동반하는 상태를 말한다. 과민성방광 증상을 호소하는 많은 남성들이 이에 대해 정확히 인지하지 못하거나 적절한 치료를 받지 못하고 있으며 의사들도 전립선비대증 등 방광출구폐색에 대한 치료에만 중점을 두고 있는 것이 현실이다. 이에 본 장에서는 남성 과민성방광의 역학, 병태생리, 진단 및 효과적인 치료에 대해 알아보고자 한다.

1) 역학

남성의 과민성방광 유병률은 여성과 비슷하게 보고되고 있으며, 삶의 질에 대한 영향 또한 남녀 모두에게 상당한 영향을 미친다. 또한 방광출구폐색을 보이는 경우에 40~60%에서 배뇨근 불안전성이 동반된다고 알려져 있다.

남성의 과민성방광 유병률은 여성과 비슷하게 보고되고 있으며, 모든 연령층에서 발생가능하고, 나이가 들수록 그 빈도가 증가하는 경향을 보인다. 캐나다 및 유럽 4개국(독일, 이탈리아, 스웨덴, 영국)에서 18세 이상 남녀 19,000여명을 대상으로 하부요로증상 및 과민성방광의 유병율을 조사한 결과, 저장증상의 유병율(남성; 51.3%, 여성; 59.2%)이 배뇨증상(남성; 25.7%, 여성; 19.5%)이나 배뇨후증상(남성; 16.9%, 여성; 14.2%)의 유병율보다 높았다. 과민성방광의 전체 유병율은 11.8% 이였으며, 남성(10.8%)와 여성(12.8%)의 유병율은 유사하였고, 나이가 들수록 유병율 또한 증가하였다. 국내의 연구에서 18세 이상 남녀 2,000명을 대상으로 과민성방광 유병율을 조사한 결과, 전체 유병율은 12.2%이었으며, 남성의 유병율은 10.0%, 여성은 14.3%였다. 연령이 높아질수록 유병율이 증가하였는데, 유럽의 40세 이상 남녀 17,000명을 대상으로 한 조사에서는 16.6%(남성; 15.6%, 여성; 16.4%)의 과민성방광 유병율을 나타내었다. 5,000명의 성인을 대상으로 한 미국의 조사에서도 유사한 결과(남성; 16%, 여성; 16.9%)를 보고하였다.

2) 병태생리학

과민성방광을 유발하는 병태생리학적 원인으로는 근육성 원인(myogenic), 신경학적 원인 (neurologic), 특발성 원인(idiopathic)이 있다. 이 중 신경학적 원인과 근육성 원인에 대해서는 많은 보고가 있었으며, 그 외에도 요로상피의 변화와 방광 간질세포의 변화 등 다양한 병태생리학적 원인들이 보고되고 있다.

(1) 근육성 원인

1997년 Brading 등이 과민성방광의 근육성 원인에 대해 조사한 결과 배뇨근 세포의 변화로 인해 방광내압(intravesical pressure)의 불안정한 증가를 유발하는 불수의적인 배뇨근 수축이 발생하였다. 최근에는 배뇨 중 방광내압의 상승으로 만성적이고 주기적인 방광의 허혈 및 재관류가 유발되어 이로 인해 방광벽의 내재성 신경원(intrinsic neuron)에 손상이 발생하고 이차적으로 평활근의 특성을 변화시켜 과민성방광을 유발한다는 주장도 있다. 이러한 변화들은 모두 세포간 흥분성과 전기적 상호작용(electrical coupling)을 증가시키게 된다.

부분적인 배뇨근의 신경차단(denervation)은 신경전달물질에 대한 배뇨근의 초민감성(supersensitivity)을 유발하여 결과적으로 자극에 대한 반응을 증가시키게 된다.

(2) 신경학적 원인

뇌와 척수의 중추신경계 억제경로(inhibitory pathway)에 대한 직접적인 손상이나 방광에 존재하는 말초신경계의 구심성 경로(afferent pathway)의 감작(sensitization)에 의해 과민성방광이 발생하게 된다. 이는 교뇌상부 억제신경(suprapontine inhibition)을 억제시키는 뇌의 손상과 척수의 축삭 경로(axonal pathway)의 손상 등에 의해 발생할 수 있다. 그 외 신경전달물질의 수용체와 연관되어 과민성방광이 발생할 수 있다.

(3) 요로상피의 변화

최근에는 요로상피가 수동적인 방어벽으로만 작용할 뿐 아니라, 열(thermal)과 기계적(mechanical) 및 화학적(chemical) 자극을 인지하여 반응할 수 있는 구조물의 역할도 가지고 있는 것으로 알려지고 있다.

요로상피는 신경세포에 존재하는 신장활성채널(stretch activated channels)과 유사한 이온채널을 발현하고, 그 역할은 하부요로계의 기계적 활성(mechanotransduction)에 영향을 미치고, 상피의 나트륨 채널이 이러한 활성에 연관되어 있다.

요로상피에 존재하는 칼슘 투과성, 비선택성 양이온통로(TRPV1, transient receptor potential vanilloid 1)는 통증의 감각을 인지하는 데 큰 역할을 하는 것으로 알려져 있다.

(4) 방광 간질세포의 변화

방광은 여러 간질세포(interstitial cell)를 가지고 있는데 이들의 정확한 역할은 아직 분명하지 않지만 여러 연구자들은 이러한 세포들이 방광의 조화로운 수축과 관련이 있으며, 간질세포의 이상이 방광의 과활동성과 연관이 있다고 한다. 뿐만 아니라 노화에 의한 방광근육 세포간의 간극연접(gap junction)의 증가가 과민성방광의 원인이라고도 한다.

(5) 신경성장인자(Nerve growth factor)

신경성장인자는 많은 장기에서 자율신경 및 감각신경 지배를 유지하는데 중요한 역할을 하고 방광의 염증반응에 관여한다고 알려져 있는데, 과민성방광 환자에서 신경성장인자의 생산이 증가한다고 알려져 있다. 또한 오랜 시간의 방광출구 폐색은 방광 평활근 조직의 구조적인 변형을 가져오며 이러한 변형이 신경성장인자의 생산 증가를 가져온다.

3) 진단

(1) 기본검사

과민성 방광이 의심되는 환자의 일차적인 검사로 병력청취, 신체검사, 요검사 및 배뇨일지를 시행한다.

① 병력청취

먼저 환자의 배뇨증상의 양상과 정도를 정확히 판단할 수 있어야 한다.

- 하루 중 수분 섭취와 배뇨 양상
- 주간 빈뇨 및 야간뇨의 유무
- 주간 빈뇨 및 야간뇨의 횟수
- 요절박 유무
- 요절박 발생 횟수 및 요절박의 정도와 참을 수 있는 시간
- 배뇨간격
- 요실금 유무 및 정도
- 요폐색 증상의 유무: 요속도, 요폐의 과거력
- 신경계 질환 동반 유무: 뇌졸중, 척수질환, 파킨슨씨병
- 병력 및 수술력: 전립선 수술, 하복부 및 골반내 수술 및 방사선치료
- 약물 복용력: 이뇨제, 항우울제, 혈압약, 진통제 복용 여부

② 신체검사

- 복부촉진을 통해 종괴, 탈장, 방광 과팽창 여부 등을 확인한다.
- 전신 신경학적 검사와 함께 천수 신경분절 이상을 확인하기 위해 골반 및 직장검사(괄약근 긴장도, 항문주위 감각, 구해면체반사) 등을 확인한다.
- 직장수지검사를 통해 전립선의 크기, 경도, 모양, 결절 유무를 확인한다.

③ 요검사

- 요검사를 시행하여 혈뇨, 농뇨 또는 단백뇨, 요당 등 다른 이상 소견의 유무를 파악한다. 일반적으로 dipstick test를 통해 손쉽게 시행할 수 있다.
- 요검사에서 이상이 있는 경우 추가적인 검사를 시행하여야 한다. 농뇨, 아질산염(nitrite)양성 소견을 보이면 요침사 현미경 검사 및 요배양 검사를 시행하여야 하며 혈뇨가 있으면 요세포 검사 등의 추가검사를 시행하여야 한다. 의미있는 요당이나 단백뇨가 나오면 내과적 추가검사가 필요하다.

④ 배뇨일지

- 배뇨일지에는 배뇨 시각과 배뇨한 양, 요절박 발생 시간과 횟수를 기록한다.
- 3일간의 연속적인 배뇨일지를 사용하는 것이 원칙이며, 필요시에는 24시간의 배뇨일지를 구체적으로 적을 수 있도록 환자에게 교육한다.
- 배뇨일지는 환자의 배뇨상태를 객관적으로 파악할 수 있으며, 진단과 치료에 필요한 객관적 자료로 사용할 수 있다. 이를 위해서는 정확한 교육이 필요하다.

(2) 추가검사

① 설문지

일반적으로 사용되는 국제전립선증상점수(IPSS) 외에 과민성방광 설문지를 통해 환자의 진단 및 치료 결과의 판정에 도움을 줄 수 있다. 세계적으로 다양한 설문지가 사용되고 있고, 국내에서는 OAB-q설문지와 OABSS설문지가 널리 사용되고 있다. OAB-q는 하부요로증상에 관한 질문 8문항(Modified Overactive Bladder-Validated 8-question Screener, OAB-V8)과 삶의 질을 평가하기 위한 25개의 health-related quality of life(HRQL)문항 (coping, concern, sleep, social interaction의 4개의 하부질문)으로 구성

되어 있으며, 총 HRQL 점수를 구할 수 있도록 구성되어 있다. OAB-V8에서는 응답에 따라 0 (전혀 지장 받지 않음)부터 5(아주 많이 지장 받음)까지 6점의 증상 단계로 구분하여 1번부터 8번까지의 문항의 점수를 합산(남자는 2점 가산), 8점 이상인 경우 과민성방광으로 진단이 가능하다. OABSS는 일본에서 개발된 비교적 간단한 설문지로 빈뇨, 야간뇨, 요절박, 요실금에 대한 4문항의 질문으로 구성되어 있으며, 요절박 점수는 2점 이상이면서 OABSS가 3점 이상이면 진단이 가능하며, 그 정도에 따라서 5점 미만인 경우 경증, 6~11점인 경우 중증, 12점 이상인 경우 가장 심각한 상태로 정의하고 있다.

② 요배양검사, 요세포검사

환자의 일차적인 검상에서 요로감염이나 요로계 종양이 의심되는 경우에서 시행한다.

③ 전립선특이항원(PSA)검사

50세 이상의 남자환자의 경우 전립선암의 선별검사로 함께 시행하는 것이 추천되며, 그 외에도 하부요로증상을 동반하는 경우에서는 연령에 관계없이 시행하는 것이 바람직하다.

④ 전립선영상검사

동반될 수 있는 전립선비대증에 대한 검사 및 치료계획을 위해서 필요하며, 전립선암이 의심되는 경우에서도 경직장초음파검사를 통해 전립선의 모양, 크기, 이상음영 등을 검사한다.

⑤ 상부요로영상검사

기본검사에서 상부요로감염이 의심되거나, 육안적 또는 현미경적 혈뇨가 있는 경우 및 요로결석의 병력이 있는 경우, 신기능저하가 있는 경우 등에서 복부초음파, 배설성요로조영술 등의 상부요로영상검사를 시행한다.

⑥ 방광내시경

과민성방광 증상만으로 진료중인 환자에서는 일반적으로 시행할 필요가 없으나, 진단 후 일차적인 치료 후에도 증상의 변화가 없거나, 증상이 악화되는 경우에서는 방광내시경을 시행할 수 있다.

⑦ 요류검사, 배뇨후 잔뇨검사

주로 전립선 비대증을 동반하는 남성 환자에서 비교적 쉽게 시행할 수 있고 환자의 배뇨양상을 알 수 있는 검사이다. 환자의 초기 진단과정 및 치료 중 안진지표로 유용하게 사용된다. 배뇨후 잔뇨검사는 카테터를 이용한 도뇨를 통해 측정할 수도 있으나 대부분 비침습적인 복부초음파를 통해 간단히 측정할 수 있다. 요류속도가 저하된 경우와 배뇨후 잔뇨가 많은 경우에는 과민성방광에 대한 치료만으로 해결 될 수 없다.

⑧ 요역동학검사(Urodynamic study, UDS)

대부분의 경우에서는 요역동학검사를 시행하지 않고 과민성방광의 진단이 가능하지만, 배뇨근과활동성에 의해 발생하는 과민성방광의 경우에는 요역동학검사로 확진이 가능하다. 자세한 요역동학검사는 일반적인 치료에 반응하지 않는 경우, 배뇨후 잔뇨량이 많은 경우, 요류검사에서 느린 요류나 비정상적 패턴을 보이는 경우, 신경학적 질환이 있는 경우, 복잡한 인자들이 있거나 진단이 어려운 경우 등에서 시행할 수 있다. 요역동학검사는 검사 중 환자의 증상을 재현시키고, 증상 발현 시 방광의 기능적 변화를 확인할 수 있다. 따라서, 환자의 증상과 요역동학검사 결과의 연관성 확인을 통해 향후 치료방침을 세우며, 치료 반응에 대한 객관적 평가를 할 수 있다.

(3) 감별진단

과민성방광의 증상은 방광암이나 방광염, 방광결석 또는 전립선암과 같은 질환에서도 나타날 수 있으므로, 감별이 중요하다. 과민성 방광은 다른 장기의 변화나 다른 질환으로 인해서도 발생할 수 있으며, 다른 질환으로 인해 생긴 경우 일차적인 질환을 치료하면 호전되는 경우가 많아 감별진단이 중요하다. 이러한 감별진단이 필요한 질환으로 방광염 등 요로감염, 방광 결석, 비뇨기계 종양(방광암, 전립선암), 당뇨병, 요붕증, 요실금, 수분 섭취-배설 연관 질환 등이 있다.

4) 치료

방광출구폐색과 같은 교정 가능한 원인으로 인한 이차적인 과민성방광을 제외하고는 과민성방광은 쉽게 완치되지 않는다. 과민성방광의 치료 목표는 방광의 이상 수축을 감소시키고, 방광용량을 증가시키며, 배뇨감각을 둔화시켜 요저장을 쉽게 하는 것이다.

과민성방광의 일차 치료방법으로는 행동치료, 약물치료가 있으며, 단독 치료보다는 병용치료가 더 월등한 치료효과를 보인다. 그러나 20~50% 정도의 환자에서 치료결과에 만족하지 못하거나, 치료에 반응하지 않아 신경조정술과 보톡스 주입, 수술치료 등을 고려할 수 있다.

(1) 약물치료

과민성방광 환자에 대해 일차의료기관에서 치료할 수 있는 가장 손쉬운 방법은 약물치료이다. 약물치료는 방광의 수축을 억제하는 항무스카린제가 중심이 되는데, 임상적으로 흔히 쓰이고 있는 약제로는 Tolterodine, Trospium, Solifenacin, Fesoterodine 등이 있으며, 다른 약제로는 Oxybutynin, Propiverine 등의 복합작용제, Imipramine, Amitriptyline 등의 삼환계항우울제가 있다. 이들 약제는 정도의 차이는 있으나 대부분 입이 마르거나, 변비, 시야 흐림(blurred vision), 졸림, 인지 장애, 소화기 장애 등의 부작용이 있으므로 약물선택 시 이를 고려하여야 한다. 특히 심각한 부정맥이 있거나 협각성 녹내장, 소화기의 폐색성 질환, 중증 근무력증 등의 경우는 금기로 되어 있다.

① 항무스카린제

항무스카린제는 아세틸콜린이 무스카린수용체에 작용하는 것을 경쟁적으로 억제하기 때문에 부교감신경 전달이 없는 소변 저장기에 불수의적 배뇨근 수축을 억제한다. 그러나 배뇨를 위하여 방광이 수축하는 단계에서는 많은 양의 아세틸콜린이 분비되기 때문에 치료 용량의 항무스카린제는 배뇨 시 배뇨근 수축에는 영향을 미치지 않아 방광의 수축력이 정상인 경우 배뇨 후 잔뇨량을 증가시키지 않는다. 그러나 배뇨근 수축력이 약한 환자에게 사용 시 잔뇨량이 증가하거나 요폐가 발생할 수 있다.

a. Tolterodine

Toleterodine은 3가 아민으로 혈중 반감기는 2~3시간 정도이다. 대사는 cytochrome P450 2D6에 의해 이루어지며 주요 대사물인 5-hydroxymethyl toleterodine (5-HMT)는 모약물과 유사한 항무스카린성 작용을 보인다고 알려져 있다. Tolterodine은 무스카린수용체에 대하여 비선택성을 보여주었으나 침샘보다 방광에 대해 조직선택성이 우수하므로 이는 실제 임상에서 보이는 구갈 등의 부작용이 경미한 이유로 설명되고 있다. 또한 비교적 지용성이 낮아 뇌혈관 관문의 통과가 적고, 따라서 인지 기능에의 영향이 적다. Tolterodine은 2mg을 1일 2회 사용하는 속효형과 2~4mg을 1일 1회 사용하는 서방형이 있는데, 비교연구 결과 서방형이 효과와 내약성 면에서 더 우수한 것으로 밝혀졌다.

b. Trospium

Trospium은 친수성 4가 아민으로 혈중 반감기는 10~20시간 정도이다. 항무스카린약제들 중에서 Trospium만이 유일하게 간의 cytochrome P450에 의해 대사되지 않는다, 혈중으로 흡수 된 약물의 10%만이 가수분해되어 spiroalcohol로 대사되며, 대부분은 대사되지 않은 형태 그대로 신장으로 배설된다. 따라서 크레아티닌 청소율이 30mL/mim 이하인 신기능이상이 있는 환자들에서는 반드시 약제의 감량이 필요하다. 무스카린수용체 아형에 선택성은 없는 것으로 알려져 있다. Trospium은 뇌에서의 이행성이 매우 낮기 때문에 중추신경계의 부작용 발현 가능성은 매우 낮다. 그러나 경구 생체이용률은 10% 정도로 낮고, 식사와 같이 복용 시 생체이용률이 유의하게 저하될 수 있어 식전에 투여해야 한다. 식사 전 경구 복용 시 5~6시간 후에 혈중 최고치에 이른다. Trospium은 나이나 성별에 따른 용량의 조정은 필요하지 않고 약제간 유의한 상호작용도 없는 것으로 알려져 있다. Trospium 은 20mg 1일 2회 식전에 복용한다.

c. Solifenacin

Solifenacin은 3가 아민계 약물로서 전임상 연구 결과에 의하면 M2에 비하여 M3 무스카린수용체 아형에 좀더 선택적인 것으로 알려져 있다. Solifenacin은 장에서 천천히 광범위하게 흡수되어 절대적인 생체이용율이 88%에 달한다고 알려져 있다. 체내에 흡수되면 혈중에서는 일차적으로 glycoprotein과 결합하게 된다. 대사경로는 일차적으로 간에서 cytochrome P450에 의해 일어난다. 혈중 반감기는 건강인에서 50시간 정도로 알려져 있다. 대표적인 부작용인 구갈은 21.4%, 변비는 13.3%에서 나타났으며, 약제부작용으로 인한 약제 복용 중단은 9.7% 정도이다. Solifenacin 일일 5mg과 10mg은 내약성과 효과는 속효형 Tolterodine 4mg에 비견하고 한국인에서 Ssolifenacin 초 회 용량은 1일 5mg이 적당하다.

d. Fesoterodine

Fesoterodine은 최근에 임상에 소개된 항무스카린제로서 Festerodine은 Tolterodine의 경구복용에 따른 부작용을 극복하기 위해 활성물질의 대사전구물질(prodrug)형태로 개발되었다. Fesoterodine은 경구복용 후 흡수된 직후 체내에 광범위하게 존재하는 비특이성 에스터가수분해효소(nonspecific esterase)에 의해서 광범위하고 신속하게 활성물질인 5-hydroxymethyl tolterodine(5-HMT)유도체로 대사되는데, 이 5-HMT가 일차적으로 가장 중요한 항무스카린성 작용을 나타내게 된다. 5-HMT의 생체이용률은 52%이며, 복용 약 5시간 후에 혈중 최고치에 도달하고 반감기는 7시간 정도이다. 배출은 간대사와 함께 신장 배설로 이루어지게 되는 데 체내로 흡수된 용량의 약 70%가 5-HMT나 carboxy 대사물 형태로 소변을 통해 검출된다. 따라서 심한 신기능과 간기능 이상 환자들에서는 5-HMT가 축적될 수 있다. Fesoterodine 4mg은 Tolterodine ER 4mg과 유사한 치료효과를 나타내며 Fesoterodine 8mg은 이보다 더 우수한 효과를 나타낸다. 4mg 또는 8mg을 1일 1회 복용한다.

e. Darifenacin

Darifenacin은 중등도의 지방친화성을 보이는 3가아민으로서 경구복용 후 장내흡수가 잘되고 간에서 cytochrome P450(3A4아형 또는 2D6아형)에 의해서 광범위한 대사가 일어난다. 방광근의 M3 무스카린수용체 아형에 매우 선택성이 높은 약제로 심혈관계 부작용, 인지기능 저하, 어지러움, 수면 장애 등의 부작용을 호소하는 환자들에게 비교적 안전하게 쓰일 수 있다는 장점이 있다. 삼환계항우울제(tricyclic antidepressant, TCA)와 병용 시 약물 대사가 저해될 수 있으므로 주의를 요한다. 서방형으로 개발되었고 1일 1회 복용량은 7.5mg과 15mg이며, 구미에서는 이미 승인되어 시판되고 있으나, 국내에서는 아직 도입되지 않았다.

f. Imidafenacin

Imidafenacin은 최근에 임상에 소개된 항무스카린제로서 M2보다 M1, M3에 친화도가 높은 항무스카린제로 침샘보다 방광 조직에 보다 친화적인 것으로 알려져 있다. 실험실연구에서 imidafenacin은 신경접합

전수용체 M1에 작용하여 아세틸콜린 분비를 조절하고 M3 수용체에 대한 길항작용을 통해 방광의 평활근수축을 억제하는 것으로 알려져 있다. 동물실험 결과 중간 정도의 극성과 낮은 지질친화성으로 인해 혈액뇌장벽을 통과하기 힘들며, 따라서 M1수용체 작용에 의한 중추신경계 부작용은 적은 것으로 알려져 있다. 반감기는 1시간으로, Fesoterodine(7~8시간), Darifenacin(7~20시간), Solifenacin(45~68시간), Tolterodine(7~18시간)과 같은 다른 항무스카린제보다 짧다. 주로 cytochrome P450 3A4와 uridine 5′-diphospho-glucuronosyl-tranaferase 1A4를 통해 대사되며, 약 10% 미만이 형태 변화 없이 소변으로 배설된다. Propiverine 20mg을 하루 1회 복용한 그룹과 Imidafenacin 0.1mg을 하루 2회 복용한 그룹을 비교한 위약대조군 무작위 이중맹검조사에서 Imidafenacin이 Propiverine 에 비해 전체적으로 부작용이 더 적었다. 수면장애와 야간뇨가 있는 과민성방광 환자를 대상으로 한 연구들에서 Imidafenacin이 수면장애와 야간뇨에 효과를 보였다고 한다.

Imidafenacin은 일본에서 개발되어 대부분의 임상자료가 일본인을 대상으로 하였고 무작위 대조군 연구를 통해 근거수준은 1단계를 받았으나 다른 나라에서 추가로 시행된 연구 결과를 확인하는 것이 필요하다. 효과와 안전성을 고려할 때 0.1mg을 하루 2회 복용하는 것을 치료용량으로 정하고 있다.

② 복합작용제

a. Propiverine

Propiverine은 3가 아민으로서 경구복용 시 신속히 체내로 습수되어 2시간 내에 혈중 최고치에 도달하며 광범위하게 일차통과 간대사(first-pass hepatic metabolism)를 거친다. 대사물 중에서 활성화된 것들도 많을 것이라 예상되나 각각의 대사물들의 작용에 대해서는 아직 규명된 바가 적다. 반감기는 11~14시간이며 신장, 담즙, 대변으로 배설이 이루어진다. 칼슘 길항효과와 항콜린성 작용을 동시에 가지고 있는 약제로 요절박, 절박성 요실금, 도는 혼합성요실금에서 유의한 효과를 보임이 입증되었다. 10mg과 20mg 제형이 있으며, 통상적으로 하루 10~40mg, 하루 한 번 또는 분복하여 복용한다.

b. Oxybutynin

Oxybutynin은 3가 아민으로서 신속히 체내로 흡수되며 일차통과 간대사를 거치게 된다. 혈중 반감기는 약 2시간이나 개인별 차이가 매우 크며, 간에서 cytochrome P450 3A4아형에 의해 광범위한 대사가 일어나 다수의 대사물을 생성하게 된다. 비교적 강력한 항콜린성 작용을 나타내는 전통적인 약제로 항무스카린 작용에 평활근 이완 효과와 국소마취제 효과도 가지고 있다. 평활근 이완 효과는 항무스카린성 작용에 비해 약 1/500 정도로 약하다고 알려져 있다. 소화관에서 신속하게 흡수된 후 간에서 대사되며, 이 대사 산물이 효과나 부작용과 관계하고 있다고 보고 있다. Oxybutynin은 뇌혈관 관문 (blood brain barrier)을 통과하여 중추 신경계의 부작용-인지장해, 기억력 감퇴, 수면 장애 등을 일으킬 수 있으므로 주의하여야 하며, 특히 고령자, 뇌신경질환 환자에서의 사용에는 주의를 요한다. 부작용 경감을 목적으로 여러 가지 제형이 고안되었으나 대부분 서방형 제재로 대체되었다. 일반적으로 하루 5~30mg까지 사용이 가능하며, 적은 용량부터 시작하여 증량하는 식으로 용량의 조절이 필요하기도 하다.

c. Flavoxate

방광 평활근에 대한 Flavoxate의 작용 기전에 대해서는 명확하게 알려져 있지 않다. 이 약제는 항무스카린 작용을 갖고 있지는 않지만, 중등도의 칼슘 길항작용을 가지며, phophodiesterase의 저해 작용이나 국소 평활근 마비 작용도 가지고 있다고 생각되고 있다. 임상 시험에서 유의한 임상 효과가 얻어지지 않았다. 부작용이 거의 없으며 국내에서는 경험적으로 사용되고 있는 약제 중의 하나이다. 200mg 1일 3회 복용한다.

③ 기타 약제

a. Imipramine

방광과 중추 신경계에 동시에 작용하여 요실금을 억제하는 효과가 있어, 요실금에 이용하는 대표적인 삼환계항우울제로 약한 항무스카린 작용, 세로토닌과 노르아드레날린의 재흡수 저해 작용, 항이뇨 작용 등이 있다고 알려져 있다. 그러나 배뇨근과활동성에 대한 작용에 대해서는 아직 자세히 밝혀져 있지 않다. Imipramine을 포함하는 삼환계 항우울제는 기립성 저혈압, 심실성 부정맥 등 심혈관계에 대한 심각한 부작용이 일어날 수 있으므로 주의를 요한다. 또한, 부작용을 줄이기 위해 투약을 시작하거나 중단할 때 용량을 서서히 올리고 줄이는 용량 조절 요법이 필요하다. 배뇨장애의 치료약제로서 Imipramine의 효과와 위험성에 대한 충분한 연구가 없지만 경험적으로 아직도 사용되고 있다.

b. Mirabegron

Mirabegron은 396.5g/mol의 분자량을 가진 물질로, 방광을 조절하는 교감신경으로부터 분비되는 노르아드레날린이 b-아드레날린수용체를 자극하여 배뇨근을 이완시키는 기전으로 작용한다. Mirabegron을 통한 배뇨근이완 기전은 adenylcyclase의 활성화와 cAMP(cyclic adenosine monophgosphate)증가 또는 칼슘의존 칼륨 채널의 열림이 연관 있을 것으로 알려져 있다. a_1 아드레날린수용체가 방광경부와 요도를 수축시키는 반면 b-아드레날린수용체는 방광체부에 존재하면서 배뇨근을 이완시킨다. 사람의 경우 b_1, b_2, b_3 아드레날린 수용체가 모두 존재하지만 배뇨근에는 b_3 수용체 비율이 높은 것으로 알려져 있으며, Mirabegron 사용 시 방광 용적의 증가 및 배뇨 횟수 감소를 예상할 수 있다. 경구복용 시 3~5시간 후 혈중 최대 용량에 도달하게 되고, 주로 간에서 대사되며 반감기는 23~25시간이다. 음식물과 나이는 혈중농도에 영향을 미치지 않으나, 신장이나 간기능 감소 시 약물 용량 조절이 필요하다. 미국 식품의약국 FDA 및 EMEA(European Medicine Agency)가 과민성방광 치료제로 승인했으며, 미국과 캐나다에서는 하루 25mg을 시작 용량으로 하여 50mg을 권장하며, 신기능이나 간기능 감소가 있는 환자에게는 25mg을 권장하고 있다. 또한 약물 상호작용과 관련하여 cytochrome P450 효소 억제가 확인되었으므로 투약에 주의가 필요하다.

방광출구폐색과 하부요로증상이 동반되고 Mirabegron으로 치료받은 남성의 요역동학적 지표를 대상으로 한 연구에서 치료 12주 후 위약군과 비교한 결과 방광수축력지수 및 방광 배뇨 효율성에 부정적인 영향을 미치지 않았으며, 3상 임상연구에서 약물 복용 12주 후 대조군과 비교한 결과 24시간 평균 요실금 횟수 및 배뇨 횟수에서 유의한 감소가 나타났다. 항무스카린제와 다른 약물학적 기전을 보이기 때문에 항무스카린제와의 병용요법도 효과가 있을 것으로 판단된다. Mirabegron은 고혈압이 가장 흔한 합병증으로 나타났으며 항무스카린제에 비해 입안건조, 변비, 요저류 등의 부작용 및 두통, 졸림, 인지장애도 적을 것으로 예상되나 비교연구가 아직 부족한 상태이다.

(2) 행동치료

과민성방광의 행동치료는 생활습관 교정, 방광훈련, 물리치료, 배뇨환경 개선이 포함된다. 행동치료는 비교적 저침습적이고 다른 치료와 병용이 가능하므로 과민성방광의 1차 치료법으로 행해져야 한다. 행동치료는 하부요로 기능장애의 치료에 널리 이용되고 있으며, 특히 요도 괄약근이나 배뇨근 기능장애에 의한 요실금과 감각성 요절박증에 효과적이다. 행동치료 효과의 유효성에 대한 보고는 많이 있으며, 일반적으로 단독치료보다는 약물 치료와 병용하는 것이 더욱 효과적인 것으로 권장되고 있다.

① 생활습관 교정

배뇨와 생활습관의 관련에 대해서는 많은 보고가 있다. 특히, 지나친 수분 섭취, 카페인 섭취의 억제 및 방광의 불안정성을 유발할 수 있는 부산물을 생성할 수 있는 음식물의 섭취 제한, 금연, 체중조절, 적절한 운동, 외출 전과 야간에 취침 직전 배뇨하기 등으로 빈뇨, 요절박, 절박성요실금을 개선할 수 있다. 또한 만성 변비가 있는 환자는 이를 개선함으로써 배뇨 증상의 개선을 도울 수 있다.

② 방광훈련(Bladder training)

기질적인 원인이 없이 빈뇨, 요절박을 호소하는 환자에게 효과를 기대할 수 있는 일차적 치료법이다. 잘못된 배뇨습관을 교정하는 훈련으로 환자에게 배뇨일지를 적게 하고 배뇨장애의 증상과 정상적인 방광과 요도의 기능을 환자가 충분히 인식하도록 교육한다. 실현 가능한 배뇨시간을 정하고, 매번 이를 지키게 한다. 초기 배뇨간격은 환자의 현재 배뇨습관에서 15~30분 정도 증가시켜 시작한다. 2주에서 6주까지, 매주 30분간 배뇨 간격을 늘려가면서 순응도를 관찰하고 결과에 대해 격려한다. 방광훈련 2~3개월 후 효과판정을 한다. 3~4시간 간격으로 배뇨가 조절되면서, 요자제가 가능하고 과민성방광 증상이 소실되었다면 치료에 성공했다고 판정할 수 있다. 치료의 성공에 있어서 가장 중요한 것은 환자의 순응도이며 환자 교육과 긍정적 강화(positive reinforcement)가 중요하다.

③ 물리치료(Physical therapy)

a. 골반저근육운동(Pelvic floor muscle exercise)

골반근육을 의도적으로 수축시킴으로 배뇨근 수축 반사가 억제된다. 따라서, 평소 골반근육 운동을 배워 갑작스런 요의를 느낄 때마다 스스로 골반근육을 수축함으로 배뇨근수축을 억제시키는 방법이다. 1948년 Arnold Kegel이 여성의 복압성요실금의 치료법으로 처음 소개한 후 다양한 방법로 발전되어 왔다. 작용기전은 치골미골근 (pubococcygeus muscle)를 강화시켜 방광경부와 근위부요도를 밀어 올려서 수동적 요자제 능력을 갖도록 하는 것이다. 환자가 어떤 근육을 어떻게 사용하여야 하는가를 인지하는 것이 가장 중요하다. 표준화된 훈련방법은 아직 정립되지 않았으나 일반적으로 양쪽 다리를 살짝 벌린 상태에서 항문을 위로 당겨 올린다는 느낌이 들도록 항문을 조이면서 골반근육을 수축시킨다. 수축운동 후에는 이완운동도 같이 해주어야 효과가 있다. 골반저근육운동은 복압성 요실금의 경우에는 매우 효과적이나, 과민성방광 치료에 대한 효과에 대해서는 아직 정확히 평가할 수 없다.

b. 바이오피드백

바이오피드백 요법은 통상적으로 환자가 인지하지 못하는 생리적 현상을 측정기구 등 여러 가지 방법은 사용하셔 시각, 청각 혹은 촉각으로 인지하게 하여 자발적 조절을 증가시켜 치료에 응용하는 방법이다. 특정한 근육을 정확하게 반복훈련을 시키고 강화 정도를 직접 확인하게 함으로 강한 동기를 부여할 수 있는 장점이 있다. 요실금에 있어서의 바이오피드백 요법은 골반근육운동을 기본으로 하고, 골반 저근의 수축 정도를 알도록 하여 훈련을 효율적으로 하도록 하는 것이다. 치료의 목적이 빈뇨 및 급박뇨, 요실금을 감소시키기 위한 것임으로 방광을 채우고 시행하여야 하며, 일반적으로 1회 30분 정도, 1주 2회 이상, 1개월 이상 치료하여야 한다. 골반저근육운동과 방광훈련을 병용하였을 때 보다 효과적이다.

c. 배뇨환경 개선

배뇨환경 개선은 고령자의 배뇨 관리에서 중요한 방법이다. 과민성방광을 갖는 고령자에 대한 배뇨환경 개선법으로는 시간제배뇨 유도와 패턴배뇨 유도가 있다. 배뇨일지에 따라 환자의 배뇨 간격이나 1일의 배뇨 패턴을 파악한 후에 요실금이 발생하기 전에 일정한 시간 또는 배뇨 패턴에 맞추어 화장실에 가게끔 유도를 하는 것이다.

(3) 전립선비대증이 동반된 과민성방광의 치료

남성에게는 전립선이 있어 과민성방광의 치료에 있어서 전립선 상태를 반드시 고려해야 한다. 종래에는 노인 남성의 하부요로증상은 전립선 비대증 혹은 방광경부폐색 등과 연관된 증상으로 생각하였으나 최근에는 일부는 방광(배뇨근 과활동성, 과민성방광, 배뇨근 저활동성), 신장(야간 다뇨)과 연관성이 있다고 알려져 있다. 그러므로 노인 남성의 과민성방광이 전립선비대증과 관련 없이 존재한다면, 이것은 여성에서의 과민성방광과 같이 치료하는데 별 무리가 없다. 그러나 과민성방광이 일차적인 원인이건 전립선비대증에 의한 이차적인 원인이건 간에 전립선비대증이 존재한다면 항콜린성 약제의 사용에 주의를 기울여야 한다.

과거에는 항콜린성 약제가 전립선비대증 환자에게는 금기였으나, 최근에는 전립선비대증과 과민성방광이 동시에 존재하는 남성의 하부요로증상 환자에서 사용되고 있지만 아직까지 뚜렷한 치료방침이 정해지지는 않았다.

임상적으로 과민성방광이 일차적인지 이차적인지를 알 수는 없지만, 전립선비대증에 의한 이차적인 과민성방광의 경우에는 전립선비대증의 치료제인 알파차단제를 투여하여 전립선의 배뇨증상이 좋아지면 과민성방광 증상이 좋아질 수 있다. 그러나 이차적인 과민성방광이 오래된 경우나, 전립선비대증에 의한 이차적인 과민성방광이 아닌 경우에는 알파차단제로 치료하여도 과민성방광의 증상은 호전되지 않을 수도 있다.

이렇게 전립선비대증과 과민성방광이 같이 동반된 경우 항무스카린제의 투여 시기가 알파차단제 투여 이후에 증상호전 유무를 관찰하고 이차적으로 항무스카린제 투여를 하는 것이 좋은지, 아니면 처음부터 항무스카린제를 투여하는 것이 좋은지에 대해서는 논란의 여지가 있다.

배뇨증상이 호전되지 않으면 5알파환원효소억제제를 투여하거나 수술적 치료가 필요한 것으로 생각되며, 배뇨증상은 호전되었으나 과민성방광 증상의 호전이 없을 때에는 항무스카린제의 치료가 필요한 것으로 생각된다.

대부분의 하부요로증상과 과민성방광에 대한 연구들이 tolterodine 혹은 fesoterodine 등의 일부 약제로만 이루어 졌으며 남성에서의 항무스카린제 사용에 대한 장기 연구는 아직 이루어져 있지는 않으므로 주의를 가지고 처방을 하여야 하며 주기적으로 IPSS와 배뇨 후 잔뇨에 대한 검사를 시행하는 것이 권장된다. 항무스카린제 약물은 중등도에서 심한 하부요로 증상 환자 중 방광 저장 증상이 더 심한 환자에서 사용을 고려해 볼 수 있으며 방광 출구 폐색환자에서는 사용에 주의를 요한다.

5) 결론

남성에서 발생하는 하부요로증상이 전립선에서만 기인한 것이 아니라는 것을 인지하는 것이 남성 과민성방광의 효과적인 치료의 시발점이 될 것이다. 과민성방광의 일차치료는 행동치료와 약물치료이며, 약물치료로는 항무스카린제가 근간을 이룬다. 방광출구폐색이 동반된 남성 과민성방광 치료 시 항무스카린제의 단독치료는 권장되지 않으며 알파차단제와 항무스카린제와의 병합 요법이 권장된다.

2. 야간뇨

야간뇨는 반드시 배뇨 전후에 수면이 동반되어야 하며, 수면 중 적어도 1회 이상 소변을 보기 위해 일어나는 것으로 정의된다. 야간뇨는 2회 미만의 경우 크게 괴로움을 호소하지 않으나, 2~3회 이상으로 많아질수록 괴로움과 연관 증상도 심각해진다. 하부요로증상 중 일상생활에서 가장 불편하고 귀찮은 스트레스로 작용하고 있으며 야간뇨로 인한 수면의 단절은 충분한 수면을 방해하여 주간 활동에도 심각한 영향을 준다. 고령의 남성은 72% 이상이 수면중 적어도 1회 이상의 야간뇨를 경험하고 이중 24%는 3회 이상 배뇨를 한다고 보고되고 있다.

야간뇨는 전통적으로 전립선비대증이나 과민성방광과 연관된 저장증상으로 인식되어 방광출구폐색을 치료하기 위한 약물치료나 수술치료가 시행되었으나 야간뇨에 대한 치료 효과는 불충분한 경우가 많았다. 최근에 야간뇨는 독립적인 병태생리를 가지고 있는 것으로 생각되고 있으며 치료에 대한 패러다임에도 많은 변화가 있었다. 본 장에서는 야간뇨의 원인, 진단 및 치료 방법 등에 대해 정리해 보려 한다.

1) 원인

야간뇨의 원인은 크게 비뇨기적 원인과 전신적 원인으로 나눌수 있으며 비뇨기적 원인으로는 방광용적 감소, 야간 다뇨, 배뇨근 과활동, 혼합형 야간뇨가 있으며 기타 전신질환과 관련된 원인으로는 당뇨, 요붕증, 일차적 다음증 등으로 인한 다뇨, 수면장애, 심혈관계 질환 등이 있다.

(1) 다뇨

다뇨는 24시간 요생성량이 40ml/kg 인 경우로 정의하며 기저질환으로 당뇨, 요붕증, 과칼슘혈증 등과 특별한 원인 없이 물을 많이 마시는 경우 발생하며 이뇨제, 선택적세로토닌재흡수차단제, 칼슘통로차단제 등과 같은 약물에 의해서도 발생할 수 있다.

(2) 야간 다뇨(nocturnal polyuria)

야간 다뇨는 야간뇨 환자의 60~80%에서 발견되는 중요한 야간뇨의 원인이다. 야간 다뇨는 24시간 총 소변량은 정상이나 주간 소변량에 비해 상대적으로 야간의 소변량이 증가되어 있는 상태이다. 정상적으로는 수면 중 항이뇨호르몬 분비의 증가로 인해 야간의 소변량이 야간방광용적 이하로 감소되어 있어야 한다. 그러나 노화가 진행되면서 항이뇨호르몬의 분비가 감소하고 호르몬에 반응하는 신장 사구체의 수가 감소하게 되어 야간 소변량이 증가하는 야간 다뇨가 발생하게 된다. 항이뇨호르몬 분비의 변화 이외에도 야간 혹은 저녁시간의 과다 수분섭취, 심부전, 폐쇄성수면무호흡증, 저알부민혈증 등과 같은 질환에 의해서 이차적으로 야간 다뇨가 발생할 수도 있다.

(3) 방광용적감소

방광용적감소로 인한 야간뇨는 야간의 기능적 방광용적이 감소하여 야간 배뇨량이 기능적 방광용적을 넘어서기 때문에 발생한다. 야간방광용적의 감소를 유발하는 원인으로는 전립선비대증과 같은 방광출구폐색, 과민성방광, 신경인성방광, 요로감염 등이 있다.

(4) 수면장애

배뇨일지 상에서 이상이 발견되지 않는 경우 수면장애로 인한 야간뇨를 의심할 수 있다. 불면증, 하지불안증후군, 기면증 등과 같은 일차성 수면장애와 심부전, 만성폐쇄성폐질환, 내분비 장애 등에서 기인하는 이차성 수면장애, 파킨슨병, 치매, 간질, 우울증 등과 같은 신경, 정신과적 원인으로 인한 수면장애가 모두 야간뇨의 원인으로 작용할 수 있다.

(5) 혼합형 야간뇨

야간다뇨와 방광용적 감소가 함께 나타나는 경우

로, 한 연구에 의하면 전체 야간뇨 환자들 중 약 36%에서 혼합형 야간뇨가 관찰되었다.

2) 야간뇨의 진단

야간뇨의 진단을 위해서 우선 수면습관, 수분섭취량, 내과적 질환의 동반 유무, 약물 등에 대한 자세한 환자의 병력청취가 필요하다. 또한 전립선비대증, 과민성방광 등과 같은 배뇨장애에 대한 기본적인 평가가 필요하다.

야간뇨의 진단에 중요한 검사로 배뇨일지(Voiding diary)가 있는데 3일 동안 환자의 배뇨 양상에 대해 기록하는 것이다. 최근에는, 잘 작성되었을 경우 24시간 배뇨일지로 충분하며, 더 오랜 기간 동안 배뇨일지를 작성해도 추가적인 정보는 제공하지 않는다고 보고되기도 했다. 배뇨일지에는 매회 각각의 배뇨량과 배뇨기간, 기상 및 수면시간이 기록되어야 한다. 다음과 같은 지수가 주로 사용되고 있다.

(1) 야간다뇨지수(Nocturnal polyuria index, NPI)

야간다뇨지수는 배뇨일지에서 24시간 전체배뇨량에 대한 야간뇨량의 비율로 나타나며 야간다뇨지수가 젊은 성인의 경우 20%, 고령 환자의 경우 33%를 넘는 경우 야간다뇨로 진단할 수 있다. 야간뇨량은 취침 후로부터 야간에 배뇨한 요량으로 하며 아침 첫 소변량을 포함한다.

(2) 야간방광용적지수(Nocturnal bladder capacity index, NBCI)

야간방광용적지수는 실제야간뇨횟수와 예측야간뇨횟수의 차이로 나타내며 야간방광용적지수가 0을 넘는 경우 야간방광용적감소로 진단할 수 있다.

배뇨일지는 매우 많은 정보를 제공해 줄 수 있는 훌륭한 도구이지만 실제 임상에서의 적용에는 여러 가지 문제점이 있다. 환자 입장에서는 사회생활을 하는 젊은 환자의 경우 3일간 충실하게 배뇨패턴을 기술하여 오기가 버거운 것이 사실이며 고령 환자의 경우 배뇨일지 기술방법을 잘 이해하지 못하는 경우가 많다. 의사 입장에서는 파편화된 배뇨일지에서는 거의 정보를 얻을 수가 없고, 잘 기술된 배뇨일지의 경우도 한정된 진료시간 내에 배뇨량과 횟수를 파악하여 계산식에 대입하는 시간이 부족하다는 단점이 있다. 그러나 비뇨기과 의사로서의 전문성을 발휘할 수 있는 영역이므로 환자 교육을 통해 적극적으로 사용할 수 있도록 하여야 한다.

3) 야간뇨의 치료

배뇨일지 및 검사결과 등에 따라 각각의 환자 별로 맞춤형 치료가 필요하다.

(1) 다뇨

다뇨는 기저질환 및 수분섭취량의 증가와 관계가 있으므로 기저질환의 치료 및 수분섭취를 줄이도록 하고 보조적으로 항이뇨호르몬인 Desmopressin을 투여할 수 있다.

(2) 야간 다뇨

야간 다뇨의 치료로는 약물치료, 수면 6~8시간 전 이뇨제 복용, 저녁시간 이후 수분섭취의 제한, 하지거상 (leg elevation), 압박스타킹 착용 등이 있다. 배뇨일지를 통한 원인의 파악이 중요하며 일반적으로 오후 5시 이후에는 수분 섭취를 줄이게 하고 야간다뇨지수가 높을 경우에는 항이뇨호르몬제 투여를 고려하여야 한다. Desmopressin은 항이뇨 효과가 있으면서 혈관수축 효과는 없는 합성 바소프레신 유사제로 요삼투압을 증가시키고 총 요량을 감소시키는 작용을 하는데, 일반적으로 첫번째 야간배뇨까지의 시간을 연장시키고 야간뇨의 횟수, 야간뇨량을 감소시켜 야간뇨를 치료하는 것으로 알려져 있다. 최초 투약 용량은 0.1mg으로 1주간 유지한 후 0.1~0.4mg 범위 내에서 환자의 약물 반응 및 부작용을 고려하여 용량을 조절한다. 부작용은 흔하지는 않으나 두통, 오심, 어지럼증, 수분 저류, 저나트륨혈증이 발생할 수 있다. 저나트륨혈증은 65세 이상 노인 환자에서 발생빈도가 높으므로 Desmopressin 치료 전 반드시 혈중 나트륨 수치에 대한 검사를 시행하여 위험성이 있는 환자에서는 약물투여를 피해야 하며 치료 중 혈중 나트륨 수치에 대한 관찰이 필요하다.

(3) 방광용적감소

전립선비대증과 같은 방광출구폐색, 과민성방광, 신경인성방광, 요로감염 등과 같은 질환들이 야간뇨를 유발할 수 있으므로 이러한 원인 질환들이 있는 경우에는 이에 대한 치료가 필요하다. 알파차단제가 효과적으로 널리 사용되고 있으며 야간방광용적 감소에 의한 야간뇨 환자에게는 항콜린제가 사용될 수 있다.

4) 야간뇨와 남성호르몬

하부요로증상 중에서 특히 야간뇨는 수면장애와 밀접한 관계가 있고, 수면장애로 인한 야간뇨가 생기기도 하며 야간뇨로 인한 수면의 부족이 생기기도 한다. 또한 남성호르몬의 저하로 인한 발기부전, 성욕감퇴 등 남성갱년기증후군의 증상들과 야간뇨가 연관이 있다는 보고들이 있다. 이러한 수면 패턴의 변화는 생체리듬에 따라 일주기성 분비를 하는 남성호르몬의 분비량에 영향을 줄 것으로 생각되며 최근의 연구들에서는 야간뇨와 남성호르몬 분비의 음의 상관관계가 제시되기도 하였다. 하지만 현재까지 대규모 연구는 부족한 상태이다.

5) 결론

야간뇨는 여러 가지 원인을 가지는 질환으로 연령이 증가함에 따라 발생빈도가 증가하며 삶의 질에 중요한 영향을 미친다. 야간뇨의 진단 및 치료는 환자에 따라 다르게 적용되어야 하며 배뇨일지를 통한 환자의 배뇨 양상 파악이 필수적이다. 치료는 환자의 생활습관을 바꾸는데서 시작하며, 야간뇨의 주 원인인 야간 다뇨를 염두에 두고 복합적인 약물 치료를 시행하여야 한다.

참고문헌

1. Abrams P, Cardozo L, Fall M, Griffiths D, Rosier P, Ulmsten U, et al. The standardization of terminology in lower urinary tract function: report from the standardization sub-committee of the international Continence Society. Urology 2003;61:37-49.
2. Abrams P, Kaplan S, De Koning Gans HJ, Millard R. Safety and tolerability of tolterodine for the treatment of overactive bladder in men with bladder outlet obstruction .J Urol 2006;175:999-1004.
3. Andersson KE, Yoshida M. Antimuscarinics and the overactive detrusor-which is the main mechanism of action? Eur Urol 2003;43:1-5.
4. Andersson, KE. Antimuscarinics for treatment of overactive bladder. Lancet Neurol 2004;3:46-53.
5 Athanasopoulos A, Gyftopoulos K, Giannitsas K, Fisfis J, Perimenis P, Barbalias G. Combination treatment with an alpha-blocker plus an anticholinergic for bladder outlet obstruction : a prospective, randomized, controlled study. J Urol 2003;169:2253-2256.
6. Bae JH, Oh MM, Shim KS, Cheon J, Lee JG, Kim JJ, et al. The Effects of Long-Term Administration of Oral Desmopressin on the Baseline Secretion of Antidiuretic Hormone and Serum Sodium Concentration for the Treatment of Nocturia: A Circadian Study. J Urol. 2007;178:200-203.
7. Chapple CR, Khullar V, Gabriel Z, Dooley JA. The effects of antimuscarinic treatments in overactive bladder: A systematic review and meta-analysis. Eur Urol 2005;48:5-26.
8. Darblade B, Behr-Roussel D, Oger S, Hieble JP, Lebret T, Gorny D, et al. Effects of potassium channel modulators on human detrusor smooth muscle myogenic phasic contractile activity: potential therapeutic targets for overactive bladder. Urology

2006;68:442-448.

9. Dmochowski RR, Gomelsky A. Overactive bladder in males. Ther Adv Urol. 2009 Oct;1:209-221.

10. Gallegos PJ, Frazee LA. Anticholinergic therapy for lower urinary tract symptoms associated with benign prostatic hyperplasia. Pharmacotherapy 2008;28:356-365.

11. Gratzke C, Bachmann A, Descazeaud A, Drake MJ, Madersbacher S, Mamoulakis C, et al. EAU Guidelines on the Assessment of Non-neurogenic Male Lower Urinary Tract Symptoms including Benign Prostatic Obstructoni. Eur Urol. 2015; 67:1099-1109.

12. Hoshiyama F, Hirayama A, Tanaka M, Taniguchi M, Ohi M, Momose H, et al. The Impact of Obstructive Sleep Apnea Syndrome on Nocturnal Urine Production in Older Men With Nocturia. Urology. 2014 ;84:892-896.

13. Irwin DE, Milsom I, Hunskaar S, Reilly K, Kopp Z, Herschorn S, et al. Population-based survey of urinary incontinence, overactive bladder, and other lower urnary tract symptoms in five countries: results of the EPIC study. Eur Urol 2006;50:1306-1314.

14. Jaffe WI, Te AE. Overactive bladder in the male patient: Epidemiology, etiology, evaluation and treatment. Cunn Urol Rep 2006;6:410-418.

15. Kaplan SA, Roehrborn CG, Rovner ES, Carlsson M, Bavendam T, Guan 2. Tolterodine and tamsulosin for treatment of men with lower urinary tract symptoms and overactive bladder: a randomized controlled trial. JAMA 2006;296:2319-2328.

16. Kaplan SA, Walmsley K, Te AE. Tolterodine release attenuates lower urinary tract symptoms in men with benign prostatic hyperplasia. J Urol 2005;174:2273-2276.

17. Khullar V, Amarenco G, Angulo JC, Cambronero J, H ø ye K, Milsom I, et al. Efficacy and Tolerability of Mirabegron, a b3-Adrenoceptor Agonist, in Patients with Overactive Bladder: Results from a Randomised European?Australian Phase 3 Trial. Eur Urol. 2013 ;63: 283-295.

18. Kim JW, Chae JY, Kim JW, Yoon CY, Oh MM, Park HS, et al. Can Treatment of Nocturia Increase Testosterone Level in Men With Late Onset Hypogonadism? Urology. 2014 ;83:837-842.

19. Kim MK, Zhao C, Kim SD, Kim DG, Park JK, et al. Relationship of sex hormones and nocturia in lower urinary tract symptoms induced by benign prostatic hyperplasia. Aging Male. 2012;15:90-95.

20. Lee JY, Kim HW, Lee SJ, Koh JS, Suh HJ, Chancellor MB. Comparison of doxazosin with or without tolterodine in men with symptomatic bladder outlet obstrucition and an overactive bladder. BJU lnt 2004; 94:817-820.

21. Liao CH, Chiang HS, Yu HJ. Urology, et al. Serum Testosterone Levels Significantly Correlate With Nocturia in Men Aged 40-79 Years. Urology. 2011;78: 631-635.

22. Marshall SD, Raskolnikov D, Blanker MH, Hashim H, Kupelian V, Tikkinen KA, et al. Nocturia: Current Levels of Evidence and Recommendations From the International Consultation on Male Lower Urinary Tract Symptoms. Diseases. Uroloqy. 2015;85:1291-1299.

23. McConnell JD, Roehrborn CG, Bautista OM, Andriole GL Jr, Dixon CM, Kusek JW, et al. The Long-Term Effect of Doxazosin, Finasteride, and Combination Therapy on the Clinical Progression of Benign Prostatic Hyperplasia. N Engl J Med. 2003;349:2387-2398.

24. McVary KT, Roehrborn CG, Avins AL, Barry MJ, Bruskewitz RC, Donnell RF. Et al. Update on AUA guideline on the management of benign prostatic hyperplasia. J Urol. 2011;185:1793-1803.

25. Shiqehara K, Konaka H, Koh E, Izumi K, Kitaqawa Y, Mizokami A, et al. Effects of testosterone replacement therapy on nocturia and quality of life in men with hypogonadism: a subanalysis of a previous prospective randomized controlled study in Japan. Aqinq Male 2015;18:169-174.

26. Thomas AW, Cannon A, Bartlett E, Ellis-Jones J, Abrams P. The natural history of lower urinary tract dysfunction in men: minimum 10-year urodynamic follow-up of untreated bladder outlet obstruction. BJU lnt 2005;96:1301-1306.

27. van Kerrebroeck P, Andersson KE, et al. Terminology, Epidemiology, Etiology, and Pathophysiology of Nocturia. Neurourol Urodyn. 2014;33:S2-5.

28. van Kerrebroeck P, Rezapour M, Cortesse A, Thüroff J, Riis A, Nørgaard JP, et al. Desmopressin in the treatment of nocturia: a double-blind, placebo-

controlled study. Eur Urol. 2007;52:221-229.

29. Weiss JP, Bosch JL, Drake M, Dmochowski RR, Hashim H, Hijaz A, et al. Nocturia Think Tank: Focus on Nocturnal Polyuria: ICI-RS 2011. Neurourol Urodyn. 2012 Mar;31:330-339.

30. Yassin DJ, El Douaihy Y, Yassin AA, Kashanian J, Shabsigh R, Hammerer PG, et al. Lower urinary tract symptoms improve with testosterone replacement therapy in men with late-onset hypogonadism: 5-year prospective, observational and longitudinal registry study. World J Urol. 2014;32:1049-1054.

찾아보기 INDEX

색인

ㄱ

가압식 세척법 ······ 114
간극결합 ······ 236
간질성방광염 ······ 552, 571, 675, 692
감돈포경 ······ 491, 492
감정자증 ······ 63, 72
갑상선기능저하증 ······ 91
갑상선기능항진증 ······ 91
개복전립선적출술 ······ 738
건강증진 ······ 421
겸상 적혈구성 빈혈 ······ 471
경결 ······ 481
경구피임약 ······ 552, 562
경요도사정관절제수술 ······ 147, 724
경요도전립선절제술증후군 ······ 736
경직장 전기자극요법 ······ 462
경직장 초음파검사 ······ 719
경직장초음파검사 ······ 748
경피적 부고환정자흡입술 ······ 123
고용량 남성호르몬 ······ 95
고인슐린혈증 ······ 182, 266, 267
고주파침박리술 ······ 738
고프로락틴혈증 ······ 51, 90, 281, 385, 542
고프로락틴혈증의 원인 ······ 254
고혈류성 지속발기증 ······ 288, 472
고환 내 원형정자 세포주입 ······ 140
고환 touch preparation ······ 84
고환기능부전과 ······ 583
고환도대 ······ 9
고환도대정맥 ······ 117
고환보형물 ······ 518
고환생검 ······ 38
고환수 ······ 11
고환정자채취술 ······ 137, 167
고환조직미세흡입술 ······ 125, 148
고환조직의 냉동 보전 ······ 169
고환조직정자채취술 ······ 123, 126
고환조직정자흡입술 ······ 123
고환종양 ······ 159
골다공증 ······ 611
골반신경 ······ 191
골반신경총 ······ 201, 216, 433
과민성방광 ······ 273
과장포피 ······ 491
교감신경차단제 ······ 277
교차 술식 ······ 111
구부요도 ······ 288
구해면체 반사 ······ 326
구해면체 반사시간검사 ······ 326
국제남성갱년기학회 ······ 627
국제발기능지수 ······ 299, 301
국제성의학회 ······ 444, 446
국제전립선증상점수 ······ 634
극초단파 열치료 ······ 245
극치감장애 ······ 280, 528, 553
근전도 ······ 320, 558

근치적 전립선적출술 245
글루탐산염 190
급성세균성전립선염 666
급속동결법 164
기형정자증 72

ㄴ

나선동맥 190, 214
난자세포질내정자주입법 71
난포자극호르몬 297, 579
난황주위공간 43, 45
남성갱년기 33, 252
남성불임 42
남성호르몬 66, 90, 132, 191, 207
남성호르몬 수용체 조절자 644
남성호르몬결합단백질 19
남성호르몬박탈요법 604
남성호르몬보충요법 627
남성호르몬수용체 40, 91
남성호르몬수용체 이상 52
납 164
낭종성섬유화증 50, 51, 160
내시각 교차전 구역 190, 200, 205
내인성 94
내피성 NOS 202
내피세포기능부전 602
농정액증 78, 92, 667, 674
뇌실결핵 190, 200, 205, 436
뇌하수체 종양 65, 90
뇌하수체기능평가 555
누정 206, 433
누정기 433

ㄷ

다발성경화증 53, 93, 548
다운증후군 150
다정자수정 45, 136
다중적 고환조직정자채취술 148
단백동화스테로이드 91
단측연결술 109
당뇨 93, 180
당뇨 합병증 259
당뇨성 신경병증 259
당화혈색소 297
대사증후군 182, 257
도출정맥 189, 196
도파민 190
동결 보존 156, 165
동결고환조직 137
동결정자 165
동화스테로이드 31

ㄹ

레이저도플러질혈류측정법 556
로봇 복강경 신경보존근치적전립선적출술 245

색인

ㅁ

마리화나 ··· 281
매사추세츠 남성노화연구 ··· 226
무사정증 ··· 93
무정액증 ··· 69
무정자증 ··· 69, 83
무후각증 ··· 53
미세 단일관 부고환정관연결술 ··· 110
미세수술적 고환조직정자채취술 ··· 128, 130
미세수술적 부고환정자흡입술 ··· 125

ㅂ

반사성 발기 ··· 200, 242
반응성 산소화합물 ··· 259
반응성산소기 ··· 93
발기부전 ··· 259, 263, 285
발기유발제 주사 후 수지자극검사 ··· 331
방향화 효소억제제 ··· 96
배부신경 ··· 201
배우자간인공수정 ··· 156, 162
변형 단층연결술 ··· 104
보조생식술 ··· 49, 116, 123
보중익기탕 ··· 98
부고환 ··· 9
부고환 정관문합술이나 ··· 72
부분투명대절개법 ··· 136
부신성기증후군 ··· 52
분할사정법 ··· 159
비만 ··· 169, 182
비배우자간인공수정 ··· 156, 162
비스테로이드성 소염제 ··· 98
비아그라 ··· 346
비음낭 패치 ··· 642
비정형정자증 ··· 64
비타민 A, C, E ··· 98
비폐쇄성 무정자증 ··· 123

ㅅ

사정관폐쇄 ··· 60, 69
사정불능증 ··· 462
사정장애 ··· 89
산소반응물질 ··· 82
산화제거능력 ··· 83
산화질소 ··· 190, 202, 214, 357
산화질소합성효소 ··· 202
생명윤리 및 안전에 관한 법률 ··· 157
생식선발생장애 ··· 7
생식세포결정인자 ··· 5
생식세포무형성증 ··· 128, 130, 148
생체이용가능 테스토스테론 ··· 252
서톨리세포 ··· 7
선천부신과다형성 ··· 90
선천성정관무형성증 ··· 54
선택적 내음부동맥조영술 ··· 339
성 정체성변화 ··· 242

성 치료 353
성교 후 검사 78
성교시 두통 240
성교전파성질환 157, 160
성기능장애 177
성선기능부전 259
성선기능저하증 53, 91, 149, 182, 249
성선발생장애 15
성선자극호르몬 65, 90, 94
성숙정지 84, 127
성욕 249
성욕감퇴장애 225
성장호르몬 96
세로토닌 206, 215
세로토닌 수용체 억제제 362
세포결정인자 5
세포질내 정자주입법 93, 107
수출세관 18
시상하부 190, 200, 205
시청각성자극발기검사 322
시험관수정 83
신경원성 NOS 216
신경인성 발기부전 239
신경혈관속 296
심배부정맥 188, 197
심인성 발기부전 226
심혈관계질환 231

ㅇ

아시아태평양 성의학회 xxi
아시아태평양 남성갱년기학회 xxi
안드로겐 23, 30
안드로겐 수용체 27
알츠하이머병 241
알파차단제 93
액화질소 156, 164
야간수면중 음경발기 208, 319
약정자증 64, 72, 123
에스트라디올 91, 563
에스트로겐 168, 281
에스트로겐수용체 차단제 91
여성성기능장애 525, 530
여성형유방 52
여성호르몬 554
역분화 만능줄기세포 511
역행성사정 93, 463
열충격단백질 38
옥시토신 437, 438, 535
온열요법 735
외성기 혈류검사 555
요도능선 20
요도동맥 663
요역동학검사 675, 748
원발성조루증 445
원시생식세포 5, 36
위약 효과 645

색인

유도다능줄기세포 511
유사표피낭 500
유전자치료 425
음경 재혈관화 수술 385
음경단축술 485
음경만곡 416, 499
음경백막 396, 481, 509
음경보형물 415
음경보형물삽입술 381, 395
음경연장술 486
음경재건술 504
음경재혈관화수술 388
음경재활치료 412
음경지속발기증 471
음경해면체 13, 473, 569, 595
음경해면체 각부결찰술 389
음경해면체 단락설치술 476
음경해면체 혈액 천자흡인술 474
음경혈류검사 471
음경확대술 492
음낭 패치 642
음낭 피부판 502
음낭피부판 유리이식 502
음낭피부판 전진이식 502
음부신경 533
음핵 525, 526
인슐린양성장인자 1 585
인슐린저항성 595, 600
인슐린저항성 증후군 600
인지능력 620
인히빈 19
일차성삭 7

ㅈ

자가면역질환 583
자가진피지방이식술 493
자기공명영상법 556
잠복고환 9
장골-하복-음부동맥분지 폐쇄질환 555
재생의학 509
저성선자극호르몬성선저하증 89
저혈류성은 지속발기증 472
적혈구증가증 647
전립선마사지 669
전립선비대증 462, 646, 665
전립선암 665, 676
전립선액 669, 673
전립선액검사 671
전립선특이항원검사 676
정조세포 35
정계정맥류 694
정관조영술 80, 108
정구 11, 20
정맥색전술 390
정모세포 35
정세포 35

정신심리 치료 ··· 707
정액검사 ··· 674
정액주입 ··· 145
정원세포 ··· 7
정자침투검사 ··· 75
정자형성 저하 ··· 84
정자형성과정 ··· 30
제2형 당뇨병 ··· 599
조루증 ··· 443
조직공학 ··· 509
조혈기능 ··· 583
주름성형술 ··· 486
줄기세포 ··· 510
지방조직 줄기세포 ··· 428
지속발기증 ··· 471
지주세포 ··· 580
지주세포증후군 ··· 51
직장수지검사 ··· 473, 648
진공압축기 ··· 379
진동각측정기 ··· 452
진피지방이식 ··· 498
질 ··· 525
질 도말검사 ··· 553
질광혈류량측정법 ··· 555, 556
질내 사정지연시간 ··· 446
질내 pH 검사 ··· 553
질동맥 ··· 526
질벽의 산소분압및 온도변화 측정법 ··· 555
질유순도 검사법 ··· 558
질윤활작용 ··· 529
질전정염 증후군 ··· 571

ㅊ

첨체반응 ··· 40
체질량지수 ··· 614
최고 수축기혈류속도 ··· 556
최대유순도 ··· 558

ㅋ

콘딜로마 ··· 491
클라인펠터증후군 ··· 52

ㅌ

태아줄기세포 ··· 510
테스토스테론 ··· 535, 554, 564, 582, 619, 633

ㅍ

파골세포 ··· 611
파라핀종 ··· 501
파킨슨병 ··· 241, 714
파파베린 ··· 332
페이로니병 ··· 481
펜톨아민 ··· 332
포경수술 ··· 491
포피륜 협착 ··· 491

색인

프로게스테론 ········· 534
프로락틴 ········· 555, 580

ㅎ

하복벽동맥-배부동맥 문합술 ········· 386
하복벽동맥-심배부정맥 ········· 388
하부요로증상 ········· 460, 634
한조각 팽창형 보형물 ········· 397
항문괄약근 긴장도 ········· 630
항섬유소용해 ········· 462
항에스트로겐 ········· 566
항염증제 ········· 703
항정자항체 ········· 92
항콜린제 ········· 553
해면체내 주사요법 ········· 374
현수인대절단술 ········· 494, 501
혈관활성장 펩타이드 ········· 536
혈액가스검사 ········· 471
혈액고환관문 ········· 25
혈액고환장벽 ········· 77
혈정액증 ········· 459
황체형성호르몬 ········· 23
황체화호르몬 ········· 579
후기발현 성선기능저하증 ········· 622
후천성조루증 ········· 446
흑색정액증 ········· 460
히알루론산 분해효소 ········· 39

A

α-adrenergic blocking agents ········· 279
α-methyldopa ········· 277
α-MSH ········· 362
α-tocopherol ········· 94
acetylcarnitine ········· 97
acetylcholine ········· 201, 217
acrosine ········· 81
acrosome reaction ········· 40
activin ········· 580
Acu-form ········· 396
Acute Bacterial Prostatitis ········· 667
adenosine triphosphate(ATP) ········· 98
Adenylyl cyclase ········· 214
adrenogenital syndrome ········· 52
adult stem cells ········· 510
Advancement Flap ········· 502
Aging Males' Symptoms (AMS) rating scale 299
alfuzosin ········· 93, 725
alginate ········· 511
alprostadil ········· 347
Alteration of sexual identity ········· 242
Alzheimer' s disease ········· 241
Ambicor ········· 397
anabolic steroid ········· 31, 91
anastrozole ········· 91
Androgen Deficiency in Aging Males (ADAM) ········· 622, 299

androgen deprivation treatment ······ 260
androgen insufficiency syndrome ······ 565
androgen receptor; AR ······ 27
androgen-binding protein, ABP ······ 19
andropause ······ 33
androstenediol ······ 554
androstenedione ······ 554, 566
Anejaculation ······ 93, 462
angiotensin ······ 231
antifibrinolytic ······ 462
Antisperm antibody ······ 92
Apomorphine ······ 205, 347
appendix testis ······ 11
Apron 법 ······ 502
aquaporins ······ 529
Aromatase ······ 96
aromatase inhibitors ······ 644
artificial insemination by donor: AID ······ 155, 156
artificial insemination by husband: AIH 155, 156
ascorbic acid ······ 94
aspermia ······ 69
assisted reproductive technology, ART ······ 145
asthenospermia ······ 72
astrocytoma ······ 242
atenolol ······ 240
Audiovisual sexual stimulation test, AVSS ··· 322
autologous dermal fat graft ······ 493
Autonomic nervous system ······ 328
Azithromycin ······ 704
Azoospermia Factor(AZF) ······ 40, 83, 150

B

Beck depression inventory; BDI ······ 310
bimix ······ 332
bioavai- lable T, bT ······ 252
Bipedicle Scrotal Flap ······ 502
BISF (Brief Index of Sexual Function for Women) ······ 552
bisphosphonate ······ 639
blood-testis barrier ······ 25, 77
body mass index, BMI ······ 614
bradykinin ······ 97
bremelnotide ······ 568
Brief Male Sexual Function Inventory (BMSFI) 299
Buck' s fascia ······ 185, 500
Bulbocavernous reflex latency, BCRL ······ 326
bupropion hydrochloride ······ 562
buserelin ······ 90

C

C fiber ······ 201
Ca^{2+} 통로 ······ 427
cabergoline ······ 90, 254
Caffeine ······ 98
CAG-repeat sequence ······ 91
calcitonine gene related peptide (CGRP) ······ 231

색인

calcium sensitization 215
calmodulin 205
cAMP(cyclic adenosine monophosphate) ... 203
Capacitation 42
carverject 346
cavernosal artery 188
cavernosal artery systolic opening pressure; CASOP 338
ceftriaxone 92
cell survival theory 498
CFTR(cystic fibrosis transmembrane regulator) 149
cGMP (cyclic guanosine monophosphate) ... 214
Chlamydia trachomatis 78, 92
cholinestrase inhibitor 243
Chronic Bacterial Prostatitis 667
chronic prostatitis 667
cimetidine 254
ciprofloxacin 92, 681
Circumcision 491
citrate 91
clitoris 525
clomiphene 91
clomipramine 453
Clonidine 96, 277
cm/sec, PSV 556
cognitive behavioral therapy and psychotherapy 707
Combined intracavernous injection and stimulation test 331
Comet 검사 79
Congenital adrenal hyperplasia, CAH 90
corpus cavernosum 13, 187
corticosteroid 682
cortisol 555
crick bat 504
crista urethralis 20
Crossover Procedures 111
cryopreservation 129
cryptorchidism 9
cyclic guanosine monophosphate, cGMP ... 263
cyclosporin 92
cyproterone 53
cytochrome p-450 isoenzyme 360

D

dapoxetine 451
deep dorsal vein 188, 197
Dehydroepiandrosterone (DHEA) 385, 422
DHEA-sulfate (DHEA-S) 368, 535
Diabetes mellitus 244
diazepam 683
dibromochloropropane 53
diclofenac sodium 98
digital rectal exam, DRE 646
dihydrotestosterone (DHT) 270, 611

DNA Integrity Test ······ 79
dopamine ······ 190, 435
dorsal nerve ······ 201
Dorsal nerve conduction velocity ······ 325
doxazosin ······ 93, 269
doxycycline ······ 92
Dual-Sex Therapy ······ 352
Duplex doppler ultrasonography ······ 556
Dynaflex ······ 346
Dynamic infusion cavernosometry and cavernosography, DICC ······ 336
dyslipidemia ······ 257

E

electroejaculation ······ 243
embryonal stem cells ······ 510
emissary vein ······ 189, 196
emission ······ 433
emission phase ······ 433
EMLA™ 크림 ······ 452
empty epididymis syndrome ······ 108
end diastolic velocity, EDV ······ 333, 556
End-to side anastomosis ······ 109
endothe- lins ······ 213
endothelial NOS (eNOS) ······ 216, 426
endothelium derived relaxing factors, EDRF 203
Endothelium-derived hyperpolarizing factor (EDHF) ······218
Enhancement phalloplasty ······ 492
augmentation penoplasty ······ 492
penile lengthening and girth enhancement ··· 492
ephedrine ······ 93
epidermoid cyst ······ 500
Epididymovasostomy ······ 108
EPS; expressed prostatic secretion ······ 671
Erectile Dysfunction Inventory of Treatment Satisfaction (EDITS) ······ 299
Erection Hardness Score (EHS) ······ 299
erythromycin ······ 53
estradiol ······ 96, 563
Estrogen ······ 533
estrone ······ 554

F

F2 α ······ 215
Female sex hormone ······ 554
Female Sexual Dysfunction ······ 541
fertilization ······ 35
fetal stem cells ······ 510
finasteride ······ 462, 610
fine needle aspiration, FNA ······ 148
fluoxetine ······ 439
fluoxymesterone ······ 640
Fluvoxamine ······ 453
follicle-stimulating hormone, FSH ······ 252
follicular stimulating hormone ······ 297

free testosterone 297, 564
frictional tension 525
fructose 69
FSFI (Female Sexual Function Index) 552
Furlow-Fisher 수술 388

G

gammaamino-butyric acid (GABA) 435
gap junction 236, 746
gentamycin 53
germ cell aplasia 127
germ cell determin- ants 5
Global Study of Sexual Attitudes and Behaviors (GSSAB) 443
glutamate 190
glycosylated hemoglobin 297
GnRH 자극검사 65
gonadal dysgenesis 7, 15
gonadotropin releasing hormone, GnRH ··· 23, 65
Gravity infusion cavernosometry 338
Growth hormone 96

H

haloperidol 93
Hauri 수술 386
hCG/hMG 병합요법 90
helicine artery 190, 214
Hemizona assay 82
hemizona index 82
hippocampus 190, 612
host cell replacement theory 498
Hox-1 37
hSlo cDNA 427
HSP70 38
human chorionic gonadotropin(hCG) 90
human menopausal gonadotropin(hMG) 90
Hyaluronic acid 497
hyaluronidase 39, 43, 81
Hyperprolactinemia 90, 253
Hypersexual disorders 242
Hyperthermia 735
hypo-osmotic sperm swelling test (HOST) 82
hypoactive sexual desire disorder, HSDD ··· 225
hypogonadism 182, 249
Hypogonadotropic hypogonadism 89, 149
Hypospermatogenesis 84
hypothalamus 190, 200, 205
hypoxanthine phosphoribosyl transferase(HPRT) 38

I

ICD-10 445
IIEF-5 .... 251, 269
ilio-hypogastric pudendal arterial occlusive disease 555
Imipramine 752

indomethacin ··· 98
induced pluripotent stem cells, iPS ··· 511
Inducible NOS (iNOS) ··· 426
inhibin ··· 19, 580
Inhibizone™ ··· 405
insulin-like growth factor-1, IGF-I ··· 619
International Consultation on Erectile Dysfunction ··· 391
International Index of Erectile Function, IIEF ··· 299
International Index of Erectile Function, IIEF-5 ··· 302
International society for sexual medicine, ISSM ··· 446
interstitial cystitis ··· 692
intracytoplasmic sperm injection, ICSI ··· 71, 107, 145
intrauterine insemination, IUI ··· 145
intravaginal ejaculation latency time, IELT ··· 445

K

K^+통로 ··· 426
kallidin ··· 97
Kallikrein ··· 97
Kallmann 증후군 ··· 65, 296
K_{ATP} 통로 ··· 427
K_{Ca} 통로 ··· 427
ketoconazole ··· 53, 360
ketoprofen ··· 98
kinase ··· 213
Kleine-Levin 증후군 ··· 242
Klinefelter syndrome ··· 52
Kluver-Buct 증후군 ··· 242

L

L-arginine ··· 98
L-carnitine ··· 97
L-glutamine ··· 98
lamotrigine ··· 241
Laser doppler flowmetry ··· 556
late-onset hypogonadism, LOH ··· 622, 627
Laurence-Moon-Bardet-Biedl 증후군 ··· 89
leptin ··· 259, 586
letrozole ··· 91, 96
levofloxacin ··· 681
Leydig cell ··· 254, 579
libido ··· 249
lidocaine ··· 452
limbic system ··· 567
Lobelenz 수술 ··· 386
locus coeruleus ··· 190
Lumbar spinothalamic (LSt) ··· 435
luteinizing hormone, LH ··· 23, 252

M

Macrolides ··· 683
Magnetic resonance imaging, MRI ··· 113, 556

male climacterium 622
male pronucleus 44
Male Sexual Health Questionnaire (MSHQ) ... 303
manual modeling 488
MAO (monoamine oxidase) 246, 278
map-directed TESE 148
marijuana 281
Marmar 117
Massachusetts Male Aging Study, MMAS 604, 177, 226
Masters와 Johnson 352
maturation arrest 55, 127
maxi-K^+통로 427
medial preoptic area, MPOA 190, 200, 239
melanospermia 460
Melanotan II 362
melatonin 585, 586
mesterolone 95, 640
metabolic syndrome 182
metergoline 98
methionylkallidin 98
methyl-B12 98
Michal II 수술 386
microencapsulation 518
Microsurgical Epididymal Sperm Aspiration, MESA 125
microsurgical TESE 128, 130
microtubule organizing center(MTOC) 44
Mirodenafil 359
mixed testosterone esters 641
monoamine oxidase (MAO) 280
Multiple sclerosis 243
multiple systemic atrophy 241
multiple TESE 148

N

National Health and Social Life Survey (NHSLS) 177, 443
Nesbit 술식 486
neuroendocrine cell 658, 661
Neurogenic Erectile Dysfunction 239
Neuronal NOS (nNOS) 216, 426
Neuropeptide Y(NPY) 214
neurovascular bundle 285, 296, 486, 663
nitric oxide (NO) 202, 214, 231, 232, 259, 569, 592
nitric oxide synthase (NOS) 202, 426
nitrofurantoin 53
nocebo phenomenon 270
noctural penile tumescence and rigidity, NPTR 228, 319
Nonscrotal patch 642
Nonsteroidal anti-inflammatory agents, NSAID 98
Noradrenaline 213
norepinephrine 202, 536
norethandrolone 95

NSAID ···· 570, 703

O

oligospermia ···· 72
Omniphase ···· 396
Onuf' s nucleus ···· 191, 201
orchidometer ···· 54, 631
osteoclast ···· 611
oxandrolone ···· 640
oxymetholone ···· 640
oxytocin ···· 205, 528, 535

P

papaverine ···· 332, 345, 373, 471
paraphimosis ···· 491
paraventricular nucleus, PVN ···· 190, 200, 239, 436, 568
Parkinson' s disease ···· 241
paroxetine ···· 278, 280, 439
partial androgen deficiency in the aging male (PADAM) ···· 622
partial zona dissection, PZD ···· 136
PCPT (Prostate Cancer Prevention Trial) ···· 610
PCR (polymerase chain reaction) ···· 673
PDE11 ···· 360
PDE6 ···· 358
peak systolic velocity; PSV ···· 333, 556
pelvic plexus ···· 201, 216, 433, 529
penile curvature ···· 481
Penile duplex doppler ultrasonography ···· 332
penile plication procedure ···· 486
Penile prosthesis ···· 415
Penile Prosthesis Implantation ···· 395
Penile revascularization procedure ···· 385
penile stretcher, external cutaneous expander ···· 500
perivitelline space, PVS ···· 136
phentolamine ···· 279, 332, 373, 569
phimosis ···· 491
Phosphodiesterase (PDE) ···· 202, 731
Phosphodiesterase 5 inhibitors, (PDE 5 억제) ···· 455, 568
polyspermia ···· 136
Prader-Willi 증후군 ···· 65, 89
prazosin ···· 279
prednisolone ···· 92, 704
Premature Ejaculation Diagnostic Tool (PEDT) ···· 304
preputial ring stenosis ···· 491
Priapism ···· 471
prilocaine ···· 452
primary sex cords, PSC ···· 7
primordial germ cell ···· 5, 36
Progesterone ···· 534, 563
Prostaglandin E1 ···· 232, 373, 569
prostaglandin(PG) ···· 201, 215
prostanoids ···· 215, 216

Prostate specific antigen; PSA ············ 646, 676
pseudoephedrine ······································ 93
Psychogenic Erectile Dysfunction ··············· 225
Psychological and Interpersonal Relationship Scales (PAIRS) ··························· 299, 304
pyospermia ·· 78, 92

Q

Quality of Erection Questionnaire (QEQ) ··299, 300, 304
quercetin ··· 706

R

reactive oxygen species, ROS ··············· 92, 93
rebamipide ·· 94
recombinant FSH ···································· 90
redundant prepuce ································ 491
reflexogenic erection ······························ 200
regenerative medicine ···························· 509
Reifenstein syndrome ······························ 53
REM (rapid eye movement) ······················· 200
reprogrammed pluripotent stem cells ········· 511
reserpine ···································· 254, 278
Retrograde ejaculation ······················ 93, 463
RigiScan ···································· 319, 320
round spermatid injection, ROSI ··············· 140
round spermatid nuclear injection (ROSNI) ··· 83

S

scavenger ··· 94
Scrotal patch ·· 642
selective androgen receptor modulators ······ 644
selective serotonin reuptake inhibitor, SSRI ································· 207, 351, 362, 437
selenium ····································· 94, 98
Self-Esteem And Relationship (SEAR) ·· 299, 300, 302
seminal emission ·································· 206
septal crossover ··································· 402
serotonin ·· 206
Sertoli cell ································· 7, 580
Sertoli cell only syndrome ··············· 42, 51, 84
sertraline ·· 453
sex hormone binding globulin, SHBG ·· 252, 535, 554
sex-determining region Y chromosome, SRY ···15
Sexual Encounter Profile (SEP) ················· 302
Sexual Experience Questionnaire (SEX-Q) ··· 299, 305
Sexual headache ··································· 240
Sexual Health Inventory for Men (SHIM) ······ 302
Sexual Life Quality Questionnaire (SLQQ) ··· 299, 303
SHBG ·· 255, 289
Shy-Drager Syndrome ···························· 241
sildenafil ···························· 206, 346, 534

Silicone ······ 495, 496, 497
silodosin ······ 93
Snap gauge band test ······ 319
somatosensory evoked potential ······ 452, 558
spectinomycin ······ 92
sperm penetration test, SPA ······ 75
Sperm Retrieval Technique ······ 123
Sperm viability assay ······ 82
spermatid ······ 35, 36
spermatocyte ······ 35, 37, 38
Spermatogenesis ······ 30, 35, 55, 581
spermatogonia ······ 7, 35
spironolactone ······ 53, 181, 278
SQOL-F (Sexual Quality of Life-Female) ······ 552
Squeeze technique ······ 451
Sry ······ 7, 40
SS-cream™ ······ 452
Standro ······ 347
stanozolol ······ 640
Stop-start method ······ 451
subzonal insemination, SUZI ······ 136
sulfasalazine ······ 53
suspensory ligament ······ 187, 493
swim-up ······ 92, 93
sympathetic skin reponses, SSRs ······ 328
Sympatholytics ······ 277

T

Tabes dorsalis ······ 240, 242
Tadalafil ······ 358
tamoxifen ······ 91, 96, 97, 485
tamsulosin ······ 279, 464
TEMPE spray ······ 456
teratospermia ······ 73
terazosin ······ 93, 279, 725
testicular sperm extraction, TESE 123, 126, 137
testis-determining factor, TDF ······ 13
testis-determining gene on the Y, TDY ······ 13
testolactone ······ 91, 96
testosterone butyl cyclohexylcarboxylate ······ 641
testosterone cypionate ······ 95, 641
testosterone deficiency syndrome, TDS ······ 252
testosterone enanthate ······ 95, 641
testosterone propionate ······ 641
testosterone undecanoate ······ 95, 640
thermo graphy ······ 81
Tissue engineering ······ 493, 509
Transrectal ultrasonography ······ 719
Transurethral needle ablation, TUNA ··· 735, 738
trimix ······ 332, 346, 373
TRUS, transrectal ultrasound ······ 72
tube- within-tube ······ 504
tunica albuginea ······ 509

색인

U

Udenafil ······ 359
Uprima ······ 347
urethral artery ······ 663

V

vagina ······ 525
vaginal artery ······ 526
vaginal photoplethysmography ······ 555, 556
Vardenafil ······ 358, 570
Vasectomy ······ 158, 694, 701
vasoactive intestinal peptide, VIP ······ 536
Vasography ······ 80, 108
Vasovasostomy ······ 101, 107
verapamil ······ 279, 484
verumontanum ······ 11, 114, 659, 737
Viagra ······ 346
vibrometer, biothesiometry ······ 452
visceral obesity ······ 182
VY-plasty ······ 493, 494, 500, 501

W

Wilms' tumor 1 (WT1) ······ 15

X

XX true hermaphroditism ······ 15

Y

Y 염색체 미세결손 ······ 167
Y염색체 미세결손 ······ 70
Yachia 술식 ······ 483, 486
Yohimbin ······ 346, 362, 569

Z

ZDF ······ 15
zinc finger gene on X chromosome, ZFX ······ 14
zinc sulfate ······ 98
zinc finger Y (ZFY) ······ 14
zona- pellucida ······ 43

기타

17 α-alkylated androgen ······ 640
17 α-methyltes tosterone ······ 640
17 β-hydroxysteroid dehydrogenase ······ 25
2배분뇨법 ······ 674, 677
2-glass test ······ 674
21-hydroxylase의 결핍 ······ 90
3배분뇨법검사 ······ 673
3-glass test ······ 673
5 α환원효소억제제 ······ 270
5 α-dihydrotestosterone ······ 592
5 α-reductase ······ 566
5 α-reductase inhibitor ······ 726
5-HT_1C ······ 361
5-HT_2C ······ 206